KÖLNER HISTORISCHE ABHANDLUNGEN

IN VERBINDUNG MIT
E. ANGERMANN, W. ECK, O. ENGELS, A. HILLGRUBER, G. KAHLE,
A. KAPPELER, E. KOLB, J. KUNISCH, G. A. LEHMANN, TH. SCHIEFFER,
G. STÖKL, F. VITTINGHOFF, L. WICKERT

HERAUSGEGEBEN VON
ERICH MEUTHEN

Band 32

Bleibulle des Basler Konzils (nach dem Original im Historischen Archiv der Stadt Köln, HUA 11237. Eine Beschreibung findet sich auf S. 39 Anm. 76.

DAS BASLER KONZIL
1431 – 1449

Forschungsstand und Probleme

von

JOHANNES HELMRATH

1987

BÖHLAU VERLAG KÖLN WIEN

CIP-Kurztitelaufnahme der Deutschen Bibliothek

Helmrath, Johannes:
Das Basler Konzil 1431–1449:
Forschungsstand und Probleme /
von Johannes Helmrath. – Köln;
Wien: Böhlau, 1987.
   (Kölner historische Abhandlungen; Bd. 32)
   ISBN 3-412-05785-1
NE: GT

Gedruckt mit Unterstützung des Förderungs- und Beihilfefonds Wissenschaft der VG Wort

Satz: WortBild GmbH, Essen
Druck und buchbinderische Verarbeitung:
Hans Richarz Publikations-Service, Sankt Augustin
ISBN 3-412-05785-1

Meinen Eltern gewidmet

INHALT

Vorwort XI

I. Einleitung 1
  1. Zielsetzungen 4
  2. Schlaglichter auf Forschung und Quellen 6

II. Die Organisation des Konzils 18
  1. Organisatorische und theologische Grundzüge der
     Basler Geschäftsordnung 21
     a) Inkorporation und Eid (21) – b) Deputationen (24) – c) ,libertas
     dicendi' (27) – d) Stimmrecht und Konsensproblem (30)
  2. ,Et sic hic formatur curia Romana': Behörden und Ämter
     des Konzils 35
     a) Das Konzil als Behörde (35) – b) Einzelne Ämter (39) – c) Prinzi-
     pien der Ämterbesetzung und die Frage der ,Effektivität' (43)
  3. Die Bedeutung der Nationen 47
  4. Finanzen 52
  5. Gesandtschaften und Diplomatie 54
  6. Wie wird in Basel Politik gemacht? Aspekte der
     Konzilsprosopographie 58
  7. Ein Intermezzo: Das Echo des Konzils in der ,Öffentlich-
     keit', in Literatur und Kunst 65

III. Die Teilnehmer des Konzils – Spektrum der Gruppen
  1. Statistische Probleme 71
     a) ,Multifunktionalität' (71) – b) Prokurationswesen (72) – c) Schich-
     tung des Klerus – Bedeutung der Prälaten (77)
  2. Laien 83
     a) Konzilsteilnahme von Laien (83) – b) Der Laie in der Kirche (88) –
     c) Konzil, libertas ecclesiae und weltliche Gewalten (92)
  3. Gesandte der europäischen Fürsten 103
  4. Diözesen und Kirchenprovinzen 107
  5. Kardinäle 112

6. Orden 121
a) Allgemeine Themen (121) – b) Stellung einzelner Orden (125) –
c) Basler Konzil und Ordensreform (129)

7. Universitäten 132
a) Bedeutung der Gelehrten (134) – b) Universitäten und Konziliarismus – einige Schattierungen (137) – c) Die Universitätsleute auf dem Konzil (151) – d) Die Basler Konzilsuniversität (157)

8. Städte 160
a) Städtische Interessen (160) – b) Basel als Konzilsstadt (164)

9. Humanisten 166
a) Die italienischen Humanisten und das Basler Konzil (166) –
b) Basel als Büchermarkt (173)

10. Das Basler Konzil – ein europäischer Kongreß 175

IV. Die europäischen Reiche und ihre Politik gegenüber Konzil
und Papst
Vorbemerkung 179

1. Pax et unio. Das Konzil als Friedensvermittler und
Prozeßinstanz 181
a) Friedenspolitik (181) – b) Fürstensachen (185) – c) Bistumsstreitigkeiten und andere Prozesse (188)

2. Fürstliche Politik und Basler Konzil 194

3. Frankreich 202
a) Valois-Frankreich (202) – b) Bretagne (217)

4. Burgund 219

5. England und das ‚lancastrische Frankreich' 224

6. Schottland 231

7. Savoyen und Felix V. 233

8. Iberische Halbinsel 237
a) Aragón (239) – b) Kastilien (246) – c) Portugal (248)

9. Italien 249
a) Neapel bis 1435 (252) – b) Kirchenstaat und Eugen IV. (252) –
c) Florenz (256) – d) Venedig (257) – e) Mailand (260)

10. Polen und Deutscher Orden 264
a) Polen (264) – b) Deutscher Orden (268)

11. Skandinavien 271

12. Das Reich. Könige und Kurfürsten 272
a) Grundlagen (272) – b) Bayern – ein Beispiel (277) – c) Reichsreform – ein deutsches Sonderthema (280) – d) Sigmund und die
Kurfürsten 1431–37 (284) – e) Die Neutralitätserklärung und
Albrecht II. 1438/39 (289) – f) Die Mainzer ‚Akzeptation' (297) –
g) Königliche und kurfürstliche Kirchenpolitik unter Friedrich III.
1440–1447 (306) – h) Die Konkordate von 1447/48 und die deutsche Kirche (314)

13. Rangstreite und ‚Nationalismus' 322

V. Kirchenreform und Basler Konzil
   1. Reform, Kritik und Krise 327
   2. Die Reformarbeit des Konzils 331
   3. Die Rezeption der Reformdekrete auf Provinzial- und
      Diözesansynoden 342
   4. Basler Konzil – Reform – Reformation 348

VI. Theologische Sonderthemen
   1. Eucharistie und Ekklesiologie: Die Auseinandersetzung
      mit den Hussiten 353
   2. Die enttäuschte Einheit: Unionsverhandlungen mit den
      Griechen 372
   3. Mariologie: Das Dogma der Unbefleckten Empfängnis ... 383
   4. Ein Kampf um Augustin: Die Verurteilung des Agostino
      Favaroni OESA 394
   5. Heilige und Ketzer: Kanonisierung und Inquisition auf
      dem Basler Konzil 404

VII. Der Basler Konzilarismus
   1. Zwischenbilanz der Probleme 408
      a) Allgemeine Tendenzen der Forschung (408) – b) Probleme
      einer Periodisierung des Konziliarismus (411) – c) Streitfall
      Ockham: Konziliarismus und Philosophie (413) – d) ‚Theologisie-
      rung‘. Bibel und Kanonistik (417) – Unfehlbarkeit - die Essenz der
      Konzilssuperiorität (420) – f) ‚Historische Methode‘? (425) – g) Mark-
      steine der jüngeren Forschung (426) – h) Panorama der Basler
      Theoretiker (434) – i) Verbreitung und Rezeption von Basler Trak-
      taten (449) – j) Drei Grundbegriffe: Repräsentation – Konsens –
      Rezeption (452)
   2. ‚Haec Sancta‘ in Basel und die ‚Tres veritates‘ 460
   3. ‚Silver-Age conciliarism‘: Geistiges und politisches Fortle-
      ben des Konzilsgedankens 477
      a) Fortleben in Theologie und Kanonistik (477) – b) Konzils-
      appellationen und Konzilsversuche (480) – c) Konziliarismus und
      Konstitutionalismus: Basler Konzil und politische Theorie (483)

VIII. Bilanz und Ausblick 492

Nachträge 501

Siglen 505

Quellen und Literatur 511

Register 613
 1. Moderne Autoren 613
 2. Personen, Orte, Sachen 630

Vorwort

Diese Arbeit hat im Juni 1984 der Philosophischen Fakultät der Universität zu Köln als Dissertation vorgelegen. Im Zuge einer gründlichen Textrevision wurde neue Literatur bis zum Jahresende 1985 berücksichtigt. Verzögerungen verschiedener Art machten einige spätere Nachträge unumgänglich.

Das Buch hätte nicht entstehen können ohne die glücklichen Bedingungen am Historischen Seminar der Universität zu Köln. Hier fand ich in Prof. Dr. Erich Meuthen einen ebenso anregenden wie verständnisvollen Lehrer und Doktorvater, in Heribert Müller einen vielseitig stimulierenden Freund. Ihnen gilt vor allen anderen mein Dank.

Aus dem zunächst nur begrenzten Vorschlag, über das Basler Konzil einen Literaturbericht zu erstellen, wurden schließlich Jahre gemeinsamen Forschens. Dem ständigen, von fruchtbarer Kritik begleiteten Gedankenaustausch verdanke ich in jeder Hinsicht viel. Einsamkeit am Danaidenfaß der Wissenschaft vermochte da kaum aufzukommen.

Ich danke auch den Kollegen und Freunden am Historischen Seminar der Universität zu Köln, besonders Herrn Prof. Dr. Odilo Engels als Gutachter, sowie am Historischen Institut der RWTH Aachen für ihre immer wohlwollende Förderung. Meinem Vater sowie Thomas Schuld und Josef van Elten sei für ihre Hilfe beim Korrekturlesen und manche Verbesserung gedankt, den Damen und Herren der Universitäts- und Stadtbibliothek für ihren stetigen Dienst beim Beschaffen der oft entlegenen Literatur. In besonderem Maße bin ich der 'VG Wort' verpflichtet, die den Hauptanteil der Druckkosten übernahm.

Und schließlich – Dank meiner Familie für Verständnis, Geduld, Liebe. *Sapientibus et insipientibus debitor sum.*

Köln, im Dezember 1986

I. EINLEITUNG

Dissz concilium, sagt der Basler Chronist Christoph Offenburg und vor ihm mit gleichen Worten die berühmte Schedelsche Weltchronik (1493), *hett ein schônen anfang, aber ein ublen uszgang von nochvolgender zweyung wegen*, nachdem zuvor *usz vil Kristelichen landen und gegenden die fursten doselbst hin kamendt und alle sachen des gemeinen Kristelichen standt im zûerkannten und in die wilkür des concily setzten*[1].

Was uns Offenburg und Schedel hier mitteilen, entspricht in nuce bereits recht genau dem landläufigen Charakterbild des Basler Konzils in der Geschichte: Streit mit dem Papst, konziliarer Machtanspruch, Schisma und Fürsteneinfluß prägen seine Züge und es besteht kein Grund, sie auszuwischen. Aber noch ein anderer Wesenszug spricht aus den Worten der Chronisten: Universalität. Genau dieser Eindruck wird denjenigen bald beherrschen, der sich anschickt, einen Gang durch die Forschung zu tun. Plastischer wird sie am Ende erscheinen, diese Universalität, facetten- und konturenreicher. Es wird sich erweisen müssen, ob die Vielzahl der Einzelattribute schließlich auch substantiell ein neues Bild zu konstituieren vermag.

Denn wir halten dafür, das Basler Konzil (1431–1449) als ein bedeutendes Ereignis der allgemeinen europäischen Geschichte anzusehen. In ihm scheinen sich Wesenselemente und Spannungen des späten Mittelalters wie in einem Fokus zu bündeln; zugleich zeigen sich nicht wenige Ansätze neuzeitlicher Entwicklungen. Es liegt daher nahe, das Basler Konzil von Anfang an nicht mehr nur als kirchengeschichtliches, sondern als universalhistorisches Phänomen in den Blick zu nehmen.

Die Literaturbelege werden mit wenigen Ausnahmen abgekürzt mit Verfassernamen und Titelstichwort zitiert; die entsprechenden Stichworte finden sich im Literaturverzeichnis kursiv wiedergegeben. Nur zur gelegentlichen Verdeutlichung des Forschungsgangs werden Erscheinungsjahre mitgenannt. Bei Zitatreihen von mehreren Titeln des gleichen Verfassers wird der Verfassername in der Regel nicht wiederholt, also: BLACK, Monarchy 22; Council 45. – Ein Stern (*) verweist auf Nachträge im Textanhang.

[1]) Basler Chroniken V 320 Z. 27 f. und 14–16; Schedelsche Weltchronik, Faksimile-Nachdruck der Ausgabe Nürnberg 1493, München 1975, f. CCXLIII[r], mit lediglich orthographisch verändertem Text. Das Abhängigkeitsverhältnis ist unklar.

In Basel wurde eben nicht nur in einer gewaltigen „interaction of idealism and intrigue" (Black) der „Entscheidungskampf zwischen dem Papsttum und dem Konziliarismus ausgefochten" (Jedin) und durch die Wahl des Herzogs Amadeus VIII. von Savoyen zum Papst das letzte Schisma der katholischen Kirche beschworen. Das Konzil war auch für viele Jahre ein wichtiger Faktor in der Politik und Diplomatie der europäischen Mächte. Basel wurde zum Treffpunkt von Klerikern, Intellektuellen und Politikern ihrer Zeit, ein Schmelztiegel der Ideen, ein Forum für Gesandte unterschiedlichster Herkunft und Motivation. Konflikte jeder Art, vom Pfründenprozeß eines Kölner Kanonikers bis zum englisch-französischen Gegensatz wurden auf diesem Konzil ausgetragen, dem nach einem Wort von Johannes Haller „nichts in der Welt zu groß, nichts zu klein war"[1a]. Bürokratisierung war die unausweichliche Konsequenz. Das Aktenzeitalter hielt Einzug in die Konzilsgeschichte.

Es war eine Zeit der Polemik und vielfältiger Diskussion – Symptome, aber auch produktive Folgen jener ‚Unsicherheit', die viele mit Hermann Heimpel als Charakteristikum des gesamten Jahrhunderts ansehen. Der alles überschattende Konflikt zwischen Konzil und Papst führte in der Kirchentheorie zu einem exemplarischen Höhepunkt der allgemeinen, durch die Neuzeit hindurch weitergeführten europäischen Verfassungsdiskussion über das Verhältnis von monarchischer und korporativer Gewalt. Die Theologie erlebte in diesen Jahrzehnten den Durchbruch der Ekklesiologie. Aber nicht nur die Superioritätsfrage, auch die Dispute mit den Hussiten, mit dem Augustinismus eines Favaroni sowie die mariologischen Kontroversen zwangen zum Überdenken wichtiger Glaubenswahrheiten. Eine ungewöhnlich reiche Traktat-Literatur legt davon Zeugnis ab. Um das Basler Konzil entbrannte der gewaltigste Traktatkrieg vor der Reformation! – dies nicht zuletzt ein Indiz dafür, daß das geistige Niveau des Konzils höher einzuschätzen ist, als manche seiner Kritiker glauben machten. Freilich trifft dann gerade für Basel das Urteil des Enea Silvio Piccolomini zu: *quanto enim doctiores ibi sunt viri, tanto eorum dissensiones acriores*[2].

Seinen kirchengeschichtlichen Ort hat das Basiliense als letztes der sogenannten ‚Reformkonzile' erhalten, ein Begriff, der in vielen Handbüchern periodologisch zum Signum einer ganzen Epoche

---

[1a] CBI 59.
[2] Mansi XXXI 224B.

geweitet wurde: Sie erstreckt sich vom Ausbruch des Schismas 1378 über die Konzilien von Pisa 1409, Konstanz 1414–1418 und Pavia-Siena 1423/24 bis zum Ende des Basiliense 1449. Es hängt vom Standpunkt des Historikers ab, ob er das Basler Konzil in dieser Reihe mehr als ‚Ausläufer einer Epoche‘, als Epilog des großen Konstanzer Konzils, oder vielmehr als Gipfelpunkt und zugleich Peripetie der einst durch das Große Schisma eingeleiteten konziliaren ‚Epoche‘ verstehen will. Der Verfasser macht kein Hehl, daß er der zweiten Sicht zuneigt, einer Sicht, die auch in der Forschung an Boden zu gewinnen scheint. In Basel wurde in der Tat verfassungsgeschichtlich wie theologisch an Grenzen gerührt, die zum Teil nie wieder erreicht, zum Teil erst in der Neuzeit überschritten wurden.

Daß das Basiliense durch seine achtzehnjährige Dauer das längste Konzil der Geschichte gewesen ist, wäre eine bloße Kuriosität, wenn nicht diese Länge auch die Möglichkeit vergrößert hätte, vielseitig wirksam zu werden. Andererseits wohnen der Agonie und dem Ende des Basler Konzils, seinem Konflikt zwischen hohen Prinzipien und politischen Zwängen durchaus Züge inne, die man tragisch nennen darf.

Ein umfassender Vergleich zwischen Konstanz und Basel, der Kontinuitäten und Unterschiede berücksichtigte und zu einer historischen Gesamtwertung vereinte, wäre wünschenwert, ist aber bisher noch nicht angestellt worden – und hier nicht vorgesehen. So bleiben die Beziehungen zwischen beiden Konzilien vorerst undeutlich, auch wenn man die Frage, welches von beiden das historisch ‚bedeutendere‘ gewesen sei, ausklammert und das Problem der Ökumenizität den Fachtheologen überläßt. Festzuhalten bleibt immerhin: Das Basler Konzil ist nicht nur formal, als fristgerechte Erfüllung des Konstanzer Dekrets ‚Frequens‘ ein (Enkel-)Kind des Constantiense;[2a] auch die Basler selbst verstanden sich als Fortsetzer des Konstanzer Konzils, dessen Dekret ‚Haec Sancta‘ sie sozusagen zu ihrem konziliaren Grundgesetz erhoben. Die meisten der in Basel anstehenden kirchlichen und politischen Probleme fanden sich rudimentär oder voll ausgebildet ebenfalls in Konstanz auf dem Programm. Auch die europäische Ausweitung begegnet schon dort, während personell etwa bei den führenden Theoretikern ein gewisser Generationswechsel zu beobachten ist. Das Konstanzer Konzil war existentiell geprägt durch den alles beherrschenden Notstand des Schismas. In Basel fehlte dieser Druck. Die Hussitenfrage war damit bei all ihrer Brisanz nicht zu

---

[2a] *Ex illo enim radices habet;* Mansi XXIX 1210C.

vergleichen. Stattdessen konnten jetzt die in Konstanz nur vorläufig zurückgestellten Sachprobleme (Reform), vor allem aber die Prinzipienfragen (konziliare Theorie) um so ungehemmter aufbrechen. In der theologischen Substanz brachte Basel dabei vielfach eine Fortentwicklung über Konstanz hinaus.

1. Zielsetzungen

Trotz der offensichtlichen Bedeutung des Basler Konzils für die europäische Geschichte insgesamt, hat sich bisher noch keine umfassende Darstellung gefunden. Die Gründe für diese Situation sind sicher im komplexen Charakter des Konzils selbst zu suchen, des weiteren in dem noch immer unzureichenden Erschließungszustand der handschriftlichen Quellen, wenngleich gerade hier bedeutende Fortschritte unverkennbar sind, und schließlich in seiner eigentümlichen Rezeptionsgeschichte, die sowohl Zeiten höchst emotionalisierter Kontroverse wie völligen Vergessens aufzuweisen hat. Andererseits ist die Spezialliteratur zu Einzelfragen, aber auch zu größeren Teilbereichen gerade in den letzten Jahrzehnten ungeheuer angewachsen; es ist schon heute schwer, einen lückenlosen Überblick zu gewinnen. Gerade dies hängt indessen mit der Multivalenz des Basler Konzils zusammen, die folgerichtig ein äußerst viel-seitiges Interesse wecken mußte. Von einer Gesamtdarstellung droht diese Tendenz zunächst immer gefährlicher wegzuführen. Sie hat aber ebenso deutlich zur Folge, daß manche Sektoren der Basler Konzilsgeschichte ganz und gar vernachlässigt werden. Die Konzentration auf Detailfragen ist sicher nicht nur wegen der erratischen Hermetik einiger Spezialdisziplinen unvermeidlich, sondern auch ein notwendiges Ergebnis des Forschungsgegenstandes selbst; doch zeigt sich dabei bisweilen eine regelrechte Verstellung oder Verirrung des historischen Verständnisses, das dieses – zweifellos heterogene – ‚Ensemble' und vollends das Totum dieses Ensembles aus dem Blick verliert. Das dringende Desiderat einer Gesamtdarstellung des Basiliense dürfte daher nur nach einer gehörigen Aufarbeitung der vorhandenen Detailergebnisse erfüllbar sein. Eben dies ist unser Ziel: Die Arbeit wird daher sowohl ‚explikativ' die Detailfragen noch weiter auffächern und dabei auch weniger beachtete, ja vergessene Forschungen sammeln und aufbereiten, aber gleichzeitig ‚komplikativ' (um die cusanische Terminologie weiterzuspielen) versuchen, sie auf das Ganze hin zu zentrieren. Aufarbeitung des Forschungsstandes bedeutet keineswegs nur fleißig-oberflächliches Bibliographieren (wenngleich unsere Studie auch damit nützlich zu sein hofft), sondern zielt darauf ab, die Detailergebnisse zu sichten, zu werten und in beständigem Blick auf das Gesamtthema nutzbar zu machen. Vereinzeltes ist zu verknüpfen, sicher auch untereinander zu kontrastieren, Unzulänglichkeiten sind gerade mit Rücksicht auf den Gesamtkomplex ‚Basel' anzumerken. Schließlich sollen Fragen und Desiderate formuliert werden, die durch Offenlegung solcher Mängel oft überhaupt erst ans Licht kommen. Die Auseinandersetzung mit der Forschung führt den kritischen Beobachter ganz von selbst zu neuen Perspektiven; bisweilen drängen sie sich geradezu auf und sollen als Früchte dieser Auseinandersetzung dann auch nicht zurückgehalten werden.

Damit sind die Ausgangspunkte im Rahmen der aktuellen Forschungsgeschichte, die Zielsetzungen und Grenzen fürs erste angedeutet: Die Arbeit beabsichtigt einen Überblick über den derzeitigen Forschungsstand, wie er sich vor dem Hintergrund der seit rund hundertfünfzig Jahren gewachsenen Studien präsentiert. Zweitens versucht sie von hier aus neue Fragen und Aspekte zu formulieren, die im Hinblick auf eine künftige Gesamtdarstellung dringend zu klären sind. Drittens darf es ihr natürlich erlaubt sein, ihrerseits Antworten zu versuchen oder zumindest anzudeuten, wo sie sich aus der Beschäftigung nicht nur mit der Forschung, sondern mit den Quellen selbst nicht selten nahelegen – ohne daß schon eine umfassende Auswertung dieses Materials bezweckt werden könnte. Der Versuchung, vom dürren Pfad des Forschungsberichts abzugehen und auf dem Wege zu einer ‚Geschichte des Basler Konzils' eigene Ergebnisse vorzulegen, konnte schließlich seltener widerstanden werden, als zunächst beabsichtigt war. Daß die Forschung ihrerseits dieses Ausgreifen für ihre vielfältigen Bemühungen als hilfreich ansehen könte, ist eine naheliegende Unterstellung, die den Verfasser dieser Studie besonders beflügelt hat.

Beim Bibliographieren leitete den Verfasser das nicht unbescheidene Ziel, ein möglichst umfassendes Spektrum der europäischen Literatur zum Basler Konzil zusammenzustellen, soweit dies überhaupt möglich ist. Nur in eingeschränktem Maße fallen darunter die Forschung vor 1900, lokalgeschichtliche Studien und die Literatur zu Einzelpersonen.

Unter den vielen behandelten Themen verlangten einige unausweichlich, die Grenzen der im engeren Sinne historischen Disziplin zu überschreiten und sich anderen Fachgebieten, insbesondere der

Theologie zuzuwenden. Der Verfasser macht sich damit eine Mahnung Brian Tierneys zu eigen: „theology is too important to be left to the theologians" – doch steht das letzte Urteil in manchen der behandelten Fragen ungleich berufeneren Fachleuten zu. Ganz bewußt soll das Konzil jedoch insgesamt der reinen Theologen-Kontroverse entzogen und als historisches Phänomen mit allen seinen Verflechtungen betrachtet werden.

Reizvoll wäre es gewesen, das Basiliense unter dem Aspekt seiner Wirkungsgeschichte bzw. – ohne den Begriff hier zu reflektieren – seiner ‚Rezeption' durch die Jahrhunderte zu verfolgen, also einen Weg einzuschlagen, wie ihn HANS SCHNEIDER (1976) auf eindrucksvolle Weise für die Konstanzer Konzilsproblematik gegangen ist.[3] Hier war, von wenigen Ausblicken abgesehen, Verzicht zu leisten. Der Verzicht soll freilich nicht über die Natur der historischen Forschung hinwegtäuschen, daß sie nämlich selbst zur Rezeptionsgeschichte gehört und so gesehen ihren Gegenstand stets mit konstituiert. Und eben deshalb ist es schwierig, zwischen ‚antiquarischer' und ‚kritischer' Betrachtung der Literatur zu trennen und etwa dem einen Titel noch wissenschaftlichen Wert für heute, dem anderen aber ‚nur noch' wissenschaftsgeschichtliche Bedeutung einzuräumen.

2. Schlaglichter auf Forschung und Quellen

Als im Jahre 1981 die Eröffnung des Basler Konzils ihr 550jähriges Jubiläum hätte feiern können, zeigte sich, daß Basel selbst für die historisch interessierte Öffentlichkeit ein weithin „vergessenes Konzil" (Wolmuth) geblieben war.

Und dennoch: Während es im Jahr 1976 noch zutreffend war, das Basler Konzil ein „Stiefkind der historischen Forschung"[4] zu nennen, zeigt heute nach zehn Jahren schon ein kurzer Blick auf theologische und historische Publikationen, daß ‚Basel' in Fachkreisen regelrecht Konjunktur hat. Unverkennbar, wenngleich mit zeitlicher Verzögerung, waren die vom II. Vatikanum ausgehenden Impulse auch auf die Baselforschung ausgestrahlt. Zunächst hatte man sich deutlich mehr dem Constantiense zugewandt. Seit einigen Jahren aber steht mit fast überwältigender Dominanz des Basiliense im Vordergrund. Charakteristisch für die neuen Tendenzen ist zweifellos ihr theoretisch-theolo-

---

[3] SCHNEIDER, Konziliarismus.
[4] SCHNEIDER, ebd. 318.

gisches, genauer gesagt kirchentheoretisches Interesse. Immer noch ist Basel zwar „eine noch nicht erledigte Angelegenheit" (Vischer) – um einen der vielen Titel zu zitieren; die frühere Verengung allein auf die Superioritätsfrage darf jedoch jetzt als überwunden gelten.[5]

Nicht gering veranschlagen wird man das Verdienst der Cusanusforschung: Zumindest indirekt hat sie kontinuierlich zur Öffnung des wissenschaftlichen Horizonts auf das Basiliense hin beigetragen. Das Interesse für Cusanus zog das für seine ‚Umwelt' nach sich, und diese Umwelt war – sei es in positiver, sei es in negativer Identifikation – fünfzehn Jahre lang durch das Basiliense bestimmt. So ist es kein Zufall, daß eine der Geburtsschriften der Cusanus-Renaissance des 19. Jahrhunderts, die ‚Blicke in's fünfzehnte Jahrhundert und seine Konzilien mit besonderer Berücksichtigung der Basler Synode' (1835) des jungen Möhler-Schülers JOSEPH HEFELE, dem Kapitel über die ‚Concordantia catholica' einen Abriß über die Reformkonzilien vorausschickte.[6] Hefele unternahm als einer der ersten den Versuch, ein abgewogenes Bild vom Basler Konzil zu gewinnen[7] und eröffnete damit sozusagen die moderne Forschung.

Die allgemein florierende prosopographische Methode zeigt nun auch auf dem Gebiet der Konzilsgeschichte erfolgversprechende Ansätze.[8] Auf Rückgewinnung und Integration der heute etwas vernachlässigten politischen Dimension ist indes zu hoffen.

---

[5] Bisher umfangreichste Bibliographien zum Basler Konzil: REPERTORIUM FONTIUM II, 549–65; STIEBER 449–84; MEUTHEN, Basler Konzil passim. Laufende Bibliographien in: AHC, AHP und BZGA (Beilage 'Basler Bibliographie') zuletzt für 1977-80 (1984). - Knappe Einführung: MÜLLER, Kirche des Spätmittelalters.

[6] HEFELE, Blicke; über Basel: 83–108. Die Preisaufgabe über Leben und Wirken des Cusanus war 1829 von der Theologischen Fakultät Tübingen auf Initiative J.A. MÖHLERS gestellt worden. S. näheres bei KÖHLER, Nikolaus von Kues in der Tübinger Schule; SIEBEN, Traktate 60.

[7] S. HEFELE, Blicke 83 mit treffender Charakteristik der emotional-zwiespältigen Rezeption des Basler Konzils: „Vorerst stehe hier nur diese Bemerkung, daß wohl sorgfältig den beiden Extremen auszuweichen ist, wonach die Einen in dem ganzen Benehmen der Väter zu Basel nur Aufruhr gegen die Verfassung der Kirche, Aufruhr gegen ihr Haupt, freventliche Vermessenheit und böslichen Willen sehen. Die entgegengesetzte Partei, Katholiken sowohl als Protestanten, heben die Basler zu den Sternen empor, als die Kämpfer für Freiheit gegen den Druck und die Tyrannei des Pabstthums. Folgerecht erkennen sie dann im Benehmen des Pabstes nur das Streben des Tyrannen, seine despotische Macht... deren Einsturz er fürchtet, durch Sprengung der Freiheitsheldenversammlung zu bewahren und zu erhalten. Beide Theile haben unbillig geurteilt, sie haben die Geschichte dieser Synode einseitig dargestellt und dadurch entstellt."

[8] S. Kapitel II 6.

Mehr als diese Arbeit dürfte die (sehr zu wünschende) Studie der
Rezeptionsgeschichte zeigen, welche Emotionen Basel immer wieder
geweckt hat[9], in welch frappierender Weise die gleichen Frontlinien,
wie sie schon zur Zeit der Basler Synode selbst bestanden, immer wieder aufgebrochen sind: Zwischen französischen Gallikanern und
‚Papalisten‘, zwischen deutschen Episkopalisten und Kurialisten, zwischen Verfechtern der synodalen Bewegung des frühen 19. Jahrhunderts und ihren ultramontanen Gegnern, schließlich zwischen den
katholischen Kontroverstheologen im spannungsreichen Umfeld des
I. und II. Vatikanums – eine Scheidung der Geister von ganz unge-
wöhnlicher historischer Konstanz.

Die Kontroversen setzten freilich fast immer auch Marksteine für
die Forschungsgeschichte: Es sei nur erinnert, daß ETIENNE BALUZE
und seine Kollegen im Auftrag des französischen Königs 1717–1725
die Basler Konzilsakten an Ort und Stelle in 30 Foliobände abschrei-
ben ließen[10]. Wenig später entstand, als wohl älteste größere Darstellung des Basiliense, die 1731 posthum herausgegebene ‚Histoire de la
guerre des Hussites et du concile de Basle‘ des Pfarrers der Berliner
Hugenotten, JACQUES LENFANT (1661–1728), der 1714, ebenfalls zum
Centenarium, schon eine ‚Histoire du concile de Constance‘ und 1724
ein ähnliches Buch über das Pisanum publiziert hatte.[11] Seine Werke
harren noch genauerer wissenschaftsgeschichtlicher Untersuchung.
Katholischerseits war zum Beispiel die grundlegende ‚Conciliengeschichte‘ (1855–74) des damals bereits zum Bischof von Rottenburg
avancierten (KARL) JOSEPH HEFELE, als Frucht vorausgegangener und
begleitender Auseinandersetzungen mit ‚Synodalisten‘ wie IGNAZ
HEINRICH VON WESSENBERG entstanden. Dessen ‚Kirchenversammlungen des 15. und 16. Jahrhunderts‘ (1840) gewährten dem Basiliense
bereits breitesten Raum.[12]

Neben dem konfessionellen Kriterium böte sich das nationale an,
wobei häufig Überschneidungen vorkommen. Schon eine flüchtige
Kontrolle ergibt, daß das Basler Konzil in der (kirchen)historischen

---

[9] Dem Reiz einer Stilblütensammlung muß hier widerstanden werden. Kraftworte wie
„brigandage du Bâle" (J.B. J. AYROLES, La vraie Jeanne d'Arc I, Paris 1890, 185–204) oder
„dämonischer Wahnsinn" (LEHMANN 124) sind keine Seltenheit.

[10] Dazu jetzt: H. MÜLLER, L'érudition gallicane et le concile de Bâle (Baluze, Mabillon,
Daguesseau, Iselin, Bignon) [1981]; Prosopographie 146.

[11] Zu Lenfant lediglich SCHULTE, Quellen III 2, 260 f.; RE[3] 11, 366 f.; MÜLLER,
L'érudition gallicane 543 und 553 f. Anm. 157. *

[12] HEFELE, Conciliengeschichte, zu Basel: VII 426–658, 762–850; WESSENBERG, Kirchenversammlungen, zu Basel: II 269–526.

Literatur Spaniens und Italiens, zweier traditionell papstverbundener Länder, geradezu ausfällt. Das Interesse galt – wenigstens bis zum II. Vatikanum – einzig dem Konzil von Ferrara-Florenz, demgegenüber erscheint Basel als „ingloriosa democratizzazione ed eterodossia" (Favale 1962)[13], um nur ein typisches Urteil zu zitieren. Aber auch in der älteren englischen Literatur spielt Basel offenbar keine sonderlich große Rolle. Wenn der anglikanische Bischof MANDELL CREIGHTON ihm im 2. Band seiner ‚History of the Papacy' (1882) einen bedeutenden Platz einräumt, zeigt dies allerdings, daß der erste Eindruck nicht verallgemeinert werden darf, zumal die Bedeutung des Konziliarismus für die politischen Theoretiker Englands in den letzten Jahrzehnten stark aufgewertet wurde. Es bleiben Frankreich und Deutschland. Hier ist Basel nie ganz vergessen worden. Aus diesen Ländern stammt auch im wesentlichen die oben charakterisierte konfessionsähnlich polarisierte Kontroversliteratur. In älteren welt- und kirchengeschichtlichen Darstellungen aus diesen beiden Ländern nimmt das Basler Konzil nicht selten breiteren Raum ein. Um einige prominente Beispiele aus der deutschen Geschichtsschreibung des 19. Jahrhunderts zu nennen: In FRIEDRICH CHRISTOPH SCHLOSSERs ‚Weltgeschichte für das deutsche Volk IX' (1849) wird das Basler Konzil ebenso wie in JOHANN GUSTAV DROYSENs ‚Geschichte der preußischen Politik' (1. Aufl. 1855) sehr ausführlich behandelt und dabei eng mit der Reichsgeschichte verflochten. Im gleichen Jahr wie Schlosser erschien FRIEDRICH VON RAUMERs ‚Kirchenversammlungen von Pisa, Konstanz und Basel'.[14] Alle drei Werke zeichnen sich durch eine liberale, latent vorreformatorisch orientierte, an den Konflikten von ‚Papalismus' und ‚Konziliarismus' persönlich desinteressierte Hal-

---

[13] FAVALE, Concili ecumenici, zu Basel 244–50. – Noch im spanischen Diccionario de Historia Ecclesiastica de España, dir. por Q.A. VAQUERO usw., I–IV, Madrid 1972–75, kommt Basel nicht einmal vor: Auf Pavia/Siena folgt gleich Ferrara/Florenz. S. u. 10 f. zur Ökumenizität. Die Arbeit von Favale bildet übrigens ein Beispiel für eine Flut von Büchern mit ähnlichen Titeln, die in den ersten Jahren des II. Vaticanums entstanden, heute aber weitgehend vergessen sind.

[14] SCHLOSSER, Weltgeschichte IX, zu Basel-Florenz: 213–283; DROYSEN, Geschichte der preußischen Politik I 370–457; II 1, 44–75, Berlin ²1868. – RAUMER, Kirchenversammlungen 113–64: sowohl Eugen IV. als auch die Basler „tyrannisieren" (162) die Kirche durch ihren Machtanspruch. – Weitere Weltgeschichten, Nationalgeschichten und Handbücher wären durchzusehen: Zum Beispiel RANKE, Weltgeschichte IX 1, 184–96, 202–04; WEBER, Weltgeschichte VIII, 277–317; LAMPRECHT, Deutsche Geschichte V, 422–34. Ein französisches Beispiel: F. ROCQUAIN, La cour de Rome et l'ésprit de réforme avant Luther III, Paris 1897, zu Basel, das hier offenbar von vorreformatorischem Interesse ist: 210–324.

tung aus, die sich von der innerkatholischen Kontroversliteratur der gleichen Zeit deutlich unterscheidet. JAKOB BURCKHARDT, der große Basler Gelehrte, wandte dem Universalkonzil in seiner Heimatstadt offenbar nur einmal, in einem Vortrag des Jahres 1879, kurz sein Interesse zu.[15]

Für einen übergreifend ‚konfessionellen" Ansatz bilden die Vorträge des Symposiums ein Exempel, das zum Gedächtnis des Basiliense 1981 an der Universität Basel stattfand[16]. Vier Historiker und Theologen erörterten das Konzil nacheinander aus römisch-katholischer (MEUTHEN), protestantischer (SCHNEIDER), orthodoxer (GEANAKOPLOS) und altkatholischer (ALDENHOVEN) Sicht.

Obwohl die Konzilsforschung im wesentlichen von katholischen Autoren dominiert worden ist, zeigt sich, daß gerade Basel, im Unterschied zu Konstanz, „schon vom Forschungsinteresse her ... offensichtlich weniger ‚katholisch' zu sein scheint"[17]. Aus dezidiert römisch-katholischer Sicht überwog nämlich weitaus die Tendenz, das Basler Konzil als unbewältigtes kirchengeschichtliches Ärgernis negativ zu bewerten; ein geradezu phobisches Unbehagen ist fast immer zu spüren. Es hat dazu geführt, daß das Basler Konzil, quasi unter Anathem gestellt, teilweise ganz aus der Kirchengeschichte ausgeblendet wurde. Doch muß dieses im letzten psychologische Phänomen „als historische Größe möglicherweise höher eingeschätzt werden als jede nüchterne Quellenanalyse"[18].

Die katholische Diskussion beherrschte neben der Superioritätsfrage stark die dogmatische Frage nach der ‚Ökumenizität' des Basiliense, das heißt nach seiner Legitimität und, daraus abgeleitet, seiner Verbindlichkeit. Bekanntlich wurde Basel nicht in die von Kardinal Bellarmin geleitete ‚Editio Romana' der ‚Concilia generalia ecclesiae catholicae' aufgenommen[19]. BAUDRILLART (1905) hatte folgende vier

[15] Vortrag vor der Historischen und Antiquarischen Gesellschaft Basel vom 20. Februar 1879: ‚Mitteilungen über das Basler Konzil und das Tagebuch des Andrea Gattaro'; nach KAEGI, Jacob Burckhardt VI 1, 153, als Manuskript im Nachlaß erhalten. Zu Burckhardts Arbeit über den Konzilsversuchs des Andrea Jamometič s. unten 481 f.

[16] Veröffentlicht in: Theologische Zeitschrift, hg. von der Theol. Fak. der Univ. Basel 38 (1982) 272–366, mit Grußwort des Rektors M. Lochman. – Es handelt sich meines Wissens um die einzige wissenschaftliche Jubiläumsveranstaltung zur 550-jährigen Eröffnung des Basler Konzils. Vgl. HOTZ, Das Basler Konzil: Kampfansage an die päpstliche Macht (1981).

[17] MEUTHEN, Basler Konzil in r.kath. Sicht 275 Anm. 2.

[18] MEUTHEN, ebd. 290.

[19] S. dazu BÄUMER, Zahl 288 mit älterer Literatur. Vgl. oben Anm. 13, unten 452.

katholische Positionen zur Ökumenizität zusammengestellt: Basel wird als ‚ökumenisch' angesehen „1) ganz, mit allen Sessionen, 2) nur bis zur Verlegung nach Ferrara (1437), 3) bis zur 16. Session einschließlich, d.h. bis zur Annahme der Anerkennungsbulle ‚Dudum sacrum' (1433), 4) überhaupt nicht"[20]. Die erste Position dieses relativ breiten innerkatholischen Spektrums entspräche der Meinung des extremen Gallikanismus, für den das Basiliense immer schon einen hohen Stellenwert besaß, die vierte Position der des zugespitzten Kurialismus, dem sich übrigens Baudrillart selbst anschloß. Betrachtet man die maßgeblichen neueren katholischen Konzilseditionen, ist eine gewisse Öffnung unverkennbar: Während die jüngsten Auflagen des *Denzinger* ([32]1965) Basel im Gegensatz zu den älteren Auflagen nun immerhin erwähnen, wurden die Basler Dekrete in die von JEDIN und ALBERIGO herausgegebenen *Conciliorum Oecumenicorum Decreta* ([1]1962; [3]1973) bis zur 25. Session (Mai 1437) einschließlich von Anfang an aufgenommen; das entspräche der oben genannten zweiten Position.

In der protestantischen Kirchengeschichtsschreibung stand Basel wie das gesamte Konzilswesen allein schon aus theologischen Gründen nie im Vordergrund[21]. Doch gelingt es SCHNEIDER, fast im Widerspruch zu dieser seiner Prämisse, in den Werken verschiedener Autoren eine überraschend breite Beschäftigung mit dem Basiliense nachzuweisen, so bei HEDIO (1530 ff.), HOTTINGER (1653), ARNOLD (1699) und besonders WALCH, dessen ‚Entwurf einer vollständigen Historie der Kirchenversammlungen' (1759) übrigens die „einzige protestantische Gesamtdarstellung der Konzilsgeschichte im deutschsprachigen Raum" darstellt (Schneider), später dann bei dem Basler Professor für Kirchengeschichte KARL RUDOLF HAGENBACH ([1]1869)[22]. Eine vertiefte Bewertung wird möglich sein, wenn man die Kirchenge-

---

[20] MEUTHEN, Basler Konzil in r.kath. Sicht 283–91, dort zit. 287; BAUDRILLART, Art. ‚Bâle', in: DDC II 125–28. – BÄUMER, Zahl der allgemeinen Konzilien, zur Diskussion um Basel: 305–08; PERI, Concili e le chiese, und vor allem SIEBEN, Traktate 124–31. Vgl. FOIS, Concili 199–212.* – Allgemeiner zu innerkatholischen Problemen der Konziliengeschichte: FINK, Konziliengeschichtsschreibung im Wandel; BRANDMÜLLER, Aktualität der Konzilienforschung oder ‚Historia ancilla Theologiae', besonders 205–11; SCHNEIDER, Konziliarismus 299–307.

[21] Vgl. SCHNEIDER, Basler Konzil 310–12, 328 f.

[22] Zit. SCHNEIDER, Basler Konzil 309. WALCH, Entwurf, zu Basel: 832–53; HAGENBACH, Kirchengeschichte III ([3]1886), zu Basel: 578–92. Für die jüngere Zeit wäre nachzutragen der von H.J. MARGULL hrsg. Band ‚Die ökumenischen Konzilien der Christenheit' (1961), zu Basel: 173–89 (= ANDRESEN, Geschichte).

schichtsschreibung nicht nur unter ihren theologischen, sondern auch unter ihren historiographischen Prämissen analysiert. Einzubeziehen wäre dann auch die calvinistische (Lenfant!) und anglikanische Literatur. – Das Interesse der orthodoxen Autoren konzentriert sich naturgemäß auf das Unionskonzil von Ferrara-Florenz, während Basel eher als ein unerfreulicher Umweg erscheint[23]. Die altkatholische Sicht scheint im wesentlichen nach wie vor den maßvoll mit Basel identifizierten Ansichten ihres Mitbegründers IGNAZ VON DÖLLINGER verpflichtet zu sein[24].

Eine umfassende Gesamtdarstellung des Basiliense gibt es, wie gesagt, bisher nicht. JOHANNES HALLER mußte sein großangelegtes Werk ‚Papsttum und Kirchenreform‘ (1903) nach dem Erscheinen des ersten Bandes abbrechen – in erster Linie wegen der immensen Quellenprobleme; es reicht so nur bis ins erste Jahrzehnt des 15. Jahrhunderts, wenngleich es mit dem Satz beginnt: „Dieses Buch ist hervorgegangen aus Studien über das Konzil von Basel".[25] Die Wege der Forschung können verschlungen sein!

Was also an Darstellungen zum Basler Konzil vorliegt, ist meist entweder zu knapp, zu sehr auf Ereignisgeschichte beschränkt und einseitig im Urteil, (das gilt für JOSEPH GILL: ‚Konstanz-Basel-Florenz‘ [1965] in der von Dumeige-Bacht herausgegebenen Konziliengeschichte) oder erfüllt ausdrücklich keine höheren wissenschaftlichen Ansprüche wie das zum 500jährigen Jubiläum der Konzilseröffnung erschienene Bildbändchen von PAUL ROTH (1931) oder das mehr auf ein Sittengemälde des 15. Jahrhunderts angelegte Buch der Baslerin THEODORA VON DER MÜHLL (1959)[26]. Neben Band VII der nach wie vor unentbehrlichen ‚Histoire des conciles‘ von HEFELE-LECLERCQ und anderen einschlägig bekannten Handbüchern und Lexikonartikeln[27]

---

[23] GEANAKOPLOS, Konzile.

[24] ALDENHOVEN, Konzil von Basel. Das hier einschlägige Buch von DÖLLINGER, sein ‚Papstthum‘ (1892), ist eine Neubearbeitung seines 1869 in Leipzig unter dem Pseudonym ‚Janus‘ erschienenen Werks ‚Der Papst und das Concil‘ durch J. FRIEDRICH; zu Basel 161–66, 171–76. In seinem ‚Lehrbuch der Kirchengeschichte‘ II 1 (1838) 355–89, hatte Döllinger freilich eine scharf kritische Darstellung des Basiliense im papalen Sinn geliefert.

[25] S. auch HALLER CB I, S. VI f.

[26] ROTH, Basler Konzil; VON DER MÜHLL, Vorspiel zur Zeitenwende; populär erzählt, dabei ‚en passant‘ eine erstaunliche Menge von Details aufsammelnd.

[27] HEFELE-LECLERCQ VII 2, 664–949, 1053–79, 1088–1147. Vgl. HEFELE, Conciliengeschichte VII 426–664, 762–850; WESSENBERG, Kirchenversammlungen II 269–526;

sind drei bedeutendere Leistungen der Forschung hervorzuheben, in denen Basel einen zentralen Ort einnimmt: Die Biographie ‚Le Cardinal Louis Aleman et la Fin du grand Schisme' (1904), verfaßt von dem savoyischen Archivar GABRIEL PÉROUSE (1904)[28], die gleichzeitig eine der wichtigsten Darstellungen des Basiliense, vor allem seiner späten Jahre, ist. Das große Werk von NOËL VALOIS ‚La crise religieuse du XVe siècle. Le pape et le concile' (1909) bleibt unverzichtbar, da es trotz seiner ultramontanen Tendenz und kompositorischer Schwächen den Vorzug hat, aus den Quellen geschöpft zu sein. Schließlich, als derzeit beste, auch methodisch fortgeschrittenste Studie, der von E. DELARUELLE, E.R. LABANDE und PAUL OURLIAC verfaßte Band 14 der ‚Histoire de l'Église' von Fliche-Martin (1962). Die den Reformkonzilien gewidmeten Kapitel stammen aus der Feder von PAUL OURLIAC. Eine erste Analyse nach systematischen Kriterien unternahm ERICH MEUTHEN (1985).[28a]

Durchaus zutreffend hatte Haller in der Einleitung zum ersten Band des ‚Concilium Basiliense' (1896) festgestellt: „Kaum kann man einen größeren Handschriftenkatalog durchblättern, ohne wenigstens einige Male auf das Schlagwort ‚Acta concilii Basiliensis' zu stoßen."[29] Damit war die Editionsaufgabe mit allem Nachdruck gefordert. Haller selbst trug mit Band I–IV des ‚Concilium Basiliense' und schließlich mit seinem Spätwerk ‚Piero da Monte' (1941) zu ihrer Verwirk-

BINTERIM VII 145–209; PASTOR I 295–368, 396–422; CREIGHTON, Papacy II 61–287 (!); HINSCHIUS, Kirchenrecht III 389–416; Joseph Kardinal HERGENRÖTHERS Handbuch der Kirchengeschichte, neu bearb. v. J.P. Kirsch, III (^{5}1915; ^{1}1880) 200–38 (Lit.!), und dessen Neubearbeitung als Teilband II 2 durch HOLLNSTEINER, Kirche 294–327, 534 s.v., sowie der Beitrag von FINK, Eugen IV., Konzil von Basel-Ferrara-Florenz, in: Handbuch der Kirchengeschichte, hg. H. Jedin, III 2, 572–88. Ferner: ANDRESEN, Geschichte 173–89; BAETHGEN 88–91, 105–16; BIHLMEYER-TÜCHLE II^{18} 395–405; CMH VIII 24–44; Peuples et civilisations VII 1, 359–72 (A. RENAUDET); RAPP, L'Eglise 82–88; SEPPELT-SCHWAIGER IV^2 271–313; STÜRMER, Konzilien 175–92; WERMINGHOFF, Verfassungsgeschichte 233–38; ZIMMERMANN, Mittelalter II 192–97; OZMENT, Age of Reform 173–79. Eine Liste von Lexikonartikeln zum Basler Konzil: COD 454, zu ergänzen durch SCHOFIELD, Art. ‚Basel-Ferrara-Florenz', in: TRE 5 (1980) 284–96; MEUTHEN, Art. ‚Basel, Konzil von', in: LexMa I (1980) 1517–21; OAKLEY, Art. ‚Western Councils', in: Dictionary of the Middle Ages III (1983) 651–54. - Einen breiten Zugang zur Geschichte des Basiliense gewähren auch biographische Werke, insbesondere diejenigen über Enea Silvio Piccolomini (VOIGT, BUYKEN, WIDMER), Louis d'Aleman (PÉROUSE), Nikolaus von Kues (VANSTEENBERGHE, MEUTHEN), Segovia (FROMHERZ) und Cesarini (CHRISTIANSON).*

[28] Vgl. die Rezension von N. VALOIS, in: Journal des savants NS 3 (1905) 345–52.
[28a] MEUTHEN, Basler Konzil.
[29] CB I 1.

lichung bei. Gleichwohl hatte die Quellenerschließung des Basiliense nach den Pioniertaten von PALACKÝ und anderen Mitgliedern der Wiener Akademie der Wissenschaften sowie von HALLER und seinen Editoren-Kollegen wieder stagniert. Erst der allgemeine Aufschwung, den das Basler Konzil in der jüngsten Forschung genommen hat, änderte die Situation: Nicht nur die Menge der zuvor etwa von Haller geradezu mißachteten Traktate[30] – sie liefern jetzt dem neuen theologischen Interesse an Basel reiche Nahrung –, auch die amtlichen Konzilsquellen werden nun, soweit noch unediert, zügiger erschlossen. Vielerlei Desiderate gibt es freilich auch hier noch anzumelden.

Den grundlegenden Quellenwerken, wie dem *Martène-Durand* Band VIII, *Mansi* Band XXIX–XXXII und XXXV, *Monumenta conciliorum generalium saeculi decimi quinti* (1857–1936), *Concilium Basiliense* (1896–1936) und den *Deutschen Reichstagsakten Ältere Reihe* Band X–XVII (1906–63) schließen sich neuere Reihen wie die *Acta Cusana* Band I, 1–2 (1976–83) an. Diese Volumina werden wie üblich von einer Schar kleinerer, oft an entlegenem Ort erschienener Quellenpublikationen flankiert[31]. Schon die ältere Forschung hatte auf zahlreiche Inedita aufmerksam gemacht[32]. Das gesamte Material müßte systematisch zusammengestellt werden, zumal die Quellenübersichten bei HALLER, HERRE, WOLF, MEIJKNECHT, STIEBER oder im REPERTORIUM FONTIUM HISTORIAE MEDII AEVI ergänzungsbedürftig sind[33].

---

[30] Traktatlisten und Literatur zu den Hss. s. unten 449 Anm. 127.

[31] Einige Beispiele: ACTA NICOLAI GRAMIS; BELLET, Documents relatifs au concile de Bâle; VON LIEBENAU, Ende des Conzils von Basel; MURALT, Urkunden der Kirchenversammlungen von Basel und Lausanne (Hss.-Beschreibung); PÉROUSE, Documents inédits; SEGRE, Documenti inediti; ZEIBIG, Wirksamkeit; HALLER (Ed.), Beiträge 207–33, 237–43. Von den lokalen Sammlungen besonders wichtig: WURSTISEN, Epitome historiae Basiliensis (1578); BASLER CHRONIKEN IV–V; URKUNDENBUCH DER STADT BASEL VI–VII. Die großen Konzilssammlungen des 16.–18. Jahrhunderts seien hier nur insgesamt erwähnt; vgl. unten 452.

[32] Etwa die Sammlungen GENF Bibliothèque publique et Universitaire Ms. lat 27 (doc. 60, 62, 64); PARIS Bibl. Nat. Ms. lat 1511 – Prozeßakten, Kopie des Michael Galteri (Gautier); HERRE, RTA X, S. LXXIII. – Vgl. Anm. 33, 36, 39-41.

[33] Wichtig: HALLER CB I, 1–53; DERS., Beiträge; RTA X, S. XLV-CIX: „Handschriften und Drucke Basler Konzilsakten" (unter Benutzung der Untersuchungen von HERRE und BECKMANN; zitiert: Herre RTA X) – die grundlegende Zusammenstellung; PÉROUSE XXVI–XXXIII; WOLF, Quellenkunde I, 89–108; REPERTORIUM FONTIUM 549 f.; MEIJKNECHT, Le concile de Bâle, aperçu général sur ses sources (alle unvollständig); STIEBER 378–85, Appendix D, für die gedruckten Quellen derzeit am vollständigsten. S. ferner: BILDERBACK, Membership 1–25; MÜLLER, Prosopographie 140–50. Heranzuziehen sind außerdem nach wie vor die Reise- und Kommissionsberichte in den SB Ak. Wiss. Wien, phil.-hist. Cl. 5 (1850) 361–450, 591–728 (J. CHMEL); 6 (1851) 44–100 (J. CHMEL; aus-

Die alte Frage, ob die *Konzilsprotokolle* von Bruneti und Hüglin „private" oder „offizielle" Aufzeichnungen waren, schien seit den Kontroversen zwischen BEER, HALLER, MERKLE und HERRE im zweiten Sinne entschieden und wurde seither nicht mehr erörtert[34]. Ohnehin hätten Zweifel aufkommen müssen, ob die Frage ‚Private Konzilstagebücher oder offizielle Konzilsprotokolle?' nicht von Anfang an falsch gestellt war: Erstens war und ist das Amt des Notars per definitionem ‚öffentlich' und unabhängig und blieb es auch, wenn sein Inhaber Notar am Konzil war. Zweitens beschloß das Basler Konzil selbst, aus dem Material der Notarsmanuale eine verbindlich dokumentierte ‚offizielle' Darstellung seiner Geschichte zu erstellen.[35]

schließlich Material zum Basler Konzil)*; 7 (1851) 259–92 (TH. G. v. KARAJAN); 11 (1854) 277–307 (F. PALACKY über den Brunet'schen Nachlaß in der BN Paris); 124 (1891) 1–16 (= R. BEER, Quellen für den ‚Liber diurnus concilii Basiliensis' des Petrus Bruneti); 136, 13. Teil (1896; [= R. BEER, Urkundliche Beiträge zu Johannes de Segovias Geschichte des Baseler Konzils]). – Wenig bekannt die Handschriftenlisten in: Notizenblatt. Beilage zum Archiv für österreichische Geschichtsforschung; besonders Bd. 3 (1851) 298–304, 350–52 (= [H.J.] ZEIBIG, Quellen zur Geschichte der grossen Kirchenversamlungen). - Basler Handschriften jetzt neu erschlossen bei STEINMANN, Handschriften der Univ. Bibl. Basel, Register zu den Abt. A I–A XI 366–73: Hss. zum Basler Konzil.

[34] Zu den Konzilsprotokollen und ihren Problemen: LAZARUS 139–45; DEPHOFF, Kanzleiwesen 57–59; HERRE, RTA X, S. LV–LXXIV, zur Kontroverse: LIXf. Anm.; TOUSSAINT, Relations XII–XV, und jetzt MEUTHEN, Protokollführung (1985). – Die Kontroverse um die Protokolle trugen aus: BEER, Quellen; HALLER, Protokolle; ders., Beiträge 14–21; ders., CB I 5–12; BITTNER, ‚Protokolle' (Rezension von CB I); MERKLE, Konzilsprotokolle oder Konzilstagebücher? – sowie weitere Rezensionen der Bände ‚Concilium Basiliense' I–VIII, etwa K. SCHÖNENBERGER zu CB VI, in: ZSchwKG 23 (1929) 65–72. – Zu den Notaren: LAZARUS 139–44, 201–05, 280 f.; DEPHOFF 57–69; SIEBERG 97-106. Ihren bedeutenden Einfluß betont: MEUTHEN, Rota 488, 495 f., 513; Protokollführung 356 ff. - Zum Konzilsnotar *Petrus Bruneti* (Pierre Brunet aus Arras): CB I, 6–11, CB II, S. X ff. (HALLER); PALACKY, Bericht 279–84; LAZARUS 142 Anm. 37; DEPHOFF, Kanzleiwesen 53 f.; TOUSSAINT, Relations XIV f.; HERRE RTA X, S. LVIII–LXXII; BEER, Quellen; MEUTHEN, Protokollführung 356 f. Eine biographische Studie wäre wünschenswert. – Zu *Jakob Hüglin*: CB VI, S. IV–XXXX zu seinem Protokoll (HERRE). Ferner: WALLISER, Jakob Hüglin 132–43 (reine Datensammlung).

[35] CB IV 148 Z. 38 – 149 Z. 5 (1436 V 25) und CB VII 257 Z. 23–25 (1440 X 3). Die Zusammenhänge jetzt bei MEUTHEN, Protokollführung.

[36] KOPENHAGEN, Kongelige Bibliothek, Ny kgl. Saml. 1842 fol., enthält Protokolle für die Generalkongregationen der Jahre 1433–36; die Hs. ist im Testament des Johann von Segovia vermerkt: HERNANDES MONTES, Biblioteca nr. 50 [ebd. Nrr. 49, 51, 55, 103-05, Basler Konzils-Quellen]. Vgl. vorerst MEUTHEN, Cesarini 154 f.; Protokollführung passim, mit Prüfung des Verhältnisses von Hafniensis 1842 zu den in CB II und IV edierten Brunet'schen Protokollen. Der Notar ist allem Anschein nach *Erardus Rousselli*, bac. utr. jur., Priester und Notar der Diözese Noyon, Konzilsnotar von August 1432–November 1441. Vgl. RTA XV 352 Z. 20–25; DEPHOFF, Kanzleiwesen 112; MÜLLER, Lyon 52 f.; MEUTHEN, Protokollführung 362–64.

Das durch ERICH MEUTHEN neuentdeckte Kopenhagener Protokoll aus dem Besitz Johanns von Segovia, das in weiten Passagen
wichtige Ergänzungen zu Bruneti enthält, wird demnächst in Köln
ediert werden[36]. Vor dem Erscheinen steht die Edition der erst kürzlich von der Forschung (Meuthen) wahrgenommenen *Rota-Manuale*[37];
sie werden gerade von HANS–JÖRG GILOMEN in einer methodisch
zukunftsweisenden Regestenform publiziert[38]. Eine Edition der Turi-
ner *Bullenregister Felix V.* wird in Turin vorbereitet[39]. Dringlich ist die
Herausgabe einiger heute in Paris befindlicher *Briefcorpora*, die der
Konzilsnotar Bruneti offenbar als Anlage zu seinen Protokollen
zusammengestellt hatte[40]. Die wichtigsten Stücke sind aus eben dieser
Handschrift schon bei Martène-Durand VIII ediert. Desgleichen harren die beiden seinerzeit von GUY PETER MARCHAL vorgestellten *Supplikenregister* der prosopographischen Analyse[41].

W eniger weit gediehen ist die Erschließung der Basler *Konzilspredigten*. Die von VIDAL (1909) und SCHNEYER (1972) publizierten Listen
blieben vereinzelt; die Texte wurden bisher nicht systematisch analysiert[42]. Die etwa 90 bisher bekannten Predigten tragen genregemäß
mehr spirituellen, im Vergleich zu den konzilspolitisch engagierteren
Konstanzer Predigten ‚apolitischen‘ Charakter[43].

---

[37] BASEL Univ. bibl. Hs. C V 27–29. Die Rotamanuale sind erhalten: 11. Juni 1433 bis 14.
März 1435, 15. März 1435 bis 13. Juni 1439 (Notar: Johannes Wydenroyd) und 26.
März 1435 bis 31. Dez. 1439 (Notar: Johannes Thome de Beckem). Weiteres bei MEUTHEN,
Rota, mit Literatur.

[38] Als Sonderband des Repertorium Germanicum: Repertorium concilii Basiliensis.
Die Basler Rotamanualien, bearb. von H.J. GILOMEN (im Satz).

[39] TURIN Archivio di stato, Bollario di Felice V (8 vol.); Kopie ROM, Archivio Segreto
Vaticano. Erste Hinweise schon bei M. BRUCHET, in: Mémoires de la Soc. Savoisienne
d'hist. et d'archéol. 37, 2ᵉ série 12 (1898) XXX–XXXIII. Vgl. STUTZ, Felix V. (Diss.) VII f.,
MARIE JOSÉ 190–92. Ein Bullenregister des Konzils scheint existiert zu haben, muß aber
als verloren gelten; HERRE RTA X, S. L f.

[40] PARIS Bibl. Nat. Ms. lat. 15625 f. 92ʳ–219ᵛ und 15626-27; HERRE RTA X, S.
LXXVI f.

[41] MARCHAL, Supplikenregister. Die Supplikenregister sind für 1. Juni 1437 bis 7. Mai
1438 (GENF Bibliothèque publique et universitaire Ms. lat. 61) und 18. August 1439 bis
27. Januar 1440 (LAUSANNE Bibliothèque cantonale et universitaire Ms. lat. G 863)
erhalten. S. auch HALLER, Beiträge 22–27; LAZARUS 131–35, 199–201, 225–30; DEPHOFF,
Kanzleiwesen 107 f.; HERRE CB VII, S. XIX–XXI; HANNA 111 f.

[42] VIDAL, Sermons 495–503: u. a. 22 Basler Predigten von 1432/33 aus einer Handschrift des Koloman Knapp; SCHNEYER, Baseler Konzilspredigten aus dem Jahre 1432
(29 Predigten). ZUMKELLER, Nicolinus von Cremona 30 Anm., spricht, gestützt auf Auskunft von H.B. Schneyer, von 90 bislang bekannten Basler Predigten.

[43] S. unten 66 f. Vgl. ARENDT, Predigten (1932), mit Inhaltsanalysen.

Beinahe konturlos bietet sich vorerst die Empfängerüberlieferung der Basler Konzilsdekrete und der umfangreichen Korrespondenz dar. Sie auch nur annähernd vollständig zu erfassen, fordert freilich eine derart zeitraubende Arbeit, daß sie kaum mehr effizient zu nennen wäre. Eine regional begrenzte, dafür aber systematische Erschließung erschiene mir jedoch sinnvoll und könnte dann als Modell verwendbar sein. Die längst fällige kritische Edition der Konzilsdekrete (auch die ‚Conciliorum Oecumenicorum Decreta' fußen ausschließlich auf Segovia und Mansi) sei zum Abschluß nachdrücklich gewünscht.[44]

---

[44] Überblick der Konzilssammlungen: LThK 6, 534-36. Vgl. unten 452.

II. DIE ORGANISATION DES KONZILS

Kürzlich wurde gesagt, das Basiliense sei „das bestorganisierte Konzil des Mittelalters"[1] gewesen – und das ist richtig. Die Konzilsväter sahen deutlich die technischen Notwendigkeiten, einer über Jahre tagenden Korporation von mehreren hundert Personen einen praktikablen Arbeitsrahmen zu schaffen. Darüber hinaus darf man den Organisatoren des Konzils freilich auch ein prinzipielles Vertrauen in die Institutionalisierung und Bürokratisierung aller Dinge unterstellen. Damit folgten sie nur einer allgemeinen Zeittendenz. Hinzu trat die eigene Erfahrung mit kollegialen Einrichtungen, Kapiteln, Orden, Universitäten, aber auch, direkt oder indirekt, mit den voraufgegangenen Konzilien von Pisa, Konstanz und Pavia-Siena.

Die Forschung beruht nach wie vor auf der gediegenen Arbeit von PAUL LAZARUS (1912), die damals eine ältere Dissertation von OTTO RICHTER (1877) ersetzte[2]. Sie wurde auf einigen Spezialgebieten ergänzt: Zum Kanzleiwesen von DEPHOFF (1930), dann, nach längerer Pause, zu den Supplikenregistern von MARCHAL (1974) und zur Rota von MEUTHEN (1979)[3].

Einige kleinere Arbeiten zum liturgischen Zeremoniell, das nicht zuletzt als Integrations- und Selbstdarstellungsfaktor des Konzils bedeutsam war, gehören ebenfalls in diese Reihe[4]. Die detailreichen

---

[1] ZIMMERMANN, Mittelalter II 193.

[2] P. LAZARUS, Das Basler Konzil. Seine Berufung und Leitung, seine Gliederung und Behördenorganisation, Berlin 1912; ersetzt RICHTER, Organisation und Geschäftsordnung des Basler Concils. Eine frühe Skizze der Basler Geschäftsordnung, bereits mit den typischen, aus baselkritischen Quellen geschöpften Verdikten, bei VON RAUMER, Kirchenversammlungen 124–40.

[3] DEPHOFF, Urkunden- und Kanzleiwesen des Konzils von Basel, wie Lazarus mit reichhaltigen Personenlisten; MARCHAL, Supplikenregister; MEUTHEN, Rota und Rotamanuale. Wichtig DERS., Basler Konzil 18 f., 35–40; Protokollführung. Ferner: SIEBERG, Diplomatie 22–46, 97–106 (zu den Notaren); HANNA 59–68 (prosopographisch); DLO 238–46; BLACK, 28–42; WOLMUTH, Verständigung 34–57.

[4] Zum Zeremoniell: LAZARUS 151–57, 297–301; SCHIMMELPFENNIG, Zeremoniell auf den Konzilien von Konstanz und Basel, mit Edition von Sessionsordines; HEIMPEL, Weihnachtsdienst I (1982) 408–11; II (1983) 173–76. Vgl. KOEP, Liturgie auf dem Konstanzer Konzil; KAY, Conciliar Ordo of Eugenius IV (zum Florentinum). Das Basiliense übernahm eindeutig die in Konstanz ausgebildete Konzilsliturgie –Zeugnis der engen Ver-

Ergebnisse dieser Studien sollen hier nicht wiederholt, sondern nur einige Aspekte stärker akzentuiert werden. Die ältere Literatur betrachtete die Konzilsorganisation eher statisch wie eine funktionale Mechanik. Die sich über fast zwei Jahrzehnte erstreckende innere Entwicklung des Konzils, die Wechselwirkung zwischen Basel und europäischer Politik, aber auch der ‚menschliche Faktor‘, der Intrige und Emotion ins Spiel bringt, blieben dabei zu sehr am Rande. Stattdessen sind jetzt die ideellen, kanonistisch-theologischen Grundlagen dieser äußeren Organisation stärker ins Licht der Forschung gerückt (Black, Wolmuth), einer ‚Organisation‘, die eben wesentlich aus dem ekklesiologischen Selbstverständnis der Basler überhaupt erwuchs und daher ohne dessen zentrale Lehren, insbesondere über Konsens und Repräsentation, gar nicht zu verstehen ist. Einige Vorgriffe auf die ‚Theorie‘ sind daher im folgenden unerläßlich. Zu fragen bleibt: Wie und mit welchem Argument wurden die kanonistisch-theologischen Ideen institutionell umgesetzt und was war daran neu?

Den Ausgangspunkt jeder Untersuchung müssen die beiden Geschäftsordnungen vom 11. April und 26. September 1432, zusammen mit Segovias Kommentar bilden, die im Laufe der Jahre dann mehrfach ergänzt wurden, so am 26. April 1434.[5] Leider sind wir über den Entstehungsprozeß und den Anteil der daran sozusagen in der Art eines ‚Parlamentarischen Rates‘ beteiligten Gründerväter (Lehmann: „Stammitglieder“[6]) nicht besonders gut informiert. Das Hauptverdienst kommt wohl den Gesandten der Universität Paris und dem Legaten Cesarini, aber auch Johann von Ragusa zu. Es fehlt ferner an tiefergehenden Vergleichen mit den Geschäftsordnungen der früheren Konzilien[7]; die Basler ist allein schon deshalb exzeptionell, weil es

---

wandtschaft. Vgl. SCHULER, Musik in Konstanz; TEGEN, Baselkonciliet och Kyrkomusiken. S. unten 69 f.

  [5] MC II 260–63; Mansi XXIX 377–85. Die knappe, aber treffende Würdigung von WOLMUTH, Basel 202 wird dann von dems., Verständigung 34–57 im Banne seiner „Verständigungstheorie" des „konziliaren Kommunikationsprozesses" (35) etwas zerredet, was gute Beobachtungen zu Segovia (48–57) nicht ausschließt.

  [6] LEHMANN 3–9.

  [7] Zum Vergleich bieten sich an: HOLLNSTEINER, Studien zur Geschäftsordnung am Konstanzer Konzil. Ein Beitrag zur Geschichte des Parlamentarismus und der Demokratie. (Man beachte den Untertitel!); KÖHLE, ‚Demokratisierungstendenzen‘ auf dem Konzil von Konstanz (bringt nichts Neues). Bei BRANDMÜLLER, Pavia-Siena, keine Hinweise. Vgl. dann auch BEUMER, Geschäftsordnung des Trienter Konzils.

sich um „die erste geschriebene Geschäftsordnung eines Konzils" handelt, „die von diesem selbst verfaßt und verbindlich verabschiedet wurde"[8].

Entgegen manchen tendenziösen Versuchen, das Konzil als ‚revolutionär' zu brandmarken oder umgekehrt als ‚konservativ' zu entschärfen, scheint mir gerade die Geschäftsordnung zu zeigen, wie deutlich das Basiliense, unter Einschluß seines theologischen Selbstverständnisses, in einer kontinuierlichen Entwicklungslinie sowohl jener vielzitierten „Umbildung der allgemeinen Synode im Mittelalter" (Albert Hauck) als auch der allgemeinen Verfassungs- und Verwaltungsgeschichte Europas seinen Ort hat[9], zugleich aber auch in signifikanter Weise Wendepunkte und Fortschrittssprünge in dieser Linie repräsentiert. Vor diesem Horizont ist auch der Prozeß zu betrachten, in dem sich die Institution ‚Konzil' auf dem Wege von Pisa nach Basel vom Notstandsorgan zur faktischen Dauerinstanz als ‚Parlament' und Behörde konstituierte.

„Somit bezeichnet das Basler Concil unbestritten den Höhepunkt der kirchlich parlamentarischen Verfassungsgeschichte" (Otto Richter 1877).

---

[8] WOLMUTH, Basel 202.

[9] Die jüngsten systematischen Ansätze bei MEUTHEN, Basler Konzil 18 f., 30–35 wären auszubauen. – BLACK, Monachy 35, sieht in der Basler Geschäftsordnung nicht weniger als eine „reflection of corporative practice and an anticipation of parliamentary claims." Eine solche Einstufung des Basiliense hat Tradition: JOACHIMSOHN, Gregor Heimburg 68, verglich es zum Beispiel mit der Frankfurter Paulskirche 1848. Vgl. unten Kap. VII 3.

1. Organisatorische und theologische Grundzüge der Basler Geschäftsordnung

a) Inkorporation und Eid[10]

Mit der Inkorporation hatte man ein neuartiges System einer Zulassungsschleuse für Konzilsteilnehmer eingerichtet. In einer „quasioligarchic practice of co-optation" (Black) wurde zunächst unter Leitung des Konzilspräsidenten, später der Generalkongregation, jeder, der in die Konzilskorporation aufgenommen zu werden wünschte, geprüft und, wenn für gut befunden, in ein matrikelähnliches ‚Buch der Inkorporierten' eingetragen[11]. Unverrückbar festgelegte Kriterien der Zulassung – dies sei im Hinblick auf das Laienproblem vorweggenommen – hat es nicht gegeben. Ausschlaggebend dafür waren weniger eine organisatorische als eine kanonistisch-theologische Unsicherheit (Problem der Repräsentation) sowie nicht zuletzt politische Rücksichten. Die Zahl der Inkorporierungen und deren Fluktuation – bis zum August 1443, wo die Protokolle abbrechen, hat man eine Gesamtzahl von ca. 3.350 ermittelt – sind bekanntlich ein Pegel der jeweiligen Bedeutung des Konzils und die Basis aller statistischen Untersuchungen[12]. Von 81 anwesenden Inkorporierten im April 1432 stieg die Zahl im Februar 1434 auf 512[13], was ein Maximum bedeutete. Unter Berücksichtigung stärkerer Schwankungen geht die Forschung von einem Schnitt von 300–400 anwesenden Konzilsvätern aus, in den letzten Konzilsjahren freilich von viel weniger.[14]

---

[10] Zum Folgenden im wesentlichen LAZARUS 47–72; LEHMANN 15–46.

[11] Zitat BLACK, Monarchy 35. Vgl. Segovia, ‚De magna auctoritate episcoporum' (nach HALLER CB I 40 Anm. 4): *illa collacio velud panis erat cotidianus de incoporandorum generali concilio qualitate.* Man ist sich der Bedeutung der Inkorporationsprüfung voll bewußt: Cesarini warnt die Zwölf-Männer, angesichts der andrängenden *multitudo minus qualificatorum*, nicht zu viele Personen auf einmal aufzunehmen, *quia non parvi oneris et honoris esset admitti in tam suprema congregacione ad iudicandum totum mundum* (!); MC II 651.

[12] S. LAZARUS 43–47, sowie die wertvolle, wenngleich nicht immer zuverlässige Arbeit von LEHMANN, Mitglieder 47–70, 115–23, Liste der Inkorporierten 128–270, alphabetisch 271–308; BILDERBACK, Membership passim, Inkoporiertenliste 243–378; ders., Proctorial Representation 142 f. Gegenüber LEHMANN 61 und 126, mit 3128 (bzw. laut handschriftlicher Verbesserung im Original: 3182) Inkorporierten bis August 1443 kommt Bilderback auf exakt 3326 Personen bis August 1442.

[13] CB V 79 Z. 7–10.

[14] Zu den statistischen Problemen s. ausführlicher unten Kap. III 1.

Erst die Inkorporation machte zum vollwertigen Mitglied mit allen Rechten und Pflichten. Den Rechten – nach Lazarus umfaßten sie Redefreiheit, gleiches Stimmrecht, Befreiung von auswärtiger Jurisdiktion, Schutz der Benefizien während des Konzilsaufenthalts, Zugang zu den Rechtsmitteln des Konzils – standen strenge Pflichten gegenüber: Durch einen Eid mußten sich die Inkorporierten seit dem 24. April 1433 im voraus verpflichten, die Entscheidungen des Konzils zu verteidigen[15]. Der angestrebte Konsens der im Hl. Geiste Versammelten sollte in durchaus realistischer Einschätzung der zu erwartenden Konflikte sozusagen juristisch-präventiv abgesichert werden. Andere restriktive Maßnahmen traten hinzu: Man durfte das Konzil nicht ohne Genehmigung verlassen. Briefe und Predigten mußten zur Kontrolle vorgelegt werden.[16] Es bestand ‚libertas dicendi‘, doch konnten Opponenten als ‚perturbatores concilii‘ streng bestraft werden.[17] Es ist zu erwägen, ob auch in diesen Zensurmitteln die Praxis anderer Korporationen wie der Universitäten auf das Konzil übertragen wurde.[18]

Die zum Teil massive Kritik der Zeitgenossen – die Basler bildeten eine *coniuratio* (so Eugen IV.)[19] und übten regelrechten Meinungsterror aus –, die Weigerung mancher Gesandtschaften, sich dem Eid zu unterwerfen (Engländer, Kastilier, aber auch die Hussiten), sind in der Forschung immer wieder angeführt worden[20]. So hat man bis in die jüngste Literatur hinein je nach Grundhaltung der Verfasser entweder die Zensur besonders herausgestellt und den „mythe de l'unanimité" (Ourliac) denunziert oder umgekehrt eben dieses Konsenspathos der

[15] MC II 343 f.; CB II 378 Z. 30 f.: *Quod observabunt decreta facta et fienda.* Zu den häufigen Veränderungen der Eidformel: LAZARUS 50–52; LEHMANN 19–24; SCHOFIELD, England 30–32, 60 f.
[16] MC II 263: *Antequam sermo huiusmodi per eum, cui assignatus est, publicetur, prius per eosdem quatuor vel alterum videatur, ne errorem contineat et quid scandalosum exinde videatur exoriri.* Vgl. jetzt MEUTHEN, Basler Konzil 18 Anm. 40, zum Problem Redefreiheit und Zensur, kritisch gegen ZUMKELLER, Nicolinus von Cremona 49.
[17] MC II 211. Eine Sammlung weiterer Belege bei VALOIS I 315.
[18] Vgl. etwa zur Universität Paris: KIBRE, Academic Oaths; McLAUGHLIN, Intellectual freedom.
[19] ‚Libellus Apologeticus‘; Raynaldi, Annales ecclesiastici ad a. 1436 c.8 (= Baronius-Theiner 28, 201 f.) Vgl. Traversari, Epistulae, ed. Canneti, III 159 über die Basler: *facileque praesumi potest, qui iurare compellant, eos coniurationem meditari.*
[20] Z.B. ZELLFELDER, England 66, 81, 92 f.; SIEBERG 34–39; DLO 240 etc. Häufig zitiert wird Piero da Monte: HALLER, Monte 253 (Nr. 43).

Basler gepriesen[21]. Entscheidend scheint mir, daß der unvermeidlich janusköpfige Eindruck, den das Konzil dem Betrachter bietet, nicht nur dem Konflikt zwischen Funktionieren-, ja Überlebenmüssen einerseits und Ideal andererseits entsprang, sondern system- und theoriebedingt ist. Reglementierung, Zensur, Meinungszwang, ja gelegentlichen Eklats von tumultuarisch nötigendem Fanatismus auf der einen Seite, stehen Redefreiheit, Toleranz gegenüber ‚Häretikern‘, der in höchstem Maß Transparenz und Öffentlichkeit fordernde Charakter der Sitzungsgremien und Behörden, überhaupt der lebendige Geist des Disputs[22] auf der anderen Seite gegenüber, zwei Gesichter, von Freiheit und Unfreiheit. Sie gehören dennoch zusammen. In ihnen spiegelt sich ein grundsätzlicher Antagonismus, der sich für die Basler trotz aller Bemühungen als unaufhebbar erweisen sollte.

Die auffälligsten Neuerungen in der Organisationsweise des Konzils sieht man allgemein in einer Trias von Maßnahmen:

1. Schon am 23. Febr. 1432 die Ersetzung der ‚Nationen‘ als Beratungs- und Abstimmungskörper durch vier fachbezogene Arbeitsgruppen, die Deputationen: deputatio fidei, – pacis, –pro reformatorio, und, mit variablerem Aufgabengebiet – pro communibus[23].
2. Die nochmalige Ausweitung des Stimmrechts über den Kreis des Konstanzer Konzils hinaus auf den Universitätsklerus unterhalb der Doktoren (also auf Magister, Lizentiaten und bezeichnenderweise in der Theologie auch auf Baccalare) sowie einfache Leutpriester.[24]
3. Die Einführung des numerischen Majoritätsprinzips (in besonderen Fällen Zweidrittelmehrheit) und der Abstimmung nach Köpfen bei Gleichwertigkeit jeder einzelnen Stimme.

---

[21] Unter den modernen Kritikern allen voran OURLIAC, Sociologie 17 f.; DLO 240 f. Vgl. CHAUNU, Temps des réformes 236. Als profilierteste Beispiele der Gegenseite KRÄMER, Konsens 338–49, 472 s.v. ‚Konsens‘ und WOLMUTH, Verständigung passim. S. unten Kap. VII 1 i.

[22] Die Disputation eröffnet nach Segovia die Wahrheit (MC III 539): *Noverat* (sc. Paulus apostolus) *quippe via disputationis veritatem ipsam lucidius manifestari* . . . Die gesamte Passage MC III 539–45 zum Wert der ‚disputatio‘, auf die SIEBERG Anm. 256 aufmerksam machte, wäre auf ihre Orginalität hin zu prüfen. Gemeint ist natürlich die noch allerorts, auch und besonders bei den Konzilsoratoren geübte Disputationsmethode nach ‚scholastisch‘– universitärem Muster.

[23] Dazu ausführlich LAZARUS 106–31. Vgl. MC II 126–128, 260–263; CB II 41 Z. 16–28, 46 f.; THOMA, Petrus von Rosenheim 156–59.

[24] Dazu immer noch LAZARUS 31–34. Vgl. Segovia RTA XIV 389 Z. 43–45.

b) Deputationen

Durch das Deputationssystem wurden sowohl ‚nationale' als auch
hierarchische Verbindungen aufgelöst, indem man statistisch egalitär
verfuhr und die Inkorporierten nach einem festen Proportional-
schlüssel von kirchlichen Ständen (Prälaten, Doktoren etc.) verteilte
und diese wiederum gleichmäßig aus den vier traditionellen Konzilsnationen (dt., frz., ital., span.) rekrutierte. In der Frage nach den Vorbildern besteht seit langem eine gewisse communis opinio der Forschung darin, daß die Universitäten wie schon für die Einteilung nach
Nationen oder für das Amt des Konzilspräsidenten (Rektor!), nun auch
für die Deputationen das Vorbild abgegeben haben: nämlich in Gestalt
von vier Fakultäten, die sich dort schon seit geraumer Zeit gebildet
hatten[25]. In jüngerer Zeit weist man auch stärker auf den prägenden
Einfluß der weltlichen Korporationslehre und der Praxis der städtischen Kommunen hin, welcher besonders deutlich bei Johann von
Segovia und Tudeschi-Panormitanus zutage trete[26]. Die Kapitel der
Orden, Klöster und Stifte können ebenfalls als korporative Erfah-
rungsmodelle mitgewirkt haben. Aber alle bereits bestehenden Elemente sind in Basel schließlich zu einer neuen Organisationsform
einer ‚communitas' – und zwar der universalsten von allen – kombi-
niert worden.

Die Arbeitsweise der Deputationen, der lange, ebenso büro- wie
demokratische Weg vom Antrag bis zum fertigen Konzilsdekret ist

---

[25] In jedem Falle machte sich hier der prägende Einfluß der Gründerväter des Konzils
aus dem Universitätsbereich am stärksten bemerkbar; der Vorschlag zur Errichtung der
Deputationen soll vom ehem. Pariser Magister Johann von Ragusa ausgegangen sein; MC
II 126 f. Vgl. LAZARUS 111–13 mit Anm. 2; RASHDALL–POWICKE–EMDEN I 325 f., 576;
BRESSLER, Universitäten 36 ff. Vor allem BLACK, Universities (1978) 516–19, 521; Universities (1974) 341; Monarchy 23 f.; Council 29 f., 165. Auch zwischen einzelnen Uni-
versitäts und Konzilsämtern sind naheliegende Parallelen vermutet worden. BRESSLER,
Universitäten 36 sah in der „unvorsichtigen Übertragung" universitärer Verhältnisse auf
das Konzil bereits „die Schwäche der ganzen Basler Organisation" – da vielen Mitgliedern
diese Form fremd geblieben sei. Vgl. McKEON, Concilium Generale and Studium
Generale (nur zum 13. Jahrhundert). Stattdessen BLACK, Universities (1978) 517:
„Consequently, much of the Council's business came to be done in the matter of an university disputation or, perhaps, seminar."
[26] Vor allem BLACK hat die große Vertrautheit dieser beiden mit Theorie und Praxis der
städtischen Kommunen herausgestellt: Monarchy 34–37 und öfter; Council 6, 30, 99–
103, 172–75 mit wichtigen Belegen, 246 s.v. ‚city-states'. Darauf ist später zurückzu-
kommen.

ausreichend bekannt[27]. Doch ist man über das Innenleben, den Verlauf der Debatten, Parteiungen, Abstimmungen allein schon deshalb weniger informiert, weil sich nur für die ,deputatio pro communibus' umfangreiche Protokolle erhalten haben. Dabei wären gerade die Dispute innerhalb der Deputationen besonders interessant, weil man hier in nuce die ursprüngliche Bewußtseinslage einzelner Teilnehmer, ein sicherlich disparateres und unsichereres, dafür weniger gefiltertes und standardisiertes Argumentationsspektrum antreffen dürfte als in den Generalkongregationen, geschweige denn im formalisierten Text eines fertigen Dekrets. Nach den Intentionen der Basler Geschäftsordnung hatte die Urteilsbildung, der Weg zum konziliaren Konsens, gerade an der ,Basis' der Konzilsmitglieder zu beginnen. Die Vielfalt der Meinung derer, die gemeinsam im Konzil die Universalkirche repräsentierten, sollte sozusagen im fortlaufenden Diskurs fruchtbar und konsensfähig gemacht werden. Kaum ist sonst die Regelung zu verstehen, daß alle gegenüber der Deputationsmehrheit unterlegenen Anträge und Voten nicht eliminiert sein, sondern genau wie alle Suppliken (!) auch in den anderen drei Deputationen ,aufgehoben' und weiterdiskutiert werden sollten.

Über das spezifische Profil und die Zusammensetzung der einzelnen Deputationen hat sich die Forschung bisher wenig geäußert. Man möchte vermuten, daß die ,deputatio fidei', in der besonders Theologen, darunter die hochkarätigsten, saßen, auch für die Ausbildung der grundsätzlichen Ideen des Basler Konziliarismus die Rolle des ,Kopfes' gespielt hat[28]. Doch sollte man sich darüber keine allzu hehren Vorstellungen machen. Eine Episode bei Segovia mahnt zur Nüchternheit: Bei Eröffnung des Favaroni-Prozesses (1433) habe es nur einen einzigen iudex fidei (Kardinal Cervantes) gegeben. Die deputatio fidei habe an chronischem Themenmangel gelitten und sei daher auch weniger beliebt gewesen als die anderen Deputationen, bei denen sich umgekehrt die Aufgaben türmten.[29] Sie fanden, so dürfen wir

---

[27] S. LAZARUS 123–35. Auf regelmäßigen Besuch der täglichen Deputationssitzungen wurde streng geachtet, doch fielen die Deputationen auch öfters aus, was bisweilen übersehen wird: Zum Beispiel, wenn die Nationen tagten (s. unten 47) und an einer großen Zahl von Heiligenfesten (*ob reverentiam beati Thome de Aquino non fuerunt deputaciones*; CB III 332 Z. 4 f.) Ähnlich am Franziskus- und Calixtusfest (CB VII 431 und 434) etc.

[28] So etwa BLACK, Universities (1974) 346.

[29] MC II 358 : Kardinal Cervantes wurde eingeräumt, *ut unicus in concilio iudex esset fidei … quia paucissime erant fidei cause, et quia vix aut nunquam esse poterant multe … rursus erant paucissimi id affectantes oneris . . . nec ullus patriarcha vel cardinalis universalis causarum fidei iudex esse*

wohl hinzufügen, nicht nur aus Diensteifer mehr Zuspruch, sondern
auch deshalb, weil es für die meisten Väter reizvoller war, in Pfründen-
streitigkeiten, also in der allen gemeinsamen Erfahrungswelt zu entscheiden oder gar große Politik zu machen, bzw. an der Kirchenreform, die wohl doch das Grundanliegen der Mehrheit gewesen ist, mit-
zuarbeiten, als sich etwa mit den hochkomplizierten Fragen der Theologie Favaronis auseinanderzusetzen. Derartige Aufgaben überließ
man meist einer kleinen, dafür um so mehr frequentierten Elite unter
den Fachtheologen. Ihr wirklicher Einfluß im Konzil ist recht schwer
zu beurteilen.

Die Motive, welche die Basler bewogen, die Nationen als tragendes
Gerüst des Konzils durch die neutraleren Deputationen und ihr durch-
einanderwirbelndes Verteilungsschema zu ersetzen, werden in der
Forschung unterschiedlich nuanciert, könnten aber neu überdacht
werden. Die Ansicht, man habe lediglich „national jealousies"[30] im Stil
von Konstanz vermeiden wollen, trifft wohl kaum den Kern der Sache,
ist aber nicht zu unterschätzen. Andere wiesen auf die sehr unterschiedliche Mitgliederzahl der einzelnen Nationen hin. Das Nationen-
prinzip, vor allem die Abstimmung nach Nationen, hätte wie in
Konstanz die zahlenmäßig am stärksten vertretenen Franzosen und
Deutschen benachteiligt, dagegen die Italiener und Spanier sowie die
Engländer überproportional bevorzugt[31]. In den Deputationen mußte
sich allerdings bei allem Bemühen um Parität am Ende doch die
numerische Überzahl zugunsten der Franzosen und Deutschen durchsetzen, da ja alle Inkorporierten verteilt wurden! Man könnte hier
weiter ausgreifen und fragen: Entsprang die Einrichtung der Deputationen als ‚Fachgruppen' modernem verwaltungstechnischem Res-
sortdenken? Auch in weltlichen Verwaltungen begann sich ja damals
langsam eine fachliche Spezialisierung durchzusetzen, bis es schließ-

---

voluit, multi vero aliarum; fuitque tam ingens illarum frequencia numerosaque multitudo, ut ad illas ter-
minandas non sufficientibus quattuor, assignati fuerunt octo, denique duodecim iudices. Schon im Februar
1432 zählt die ‚deputatio fidei' nur vier, die ‚deputatio pro reformatorio' aber siebzehn
Mitglieder.

[30] So schon CREIGHTON II 72.

[31] FINK, in: Handbuch der Kirchengeschichte III 2, 575; OURLIAC, Sociologie 26, und
DLO 250; OURLIAC-GILLES 47. Ourliac trauert hier jedoch unterschwellig der einstigen
‚independance' der Nationen nach und verurteilt in für ihn sonst nicht typischer gallika-
nischer Färbung die Aufgabe der „idée … d'une église des patries ou des nations" (47).
Die ältere deutsche ‚nationalkirchliche' Forschung dachte natürlich ähnlich.

lich zu Ministerien, bzw. auf der Ebene der Legislative zu Fachaus-
schüssen und ähnlichem kam. Dem ist entgegenzuhalten, daß die
Deputationen gerade partikulare Abschottung (der Nationen) über-
winden und die Universalität der Sache allgemein zugänglich
machen sollten. Lassen wir Segovia selbst sprechen: Er beschreibt das
Konzil in einem vielzitierten Wort als ein *regimen*, das aus einer *commixtio . . . per naciones aut regna, per provincias, per status et per deputaciones*
bestehe und hebt gerade die *equa distribucio* dieser Elemente als Ziel
hervor.[32]

c) ‚Libertas dicendi‘

Die *mixtio* ist natürlich nicht bloßer Zweck an sich, sondern wird
von Segovia mit praktischen, aber auch mit theologischen Argumenten begründet. Schlüsselsatz scheint mir folgender zu sein: *quod
generalium nimis synodorum substanciale est, ut libere fiant consultaciones*[33]. Zur
Freiheit gehört prinzipiell zunächst die Freiwilligkeit der Konzilsteilnahme selbst, wenngleich sie äußerlich mit der in den Einladungsschreiben der Basler postulierten Präsenzpflicht zu kollidieren scheint[34].

Konkret aber bedeutet Freiheit hier Rede und Stimmfreiheit im
Konzil. In der Maxime der ‚libertas dicendi et consulendi‘ schwingt
sicherlich etwas vom universaleren und traditionsreichen Begriff der
‚libertas ecclesiae‘ mit, das heißt von ‚libertas‘ als Freiheit der Kirche
von fremder, in erster Linie weltlicher Beeinflussung[35]. Tatsächlich

---

[32] MC II 272 Z. 5 f., 9 f., ähnlich MC II 131. Vgl. bereits die ebenso oft zitierte Stelle bei
Gerson, De auctoritate concilii, ed. Z. Rueger, in: RHE 53 (1958) 786 (= Glorieux VI, 114
Z. 27 f.) Die Kirche besteht aus einer *officiorum, statuum, graduum et dignitatum . . . varietas.*
Nun wieder, in Weiterführung des obigen Zitats, Segovia: Die ‚mixtio‘ beschränke sich
nicht nur auf die Deputationen, sondern auch *in exercicio officiorum et in negociorum expedicione
eciam, quantum poterat, equa ex illis* (sc. nacionum, statuum etc.) *distribucio fiebat.* Hiermit ist
das absolute Proporzprinzip angesprochen.

[33] MC II 135. Vgl. Mansi XXIX 14DE: *In hac namque sacra synodo congregatis plena et libera sit
omnibus et singulis loquendi et consulendi facultas eorum, que ad agenda esse videbuntur accomoda.* Zu
betrachten ist das gesamte, für die Begründung der Geschäftsordnung einschlägige
Kapitel Segovias: MC II 128–35 sowie 271–75; dazu s. Black, Council 155–61; Wolmuth,
Verständigung 48–57. – Zur ‚Libertas dicendi‘ ferner in Auswahl: MC II 214, 275; MC III
603, 605, 701; RTA XIV 390 Z 6 f.; Sieben, Traktate 204. – Zum Vergleich mit der ‚akademischen Freiheit‘ des Universitätsmilieus s. McLaughlin, Intellectual Freedom; Classen,
Libertas scolastica.

[34] S. zum Beispiel das Dekret der 11 Sessio (27. IV. 1433); COD 467 Z. 1–7. Näheres bei
Lehmann 11–14.

[35] Zum Begriff der ‚libertas ecclesiae‘ s. unten 92-99.

argumentiert Segovia in diese Richtung: Nachdem er zunächst die Organisationsformen der antiken und mittelalterlichen Vorgängerkonzile historisch auf ‚libertas‘ und ‚consensus‘ geprüft hat, spielt er systematisch verschiedene Modelle durch, wie ein Konzil in Gruppen organisiert werden kann. Er nennt die Einteilung nach Kirchenprovinzen, Königreichen, Nationen und Ständen. Geheime Stimmkörper (*clam inducantur partes*) werden gleich zu Anfang wegen ihres Mangels an Öffentlichkeit abgelehnt! Was man im Konzil erreichen will, ist der *communis consensus* der Teilnehmer. Aber – so der Gedankengang – die freie Konsensfindung wird in allen genannten Gruppierungen durch das Zusammensein von Mächtigen (Metropoliten, Königen und anderen ‚domini‘) mit den ihnen außerhalb des Konzils normalerweise Untergebenen gehemmt. Druck von oben, Befangenheit von unten sind die Folge; die Alltagsquerelen werden mitgeschleppt, freie Meinungsäußerung und echter Konsens erstickt, da immer der Fall eintritt, *ut coram dominis deliberent subditi*[36]. In der geschlossenen Sphäre der Nationen konnten sich außerhalb gewachsene Abhängigkeiten und Kontakte unmittelbar durchsetzen. Die neutralisierende Lösung bildete das Deputationssystem. Es stieß denn auch wegen dieser Nivellierungstendenz in Fürstenkreisen auf besonders massive Kritik, unter anderem bei Kaiser Sigmund und den Kurfürsten. Immer wieder forderten sie, die Nationen sollten wiedereingeführt werden[37].

Die ‚libertas dicendi‘ scheint mir auch theologisch ein viel wichtigeres Konstituens in der Sicht der konziliaren Theoretiker zu sein, als die jüngere Forschung bisher gesehen hat[38], die sich zur Zeit intensiv mit dem freilich in engster Beziehung stehenden Konsensgedanken beschäftigt. Die Redefreiheit ist kein bloß versammlungstechnischer Komfort, sondern die Bedingung, daß sich konziliarer Konsens überhaupt erst bilden kann, und damit auch ein theologisches Wesenselement des die Gesamtkirche verkörpernden Universalkonzils. Vielleicht sollte man auf diesen Gesichtspunkt hin nicht nur Nikolaus von

---

[36] MC II 132: Vgl. WOLMUTH, Verständigung 48–54.

[37] Dazu etwa LAZARUS 35–37, 117–19; STIEBER 134 f., 222 f., 236 mit Belegen: z.B. Proteste Sigmunds und der kaiserlichen Gesandten; RTA X, S. XIX; RTA XI 484 Z. 42–47 nr. 253; 485 Z. 26–40 nr. 254. – Vgl. für England: JACOB, Theory and Fact 135-37.

[38] Nur am Rande erwähnt bei KRÄMER, Konsens 234 f., 241 Anm. 80, 340. Am ehesten in der Bedeutung erkannt bei BLACK, Monarchy 48, 91; Grundgedanken 326; Universities (1978) 518 f.; Council 155 f., 159 mit wichtigen Stellen aus Segovia; Hinweise auch bei WOLMUTH, Basel 202. – Zum Vergleich: JEDIN, Rede- und Stimmfreiheit auf dem Konzil von Trient.

Kues und Segovia, sondern die gesamte konziliare Theorie abklopfen. Segovia geht immerhin so weit zu sagen: *Sic igitur dato, generale concilium celebratum in libertate, quia ubi spiritus, ibi libertas*[39], *errare non posse*...[40]. Verständigung in Freiheit ist Zeichen dafür, daß der Geist das Konzil beseelt. Das Ziel in der letztlich theologischen Intention der Basler ‚Verfassungsväter‘ war es, die äußeren Bedingungen und Regeln dafür zu schaffen, daß sich ein in Freiheit zusammenwirkender Organismus bilden kann, unter dessen Gliedern *caritas* und nicht *curvitas* herrscht, der nach Auflösung sachfremder Zwänge und Bindungen, aber in gleichzeitiger Erhaltung der Vielfalt der von ihm repräsentierten und mit sozusagen „kollektiver Weisheit" (Black) geleiteten Universalkirche die ‚veritas‘ finden und für das ‚bonum commune‘ der Kirche arbeiten kann. Über die Geistinspiration wäre hier mehr zu sagen. Doch wollen wir unser Kapitel nicht allzusehr theologisch überfrachten, zumal die Forschung diesem Aspekt nur wenig Aufmerksamkeit gewidmet hat. Festzuhalten ist, daß die im Generalkonzil Versammelten durch Inspiration sozusagen einen Qualitätssprung ihrer defizienten Individualeigenschaften erleben und dadurch erst wirklich zum Konsens fähig werden[41]. Für die idealisierte Gemeinsamkeit und Brüderlichkeit (*commune* und *fraternitas*) auf dem Konzil hat die ‚libertas‘ wiederum funktionale Bedeutung[42]. Das Wirken der Konzilsväter und ihr Umgang untereinander sollte offenbar Vorbild sein für die gesamte Kirche. Darin scheint mir auch der tiefere Sinn der oben genannten Sozialisationsmaßnahmen für die Konzilsteilnehmer zu liegen.

---

[39] 2. Kor. 3, 17. Dieses Schlüsselwort steht über Anfang und Ende (1448 VII 24; Mansi XXXV 66C) des Konzils!

[40] MC III 701 Z. 36 f. Wichtig zum Begriff ‚libertas‘ auch Nikolaus von Kues, Conc.cath. II, Nr. 75–76, Nr. 107 Z.1 und 9. S. auch HOFMANN, Repräsentation 323 f.

[41] S. dazu ein wichtiges Heymericus-Zitat bei BLACK, Realist ecclesiology 281, - nach Bernkastel-Kues Cod.Cus. 106 f.107[V].

[42] MC II 133: *Etenim si ut dyocesani, provinciales, regnicole, aut nacionales de partibus egressi fuere, generali synodo incorporati effecti sunt membra ecclesiae universalis, in ea legittime congregati, utque membra illius ad commune principaliter respicientes bonum non seorsum, sed pro invicem sollicita esse debent... Quoniam sicut corpus unum est, et membra habet multa, unum sunt, ita in generali synodo Christus, ubi non est barbarus et Scita, servus, liber, sed omnia in omnibus Christus, quia synodaliter congregati .. ut membra corporis unius insimul compati, insimul congaudere, insimul operari et inspicere habent ad unum omnium bonum commune.* Vgl. BLACK, Council 155. Zur ‚fraternitas‘, entstanden durch die ‚communio‘ mit dem Hl. Geist, s. auch Andreas von Escobar, Gubernaculum conciliorum 265, zit. BLACK, Council 88 f. und 153. Zur ‚Solidarität‘ als Voraussetzung für Repräsentation s. HOFMANN, Repräsentation 213f. Als *fratres* bezeichnete übrigens der päpstliche Kurialstil nur die Bischöfe; alle anderen wurden *filii* genannt.

d) Stimmrecht und Konsensproblem

Mit dem Deputationssystem und der Redefreiheit eng verknüpft, bildete das Stimmrecht das wichtigste Konstituens für die Konzilsarbeit. Die Forschung hat die Interdependenzen zwischen einem grundsätzlich gewandelten, korporativen Kirchenverständnis und der Technik von Abstimmungen und Repräsentationen auf spätmittelalterlichen Konzilien herausgestellt, wenn auch eine vergleichende Studie noch fehlt[43]. Nie in der Kirchengeschichte wurde das Stimmrecht bekanntlich auf eine so breite Kleriker-Schicht ausgedehnt wie in Basel[44]. Für die größte Irritation bei vielen Zeitgenossen, ebenso für topische Kritik in der Literatur, sorgte besonders die Tatsache, daß mit dieser Ausweitung auch die Gleichwertigkeit der Stimmen verbunden war, also die Stimme eines Erzbischofs oder eines Königsprokurators genau so viel zählte wie die eines Universitätsbaccalars oder eines Pfarrers[45]. Der exklusive Charakter der Hierarchie war hier der numerischen Gleichheit gewichen[46], unabhängig davon, welchen Rang jemand besaß und ein wie großes Gebiet er repräsen-

---

[43] Allgemein sind hier die Arbeiten von MOULIN; Origines religieuses des techniques électorales, zu Basel: 128 f., 139 ff.; Senior et major pars; Aux Sources des libertés européennes 121–25, zur Praxis der Orden zu nennen. Ferner GANZER, Mehrheitsprinzip, mit der älteren Literatur.* Die Forschungen müßten durch Einbezug der Debatten zwischen Baslern und Eugenianern nach 1437 allerdings beträchtlich ergänzt werden! Dazu viel Material jetzt in AC I 2, vor allem Nr. 520, 599. Wichtig auch Segovia MC III 699–704.

[44] Definitiv am 8. Februar 1434; MC II 580; LAZARUS 33–35. Vgl. BLACK, Grundgedanken 301 mit Zitat aus Konzilsschreiben; RTA XVI 438 Z. 23–25, 29: *voluitque quemlibet incorporatum post suam incorporationem equale votum habere et a maiori parte numeri, prout etiam iuris est clarissimi, materias expediri, nulla qualitate cuiuscunque incorporati inspecta? . . . quando maior* (sc. pars) *excedit in duplo, iura sunt vulgatissima.*

[45] Ein sprechendes Beispiel von vielen: Der Erzbischof von Mainz, Dietrich von Erbach, sagt 1435 dem Konzilsgesandten, Eb. Philippe de Coëtquis von Tours, er schicke niemanden nach Basel, da dort *unus simplex* die gleiche Stimme habe wie sein, des Erzbischofs, Gesandter, *cum haberet latam et amplam diocesim et provinciam*; MEUTHEN, Trierer Schisma 242 f. mit Anm. 43. Zum Stimmrecht vgl. auch AC I 2 Nr. 480 Z. 47–50 (Nikolaus von Kues laut Segovia). Weitere Belege s. LAZARUS 117–19; SCHOFIELD, England 29 f., 69 ff. Das quantitative Kriterium der Größe des durch ein Konzilsmitglied repräsentierten Gebiets und der Zahl der vertretenen Menschen spielte in der Kritik also eine naheliegende Rolle. So sagte 1433 Bartolomeo Zabarella, Gesandter Eugens IV., ein einziger Fürstengesandter spreche für ein ganzes Reich und wiege daher die Stimme von 30 Bischöfen auf; Mansi XXX 663E.

[46] S. den Vorwurf des Nikolaus von Kues gegen das Mehrheitsstimmrecht: *omnia in mathematicam abstractionem resolvunt*; MEUTHEN (Ed.), Dialogus Nr. 24 Z. 39; ähnliche Stel-

tierte. Gleichheit und Einzelstimmrecht bilden wichtige Voraussetzungen für das Funktionieren des Majoritätsprinzips. Außerdem galt die Allzuständigkeit jedes Teilnehmers, was in der Literatur meist gar nicht eigens erwähnt wird. Es gab keinen Fall, der etwa den Bischöfen reserviert gewesen wäre, sondern prinzipiell stimmten alle über alles ab. Auch darin liegt eine bislang nicht dagewesene Demokratisierung.

Als für das Selbstverständnis des Basiliense charakteristisch wurde wiederum die biblisch-theologische Begründung hervorgehoben, die Segovia dieser universalen *parificatio* gibt[47]: Es ist die Gleichheit des Evangeliums, die Hoch und Nieder vereint (s. etwa Lk. 22, 26) und aus dem Konzil als *commixtio superiorum cum inferioribus* tatsächlich so etwas wie einen „inspirierten herrschaftsfreien Raum der Kommunikation" macht.[48]

Das Majoritätsprinzip hatte sich hier letztlich in Konsequenz der Entwicklung seit dem 12. Jahrhundert durchgesetzt. Es war nicht nur ‚moderner', sondern auch präziser als etwa das vage Kriterium der ‚sanior pars', das sich nicht einmal als kanonistisch sauber definierbare, geschweige denn als praktikable Alternative erwiesen hatte[49]. Doch blieb das Problem des Verhältnisses von Qualität (der Abstimmenden) und Quantität (der Zahl) auch für das Basler Konzil bestehen. Die Egalisierung der hierarchischen Präpotenz sollte freilich nur auf dem Generalkonzil selbst gelten; man beabsichtigte nicht, die Hierarchie in der allgemeinen Kirchenstruktur zu schwächen.

Als mit der zwiespältigen Abstimmung vom 7. Mai 1437 der konziliare Konsens endgültig zerbrach, bedeutete das auch eine Krise des Majoritätsprinzips, das dann prompt von der unterlegenen Partei durch die ‚sanior pars' konterkariert wurde. Eben dieser Problemkomplex beherrschte die Diskussion der folgenden Jahre und

---

len ACI2 Nr. 482 Anm. 13; MEUTHEN, Konsens 18 Anm. 41 f. mit weiteren Belegen. – Vgl. Traversari, Epistulae, Ed. Canneti, III 158: ... *agaturque igitur ita res fidei per suffragia, ut non sanior, sed numerosior* (sc. pars) *obtinet calculis.*

[47] MC II 273 ff. Dazu WOLMUTH, Verständigung 54–57.

[48] WOLMUTH, Verständigung 55, mit unverkennbarer Anlehnung an Habermas. Das Segoviazitat: MC II 275.

[49] Dazu s. GANZER, Mehrheitsprinzip 78–87. In der Regel dürften allerdings ‚maior-' und ‚sanior pars' zusammengefallen sein. Konkrete Fälle, in denen tatsächlich eine genau definierte Mehrheit (etwa Zweidrittelmehrheit) verbindlich war, wurden in Basel eher selten spezifiziert: Zum Beispiel am 1433 IV 27 (11. Sessio) für den existentiellen Fall der Konzilsauflösung oder -translation: *consensu duarum partium cuiuslibet deputationis, votis singulorum scrutatis, subsequentique approbatione duarum partium congregacionis generalis, similiter scrutatis votis singulorum...*; COD 467 Z.23–26. – Vgl. COD 501 Z.37–40: Schriftliche (!) Mehrheitswahl eines Kardinals durch das Kolleg.

verdiente in der Forschung stärker Beachtung.[50] Die Basler gerieten hier in die Defensive, als die Eugenianer zunächst das Prinzip der ‚sanior pars‘ für die Minorität mit ihrer angeblich größeren qualifizierenden Anzahl an Bischöfen gegen die ‚bloß numerische‘ Majorität des Konzils ausspielten, dann aber ihrerseits angesichts der schrumpfenden Basler Anhängerschaft die ‚Majorität‘, mithin die größere Repräsentanz der Gesamtkirche für sich reklamierten.

Der oben angedeutete strukturelle Antagonismus der Basler Geschäftsordnung zeigt sich, wie wir meinen, am deutlichsten im Konflikt zwischen Konsens- und Mehrheitsprinzip. Die beiden Prinzipien schließen sich allgemein keineswegs aus – solange Mehrheitsentscheidungen akzeptiert werden – nur: ein Konzil ist eben doch kein Parlament. Das letzte theologische Ideal war nicht der Meinungspluralismus, sondern der Totalkonsens (‚unanimitas spiritus sancti‘), der keine Gegenstimmen mehr kennt. So wurden zwar einerseits Minderheitsvoten in den Deputationen weiterberaten, andererseits konnte in gewissen Fällen der Dissentierende schnell zum Ketzer werden: *non placet contrarietas et divisio spiritui sancto*[51]. Das Konzil zerbrach dann an der nicht glaubensrelevanten Ortsfrage, als nach einer Kampfabstimmung die Mehrheitsentscheidung nicht hingenommen, aber auch seitens der Majorität nicht mehr zur weiteren Diskussion und gegebenenfalls zur Modifikation freigegeben wurde[52]. Damit war, wie wir heute sagen würden, der parlamentarische Grundkonsens zerstört.

In echten Glaubensfragen dagegen wäre, was oft nicht beachtet wird, auch prinzipiell nie eine Mehrheitsentscheidung vorstellbar gewesen, denn *in ea(que) materia* (sc. der Konzilssuperiorität), *quia fidei, non consentire, esset devium a fide reputari*: Wer in Glaubensentscheidungen von der Meinung der (im Konzil versammelten) Kirche abweicht, wird zum Ketzer![53] Der Dissens wurde so zu einem Problem, das letztlich nicht mehr mit verfassungsmäßigen Mitteln zu bewältigen war. Man sieht die eminente Spannung des Konzils, zugleich Kirchenparlament und Mund des Heiligen Geistes sein zu müssen. So modell-

---

[50] Vgl. WOLMUTH, Verständigung 218–22, über Tudeschis Ausführungen zu Majorität und Minorität.

[51] MC II 966.

[52] KRÄMER, Beitrag 47; Konsens 161 f., 309; WOLMUTH, Verständigung 95–102.

[53] In Glaubensfragen gilt eben der in Basel erneuerte Satz des Chalcedonense: *qui preter ista sapit, hereticus est, qui vero aliter sapit, anathema sit*; MC II 826.

haft viele Probleme erscheinen, so faszinierend die Vergleiche mit weltlichen Verfassungsorganen sind, sie stoßen hier an eine Grenze[54].

Noch ein weiterer in der Forschung unterschätzter Aspekt: Es stellt sich die Frage, ob die Durchsetzung des Majoritätsprinzips mit Gleichgewichtigkeit der Stimmen nicht doch mit einer gewissen Minderstufung des Bischofsamtes und seiner sakralen, auf der apostolischen Sukzession beruhenden Sonderwertigkeit korrespondiert[55]. Die meisten Theoretiker des frühen Konziliarismus wie d'Ailly und Zabarella hatten durchaus noch stärker die Bischöfe als Hauptträger des Konzils herausgestellt, freilich mehr aus Gründen der Praktikabilität, als der sakralen Exklusivität des Bischofsamtes[56]. Der späte Konziliarismus, und vor allem das Basiliense, sind jedoch nichts weniger als ,episkopalistisch' gewesen, wie des öfteren behauptet wurde[57]. Für die Basler war, worauf Black schon hinwies, die biblische Begründung (Eph. 4, 11–12; 1. Kor. 12, 28: *pastores et doctores*) ein ganz entscheidendes Argument dafür, das Stimmrecht nach unten auszuweiten[58]. Das Ganze der Kirche in der Vielfalt ihrer Glieder sollte repräsentiert sein – freilich mit Ausnahme der Laien, worüber noch zu reden ist. Basel und sein ekklesiologischer ,Holismus' bildeten in der Kirchengeschichte eine Klimax; am Ende setzte sich bekanntlich die altkirchliche Form des Bischofskonzils wieder durch. Ein wichtiger Versuch zur Rekonsolidierung der Hierarchie war schon in Ferrara-Florenz erfolgt, demonstrativ gegen Basel, aber wohl auch deshalb unausweichlich, weil sonst mit den Griechen keine Verständigung möglich gewesen wäre. Lateranum V und Tridentinum schritten auf diesem Wege fort. Doch ist sporadisch bereits auf dem Basler Konzil, parallel zu jenem in der Forschung schon länger verfolgten Wiederaufschwung des ,monarchi-

---

[54] Dessen waren sich die Basler auch genau bewußt. S. unten 487.

[55] Die Rolle des Bischofsamtes in der hoch- und spätmittelalterlichen Theologie wäre daraufhin näher zu untersuchen. Wie CREN, Concilium episcoporum est 46–51 (48–51 über Basel) zeigen konnte, wird dieser Satz des Chalcedonense (*concilium episcoporum est, non clericorum*) gerade in der konziliaren Auseinandersetzung des 15. Jahrhunderts im Sinne der Exklusivität des bischöflichen Konzilsstimmrechts diskutiert – gleichzeitig ein Beispiel für die vielfache Reaktivierung der patristischen Theologie.

[56] S. ALBERIGO, Chiesa 86; vgl. ebd. 35 (Pietro Tenorio), 52 (Konrad von Gelnhausen), 78 f. (Pierre d'Ailly). S. aber auch Gerson, Oeuvres complètes, ed. GLORIEUX, VI 222.

[57] Z.B. bei ULLMANN, Geschichte des Papsttums 295.

[58] MC II 29 f., III 651. BLACK, Council 130; What was Conciliarism 217; ders., Realist Ecclesiology, zu Heymericus' Begründung der priesterlichen Gleichheit.

schen Gedankens' eine Aufwertung des Bischofsamtes zu beobachten.
Mehrere scharfe Vorstöße Tudeschis seit Dezember 1437 zugunsten
der höheren Qualität bischöflicher Stimmen[59] sind, wenngleich in
erster Linie politisch motiviert, auch dafür symptomatisch. In späten
Schriften Segovias wie 'De magna auctoritate episcoporum in concilio
generali' (ca. 1445) mit ihrer dogmatischen Erhöhung des Bischofsamtes scheint vollends die Linie des späten Gerson durchgedrungen
zu sein.[60]

Hatten die Basler ein Bewußtsein für das Neue ihrer Geschäftsordnung? Die Frage wurde bisher bei Black aufgeworfen, der sie durch ein
Segoviazitat bejaht sieht: *Que omnia dicta fuere... necessitate... racionis red-
dende practicae huius* (sc. der Geschäftsordnung) *nusquam primum, sed
diebus nostris adinventae, et singulariter observate in sancta Basiliensi
synodo*[61].

Versucht man die Basler Verfassung in modernen Begriffen idealty-
pisch zu charakterisieren, so scheint 'Egalität' den Kern wohl noch
besser zu treffen als 'Demokratie', wenngleich dieser Begriff, sei es in
positiver, sei es in negativer Wertung, immer wieder auf das Konzil
angewendet wurde[62]. Fügt man der 'Egalität' die 'libertas' und Segovias brüderliches 'pro invicem' [62a] hinzu, hat man zur eigenen Überraschung die drei Ideale der Französischen Revolution vor sich – eine
Assoziation, die vielleicht nicht ganz so sachfremd ist wie sie zunächst
erscheinen mag.[63]

---

[59] Vgl. etwa NÖRR, Kirche und Konzil 159–80, besonders 167 mit Belegen; SCHWEIZER,
Tudeschi 116–18; VAGEDES, Konzil I 211 f.; BLACK, Council 95.–Vgl. ACI 2 Nr. 572 Z. 90–
94. Die Beispiele aus Nikolaus von Kues ließen sich leicht vermehren.

[60] S. KRÄMER, Konsens 250 f., der jedoch die Ansätze einer Remonarchisierung in dieser
Schrift unterschätzt. Ähnlich restaurativ wie der späte Segovia äußert sich am Ende seines Lebens Bartholomäus von Maastricht; MEIJKNECHT, Bartholomeus von Maastricht
24, 60, 124.

[61] MC II 135. Dazu BLACK, Council 30, 132 f.; Universities (1978) 518 f.

[62] Beispiele: a) 'demokratisch' negativ verstanden: PASTOR I 301 Anm. 3 und 318; LEH-
MANN 124; OURLIAC-GILLES 48: „Dès le mois de février 1432 le concile . . . tel les Etats-
Généraux de 1789 se proclame assemblée constituante de l'Eglise" . . . „à Bâle le
corporatisme fait place à la démocratie". b) 'demokratisch' positiv verstanden: LAZARUS
116; JACOB, General Councils 134 und besonders deutlich KÖHLE, Demokratisierungstendenzen; WOLMUTH, Basel 204; BLACK, Grundgedanken 296 f., 326–28, gebraucht den
Demokratiebegriff wohl zu unbefangen. - Daß es in Basel „Demokratisierung" gegeben
habe, bestreitet SIEBERG 30 und 95, der hinter allem nur praktische Maßnahmen
sehen möchte.

[62a] Nach 1. Kor. 12, 25. S. oben Anm. 42.

[63] Seinen Ballhausschwur hätte das Basiliense – um die Analogie weiterzuspielen – dann am 15. II. 1432 geleistet, als es erklärte, es könne *absque synodi . . . consensu*

2. *Et sic hic formatur curia Romana*[64]: Behörden und Ämter des Konzils

a) Das Konzil als Behörde

In der Verwaltungsgeschichte des späteren Mittelalters zeigt sich die Tendenz, Behörden auszubilden und zu institutionalisieren.[65] Das Basler Konzil fügt sich in diese allgemeine Entwicklung ein.

Allerdings war die Bürokratisierung im kirchlichen Bereich, primär ingestalt der römischen Kurie, viel früher etabliert als etwa im weltlich-staatlichen Bereich. Der Stellenwert der Basler Konzilsbehörden innerhalb der europäischen Verwaltungsgeschichte wurde möglicherweise deshalb von der Forschung so wenig gewürdigt, weil sie tatsächlich in weiten Teilen nichts genuin Neues, sondern, wie das Aleman-Zitat der Kapitelüberschrift andeutet, eine ‚Kopie der kurialen Behörden‘ gewesen ist.[66] Nun könnte man zunächst durchaus einige Elemente der Basler Behördenorganisation nennen, denen eine gewisse Originalität nicht abzusprechen ist, zum Beispiel das Amt der Zwölf-Männer oder das konsequente Proporz- und Rotationsprinzip in der Ämterbesetzung. Doch allein schon die ‚Kopierung‘ der Kurienbehörden selbst stellte, da sie gleichsam beim Nullpunkt anfangen mußte, in ihren Ausmaßen und in der relativ kurzen Zeit ihrer Bildung bei stets prekären finanziellen Ressourcen eine sehr beachtliche Leistung dar. Sie enthüllte freilich auch, daß man die vielgeschmähte kuriale Bürokratie offenbar doch, wenigstens als Apparat, für effektiv, ja im wahrsten Sinne für vorbildlich hielt. Allerdings erfuhr der Charakter des Kurienapparats wesentliche Metamorphosen, wenn nun statt der Kurie ein gerade neu konstituiertes Korporativorgan

---

nicht aufgelöst werden; COD 457 Z. 26. Noch deutlicher ist dieser Tenor in der Durchhalteerklärung während der Pest des Sommers 1439; MC III 339–342.

[64] So Louis Aleman; RTA XIII 573 Z.34 f. nr.300.

[65] S. jetzt instruktive Überblicke in : Deutsche Verwaltungsgeschichte I, 21–213.

[66] VALOIS I 316 f.; LAZARUS 16–18 und öfter; DEPHOFF, Kanzleiwesen XI f., 1 und öfter; GILL 241; OURLIAC, Sociologie 23 f.; MEUTHEN, Rota 473. – Zum Teil herrschte auch direkte Kontinuität zwischen kurialem und Basler Behördenpersonal, wenn die Amtsinhaber freiwillig oder nach Befehl des Konzils von Rom nach Basel abwanderten. So wurde der Vizekanzler der Kurie, Kardinal Jean de Rochetaillée, übrigens auf seine nachdrückliche Forderung hin, im Mai 1433 ebenso Vizekanzler des Konzils: LAZARUS 197; DEPHOFF, Kanzleiwesen 42, 49 f. Von 121 bei Dephoff 78–95 ermittelten Konzils-Skriptoren stammten 12 von der Kurie. Vgl. auch MEUTHEN, Rota 473 und 478 f. - Der umgekehrte Weg ist später bei der Re-integration ehem. Basler Amtsinhaber in die Kurie zu beobachten; z. B. HOBERG, Admissiones 395 Nr. 10 (Simon de Valle); HOFMANN, Forschungen II 17 f., Nr. 63, 65. 69.

von der Art eines Generalkonzils als Träger fungierte. In der Entwicklung der spätmittelalterlichen Konzilien war damit nichts geringeres
als der Schritt vom Verfassungsorgan zum kombinierten Verfassungs-
und Verwaltungsorgan vollzogen.

Die Frage mag erlaubt sein, was an diesem Ergebnis ‚mittelalterlich‘
und was ‚modern‘ zu nennen sei: Während in der deutlich zugenommenen Bürokratisierung durchaus ‚moderne‘ Züge gesehen werden
können, müßte man andererseits die konziliare Identität der ‚Organe‘
Jurisdiktion und Legislative eher ‚mittelalterlich‘ nennen. Denn
gerade das Konglutinieren von Gewalten (der König ist gleichzeitig
Gesetzgeber, Exekutor der Gesetze und Richter) wird ja allgemein für
ein typisch ‚mittelalterliches‘ Verfassungselement gehalten, während
sich in der Neuzeit gerade ‚Gewaltenteilung‘ entwickelt habe. Es ist
daher sehr bezeichnend, daß die Basler Konzilstheoretiker nach den
neuesten Erkenntnissen von KRÄMER mit einer einzigen Ausnahme
die Gewaltenteilung in der Kirche ablehnten. Als Gilles Carlier – er
nämlich ist die Ausnahme – derartige Vorschläge entwickelte, widersprachen ihm nacheinander die Kardinäle Correr und Cervantes, der
Gesandte der Universität Paris, Denis Sabrevois, und Johann von Segovia[67]. Carlier wollte dem Papst die Exekutive, dem Konzil ‚nur‘ die
Legislative zuschreiben – und war damit so originell nicht. Ähnliche
Gedanken hatte allgemein Marsilius, und speziell im Sinne Carliers auf
dem Konstanzer Konzil der Dominikanergeneral Leonard Statius de
Datis vertreten, wie TIERNEY in seiner Studie über ‚Divided sovereignty
at Constance‘ gezeigt hat[68]. Im Grunde zielte die gesamte durch d‘Ailly
und Zabarella verkörperte Phase des Konziliarismus implizite in diese
Richtung (der Papst als ‚rector‘ verstanden usw.). Was an Carliers
Argumenten überraschte, kann also nicht die Übertragung des Begriffsfelds ‚executio‘ – ‚legislatio‘ – ‚iurisdictio‘ auf die Kirchengewal-

---

[67] S. KRÄMER, Konsens 213 f. Vgl. ebd. 224 f., 295, 332. Die Carlier-Zitate freilich nur
nach dem Referat bei Segovia (MC II 613). Gibt es Originaltexte von Carlier? Ferner
Segovia, De praesidentia, ed. LADNER, Segovias Stellung 54 (§ 60); MC II 605–617. Vgl.
zur Einheit von Exekutive und Legislative in der Basler Ekklesiologie BLACK, Council 42 f.,
189; HÖDL, Laurentius 268-77. - Die Dreiteilung der kirchlichen Gewalten nach TIERNEY,
Religon, Law 45, erstmals bei Hervaeus Natalis, De iurisdictione, ed. L. HÖDL, München
1959, 15.

[68] TIERNEY, Divided Sovereignty 247–51. Vgl. ebd. 251–53 zur Behandlung des Problems bei Torquemada und Jacobazzi (*unum caput, non duo capita, quasi monstrum*; zit. 252). Im
Lichte des Souveränitätsbegriffs dürften dem Basler Konziliarismus noch einige interessante Aspekte abzugewinnen sein.

ten gewesen sein. Auch das Postulat der Teilung von päpstlicher Exekutive und konziliarer Legislative war nicht neu. Segovia selbst ging mit den Begriffen um, aber er stellte bezeichnenderweise den Souveränitätsgrad der Legislative über den der Exekutive.[69] Was Anstoß erregte, scheint vielmehr die Konsequenz der Teilung und die Gleichstellung der Gewalten gewesen zu sein. Für die Basler Theoretiker war die Gewaltenteilung im Sinne Carliers deshalb unannehmbar, weil die Souveränität und folgerichtig auch die Superiorität des Generalkonzils als Eckpfeiler der konziliaren Theorie gerade auf der Einheit der Gewalten Legislative und Exekutive im Konzil beruhte.[70] Kirchliche und konziliare Gewalt fielen so monistisch zusammen wie in der monarchischen Papaltheorie kirchliche und päpstliche Gewalt. Das Basiliense trat eben als erstes Konzil der Geschichte mit dem theologisch begründeten Machtanspruch auf, in Konkurrenz zu Papst und Kurie in Rom nicht nur in Glaubensfragen zu urteilen (also im übertragenen Sinne die höchste Legislative auszuüben), sondern auch in Exekutive und Jurisdiktion die universale Leitung der Kirche an sich zu ziehen. Nicht Gewaltenteilung, sondern Gewaltenverdopplung war die Folge: Denn dieser Anspruch ließ sich in der Tat weder organisatorisch noch prestigemäßig ohne den entsprechenden Behördenapparat verwirklichen. Dieser mußte den notwendigen Rudimentärbestand an eigener Verwaltung, der für das bloße Funktionieren des Konzils fern von Papst und Kurie notwendig gewesen wäre, bei weitem übertreffen. Ja, man möchte zugespitzt formulieren: Da die Basler genau wie die monarchische Kurie das Monopol der drei Gewalten beanspruchten, bot es sich geradezu an, auch gleich deren Behördenapparat zu kopieren[70a].

Selbstverständlich sind in diesem Zusammenhang eine Fülle weiterer Gesichtspunkte zu berücksichtigen: Die Basler Konzilsbehörden waren mehr als innerkonziliare Selbstverwaltungsorgane. Denn jener Anspruch des Konzils auf jurisdiktionelle und exekutive Zuständigkeit in der Kirche stieß in der Christenheit auf großen Widerhall. Die Flut der Suppliken und Prozesse, die das Konzil alsbald über-

---

[69] BLACK, Council 189 f.
[70] Vice versa mußte natürlich auch eine konsequent papalistische Position die Gewaltenteilung zurückweisen.
70a Freilich hat die zu keiner Zeit aufgehobene räumliche Trennung des in Italien amtierenden Papstes Eugen vom Konzil im fernen Basel die Dichotomie in Verwaltung und Kirchenpolitik geradezu provoziert. – Zu vergleichen wären die Verhältnisse des Constantiense.

schwemmte, bezeugt es. Das Konzil wurde dadurch geradezu gedrängt, seine Behörden entsprechend den steigenden Anforderungen von außen zu vergrößern. Das aus konziliarem Selbstverständnis erwachsene ‚Angebot' und die faktische ‚Nachfrage' seitens der Gläubigen hatte für die Ausbildung der Behörden einen kumulierenden Effekt, der Ursache und Wirkung schwer unterscheidbar macht. Es ergab sich daraus aber auch, so dürfen wir vermuten, ein Zwang zur Fortexistenz des Konzils! Dabei ist nicht einmal primär an Rücksichtnahme der Basler auf vorhandene oder potentielle Supplikanten und Prozeßführer zu denken, die auf das Konzil als Behörde angewiesen waren, schließlich konnten diese ihr Recht auch an der römischen Kurie suchen – und taten das auch ausgiebig –, sondern auch an die behördlichen Besitzstände und Ansprüche der Konzilsmitglieder selbst. Hatten nicht viele Basler den naheliegenden Wunsch, der zur Forderung werden konnte, für den Fall ihrer Unterwerfung unter Eugen IV. zum Dank von der Kurie und ihrem ‚sozialen Netz' übernommen zu werden? Beispiele gibt es genug[71].

Resultiert also die lange Dauer des Basiliense möglicherweise weniger aus dem Anspruch, permanent tagendes ‚Kirchenparlament' (im Sinne Jedins) zu sein, sondern mehr aus der Notwendigkeit, als Kirchenbehörde weiterzubestehen? Die Realität sah unbezweifelbar so aus: „Was regionale Repräsentativorgane wie Landesparlamente und Ständeversammlungen .. bisher nicht geschafft hatten, tat jetzt ausgerechnet das universalste Parlament: es tagte ohne Unterbrechung."[72] Seltener bei den Zeitgenossen, umso häufiger in der baselkritischen Forschung wird gerade dieser Tatbestand als massiver Vorwurf ins Feld geführt: Die Basler wollten sich als ‚Dauerregiment' der Kirche, als weitgehendes Substitut der römischen Kurie und des Papstes etablieren. Demgegenüber hob KRÄMER nachdrücklich hervor, daß sich in den kirchentheoretischen Schriften der Basler Konziliaristen kein Hinweis auf eine derart weitreichende Konzeption einer Art ‚synodus endemousa' (Sieben) finde[73]. Von einer ausgeformten

---

[71] Das oben genannte Beispiel des Kardinals Rochetaillée ist besonders schlagend: Er war zuerst nur unter der ausdrücklichen Bedingung nach Basel gegangen, daß er dort wieder sein bislang an der Kurie ausgeübtes Amt als Vizekanzler übernehmen könnte – und erhielt, als er sich vom Konzil abgewandt hatte, 1436 in ununterbrochener Besitzstandswahrung wieder das gleiche Amt bei Eugen IV.; HOFMANN, Forschungen II 69, und oben Anm. 66.

[72] MEUTHEN, Basler Konzil 37.

[73] KRÄMER, Konsens 180, 204 f., 236, 249. Vgl. BLACK, Council 213 (Gallikaner).

Theorie kann man in der Tat nicht sprechen, aber immerhin hat Segovia das Phänomen ‚Dauersynode' mehrmals in recht aufschlußreicher Weise berührt[74]. Es ist daher kaum vorstellbar, daß den Baslern die Idee eines dauernden konziliaren Kurienersatzes, der sie ja faktisch schon – ‚Konzilsväter aus Beruf' – waren, nie in den Sinn gekommen wäre. Allerdings scheint man das Problem, daß aus einem ‚Frequens' von Reformkonzilien das ‚Semper' eines Kirchenregiments werden konnte, nicht systematisch reflektiert zu haben.

b) Einzelne Ämter

Wie allgemein bekannt ist, schuf sich das Konzil schrittweise seine eigene Kanzlei[75], seine eigene Rota, Finanzverwaltung, Pönitentiarie, Bullen- und Supplikenregistratur etc. und führte nach Vorbild des Constantiense ab März 1432 ein eigenes Siegel[76]. Ungleich mehr Konfliktstoff bargen die besonderen jurisdiktionellen Ansprüche der Basler: Verkündigung von Ablässen, Vorbereitung von Heiligsprechungen, Vergabe von Ehedispensen, Wahrnehmung von Aufgaben des kurialen Konsistoriums, Ernennung von Notaren und von eigenen Legaten a latere – dies alles traditionellerweise dem Papst zustehende Rechte. Die Forschung erörterte zwar die grundsätzliche kirchentheoretische Problematik; die einzelnen Aktionsfelder jedoch – obwohl in Basel selbst Gegenstand heißer Debatten –, kamen nur sporadisch zur Sprache.

Bei Erforschung der in ihrer Vielfalt und Systematik erstaunlichen

---

[74] Segovia, De praesidentia, ed. LADNER, Segovias Stellung 78 (§ 122) gegen die ad-limina-Besuche der Bischöfe an der römischen Kurie: *Unde quasi continuabatur Rome semper patriarchale concilium, quod apud alias sedes non erat, sed intervallo facto certis conveniebant temporibus* sowie Segovia ebd. 110 über das Apostelkonzil: *Est etiam hic advertendum, quod in primitiva ecclesia tempore apostolorum videtur s e m p e r d u r a s s e aut continuatum fuisse Ierosolymis generale concilium. Ad quod ... erat recursus super omnibus dubiis ...* Dies klingt, auch in seinem Rückbezug auf die ecclesia primitiva, wie ein Modell für das Basiliense. – Auch Ockham hatte sich mit der Frage eines Dauerkonzils beschäftigt; s. SIEBEN, Konzilsidee des Mittelalters 458–63.

[75] S. die Kanzleiregeln vom 23. Sept. 1435; CB III 523 Z. 35–528 Z. 4. Zum Kanzleiwesen: LAZARUS 197–234; DEPHOFF, Kanzleiwesen passim.

[76] Das Siegelbild zeigt vierzehn Konzilsväter (Bischöfe, Mönche, ein Kardinal, der Papst am Rande, aber zur Rechten Jesu) im Halbkreis um die Taube des Hl. Geistes, die vom segnenden Christus in der Wolke ausgeht (s. Titelbild). Vgl. LAZARUS 216; DEPHOFF, Kanzleiwesen 7–14. Vgl. SCHNEIDER, Die Siegel des Konstanzer Konzils. – Im Rückblick auf den Krach um die Siegelung des Minoritätsdekrets sagte Nikolaus von Kues später (1444): *Perniciossissimum fuit Basilee bullam esse*; AC I 2 Nr. 599 Z. 166 f. - Zu den Bullen s. BURNS, New Light on the ‚Bulla' of the Council of Basle, (über drei in Großbritannien erhaltene Exemplare); s. dazu: dens., in: The Innes Review 8 (1956) 91.

Behördenorganisation des Basiliense ist man, von den eingangs genannten Ausnahmen abgesehen, nur unwesentlich über die von LAZARUS erstellten Ergebnisse hinausgelangt.

Der reguläre Verwaltungsapparat des Konzils war bereits vor 1438 aufgebaut. Die Suspension Eugens IV., die in diesem Jahr erfolgte, hätte nach den kirchenrechtlichen Maßstäben der Basler noch eine zusätzliche Kompetenzerweiterung erbringen müssen, unter anderem die am Ende vergeblich angestrebte Verwaltung des Kirchenstaats und vor allem die Vergabe jener Benefizien, die bisher noch die Kurie zu besetzen hatte[77]. Da aber Eugen IV., so wie er sich schon vorher nicht an die Basler Reformdekrete gehalten hatte, auch jetzt weiter amtierte und von vielen geistlichen und weltlichen Autoritäten anerkannt blieb, kam es gerade im Benefizialwesen[78] zu noch verwirrenderen Überschneidungen und Doppelungen, die sich nach der Wahl des Gegenpapstes Felix V. noch einmal vermehrten. Eine unsichere Zeit - und gerade deshalb eine Zeit für Opportunisten und doppelstrategisch operierende Pfründenjäger, wobei das Konzil noch den Vorteil bot, daß dort im Vergleich zu Rom die Taxen billiger waren und gemäß eigenem Reformdekret die Annaten wegfielen[79]. Obwohl reiches Quellenmaterial vorhanden ist, harrt die Benefizialpolitik des Basiliense noch weitgehend ihrer Erschließung. Dies ist nicht zuletzt dadurch zu erklären, daß man bisher fast ausschließlich gefragt hat, woher die Konzilsväter kamen, nicht aber, welche und welcher Leute Sachen sie in Basel erledigten.

Die innere Situation des Basler Konzils nach der Wahl des Herzogs Amadeus VIII. von Savoyen zum Papst ist in jüngster Zeit (wohl auch bedingt durch die Ungunst der Quellen) nicht mehr eigens untersucht worden. Doch scheinen mir einige Überlegungen vonnöten: Nachdem die Basler in nicht zu unterschätzender Weise davon profitiert

---

[77] Der am 31.Jan. 1438 – übrigens nach dem Nationenproporz – eingerichtete 12-köpfige Ausschuß für die Verwaltung des Kirchenstaates (MC III 30–34) mußte wieder aufgegeben werden. S. dazu PREISWERK, Einfluß Aragons 46–51; LAZARUS 194 f. (Personenliste); PÉROUSE, Documents inédits 372–74 Nr. 5; AMMON, Schele 58 f.; ZWÖLFER 24-28; vgl. unten 252. - Zur Angelegenheit wird man erst wirklich klar sehen, wenn das Thema ‚Basler Konzil und Italien' aufgearbeitet ist. – Zu einem früheren von Mailand lancierten Plan von 1434, eine konziliare Koadjutorie aus Kardinälen einzurichten, erstmals DECKER, Kardinäle 395–97. Die Prinzipien der Verwaltung wurden schon 1436 III 26 (COD 498–500) dekretiert.

[78] Für die Verteilung der Benefizien wurde am 10. Mai 1438 ein eigenes Kollegium von 16 Kollatoren eingerichtet; LAZARUS 185–88.

[79] Zu den Taxen s. DEPHOFF, Kanzleiwesen 120 f. Die Basler Konkurrenz nötigte allerdings auch Eugen IV. zu Taxnachlässen.

hatten, daß der amtierende Papst Eugen IV. weit weg residierte, hatte man nun zwar in Felix V. ‚seinen' Papst, aber auch einen nahen Papst, der sogleich sehr direkt mit eigenen, pontifikalen Machtinteressen aufwartete. Die alte Crux des Konziliarismus, wie die Rechte von Papst und Konzil in concreto abzugrenzen seien, hing nun unübersehbar im eigenen Haus. Betrachtet man das Verhältnis des Konzils zu Felix V. als Modellfall einer möglichen „papauté constitutionelle" (Pérouse) nach den Vorstellungen der Basler, so darf man den Versuch als gescheitert ansehen. Immerhin kam es bei der Behördenorganisation zu einigen unvermeidlichen Umstellungen, die wohl eher als Schönheitskorrekturen, keineswegs aber als Ansätze einer neuen Monarchisierung zu werten sind: Die Kanzlei arbeitete nun für zwei verschiedene Aussteller, für die ‚sancta synodus' und für ‚Felix V. papa'[80]; Pönitentiarie und Kammer amtierten jetzt im Namen des neuen Papstes; die Präkognitoren wurden durch das neue Kardinalskonsistorium ersetzt; der Papst ernannte jetzt die Rotarichter[81]. Schon hier zeigen sich die Keime einer neuen Doppelherrschaft – mit einer Bürokratie, die zusehends in parkinsonschen Dimensionen arbeitete. Die Entzweiung zwischen Konzil und Konzilspapst manifestierte sich 1442 auch räumlich, als Felix V. mit seiner Entourage nach Lausanne zog.

Unter den Konzilsämtern hat die Forschung einige als besonders einflußreich herausgearbeitet. Zu ihnen zählten etwa das Zwölf-Männer-Kollegium[82], eine im Sichten und Konkordieren der Deputationsanträge entscheidende Schaltstelle des Konzilsbetriebs, in geringerem Maße auch die Promotoren[83]. Auch der Einfluß der Konzilsnotare ist, wie oben angedeutet, nicht zu unterschätzen: Sie blieben unabhängig, unterlagen nicht dem Amtswechsel und konnten durch diese Kontinuität beträchtlich an Erfahrung und Einblick gewinnen[84]. Personengeschichtlich wäre auf diesem Gebiet noch einiges zu tun.

In der Forschung gibt es Ansätze zu einer Art Typologie einzelner Konzilsämter, bzw. ihrer ‚Mentalität', anhand exemplarischer

---

[80] MC III 489 f.; DEPHOFF, Kanzleiwesen 17 f., 43–45.

[81] Zum Konsistorium Felix V.: LAZARUS 280; BAUMGARTEN, Kardinalskonsistorien passim. – Zur neuen Kurialrota: CB VII 173 Z. 9 f.; MEUTHEN, Rota 492.

[82] LAZARUS 181–85, mit Namensliste 312–18.

[83] Besonders bei SIEBERG, Diplomatie 39–45 herausgehoben, bei Lazarus wohl unterschätzt.

[84] Zu den Notaren s. oben 15 mit Anm. 34.

Vertreter der ‚mittleren Ebene'. So präsentierten in letzter Zeit
MEUTHEN mit Johann Wydenroyd einen Rotanotar[85], NEITZERT mit
Wilhelm Kircher einen Konzilsrichter[86], BRANDMÜLLER mit Simon de
Lellis de Teramo einen Konsistorialadvokaten[87].

Das zweifellos bedeutende Amt des Konzilspräsidenten[88] wurde
bisher fast ausschließlich im Zusammenhang mit der überragenden
Persönlichkeit Cesarinis gesehen[89]. Das ist verständlich, denn er allein
hat dieses Amt, dessen Kompetenz die Basler allenfalls auf die Stellung eines primus inter pares bzw. „obersten Sachwalters der Konzils-
geschäfte"[90] begrenzen wollten, geweitet und zu einer Schlüsselposition des Konzils gemacht. Sein Nachfolger Aleman[91], der die Versammlung nach ihrer Spaltung ungleich direkter dominierte, hat seit
der unersetzten Arbeit von PÉROUSE (1904) keine nennenswerte
Behandlung mehr gefunden. In jedem Falle verdienten auch der
Interimspräsident des Jahres 1432, Philibert de Montjeu, und die drei
päpstlichen Präsidenten, die ihr Amt trotz aller Konflikte immerhin
dreieinhalb Jahre innehatten, eine eigene Untersuchung, insbesondere ihr maßgeblicher Akteur Giovanni Berardi, Erzbischof von Tarent[92]. Welche Politik verfolgten sie, wie lief die Rückkoppelung
zur Kurie?

---

[85] MEUTHEN, Rota 497–515, dort aber auch zu anderen Rotanotaren, so daß ein
repräsentatives Spektrum dieser Gruppe entsteht. Ergänzend zu einem der Notare aus
Wydenroyds Kollegium, Heinricus Arnoldi von Alfeld, jetzt GILOMEN, Lebenslauf 66–70.
– Eine Fülle prosopographischer Daten zu Inhabern Basler Konzilsämter bei MEUTHEN,
Trierer Schisma, passim, insbesondere zu Konzilsrichtern.

[86] NEITZERT, Wilhelm Kircher aus Konstanz. – Ein wichtiger Konzilsrichter war der
Basler Offizial Heinrich von Beinheim; WACKERNAGEL, Heinrich von Beinheim; MEUTHEN,
Trierer Schisma 279 s.v.; ebd. zahlreiche Verweise auf Konzilsrichter. - Ein Kölner Bei-
spiel: DIEMAR, Johannes Vrunt 74-76.

[87] BRANDMÜLLER, Simon de Lellis de Teramo. Ein Konsistorialadvokat auf den Konzilien von Konstanz und Basel 247–55 (Aufzählung von Basler Prozessen Teramos).

[88] Das Wesentliche bei LAZARUS 83–105. Zur Debatte um die auch konzilstheologisch
eminent wichtige ‚Präsidentenfrage' (1434) s. unten 466 Anm. 176.

[89] Zu Cesarini jetzt CHRISTIANSON, Cesarini passim; KRÄMER, Konsens 125–65; des
weiteren unten 115 f.

[90] KRÄMER, Konsens 127.

[91] Daten bei LAZARUS 99–105. Literatur zu Aleman s. unten 117. - Zur Präsidentschaft
Philiberts de Montjeu s. LAZARUS 88 f.

[92] Zu Berardi († 1449): L. WALTER, in: DBI 8, Rom 1966, 758–61; STIEBER 15, 36 f.,
175–77, 375–77; KRÄMER 464 s.v. ‚Johannes Berardi'. Zu Ludovico Barbo, Abt von Sta.
Giustina, in Basel: TASSI, Ludovico Barbo 10–12, 27–74, 82–94.

c) Prinzipien der Ämterbesetzung und die Frage nach der ‚Effektivität‘

Die Prinzipien der Ämterbesetzung auf dem Basiliense kann man in einer Reminiszenz an das republikanische Rom mit ‚Kollegialität‘ und ‚Annuität‘ (das hieße: strenge zeitliche Befristung) recht genau definieren. Und wieder verbinden sich in diesen Maximen ideelle Motive mit höchst real-politischen Absichten von Kontrolle und Machtbeschneidung. Meuthen hat auf diese strukturellen Verflechtungen mehrfach hingewiesen. „So sehr die Basler für Kollegialisierung waren, so pathologisch mißtrauten sie jedem Ansatz von Amtsverfestigung"[93] – wobei die Kollegialität freilich ihrerseits eine Kontrollfunktion besitzt. Das Konzil hatte auch hier wieder seiner doppelten Natur als geistgeleitete Repräsentanz der Universalkirche einerseits und als korporativ strukturierte parlamentähnliche Versammlung andererseits den entsprechenden Sachzwängen Rechnung zu tragen. Das gegenseitige Mißtrauen ist ja gerade, wenn auch nicht ausschließlich, für egalitär-korporative Verfassungsorgane wesenhaft – und muß es sein, da etwa durch feste Hierarchien institutionalisierte Kontrollmechanismen ganz bewußt fehlen sollen. In Basel wurden daher erstens fast alle Ämter auf kurze Dauer befristet, eine Praxis, die den Konzilsvätern im Prinzip von Universitäten, Orden und Kommunen vertraut war. Leitende, aber auch subalterne Ämter wurden im Extremfall im einmonatigen, vielfach im drei- oder vier-monatigen Wechsel neu besetzt. Ein kurzer Überblick ergibt rund zwanzig solcher nach dem Rotationsprinzip vergebener Ämter.[94] Ämterku-

---

[93] MEUTHEN, Rota 486–92, zit. 487; Art. ‚Basel‘ 1519; Basler Konzil 35 f.
[94] Hier eine Liste der befristeten Ämter. Die Zahlen beziehen sich auf die Seiten bei LAZARUS:
a) Monatlicher Wechsel:
– Deputationspräsidenten (121);
– Deputationsreferendare (132);
– Vierer-Ausschuß der Deputationspromotoren zur Verteilung der Inkorporierten (107);
– Zwölf-Männer-Kollegium (181 f.), und zwar jeweils 8 von 12 Mitgliedern;
– die 16 collatores beneficiorum (185), und zwar jeweils 12 von 16. –
Aus dem Kanzleipersonal: – Rescribendar, der Chef-Verteiler der Taxen des Skriptorenkollegiums (214; Wechsel wahrscheinlich, s. CB III 524 Z. 22; vgl. Dephoff 71);
– der Komputator (215);
– die 4 Auskultatoren, Endprüfer der Dekret-Reinschriften (215);
– die assessores auditori camere (258);
– ab 3. Aug. 1440 der corrector (Dephoff 73);
– für kurze Zeit (1435) der custos bullae – bald wieder abgeschafft (Dephoff 97);
– die 4 clavigeri (218; Dephoff 98).

mulation war streng verboten, die Disziplinarregeln zum Teil schärfer als an der Kurie.[95] Waren diese Phänomene in ihrer Konzentration und Konsequenz, gemessen an der Verfassungs- und Verwaltungsentwicklung vor Basel, schon exzeptionell genug, ist ein zweites Kontrollverfahren noch mehr geeignet, die Ausnahmestellung des Basiliense zu verdeutlichen: Die umfassende Protokollierung aller Kollegien[96]. Wenn die Verhandlungen jeder Deputation und jedes Ausschusses von neutralen Notaren protokolliert wurden, konnte potentiell jeder Konzilsvater den Verlauf kontrollieren – vorausgesetzt er las die Protokolle wirklich. In gewisser Weise herrschte ein fast an Fetischismus grenzendes Vertrauen in die Akten als Kontroll- und Wahrheitsgaranten. Hier mag man manchen ‚modernen' Zug erblicken, ganz abgesehen von der Quantität an Schriftgut, die auf diese Weise produziert wurde. Der ungewöhnliche Quellenreichtum des Basler Konzils entspringt also zu einem guten Teil dem Kontrollbedürfnis dieser Korporation!

Eine Folge der raschen Ämterwechsel war die permanente Fluktuation der Konzilsteilnehmer. Das Gerangel um Ämter wurde damit sozusagen institutionalisiert. Der Mangel an Kontinuität mußte schließlich auch die Funktionsfähigkeit der Gremien beeinträchtigen. Vor allem im Prozeßwesen läßt sich das beobachten: Kaum war jemand eingearbeitet, hatte er einem anderen Platz zu machen, der natürlich mit der Materie noch nicht vertraut war. Zum Beispiel gab es zwischen 1432–1440 siebenundachtzig verschiedene Rotarichter[97]. In der Regel waren diese zwar juristisch kompetent – gerade bei den Richtern achtete man darauf – gravierend wirkte sich aber aus, daß es ihnen notgedrungen an Kenntnis in den Einzelfällen mangelte, die sie

---

b) Drei-monatlicher Wechsel:
– die judices fidei (283);
– die 5 Präcognitoren der Rota (279);
– die 12 Richter der Rota, ab Feb. 1435; Verlängerung möglich (276; Meuthen, Rota 486).
c) Vier-monatlicher Wechsel:
– der General-Thesaurar (mehrfache Verlängerung möglich 245 f.); die 8 Kammerkleriker (247 f.). Ab August 1439 1- bis 2-monatlicher Wechsel von nunmehr 4 Kammerklerikern. (Die Liste beansprucht nicht, vollständig zu sein). Die Deputationsmitglieder unterlagen dagegen keinem monatlichen Wechsel, wie Lazarus 110 gegen ältere Forschung hervorhebt. Aber vorgesehen war auch das.
[95] Dephoff, Kanzleiwesen 74–78.
[96] S. Meuthen, Protokollführung 356 f.
[97] Meuthen, Rota 487.

kurzfristig zu übernehmen hatten. Das Dilemma wurde teilweise dadurch umgangen, daß viele Mitglieder sich unmittelbar oder im Zeitabstand wiederwählen ließen – Amtsverfestigung durch die Hintertür – oder, im Falle der Rotarichter, laufende Prozesse auch über die offizielle Amtszeit hinaus zu Ende führen durften[98].

Damit ist die Frage nach der Effektivität gestellt: Die Prinzipien der Geschäftsordnung, höchstmögliche Öffentlichkeit und breiteste Beteiligung aller Teilnehmer, bewirkten, rein funktional gesehen, auf der einen Seite Fluktuation, auf der anderen Seite Zähflüssigkeit. Man rufe sich zum Beispiel in Erinnerung, daß ja jeder Antrag, jede Supplik in allen vier Deputationen beraten werden mußte, was bei der steigenden Flut von Suppliken und Prozessen zu einem grotesken Mißverhältnis von Aufwand und Gegenstand führte. Die Protokolle zeigen sehr anschaulich den Konzilsalltag: Die Väter brachten nämlich fast drei Viertel ihrer Sitzungszeit mit Verwaltungs- und Prozeßquisquilien zu[99], keineswegs mit ekklesiologischen Höhenflügen oder Reformfragen! Dies war der Preis, den man für die Konstituierung als Jurisdiktionsorgan zu zahlen hatte. Es ging in Basel tatsächlich wie an der Kurie zu.

Zur Entlastung der Deputationen richtete man deshalb mehr und mehr kleinere Kommissionen und Ausschüsse ein. Ihre Bedeutung wurde auch von der Forschung gesehen[100]. In der Konzilsarbeit nahmen sie alsbald in so inflationärer Weise[101] zu, daß sie die Unübersichtlichkeit nur vergrößerten. Es konnte auch vorkommen, daß gewisse Themen, nachdem sie einmal an eine Kommission delegiert waren, dort von interessierten Gruppen blockiert wurden. So handelten etwa die Prälaten der brisanten Simoniekommission, weil sie hier anders als

---

[98] Einige Rotarichter blieben zwei und mehr Jahre – statt regulär drei Monate – im Amt; MEUTHEN, Rota 491 mit Beispielen.

[99] Zum Geschäftsgang LAZARUS 131–35, 274 f., 286–91; PÉROUSE 186 f. Allein zwischen dem 3. und 10. März 1438 bewältigte die Deputatio pro communibus 200 Suppliken! (CB VI 168–212; DEPHOFF, Kanzleiwesen 2, vgl. 105–108). Ein hübsches und repräsentatives Beispiel bringt MÜLLER, Kirche des Spätmittelalters 34: Das Konzil mahnt die Kölner Universität, Bücher aus dem Nachlaß des verstorbenen apostolischen Protonotars Hermann Dwerg einer Kirche in Herford zu vermachen; nach KEUSSEN, Regesten 78 Nr. 539. MARCHAL, Supplikenregister 215 und 224, möchte anhand der beiden erhaltenen Registerbände ermitteln, daß die Basler Registratur etwa halb so schnell arbeitete wie die der römischen Kurie!

[100] LAZARUS 188–96; SIEBERG, Diplomatie 81 mit Anm. 298; MEUTHEN, González 255 f.

[101] HANNA 67 f. zählt „flüchtig" für 17 südwestdeutsche Konzilsmitglieder 617 Teilnahmen an Kommissionen. Vgl. STUTT 76.

in den Deputationen dem niederen Klerus gegenüber in einem günstigeren Stimmenverhältnis standen[102]. Die Gremien konnten einander blockieren, revidieren oder die Bälle zuschieben – Phänomene einer ‚Polykratie‘, die wohl mehr oder weniger in jeder Verwaltung, auch der staatlichen oder kommunalen, zu beobachten ist.

Zeitgenössische wie moderne Kritiker des Basler Konzils haben an harten Wertungen nicht gespart. Sie scheinen sich nicht selten im Zerrbild einer überbürokratisiert-schwerfälligen Maschinerie, die sich in alles bis ins Kleinste einmischte, gleichzeitig aber hektisch-fanatischen ‚Schwatzbude‘ einig zu sein, wo, um mit Piero da Monte zu sprechen, *clamores prevalent et non rationes*[103]. Der organisatorische Leerlauf und die Disziplinlosigkeit der *confusa multitudo*[103a] (Traversari) hätten demnach das Konzil zur Kirchenreform unfähig gemacht. Man wird viele dieser latent oder offen antiparlamentarischen Urteile den gängigen Negativtopoi gegen das Basiliense zuschlagen. Ein Quentchen Wahrheit enthalten sie schon: Sowohl systemimmanente, durch die Prinzipien der Geschäftsordnung bedingte, als auch durch deren Pervertierung bzw. den sogenannten menschlichen Faktor einreißende Mißstände sind unübersehbar. Sie haben die Arbeit des Konzils zweifellos oft beeinträchtigt. Für sein Scheitern waren sie dennoch nur sekundär von Bedeutung. ‚Tumulte‘ gehören überdies zum typischen Erscheinungsbild vieler Konzilen – auch der spätantiken! Schließlich ging es immer wieder um die ‚fides‘, um letzte Glaubenswahrheiten; da war es beinahe Pflicht, hitzig zu eifern, auch wenn die ‚concordantia‘ der ‚sancta synodus‘ in Gefahr geriet.

Unsere Ausführungen zu Geschäftsordnung und Behördenorganisation versuchten, en passant ein paar tastende Ansätze zu einer Typologie spätmittelalterlicher Verfassungs- und Verwaltungsprobleme zu liefern. Eine angemessene Gewichtung des Basiliense wird erst der Vergleich mit der Kurienverwaltung sowie mit staatlichen, ständischen und kommunalen Gremien ermöglichen.

---

[102] ZWÖLFER 212–34 sowie unten 338.

[103] HALLER, Monte 252 (Nr. 43). Abwägendes Urteil bei RICHTER, Organisation 34–36. Kritisch zur ‚Effektivität‘ z. B. VALOIS I 311–18; MOULIN, Origines 139 ff.; GILL 241; DLO 242 Anm. 47; OURLIAC, Sociologie 27. Positive Wertungen wie die von BLACK, Council 30, und Universities (1978) 518, sind dagegen selten.

[103a] Epistolae, ed. CANNETI, III 42, S. 158.

3. Die Bedeutung der Nationen

Die Forschung hat herausgestellt, wie die ‚Nationen' analog zu den Universitäten auf den spätmittelalterlichen Konzilien[104], nach ersten Ansätzen auf dem Lugdunense II (1274), wachsende Bedeutung gewannen, die dann auf dem Pisanum und Constantiense und in den Nationenkonkordaten von 1418 kulminierte. Den Nationen auf dem Basiliense hat man dagegen weniger Aufmerksamkeit geschenkt. Dabei war bekannt, daß sie dort zwar ihre Funktion als offizielle Verhandlungs- und Abstimmungsorgane an die Deputationen hatten abtreten müssen, deshalb aber keineswegs verschwunden waren, sondern weiterhin eine wichtige „existence à demi officielle"[105] führten. Bei allem Willen zu ‚mixtio' und Ausgewogenheit war es keineswegs gelungen, die Nationen als geschlossene Körperschaften ganz zu neutralisieren – was wohl auch gar nicht beabsichtigt war – beziehungsweise ihre Ausschaltung als Konzilsorgane durch peinlichst eingehaltenen Proporz bei der Ämter- und Gremienbesetzung zu kompensieren. Denn es fanden weiterhin Zusammenkünfte der Nationen statt, auf denen das Verhalten in den Deputationen vorbesprochen wurde[106]. Ein anschauliches Indiz für ihre Bedeutung liefert die Tatsache, daß die Deputationssitzungen, auf deren Besuch sonst genau geachtet wurde, ausfallen konnten, wenn irgendeine Nation zur gleichen Zeit Sitzung hatte[107]. Auch untereinander konnten die Nationen Kontakt aufnehmen, Absprachen inszenieren und dergleichen mehr. Es verwundert daher nicht, daß sie auch eine eigene, der des Konzils zum Teil analoge Ämterorganisation mit Präsidenten, Promotoren, No-

---

[104] Allgemein existiert dazu lediglich FINKE, Nation (1937), reicht nur bis zum Konstanzer Konzil, dem auch die Hauptaufmerksamkeit gilt. Zu Konstanz ferner: LOOMIS, Nations; ENGELS, Reichsgedanke 394–97. Zu Basel: LAZARUS 157–81; MEUTHEN, Rota 482 f. Auf dem Tridentinum wurden die Nationen bezeichnenderweise abgeschafft. Zum ‚Nation'-begriff vgl. unten 322-326. - Zu den Universitäts-Nationen: SORBELLI, La ‚nazione' (1943); KIBRE, Nations in the Medieval Universities (1948); SCHUMANN, ‚Nationes' an den Universitäten Prag, Leipzig und Wien (1974).

[105] PÉROUSE 175; nach ihm viele andere. Auch Segovia (MC II 135) gesteht den Nationen diese Rolle zu.

[106] MEUTHEN, Art. ‚Basel' 1519; Basler Konzil 37. Vgl. schon BAETHGEN 107.

[107] So zum Beispiel am 10.–11. Juli 1436 die deutsche Nation; CB IV 204. Andere Beispiele: Rotamanual III f. 203 zum 17. April 1437, zit. MEUTHEN, Rota 483 Anm. 97: Ausfall des Rotatermins *propter congregacionem nacionis Germaniae*. Johannes Bachenstein verließ einmal die wichtige Vierer-Kommission zur Provisionierung Felix' V., weil zur gleichen Zeit eine Sitzung der deutschen Nation stattfand; CB VII 65 Z. 22–24.

taren etc. besaßen[108]. Hinter dem Organisationsgerüst der Deputationen hatten sich die Nationen nicht nur ungebrochen als lebendige Substrate, sondern auch als meinungsbestimmende Entscheidungsträger erhalten, deren politisches Gewicht sehr hoch veranschlagt wird: „In den Nationen, nicht in den Deputationen werden die politischen Weichen gestellt"[109].

Dies alles deutet darauf hin, daß die Konzilsplaner selbst den Nationen eine wie immer geartete ‚halboffizielle Rolle', wenn auch vielleicht nolens volens, eingeräumt hatten. Denn – welches Konzilsmitglied hätte sich von seiner Nationszugehörigkeit dispensieren können oder auch wollen? Das Bild einer unterwandernden Kryptokraft, wie es gelegentlich in der Literatur aufscheint, muß wohl relativiert werden. Die ‚Nationen' waren eben zu dieser Zeit in Europa, auch in anderen Zusammenhängen, eine allgemein akzeptierte Realität. In manchen Angelegenheiten arbeiteten sie sogar offiziell für das Konzil, zum Beispiel bei der Übermittlung diplomatischer Aufträge[110]. Schließlich spricht allein die Tatsache für sich, daß die Zugehörigkeit zu einer der vier Nationen ebenso selbstverständlich wie skrupulös als Proporzkriterium bei der Besetzung vieler Ämter und Gremien angewendet wurde[111].

Es gibt Anzeichen, daß die Bedeutung ‚nationaler' Gesichtspunkte am Konzil im Laufe der Jahre zunahm – ein bisher kaum beachteter Vorgang. Symptomatisch könnten dafür eine Reihe in den Jahren 1440–43 vorgebrachter Anträge sein, das Amt des Konzilspräsidenten

---

[108] S. LAZARUS 157–61.

[109] So MEUTHEN, Rota 483, wo sich überhaupt die nachdrücklichsten Hinweise auf die Bedeutung der Nationen in Basel finden.

[110] Hinweise bei SIEBERG, Diplomatie 90–95: Gerade der nur halboffizielle Status der Nationen habe sie eher befähigt, in geheimeren Angelegenheiten einzuspringen. Entscheidend scheint mir jedoch zu sein, daß die Nationen ohnehin die maßgeblichen diplomatischen Anlaufstellen waren! – Ein Beispiel für die Eigenzuständigkeit: Die deutsche Nation trifft eigens noch einmal die gleichen Bestimmungen im Prozeß gegen den Kollektor Nikolaus Gramis wie das Konzil; ACTA NICOLAI GRAMIS 229 f., Nr. 164–65. In Prozessen wird die aktive Rolle der deutschen Natio besonders deutlich, zum Beispiel im Trierer Schisma.

[111] Nach Nationenproporz besetzt wurden die vier Deputationspräsidien, das Zwölf-Männerkollegium, die Ämter der vier Clavigeri, der Rotarichter und der Kammerkleriker, häufig auch Ausschüsse und Gesandtschaften. Dazu am Beispiel der Rotarichter MEUTHEN, Rota 484, sowie die Tafeln ebd. 518, die die große Fluktuation anzeigen. Nach dem Dekret der 23. Sessio (24. III. 1436) ‚De numero et qualitate cardinalium' durfte keine Nation mehr als 1/3 der 24 Kardinäle stellen; COD 501 Z. 16–24.

bei Abwesenheit von Louis Aleman durch je einen Präsidenten der vier Nationen zu besetzen[112]. Hier nicht zu beantworten ist die zweifellos wichtige Frage, wie hoch der Grad an ‚nationalem‘ Identitätsgefühl im 15. Jahrhundert generell und dementsprechend in den Konzilsnationen gewesen ist. Was verband ‚die Deutschen‘ oder ‚die Franzosen‘ miteinander, wie ‚national‘ – oder wie ‚national‘-kirchlich – dachte man? Bittere Feindseligkeiten unter Nationen sind vor allem vom Konstanzer Konzil bekannt, fehlten aber auch in Basel nicht. Wir werden am Beispiel der Rangstreitigkeiten noch darauf zu sprechen kommen[113].

Es gab durchaus spezifische politische und kirchliche Interessen der einzelnen Nationen. Entscheidend war der Einfluß der großen Politik, die Übertragung politischer Konflikte, wie des englisch-französischen Gegensatzes, auf die Konzilsbühne. Als Anlaufstelle diente meistens die jeweilige Konzilsnation, besonders deutlich in der Politik des deutschen Königs und der Kurfürsten. Denn hier in der Konzilsnation waren die maßgebenden Personen versammelt, konzentrierten sich die Rückbindungen zu Ländern, Fürsten und heimischen Personenverbänden. Hier war man ‚unter sich‘. – Bisweilen verwahrten sich die Nationen gegen allzu massive fürstliche Versuche, sie als Transmissionsriemen ihrer Politik zu benutzen[114]. Man kann sie also nicht einfach mit den Fürsteninteressen gleichsetzen.

Im Inneren sind die Nationen naturgemäß keine monolithischen Blöcke gewesen, sondern eher differenziert zusammengesetzte und von Spannungen durchzogene Verbände. Man braucht sich nur vorzustellen, daß Burgunder und Valoisfranzosen in der ‚natio gallica‘, daß die Polen ausgerechnet mit den Vertretern ihres erbitterten Feindes, des Deutschen Ordens, in einer ‚natio germanica‘ zusammensitzen mußten. Die Konzils- bzw. Universitäts‚nation‘ deckt sich eben nur zum Teil mit der ‚Nation‘ im heutigen Sinne. Aber auch ganz intern

---

[112] LAZARUS 101–05 mit Belegen. Hinter dem Antrag stand allerdings auch Opposition gegen den Präsidenten Aleman. Weitere Indizien: Im Juli 1441 wird ausdrücklich darauf hingewiesen, daß die Kandidaten für das Amt der vier Clavigeri aus den vier Deputationen gleichzeitig aus den vier verschiedenen Nationen entstammen sollen: CB VII 387 Z. 12–20; vgl. 257 Z. 23–25.

[113] S. Kap. IV 13.

[114] Hier ist vornehmlich die deutsche Nation zu nennen. S. etwa RTA XIII 186–90 nr. 123–24; 353 nr. 181 (STÜTZ, Neutralitätserklärung 176 ff.) – als Beispiel der zahlreichen in den RTA edierten Schriftstücke der deutschen Konzilsnation.

war man „gerade den Angehörigen der eigenen Nation gegenüber mißtrauisch"[115], zum Beispiel, wenn man über einen von ihnen zu Gericht saß. Das Nahverhältnis, die hier weiterhin ausschlaggebende hierarchische Schichtung, die nicht neutralisierten Abhängigkeiten, förderten geradezu die Konflikte. Segovia hat das sehr genau gesehen[116].

Künftige Erforschung der einzelnen Nationen – zur Zeit ist man noch wenig über das von LAZARUS[117] vorgelegte Material hinausgelangt – könnte etwa von einer detaillierten prosopographischen Analyse ausgehen. Darüber hinaus wäre zu untersuchen: der prozentuale Anteil der einzelnen Nationen an der Gesamtzahl der Inkorporierten – und zwar in zeitlich abgestuften Querschnitten; Vertretung der Nationen in Kollegien und Ämtern des Konzils; eigene Organisationsformen und Ämter der Nationen; Stellungnahme zu verschiedenen Konzilsthemen; Abstimmungsverhalten, Koalitionen und Absprachen mit anderen Nationen; Gegensätze und Parteiungen innerhalb der Nation; führende Personen; Verzahnungen mit Institutionen (Universitäten!)[118] ihrer Herkunftsländer; Stellung zur Politik der eigenen Fürsten; Rolle in Prozessen; Sonderinteressen einzelner Nationen; Identitätsbewußtsein, ‚Nationalismus'. Bisher ist, wenn auch verstreut, das meiste Material zur deutschen und zur gallischen Nation zusammengetragen worden, weil hier wohl die Quellenlage relativ am günstigsten ist. Lohnend erschiene eine genauere Erforschung der italienischen und spanischen Nation[119]. Den Engländern blieb, anders als in Konstanz, diesmal der Nationen-Status versagt[120].

Nähme man sich die deutsche Nation[121], der ja bekanntlich auch die Slawen (hier von besonderem Gewicht die Polen), Ungarn und Skandinavier zugeteilt waren, zum Gegenstand, wäre vorläufig als typisch hervorzuheben: Allein schon weil das Konzil auf Reichsboden

---

[115] MEUTHEN, Rota 483.

[116] S. oben 28.

[117] LAZARUS 161–81

[118] Hier sei die enge Verbindung der gallischen Nation mit der Universität Paris erwähnt. Im Februar 1440 ergeht in der Nation ein Aufruf zum Zusammenschluß aller Angehörigen der Pariser Universität. Doch versucht Präsident Aleman, derartige „Sonderbündelei" (ECKSTEIN, Finanzlage 41) zu unterbinden; MC III 471.

[119] Bisher nur LAZARUS 177 f.

[120] Doch vgl. LAZARUS 160 f.; FINKE, Nation 361–68.

[121] Bisher nur LAZARUS 161–71 und, zu wenig beachtet, HANNA 48–54. Vgl. auch NONN, Heiliges Römisches Reich 134–36; PAUL, Studien 13–19, 21–25.*

stattfand, stellten die ‚Deutschen' (29 %) zwischen 1432–40 nach den Franzosen (33 %) zahlenmäßig die zweitstärkste, nach 1439 vermutlich die stärkste Gruppe des Konzils[122]. Die Forschung sieht unter Deutschen und Franzosen konziliaristisches Denken am stärksten verbreitet, bei den Deutschen auch das Engagement für die Kirchen- und Reichsreform[123]. Besondere Sensibilität, ja gerade ein traumatisches Mißtrauen ‚ausgenommen' zu werden, zeigten die Deutschen offensichtlich in allen finanziellen Dingen. Ob es um die Erhebung von Zehnt und Ablaß, die Entschädigung der Kurie – nachdem unter lebhafter Zustimmung der Deutschen die Annaten abgeschafft waren – oder um die Versorgung des Konzilspapstes Felix V. ging: Die Deutschen legten sich regelmäßig quer[124]. Es handelt sich da um ein altes Syndrom, das sich auch stereotyp im ‚vorreformatorischen' Reich weiterverfolgen läßt.

Zugleich scheint man sich jedoch auch der ‚nationalen' Bedeutung der Tatsache bewußt gewesen zu sein, daß die beiden großen Konzilien von Konstanz und Basel in Deutschland tagten. Man äußerte immer wieder die Sorge, Italiener oder Franzosen könnten den Deutschen ‚ihr' Konzil wegnehmen[125]. Die Konzilien als Element eines rudimentären Nationalstolzes? – das wäre genauerer Prüfung wert.

---

[122] Die Prozentzahlen nach BLACK, Council 34, der sie aus BILDERBACK, Membership 203, 211–15 errechnet hat. Vgl. die Angaben bei LAZARUS 161 f., 172; STIEBER 134; BILDERBACK, Proctorial Representation 149. Zwischen den Daten von LAZARUS 161 f. und HANNA 48 bestehen hinsichtlich der Inkorporationen gewisse Differenzen. Vgl. BILDERBACK ebd. 149, der die Inkorporationen zwischen 1431–36 und 1437–43 als etwa gleich stark ermittelt hat.

[123] Immerhin legten die Deutschen sehr früh ein Reformlibell vor; HALLER CB I 107 f. Anm. 2; CB I 195–202. Vgl. BEER, Nationalkonzil 436–40. Zur Reichsreform s. unten Kap. IV 13 c..

[124] Eine deutliche Stelle RTA XII 47 Z. 14f.: *Nec dubium, quin infinite pecunie deportentur ab Alamania, que per presenciam concilii in eadem remanerent*; RTA XII 55 f. nr. 32 (Sigmund an die Kurfürsten). Nicht zuletzt aus finanziellen Gründen stimmte die deutsche Nation zunächst gegen eine Translation des Konzils nach Avignon, ehe sie dann doch den Franzosen nachgab; dazu CB I 100–103; RTA XII, S. LVII–LXIV und 5–7; LAZARUS 168 f., HANNA 51–54. – Zur ablehnenden Reaktion auf die Ablaß- und Zehnterhebung s. LAZARUS 164–67; ALTMANN, Stellung der deutschen Nation (1890); RTA XII, S. LXIV–VI, 9–12, 58–94. nr. 33–60.

[125] S. etwa Konrad von Weinsberg RTA XIV 69 Z. 11–15: Mailand und Venedig hätten sich verbunden, *damit sie das helige concilio zu ine . . . meinen zu bringen und hie zů zertrennen; und damit . . . meinen sie auch das helige riche zu trucken und von den Dutschen zu bringen in andere hende.* Vgl. schon Kaiser Sigmunds Sorge, daß das *concilium . . . von Dutschin landen nicht gezogin werde*; RTA XII 54 Z. 30 nr. 32; vgl. 55 Z. 4 und 20, 57 Z. 4. Er schlägt deshalb vor, das Unionskonzil in Ofen (!), nicht in Avignon oder Italien abzuhalten. Die ganze Passage RTA XII 20-58 nr. 7-32 enthält ähnliche Äußerungen.

4. Finanzen

Das Thema wurde seinerzeit ausführlich von ALEXANDER ECKSTEIN (1912)[126], danach aber, im Zuge der allgemeinen Hinwendung der Konzilienforschung zu geistesgeschichtlichen Themen, gar nicht mehr behandelt – wieder ein Beispiel für isoliert gebliebene Detailforschung. Dabei böten sich interessante Ansätze, das Konzil auch in Wirtschafts-, Finanz- und Bankgeschichte zu integrieren.

Eckstein war allerdings durch den engen Blickwinkel seines Themas dazu verleitet worden, sozusagen das gesamte Basiliense als ein Finanzproblem aufzufassen, wo nach Bemerkung des Enea Silvio *omnibus pecuniarum causa preponderat*[127]. Dies ist natürlich übertrieben, doch hat die jüngere Forschung ihrerseits aus den Augen verloren, wie prekär und lähmend die Finanzlage des Konzils die gesamte Zeit über war und welche Anstrengungen die letztlich vergeblichen Versuche kosteten, sie zu beheben. Vor allem der Behördenapparat und die großen Gesandtschaften verschlangen große Summen, ohne daß das Konzil im Gegensatz zu der seit Jahrhunderten auch fiskalisch etablierten römischen Kurie eine feste finanzielle Grundlage gehabt hätte, zumal es ja selber im Zuge seiner Reformen die Annaten und Servitien abschaffte. Die oft verzweifelten Initiativen der Basler, die Finanzlage durch Kreditaufnahme bei Banken[128], persönliche Opfer der Konzilsmitglieder, vor allem aber durch Erhebung von kirchenrechtlich äußerst umstrittenen Zehnten und Ablässen[129] zu bessern,

---

[126] A. ECKSTEIN, Zur Finanzlage Felix V. und des Basler Konzils; Auswertung von CB, MC und RTA, in der Anlage der Arbeit von ZWÖLFER, Reform, vergleichbar; die erste Phase des Konzils ist kaum behandelt. Vgl. ferner LAZARUS 261–72. - Wenig beachtet: Die Stallrechnungen des Kardinals Aleman; CB VIII 205-49. Zum Vergleich: FINK, Finanzwesen des Konstanzer Konzils.

[127] Enea Silvio, Briefwechsel, ed. WOLKAN I 1, 53; ECKSTEIN, Finanzlage 17 Anm. 2. Die Äußerung fiel im Zusammenhang mit der Unionsfrage.

[128] S. DE ROOVER, Rise and Decline 212–17; LAZARUS 253–56; HALLER, Beiträge 233–43 (Ed.), sowie unten Kap. IV 9 c.

[129] Zum Ablaß und anderen Einnahmequellen in Basel: PAULUS, Geschichte des Ablasses III 161–63, 339, 364, 473; LADNER, Ablaß-Traktat 97–102 und passim; LAZARUS 165–71, 263–69; ECKSTEIN, Finanzlage 15 f.; ALTMANN, Stellung der deutschen Nation; Erhebung des Peterspfennig im Königreich Polen durch Beauftragte des Basler Konzils (1890); LASLOWSKI, Ablaßwesen 18–41. Zur Rolle des Deutschen Ordens s. ARBUSOW, Beziehungen 372–76; SIMSON, Danzig (Urkunde des Hochmeisters von 1448 VI 4). – Das Ergebnis des Ablasses: Die Einnahmen waren so hoch wie die Ausgaben der Kollektoren! Allgemein zum Ablaß als Finanzproblem: THOMSON, Popes 170–73. Zur nicht unwichtigen Rolle Konrads von Weinsberg: RTA XIV 278–83 nr. 160–62 und mit weiterem Material BANSA, Weinsberg 51–57, 63 f.; WELCK, Weinsberg 53–69; LAMPE, Reise

waren nach allgemeiner Ansicht erfolglos oder blieben Stückwerk. Die zahlreichen Ablaßbullen, die das Konzil in ganz Europa präsent machten, stellen übrigens einen weitgehend unerschlossenen Fundus von Konzilsquellen dar[130].

Das Konzil schuf sich zwar nach kurialem Vorbild eine ausgedehnte Finanzbürokratie (Kammer), vor Ort aber, beim Eintreiben der fälligen Gelder, geriet es mit den meist lokal ernannten Kollektoren an die Grenzen seiner technischen und machtpolitischen Möglichkeiten. Von den dann doch gesammelten Geldern floß am Ende nur ein Bruchteil nach Basel, große Summen verblieben in den Taschen der Kollektoren, bzw. der Landesherren oder wurden am Ende gar Eugen IV. zugeleitet.

Recht gut dokumentiert und geradezu paradigmatisch für die Probleme sind das Finanzgebaren und der anschließende Prozeß (1440–44) des Breslauer Domherrn Nikolaus Gramis, der als Ablaßkollektor des Konzils in Schlesien tätig war[131]. Die ‚Affäre Gramis‘ verstrickte sich für die Breslauer Kirche mit ihrem eugenianischen Bischof Konrad bald mit der Obödienzfrage und gewann dadurch erhöhte Brisanz.

Die ältere Forschung – eine ‚jüngere‘, in die Erkenntnisse und Methoden der modernen Wirtschaftsgeschichte eingehen könnten, existiert nicht – hat auch das Verhältnis des Basiliense zu seinem Papst Amadeus-Felix vornehmlich unter finanziellen Gesichtspunkten gesehen und das herbe Dilemma der Basler herausgestrichen: Sie mußten dem Konzilspapst, den man doch nicht zuletzt wegen seiner angeblichen Finanzkraft gewählt hatte[132], nun selber Einkünfte ver-

Konrads v. Weinsberg. Zur Kritik Eugens IV. an der Ablaßpraxis des Konzils: STIEBER 33 f.

[130] Einige Beispiele bei PAULUS, Geschichte des Ablasses III, 162 f.; BRIEGER, Leipziger Professor 69 f.; SACH, Ablaßbulle.

[131] Eines der reichhaltigsten Quellendossiers zur Geschichte das Basiliense sind die von W. ALTMANN zu diesem Thema zusammengestellten ACTA NICOLAI GRAMIS, Breslau 1890, die auch exemplarisch zur Finanz- und Ablaßgeschichte des Spätmittelalters genutzt werden könnten. Vgl. zur Affäre Gramis LASLOWSKI, Ablaßwesen 18–41; MAR-SCHALL, Schlesier 307–11; LAZARUS 250–52; s. unten 109. – Eine Statistik sämtlicher für das Konzil tätig gewesener Kollektoren dürfte prosopographisch nicht uninteressant sein. Auch Erzbischöfe gehörten dazu, wie noch 1445/46 der Salzburger Friedrich IV. von Emmerberg.

[132] Dazu ECKSTEIN, Finanzlage 19–30. Felix V. erhob später tatsächlich Sondersteuern in Savoyen; ECKSTEIN, Finanzlage 34–38; STUTZ, Felix V. (Diss.) XIV f. Doch gewann Savoyen nicht die Bedeutung eines felicianischen ‚Kirchenstaats‘. Zur angeblichen Belastung von Schweizer Städten s. die Korrekturen von GILOMEN, Schuld Berns 38 f.

schaffen, und sei es unter Verleugnung der eigenen Reformdekrete[133].
So führten harte Sachzwänge den vom Konzil so energisch abge-
schafften päpstlichen Fiskalismus partiell wieder ein[134]. Als Papst ließ
Felix V. einige (höchst seltene) Münzen prägen[135]. Auch sein Abgang
besitzt eine finanzgeschichtliche Komponente, wie die nach MOLLAT,
bedeutende Rolle nahelegt, die der französische Großfinanzier Jacques Coeur dabei spielte[136].

5. Gesandtschaften und Diplomatie

Die Zeit des Basler Konzils war auch eine Zeit der Gesandtschaften.
Die diplomatische Mobilität wurde so intensiv, „die politischen
Kontakte in einem Maße verdichtet, wie sonst nirgendwo im gesamten Mittelalter"[137]. Wir sehen in dieser Epoche die langsame Geburt
einer spezialisierten ‚Außenpolitik', die ja zum essentiellen Bestandteil des neuzeitlichen Staats gehören wird. Auf der anderen Seite hatte
der große Differenzierungsprozeß der europäischen Gesellschaft
immer mehr korporative Gebilde entstehen lassen (Städte, Universitäten, Orden etc.), die ihre eigene Politik betrieben und so die Anzahl
der Gesandtschaften vervielfachten.

Das Basiliense forcierte diesen Prozeß entscheidend: Als kongreß-
ähnliche Dauerversammlung war es nicht nur durch seine Existenz
bereits rezeptiv Magnet und Drehscheibe für Gesandtschaften aller
Art, sondern hat, als Politikum, auch indirekt den diplomatischen
Verkehr sowohl der Länder untereinander als auch der politischen
Kräfte innerhalb der Länder intensiviert. Schließlich schickte es selbst
produktiv in pausenloser Folge Gesandtschaften aus: Die großen Mis-

[133] Das nach zähem Gerangel schließlich in der 42. Sessio verkündete Provisionsdekret
vom 4. Aug. 1440 (CB VII, S. XXIX f., 225 f.; MC III 498 Z. 25–502; ECKSTEIN, Finanzlage
39–59, ZWÖLFER 244–47) erlaubte Felix V. für 5 Jahre 1/5 aller neu zu besetzenden Pfründen zu besteuern. Enthüllend ist die Arenga (MC III 499 Z. 20 f.): *Attendens itaque hec sancta
synodus quod spiritualia sine temporalibus diu subsistere nequeunt.* Das Bemühen des Savoyers und
seiner Kardinäle, vom Konzil das Recht auf Reservationen zu erhalten, wird mit Rücksicht auf die deutsche Öffentlichkeit erst am 19. Jan. 1442 (MC III 967 Z. 22 ff.) mit Einschränkung, am 28. Jan. 1446 dann gänzlich erfüllt; dazu ECKSTEIN, Finanzlage 60–76;
MONGIANO, Privilegi 176-82. Vgl. unten 233-35.
[134] Beispiele, daß das Konzil vom eigenen Annatendekret dispensierte, s. etwa SCHO-
FIELD, England, the Pope 381, zum Fall des Iren de Poers.
[135] S. RÜEGG, Münzstempel; STÜCKELBERG, Il punzone del papa Felice V; Une monnaie
de l'antipape Felix V.
[136] S. vorerst nur M. MOLLAT, Art. ‚Coeur, Jacques', in: LexMa III, Lief. 1, 17. Auf weitere
Forschungen ist zu hoffen. Vgl. etwa VALOIS II 346 f.
[137] SIEBERG 4.

sionen nach Konstantinopel, zu den Böhmen, auf den Kongreß von Arras und die deutschen Reichstage der Jahre 1438–1446 ragen nur als spektakuläre Höhepunkte aus einer ungleich größeren Masse kleinerer Gesandtschaften in fast alle Gebiete Europas heraus. Sie sollten werben und bitten, Eindruck machen und Frieden stiften, aber auch fordern und befehlen, wie es einem selbstbewußten Repräsentations- und Jurisdiktionsorgan der Kirche zukam.

Die Forschung hat auf der Suche nach den Anfängen des neuzeitlichen Staates und seiner Institutionen auch das Phänomen des Gesandtschaftswesens in den Blick genommen. Im Zentrum steht die Frage, wann erstmals ständige diplomatische Vertretungen zu beobachten sind, wobei man die prinzipielle Neuartigkeit derartiger Einrichtungen voraussetzte und für den modernen Staat als konstitutiv ansah[138]. Basel und die Vorgängerkonzilien hat man dabei – wohl als vermeintlich nur ‚kirchliche' Ereignisse – gar nicht erst ins Spiel gebracht. Die leider einzige Arbeit zu Gesandtschaftswesen und Diplomatie des Basiliense, eine ungedruckte und wohl deswegen zu wenig beachtete Dissertation von WERNER SIEBERG (1952)[139], scheint diese Abstinenz geradewegs zu bestätigen. Denn nachdem der Verfasser nicht ohne Erfolg versuchte hatte, die scholastischen Wurzeln der Basler Diplomatie aufzuwerten, sah er in der Bilanz seiner Analyse folgerichtig „keinen Ansatzpunkt, um die ‚moderne' Diplomatie am Werke zu sehen"[140]. Sieberg ermittelt für seine ‚konservative' Beurteilung Kriterien, die, ohne dieser Arbeit ein übertriebenes Gewicht beimessen zu

---

[138] Die Literatur befaßt sich zumeist mit der Diplomatie weltlicher Institutionen. Allgemein: GANSHOF, Le Moyen Age 263–80, 301 f.; GUENÉE, L'Occident 214–17; ENGEL, in: Handbuch der europäischen Geschichte III, 377–84; ERNST, Gesandtschaftswesen und Diplomatie, mit älterer Literatur. Die wichtigsten Beiträge entstammen der angelsächsischen Forschung: MATTINGLY, Renaissance Diplomacy (1965), passim; QUELLER, Office of Ambassador in the Middle-Ages; FERGUSON, English Diplomacy 1422–61, besonders 146–74; HÖFLECHNER, Diplomatie und Gesandtschaftswesen am Ende des 15. Jahrhunderts. Zum päpstlichen Gesandtschaftswesen grundlegend: WALF, Entwicklung des päpstlichen Gesandtschaftswesens. Zu den Anfängen ständiger Gesandtschaften und der Nunziaturen: 55–76; vgl. THOMSON, Popes 102–06 sowie jüngst: BLET, Représentation diplomatique du Saint-Siège, besonders 159–215. – Der Beginn ständiger diplomatischer Vertretungen in der 2. Hälfte des 15. Jahrhunderts in Mailand, Venedig und an der Kurie beobachtet; MATTINGLY 65–120; MEUTHEN, 15. Jahrhundert 39, 145. – Bemerkenswert die Forderung des Trierer Erzbischofs Jakob von Sierck nach ständiger Vertretung der Kurfürsten am königlichen Hof; ANGERMEIER, Reich 567.

[139] W. SIEBERG, Studien zur Diplomatie des Basler Konzils, Phil. Diss. (bei Fritz Ernst) Heidelberg 1951.

[140] SIEBERG 226.

wollen, wegen der allgemeinen Problematik gleichwohl berücksichtigt werden sollten: Die Gesandtschaften der Basler wurden inhaltlich und zeitlich streng begrenzt, handelten mit einmaligem Auftrag, wiesen also keinerlei Ansätze zu einer ständigen diplomatischen Vertretung auf. Den Verhandlungsstil prägte die traditionelle, streng formalisierte Disputation, „das Paradestück des spätscholastischen Wissenschaftsbetriebs"[141]. Die Gesandtschaftsaufträge beruhten auf dem Prinzip der Authentizität[142], der von vornherein bis ins Detail schriftlich fixierten Rechtsformulierung. Die Masse der deshalb mitgeführten bindenden Schriftstücke – oft über hundert![143] – habe eine geschmeidige Verhandlungsführung behindert. Eine insgesamt also durch und durch traditionelle Prägung habe Flexibilität oder gar Geheimdiplomatie im neuzeitlichen Sinne a priori vereitelt[144] und, so darf man wohl folgern, die Niederlage der Basler Diplomatie mitbedingt.

Hier sind einige kritische Gedanken unausweichlich, die in der Forschung bisher nicht im Zusammenhang geäußert wurden: Es ist richtig, daß die Basler Gesandten stark an ihre schriftlichen Anweisungen gebunden waren. Möglicherweise dürfen wir auch hierin etwas von dem schon beobachteten Mißtrauen und Kontrollbedürfnis am Werke sehen, das ein Konzil als korporativen Auftraggeber noch stärker prägen mußte als etwa einen Monarchen. Die konsequent durchgesetzte Schriftlichkeit wäre auf der anderen Seite gerade als besonders ‚modern' zu werten! Auch wenn es den Anschein hat, daß den päpstlichen Gesandten in der Regel ein größerer Handlungsspielraum eingeräumt wurde, so wird doch erst der Vergleich der konziliaren mit der päpstlichen und fürstlichen Diplomatietechnik ein abgewogenes Bild ergeben, wobei vor allem die bei Sieberg völlig fehlenden kanonistischen Grundlagen einzubeziehen wären[145]. In jedem Fall wird man feststellen, daß das Gesandtschaftswesen generell stark formalisiert war. Speziell in der Geheimdiplomatie die Quintessenz der ‚neuzeitlichen' Diplomatie zu sehen, ist ebenso fragwürdig wie

---

[141] Ebd. 5 und 65.

[142] Ebd. 97–108, 112–24.

[143] Ebd. 79–96. Zu den ‚litterae clausae', der Form der politischen Korrespondenz des Konzils, vgl. DEPHOFF, Kanzleiwesen 34–37.

[144] Ein Hauptmotiv bei Sieberg scheint in der Opposition gegen die Hallersche Tendenz zu liegen, in der Diplomatie nur Tarnung und Winkelzüge am Werk sehen. Gerade das Basler Gesandtschaftswesen soll als Gegenbeispiel stilisiert werden.

[145] Etwa wie bei WALF, Entwicklung des päpstlichen Gesandtschaftswesens.

die Behauptung, sie sei den Baslern schlechterdings verwehrt gewesen. Hier muß man wohl zwischen dem zweifellos recht starr formalisierten offiziellen Auftreten der Gesandten und dem, was sich ebenso selbstverständlich hinter den Kulissen abspielte, unterscheiden. Die päpstlichen Diplomaten scheinen allerdings darin versierter gewesen zu sein als die Basler. Ferner ist zu vergegenwärtigen, wie eng verknüpft gerade im Umfeld des Konzils diplomatische und ‚ideologische' Mission waren[146]: Die endlos langen Fensterreden der Gesandten-Oratoren vor Fürstenhöfen und Reichstagen sollten für die gerechte Sache des Konzils werben und gestatteten den Rednern darin auch größere inhaltliche Freiheit. Segovia hält gerade die öffentliche Disputation für die conditio sine qua non nicht nur für diplomatischen Erfolg, sondern sogar für die Durchsetzung der ‚veritas' des Glaubens![147] Schließlich zum vieldiskutierten Thema ‚Entstehung ständiger Gesandtschaften' in Europa: Haben nicht einige der Fürstengesandtschaften auf dem Konzil und die Basler Gesandtschaft in Prag (1434–39) fast den Charakter ‚ständiger' Vertretungen gehabt?

Die Basler versuchten, die repräsentative Wirkung ihrer Gesandtschaften zu steigern, indem sie – in ungleich stärkerem Maße als Eugen IV. – ihre ranghöchsten Vertreter (Kardinäle, Patriarchen, Bischöfe) und Hochadelige auf den Weg ins Reich schickten[148]. Dieses Bedürfnis nach Überrepräsentation sollte sowohl die mangelnde Anerkennung der Konzilsautorität und das in Basel gegenüber der Kurie fehlende ‚courtly milieu' kompensieren, schätzte aber im Grunde

---

[146] ‚Doctrine and Diplomacy' darstellerisch zu verknüpfen versucht für die Jahre 1438–1446 BLACK, Monarchy 85–129. Die Konzilsgeschichtsschreibung steht hier, wenn auch noch der prosopographische Ansatz mit einfließen soll, vor einer komplizierten Aufgabe.

[147] MC III 544; s. oben Anm. 22.

[148] Darauf wies MEUTHEN, Basler Konzil in r. kath. Sicht 280 mit Anm. 14 hin: er zählt in den Jahren 1438–1446 für die Basler 10 mal einen Kardinal, für die Eugenianer nur 1 mal (Albergati 1438) und ebenfalls nur ein einziges Mal (!) einen Bischof (Parentucelli 1447). – Vgl. die Bemerkung des Enea Silvio: *non cardinales* (sc. wie die Basler) *sed viros cardinalatu dignos misit*; Briefwechsel, ed. Wolkan II 203, zit. AC I2 Nr. 531 Z. 2 f. Das Ziel, mehr Eindruck zu machen, wurde auch dadurch angestrebt, daß das Konzil seinen Gesandten den Doktorgrad verlieh, wenn sie nur ein vollständiges Studium hinter sich hatten; z.B. CB III 414 Z. 3–6.; LEHMANN 92 Anm. 54. Dazu kam die *magna pompa* des äußeren Auftretens; s. die Äußerung des Cusanus AC I2 Nr. 482 Z. 105 f. Doch erlitt das Prestige der Basler öfters peinliche Einbrüche, etwa als seine Kardinäle Segovia und Aleman auf dem Reichstag von Mainz im März 1441 nicht im Purpur auftreten durften; RTA XV 550–52; AC I2 Nr. 482 Z. 4.

den Zuschnitt der deutschen Adelskirche, mit der zu verhandeln war, richtig ein! Daß am Ende dennoch die päpstlichen Unterhändler (Nikolaus von Kues, Carvajal etc.) erfolgreicher waren, verdanken sie nach verbreiteter Ansicht weniger den besseren theologischen Argumenten, sondern ihrer geschickteren Diplomatie, den sie flankierenden Privilegien für die fürstlichen Verhandlungspartner und der allgemeinen politischen Entwicklung. Es liegt sogar nahe, daß die Eugenianer allein schon deshalb gegenüber den Baslern die bessere Ausgangsposition einnahmen, weil sie in der römischen Kurie eine etablierte, im diplomatischen Verkehr seit alters her bekannte, mit der Schwerkraft der Tradition versehene Macht vertraten.

Unter den Akteuren begegnet immer häufiger ein neuer Typ von Diplomat: Der weltläufige, gründlich gebildete Geistliche, der seine scholastische – oder schon humanistisch angehauchte – Rhetorik in den Dienst einer kirchenpolitischen und -theoretischen Partei stellt, der „ideological courtier" (Black)[149], wie auf päpstlicher Seite zum Beispiel der genannte Juan Carvajal, sowie – mit einem seiner vielen Gesichter – Nikolaus von Kues und Piero da Monte, oder auf Basler Seite etwa Thomas de Courcelles.

6. Wie wird in Basel Politik gemacht?
Aspekte der Konzilsprosopographie

Die Frage trifft genau in die Nahtstelle unserer Kapitel ‚Organisation' und ‚Zusammensetzung' des Basler Konzils; auch die Forschung sollte immer wieder überlegen, wie, wo und von wem auf dem Konzil die maßgebliche Politik betrieben wurde[150]. Es genügt dazu weder, wie bei Lazarus nur die organisatorische Architektur des Konzils zu rekonstruieren, noch das Material der Konzilsprotokolle zu personenstatistischen Tabellen zu verdichten (Lehmann, Bilderback) – so unverzichtbar diese Arbeiten sind; sondern nur in Verbindung von institutionellem, personengeschichtlichem und politischem Ansatz kann unsere Frage angegangen werden. Natürlich sind die leitenden Normen der konziliaren Theorie mit im Spiel, doch darf der gebannte Blick auf sie nicht, wie es manchmal geschieht, die Wirklichkeit des Geschehens in Basel vergessen lassen.

---

[149] BLACK, Monarchy 88, 125 f.
[150] Vgl. MEUTHEN, González 255 f.

Es ist zum Beispiel entscheidend zu wissen, in welchen Gremien die Weichen des Konzils gestellt werden, und wer wie oft darin sitzt. Schon ein flüchtiger Blick über die bei Lazarus, Dephoff und Hanna aufgestellten Ämterlisten zeigt, daß in bestimmten Ämtern, Kommissionen oder Gesandtschaften immer wieder die gleichen Namen auftauchen. Die Personen, die hier in einer Art ‚cumulatio officiorum'[151] ständig mit von der Partie zu sein scheinen, sind auffälligerweise keineswegs immer die wenigen, jedem bekannten großen ‚Stars' der Konzilsbühne, sondern häufig, von außen betrachtet, Leute aus dem zweiten Glied, wie, um nur wenige zu nennen, der junge Wormser Propst, Dr. decr. der Heidelberger Universität und Rat des Mainzer Erzbischofs, Rudolf von Rüdesheim[152], der Wiener Dr. decr. Heinrich Fleckel[153], der viel als Konzilsrichter tätige Jurist Wilhelm Kircher von Konstanz[154], der Archidiakon von Metz Wilhelm Hugonis (de Stagno = Guillaume Hugues d'Étain)[155], ein in der Forschung bisher unterschätzter Konziliarist; aber auch ein Bischof wie Peter von Schaumberg (Augsburg)[156], der zwar kein ‚Konziliarist', aber als Diplomat für Kaiser und Konzil sehr einflußreich war. Aufstiegs- und Profilierungschancen bot das Konzil allemal.Hier wäre prosopographisch

---

[151] Offiziell durfte man allerdings keine zwei Ämter gleichzeitig haben, s. zum Beispiel CB VI 182 Z. 5 f. (10. März 1438): *quod nullus de cetero habeat duo officia* (mit der bezeichnenden Ausnahme) *exceptis notariis sacrarum deputacionum.* Wegen der kurzen Befristung der meisten Ämter stellte sich bei entsprechender Verweildauer dann doch eine Kumulation nacheinander ausgeübter Konzilsämter ein. S. Ämterlisten: LAZARUS 307-41.

[152] ZAUN, Rudolf von Rüdesheim (1881) 11, 13 f. (veraltet); ADB 29 (1889) 29–34; Diss. von SCHARLA, Rudolf von Rüdesheim (1912). Ferner PASTOR II 813 s. v.; HANNA 77; PETRY, Rüdesheim; STIEBER 267 Anm. 35, und ERLER, Rechtsgutachten 323 s. v. Bis zu seinem Tode († 1482) stand Rudolf noch eine lange Karriere im päpstlichen Dienst und als Bischof von Lavant und Breslau bevor.

[153] Vgl. MARSCHALL, Schlesier 315–17; KOLLER, Princeps in ecclesia 225 s.v.

[154] S. jetzt, quasi exemplarisch: NEITZERT, Wilhelm Kircher; HANNA 80. Zu nennen wäre hier auch der Basler Offizial Heinrich von Beinheim, Verwandter des Bischofs Johann von Fleckenstein und 1432–36 Konzilsmitglied; WACKERNAGEL, Heinrich von Beinheim 277 f.; MEUTHEN, Trierer Schisma 279 s.v.

[155] Gerade zu dieser Person wären vertiefte Studien fruchtbar. Bisher lediglich MAIGRET, Guillaume Huin; HANNA 92. Ergänzungen von H. MÜLLER, in: Geschichte in Köln 13 (1983) 129 f.; STIEBER 500 s. v. ‚Huyn'.

[156] Materialreiche, aber zu wenig beachtete Diss. von UHL, Peter von Schaumberg (1949), besonders 31–51; ders., Kardinal Peter von Schaumberg; ZOEPFL, Augsburg 380-452. Weitere Lit. bei KIESSLING, Bürgerliche Gesellschaft 383 s.v. ‚Schaumberg' und A. SOTTILI, in: The Universities, Hg. IJSEWIJN-PAQUET 347. Exemplarisch für die mögliche Fülle von Ämtern eines prominenten Konzilsvaters ist das bei AMMON, Schele 12–21, 24–41, 61 (ohne Gesandtschaften) zusammengestellte Material.

noch manches zu leisten. Aus den Reihen der Prominenz ist natürlich Kardinal Aleman zu nennen, der, allein schon seines Ranges wegen, seit seiner Ankunft auf dem Konzil die verschiedensten Führungspositionen einnahm: Im Februar 1434 iudex fidei, seit September 1435 Vizekanzler, ab Februar 1438 dann schließlich bis zum Ende des Konzils dessen Präsident[157].

Der weitaus überwiegende Teil der Forschung hat bisher zu wenig beachtet, daß politischer Einfluß nicht nur über die offiziellen Konzilsämter oder die Sitzungsdebatten ausgeübt wurde, sondern in jenem so schwer fixierbaren Gärungsferment von „persönlichen Abhängigkeiten oder Feindschaften", privaten Absprachen und Koalitionen, die teils während des jahrelangen Beisammenseins auf dem Konzil entstanden, häufiger aber aus der früheren Lebenswelt der Leute mitgebracht wurden. Sie bieten, „zum Verständnis vieler für das Basler Konzil wesentlicher Vorgänge oft die einzige Lösung"[158]. Intrigen blieben da nicht aus, ja die egalitäre und proportionale Besetzung der Konzilsgremien führte automatisch zu neuen Parteibildungen: man mußte sich vor den Abstimmungen eben absprechen. ‚Cliquen‘, ‚Klüngel‘ und ‚pressoure groups‘ sind bis heute gerade korporativen Gremien systemimmanent. Die Beziehungen der Konzilsväter resultierten aus den verschiedensten nationalen, regionalen, ständischen oder auch theologischen Gemeinschaften und Freundschaften, wie sie zum Beispiel durch gemeinsames Studium entstehen.

Nun hatte schon PÉROUSE, nachdrücklich aber erst OURLIAC eine besonders einflußreiche Personengruppe kritisch herausgestellt, die nicht nur ihre kämpferisch konziliaristische Gesinnung, sondern zum Teil auch ihre regionale, sprich savoyardisch-piemontesische Herkunft miteinander verband[159]. Im Aufweis dieses übrigens schon von Torquemada denunzierten[160] „parti populaire" scheint mir die Essenz des sonst eher vagen Begriffs einer „sociologie" bei Ourliac zu liegen. Um Kardinal Louis Aleman, den Erzbischof von Arles, als Leitfigur und, stärker am Rande, Erzbischof Amédée de Talaru von Lyon, schar-

---

[157] Vgl. neben den einschlägigen Ausführungen bei PÉROUSE die Daten bei LAZARUS 99–105 und DEPHOFF, Kanzleiwesen 50–53.

[158] MEUTHEN, Art. ‚Basel‘ 1519.

[159] PÉROUSE 351 f. Vgl. SCHWEIZER, Vorgeschichte 17 f. und bereits VOIGT, Enea Silvio 96–102: ‚Die Parteien auf dem Konzil‘; OURLIAC, Sociologie 19 f., 22 f.; DLO 248. Vgl. jetzt BLACK, Council 38–43, der von einer „majority faction" spricht.

[160] Mansi XXXI 67. Vgl. BINDER, Konzilsgedanken 50 mit Anm. 256.

ten sich die Bischöfe Louis de Lapalud (bis 1440 von Lausanne);[161] Georges des Saluces (=Saluzzo), Bischof von Aosta (ab 1440 von Lausanne); François de Mez, Bischof von Genf und späterer Kardinal Felix V.[162]; Jean d'Arces von Tarantaise; Aimoin de Chissé von Grenoble; Philibert de Montjeu von Coutances[163] und der Kanoniker an St. Jean in Lyon und Propst des Klosters vom Großen Sankt Bernhard, Jean Grôlée[163a]. Im Zuge des erfreulichen, sowohl quantitativen wie methodischen Aufschwungs der prosopographischen Erforschung[164] des Spätmittelalters hat HERIBERT MÜLLER, diese Methoden erstmals auf die Konzilienforschung übertragend, aufgedeckt, welch spinnwebartig dichtes Netz diese bereits wegen ihrer konziliaren und regionalen Gemeinsamkeit identifizierten Gruppen auch durch alte und verzweigte familiäre Verwandtschaften und Freundschaften verband[165]. Als unterscheidendes Kriterium käme dann noch die Verbundenheit oder auch – was Lyon betrifft – Reserviertheit zum nahen savoyardischen Herzogshaus und infolgedessen auch zum Konzilspapst Amadeus-Felix hinzu, um die Konsequenzen solcher Personenbeziehungen für die Geschichte des Basler Konzils vollends einleuchtend zu machen. Generell sind die Fürsten als dritte Komponente in einem so entstehenden Dreieck mit den Winkeln Konzil – lokale Personenbe-

---

[161] Literatur zu Lapalud s. unten 190 f. Anm. 33.

[162] S. GONTHIER, Evêques de Genève 213–24. Alles weitere in: HELVETIA SACRA I/3, 101 f. Dieses Werk wird ungeachtet seines reichen biblio- und prosopographischen Materials zu Personen der Basler Konzilsgeschichte viel zu wenig genutzt.

[163] Literatur s. unten 227 Anm. 166.

[163a] HELVETIA SACRA I/3, 132 f.; MÜLLER, Prosopographie 154 f.

[164] Hier nur wenige Hinweise möglich: Für die deutsche Forschung die Beiträge von J. PETERSOHN, P. MORAW, K. WRIEDT, U. VON STROMER, in: ZHF 2 (1975) 1–42, ursprünglich Vorträge auf der Sektion ‚Personenforschung im Spätmittelalter' des 30. Deutschen Historikertages 1974. S. auch MEUTHEN, 15. Jahrhundert 143–45. Auf französischer Seite vgl. AUTRAND, Prosopographie et histoire de l'État. Weiteres bei MÜLLER, Prosopographie 141–50.*

[165] MÜLLER, Prosopographie des Basler Konzils: Französische Beispiele (1982), mit den Schwerpunkten bei Amédée de Talaru mit Lyon („Ein Konzilsführer und sein Bistum"), und dem Navarrakolleg in Paris als Fokus von Personenbeziehungen, die für den französischen Klerus äußerst wichtig waren. Hier auch ein Vorspann mit ersten Hinweisen zu Quellen und Literatur. Jüngst vertieft und um zahlreiche Namen verdichtet: ders., Lyon et le concile de Bâle (1984), zum „réseau lyonnais ... qui s'intégra pour sa part dans un réseau français" (55). Vorbildlich die Biographie von KAMINSKY, Simon de Cramaud (1983), die sehr gut die Verflechtungen von sozialem Umfeld, Politik und Personen nachknüpft, sowie jüngst PETERSOHN, Geraldini (1985), ebd. XIII zur Konzeption. Demnächst umfassend: H. MÜLLER, Die Franzosen und das Basler Konzil.

ziehungen – Fürsten zu berücksichtigen. Die alten Bindungen in der Heimat wurden selbstverständlich auf verschiedenste Weise weitergepflegt und aufgefrischt; das Konzil war dafür geradezu das ideale Forum. Über solche Verbindungen liefen dann auch die Wege der Politik, wurden Ämter vergeben etc. Auch wenn Ergebnisse, wie sie Müller bei der Durchleuchtung des Gebiets Savoyen-Lyonnais-Avignon mit seinen geradezu frappierenden Personennetzen erzielte, in vergleichbarer Dichte anderswo nur schwer wiederholbar sein dürften, wird man seinen Ansatz doch als modellhaft ansehen. Er sollte auf andere Gebiete in Frankreich, aber auch in Deutschland, in Italien und, mit Sicherheit ergiebig, in Polen übertragen werden.

Jede einzelne der von Ourliac und anderen der international besetzten ‚Konzilspartei' zugeordneten Persönlichkeiten muß man sich als Zentral- oder Randfigur ähnlich strukturierter Personenkreise vorstellen. Einige von ihnen wie der Schotte Thomas Livingston, der Portugiese Luis de Amaral, Bischof von Viseu, oder der Südfranzose und lancastrische Untertan Bernard de la Planche, Bischof von Dax, scheinen von ihrer Heimat jedoch zeitweise isoliert gewesen zu sein. Weitere Mitglieder des ‚parti conciliaire' außer den Genannten waren die Franzosen Philippe de Coëtquis, Erzbischof von Tours und ebenso Zentralfigur wie der Titularpatriarch von Alexandrien, Jean Mauroux, Thomas de Courcelles, Gilles Carlier, die sechs Pariser Universitätsgesandten Évrard, Beaupère, Lamy (= Amici), Fiene, Sabrevois und Canivet; dann bezeichnenderweise schon stärker am Rande Deutsche wie Ludwig von Teck, Patriarch von Aquileja († 1439) und sein Gehilfe, der Archidiakon und Dr. decr. Johannes Bachenstein[166] sowie

---

[166] Graf *Ludwig II. von Teck*, Patriarch von Aquileja bedürfte dringend einer eigenen Untersuchung; s. vorerst Helvetia Sacra I/1 123 f. – Zu seinem Prozeß mit Venedig s. unten 257 f. Auch Gregor Heimburg gehörte zeitweise zur Entourage dieses offenbar auch persönlich überzeugten Konzilsanhängers. *Johannes Bachenstein* (ca. 1400–1467) hätte wie viele andere eine eigene Monographie verdient; s. bisher PÉROUSE 399 f.; ERLER, Rechtsgutachten 129–36, 320 s. v. Er gehörte noch nach 1449 zu den wichtigsten Veteranen der Basler Konzilsgeneration, die ihrer Grundhaltung treu blieben. Seine bei ERLER, Rechtsgutachten 148-245, edierte Stellungnahme für Diether von Isenburg in der Mainzer Stiftsfehde (ca. 1462/63) – gegen seinen einstigen Basler Kampfgenossen und jetzigen Kollegen im Wormser Domkapitel, Rudolf von Rüdesheim – ist voller Reminiszenzen an die Geschichte des Basiliense und die Rechtsgültigkeit seiner Dekrete. Sie müßte unter dem Gesichtspunkt der Rezeption des Basler Konzils noch genauer ausgewertet werden.

der Bischof von Lübeck, Johannes Schele († 1439). Ihnen folgte nach 1439 eine neue Generation, die sich vor allem um den Generalvikar von Freising und Kardinal Felix' V., Johann Grünwalder gruppierte. Schließlich gehören dazu Spanier wie Johann von Segovia oder Georg von Ornos, Bischof von Vich und der berühmte Kanonist und Erzbischof von Palermo, Niccolò Tudeschi, ein Italiener im aragonesischen Dienst sowie – bis zu seinem Kurswechsel – der Pole Nikolaus Lasocki, Propst von Krakau und Gesandter seines Königs. Über viele dieser Personen gibt es keine oder nur veraltete Studien. Nach den ersten Ansätzen von Müller wird man fragen, ob es in manchen Fällen nicht geratener erscheint, statt traditioneller Einzelbiographien einen neuen Typ prosopographischer Literatur zu schaffen, für die der Name ‚Gruppenbiographie' die Richtung anzeigen könnte.

Für unsere Ausgangsfrage dürfte jedenfalls deutlich geworden sein: Das Konzil ist nur scheinbar ein hermetischer „champ clos" gewesen, wie man gemeint hat, sondern jeder einzelne Konzilsvater agierte als lebendiger Endpunkt eines weitverzweigten Netzes regionaler Personenbeziehungen, die ihn unausgesetzt an seine Ausgangsräume zurückbanden. Sie bildeten bereits Konstanten, ehe die konzilsinternen Gruppen-, Macht- und Entscheidungskämpfe einsetzten – ohne daß sie diese freilich monokausal durchschaubar machten.

Wie wurde nun auf dem Konzil Einfluß ausgeübt? War bei den Abstimmungen die Masse der Teilnehmer in der Lage, die Probleme sachkundig zu beurteilen oder gar selbst initiativ zu werden? Oder war sie doch mehr oder weniger ‚Stimmvieh', das durch Absprachen der Meinungsmacher untereinander vorab festgelegt oder durch geschickte ‚Einpeitscher' in jede Richtung gelenkt werden konnte – so, wie es seine Gegner dem Konzil oft vorwarfen?[167] Solche Meinungsmacher waren meistens gerade nicht mit den berühmten Theoretikern und Theologen wie Nikolaus von Kues, Segovia oder Torquemada identisch, konnten diese aber an politischer Wirkung weit übertreffen. Ehe ‚das' Konzil einen Beschluß faßte, wurde jedenfalls neben der öffentlichen Meinungsbildung in den Deputationen auch mancher krummere Weg der Einflußnahme auf verschiedensten Ebenen

---

[167] Bekannt ist die Polemik in Juan Palomars ‚Quaestio cui parendum est', ed. DÖLLINGER, Beiträge II 430: *Et in veritate erant multi de illis, qui non solum nescissent dare rationem de voto suo, sed nec intelligent, quid in consultacione vertebatur.* Vgl. ähnlich Torquemada, Mansi XXXI 109C.

beschritten. Daß es dem Konzil entgegen seinem idealisierten Selbstverständnis an ‚caritas‘, ‚unanimitas‘ und Konsens oft gefehlt hat, ist
schlechterdings nicht zu leugnen und sollte auch in einer positiveren
Allgemeinbewertung des Basiliense so wenig unterschlagen werden
wie die zahlreichen Brüche und Spannungen.

Die alte Polemik, im Konzil seien nur raffinierte Drahtzieher auf
der einen, mitlaufendes Fußvolk auf der anderen Seite am Werk gewesen, hat es sich indessen in mehrfacher Hinsicht zu einfach gemacht
und folglich das Bild verzerrt: Sie unterschätzte erstens das recht hohe
geistige – und geistliche – Durchschnittsniveau der Teilnehmer
(gerade der Universitätsleute), die sich in vielen Fragen potentiell sehr
wohl ein Urteil bilden konnten. Auch die Konzilsväter aus dem
zweiten Glied, wie zum Beispiel der von MEUTHEN exemplarisch
untersuchte Bischof von Cádiz, Juan González[168] oder, um eine Stufe
tiefer zu gehen, ein Mann wie der Zisterziensermönch Hermann Zoestius[169], der, wenig bedeutend, aber literarisch produktiv, immerhin
neun Jahre auf dem Konzil verbrachte, spielten jeweils ihre eigene
Rolle für die Meinungsbildung und die Entscheidungsprozesse des
Konzilsgeschehens. Zweitens unterschätzte die ältere Polemik, wie
ernsthaft die Konzilsteilnehmer um die Wahrheit der zu entscheidenden Fragen gerungen haben, und zwar ohne über eine bereits fest-
zementierte ‚konziliaristische‘ oder ‚papalistische‘ Meinung zu verfügen. Im Gegenteil, gerade das Beispiel des González zeigt, wie tief und
quer durch alle Fronten verbreitet die Unsicherheit gegenüber Fragen
gewesen ist, die das Konzil oft selbst überhaupt erst geboren hatte!
Erst aus der daraus resultierenden „Vielzahl von persönlichen Entscheidungen“ konstituierte sich Konzilsgeschichte, mag sie auch von
je „unterschiedlicher Bedeutung für den Gesamtablauf“[170] gewesen
und für den Historiker oft nicht mehr faßbar sein.

---

[168] Von MEUTHEN, González, erstmals ins Interesse der Forschung gerückt. Der Begriff
‚zweites Glied‘ ist bei einem Mann wie González natürlich leicht irreführend, zumal jüngste Forschungen ihn als Theoretiker weiter aufwerten, s. unten 444.
[169] Zu ihm, leider ohne ausreichende Kenntnis der Konzilsgeschichte: TÖNSMEYER,
Hermann Zoestius. S. auch unten 337; über seinen Beitrag zur Kalenderreform. Das Desiderat einer modernen Studie unterstreichen: Dictionnaire des Auteurs Cisterciens I
363 f., und K. ELM, in: Westfälische Zeitschr. 128 (1978) 18.
[170] MEUTHEN, González 250.

Wir haben verschiedene, miteinander kombinierbare Möglichkeiten, auf dem Konzil Politik zu machen angedeutet: geschickte Ämterhäufung, Besetzung von Schlüsselposten, Cliquen- und Koalitionsbildungen, Fortwirken vorkonziliar entstandener Beziehungen, natürlich auch persönliches Ansehen und Befehlsgewalt als Bischof oder Fürst über Untergebene. „Non numerandi, sed ponderandi" (Lehmann). Hinzunehmen sollte man unbedingt die zu wenig beachteten Kriterien a) der Verweildauer einer Person auf dem Konzil – wer zehn Jahre dabei ist, kann intern mehr Einblick und Einfluß gewinnen als ein Kurzbesucher, ungeachtet seines Ranges – sowie b) der literarischen Produktivität, das heißt: Einfluß durch theologische und propagandistische Schriften und ihre Überzeugungskraft, aber gegebenenfalls auch durch ihre Masse und inhaltliche Stereotypik.

7. Ein Intermezzo: Das Echo des Konzils in der ‚Öffentlichkeit‘, in Literatur und Kunst

Schon die Kapitel über Konzilsbehörden, Finanzen, Gesandtschaftswesen usw. rückten das Basler Konzil in den Rahmen der allgemeinen Geschichte. Seine Wirkung wird in der Literatur unter dem Aspekt der ‚Rezeption‘ von Konzilsdekreten oder aber dem ‚Fortleben‘ des Konzilsgedankens gefaßt, Themen, über die unten noch zu sprechen ist. Fragen wir hier einmal allgemeiner nach dem Echo, das die Basler Synode bei den Zeitgenossen fand, wobei einzuräumen ist, daß die gleichen Fragen auch zur ‚Wirkung‘ anderer politischer Ereignisse der Zeit gestellt werden können. Hat es im 15. Jahrhundert überhaupt so etwas wie eine ‚Öffentlichkeit‘ gegeben?[171] Oder spielte sich die Diskussion ausschließlich vor jenem relativ hermetischen Publikum intellektueller Kleriker ab, wofür MIETHKE im Hinblick auf das Kursieren der Handschriften das treffende Oxymoron „geschlossene Öffentlichkeit"[172] gebraucht hat? Alles deutet darauf hin!

Ohne Zweifel hat das Konzil durch Gesandtschaften, durch Rundschreiben an Fürsten und Universitäten, durch Publikationen seiner Dekrete, durch Reden vor größerem Publikum, versucht, auch über

---

[171] Begriffliche Ansätze bei OURLIAC, L'opinion publique du XIIe au XVIIIe siècle. Vgl. GUENÉE, L'occident 85–92. Wertvolle Anregungen bei MIETHKE, Forum 741 f., 758–67; Rahmenbedingungen 115–20.

[172] MIETHKE, Forum 763.

die unmittelbaren Adressaten hinaus eine möglichst große Öffentlichkeit zu erreichen und hat es tatsächlich verstanden, eine beträchtliche Anzahl von Politikern, Gelehrten und Kirchenmännern über Jahre zu interessieren bzw. in Atem zu halten. Dies ist, ungeachtet der enormen regionalen Unterschiede, als ‚Wirksamkeit‘ des Konzils ein Faktum. Wie aber stand es mit ‚dem Volk‘, das heißt jener überwältigenden Mehrheit von nichtgebildeten Gläubigen?

Wir werden unten noch zeigen, daß Laien- und Seelsorgefragen die Synode nur am Rande beschäftigten. Wie sah es auf der anderen Seite aus? Welche Wirkung konnte der Traktat vor Erfindung des Buchdrucks (und der gedruckten Flugschrift) erzielen, welche Macht konnte das gesprochene Wort bzw. die gelehrte Disputation im Lande entfalten? Zurückhaltung scheint allein schon deshalb angebracht, weil es kaum möglich ist, die Wirkung von Reden und Rhetorik auf ein seinerseits nicht durch Schriften reagierendes Publikum festzustellen. Sogar die Redeschlachten auf den deutschen Reichstagen lassen ja die Frage aufkommen, was die Adressaten (Kurfürsten usw.) ohne Hilfe ihrer gelehrten Räte vom Inhalt dieser ebenso subtilen wie endlosen ‚mündlichen Traktate‘ überhaupt verstanden haben[173]. Was dachten, was verstanden dann die Dorfpfarrer, was erfuhr überhaupt ‚das Volk‘? Auch unter Berücksichtigung von mancherlei Quellenausfall darf man wohl davon ausgehen, daß die Leute auf dieser Ebene weder viel von konziliaren Ideen hörten noch sich dafür interessierten. Die Pfarrer predigten wohl kaum über die Superioritätsfrage, und von konziliaristischen Wanderpredigern ist nichts bekannt. So stellte jüngst BRANDMÜLLER (1980) am Beispiel der Predigten Bernardinos von Siena fest, daß hier der ganze Themenhorizont von ‚Papst und Konzil‘ nicht vorkam. Da Bernardino sich nicht an den eigenen, sondern an den Interessen seines Publikums orientiert habe, wertet

---

[173] Nikolaus von Kues berichtet Cesarini am 3. IV. 1441 (AC I 2 Nr. 482, besonders Z. 103–12; =RTA XV 873–76), seine Rede vom 29.März auf dem Mainzer Reichstag *laicis etiam presentibus* (Z. 12) habe im ganzen Land großen Eindruck gemacht. Zum Frankfurter Reichstag des folgenden Jahres läßt Johann Andrea Bussi freilich Gregor Heimburg (ironisch?) zu Nikolaus sagen: *nihil aliud hodie profuit Panormitano isti* (seinem Redegegner), *nisi quod populus te minime intellexit. Tanta enim orationis vi et gratia exorasti, ut si te rudis plebes intellexisset, omnino hereticus ille ictibus lapidum fuisset extinctus*; AC I 2 Nr. 519 Z. 23–25. Die Äußerung ist zwar als Lob gemeint, aber für unseren Zusammenhang erhellend. – Segovia schrieb den Mißerfolg der Konzilsgesandtschaft auf den Reichstagen von Mainz und Frankfurt (1441/42) vor allem den Behinderungen seiner Oratoren zu; MC III 544. Hier ist der Glaube an die Wirkung der Rede groß. Vgl. oben Anm. 22 und S. 57.

Brandmüller den Befund einleuchtend als „argumentum e silentio ...,
daß die breite Masse der Bevölkerung ... von jenen Themen trotz Schisma und Konzilien unberührt geblieben war"[174]. Zu beachten ist freilich das Genre! Denn selbst die auf dem Basler Konzil gehaltenen Predigten waren durchweg ,apolitisch'. Sie thematisierten – anders als die Konstanzer Predigten eines Gerson –, kaum das Konzil und aktuelle Fragen, sondern trugen meist homiletisch-pastoralen Charakter. Außerdem ist zu berücksichtigen, daß die konziliaren Ideen in Italien – und deshalb vielleicht doch auch im Interesse von Bernardino selbst – eine wesentlich geringere Rolle als nördlich der Alpen spielten. Im Ganzen aber bestärkt dieses Beispiel das in der Forschung ohnehin überwiegende Urteil: Das „Konzilsproblem ist der breiten Masse nie zum Heilsproblem geworden."[175] Die Ideen, aber auch die Politik der Basler waren nicht dazu angetan, in eine Volksbewegung zu münden, wie es etwa mit den Lehren des Johannes Hus geschehen war, – und sollten es nach dem Selbstverständnis der Basler auch gerade nicht! Vieles deutet darauf hin, daß die Anteilnahme der Öffentlichkeit am Basler Konzil geringer war als noch am Konstanzer, vor allem nachdem die Basler die Hussitengefahr, die noch am ehesten einer breiteren Bevölkerung auf den Nägeln brannte, eingedämmt hatten. Daß das neue Schisma von 1439 dort, wo seine Folgen überhaupt spürbar wurden, dem Ansehen der Basler abträglich war, wird allgemein festgestellt. Vorsicht erscheint allerdings gegenüber Ansichten geboten, den ,Sieg' von Papsttum und ,monarchischem Gedanken' providentiell auf einen gleichsam gesund-natürlichen Traditionalismus im Kirchenvolk zurückzuführen, der „an der überkommenen Grundstruktur der Kirche" festgehalten habe[176]. Abgesehen davon, daß durchaus bestreitbar ist, ob die Basler die „überkommene Grundstruktur" tatsächlich verändern wollten, trifft die Aussage, wenn überhaupt, dann nur auf eine Mehrheit derer zu, die sich über das Konzil

---

[174] BRANDMÜLLER, Kirche in der Predigt des Hl. Bernhardin 294 f.
[175] MEUTHEN, Basler Konzil in röm.kath. Sicht 305. Ähnlich schon BACHMANN, Neutralität 8; BRESSLER, Universitäten 40; LASKI, CMH VIII 640; ULLMANN, Papacy and Faithful 43; BLACK, Council 47. Gegenteiliger Ansicht war ECKERMANN, Studien 2: Konziliare Ideen seien „bis in die niederen Volksschichten hinein verbreitet" gewesen – eine unhaltbare Ansicht. S. auch unten 92.
[176] HÜRTEN, Ekklesiologie 227 f. Vgl. PÉROUSE 355 und 461: „La chrétienté ... avait abandonnée les novateurs, préférant encore à une Eglise sans pape la vieille Eglise traditionelle avec tous les abus." Vgl. OURLIAC, Sources passim, und mit gleichem Tenor H. BARION, in: ZRG KA 46 (1960) 517 f.

eine Meinung bilden konnten, kaum auf die sogenannte, breite
Masse'. Erwägenswerter wäre da schon eher der Gedanke Congars, ob
nicht einfach die Kompliziertheit der konziliaren Theorie ihren
Erfolg verhindern mußte, während dann vice versa „le succès de la
thèse papaliste tient en partie à sa simplicité".[177]

Ein wichtiges Kriterium für zeitgenössisches Echo des Konzils in
der Kirche ist seine Frequentierung als Suppliken- und Prozeßinstanz,
worauf bereits hingewiesen wurde. Zahlreiche Beispiele dieser pragmatischen Form der Anerkennung sind bis zum Ende des Konzils zu
beobachten[178]. Diese Art von ‚Rezeption' ist allerdings selbst Teil
der Konzilsgeschichte.

Als indirektere Spuren eines Echos in der zeitgenössischen Laienwelt wären zum Beispiel die weltliche Geschichtsschreibung, Dichtung, (Volks)musik und bildende Kunst zu befragen. Welchen Niederschlag das Basiliense hier fand, ist mangels jeglicher systematischer
Studien kaum zu beurteilen. Das Ergebnis einiger Stichproben fällt
recht spärlich aus. Ganz offensichtlich war Konstanz das populärere
Konzil in Deutschland. Basel hat dagegen seinen Ulrich von Richenthal nicht gefunden! Für das Gebiet der *Geschichtsschreibung* wären die
Ansätze von ENGELS und MÜLLER zum Echo des Constantiense auch
auf Basel auszudehnen und vor allem die Städtechroniken einzubeziehen.[179] In der Forschung nahezu vergessen scheint die ‚Chronica
Martiniana' des Kölner Notars und Konzilsanhängers Albert Stuten
(† 1458), seit C. KLEIN sie 1914 in einer Dissertation vorstellte[180]. –
Zur *Dichtung* gibt es nicht eine einzige Untersuchung. Der Besuch
des Oswald von Wolkenstein als Gesandter König Sigmunds in
Basel (Juni–Juli und September 1432) hat leider in seiner Lyrik keine Spuren hinterlassen.[181]. Dafür haben wir einige zeitkritische Ge-

---

[177] Y. CONGAR, in: RHE 79 (1984) 479.

[178] S. unten 162 f., 183 f., 190-93.

[179] ENGELS, Konzilsproblematik; W. MÜLLER, Konstanzer Konzil in den deutschen
Städtechroniken. Kein Hinweis auf Basel bei KOPELKE, Geschichte der öffentlichen Meinung in den deutschen Städten. – Vgl. unten Kap. III 10.

[180] KLEIN, Chronica Martiniana; zum Basler Konzil in der Chronica: 46–52 und 57.
Stuten scheint Basler Kanzleimaterial benutzt zu haben. Kurze Würdigung Kleins jetzt
bei ZAORAL, Příspěvek 90.

[181] SCHWOB, Oswald von Wolkenstein 237 f., 242 mit Belegen. Vgl. den dokumentari-
schen Roman von D. KÜHN, Ich Wolkenstein. Neue erw. Ausgabe. Frankfurt 1980, 535 f.
In den deutschen ‚historischen Volksliedern' fand, wie Stichproben ergaben, zwar gelegentlich das Constantiense, kaum aber das Basiliense einen Widerhall: S. etwa LILIEN-
KRON, Historische Volkslieder I 228–265, Nr. 50–54 zu Konstanz, (vgl. BASLER, Ereignis-

dichte von Martin le Franc, der immerhin Protonotar Felix' V. war.[182]

Das von JONATHAN BECK (1979) edierte Theaterstück eines französischen Konzilsklerikers von 1434 ‚Le concil de Basle'[183], angeblich das erste erhaltene Drama in französischer Sprache (!), scheint bislang ein hochinteressanter Einzelfall zu sein. Seine Tendenz ist eindeutig prokonziliar und antipäpstlich, gleichzeitig antianglo-burgundisch. Ob die hier zum Ausdruck kommende Haltung der offensichtilchen Mehrheit des französischen Klerus dieser Jahre unbesehen mit der „opinion du peuple de France" (Beck) zum Basler Konzil gleichgesetzt werden kann, erscheint zweifelhaft, fordert aber von neuem dazu auf, sich über erste Anzeichen einer ‚Volksmeinung' Gedanken zu machen.

Die wenigen Bemerkungen der Forschung zur *Kunstgeschichte* beschränken sich auf einen einzigen, aber bedeutenden Maler: Konrad Witz. Er malte zur Zeit des Konzils in Basel und starb dort 1445 oder 1446. In einigen seiner Bilder sieht man direkte Bezüge zum Basiliense und seiner Theologie. Dies gilt besonders für den Petrusaltar von 1444, sein letztes Werk, das Witz im Auftrag des Genfer Bischofs und felicianischen Kardinals François de Mez im Jahre 1444 schuf.[184] In der Konzilsforschung blieben solche Bezüge völlig unbeachtet.

---

lieder) von Basel nur ein indirekter Reflex 348–52, Nr. 71 zum Bamberger Immunitätsstreit; s. jetzt PFÄNDTNER, Belagerung Bambergs (1982).

[182] PIAGET, Martin le Franc 211–31 (mit Texten). Vgl. LANGE, Martin le Franc ... et les fresques. Le Franc dramatisierte unter anderem den 1440 entstandenen ‚Libellus dialogorum de auctoritate concilii' des Enea Silvio, in dem er auch selbst als fiktiver Gesprächspartner auftritt: VOIGT, Enea Silvio I 238–44; DLO 282; AC I 2 Nr. 445. – In der Forschung unbekannt scheint das bei KAISER (Hg.), Lateinische Dichtungen zur deutschen Geschichte Nr. 27 publizierte Gedicht ‚De concilio Basiliensi.' Möglicherweise sind weitere Gedichte zu finden.*

[183] BECK (Ed.), Le concil de Basle. S. dazu H. MÜLLER, in: AHC 11 (1979) 449–53 und E. MEUTHEN, in: DA 39 (1983) 260 f.

[184] ÜBERWASSER, Konrad Witz und sein Konzilsaltar; SMITH, Conrad Witz's Miraculous Draught of Fishes and the Council of Basel. Via Konzil vermittelte humanistische Einflüsse sieht MASTROPIERRO, Influenza dell'umanesimo sulla pittura tedesca. Vgl. zu *Konrad Witz:* Kindlers Malerei Lexikon 12, München 1982 (dtv-Ausgabe) 301–07 (A. Stange) mit Lit. VON DER MÜHLL, Vorspiel 38 f. erwähnt einen im Basler Leonhardstift zur Konzilszeit entstandenen Totentanz. – Basler Bau- und Kunstwerke, die in Bezug zum Konzil stehen, bei HENZE, Konzilienbuch 175–204 mit Abb; ders., Ein Konzil im Meisterwerk des Filarete. Die Lit. zu Filarete ist hier nicht aufzuführen. - Interessantes Bildmaterial bei KÉRY, Sigismund, bes. 96 f. (Rogier von der Weyden). - Vgl. zu Konstanz WINGENROTH, Grabkapelle.

Das gleiche gilt für die *Musik:* Ob für das nüchterne Basiliense ähnlich reiche Ergebnisse möglich sind, wie sie SCHULER für die Konstanzer Konzilsmusik ermittelte, vermag ich allerdings nicht abzuschätzen.[185]

Man gewinnt fast den Eindruck, es sei auf dem Basler Konzil intern wie auch im ganzen Ambiente nüchterner und asketischer zugegangen. Konstanz wirkte auch nach außen für die Öffentlichkeit, namentlich die deutsche, als eine staunenerregende Sensation. Basel konnte diesen frischen Reiz des Ungewöhnlichen nicht mehr in gleicher Stärke ausstrahlen.

---

[185] SCHULER, Musik in Konstanz (166). Vgl. aber TEGEN, Baselkonciliet och kyrkomusiken (1957), wenngleich nicht sehr ergiebig. Der berühmte Komponist Du Fay weilte in den vierziger Jahren am savoyischen Hof. Schrieb er Musik für Papst Felix V.? Gab es in Basel eine ‚Konzilsmusik‘? Hier sind die Musikwissenschaftler gefragt. – LEHMANN 248 wirft unter der Rubrik ‚Die Sänger‘ wirkliche Konzilskantoren (s. LAZARUS 297 f., 341). mit den Kapiteldignitären (‚cantores‘) zusammen; so auch TEGEN 129-32.

Non me penitet in synodo Basiliensi fuisse, in qua lumina nostri orbis excellentiora fuerunt
(E. S. Piccolomini)

III. DIE TEILNEHMER DES KONZILS
SPEKTRUM DER GRUPPEN

1. Statistische Probleme

a) ‚Multifunktionalität'

Das Basiliense war in der Tat so zusammengesetzt, wie einst Gerson die Universalkirche beschrieben hatte: *statibus, officiis, et gradibus variis distincta*[1]. Die Forschung steht einem äußerst heterogenen Personenkonsortium gegenüber, dessen zahlenmäßiger Bestand und dessen soziologische Zusammensetzung zudem dauernd fluktuierte. Zu den Konzilsvätern gehörten Kardinäle ebenso wie einfache Mönche, Bischöfe wie Leutpriester, Universitätsgelehrte ebenso wie einige Laien – und zwar aus den verschiedensten Nationen und Regionen Europas. Dies ist die Ausgangslage. Es stellt sich zunächst schlicht die Frage, nach welchen Kriterien diese Personengruppe am angemessensten zu strukturieren ist, um einen statistischen Gesamtüberblick, aber auch Einblick in die ‚sociologie' und Schichtung (Stratigraphie) der Konzilsmitglieder und in ihre Gruppeninteressen zu gewinnen. Hierbei begibt man sich auf instabiles Terrain, da festzustellen ist, daß jedes Mitglied sich in durchaus verschiedene Rubriken einordnen läßt.

Gehen wir vom hypothetischen Modell eines Konzilsvaters aus: Ein Bischof beispielsweise war als Bischof Mitglied eines Standes der kirchlichen Hierarchie – mit bestimmten Interessen; gleichzeitig konnte er Gesandter eines Fürsten sein – mit speziellen Aufträgen; ebenso mochte er als Einzelperson eigene Ziele theologischer, politischer oder finanzieller Natur verfolgen; schließlich gehörte er einer Konzilsnation an. Seine persönliche Herkunft bzw. diejenige derer, die er vertrat, kann wiederum zurückverfolgt werden in Diözesen, Länder, Regionen – mit den entsprechenden Bindungen und Interessen. Ein Universitätsgelehrter des Dominikanerordens zum Beispiel konnte als natürliche Person, als Vertreter seiner Universität, als Prokurator eines Bischofs oder Abts, als Gesandter seines Ordens

---

[1] „De auctoritate concilii", ed. Z. RUEGER, in: RHE 53 (1958) 786 (= Glorieux VI, 114 Z. 11 f.).

usw. in Basel sein. Welcher Gruppe soll man ihn letztlich zuordnen?[2] Wie wurde er vom Konzil eingestuft? Als was fühlte er sich selbst? Man begegnet ständig Überschneidungen, eben einer gewissen ‚Multifunktionalität‘ jeder Person, die freilich in diesem Zusammenhang nur natürlich ist. Weiterhin bleibt zu ermitteln, welche Gruppen ein Kollektivbewußtsein entwickelt und artikuliert haben, das heißt als Gruppe öffentlich aufgetreten oder im gemeinsamen Handeln nachzuweisen sind: ‚die‘ Universitätsleute? ‚die‘ Orden? ‚die‘ Bischöfe? ‚die‘ Pröpste, schließlich ‚die‘ Fürstengesandten (bei denen es zum Beispiel sicher ist).

Die Forschung hat bisher in teils mehr statistischen, teils rein prosopographischen Arbeiten versucht, entweder die Gesamtheit der Konzilsmitglieder in den Blick zu bekommen (Lehmann, Bilderback) oder sie hat einzelne Gruppen untersucht. Dabei sind für die entsprechenden Kategorien wie: Korporationen (Universitäten, Orden etc.) oder ethnische (Slawen), staatliche (Engländer, Schotten usw.) regionale (Schlesier), diözesane (Südwest- und Nordwestdeutschland) Gruppen die Personen zusammengestellt worden[3]. Es ist aber auf vielen Gebieten noch Exemplarisches zu leisten. Der Begriff der ‚konzilsnahen Landschaft‘ wird dabei sinnvoll sein.

Die folgenden Kapitel sollen die wichtigsten der in der Forschung zum Teil ausführlich, zum Teil aber nur am Rande erfaßten Personengruppen, die auf dem Konzil vertreten waren, vorführen, und, soweit möglich, auch ihr konzilspolitisches Profil andeuten.

b) Prokurationswesen

Ehe wir die einzelnen Teilnehmergruppen vorstellen, soll eine juristische Praxis erörtert werden, die vielen überhaupt erst die Teilnahme ermöglicht hat: die Prokuratur. Der Prokurator ist ein bevollmächtigter Vertreter einer Person oder Institution, der unter Vorlage einer schriftlichen Legitimation mit gleichen Rechten dem Konzil inkorporiert wird. Die Forschung hatte dieses für die spätmittelalterlichen Konzilien und insbesondere für Basel wesentliche

---

[2] Vgl. unter diesem Gesichtspunkt die Kategorien, nach denen LEHMANN 128–263 seinen Inkorporiertenkatalog gliedert, sowie „Roster of Ranks and Offices“ bei BILDERBACK, Membership 219 f.

[3] Vollständigere Bibliographie in Kapitel III und IV. – Hier seien lediglich herausgehoben: BURNS, Scottish Churchmen; BINDER, Slaven; MARSCHALL, Schlesier; POST, Nederlanders; BÄUMER, Paderborner Theologen; STUTT, Nordwestdeutsche Diözesen; HANNA, Südwestdeutsche Diözesen; DECKER, Kardinäle; BLACK, Universities.

Phänomen lange Zeit unterschätzt, bis BILDERBACK (1969) erstmals eine solide, statistisch untermauerte Analyse gab[4]. Historisch gesehen stellt auch das Prokurationswesen eines der durch die Rezeption des römischen Rechts neubelebten Verfassungselemente dar[5]. Auch hier zeigt sich wieder die Wechselwirkung zwischen Verfassungsdenken (nämlich einem technischen Repräsentationsbegriff) und den sachlichen Notwendigkeiten einer sich zunehmend aus Korporationen konstituierenden weltlichen und kirchlichen Gesellschaft[6]. Auf dem Konzil von Vienne 1311 schon deutlich faßbar, stieg die Bedeutung der Prokurationen auf dem Pisanum und Constantiense weiter an, um nach Ansicht der Forschung in Basel unbestritten – und letztmalig![7] – einen Gipfel zu erreichen.

In diesem Zusammenhang ein Wort zu den praktischen Sachzwängen: Angesichts der pausenlosen und hartnäckigen Appelle der Basler an den Klerus ganz Europas, unverzüglich auf dem Konzil zu erscheinen, stand jedes potentielle Konzilsmitglied vor jenem grundsätzlichen Problem, das seit Max Weber mit ‚Abkömmlichkeit‘ umschrieben wird.[8] So stand der Bischof vor der Fahrt zum Konzil prinzipiell vor der gleichen Frage wie der Handwerksmeister vor dem Eintritt in den Stadtrat: Konnte er sich erlauben, um seiner unbesoldeten ‚parlamentarischen‘ Repräsentativpflichten willen seine Diözese (bzw. seine Werkstatt) für längere Zeit zu verlassen und damit womöglich einen besonderen Typ des vielkritisierten ‚Absenteismus‘[9] zu bilden? Und zweitens: Wie war ein entfernter und womöglich lange dauern-

---

[4] BILDERBACK, Proctorial Representation and Conciliar Support at the Council of Basle. Der Aufsatz setzt die Ergebnisse der Dissertation des Verf. (BILDERBACK, Membership) fort; dazu s. unten III 1c. Aus der älteren Literatur vgl. die Prokuratorenliste bei HANNA 55–59. Sowohl LAZARUS als auch LEHMANN, GILL und OURLIAC (etwa DLO 239; dazu kritisch BILDERBACK, Membership 45 f.) hatten die Bedeutung der Prokuration unterbewertet.

[5] Die älteste Definition eines Prokurators findet sich bei Ulpian, Digesten 3,3 1; vgl. D. 94 c.1.

[6] Über die Zusammenhänge von Prokurations-, Gesandtschaftswesen und Repräsentationsdenken gibt es Forschungsansätze für den weltlichen Bereich, z.B. GANSHOF, Le Moyen Age; QUELLER, Representative Institutions and Law; BROWN, Representation and Agency Law in the Later Middle Ages. Vgl. KRÄMER, Repräsentation 216–18 und Kap. II 5 und VII 1 j.

[7] Bezeichnenderweise verbot das Tridentinum die Prokuration mit der Bulle ‚Decet non‘ gleich zu Beginn.

[8] Vgl. MEUTHEN, Basler Konzil 38.

[9] ‚Absentéisme‘ wegen Teilnahme am Basler Konzil: s. BINZ, Genève 130, 307 f. Vgl. unten Anm. 12.

der Aufenthalt zu finanzieren? Das finanzielle Problem wog in der Tat schwer, seine Regelung war die conditio sine qua non jeder Konzilsteilnahme. Wir hören immer wieder Klagen wie diese: Abt Odo von Cluny beschwört das Konzil, er könne wegen der politischen Wirren in seiner Gegend nicht selbst nach Basel kommen; außerdem sei das Kloster arm und könne daher nicht drei, sondern höchstens einen Gesandten schicken[10].

Eine Synode von der Art und vor allem von der Dauer der Basler konnte mit anderen Worten nur funktionieren, wenn die heimischen Einkünfte (das ist in der Regel die Pfründe) auch in Basel weiterkonsumiert werden konnten.[11] Das setzte Liquidität und Mobilität des Geldtransfers voraus. Insbesondere Korporationen wie Klöster oder Universitäten waren oft nicht in der Lage, Gesandte in Basel über längere Zeit zu finanzieren. Manche von ihnen mußten wegen finanzieller Nöte wider Willen abreisen, wie zum Beispiel der Wiener Universitätsgesandte Ebendorfer. Auf der anderen Seite stellte sich das Problem der Abkömmlichkeit für Ämter mit cura animarum wie Bischof oder Kuratpriester gravierender als für manche ‚Sinekuren‘, zu deren Nutznießern wir auch die Universitätsleute zählen müssen, die nicht zufällig besonders zahlreich in Basel vertreten waren.[12]

Schickte man dagegen einen Prokurator, wurden wohl auch die Kosten geringer, da die Prokuratoren in der Regel einem niedrigeren, weniger zu Aufwendungen genötigten Stand angehörten als beispielsweise der Bischof, den sie vertraten. Vielköpfige Gesandtschaften lassen natürlich umgekehrt auf Repräsentationsbedürfnis und wirtschaftliche Kraft des Schickenden, nicht nur auf sein Interesse am Konzil schließen.

Interessant ist, daß das Konzil selbst, vor allem in den ersten Jahren, immer wieder darauf drängte, die Prälaten sollten persönlich erschei-

---

[10] LECLERCQ, Cluny 184 ff., 189 ff. Andere Beispiele bei RICHTER, Organisation 12; MISCHLEWSKI, Antoniter 159; LEHMANN 122 f. etc.

[11] Gleich in der 1. Sessio (1431 XII 14) wird allen Teilnehmern der ungestörte Genuß ihrer Pfründen garantiert; Mansi XXIX 20AB. Vgl. Zitate aus Segovia ‚De magna auctoritate episcoporum‘; zit. MEUTHEN, Basler Konzil 38 Anm. 108: Man solle zum Beispiel Laien nicht zulassen, weil sie *acquirentes victum cotidianum labore manuum, quia intenti necessitati proprie intendere minus possunt utilitati communi* (f. 30ʳ) – besser kann man das Problem ‚Abkömmlichkeit‘ kaum beschreiben.

[12] Genau darauf spielte später süffisant Enea Silvio an (‚Germania‘ I, 8, ed. SCHMIDT 17): *Nam cum synodi celebrantur, episcopi vestri domi remanent, vos* (sc. die ‚docti‘) *concilium petitis ibique laute vivitis sumptibus alienis et regentes orbem in magnos et admirabiles evaditis viros.*

nen[13]. Doch mußte man sich offensichtlich bald damit abfinden, daß viele der höheren Amtsträger sich nur prokuratorisch vertreten ließen. Für das Konzil hatte das zur Folge, daß sich weniger ranghohe Personen versammelten und daß andererseits für die Prokuratoren komplizierte Prüfungsverfahren eingeführt werden mußten.[14]

Die Hauptergebnisse BILDERBACKS scheinen mir wichtig genug, sie hier kurz zu diskutieren:

1. Von 3.326 erfaßbaren Inkorporationen sind 463 prokuratorisch, also rund 14 %.

2. Die Prokuratur erweist sich als Phänomen der frühen, erfolgreicheren Jahre des Basler Konzils: Auf die Jahre 1431–36 fallen 88,7 %, auf die Jahre 1437–43 der Rest von 11,3 % der Prokurationen. Die Entwicklung der persönlichen Inkorporation verläuft genau umgekehrt.

3. Vor allem der hohe Klerus nimmt die Prokuratur in Anspruch: Von 1431–36 gehen 79,0 % der prokuratorischen, aber nur 22,5 % der persönlichen Inkorporationen auf das Konto von Äbten und Bischöfen.[15]

4. Die Prokurationen differieren stark je nach dem Herkunftsland der Betreffenden. Am stärksten werden sie von den Burgundern (26,7 %), gefolgt von Franzosen und Deutschen genutzt, am schwächsten sind sie unter den Bretonen (2,8 %), aber auch bei Savoyarden und Aragonesen vertreten[16].

Bilderbacks Folgerung, Gebiete mit hohem Prokuratorenanteil dominierten in der Frühphase, Gebiete mit niedrigem Prokuratorenanteil dagegen in der späteren Zeit des Basiliense, stimmt wohl nur für diese zweite Phase, vor allem im Fall Aragóns und Savoyens. Im

---

[13] Beispiele unter anderem bei STUTT 4, 7 f.; HANNA 4 f., 11; DESSART, Liège 689.

[14] Man denke an die Einführung eines Prokuratoren-registers im Juli 1432; CB II 114 Z. 34 f.– Reflexionen zum Prokurationswesen finden sich selten, etwa bei Nikolaus von Kues in der ,Summa dictorum'; AC I2 Nr. 520 Z. 689–703; vgl. Conc. cath. II Nr. 95– 100.

[15] BILDERBACK, Proctorial Representation 146 f. Der Unterschied zwischen Bischöfen und Äbten ist allerdings beträchtlich. Während von 249 inkorporierten Bischöfen 133, also mehr als die Hälfte, prokuratorisch vertreten sind, ist das Verhältnis bei den Äbten 235 zu 33; BILDERBACK, Membership 22 f., 232. Die Zahlen bei LEHMANN 73–76 sind damit völlig überholt.

[16] BILDERBACK, Proctorial Representation 149 f.

Gegenteil, bis 1437 überrascht beispielsweise der (oft unterschätzte) hohe Anteil persönlich inkorporierter Bischöfe und Äbte aus Italien![17] Den erwähnten praktischen Ursachen des Prokurationswesens fügt Bilderback eine prinzipiellere Deutung bei: Zunächst seien überhaupt Prokuratoren geschickt worden „in order to give a sign of support to the conciliar ideal". Gebrauch oder Nichtgebrauch von prokuratorischer Repräsentation spiegele ferner „a different attitude towards the nature of the Council"[18] beim Klerus der verschiedenen Herkunftsländer wider. Die häufige Benutzung eines institutionell so abstrahierenden Instruments wie der Prokuratur sei Zeichen einer prinzipiellen Haltung zum Konzil, das dadurch als „an ecclesiastical agency" anerkannt worden sei – ungeachtet, ob man seine Politik unterstützte oder nicht. Dies sei beispielsweise in Burgund, Frankreich und Deutschland der Fall gewesen, die den höchsten Anteil an Prokuratoren aufwiesen. Dagegen seien Geistliche solcher Länder, die im Konzil nur „a possible base of achieving specific national goals" sahen, also Aragon, Savoyen (nach der Wahl des Amadeus!) und Bretagne, lieber persönlich erschienen, obwohl sie zum Teil viel weiter reisen mußten. Das klingt zunächst plausibel und dürfte für die letztgenannten Länder auch zutreffen. Jedoch scheint die Prokuratur erstens gerade Zeichen einer gewissen Distanz zum Basler Konzil, eines bloß formalen Genügetuns zu sein. Man wollte sich eben nicht zu sehr persönlich engagieren. Das träfe gerade auf den burgundischen Klerus zu. Zweitens erscheint in diesem Fall die Differenzierung nach Ländern als zu pauschal. Man muß stärker vom Einzelfall ausgehen. Und dabei stößt man auf die einleuchtende Tatsache, daß ungeachtet ihres Herkunftslandes vor allem diejenigen persönlich auf dem Konzil erschienen, die überzeugte Konzilsanhänger waren. Gerade nach 1438 kamen immer mehr nur noch solche ‚Konziliaristen' zum Konzil, wodurch sich das Absinken der Prokurationen unter anderem erklären würde. Einen zweiten Typ persönlich Anwesender – nicht unbedingt Inkorporierter – bildeten natürlich solche Leute, die in der Tat ganz persönliche Interessen, sprich Pfründenfragen, Prozesse usw. auf dem Konzil verfolgten und daher auch oft nur so lange blieben, wie es ihr Fall unumgänglich machte[19]. Die Motive des Einzelnen, das

---

[17] S. Tabellen bei BILDERBACK, Membership 222–37.

[18] BILDERBACK, Proctorial Representation 149.

[19] Hierzu ließen sich zahlreiche Beispiele liefern, etwa die Kurzbesuche der Kontrahenten des Trierer Schismas Raban von Helmstadt und Ulrich von Manderscheid im Dezember 1433 - April 1434; MEUTHEN, Trierer Schisma 185-206.

Konzil zu besuchen, sind ohnehin fast nie als eindeutig ‚egoistisch‘ oder ‚idealistisch‘ bzw. ‚dienstlich‘ oder ‚privat‘ auszuweisen.

Ein in Basel durchaus gängiges Phänomen war die Mehrfachprokuration: Ein einzelner Konzilsteilnehmer konnte während seines Aufenthalts nacheinander oder gleichzeitig mehrere Personen oder Institutionen vertreten.[20] In Basel sah man das anfangs nicht sehr gerne. Denn die Folge war zum Beispiel, daß bei Abstimmungen zwischen Anzahl und Rang der persönlich anwesenden Prokuratoren und der durch sie vertretenen Prokurierten, die ja ‚eigentlich‘ abstimmten, eine große Diskrepanz bestand, vor allem wenn es sich bei den letzteren um Prälaten handelte. Hinzu kommt, daß besonders Fürsten sich nacheinander mehrfach (bis zu sechsmal) prokuratorisch (re)inkorporieren ließen.[21] Das Prokurationswesen birgt also – soviel dürfte sich gezeigt haben – eine Reihe interessanter Probleme.

c) Schichtung des Klerus – Bedeutung der Prälaten

Viele Äußerungen zu diesem Thema scheinen von Polemik beseelt zu sein und sich vor allem auf die Bischöfe, ihre Anzahl und die Wertigkeit ihrer Stimme in Basel kapriziert zu haben. Wie oft sind schon die bissig zugespitzten Kommentare eines Traversari, Piero da Monte oder Enea Silvio zitiert worden. Sie tragen allesamt den gleichen Tenor: Das Basler Konzil wird von einem Pöbelhaufen niederer Kleriker und Laien bis hinunter zu den *stabularii* und *coqui* bevölkert, die Bischöfe als berufene Lenker der Kirche sind dagegen nur in verschwindend geringer Anzahl vertreten, ihr Votum wird majorisiert.[22]

---

[20] Auch hierzu nur zwei Beispiele: Der Baccalaureus (!) juris Robert Sutton vertrat ab Dezember 1431 nacheinander die Bischöfe von Bath, Durham und Dublin; SCHOFIELD, Ireland 378. – Johann von Segovia vertrat neben der Universität Salamanca noch drei andere Amtspersonen und wurde jeweils einzeln dafür und zusätzlich als Einzelperson inkorporiert; FROMHERZ 24 mit Anm. 56; BILDERBACK, Membership 316.

[21] Dazu LEHMANN 55–59.

[22] Hier einige der gängigsten Beispiele, die freilich meist unvollständig zitiert werden, z.B. in DLO 239 Anm. 12, Piero da Monte 1436 vor Kg. Heinrich VI. von England: *In hoc vero concilio capellani ferentes caudas dominorum meorum cardinalium, c o q u i et, quod deterius est, laici uxorati* (dazu s. unten 83 f.) *habuerunt vota tam in deputationibus quam in generalibus congregationibus, prout constat evidenter; ex quo diminuta est non parum auctoritas dignitatis pontificalis*; HALLER, Monte 243 (Nr. 43). – Ambrogio Traversari: *tantumque habet momenti vox unius c o c i … quantum legati vel archiepiscopi cuiusvis aut episcopi;* Traversari, Epistolae, ed. CANNETI II 237; s. auch CECCONI, Studi CXCVI. Ähnlich die englische Gesandtschaft auf dem Frankfurter Reichstag 1442 (RTA XVI 555 f.). Weniger bekannt Heinrich Kalteisen, ‚Consilium‘, BONN Cod. S 327 f. 29, zit. KRÄMER, Konsens 250 Anm. 105. Eine Sammlung weiterer Stellen bei MIETHKE, Forum 750; MEUTHEN, Trierer Schisma 242 f.; AC I 2 Nr. 479 Anm. 11. In diese Reihe gehört auch die Invektive des Humanisten Poggio; s. unten Kap. III 9.

Es macht zunächst erstaunen, wie selbstverständlich diese Urteile von den meisten ohnehin mehrheitlich baselkritischen Gelehrten des 19. und 20. Jahrhunderts bis zu PAUL OURLIAC beinahe wörtlich übernommen worden sind[23]. Allerdings haben derartige Äußerungen der Zeitgenossen, auch wenn man ein Höchstmaß an denunziatorischer Übertreibung, ja antikonziliarer Topik abstreicht, einen wahren Kern. Das vor dem Hintergrund eines egalitären Kirchenbildes und eines distributiven Repräsentationsbegriffs eingeführte Prinzip der Stimmengleichheit (ohne Ansehen des Rangs der Teilnehmer) und der reinen Majoritätsentscheidung, waren offensichtlich in den Augen sehr vieler Zeitgenossen ein so großes Skandalum, daß man es nicht ohne weiteres verdauen konnte. Schon vor dem Bruch des Jahres 1437 hatten viele der inkorporierten Prälaten dagegen Widerspruch erhoben. Selbst ein ‚Konziliarist‘ wie der Kanonist – und Erzbischof (!) – Tudeschi hatte das Problem mit aller Schräfe aufgegriffen und so sehr auf ein höheres Stimmgewicht der Mitrenträger gepocht, daß Nikolaus von Kues ihn später zur Stärkung der eugenianischen Sache genüßlich zitieren konnte[24]. Kurzum: Das eigentliche Problem ist also nicht statistischer, sondern theologischer Natur.

Um aber hier auf die Zahlen zurückzulenken: Wie hoch war der Anteil der Mitrenträger wirklich? In der Forschung florierte lange Zeit ein Wildwuchs disparater Urteile und Vorurteile. Die Daten differierten erheblich: Der Anteil der Prälaten (gemeint sind Bischöfe und infulierte Äbte) habe nie ein Fünftel (Valois, Lehmann), bzw. ein Drittel (Gill, Ourliac) der Inkorporierten überschritten, gelegentlich sogar nur ein Fünfzehntel betragen (Jedin, für 1436).[25] Zwar dienten die geringen Prälatenzahlen gerade den genannten Autoren nicht zuletzt zur Bestätigung ihres theologischen Negativurteils über Basel.

---

[23] Daß die ‚stabularii‘ und ‚coqui‘ ihre Tradition ausgerechnet in der Polemik gegen die Kurie (!) von Avignon begonnen hatten, scheint dabei unbekannt zu sein (Hinweis E. Meuthen). Zur Auswahl: PASTOR I 301; CREIGHTON II 127 f.; VALOIS I 313; LEHMANN 73; GILL 192, 199, welcher ebenso wie FEINE 476 der in Anm. 22 zitierten Äußerung Traversaris folgt; OURLIAC, Sociologie 10 f., 14, 21 und DLO 239. Die Abhängigkeit der Forschung von der zeitgenössischen Polemik analysiert an Beispielen BILDERBACK, Membership 31–48. – Eine kritische Gegenposition begegnet schon bei HALLER, CB I 147 f.; LAZARUS 37–47 und jüngst KRÄMER, Konsens 129 Anm. 9, 143 Anm. 41, 250 Anm. 105 – allerdings selbst mit falschen Zahlen; s. unten Anm. 36.

[24] Nikolaus von Kues über Tudeschi: AC I2 Nr. 527 Z.370–416; Nr. 599 Z.393–398.

[25] JEDIN, Strukturprobleme 11, ohne näheren Beleg.

Jüngste Nachprüfungen scheinen allerdings die niedrigen Zahlen eher zu bestätigen: So geht MEUTHEN (1985) von „einem zwischen 15 und 5 % schwankenden, bisweilen auch noch geringeren Anteil von Bischöfen an den jeweils stimmberechtigt versammelten Konzilsvätern" aus.[26]

Die älteren Arbeiten krankten alle an denselben Schwächen: Sie fußten auf unzulänglicher Materialbasis oder werteten sie wie MICHAEL LEHMANN (1945)[27] unzureichend oder ungenau aus, verkannten den wesentlichen Stellenwert der Prokuratoren und trugen den oft abrupt von Monat zu Monat sich verändernden Fluktuationen des Teilnehmerspektrums in der achtzehnjährigen Geschichte des Basiliense zu wenig Rechnung. Es ist das Verdienst der bereits 1966 erschienenen, aber erst seit kurzem zugänglichen Dissertation von D. LOY BILDERBACK ‚Membership of the Council of Basle'[28], einen Teil dieser Mängel abgestellt und anhand des Materials der Inkorporationseintragungen solide Ergebnisse vorgelegt zu haben, ohne freilich ganz zu befriedigen. Leider hat die Forschung seine Tabellen, zweifellos den wertvollsten Teil der Arbeit, bisher nur partiell auswerten können[29]. Das Hauptproblem, die Fluktuation, versuchte Bilderback dadurch in den Griff zu bekommen, daß er die Konzilsgeschichte von Februar 1431 bis August 1443 (hier enden die auswertbaren Konzilsprotokolle) in sechs Perioden einteilte. Anzahl und regionale Herkunft (überwiegend nach Erzdiözesen geordnet) sowie, nur sehr grob allerdings,

---

[26] MEUTHEN, Basler Konzil 21.

[27] M. LEHMANN, Die Mitglieder das Basler Konzils von seinem Anfang bis August 1442, Theol. Diss. Wien 1945 (masch.). Die unter schwierigen Bedingungen entstandene Arbeit weist neben einseitigen Wertungen nicht die Vollständigkeit des Inkorporiertenverzeichnisses von BILDERBACK, Membership auf, ist aber wegen ihrer nach kirchlichen Ständen differenzierten Gliederung und ihres Registers nach wie vor wichtig. Ältere Frequenzberechnungen bei LAZARUS 43–47.

[28] D.L. BILDERBACK, The Membership of the Council of Basle, Phil. Diss. Washington 1966 (zunächst nur als Mikrofilm erhältlich; erschienen Ann Arbor, UMI 1982). Der umfängliche Textvorspann (1–180) referiert Quellen und Geschichte des Konzils, kann aber nur in den Passagen zu ‚membership' im engeren Sinne als selbständig gelten: 31–61, 79–81, 96–104, 137–39, 175–77. Daß Bilderback die Arbeit von Lehmann nicht kennt, ist schwer verzeihlich.

[29] Die Tabellen BILDERBACK, Membership 191–241, mit methodischen Vorüberlegungen. Die nötige Auswertung der vielen Details kann hier nicht vorgenommen werden; s. stattdessen auch die durch weiteres Material modifizierten Ergebnisse bei BLACK, Council 32–38; MIETHKE, Forum 751 Anm. 50; MEUTHEN, Basler Konzil 21 f. und die Tabellen bei BILDERBACK, Proctorial Representation.

die ständische Schichtung[30] der Inkorporierten werden also sechsfach tabelliert. Ein Vergleich der sechs Querschnitte macht Tendenzen der Gesamtentwicklung sichtbar und ermöglicht regionale Differenzierung, worin ein ganz besonderer Wert besteht. So sehr Bilderback sich bemühte, die sechs Perioden mit den Zäsuren der Ereignisgeschichte des Konzils abzustimmen, sie bleiben notgedrungen eine willkürliche und zu grobmaschige Hilfskonstruktion. Ohne zusätzliche punktuelle Stichdaten kommt man nicht aus. Nehmen wir das Problem der Prälatenrepräsentation: Bischöfe und Äbte machten im April 1433, also nach Bilderback innerhalb der zweiten Periode (März 1432 – Februar 1434) 26 %, einschließlich der Prokuratoren sogar 56 % der Inkorporierten aus! Nimmt man dagegen andere Momentaufnahmen, zeigt sich ein kontinuierlicher Abfall auf 18 % im Februar 1434, 15 % im Dezember 1436 und knapp 9 % im Jahre 1439[30a]. Genau umgekehrt proportional nahm der Anteil des ‚niederen Klerus‘ (1439 über 50 %) zu.

Unausweichlich kam es zu Vergleichen mit dem Constantiense, wobei der Prälatenanteil wieder latent als Gradmesser für das theologische Problem einer höheren oder geringeren Legitimität der beiden Konzile diente: Nach Bilderback waren auf dem Basiliense zwischen März 1432 und September 1437 ähnlich viele, relativ sogar mehr Prälaten vertreten gewesen als in den vier Jahren des Konstanzer Konzils – ein Ergebnis, das aber jüngst wieder zuungunsten des Basiliense korrigiert wurde.[31] Ein abschließender Befund erscheint zur Zeit noch unmöglich.

---

[30] BILDERBACK, Membership 219 f., nennt nur die absoluten Zahlen für die Teilnehmer der verschiedensten Stände, ohne Prozentangaben oder weitere Analyse. Als Ersatz sind die Listen bei LEHMANN 128–265 sowie die bei LAZARUS 345–58 edierten Präsenzlisten zu benutzen.

[30a] Diese und die folgenden Zahlen, jeweils ohne Prokuratoren, nach BLACK, Council 32–35, der sich im wesentlichen auf Bilderback und auf die Präsenzlisten, vermutlich vom April 1433, stützt; vgl. Zahlen bei LEHMANN 65–70 und GILL, Representation 190 f. - Neue Varianten bietet MEUTHEN, Basler Konzil 22 Anm. 50, unter Berufung auf Gill: 1432: 11 %, 1434: 14 %, 1436: 6 % „Bischöfe (zuzüglich der Kardinäle und Patriarchen)“. Die ebd. angekündigte „detaillierte Untersuchung“ der Thematik ist angesichts des Zahlenwirrwarrs in der Literatur überfällig! – BILDERBACK, Membership 53 f., weist mit Recht auf das Problem der Terminologie hin: Wie sind ‚Prälaten‘ oder ‚Mitrenträger‘ exakt einzugrenzen, wenn die Begrifflichkeit der Quellen schwankend ist? Vgl. auch MEUTHEN, Basler Konzil 22 Anm. 52.

[31] BILDERBACK, Membership 103 f., 175–77. Das Konstanzer Vergleichsmaterial wird aus der veralteten Arbeit von RIEGEL, Teilnehmerlisten, geschöpft. Kritik und kontrastierende Zahlen bei MEUTHEN, Basler Konzil 21 f. Anm. 50. Zu Pavia-Siena vgl. jetzt: MILLER, Participation (1985). Zum Pisanum s. MIETHKE, Forum 743–45; MILLET, Pise.

Eine Stratigraphie der Nichtprälaten, die nun folgen müßte, bietet wegen der begrifflichen Unklarheiten und Amtsüberschichtungen große Schwierigkeiten, denen sich Bilderback leider weitgehend entzogen hat. Die Universitätsleute fallen bei ihm kurzerhand weg und werden in anderen Kategorien untergebracht[32]. Aber auch der Versuch von BLACK[33] kann nur halb befriedigen: Er schafft die Kategorie des „middle-rank-clergy" (Pröpste, Dekane, Prioren, Archidiakone), die von 1432–1437 ca. 11 % der Inkorporierten stellte; davon abgesetzt als eigene Kategorie den „university-clergy" (Doktoren, Magister etc.) mit 24–28 % der Teilnehmer zwischen 1432–37, dann mit stark ansteigendem Anteil; schließlich sehr vage den „junior clergy" (das heißt alle übrigen, doch wohl in erster Linie ‚einfache Priester‘ etc., deren Anteil ebenfalls nach 1437 rapide wächst)[34]. Eine ideale Lösung ist hier noch nicht gefunden. Man wird versuchen müssen, Material und Auswertungen bei Lazarus, Lehmann, Bilderback und Black unter neuen Gesichtspunkten zu vereinen.

Ein grundsätzlicher methodischer Einwand wurde bisher zurückgehalten: Beide statistischen Hauptwerke zum Basler Konzil, LEHMANN und BILDERBACK, stützten sich nahezu ausschließlich auf die den Konzilsprotokollen und Segovias ‚Historia‘ entnommenen Inkorporationsdaten. Der Fluß der Inkorporationen bildet unbestreitbar nicht nur das am systematischsten auswertbare Quellenmaterial, sondern auch einen wichtigen Gradmesser für die jeweilige politische Bedeutung und ‚Popularität‘ des Konzils. Bilderback hat selbst eine Reihe solcher Inkorporationsschübe analysiert. Und dennoch liefern uns alle diese Daten nur ein abstraktes Bild von den konkreten Kräfteverhältnissen: Konzilsgeschichte ist nicht Inkorporationsgeschichte, so wie Inkorporation nicht automatisch Anwesenheit bedeutet. Nicht jeder Inkorporierte nahm an allen Beratungen und Abstimmungen des Konzils teil. Wie viele Konzilsväter waren zeitweilig nicht in Basel, wie viele hatten sich nicht nur räumlich, sondern auch von ihrer Einstellung her vom Konzil abgesetzt und blieben dennoch, als Inkorpo-

---

[32] BILDERBACK, Membership 219 f. Ausführlich statistisch untersucht werden dann nur ‚episcopal-‘ (222–30), ‚abbatial-‘ (232–37) und ‚parish (239–41) clergy‘.

[33] BLACK, Council 33.

[34] Hier wären die Tabellen zum ‚parish clergy‘ bei BILDERBACK (vgl. LEHMANN 76–79, 235–42) heranzuziehen. Sie enthalten manche überraschende Einzelheit: So ist der Anteil von ‚parish clergy‘ mit 41 von insgesamt 218 Personen zwischen 1432 und 1440 aus der Erzdiözese Tours am größten. Ein Beispiel für 1443 bei BINZ, Genève 307 f. – Zur Terminologie: KURZE, Niederer Klerus 275.

rierte, gleichwohl ‚Karteileichen‘ für die Statistik. Unmittelbarere Einblicke in eine akute Situation bieten neben den wenigen Präsenzlisten die zum Teil überlieferten Abstimmungsergebnisse[35]. Soweit die Forschung diese Daten überhaupt ausgewertet hat, produzierte sie geradezu frappierende Zahlendifferenzen, zum Beispiel zur wichtigen Abstimmung vom 5. Dezember 1436[36]. Hinzu kommt die Überlegung, daß Inkorporation ja umgekehrt keineswegs die conditio sine qua non für ‚Teilnahme‘ im weiteren Sinne und vor allem für politische Einflußnahme war. Der öffentliche Auftritt etwa einer Fürstengesandtschaft oder eines mächtigen Bischofs in Basel war per se ein Politikum, das die Konzilsereignisse bestimmen mußte, ob die Betreffenden nun inkorporiert waren oder nicht. Vor dem Konzil zu reden, mit einzelnen seiner Mitglieder gezielt zu verhandeln konnte ungleich mehr bewirken.

Ungeachtet aller methodischen Probleme haben die quantitativen Analysen das traditionelle Bild von den Kräfteverhältnissen des Klerus in Basel relativiert. Wenn auch manche Entscheidungen numerisch gesehen über die Köpfe vieler Bischöfe hinweg gefällt wurden, kann von einer ‚Herrschaft‘ des niederen Klerus wohl keine

---

[35] Edition der Präsenzlisten bei LAZARUS 345–57, zur Auswertung ebd. 43–47; LEHMANN 65–70; BILDERBACK, Membership 52–55; MIETHKE, Forum 749.

[36] Quellenbasis: CB IV 348–358; MC II 918–923. Auswertungen schon bei HALLER, CB I 147 f.; PÉROUSE 218; STUTT 83–85; HANNA 100, 102 ff.; BILDERBACK, Membership 55 zählt z.B. 50 Mitren unter 353 Abstimmenden. KRÄMER, Konsens 143 Anm. 41 kommt gar auf 87 Prälaten, wobei er wohl seine Subtraktion ebd. 160 „38 von 49" irrtümlich addiert hat. Kritik schon bei MEUTHEN, Basler Konzil aus r.-kath. Sicht 281 Anm. 16 mit der wohl richtigen Zahl von 52 Prälaten nach CB IV. – Für die 17. Sessio (1434 IV 26) zählt Segovia immerhin 105 Mitren (MC II 649); s. KRÄMER, Konsens 143 Anm. 41; vgl. FROMHERZ 160: „500 Mitren"! Richtig wohl nach CB III 82 Z. 19 f. die Zahl 106; s. LEHMANN 68. – Für die 16. Sessio (1434 II 5) werden 83 bzw. 90 Mitrenträger genannt; CB V 79 Z. 6–13. Die hohen Zahlen erklären sich hier vermutlich durch den besonderen Umstand, daß zur gleichen Zeit Kaiser Sigmund in Basel einen Reichstag abhielt. Dies dürfte so viele (Reichs-)Bischöfe hergeführt haben, die dann gleich die Gelegenheit wahrnahmen, auf dem Konzil zu erscheinen. Waren sie aber inkorporiert? Hinweis erstmals bei MEUTHEN, Basler Konzil in r.kath. Sicht 281 Anm. 16. Durch plötzlichen Teilnehmerschub entstehen, wie das Beispiel zeigt, lediglich Momentaufnahmen, die kaum für die ganze Konzilszeit typisch sind. – Die genauen Abstimmungsergebnisse lassen sich nur in wenigen Fällen halbwegs sicher festmachen. In der 34. Sessio (1439 VI 25) stimmen zum Beispiel 12 Bischöfe, 1 Elekt und 12 Äbte (= 25) mit; CB VI 524 Z. 24–30; dagegen in der Generalkongregation vom 23. Juni: 10 Bischöfe, 2 Elekten und 10 Äbte; CB VI 519. Vgl. AC I 2 Nr. 520 Anm. 353. Weitere Beispiele bei LEHMANN 65–70 und jetzt MEUTHEN, Basler Konzil 22 Anm. 50: Die 10. Sessio (1433 II 19) weist 46 Prälaten (Mansi XXIX 48 f.), die 21. Sessio (1435 VI 9) 49 Prälaten auf (BASEL UB, A VI 32 f.365^v).

Rede sein, zumal bei aller formalen Egalität ein Bischof de facto prinzipiell viel mehr Einfluß ausüben konnte als etwa ein schlichter Baccalar. Besser als für andere Gruppen faßbar ist, bildeten die Bischöfe nach Selbstverständnis und Interessenlage bei manchen Anlässen eine solidarische Partei, besonders deutlich in der Simoniefrage. Unverkennbar durchzog eine latente Spannung zwischen hohem und niederem Klerus unterhalb der konziliaren Reizthemen die Geschichte des Konzils. Sie konnte sich in Spuren eines Humilitätskults bemerkbar machen, so im Wort Alemans, des Kardinals: *Habitat ... saepius in sordido palliolo quam in pictis vestibus sapientia*[37]. Den Bischöfen wurde im übrigen nicht zu unrecht unterstellt, sie würden es im Zweifelsfall mit den Fürsten halten (zu denen sie ja selbst zum Teil gehörten!).

Die Forschung sieht heute allerdings weder in den Prälaten noch im niederen Klerus die einflußreichste, für das Basiliense charakteristische und prägende Schicht, sondern in den oberen Rängen der Universitätsgelehrten und der Angehörigen des nicht universitären ,collegiate element', einer Schicht, die man einmal mit sozialgeschichtlichen Termini als „upper middle class cléricale"[38] bezeichnet hat.

2. Laien

a) Konzilsteilnahme von Laien

Im wohlgefüllten Köcher der zeitgenössischen Vorwürfe gegen das Basler Konzil lag, wie wir sahen, als scharfer Pfeil auch die Kritik bereit, daß in dem ,Pöbelhaufen', der dort unerhörterweise über Glaubensfragen bestimme, nicht nur die niederen Kleriker, sondern auch Laien agierten: Ein *conventiculum copistarum, advocatorum et secularium hominum*, ja sogar von *laici uxorati*, habe die *claves regni coelorum* inne[39]. Der Tadel derartiger polemischer Topoi sollte nicht prinzipiell die Laien treffen, sondern mit dem ,Laien' wurde hier die letzte Stufe des

---

[37] Enea Silvio, De gestis, ed. HAY-SMITH, 112. Die gesamte Passage 110–22 richtet sich in ähnlichem Tenor gegen die Bischöfe. Bei DLO 239 übrigens falsch zitiert.

[38] CHAUNU, Temps des réformes 238. Ähnlich BLACK, Universities (1974) 343; Universities (1978) 513 f.; vgl. Council 37 „Against the pope, cardinals and princes they (sc. die Basler) represented as it were the ,middle-class', workaday Church". Ähnlich schon BRESSLER, Universitäten 37. In dem Zusammenhang ist auf die bisher weniger beachtete Gruppe der Kanoniker (nach BILDERBACK, Membership 219, insgesamt 475 Inkorporierte) hinzuweisen; das wären – ohne Dignitäre – ca. 14 % der Gesamtteilnehmer! Vgl. BLACK, Council 35.

[39] So Torquemada 1441 an den französischen Hof; Mansi XXXI 65E–66A. Die *laici uxorati* finden sich in Piero da Montes bekanntem Zitat; HALLER, Monte 243; mit weiteren

hierarchischen und bildungsmäßigen[40] Verfalls angezielt, wie er sich für Konzilskritiker in Basel offenbarte. Unter ‚Laien‘ hätte man also hier die ‚kleinen‘ Laien im Sinne ständischer und sozialer Minderwertigkeit (‚Köche‘ und ‚Kopisten‘) zu verstehen. Auch wenn man die polemische Übertreibung, gleichsam das Dienstpersonal zu Konzilsvätern zu stilisieren, entschärft, stößt man unter den Mitgliedern der Synode doch auf eine oft schwer differenzierbare personelle Grauzone, welche aus niederen Klerikern, die tonsuriert sind und eventuell niedere Weihen empfangen haben, und eben ‚echten‘ nicht geweihten, möglicherweise aber gebildeten (!) Laien besteht.

Viel wichtiger als diese polemisch aufgebauschte Schar der ‚kleinen‘ Laien ist jedoch der Einfluß einer anderen Gruppe von Laien gewesen, an der sich traditionellerweise die kirchliche Kritik entzünden mußte: die ‚großen‘ Laien, sprich die Fürsten. Wenn ihr allzu starker Einfluß in Basel beklagt wird, schwingt freilich Prinzipielleres mit: der säkulare Konflikt zwischen geistlicher und weltlicher Gewalt. Doch davon später.

Fragen wir zunächst konkret: Welche Bestimmungen erließ das Konzil über die Teilnahme von Laien? Wieviele hohe und niedere Laien waren tatsächlich dort? In der Forschung finden sich dazu bisher nur wenige Ansätze[41]. Eine Gesamttendenz ist zunächst unverkennbar: Die Basler achteten offensichtlich darauf, möglichst wenige Laien zu inkorporieren. Grundsätzlich würde man daher eine saubere Trennung zwischen ‚vox decisiva‘, aktivem Stimmrecht, das allein mit der Inkorporation verliehen wurde, und ‚vox consultativa‘, beratender Stimme, bzw. zwischen Stimmrecht im Konzil und Rederecht

---

Beispielen oben 77 f. – Verheiratete Prokuratoren erwähnt CB II 396 Z. 25.

[40] Torquemada: Neben den *notarii, copistae, familiares* bevölkerten *idiotae et ignorantes clerici nec congrue latine loqui scientes* das Konzil; Mansi XXXI 109 BC. Der Vorwurf der Unbildung richtete sich hier also gegen Kleriker. Die frühmittelalterliche Gleichung ‚clericus‘ = ‚literatus‘ – ‚laicus‘ = ‚illiteratus‘ ging im Spätmittelalter auch allgemein nicht mehr auf. Dazu: GRUNDMANN, Literatus-illiteratus, besonders 51–57. Vgl. OEDIGER, Bildung 51 f. und passim; CONGAR, Clercs et laics. Umgekehrt war Bildung generell, vor allem aber für Laien ein qualifizierendes bzw. subsidiäres Kriterium für die Konzilsteilnahme; s. etwa CB III 192 Z. 11: . . . *laici vero litterati iam admissi non reiciantur* (sc. bei der Abstimmung in den Deputationen). Zum Beispielfall des Simon Charles s. unten Anm. 50.

[41] S. etwa LEHMANN 81–87. BILDERBACK, Membership, klammert das Problem aus. Vgl. aber Proctorial Representation 148, wenn auch mit falschem Urteil. Erich Meuthen gab mir freundlicherweise Einsicht ins Manuskript eines unveröffentlichten Vortrags über ‚Die Laien auf dem Basler Konzil‘, dem ich einige Anregungen verdanke. S. jetzt MEUTHEN, Basler Konzil 26–30.

v o r dem Konzil erwarten. Zwar gab es eine Reihe von Anträgen und
Debatten über Qualifikationskriterien für die Inkorporation und
deren Begrenzung, doch geht es hier, wenn überhaupt, doch immer
um einen innerklerikalen numerus clausus; klare Aussagen über Qualifikation und Stimmrecht von Laien fehlen.[42] Zwar wurden nach
einem Antrag der Zwölf-Männer vom 19. August 1434 Fürsten-
prokuratoren nur zu Sessionen und Generalkongregationen, nicht
aber in den Deputationen zugelassen[43], faktisch finden wir aber
weiterhin keine Unterschiede zwischen inkorporierten Klerikern und
Laien: Fürstengesandte aus dem Laienstand sprachen und stimmten
bei Gelegenheit durchaus auch in den Deputationen mit. Andere
Möglichkeiten der ‚Teilnahme' und höchst effektiver Beeinflussung
des Konzils gab es ohnehin auch für Nichtinkorporierte genug – wenn
sie eine starke Macht im Rücken hatten. Die Empfindlichkeit des
Konzils dem Laieneinfluß gegenüber schien allerdings mit den Jahren
spürbar zu wachsen. So hörten Inkorporationen von Laien seit 1436
fast gänzlich auf. Selbst die Konzilsnotare und -skriptoren, die, wie
unter anderem das Beispiel Enea Silvios zeigt, sich nicht inkorporieren, sondern nur eidlich dem Konzil verpflichten mußten, sollten jetzt
die niederen Weihen haben[44]. Die Mitglieder der Fürstengesandtschaften gehörten ohnehin überwiegend dem hohen Klerus an und
wiesen nur wenige, dann allerdings hochrangige Laien auf[45].

---

[42] S. die Fixierungen von Kriterien für die Inkorporation: CB II 414 Z. 14–18 (Mai 1433);
MC II 579 Z. 40–580 Z. 6 (Februar 1434); CB III 461 Z. 24–28 (August 1435), 563 Z. 20–22
(November 1435). Vgl. die Auseinandersetzung des Pariser Universitätsgesandten Denis
de Sabrevois mit dem Bischof von Cuenca um die Dezisivstimme aller Inkorporierten;
CB III 451 Z. 3–9; 551 Z. 39–552 Z. 3. – Äußerungen von Theoretikern s. unten
Anm. 61 f., 83.

[43] CB III 192 Z. 7–11; vgl. das Zitat in Anm. 40. Daß die hohen ‚clerici' der Fürstengesandtschaften zurückgewiesen worden wären, ist dann noch weniger denkbar; die
Bestimmung war im Grunde gegenstandslos; vgl. HALLER CB I 37 f. Eine Reformschrift
hält aber gerade die *presentia* von Laien auf dem Konzil für eine *necessitas*; CB
VIII 35.

[44] Dazu LAZARUS 210, 241; vgl. DEPHOFF, Kanzleiwesen 41, 61, 78; CB V 162 Z. 14 f.; CB
VI 183 Z. 24; MC III 118. Andreas von Escobar hatte bereits früher für alle Kanzlisten den
Klerikerstand verlangt: *non sint laici uxorati ... ne laici scient secreta virorum ecclesiasticorum* (!);
CB I 218. – Von den 24 bei DEPHOFF 114–16 aufgeführten Cursoren, dem niedrigsten
Konzilsamt, sind sechs als Kleriker zu identifizieren. An der römischen Kurie ist interes-
santerweise genau der umgekehrte Prozeß zu beobachten, daß immer mehr Laien in der
Verwaltung eingesetzt wurden. S. HOFMANN, Forschungen I 214–17, II 198–200..

[45] S. unten 86 f., 105.

Wenn einmal Laienfürsten persönlich in Basel erschienen[46], wie zum
Beispiel Kaiser Sigmund 1433/34 und, sehr kurz, König Friedrich III.
1442, der Landgraf von Hessen (17.–23. Juni 1434), Graf Stephan von
Pfalz-Simmern und sein Sohn Ruprecht (13. August 1440), Pfalzgraf
Ludwig, Markgraf Wilhelm von Baden (beide 1432) oder der Herzog
von Bar (April 1434), blieben sie, mit Ausnahme Sigmunds, meist nur
wenige Tage. Und falls sie es tatsächlich gewollt hätten – wären sie vom
Konzil wirklich inkorporiert worden? Selbst der in diesem Zusammenhang so oft genannte Laie Enea Silvio Piccolomini war aller
Wahrscheinlichkeit nach vor dem Mai 1438 nicht inkorporiert, aber
doch seit 1432 im Gefolge hoher Prälaten unter anderem des Bartolomeo Visconti, Bischofs von Novara, z. B. als Scriptor auf dem Konzil
tätig, und zwar in auffälligster und kontaktfreudigster Weise[47]. Der
Basler Patrizier Henmann Offenburg[48], der bekannteste Gesandte des
Konzils aus dem Laienstand, war ebensowenig inkorporiert wie Kaiser Sigmund und sein Prokurator Wilhelm von Bayern sowie allem
Anschein nach auch Konrad von Weinsberg[49]. Zu den namentlich
feststellbaren Laien, die wirklich inkorporiert waren[49a], zählten vor
allem einige meist gebildete Adlige der Fürstengesandtschaften: zum
Beispiel Graf Johann von Fribourg und Neufchâtel, Gilbert de Lan-
noy, Herr von Villeval, in der burgundischen Gesandtschaft; die Ritter
John Colvyle und John Brounflete sowie Edmund Beaufort, Graf von
Mortain, in der englischen; Juan de Silva, Graf von Cifuentes und
‚vexillarius regis‘, in der kastilischen; Alfons, Graf von Ourém, Neffe des
Königs, sowie der Ritter Johann Pereira in der portugiesischen. Ein

---

[46] Vgl. etwa Cesarini, der 1432 schrieb: *et vix puto, quod decem in toto domini seculares hic erunt personaliter, et forte non quinque*; MC II 103.

[47] Erstmals als Inkorporierter erwähnt wird er am 15. Mai 1438; CB VI 231 Z. 35; als Konzilsskriptor aber bereits 1432; CB II 227 Z. 21 f., 260 Z. 21. Vgl. DIENER, Enea Silvio 522 f., 527. Bekanntlich hatte Enea Silvio seine Weihen erfolgreich verzögern können, auch über seine Inkorporation hinaus – obwohl er bereits bepfründet war.

[48] S. GILOMEN–SCHENKEL, Henmann Offenburg 79–99. Unklar ist die Einschätzung von ‚milites‘ in diversen Gesandtschaften, z.B. des *Guillermus dominus de Gruneberg miles*; RTA XVI 58 Z. 42 f. nr. 16.

[49] Zu Weinsberg s. die Note RTA XIV 57 Z. 38 f., nr. 21; *und incorporiret dem heiligen concilio zu Basel am fritag vor s. Anthonyen tag* (= 16. Jan. 1439). Demgemäß spricht auch WELCK, Weinsberg 39, vom „Inkorporationseid" Weinsbergs. Doch ist davon in CB VI gar nicht, in MC III 213 nicht ausdrücklich die Rede. Weitere Belege bei MEUTHEN, Basler Konzil 29 Anm. 76. –

[49a] BILDERBACK, Proctorial Representation 148 irrt natürlich, wenn er „no laymen" für inkorporiert hält.

interessantes Beispiel bildet der Ritter Simon Charles, der als direkte
Kontaktperson des Hofes phasenweise der maßgebende Mann in der
französischen Gesandtschaft war. Ein Inkorporationsvermerk findet
sich für ihn nicht – und doch nahm er mit ‚vox decisiva‘ an der Abstimmung vom 5. Dezember 1436 teil![50] Ob von den ‚kleinen‘ Laien, wie
die Kritiker des Konzils suggerierten[51], überhaupt jemand inkorporiert war, läßt sich nicht feststellen; es ist aber unwahrscheinlich.
Generell ist ja schwer zu ermitteln, ob eine solche Person ‚schon‘
Kleriker oder ‚noch‘ Laie war. Überdies enthalten die Protokolle
Lücken.[52]

Dennoch läßt sich folgende Bilanz ziehen: Nur eine verschwindend
geringe Zahl von Laien war auf dem Basler Konzil inkorporiert. Es
dürften insgesamt kaum mehr als zwanzig gewesen sein. Bei rund 3300
gesicherten Inkorporationen würde das ganze 0,6 Prozent ausmachen. Auch das Basiliense blieb eine Klerikersynode!

Das Konzil versuchte zwar – vergeblich –, sich weltlicher Beeinflussung zu entziehen, scheute sich aber nach seinem Selbstverständnis als
höchstes Exekutivorgan der Kirche nicht, seinerseits in hohe und
niedere Angelegenheiten von Laien hineinzuwirken bzw. als Prozeß-
und Supplikeninstanz auch für Laien zu dienen. Die von HANNA
zusammengestellten Supplikenstatistiken enthalten an erster Stelle
Ehedispense, betreffen also ein Problemfeld der Laienwelt, – für das
nach kanonischem Recht hohe kirchliche Instanzen (Papst) zuständig
waren. Ebenso spricht in den Fällen von Geburtsfehlern, Beleidigung
und Mord kaum etwas dagegen, auch Laien unter den Supplikanten
zu vermuten[53].

---

[50] S. die Abstimmungsliste vom 5. Dezember 1436; CB IV 348–58, ebd. 350 Z. 3: *Dominus Symon Charles miles cum domino S. Petri* (sc. votum dedit) – das heißt, Charles stimmte für
Florenz, so wie es gerade der Strategie des französischen Königshofes entsprach. Vermutlich war Simon Charles inkorporiert, oder soll man annehmen, er habe ad hoc einfach
mitgestimmt? Immerhin war er laut Gatari *doctor* (CB V 402 Z. 25 bzw. nach Segovia *vir lit-
teratus* (MC II 458), erfüllte also eine konzilsübliche Qualifikation. Als Beleg für ‚laikale‘
Stimmabgabe durch ‚coqui‘ und ‚stabularii‘ ist er also in doppelter Hinsicht, als Ritter wie
als Gebildeter, ungeeignet.

[51] Die vielköpfige Entourage der prominenten Teilnehmer konnte natürlich leicht
zum Zerrbild der ‚coqui‘ anregen.

[52] Ergänzungen sind nach dem neuentdeckten Konzilsprotokoll KOPENHAGEN, Ny
kgl. saml. 1842 möglich, was im einzelnen noch zu prüfen ist.

[53] HANNA 101, stellt aus den Konzilsprotokollen 615 Suppliken zusammen, von denen
129 Ehedispense, 21 Geburtsfehler, 6 Mord betreffen. Dies sind allenfalls exemplarische
Ziffern, solange die Basler Supplikenpraxis nicht auf breiter Basis erforscht ist. Vgl. für
die Konzilsrota MEUTHEN, Rota 480 f.: 21 Ehesachen von 500 in den erhaltenen Manua-

b) Der Laie in der Kirche

Auch die Laien sind Glieder der Universalkirche und des mystischen Leibes Christi, wenngleich an unterster Stelle der charismatisch-hierarchischen Stufenleiter. Hinter der Frage, welche Rolle sie auf dem Konzil spielen dürfen, steht somit das prinzipiellere theologische Problem des Laien in der Kirche. Die Forschung hat diesen Komplex im Rahmen der konziliaren Theorie und speziell in der Basler Ekklesiologie bisher erst zögernd beachtet[54]. Auch die folgenden Bemerkungen können nicht mehr als marginal sein: Die Kirche des Mittelalters, da sie im wesentlichen immer eine priesterlich geprägte Heilsanstalt war, hat ungeachtet der großen ideologischen Auseinandersetzungen im Investiturstreit keine eigentliche Theologie vom Laien entwickelt[55].

Schon die ältere Forschung (Hauck, Merzbacher)[56] interpretierte die Geschichte des Konzils im Abendland als einen Prozeß der „Umbildung" vom spätantiken Bischofskonzil unter formeller Leitung eines Laien, des Kaisers[57], zum Universalkonzil des Hochmittelalters, auf dem sich die Christenheit virtuell um den päpstlichen Monarchen versammeln sollte. Die singuläre Stellung des IV. Lateranums (1215) ist bekannt. Laien mußten notwendigerweise teilnehmen, um vollkom-

---

len protokollierten Verfahren, die fast alle dem deutschen Bereich entstammen. Dies seien im Vergleich zur römischen Rota mehr Ehesachen. Ein sprechendes Beispiel für eine Laiensupplik s. CB III 425 Z. 33: *Super supplicatione trium rusticorum pauperum* . . .

[54] Zur Kanonistik des späten Mittelalters vgl. OURLIAC, Eglise et laiques; ULLMANN, Papacy and Faithful 39–45; vgl. KÜNG, Strukturen 77 ff.; NÖRR, Kirche 159–70. Hilfreich der Überblick von Marsilius bis Ugonius bei BÄUMER, Nachwirkungen 231–43 sowie SIEBEN, Konzilsidee des Mittelalters 298–301 (Marsilius) und 475 s.v. Zum Basler Konzil existieren nur verstreute Hinweise, z.B. bei BLACK, Council 69, 113 mit Anm. 5, 187 f.; KRÄMER, Konsens 233, 327 f. Kritisch zu Krämer: MEUTHEN, Basler Konzil in r.kath. Sicht 304 f. Wichtig ders., Basler Konzil 26–29; SIEBEN, Traktate 291 s.v. ‚Laienteilnahme'. Zu Nikolaus von Kues, bei dem ‚der Laie' die relativ größte Rolle spielte: MEUTHEN, Laie passim; HEINZ-MOHR, Laie.

[55] Einen wirklichen Durchbruch hat hier im Grunde erst das II. Vatikanum mit seinen Dekreten ‚De ecclesia' (Kap. IV: ‚De laicis'; COD 874–80) und ‚De apostolatu laicorum' (COD 981–1001) geschaffen. Doch sei auch an die gleichzeitig wieder aufgeflammte Diskussion über die Konzilsteilnahme von Laien erinnert (Küng, Ratzinger, Rahner etc.). Aus der breiten theologischen Literatur sei nur verwiesen auf CONGAR, Jalons, besonders 62, 333–40, sowie den Art. ‚Laie', in: Handbuch theologischer Grundbegriffe III (= dtv 4057), München 1970, 7–26 mit Literatur.

[56] HAUCK, Rezeption und Umbildung (1907); MERZBACHER, Wandlungen des Kirchenbegriffs (1953).

[57] S. AHC 10 (1978): Aufsätze von J. SPEIGL, W. HARTMANN, V. Peri.

men den Kosmos der Kirche darzustellen, die Konzilsentscheidungen
sollten sie jedoch keineswegs mitbestimmen. Auch das Basler Konzil-
man sollte das stärker betonen – hat orthodox an der spirituell-
sakramentalen Überlegenheit des priesterlichen Amtes festgehalten
und gegenüber den Laien theologisch durchaus restriktiv gedacht[58].
Die Prinzipien der universalen Repräsentation, der Egalität und des
Konsenses machten Halt vor der sakramentalen Grenze zwischen
Klerikern und Laien. Die Demokratisierung blieb „innerklerikal"
(Hofmann).[59] Daran hat offensichtlich auch der jüngst so stark heraus-
gestrichene Einfluß kommunalen republikanischen Denkens (‚civic
republicanism'; Black) nichts geändert, der demnach sicher nicht über-
strapaziert werden darf. So weit reichte die Wirkung eines Bartolus von
Sassoferrato auf Segovia also nicht, und von den marsilianischen Ideen
der ‚Volkssouveränität' trennten ihn – wie wohl alle Basler Theoretiker – ganze Welten. HOFMANN und KRÄMER haben das eindrücklich
dargelegt[60]. Selbst wenn der niederste Kleriker das gleiche Stimmrecht erhielt wie ein Kardinal, sollten es die Laien auch in den obersten
Rängen, wenn irgendwie möglich, nicht erhalten[61]. Das Konzil reprä-

---

[58] So schon CONGAR, Jalons 62; HÜRTEN, Ekklesiologie 228; MEUTHEN, Basler Konzil
aus r.-kath. Sicht 304: „Allerdings gibt das Basler Konzil für das Thema Laienkirche nicht
nur nicht viel her, sondern verhält sich geradezu defensiv" – als Kritik an dem bei KRÄMER,
Konsens 349–61, verfochtenen Basler Rezeptionsgedanken. Auch BLACK, Council 69
stellt Nikolaus von Kues und Heymericus de Campo mit ihren Ideen zum Laienkonsens
in Gegensatz zu den „most Basileans."
[59] HOFMANN, Repräsentation 274 f.
[60] HOFMANN, Repräsentation 272–75; KRÄMER, Konsens 166–81. Das Thema wird
unten noch weiter erörtert werden. Das Bild der ‚civitas' diente Segovia an einer interessanten Stelle gerade dazu, das gegenüber den Laien ausschließliche Recht der Kleriker
zur Entscheidung in Glaubensfragen zu illustrieren: Man verstehe unter ‚civitas' nur
indirekt ‚alle' Bürger, „im eigentlichen Sinne" aber „den Magistrat, weil er die Leitungsbe-
fugnis innehat". Dem Magistrat aber, so geht der Gedanke weiter, entsprechen in der
Kirche die Priester, die mit dem sakramentalen Charisma und der höheren Lehrkom-
petenz ausgestattet sind; KRÄMER, Konsens 233 mit Anm. 64 nach Segovias ‚Tractatus
decem avisamentorum', doch ohne wörtliches Zitat. Vgl. KRÄMER, Repräsentation 219 ff.,
234 f., und HOFMANN, Repräsentation 213. Ähnlich wie Segovia argumentierten freilich
auch die ‚Papalisten', wobei sie für den Magistrat den Monarchen (Papst) als Repräsentanten der Gesamtkirche setzten.
[61] Auszugehen ist von dem Überblick bei BÄUMER, Nachwirkungen 231–43. Vgl. oben
84–87, die recht vagen offiziellen Konzilsäußerungen mit den Stellungnahmen der
Theoretiker. Tudeschi Panormitanus und die ältere Kanonistik beurteilten das Problem
nach der Gewaltenlehre: So brauchen Laien nicht auf Konzilien eingeladen zu werden, da
kirchliche Angelegenheiten und Glaubensfragen als spiritualia nicht in ihren Zuständigkeitsbereich gehören; das Konzil k a n n aber eingeladenen Laien sogar das Dezisiv-

sentierte zwar die ecclesia universalis, also auch die Laien, jedoch dergestalt, daß die Priester die Laien mitvertraten und gleichsam in sich
‚aufhoben'. Es verstand sich zwar gerade nicht mehr als ‚collegium
episcoporum', aber doch immer noch exklusiv als ‚collegium sacerdotum', dessen alttestamentarischer Typus, der ‚ordo leviticus', häufig beschworen wird⁶². Die Egalität der Basler Konzilsväter gründet in

---

stimmrecht zusprechen, „da der Papst . . . den Laien Gewalt über die spiritualia verleihen
kann"; NÖRR, Kirche 163, anhand der kanonistischen Opera des Panormitanus. Auch die
Lehre des Cusanus vom Laienkonsens hat hier offensichtlich Grenzen; MEUTHEN, Laie
105. Vgl. dort nicht zitiert: Conc. cath. III 17 Nr. 410 Z. 6–14: *deliberare vero et res ecclesia-*
sticas diffinire sacerdotum est (Z. 13 f.); ähnlich ebd. Nr. 409 und II 18 Nr. 139 Z. 1–7: *Quare nec*
laicos nec indifferenter clericos puto admitti debere . . . Laici vero, qui in universali concilio, ubi de fide
quaestio diffiniri debet, admissi leguntur . . . sed ut testes. Entsprechende Stellen aus dem zum Teil
ungedruckten Werk Segovias wären noch zusammenzustellen, freilich nicht nur aus dem
Spätwerk ‚De magna auctoritate episcoporum' (dort 21ʳ–34ᵛ nach BASEL Univ.bibl. BV
15), weil hier bereits die Ernüchterung nach 15 Jahren Konzilserfahrung andere Akzente
setzt. Torquemada wird sich später in der ‚Summa de ecclesia' 290b–293a ausdrücklich
gegen die Teilnahme des niederen Klerus, der Laien und Frauen aussprechen; BINDER,
Wesen 123 f., 126. Vgl. auch die entsprechenden Zitate bei ECKERMANN, Studien 131. –
Zur ‚vox consultativa' vgl. Gerson, De potestate ecclesiastica (GLORIEUX VI 241): *possunt*
saeculares eruditi in philosophiae legibus et moribus dare consilium, et aliquando salubrius quam nonulli
praelatorum vel curatorum vel etiam theologorum; die gesamte Passage VI 241 f. ist wichtig.
  ⁶² MC II 208, III 390; zit. BLACK, Council 38; ders. Universities (1978) 521. Der ‚ordo
Leviticus', des Alten Testaments wird auch von den Baslern häufig als Typus des der Laienwelt übergeordneten charismatischen Priestertums herangezogen, vor allem nach Dtn.
17, 8–13. So sagte etwa Cesarini gegenüber den päpstlichen Gesandten, die die Fürsten
als Repräsentanten der Kirche stilisiert hatten: *Item si omne verbum debuit referri ad sacerdotes*
Levitici generis, a fortiori ad hoc concilium; CB I 290 nach Referat des Peter von Zatec. Vgl. auch
CB II 314, 490. Hinter dieser Position lag fast ein Programm! Der Bedeutung von Dtn 17,
8–13 in der konziliaren Idee geht SIEBEN, Traktate 133–41 nach. – Vgl. Courcelles, nach
Enea Silvio, De gestis, ed. HAY-SMITH 72–76 ausführlich, etwa 72: *Possetque aliquis arbitrari*
quia quod dicitur ecclesiam non errare, id ad utrunque statum atque utrunque sexum referri, ut errantibus
clericis laici maneant, rursusque viris errantibus foemellarum alique in fide ac veritate persistant (Restlehre!); *sed est erroneum sic opinari.* Es folgt die Widerlegung mittels Dtn 17 und anderen
biblischen Belegen. Segovia RTA XIV 390 Z. 11 ff.: *qui autem studiosius intendit ad doctrinam*
veteris et novi testamenti, luce clarius videt seculares principes et quoscumque alios fideles non esse
constitutos magistros et doctores sacerdotum levitici generis et aliorum . . ., sed hiis commissum fuisse docere
fidem omnes gentes in universo mundo ac docere eos servare quecumque adeo observari mandata fuerunt.
Vgl. BLACK, Council 122. Weitere Zitate KRÄMER, Konsens 325 Anm. 15 f., 327 Anm. 20 f.
Johann von Ragusa streitet zwar im Kampf gegen die Prädestinationslehre der Hussiten
nachdrücklich für die Zugehörigkeit der Laien zur Kirche (Tractatus de ecclesia', ed.
KRÄMER, Konsens 377 f. Z. 66–73; =SANJEK 16 f.) Aber Korrektions- und Jurisdiktionsgewalt haben nur die Priester, nach Mt 18, 17 ‚*Si te non audierit, dic ecclesiae', id est praelatis ec-*
clesiae auctoritatem corrigendi habentibus . . . (376 Z. 33 f.). In diesem Sinn, so Ragusa weiter,
kann *ecclesia* nicht als *tota multitudo fidelium* (einschließlich der Laien) verstanden werden,
die sich auf dem Konzil versammelt (377 Z. 42–47).

erster Linie auf der Gemeinsamkeit des priesterlichen ordo. Auch in
der allgemeinen Kirchenstruktur sollte es, wie Krämer gezeigt hat,
keine „Volks-", sondern nur eine „Amtssouveränität" geben[63]. Laienherrschaft von oben, in Gestalt eines fürstlichen Kirchenregiments,
lehnten die Basler – in der Theorie – ebenso grundsätzlich ab.

Anders als es das bisweilen idyllisch ausgemalte Bild vom Basler
Konzil implizieren mag, findet man bei den meisten seiner Mitglieder
auch kein irgendwie auffälliges pastorales Interesse für die Laien. Wie
es der Tradition entsprach, lehnten sie eine Übersetzung der Bibel in
die Volkssprache ab; Laien sollen über Glaubensfragen nicht einmal
diskutieren dürfen[64]. Selbst Segovia hält von den Laien offenbar nicht
sehr viel, sie seien in der Regel dumm und einfältig[65]. Auch von den
Reformdekreten zielte nur ein kleiner Bruchteil auf die Laienwelt und
war dann mehr disziplinarisch-restriktiv als pastoral-aufbauend orientiert[66]. ‚Vorreformatorische' Ansätze wird man hier wohl vergeblich
suchen.

---

[63] So, gut gesagt: Konsens 233. Ähnlich HOFMANN, Repräsentation 274 f.; vgl. KRÄMER
233–36: Segovias Ausführungen zum Konzil als Priesterkollegium und Repräsentanz
des Apostelkollegiums mit unfehlbarer Lehr- und Leitungsgewalt. – Gerade an der Laien-
frage zeigt sich der Bruch in Krämers Buch: Einerseits wird das Konzil demonstrativ in
seinem orthodoxen Selbstverständnis mit priesterlichem und päpstlichem Primat usw.
herausgearbeitet; gleichzeitig wird es ein wenig als Vorkämpfer einer ‚Kirche von unten'
stilisiert. Die restriktive bzw. desinteressierte Einstellung der Basler zum ‚Laien' bleibt unerwähnt.
[64] S. CB VIII 79 (§ 17), 107 f. (§ 88), 126 (§ 95). Diese (Reform)vorschläge entsprachen
der kanonistischen Tradition; vgl. NÖRR, Kirche 164. Das Verbot der Schriftauslegung
durch Laien wurde noch auf dem Tridentinum wiederholt. Zum Thema zuletzt
SCHREINER, Laienbildung (1984) 266–70, 287–304.
[65] ‚Tractatus decem avisamentorum . . .' (BASEL Univ.bibl. E I 11 f.110^V) zit.
MEUTHEN, Basler Konzil 28 Anm. 71. Beinahe drastisch die Äußerung des späten Segovia:
Democratia item que ultima est tyrannis, multitudine constans egenorum adhuc et ydiotarum, quia vulgus
imperitum est, multiphariam a sinodi exulat comparacione (Liber de magna auctoritate episcoporum; BASEL Univ. bibl. B V 15 f. 174^r).
[66] Zu nennen wäre vielleicht das Judendekret der 19. Sessio und das Dekret der 21. Sessio ‚De spectaculis in ecclesia non faciendis'; COD 492 Z. 13–28. Alle anderen Reformdekrete betreffen fast ausschließlich Angelegenheiten der Kleriker. Zur Seelsorge s. im
Synodendekret der 15. Sessio: *diebus dominicis et aliis solemnitatibus plebem subiectam (!) doctrinis*
et monitis salutaribus instruant; COD 473 Z. 22–24; s. auch CB VIII 127–30 (§ 100–114). Segovia berichtet über eine Cedula der Deputatio pacis zur Kalenderreform, die unter
anderem begründet wurde: *ecclesiam intendere debere ad supplicaciones eciam simplicium et*
minorum; MC II 709. – Jean Gerson hatte dagegen den Laien mehr Raum in seinem pastora-
len Denken gewidmet. S. PASCOE, Gerson 165–67 und s.v. ‚laity'; die Volkspredigten
Gersons müßten dazu neu untersucht werden. Vgl. MASTROIANI, Il problema pastorale al
concilio de Costanza.

Die Idee eines ,allgemeinen Priestertums' haben die Basler orthodox bekämpft, wie die Hussitendebatte eindrucksvoll belegt[67]. Aber
auch die auf dem II. Vatikanum entfaltete Theologie vom Laien
hätte in Basel kaum Anregung finden können. Nach alledem ist es für
eine Reihe von Autoren nicht verwunderlich, daß die Theologie der
Basler Intellektuellen, denen die Welt der ,einfachen Gläubigen' recht
fremd war, beim Volk kaum Wirkung erzielt habe[68]. In diesem Punkt
ergingen aber auch harte und recht globale Verdikte über die Basler:
WALTER ULLMANN[69] sieht in der verweigerten theologischen und
praktischen Integration des Laienelements in die Kirche eine ver-
hängnisvolle, allerdings zukunftsträchtige Inkonsequenz des Basler
Konziliarismus; denn schließlich seien gerade Laien und niedere Kleriker die Hauptträger der Reformation geworden – eine interessante
Gedankenverbindung, der man freilich nur eingeschränkt folgen
wird. Für ANTONY BLACK[70] reduzierten die Basler, gerade weil sie die
Laien nicht mobilisierten, ihre Verfassungs-Anliegen auf eine Auseinandersetzung innerklerikaler Eliten und das Konzil auf eine reine
„mandarin revolt".

c) Konzil, libertas ecclesiae und weltliche Gewalten

Wer im 15. Jahrhundert von Laien sprach, verstand darunter auch,
und vielleicht an erster Stelle, die Laien-Fürsten als Spitzen der Laienwelt und Inhaber des weltlichen Schwertes, der Staatsgewalt. Das
Thema ,Die Fürsten in Theorie und Politik des Basler Konzils' ist noch
ungenügend aufgearbeitet. Die folgenden Beobachtungen können
daher nicht mehr als ein erster Einstieg sein. Wie viele andere Personen und Institutionen auch, forderte das Konzil die Fürsten durch
Gesandte und geradezu „flächendeckende" (Meuthen) Schreiben
energisch auf, die Synode zu beschicken und sich dort – natürlich
durch Kleriker[71] – vertreten zu lassen. Ganz im Sinne der traditio-

---

[67] Gerade die theologische Auseinandersetzung um das Priesteramt wird in der Forschung noch unterschätzt. S. aber KRÄMER, Konsens 100, 327.

[68] Dazu s. oben 66-68.

[69] ULLMANN, Papacy and Faithful 39, 41–43; Medieval Political Thought 223; Geschichte
des Papsttums 296 f. Ullmanns These ist in dieser Überspitzung isoliert geblieben, aber
nichtsdestoweniger ,frag-würdig'.

[70] BLACK, Council 185 f.

[71] Deutlich auch Nikolaus von Kues: *pro conservanda libertate synodi ... principes mundi non
laicos, sed episcopos, ut et vocem suam per eos aperire valerent, mittere deberent*; Conc. cath. III Nr.
410, Z. 4–8.

nellen Aufgabe des ‚bracchium saeculare' aus kirchlicher Sicht, sollten sie dem Konzil als ‚advocati' und Exekutivorgane etwa bei der Klosterreform behilflich sein[72], und, wenn nötig unter Vermittlung des Konzils, für Frieden sorgen, sonst aber den Beschlüssen der ‚sancta synodus' unbesehen Folge leisten[73]. Vermittelnden Interventionen, einer Politik der Neutralität oder eigenmächtigen Akzeptationen von Konzilsdekreten durch die Fürsten sprach man ebenso prinzipiell die Berechtigung ab, wie man generell die Einflußnahme der weltlichen Gewalt in Kirchenangelegenheiten, zum Beispiel bei Wahlen (‚libertas eligendi')[74] und erst recht ihre Mitsprache in Glaubensfragen ablehnte. Daher ist es auch nur logisch, daß die Basler jedwede eigenständige oder gar konstitutive ‚Rezeption' ihrer Beschlüsse durch die Gläubigen, insbesondere die Fürsten, zurückweisen mußten.

Es wundert in diesem Zusammenhang dann nicht, wenn man im Umgang des Konzils mit weltlichen Gewalten durchaus häufig dem traditionsreichen Kampfbegriff der ‚libertas ecclesiae' begegnet. Er scheint mir indes tiefere Bedeutung zu haben als die eines Topos aus den Tagen der hochmittelalterlichen Kirchenreform. Die Forschung hat diesem Aspekt bisher kaum Beachtung geschenkt[75], so daß seine

---

[72] Auch dies war ganz traditionell. Ein Beispiel: Die Durchführung des Basler Judendekrets; COD 483 Z. 31 f.

[73] So etwa Cesarini maßvoll und in beinahe klassischer Formulierung an Eugen IV.: *Nec vocantur* (sc. principes) *ut habeant vocem auctoritatis, sed invitantur, ut praebeant subsidium et brachium seculare*; Mansi XXIX 280C. Vgl. massiver Aleman: RTA XIV 161 Z. 2-6.

[74] Deutlich etwa im Wahlendekret der 12. Sessio vom 13. Juli 1433; COD 471 Z. 16–21: Verbot der Einmischung weltlicher Gewalten in kirchliche Wahlen. Vgl. ähnlich Lateranense IV c.25; COD 247 Z. 6–12. – Ebenso im Konkubinarierdekret der 20. Sessio vom 22. Januar 1435: Laien, einschließlich des Königs, dürfen Prälaten, die gegen ihnen untergebene Konkubinarier vorgehen, nicht behindern; COD 487 Z. 13–17. Diese Passagen fehlen bezeichnenderweise in der ‚Pragmatique' von Bourges und in der Mainzer ‚Akzeptation'! Neben solchen Verboten, die allerdings eine längere Tradition hatten, wären zahlreiche Äußerungen der Basler gegenüber Fürsten oder deren Gesandten zu sichten. In der Literatur zu Johann von Segovia wird zwar gelegentlich auf dessen Interesse für die Fundamentalfrage nach dem Verhältnis von geistlicher und weltlicher Gewalt hingewiesen, doch dürfte dieser Aspekt seines Werkes noch ungenügend erschlossen sein; s. vorläufig FROMHERZ 95 f., 119–26. KRÄMER, Konsens 219 dagegen: Segovia sei von „Abneigung gegenüber der weltlichen Gewalt" erfüllt gewesen und habe „Ekklesiologie und Staatstheorie… (im Unterschied zu Nikolaus von Kues) nicht zu verbinden" gewußt (ebd. 219 Anm. 29) ein Urteil, das der Prüfung nur sehr bedingt standhalten dürfte; vgl. unten 486 f.

[75] Ein früher Hinweis bei HASHAGEN, Papsttum und Laiengewalten 333; DANNENBAUER, CB VIII 23 ff. Neuerdings BLACK, Council 45: Bewahrung der ‚libertas' als Argument der Majorität (Mai 1439) für die Papstabsetzung; Quellenangaben jedoch nur aus Enea Sil-

eminente geschichtliche Bedeutung gerade zur Zeit des Basler Konzils noch gar nicht recht abzuschätzen ist. Um nur ein Beispiel für viele
zu nennen: Die Konzilsgesandten sollen König Albrecht II. aus-
richten, wenn er sich gegen die Papstabsetzung sperre, *attendat sua sere-
nitas, ne ex his verbis libertatem ecclesiae violet*[76]. Auch ein eigenes Konzils-

---

vio, De gestis, ed. HAY-SMITH 107 ff., 123, 127, 141 ff. S. ferner BLACK, Council 247 s.v. ‚liberty‘ sowie oben 27-29. – Am faßbarsten wird die Forderung nach ‚libertas ecclesiae‘ im
traditionellen Sinn im Wahlendekret und der darum geführten Diskussionen, wo also
‚libertas eligendi‘, Freiheit der kanonischen Wahl, gemeint ist. Gegen das Basler Wahlendekret wurde allerdings sogleich eingewendet, es könne den weltlichen Einfluß auf
Bischöfe und lokale Korporationen eher verstärken, während die primatiale Provision
durch den Papst eine größere Unabhängigkeit gewähre: Die Ausschaltung des Papstes
läßt die Kirche zur Gefangenen der Fürsten werden (vgl. Anm. 93). Derartige Äußerungen von Zeitgenossen finden sich häufig. Vgl. HALLER, Papsttum und Kirchenreform
195; HÜRTEN, Mainzer Akzeptation 44; KRÄMER, Konsens 27, 46 (Juan González in Basel;
leider ohne lateinische Zitate); so auch Traversari 1435; Mansi XXIX 1252B. Das
Bedeutungsspektrum des Begriffs ‚libertas‘ im Spätmittelalter ist breiter, als in der grundlegenden Studie von GRUNDMANN, Freiheit, zum Ausdruck kommt. Das Thema wäre
einer großangelegten Untersuchung wert. Hier nur einige Andeutungen: Zum einen
‚libertas‘ als ‚libertas dicendi‘, ein, wie oben dargelegt, für das Selbstverständnis des Basiliense zentraler Faktor; ‚libertas scholastica‘ im Umfeld der Universitäten (s. MCLAUGH-
LIN, Intellectual Freedom; CLASSEN, Libertas scholastica); ‚libertas‘ als ‚Bürgerfreiheit‘ in
einigen italienischen Kommunen, vornehmlich in Florenz (Salutati, Bruni, Dati), hier
gegen die ‚Tyrannis‘ Mailands stilisiert (vgl. unten 96); s. die instruktive Diskussion der
diesbezüglichen Thesen von HANS BARON bei GUENÉE, L'occident 314–17. Ferner politische und soziale Freiheit in Anknüpfung an die frühere Diskussion um die ‚Alte deutsche Freiheit‘. Schließlich Steuerfreiheit und der gesamte Komplex der meist im Plural
als ‚libertates‘ bezeichneten Privilegien. Zu Martin V., allerdings auf sehr speziellem
portugiesischem Material fußend: de SOUSA COSTA, Leis atentátorias de Liberdades. Vgl.
MOCHI ONORY, Ecclesiastica libertas e concordati medioevali (1122–1418).

[76] RTA XIII 371 nr. 195 Z. 13 f., vgl. Z. 16–19. – Die Kernsätze stehen in Artikel 4 des
gleichen Schreibens vom Juli 1438: . . . *sed de ipsa fide ecclesiae atque fundamentis ecclesiastice
potestatis, que composicionem humanam non capiunt, sed sola disposicione divina deciduntur; nec personis
quibusvis de hiis iudicare permissum est, sed solius sancte universalis sinodi iudicio reservantur. In hiis
autem preter reverentiam nil spectat ad terrenos principes, quin immo ab ipsa universali ecclesia infor-
macionem recipere debent et deliberata per eam reverenter exequi. Ad sacerdotes enim deus voluit, ut iura
testantur, que ecclesie disponenda sunt, pertinere, non ad seculi potestates, quas, si fideles sunt ecclesie sue,
sacerdotibus velint esse subiectas . . .*; 369 Z. 2–9; s. ebd. Z. 16 und Z. 35, 38 f. die Hervorhebung
der ‚libertas concilii‘! Ebenfalls 1438 antwortete das Konzil dem mailändischen Gesandten Francesco Barbavera: Die Fürsten besäßen gegenüber dem Konzil keine freie Ent-
scheidungsgewalt und Souveränität, sondern hätten den Entscheidungen des Konzils zu
gehorchen, dem zur Zeit alle *administratio* übertragen sei; Mansi XXIX 319BC; vgl.
CORNAGGIA-MEDICI, Vicariato visconteo 116 f. – Einige konkrete Phänomene fürstlicher
Beteiligung am Kirchenregiment der Konzilszeit: ‚Nationalkardinäle‘, ‚Konkordate‘,
Teilung von Ablaßgeldern (1/2 bzw. 1/3 an die Landesfürsten), Kirchenreform durch
Fürsten oder Städte. Vgl. als Beispiel von vielen zur ‚libertas‘ die Ausführungen Segovias
auf dem Nürnberger Juli-Reichstag 1438: *de ipso autem invictissimo rege patres cum omni fiducia*

dekret über die ‚Freiheit der Kirche' bereiteten die Basler 1434 vor –
aber es blieb wohl nicht von ungefähr beim Entwurf[77].

Das Basler Konzil also in Anspruch und Selbstverständnis in Übereinstimmung mit dem päpstlichen Universalismus, auf den Spuren
Gregors VII. und Bonifaz' VIII., nur daß der Machtanspruch des Papsttums durch den der ‚sancta synodus' ersetzt worden ist?[78] Man glaubt
eine gewisse Neubesinnung der Kirche in ihrem Verhältnis zum Fürstenstaat zu spüren, nachdem sie in der lähmenden Zeit des Schismas
die Hilfe der Fürsten dankbar hatte annehmen müssen. Aber es war ein
spätes Gefecht. Ein manchmal rhetorischer Kampf für die ‚libertas
ecclesiae', die natürlich für die Basler in erster Linie ‚libertas concilii'
bedeutete. Ohne Zweifel konnte das Problem – man denke an Nikolaus von Kues in Brixen – aber auch blutiger Ernst werden. Dennoch
wirken die Appelle des Konzils angesichts des weit fortgeschrittenen
fürstlichen Kirchenregiments fast anachronistisch, wie Beschwö-
rungsformeln, deren apotropäischer Charakter von universalisti-
schem Pathos nur übertönt wird; so als sehe man eine vom weltlichen
Staat, der keine anderen Götter neben sich duldet, beherrschte Kirche
als Menetekel auch des eigenen Schicksals als Konzil an die Wand
geschrieben. Ist vielleicht die in der Basler Ekklesiologie mit heiligem
Ernst beinahe kulthaft beschworene Einheit, ja Identität von ‚ecclesia
universalis' und aktuellem Universalkonzil unterschwellig eine Reaktion auf diese kaum aufhaltsame Entwicklung? Für die eigentliche
Realität bot das Konzil bei seinem Ausgang selbst die sprechendsten

---

sperant, quod semper proteget et defendet in omni libertatem; RTA XII 551 Z. 21–23 nr. 292. - Zum
Vergleich: MÜLLER, Vienne 422-84.

[77] CB VIII 157–65 (Nr. 18). Mitzubetrachten sind die beiden französischen Denkschriften und der Antrag des Bischofs von Piacenza zur ‚libertas ecclesiae' von 1434 (CB
VIII 147–57). Diese Texte gehören in den Horizont der Kirchenreform, sind aber nicht
dort zu isolieren. Außer bei DANNENBAUER CB VIII 23–25, mit abschätzigem Urteil über
„das selbst für diese wortselige Zeit ungewöhnlich langatmige Schriftstück" (25), habe
ich keinerlei Interpretation gefunden; ZWÖLFER, Reform, erwähnt weder die Texte, noch
das Thema ‚libertas ecclesiae'. Der Dekretentwurf läßt im übrigen eine wenig originelle,
hilflos ‚konservative' Sicht deutlich werden, die von Dannenbauer (CB VIII 25) wohl
richtig beurteilt wurde. Warum die Bemühungen der Konzilsgremien (CB III 36 Z. 37–
39, 127 Z. 3–26) schließlich eingestellt wurden, sagt auch Segovia (MC II 710) nicht.
Steckte Rücksicht auf die Fürsten dahinter? Vgl. CB VIII 25 Anm. 3. - S. auch BRANDMÜL-
LER, Kirchenfreiheit 64 f.

[78] Kampf um die ‚libertas ecclesiae' läßt sich in der Tat auch bei den Päpsten der Zeit
feststellen, vor allem in Martins V. Fürstenkorrespondenz; DLO 348, 391 u. öfter. Dies
würde nur unsere Ansicht untermauern, daß die konziliare ‚libertas ecclesiae' ein allgemeines Thema der spätmittelalterlichen Kirche indiziert.

Exempla. Es enthüllt darin einen seiner vielen, fast tragischen Widersprüche: Denn entgegen dem hohen Anspruch der 'libertas' war kaum
je ein Konzil stärker als das Basiliense auf die Gunst der Laienfürsten
angewiesen und hat förmlich um sie buhlen müssen. Man war sich dessen auch voll bewußt[79]. Nichts enthüllt das Dilemma schlagender als
die Wahl des Laien und Herzogs Amadeus VIII. von Savoyen zum
Konzilspapst. Die Forschung sah diesen Zusammenhang schon lange
als Selbstverständlichkeit an.[80]. Denn sie hatte mit unverkennbarem
Realismus immer wieder die faktische Abhängigkeit des Konzils von
den Fürsten sozusagen als Quintessenz seiner Geschichte herausgestellt, seine theoretischen Gegenpositionen wie die 'libertas ecclesiae'
jedoch nicht gesehen, bzw., da sie erfolglos blieben, als unerheblich
übergangen.

'Libertas' bildet in einem etwas anderen Bedeutungszusam-
menhang den Gegenbegriff zu 'Tyrannis'. Bei den Florentiner 'Bür-
gerhumanisten' (Baron) um 1400 gehörte er zum rhetorischen Rüstzeug des Kampfes der 'freien' Stadtgemeinde Florenz gegen die
'Tyrannis' der Visconti von Mailand. Wie Black feststellt, wendete
Segovia das gleiche Begriffspaar auf den Streit des Konzils als Hort
wahrer 'libertas' gegen die despotische 'Tyrannis' Papst Eugens IV.
an[81]. Dies ist möglicherweise ein Beleg für den Einfluß des 'civic republicanism' bei Segovia, gleichzeitig aber für die nicht geringe Bedeutung des 'libertas'-Begriffs im Basler Selbstverständnis überhaupt.

Das Tyrannenproblem besaß freilich ältere Fundamente, war aber
durch die Diskussion um Jean Petit zu Konstanz in die Konzilsgeschichte – und wohl auch ins Bewußtsein eines breiteren Publikums
eingegangen.

Einige Differenzierungen sind hier unumgänglich: Betrachtet man
auch nur flüchtig die Schriften verschiedener Konzilstheoretiker seit
1378, wird deutlich, daß die Ausschaltung von Laieneinfluß lediglich
die eine Seite des Laien-Themas darstellt. Gerade der Konziliarismus
der Schismazeit kennt Konzeptionen, die den Fürsten, allen voran

---

[79] Zum Beispiel MC III 245, 268 usw.

[80] Nikolaus von Kues freilich warf den Baslern vor, es sei eine *nova res... ex laico aliquem ad
monarchiam ecclesie velle erigere*; AC I2 Nr. 520 Z. 229 f.

[81] MC II 579, III 707; nach BLACK, Council 172. Über die Analogie zur weltlichen Tyrannis s. auch BLACK, Grundgedanken 307 f. (Tyrannenabsetzung) sowie den Hinweis bei
MOELLER, Spätmittelalter 32 Anm. 46. Ferner unten 485 f.

dem Kaiser als dem ‚advocatus ecclesiae'[82], nicht nur bei Einberufung eines Konzils, sondern generell im Kirchenregiment eine maßgeblichere Stellung einräumen wollten. Einem Ockhamzitat bei Heinrich von Langenstein könnte man da fast programmatischen Charakter zusprechen: *Christus non solum est deus clericorum, sed etiam laicorum*[83]. Diese Linie wäre über Zabarella, Pierre d'Ailly und auch Gerson weiterzuverfolgen. Ganz offensichtlich war das Konstanzer Konzil im Gefühl des Notstands und unter der Führung gallikanistisch geprägter Köpfe wie d'Ailly und Gerson gegen den Fürsteneinfluß viel weniger allergisch als später das Basiliense. Die französischen Theoretiker vertraten zwar für die Kirche einen konziliaren Konstitutionalismus, für den (französischen) Staat dagegen, wie jetzt wieder KRYNEN gezeigt hat, einen ausgeprägten Monarchismus[84]. Aber auch in Kirchenfragen war der ‚chemin royal' für Gerson stets eine Alternative. In der konziliaren Spätphase des Basiliense war die Haltung fast umgekehrt von großer Empfindlichkeit gekennzeichnet – wohl nicht zuletzt deshalb, weil

---

[82] Für das Konstanzer Konzil grundlegend: ENGELS, Reichsgedanke passim. „Die extremen Konziliaristen vor allem befürworteten eine starke Stellung des römischen Königs" (394). Für das Basiliense fehlt eine vergleichbare Studie, ebenso ein Gesamtüberblick zum Thema ‚Der Kaiser in der konziliaren Theorie'. Vgl. ECKERMANN, Studien 45–48, 49–108; ERCOLE, Impero e papato (1910/11). Ungedruckt blieb die Diss. von ANDRAE, Kaisertum. Zu Segovia: FROMHERZ 95 f., 119–26; KRÄMER, Konsens 219 mit Anm. 29. Dort ein charakteristisches Segovia-Zitat: *Imperator enim, quia mere laicus est ac plurimum homicida, etsi iustus, incapax est ecclesiasticae et spritualis iurisdictionis*; ‚Decem avisamenta de sanctitate ecclesiae', zitiert nach clm 6605 f. 126[V]. Auf Nikolaus von Kues, Conc. cath. III sei hier nur am Rande verwiesen; s. SCHOTT, Per epikeiam virtutem. Bisher unberücksichtigt (zitiert nach KRÄMER, Konsens 445) Lodovico Pontano: ‚Quod ad imperatorem pertinet indictio novi concilii casu simultaneae celebrationis duorum, quae talia reputantur'; SALAMANCA Univ. Bibl. 2504 f. 105[V]–109[f]. Hier könnte die Tradition Zarabellas maßgebend gewesen sein. Zu Enea Silvio: WIDMER, Enea Silvio 145–53; BLACK, Monarchy 122–24. Die Literatur zu seinen Schriften der Wiener Zeit über das Kaisertum ist partiell veraltet. Vgl. KALLEN, Aeneas Sylvius; TOEWS, View of Empire 475–87; SCHMIDINGER, Romana regia potestas 16–24. An die Eingriffspflichten des römischen Königs – im Interesse des französischen Plans zu einem dritten Konzil – erinnerte auch Philippe de Coëtquis auf dem Mainzer Reichstag 1439; RTA XIV 136 Z. 39–45 nr. 69. Vgl. auch JEDIN, Torquemada und das Imperium Romanum; SCHEFFELS, Peter von Andlau 48–52; SMOLINSKI, Domenichi 409–55.

[83] ‚Epistola pacis' LXXXVIII, zit. bei F. J. SCHEUFFGEN, Beiträge zur Gesch. des Großen Schismas, Freiburg 1889, 57. (= Ockham, ‚Dialogus' I 6 c. 85, GOLDAST II 604; s. ebd.: *quod omnes tangit ab omnibus tractari et approbari debet ... igitur laici, quos tangent generalia concilia licite, si voluerint, poterunt interesse*). Vgl. oben Anm. 62 den Wortlaut des Courcelles-Zitats.

[84] KRYNEN, Idéal du Prince 173–77, 233–39, 322–26; vgl. MÜLLER, Königtum 141 f. Dort Hinweis auf SCHÄFER, Staatslehre 25–38, zu Gerson. Erstaunlich weitgehende Rechte räumte Dionysius der Kartäuser den Fürsten ein; EWIG, Dionysius 46–48.

man die Folgen der Fürstenmacht für die kirchliche Freiheit deutlicher sah. Doch zeigt sich auch hier die grundsätzliche Dialektik der ‚libertas' dergestalt, daß man zwar die Freiheit vom weltlichen Einfluß erstrebte, zugleich aber dieses weltlichen Arms zum Schutze eben jener ‚libertas ecclesiae' bedurfte.

Wie JOHANEK (1978) demonstriert hat, erreichten die als ‚Karolina de ecclesiastica libertate' zusammengefaßten Freiheitsprivilegien Kaiser Karls IV. im 15. Jahrhundert ihre weiteste Verbreitung: Auf den Konzilien von Konstanz und Basel wurden sie bestätigt und in einer großen Zahl von Ausfertigungen verteilt.[85] Nach den Worten des Kaisers Sigmund bemühten sich die Basler, von ihm eine analoge (bzw. erweiterte) ‚Sigismundina' zu erhalten[86].

Aus dem geistigen Umfeld des Basler Konzils hat die Forschung vor allem Nikolaus von Kues im Zusammenhang mit dem Laien-Thema untersucht. Er setzte im Trierer Schisma die politische Theorie als Waffe zur Verteidigung Ulrichs von Manderscheid ein und forderte das Konsensrecht der Laien bei kirchlichen Wahlen[87]. Bezeichnenderweise denunzierte sein juristischer Kontrahent, Job Vener, diese Thesen als Anschlag auf die *libertas ecclesiae*. Welcher *laicus grossus aut ydeota* werde dann noch Konzilsgebote respektieren[88]?

---

[85] JOHANEK, Karolina 814 f. – DEPHOFF, Kanzleiwesen 31; DANNENBAUER CB VIII 24 Anm. 1.

[86] MC II 681: *isti clerici volunt a me habere Karolinam aut Sigismundinam.*

[87] Dazu MEUTHEN, Trierer Schisma 84–89, 261; Laie 109–22, ebd. 102–106 Einbezug der ‚Concordantia catholica', wo Nikolaus das Konsensmodell universal auf die Kirche ausdehnte.

[88] Z.B. HEIMPEL, Vener III 1419 Z. 207–10 (Nr. 41) und AC I 1 Nr. 135 Z. 5–7: *quidam magister Nicolaus de Kusa, qui ut dicitur contra pape et sedis apostolice potestatem, ymo contra ecclesiasticam libertatem, scilicet quod laici seu populus episcopos eligere possent, predicavit...* Ähnlich ebd. 1503 Z. 155 f. (Nr. 56) und AC I 1 Nr. 241 Z. 13 f.: *... abrogatos et reprobatos in sacris canonibus usus et mores contra libertatem ecclesiasticam seminans...* S. auch MEUTHEN, Trierer Schisma 240 f. – Das ganze Trierer Schisma ist nach Vener „eine Folge von Laienübergriffen" (HEIMPEL, Vener 517 und 529). Er lehnt auch die „königliche Investitur der Bischöfe" (484) ab. Kam dieses „konservative Prinzip" (ebd.) möglicherweise der oben skizzierten Haltung der Basler gegenüber den Laienfürsten entgegen? Hat all dies mitgespielt, wenn das Konzil schließlich Raban von Helmstadt – und damit Job Vener – und nicht dem von Nikolaus von Kues verteidigten Ulrich von Manderscheid Recht gab? Die „Konfrontation der Ideen" (HEIMPEL 484) zwischen Vener, der rein juristisch-positivistisch argumentierte, und dem Kusaner mit seinen ‚moderneren' naturrechtlichen und staatspolitisch-historischen Argumenten („Einflußnahme des Königs als des höchsten Laien und Regaliengebers auf die Wahl des Bischofs als eines Reichsfürsten" (ebd.) verdient in der Darstellung Heimpels größte Beachtung. Zum Trierer Schisma ferner unten 190. Den späteren leidenschaftlichen, aber letztlich illusionären Kampf des Kusaners als Bischof von Brixen

Mit seinen Ansichten über den Laien in der Kirche erweist sich Nikolaus von Kues wieder einmal als origineller, aber für die Basler Ekklesiologie gerade nicht repräsentativer Denker.
Zur folgenreichsten Aufwertung der fürstlichen Laiengewalten
kam es nach der Spaltung des Konzils. Bei Eugen IV. setzte eine durch
Indulgenzen und Konkordate bestimmte, systematische Fürstenpolitik in aller Entschiedenheit erst um 1440 ein („solstice'?). Im werben-
den Ringen der Basler und Eugens IV. um Obödienzen geriet die
Theorie mehr als zuvor in den Sog der Politik. In der Literatur hat man
die Schlüsselstellung der Fürsten in dieser Zeit seit eh und je hervorgehoben. Den Diplomaten Eugens IV. wurde dabei wohl zu Recht
größeres Geschick im Umgang mit Fürsten und sensibleres Gespür
für das politisch Realisierbare zugebilligt als der unbeholfeneren, weil
doktrinäreren Basler Gegenseite. Doch hat die Forschung lange zu
wenig beachtet, wie pointiert die Eugenianer ihre Fürstenpolitik dann
auch theologisch zu untermauern suchten[89]. Mag man so manches
Argument als taktisch abgezielte Rabulistik entlarven, unverkennbar
steht dahinter doch eine prinzipielle Konzeption. Sie ist im größeren
Rahmen zu sehen, nämlich in jener schon von KARLA ECKERMANN
(1933) beobachteten ‚Wiederbelebung des monarchischen Gedankens' als Gegenströmung zum egalitären Konziliarismus im kirchlichen, zum ständischen Konstitutionalismus im weltlichen Bereich.
Wie in der Kirche die Stellung des Papstes und der ‚prelati', so wurde
im weltlichen Bereich die des Königs und der ‚principes' neu überdacht und aufgewertet[90]. Nicht dies ist in unserem Zusammenhang
aber entscheidend, sondern daß die Eugenianer über diese Parallelität hinaus den Fürsten auch innerhalb der Kirche als einen konstitutiven Repräsentanten der Gesamtkirche, als Entscheidungs- und
Konsensträger aufzubauen suchten. Das geht über bloße Realpolitik wohl hinaus. Wie MEUTHEN jüngst gezeigt hat, transformierte
Nikolaus von Kues die Lehre vom konziliaren Konsens zu einem

---

gegen Hz. Sigmund von Tirol kann man unter beiden Aspekten sehen: Verteidigung der
‚libertates' der Brixener Kirche und, eng damit zusammenhängend, der weltlichen
Rechte des Bischofs und Herren von Brixen.

[89] Die theoretische Komponente bei BLACK herausgestellt: Monarchy 84–129, vor
allem 97, 114 ff., 124 f., sowie nachdrücklich MEUTHEN, Konsens 16–18, 26 mit Belegen;
AC I2 Nr. 408 Anm. 9, 25 und öfter.

[90] Die Verbindung von ‚prelati' und ‚principes' ist in den verschiedensten Zusammenhängen zu verfolgen. Bei den deutschen Fürst-Bischöfen ist die Kombination
ohnehin eine Realität. Vgl. oben 83 und 103.

Konsens- und Rezeptionsrecht der principes: Ohne ihre Zustimmung repräsentieren das Basler Konzil und seine Beschlüsse nicht mehr die Gesamtkirche[91]. Die Konkordatspolitik der Kurie ist unter diesem Gesichtspunkt des monarchischen Konsensus vielleicht ebenfalls neu zu bewerten. Den Baslern wiederum gelang es, zwischen politi-

---

[91] MEUTHEN, Konsens 16–18. Die maßgebliche Rolle des Nikolaus von Kues für den Ausbau dieser Konsensargumentation ist erst jetzt durch die ‚Acta Cusana‘ I 2 voll erkennbar geworden, obwohl die meisten Texte schon in den RTA ediert waren. Vgl. etwa: AC I2 Nr. 408 Z. 18–20, 31–33; Nr. 482 Z. 72; Nr. 520 Z. 213 ff., 237 f., 251, 274 ff., 711–14, 851: *Quis magnam auctoritatem conciliis inesse crederet, postquam compertum est omnes reges, principes et prelatos in faciem contradixisse concilio Basiliensi?* S. auch Nr. 526 Z. 106–111; Nr. 599 Z. 3, 218, 393–98 (Panormitanus-Zitat). Zum Fürstenkonsens bei Enea Silvio: WIDMER, Enea Silvio 145–50. Aufschlußreich waren schon die Auslassungen des päpstlichen Gesandten Bartolomeo Zabarella 1433 in Basel: Die Kirche werde durch den Kaiser und die Fürsten repräsentiert; Mansi XXX 656D. Ihm antwortete prompt Cesarini: . . . *sed dicere, quod soli principes representant ecclesiam . . . non esset bene dictum, quia non soli principes, sed omnes fideles, et sic concilium est actu congregatum, illud representat ecclesiam;* Mansi XXX 659CD; s. KRÄMER, Konsens 140 f. Der Kontext wäre erneut zu beleuchten. Zahlreiche Beispiele zeigen, daß die neuen Argumente, welche die Stellung der Fürsten in der Kirche aufwerteten, von diesen rasch selbst verwendet wurden, trafen sie doch genau ins Zentrum eines (neuen?) fürstlichen Selbstbewußtseins, das zusehends auch die kirchliche Verantwortung umfaßte. S. etwa die Äußerungen von Jacques Jouvénal, des Ursins, Eb. von Reims, und Karl VII. von Frankreich im Jahre 1447; CB VIII 277 Z. 28–32; dazu BLACK, Monarchy 125; VALOIS II 256 f. – Ähnlich der päpstliche Gesandte Jacobus de Oratoribus vor den Kurfürsten: Der fürstliche Konsens sei notwendig, das Basler Konzil aber besitze ihn nicht. *Ubi igitur tot principes et nationes non solum disentiunt, sed contradicunt, quis dicat ibi* (sc. in Basel) *universalem esse consensum;* RTA XV 230 Z. 24 f. Aus den Gegenreden der Basler hier nur einige Beispiele: Basler Gesandte in einer Replik auf Nikolaus von Kues 1442: Kirchen- und Glaubensangelegenheiten sind nicht Sache der Fürsten; AC I2 Nr. 523 Z. 40–58. Thomas Ebendorfer auf dem Mainzer Reichstag von 1441: Die Fürsten handeln so anmaßend, als seien sie die Häupter der Kirche, die dadurch Gefahr läuft, *in manus popularium (!) et laicorum* zu geraten; RTA XV 825 Z. 17 (vgl. die gesamte Seite). – Es wäre natürlich verfehlt, den Baslern zu unterstellen, sie hätten aus antilaikalem Dogmatismus das Gewicht der Fürsten ignoriert. So realpolitisch dachten auch sie, die Fürsten auf ihre Seite zu bringen und als Druckmittel gegen Eugen IV. auszuspielen: *Qui* (sc. papa) *videns se non habere obedientiam principum, fortasse mutaret animum et tolleret scandala, ac honoraret ecclesiam matrem suam; si autem videret se per ipsos principes nimis sibi faveri, cresceret omnino pertinacia sua, ipsique principes ecclesiam Dei offenderent et essent causa multorum malorum in ecclesia dei in futurum;* MC II 486. Hier kommt die Sorge vor der Laienherrschaft zum Ausdruck, die sich gerade im Bündnis mit dem Papst verheerend auswirken würde. – Auf der anderen Seite versuchte Segovia, das Konzil gegen den Vorwurf zu verteidigen, es mißachte die Fürstenvoten und das monarchische Prinzip; Belege bei MEUTHEN, Konsens 18. S. schon HALLER CB I 36–38; ECKERMANN, Studien 43, und besonders BLACK, Monarchy 44–49, 90–93, 109–12; 144–48 (Text nach MC III 707–712). So wird eine gleichsam defensive Remonarchisierung auch in der konziliaren Theorie eingeleitet. Segovias Traktat ‚De magna auctoritate episcoporum‘ (begonnen ca. 1445/46) zeigt deutlich eine Tendenzwende.

scher Abhängigkeit und Prinzipientreue schwankend, oft nicht, gewisse Widersprüche zu vermeiden: Man lehnte eine konstitutive Rezeption ab und mußte doch im letzten froh sein, daß Frankreich in der ‚Pragmatique' und das Reich in der Mainzer ‚Akzeptation' überhaupt Basler Dekrete annahmen und verbreiteten. Man wehrte sich gegen die Mitbestimmung von Laien und drängte diese doch förmlich in die Rolle von Glaubensrichtern, wenn man wie Segovia 1441 versuchte, sie auf das Dogma der ‚Tres veritates' einzuschwören. In gewisser Hinsicht trafen die Gesandten der Kurfürsten den Nagel auf den Kopf: das Konzil sei auf die Hilfe der Fürsten angewiesen, da diese die Welt repräsentierten (*orbem repraesentare*)[92].

Unter den vielen gegen Basel gerichteten Anklagen sind in diesem Zusammenhang zwei besonders aufschlußreich:

a) Sowohl gewisse Fürstengesandte in Basel, unter ihnen Tudeschi für Aragón[93], als auch Eugen IV. und seine Oratoren (Nikolaus von Kues, Juan Carvajal, Piero da Monte usw.) beschuldigten die Basler, das ihnen widersprechende, aber ausschlaggebende Votum der Fürsten nicht zu beachten.

b) Der zweite, besonders interessante Vorwurf wendete sich gezielt an die europäischen Fürsten. Schon im ‚Libellus Apologeticus' (Juni 1436) und in einigen Briefen hatte Eugen IV. ihnen das Schreckgespenst von Ständerevolution und Volksaufstand vor Augen geführt, die ihnen drohten, wenn das gefährliche Beispiel der Basler Schule mache[94]. Die kirchliche Verfassungsproblematik (Aufruhr gegen

---

[92] Nach Segovia MC III 134. Vgl. oben Anm. 91.

[93] Zu Tudeschi s. BLACK, Council 95; AC I2 Nr. 599 Anm. 145; VAGEDES, Konzil I 219 f.

[94] ‚Libellus Apologeticus', RAYNALDI, Annales ecclesiastici ad ann. 1436 (Baronius-Theiner XXVIII) 195–211, v.a. 197, 199 f., 204 f.; dazu BLACK, Monarchy 88 f.; VALOIS II 19 ff.; DLO 269 f.; STIEBER 27–36, 335. Die Briefe Eugens IV. an die europäischen Fürsten haben nicht nur politischen und polemischen, sondern auch programmatischen Charakter und waren wohl zur öffentlichen Verbreitung bestimmt. BLACK, Monarchy 88–90, 93–95, hat einige von ihnen in chronologischer Abfolge auf ihre Argumente untersucht. Es wäre interessant, auch die Briefe vor 1436 einzubeziehen, um ein Bild der Gesamtgenese zu bekommen; vgl. die Aufzählung von Briefen des Jahres 1433 bei ALBERIGO, Chiesa 277. Besondere Verbreitung hat offensichtlich ein Brief an den Herzog Johann von Bretagne vom 25. Mai 1439 gefunden. Er wird schon am 31. Juli 1439 in Basel verlesen (MC III 328 f.) – mit wörtlichen Zitaten: CB VI 566 Z. 25–27; bei RAYNALDI, Annales ecclesiastici, wohl irrtümlich ad. ann. 1442 datiert (Baronius-Theiner XXVIII, 381 f.). Hier finden sich effektvolle Kassandrarufe: . . . *Basiliensium praesumptionem temerariam, qua si reliqui uterentur, neque principes, neque reges, neque ullus rei publicae status in saeculo esse posset? Nam si detur occasio aut facultas subditis adversus suos superiores insurgendi, aut illos pro sua affectione castigandi et corrigendi*

den päpstlichen Monarchen) wurde also hier in perhorreszierender Absicht auf die weltlichen Verhältnisse übertragen und den Basler Lehren auf diese Weise eine grundsätzliche antimonarchische ‚Staatsgefährlichkeit' unterstellt. Es ist hier auch an die Königsabsetzungen von 1399 und 1400 zu denken, denen man kürzlich wieder Bedeutung für die Theorie und Praxis der Papstdeposition zugeschrieben hat[95]. Die verfassungsgeschichtlichen Zusammenhänge sowohl dieser Vorwürfe wie der Verteidigung durch die Basler hat BLACK bereits ansprechend herausgearbeitet und dabei festgestellt, daß Einflüsse konziliaren Gedankenguts auf tatsächlich stattgefundene Volks- und Adelsaufstände kaum nachzuweisen sind. Wir werden in einem späteren Kapitel (IV 2) darauf zurückkommen, wenn von der Reaktion der Fürsten auf die angebliche Bedrohung aus Basel die Rede sein wird. Die eigentlich naheliegende Frage, wie sich die Basler denn selbst gegenüber derartigen Aufständen verhalten haben, wenn sie als Prozeßgegenstand auf der Tagesordnung standen, wurde bisher nicht gestellt. Einige Stichproben (Wormser Bauernaufstand 1431/32; Rostocker Ratsstreit 1432 ff. etc.) machen ein Ergebnis wahrscheinlich, das zu erwarten war: Die Maßnahmen des Konzils wirken gegen alle ‚seditiones' äußerst restriktiv, vor allem, wenn sie sich gegen kirchliche Institutionen gerichtet hatten![96].

---

licentia, qui status principum aut politia in suo statu posset conservari? (382). Zum Brief ECKERMANN, Studien 42 f.; BLACK, Monarchy 93 f., 109; POCQUET DU HAUT-JUSSÉ, Papes II 563 f. Schon 1435 hatte Traversari aus Basel an Eugen IV. geschrieben: *Exscitandi sunt animi principum, ut occurrant pesti saevienti et in animas grassanti;* Epistolae, ed. CANNETI, I 30. Auch Segovias Verteidigungsrede auf dem Reichstag von 1441 bezieht sich auf diesen Brief; RTA XV 747 Z. 14; vgl. die ‚Amplificatio' der Rede aus späteren Jahren; MC III 707–12; dazu BLACK, Monarchy 109–12 (144–48 Text). Zum Verhältnis der Reichstagsrede zur ‚Amplificatio' s. KRÄMER, Konsens 246 f. Flankierend zu Eugens IV. Briefen ist die ‚monarchische' Offensive seiner Legaten seit 1438 in Deutschland, Frankreich und England zu sehen. Dazu insgesamt grundlegend BLACK, Monarchy 84–129; z.B. zu Torquemada (95 f., 106), Piero da Monte (99–101), Pierre de Versailles (104, 106). Die Gegenangriffe der Basler verwenden ebenfalls das Aufruhr-Argument, natürlich in umgekehrter Richtung: Eugen IV., der Tyrann, schafft das Chaos; das Volk wird sich dagegen erheben; s. RTA XV 466, und XIV 190 Z. 22 f. nr. 100: *omnem statum omnem polliciam omne regimen in spritualibus et temporalibus perturbari.* Interessanterweise findet sich das Argument auch in einem Gutachten der Universität Köln vom 10. Oktober 1440: Die durch das Schisma verursachte allgemeine Unsicherheit werde zu einem Aufruhr im Volke führen – wenn nicht die Fürsten schleunigst die alles paralysierende Neutralität aufgäben; RTA XV 466 Z. 12–18 nr. 254.

[95] ALBERIGO, Chiesa 71–76 mit Literatur; vgl. BUISSON, Potestas 317–24. Zu wenig beachtet wird die Absetzung des Königs der Nordischen Union, Erich, im Jahre 1439. S. LOSMAN, Norden 227–43. Vgl. unten 202.

[96] Zusammenstellung einiger Prozesse und sogenannter ‚Aufstände' unten 185–93, 201 f. – Ein Reflex zum Wormser Bauernaufstand in einem Brief des Konzilsnotars Brunet an das

Psychologisch war und ist die Angst vor Aufruhr ein bestens einsetz-
bares Mittel. Aber so unverkennbar denunziatorisch, ja geradezu
topisch es wirkt, wenn von verschiedensten Seiten so oft die Gefahr
von Volksaufständen beschworen wird, immer scheint sich auch reale
Revolutionsangst dahinter zu verbergen. Fast immer schien ja die
eigene Erfahrung den Zeitgenossen Beispiele zu liefern: Wurde nicht
der Hussitismus schreckensvisionär als grundsätzliche Bedrohung des
Klerus durch die Laien stilisiert?[97] Und fürchteten nicht die Prälaten
offen oder unterschwellig einen ‚Aufstand‘ des niederen Klerus? Auch
aus diesem Grunde wurden sie kirchenpolitisch oft zu Bundesgenos-
sen der Fürsten, wenigstens warf man ihnen das seitens der Basler
vor.[98]

Kehren wir zur Fürstenpolitik Eugens IV. zurück: Im Ergebnis
haben seine Konkordate und Privilegien, so die communis opinio der
Literatur, dem landesherrlichen Kirchenregiment den Weg weiter
geebnet. Nicht zu unterschätzen ist aber auch die Tragweite der
flankierenden Theorien für eine ideologische Absicherung der fürstlichen Kirchengewalt. Sie gipfeln schließlich in einem neuen verkirch-
lichten Herrscherbild[99]. Das konfessionelle Zeitalter kündigt sich
an.

3. Gesandte der europäischen Fürsten

Die Fürstengesandten wogen für die Konzilsmacht politisch am
schwersten; sie bildeten ein wesentliches Ferment seines Innenlebens.
Der zeremoniöse Einzug einer Gesandtschaft war stets ein spektakulä-

---

Domkapitel von Arras: *Timendum est, quod nisi concilium provideat, omnes isti Rustici de Germania tenebunt partem istorum Bohemorum*; PALACKY, Urkundliche Beiträge II 269, Nr. 789.

[97] Cesarini: Beim Scheitern der Kirchenreform *irruent merito layci in nos more Hussitarum;* MC II 99. Der Erzbischof von Magdeburg und die Bischöfe von Merseburg und Brandenburg lassen sich am 8. II. 1432 durch ihre Prokuratoren in Basel entschuldigen: *quia non poterant personaliter venire . . . propter invasiones laycorum in clerum in dictis locis*; CB II 29 Z. 17–20.

[98] S. zum Beispiel CB I 86: *non faciunt* (sc. episcopi) *libenter contra principes et barones.*

[99] Beinahe programmatisch für dieses Bild vom Fürsten wirken die Worte Nikolaus'
V. in einem Brief an Karl VII: *Quid enim Deo acceptius, quid sanctius, quid honorificentius agi aut excogitari potest, quam suo studio et diligentia ecclesiae unitatem et animorum salutem quaerere aber-
rantium, ut reducantur ad ovile Christi? Hoc opus regium est;* MARTÈNE-DURAND, Veterum scriptorum . . . collectio VIII 988, zit. THOMSON, Popes 51 Anm. 20. Zur theoretischen
Begründung des landesherrlichen Kirchenregiments s. HASHAGEN, Staat und Kirche
481–557; FRANK, Kirchengewalt passim, besonders 49–54; Huntpichler 384–93. S.
unten S. 315 Anm. 538, S. 350.

rer Höhepunkt im Alltag der Synode[100]. Ihr Erscheinen konnte dem Konzil starken Prestigegewinn bringen, ihr Abzug einer politischen Katastrophe gleichkommen, wie etwa 1439 der schweigende Weggang der Franzosen und, spektakulärer, 1443 die Abreise der Gesandtschaft des Königs von Aragón – mit dem gesamten aragonesischen Klerus im Schlepptau. Die Gesandten fungierten gleichsam als verlängerter Arm ihrer fürstlichen Herren in Basel; mit ihrer Hilfe konnten die Höfe, oft im Verein mit anderen Fürsten, Einfluß geltend machen und Druck ausüben. Diese Zusammenhänge sind von der älteren, ohnehin stärker diplomatiegeschichtlich orientierten Forschung bereits herausgearbeitet und für einzelne Staaten im Detail verfolgt worden[101]. Es gibt aber noch mancherlei Lücken. Vor allem wären die ‚Leinen‘ der in Basel tätigen Gesandten stärker zurückzuverfolgen, an denen sie von Königs- und Fürstenhöfen als Zentren der europäischen Politik gelenkt wurden. Ankunftsdaten, Aufenthaltsdauer, Zahl und Stand der Gesandten sind in den meisten Fällen eruierbar[102], aber nur teilweise und verstreut publiziert. Eine vergleichende Analyse der Fürstengesandtschaften fehlt, selbst eine vollständige Liste wäre derzeit schon hilfreich. Nach der Tabelle Lehmanns[103] waren insgesamt 11 Könige, 18 Herzöge einschließlich der Kurfürsten und nur drei (französische) Grafen durch Gesandtschaften bzw. Prokuratoren dem Konzil inkorporiert. Das deutet auf geringes Interesse beim mittleren und niederen weltlichen Adel hin. Doch ist dazu bisher wenig Konkretes gesagt worden. Von den Prokuratoren stellten die Fürsten 7,1 %, d. h. 0,9 % der Gesamtteilnehmer.

---

[100] Selbst einen mit der höfischen Welt vertrauten Mann wie den Venezianer Andrea Gattari interessierten denn auch die Gesandtschaften ungleich mehr als die Konzilsereignisse; s. sein Tagebuch CB V 375–442.

[101] S. Kapitel IV.

[102] Listen und Material zu Einzelgesandtschaften sehr unvollständig und teilweise falsch bei LEHMANN 268–70. In Auswahl: a) englische Gesandtschaft: SCHOFIELD, English Representation 227 (Liste); England 55 f., 63–67, 110, und in weiteren Aufsätzen; FERGUSON, English Diplomacy 214–18.
b) burgundische: TOUSSAINT, Relations 22–26, 135 f.
c) schottische: BURNS, Scottish Churchmen 16–20.
d) französische: LEHMANN 268 (völlig fehlerhaft); demnächst MÜLLER, Franzosen.
e) polnische: ZEGARSKI, Polen 28 f.
f) deutsche Könige und Fürsten: Material müßte im einzelnen noch zusammengestellt werden.

[103] LEHMANN 161–64, ohne letzte Zuverlässigkeit.

Eine erste Sichtung ergibt folgendes Bild: Der Anteil an Prälaten lag bei den königlichen Gesandtschaften relativ hoch, die Führer waren meist Bischöfe: zum Beispiel Jean Germain, B. von Nevers, in der burgundischen, die Erzbischöfe Amédée de Talaru von Lyon und Philippe de Coëtquis von Tours in der französischen, Robert Fitzhugh, B. von London, in der englischen, Alfonso García de Santa-Maria, B. von Burgos in der kastilischen, Niccolò Tudeschi, Erzbischof von Palermo in der aragonesischen Gesandtschaft usw. Die wirklich maßgebenden Diplomaten konnten freilich andere, zum Teil gar nicht inkorporierte Gesandte sein. Der Anteil an Laien, meist Grafen oder niederer Adel, war unterschiedlich: Die 22-köpfige burgundische Gesandtschaft im Jahre 1433 umfaßte 16 Kleriker, davon 11 Bischöfe und Äbte, und maximal sechs Laien. Von den 17 Mitgliedern der beiden englischen Gesandtschaften von 1433/34 sind nur zwei als Laien festzumachen, dagegen fünf als Bischöfe und Äbte; die schottische Gesandtschaft im Juli 1434 bestand nur aus Klerikern, darunter drei Bischöfen und Äbten. Innerhalb der häufig wechselnden Gesandtschaften der deutschen Könige und Kurfürsten spielt der ,gelehrte Rat‘, der studierte, meist in mittleren Rängen bepfründete Kleriker im fürstlichen Hofdienst, als Typus eine besondere Rolle.

In der Mehrzahl waren die Gesandten erfahrene Diplomaten. Neben ihren durchaus wichtigen Repräsentationsaufgaben dienten sie als ständige Schaltstellen für politische Kontakte aller Art auf dem Konzil, das in der Tat als „observatoire de première importance pour les diplomates de tous les pays" (Ourliac) genutzt wurde. Unweigerlich kamen die politischen Konflikte im Europa jener Jahre auch in Basel offen oder latent zum Austrag und wirkten stark ins Konzilsgeschehen hinein. Wenigstens potentiell konnten die Fürstengesandten aber auch eine Art Fraktion mit gemeinsamen Interessen bilden. Das zeigte sich vor allem dann, wenn mehrere Monarchen die Basler zur Mäßigung gegenüber dem Papst zwingen wollten, was 1433 und 1438/39 in besonders massiver Form geschah.

Immer wieder spürbar wird ein grundsätzliches Problem, das viele Fürstengesandte gemeinsam hatten: Sie mußten als Funktionäre ihrer Herren auftreten, zugleich aber ,Konzilsväter‘ als Bischöfe, Seelenhirten, Glaubensrichter sein und womöglich überzeugte Konziliaristen.

Da konnte, ja mußte es zu Gewissenskonflikten kommen, zumal
die Gesandten oft an genaue Weisungen gebunden waren[104] – ein Problem der oben erörterten ‚Multivalenz‘. In der Literatur wird als Paradebeispiel der Fall der Bischöfe Johannes Schele (als Vertreter König
Albrechts II.) und Philippe de Coëtquis (als Prokurator König Karls
VII.) zitiert: Auf die Vorwürfe des Konzils, sie seien der entscheidenden Abstimmung vom 16. Mai 1439 über die ‚Tres veritates‘ ferngеblieben, antworteten sie, dies sei n u r in ihrer Eigenschaft als Fürstenvertreter geschehen, nicht aber als Ausdruck ihrer persönlichen Überzeugung[105]. In der Tat waren beide als engagierte Konziliaristen
bestens bekannt, hatten sie doch selbst die Dogmatisierung der ‚Tres
veritates‘ mit vorangetrieben. Doch war die Bindung an die Fürsten
letztlich ausschlaggebend. Das brachte den Gesandten oft den Vorwurf ein, nicht zuletzt aus Angst um ihre Pfründe nur ihren Herren
gefügig, also nicht frei zu sein. ‚Freiheit‘ bildete im Selbstverständnis der
Basler jedoch wie wir sahen eine Grundbedingung der Konzilslegitimität.[106] Zwei Aussprüche von Betroffenen findet man immer wieder
zitiert: Enea Silvio schrieb 1443 an Kaspar Schlick: *Omnes hanc fidem
habemus quam nostri principes*[107]. Und Tudeschi Panormitanus hatte ausgerufen, die Prälaten, die auf dem Konzil eine Fürstengesandtschaft
übernehmen, seien *maledicti ... quia non sunt sui juris*; so seien sie oft gezwungen *adversus veritatem pugnare*[108]. Tudeschi dachte dabei an sich

---

[104] Dazu DLO 240. Beispiele: SCHOFIELD, England 28–31 (engl. Gesandtschaft); CB I
402–18 (französ. Gesandtschaft). Instruktionen für Konzilsgesandte analysiert SIEBERG
119–24.

[105] MC III 275–77, 279 f.; RTA XIV 164 f. nr. 86. Zur Sache neben anderen PREIS
WERK, Einfluß Aragons 74 f., 81; NÖLDEKE, Kampf Eugens IV. 32 mit Anm. 128. Zum ‚Fall
Talaru‘ s. unten 209, 214. Vgl. allgemein, recht eigenwillig STIEBER 150 f. und MEUTHEN,
Basler Konzil 29–31 mit weiteren Belegen.

[106] Auch Torquemada sah das Problem im weiten Zusammenhang der bedrohten ‚libertas ecclesiae‘: Wenn die *clerici* und *prelati* auf dem Konzil nur *iuxta mandata suorum principum*
handeln, *non solum praejudicant primatui apostolicae sedis* (!), *sed etiam libertati totius ecclesiae*. Vgl.
IZBICKY, Protector 116–19, 187–98.

[107] 1443 XII 28. Briefwechsel I 1, ed. WOLKAN, 255. Dem Zitat ging der Satz zuvor: *Non
video clericos, qui velint pro ista vel illa parte martirium ferre*. Es folgt: ... *qui, si colerent idola et nos
etiam coleremus et non solum papam, sed Christum etiam negaremus seculari potestate urgente*.

[108] Die Zitate MC III 101 und Enea Silvio, De gestis, ed. HAY-SMITH 152. Die ganze Schrift
des Enea Silvio ist dominiert vom angesprochenen Problem. Im Zentrum (92–180) steht
die Auseinandersetzung zwischen dem sich vielfach windenden Gesandten Tudeschi und
Aleman, der die harte konziliaristische Position vertritt; s. MEUTHEN, Basler Konzil 31
Anm. 81. Vgl. schon VOIGT, Enea Silvio I 329 f. und VALOIS II 255 Anm. 2. – Segovia
berichtet, daß man sogar überlegte, den Fürstengesandten ob ihrer Gespaltenheit zwei

selbst, mußte er doch 1439 auf der Fürstenseite gegen das Konzil argumentieren und 1443 auf königlich-aragonesischen Befehl fluchtartig die Synode verlassen.

Hat es sich hier um jenen im parlamentarischen Umfeld eher vertrauten Konflikt zwischen (geistlichem) ‚Amt‘, ‚Mandat‘ und ‚Gewissen‘ gehandelt? Es ist zu fragen, inwieweit es damals diesen Begriffen entsprechende Vorstellungen gab und wie genau man sie bereits zu differenzieren wußte.[109]

4. Diözesen und Kirchenprovinzen

Daß die Stellungnahme der einzelnen Kirchenprovinzen und Diözesen für das Basler Konzil von großer Bedeutung gewesen ist, bedarf kaum weiterer Begründung. Die ‚Haltung‘ einer Diözese läßt sich anhand mehrer Kriterien ermitteln, die zugleich das dortige Echo des Konzils anzeigen. Solche Kriterien sind die Beschickung des Konzils durch Institutionen und Einzelpersonen der Diözese, die Anzahl der Suppliken, Appellationen und Prozesse, die vor das Konzil gebracht wurden[110], und die Rezeption der Konzilsdekrete auf Provinzial- und Diözesansynoden[111]. Erstaunlicherweise hat die Forschung alle drei Ansätze bisher nur fragmentarisch verfolgt. Für das Gebiet des Reiches erschöpft sie sich weitgehend mit den zwar materialreichen, interpretativ jedoch dürftigen, methodisch ohne Nachfolge gebliebenen Erlanger Dissertationen von HEINRICH STUTT (1928) und CONRAD HANNA (1929), Aufsätzen von HENRI DESSART (1951) über Lüttich und einigen verstreuten prosopographischen Beiträgen[112].

Stimmen zu geben (MC III 101) – eine ob ihres naiven Pragmatismus in der Parlamentsgeschichte wohl einmalige Idee.

[109] Gerade zum Gewissensbegriff dürfte eine Untersuchung interessant sein. – Zum Mandatsverständnis vgl. eine Äußerung der geistlichen Kurfürsten: Sie lehnten zusätzliche *cauciones* für das Konzil ab, ... *quia nunctius ibi* (sc. zum Konzil) *missus non tamquam ipse privatus ecclesiam representaret, sed tota provincia vel totum regimen*; RTA XIV 146 Z. 24 f. nr. 74; dazu SIEBERG 29, 38, 119. – Vgl. MC III 268.

[110] Dazu s. Kap. IV 1 b-c mit Literatur. – In der aus den Konzilsprotokollen erstellten und kommentierten Supplikenstatistik bei HANNA 101–07 liegen unter den 10 ausgewerteten Bistümern mit Abstand Mainz (138), Konstanz (129) und Straßburg (100) bei einer Gesamtzahl von 615 erfaßten Suppliken an der Spitze. Zum Vergleich: Aus Chur liegen 13, aus Verdun 10 Suppliken vor. Vgl. auch HALLER, Beiträge 22 f.

[111] Dazu s. Kap. V 3.

[112] H. STUTT, Die nordwestdeutschen Diözesen und das Baseler Konzil in den Jahren 1431 bis 1441; C. HANNA, Die südwestdeutschen Diözesen und das Baseler Konzil in den Jahren 1431 bis 1441. Beide Dissertationen entstanden bei Bernhard Schmeidler. Sie

Erst für die zweite Hälfte des 15. Jahrhunderts liegen im Rahmen der Vorreformationsforschung mehr Detailstudien zu deutschen Diözesen vor. Für Frankreich (mit Ausnahme der Studie von MÜLLER [1984] über Lyon), Spanien und Italien scheint die Forschungslage noch dürftiger zu sein[113]. Dieser Befund legt nahe, daß sich unsere Ausführungen gerade zu diesem Kapitel auf wenige Streiflichter beschränken müssen.

Die oben schon einmal skizzierten beiden Wege lassen sich auch hier beschreiten: Der eine geht vom Konzil, das heißt zunächst von den Inkorporationen und entsprechenden Frequenzen aus (Bilderback), der andere, entsagungsvollere, faßt die prosopographischen und kirchlichen Verhältnisse in den einzelnen Diözesen ins Auge. Hier-

---

enthalten jeweils einen materialreichen chronologischen und einen prosopographischen statistischen Teil: STUTT 51–86; HANNA 54–100, dort 54–68 eine Liste der von ‚Südwestdeutschen' bekleideten Konzilsämter. Die geographischen Einteilungskriterien ‚nordwestdeutsch', ‚südwestdeutsch' erweisen sich freilich als wenig brauchbar, da außer Trier keine der deutschen Kirchenprovinzen mit allen Suffraganen erfaßt ist, z.B. Köln ohne Lüttich und Utrecht, Mainz ohne Paderborn, Würzburg usw. Vgl. zu *Mainz*: KOCHAN, Reformbestrebungen 107–18. Zu *Lüttich*: DESSART, L'attitude du diocèse de Liège pendant le concile de Bâle. Die notwendige Durchsicht aller europäischen Bistumsgeschichten ist hier selbstverständlich nicht zu leisten. – Erstaunlich viele kleinere Arbeiten befassen sich mit Schlesien und der Diözese *Breslau*: SCHULTE, Bischof Konrad von Breslau in seinem Verhältnis zum römischen Stuhl und zu dem Basler Konzile (1913) – wenig bekannt, wertvoll wegen der abgedruckten Aktenstücke, zu Basel: 424 f., 434 f., 450–57.; GÜNTHER, Zwei Breslauer Handschriften vom Baseler Konzil; MACHILEK, Johannes Hoffmann aus Schweidnitz 111–13; MARSCHALL, Schlesier 295–301, 322–25; SEPPELT, Breslauer Diözesansynode vom Jahre 1446; MARSCHALL, Breslauer Domdekan Nikolaus Stock. Als Fundgrube vgl. die Acta Nicolai Gramis, ed. ALTMANN. Kaum bekannt: DRABINA, Stosunek biskupów wrocławskich do koncyliarismu 1431–1449 (1977). – Weitere Literatur zu den Diözesen unten Kap. V 3 (Rezeption von Konzilsdekreten). – Zu den Gesandten der deutschen Bischöfe 1432: RTA X 568–71. Eine Liste von zwischen 1439 und 1448 neubesetzten Bischofsstühlen bei STIEBER 438 f. mit Lit. An modernen Bischofsbiographien besteht für das 15. Jahrhundert ein großes Defizit. Maßstäbe setzt jetzt: MILLER, Sierck.
[113] Ansätze bei LEHMANN 97–114 (nach den Inkorporationslisten). Vgl. LEINWEBER, Synoden in Italien, Deutschland und Frankreich. Zu Frankreich: MÜLLER, Prosopographie passim, mit schwer zugänglicher und entlegener Literatur, etwa: RONSIN, L'Église de Saint-Die entre les papes et les conciles; enthält unter anderem einen von Tudeschi erteilten Ehedispens, im übrigen von liebenswerter Provinzialität. – Zu *Lyon*: MÜLLER, Prosopographie 150–58; Lyon (1984); künftig ders., Franzosen. – Prosopographisch, nach Bischöfen geordnet, für das Basiliense jedoch weniger ergiebig: GOÑI GAZTAMBIDE, Obispos de *Pamplona* ... en los concilios de Constanza y Basilea, zu Basel nur 478–80; weitgehend identisch ders., Historia de los obispos des Pamplona 519–21. Für die über 250 italienischen Bistümer vermag ich nicht eine einzige Arbeit anzuführen; vgl. LEHMANN 109–12.

bei sind Bischöfe und Domkapitel sicher jeweils gesondert zu untersuchen. Stimmten Bischof und Kapitel, was Basel betraf, überein?[114]
Welchen Einfluß vermochte ein ‚konziliaristischer‘ bzw. ein neutraler
oder gar konzilsfeindlicher Bischof auf den Diözesanklerus auszuüben?[115] Starke Diözesanbeteiligung setzte zwar, wie die Beispiele zeigen, einen am Ort residierenden prokonziliar engagierten Prälaten
voraus, mußte sich aber keineswegs einstellen. In jedem Fall ist zu prüfen, inwieweit die bischöfliche Haltung mit derjenigen ‚der‘ Diözese
übereinstimmt. Wieweit kann man eine Diözese überhaupt als Einheit betrachten? Sie umfaßt tatsächlich eine Vielzahl verschiedenster
Personen und Institutionen (Klöster, Stifte, Universitäten etc.), die
eine vom Bischof weitgehend unabhängige und natürlich auch in der
Haltung zum Konzil kontroverse Politik treiben konnten. Bemerkenswert ist andererseits, daß man innerhalb der Diözese gleichwohl
stark nach Einheitlichkeit strebte. – Welchen Einfluß hatten die
Metropoliten[116] auf ihre Suffragane? Wie ist die landesherrliche
Gewalt der Bischöfe zu bewerten, insbesondere der deutschen Fürst-
bischöfe? Viele Fragen – wenig Antworten.

Die Studien von Stutt, Hanna, Lehmann und zuletzt Bilderback
stützen sich ausschließlich auf die Inkorporationsdaten, gehen also
den ersten Weg. In der Forschung wurden sie bisher ungenügend rezipiert. BILDERBACKS Übersicht ist nach Kirchenprovinzen geordnet,
ein Schema, das nur mit großen Einschränkungen aussagekräftig ist.
Mit den höchsten Zahlen erscheinen die Provinzen Mainz: 222 Personen (12,4 % der lokalisierbaren Konzilsteilnehmer) und Köln: 115

---

[114] LEHMANN 166–68, führt 48 offiziell inkorporierte (Dom-)Kapitel auf. Zum Verhältnis Bischof-Kapitel-Klerus interessante Beispiele bei DESSART, L'attitude 699, 703 f.,
712. In *Lyon* verhielt sich das Domkapitel eher ablehnend, der Klerus überwiegend
desinteressiert zum Konzil; MÜLLER, Lyon 46–50, 53. – In *Breslau* kam es nach 1440 zur
Spaltung zwischen Bischof Konrad Olésnicki, der Eugen IV. anhing, und dem Domkapitel, das zusammen mit dem Metropoliten von Gnesen das Konzil unterstützte. Der Dissens zwang 1444 den Bischof zum Rücktritt; SCHULTE, Konrad von Breslau 450–57; ACTA
NICOLAI GRAMIS, besonders 83–86; MARSCHALL, Schlesier 297 f.; DRABINA, Stosunek.

[115] Die Tatsache, daß Erzbischof Amédée de Talaru einer der Konzilsführer in Basel
war, scheint sich auf seine Suffragane, auf Stifte und Klerus der Provinz nicht sonderlich
motivierend ausgewirkt zu haben; s. BILDERBACK, Membership 203, 288 – mit den oben
78 f. geäußerten Vorbehalten; vgl. allerdings LEHMANN 104. – Interessant die bei
LEHMANN 168 f., aufgeführten offiziellen Inkorporationen des „Klerus“ von 12 Diözesen.

[116] Hier ist zum Beispiel an die Durchsetzung der Neutralität im Reich 1438 ff. zu
denken.

(6,4 %), gefolgt von Mailand: 114 (6,4 %) und Tours: 113 (6,3 %); im Vergleich dazu ergeben sich für Reims: 78 (4,3 %), für Gran: 11 (0,6 %).[117] Dieses Zahlenverhältnis spiegelt, vielleicht mit Ausnahme von Tours, ziemlich genau Größe, Personenzahl und geographische Nähe der Provinzen zu Basel wider. Ein differenziertes Bild würde erst eine Analyse der Einzeldiözesen ergeben. Hier bieten die deutschen Bistümer, soweit sie bei Stutt und Hanna erfaßt sind, ein buntscheckiges Bild[118]: Die Dichte der Inkorporationen lag für die Provinzen Köln (ohne Utrecht und Lüttich) und Mainz am höchsten, während Trier weniger in Erscheinung trat und Bremen ebenso wie Magdeburg stark abfielen. Starken Rückhalt fand das Basler Konzil dagegen in der (leider noch nicht untersuchten) Salzburger Kirchenprovinz. Von den Einzeldiözesen ragten neben Basel und Köln (je 45 Teilnehmer) vor allem Mainz (36), Straßburg (32) und Utrecht (29) heraus, während Chur und Verdun ungewöhnlich schwach vertreten waren.[119] Die Ursachen solcher Befunde sind vielfältig und nicht immer dingfest zu machen. Stehen echte Entscheidungen dahinter oder nur Desinteresse? Nicht zuletzt wird die Statistik natürlich durch die Anzahl

---

[117] BILDERBACK, Membership 203–41. Die Einteilung nach Kirchenprovinzen, zum Teil auch nach Ländern (‚Ireland‘; ‚Italy‘ = Italien ohne die vier nördlichen Kirchenprovinzen (!); ‚Pomerania‘) ist viel zu vage. Vielmehr müßten jeweils auch die Einzeldiözesen erfaßt werden. Im übrigen wirken sich die aktuellen politischen Grenzen auf die Besuchsfrequenz viel gravierender aus. Sie liefen oft mitten durch eine Kirchenprovinz. Zu einigen Einzelfällen: Die niedrige Frequenz der Provinz *Reims* hängt damit zusammen, daß ihr Gebiet fast ganz im anglo-burgundischen Teil Frankreichs lag. England und Burgund aber standen auf Distanz zu Basel. – Die hohe Quote für die Provinz *Tours* kommt hauptsächlich aus dem kurzfristigen Afflux bretonischer Kleriker 1439/40 zustande, als der Herzog im Streit mit Eugen IV. auf Basel setzte. Die Zahlen für die Provinz *Vienne* (LEHMANN 104; BILDERBACK 203) dürften zum Beispiel erheblich niedriger liegen, wenn man das Suffraganbistum Genf in Savoyen (!) herausnähme, das als einziges stärker konziliar engagiert war. – Auch die Zahlen für die Provinz *Lyon* sind wesentlich durch den kurzfristigen Afflux aus ihrem savoyischen Teil im Jahre 1439/40 bedingt: MÜLLER, Lyon 51 f. Demnächst zu den französischen Verhältnissen MÜLLER, Franzosen. Ihm sei für einige Hinweise herzlich gedankt.
[118] Vgl. insbesondere die Karten bei HANNA 113 und STUTT 96 f. mit graphisch vierfach gestufter Inkorporationsfrequenz. Die kartographische Methode erscheint durchaus brauchbar, wenn sie richtig angewandt wird. Zunächst ist die ungefähre Zahl der in einer Diözese lebenden Kleriker oder der dort zu vergebenden Zahl der Benefizien zu ermitteln. Diese Zahlen sind dann in Relation zu den Basler Inkorporationen zu bringen.
[119] S. Zahlen bei LEHMANN 99, 103. – Aus dem Rahmen fallende Ausnahmen kommen häufiger vor: So bildete die Diözese Rodéz eine ‚konziliaristische Insel‘ im überwiegend papalen französischen Midi; s. unten 204; vgl. LEHMANN 104, der ebd. 74 immerhin „ein gutes Drittel" aller Bistümer durch ihre Bischöfe in Basel vertreten sieht.

der in einer Diözese überhaupt existierenden Stifte, Klöster, Kleriker etc. determiniert.

Stärkere Vertretung einer Diözese auf dem Konzil und Annahme der Basler Dekrete auf Synoden scheinen sich in den meisten Fällen zu entsprechen.[120] Man sollte zwischen der ‚offiziellen‘ Vertretung einer Diözese als Diözese (durch Bischof und Domkapitel) und der Inkorporation anderer Institutionen und Personen aus dem Bistum unterscheiden. Das Ausmaß der offiziellen Vertretung kann sehr unterschiedlich sein und läßt Rückschlüsse auf die Einstellung des Kathedralklerus zum Konzil, vielleicht aber auch nur auf die finanzielle Leistungsfähigkeit zu. Ein Beispiel aus Schottland: Während Glasgow neben dem Bischof durch den Dekan, einen Kantor und zwei Kanoniker vertreten war, findet sich aus St. Andrews, das, anders als seine Universität, eher ‚papalistisch‘ orientiert war, gar kein höherer Würdenträger in Basel.[121] Für Deutschland fällt auf, daß die hierarchische Qualität der Diözesanvertreter in den Jahren 1433–1436 stark abnahm; sie erreichte um 1439/40 jedoch einen neuen Höhepunkt.[122] Auch nach 1439 tendierten etwa Köln, Lübeck, Salzburg[123] und die meisten südwestdeutschen Bischöfe, voran Friedrich von Basel[124], sowie Eichstätt auf die Seite des Basler Konzils. Straßburg (Ruprecht von Pfalz-Simmern), Schleswig, das politisch zu Dänemark gehörte, und Kammin begaben sich sogar ausdrücklich in die Obödienz Felix' V.[125]

---

[120] Dazu genauer unten Kap. V 3.

[121] Zu Schottland s. BURNS, Scottish Churchmen 55. – *Krakau* war 1440 durch den Bischof, einen Archidiakon und zwei Domkapitulare in Basel vertreten! Als Beispiel für andere Institutionen: Aus dem *Kölner* Stift St. Andreas waren 1434–1440 fünf Kanoniker und die beiden Pröpste inkorporiert, eine Frequenz, die von keinem anderen Stift oder Kloster des nordwestdeutschen Raumes erreicht wurde; STUTT 51–65, Nr. 13, 21, 23–25, 50.

[122] Hierzu hilfreich die Tabelle bei BLACK, Council 36, mit den Vertretern der deutschen Diözesen 1433–1436. Zur sukzessiven Inkorporation der deutschen Diözesen vgl. STUTT 1–9; HANNA 1–11.

[123] Schon Erzbischof Johann II. von Reisberg († 1441) war nicht der ‚Neutralität‘ beigetreten. Sein Nachfolger Friedrich IV. von Emmerberg schloß sich noch enger dem Konzil und Felix V. an; DOPSCH, Friedrich III. 63–67, 84 f.

[124] Eine Analyse der Diözese *Basel* unter ihren Bischöfen Johann von Fleckenstein († 1436) und Friedrich zu Rhein (1437–51) wäre besonders reizvoll. Die Literatur scheint sämtlich veraltet. VAUTREY, Histoire des évêques de Bâle I, 477–502; TROUILLAT, Monuments de l'évêché de Bâle IV, Nr. 99, 101, 105, 110, 118; STUTZ, Felix V. 200-02.

[125] *Straßburg*: HANNA 42 f.; MILLER, Sierck 121 f., sowie unten 192. Die Haltung *Schleswigs* scheint allerdings auf eine persönliche Entscheidung des Bischofs, Claus Wulff, zurückzugehen; vgl. STUTT 47; LOSMAN, Norden 144 f. – Zu *Kammin* s. HALLER (Ed.), Beiträge 232 f.

Während zum Beispiel in Hildesheim, Augsburg und, fast ohne Gegner , in Lüttich[126] die Anhänger Eugens IV. dominierten, hielten sich
andere, wie zum Beispiel die norddeutschen Diözesen Bremen, Schwerin und Ratzeburg strikt neutral.[127]

Als Fürsten spielten die deutschen Bischöfe in der päpstlichen Konkordatspolitik der vierziger Jahre eine wichtige Rolle. Das erste
Konkordat Eugens IV. wurde bezeichnenderweise am 31. Oktober
1441 mit dem Bischof von Lüttich geschlossen, ein weiteres am 17.
Juni 1445 mit dem Bischof von Verden.[128] Das Lütticher Konkordat
wurde am 16. April 1442 allen Reichsständen als Modell angeboten
und so für spätere Konkordate vorbildlich.[129]

5. Kardinäle

Das gemeinsame Gruppeninteresse ebenso wie die Interessen der
Einzelpersönlichkeiten, vor allem das unterschiedliche Verhältnis
zum jeweils amtierenden Papst prägten das Kardinalskolleg in einer
für aristokratische Korporationen typischen und doch singulären
Weise. Symbiotisches Zusammenwirken mit dem päpstlichen Monarchen im kurialen Kirchenregiment einerseits, oligarchisch-konstitu-
tionelle Bestrebungen andererseits standen in einem Spannungsver-
hältnis. Die Forschung hat den Aufstieg des Kardinalskollegiums an
der Kurie seit dem 11. Jahrhundert in vielen Studien verfolgt[130]. Seine
führende Rolle beim Ausbruch (1378), aber auch bei der Beendigung
des Großen Schismas, mit dem Konzil von Pisa (1409) als Höhe-

---

[126] *Lüttich* mit seinem Bischof Johann von Heinsberg (1419–1455), einem der treuesten
Anhänger Eugens IV., scheint in mancher Hinsicht eine Ausnahme darzustellen, die ihm
wohl nur seine enge Anlehnung an Burgund überhaupt gestattete. S. VAUGHAN, Philipp
the Good 58–62, 221–23; DARIS, Histoire du diocèse et de la principauté de Liège 231–40;
DESSART, L'attitude passim; L'alternative. Auf der Kölner Provinzialsynode im Oktober
1440 leisteten Bischof Johann und sein Klerus, darunter der ehemalige Gesandte der
Kölner Universität in Basel und jetzige Professor in Löwen, Heymericus de Campo,
Widerstand gegen den konzilsfreundlichen Metropoliten Dietrich von Moers; STIEBER
214 f.; s. unten 145 Anm. 264, 293.
[127] STUTT 45–47; REUTER, Balduin von Wenden 96 f.; STUTT 25-27.
[128] S. DESSART, L'alternative, mit Edition des Lütticher Konkordats 518–20, sowie
SCHWARZ, Abbreviatoren 246 f., 249.
[129] So schon DARIS, Histoire 240; RAAB, Concordata 36.
[130] Verwiesen sei auf ALBERIGO, Cardinalato e collegialità; WATT, Constitutional Law of
the College of Cardinals: Hostiensis to Johannes Andreae; G. MOLLAT, Contributions
(zum Basiliense unergiebig); LECLER, Pars corporis papae; WILKS, Sovereignty 455–87;
TIERNEY, Foundations 275 s.v. ‚cardinals'; NÖRR, Kirche 156–58.

punkt, ist hinreichend bekannt. Ebenso einig ist man sich, daß die Kardinalsoligarchie schon auf dem Konstanzer Konzil erhebliche Einbußen an Macht und Autorität gegenüber der in Nationen versammelten ‚ecclesia universalis' hinnehmen mußte[131]. Unter dem Pontifikat Martins V., der im Glanz der wiedergewonnenen Einheit die päpstliche Stellung auch gegenüber den Kardinälen zu verbessern suchte (und damit bei ihnen Verstimmung auslöste), habe sich dieser Prozeß fortgesetzt; auf dem Basiliense, wo dem Kardinalskolleg von vornherein keine eigene Stimme mehr eingeräumt worden war, sei der Niedergang dann offenkundig gewesen[132].

Die Kanonistik des 13. und 14. Jahrhunderts hatte sich ausführlich mit dem Kolleg befaßt, das als ‚pars corporis papae' mit diesem zusammen die ecclesia Romana repräsentierte. Auf diese Weise war eine Art von kurialem Konstitutionalismus erarbeitet worden. Im Schisma und auf dem Konstanzer Konzil (Zabarella!) wurde die Problematik besonders intensiv diskutiert[133]. Bei den Basler Theoretikern dagegen ist das Thema ‚Kardinäle in der Kirchenverfassung' abgeklungen und besaß vom Selbstverständnis der Basler aus gesehen keinen großen ekklesiologischen Stellenwert mehr; die Kardinäle interessierten allenfalls bei der Kurienreform. Entsprechend findet sich in der Forschung zur Basler Ekklesiologie kaum ein Niederschlag.[134] Doch wurde darauf hingewiesen, daß die Thematik Papst-Kardinäle

[131] SWANSON, Problem of the Cardinalate in the Great Schism. Vgl. ALBERIGO, Cardinalato e collegialità 159–86; Chiesa 90–118, 358 s.v. ‚collegio cardinalizio'. Zu Konstanz: ZÄHRINGER, Kardinalskollegium auf dem Konstanzer Konzil. – Vgl. die Urteile bei JEDIN, Trient I, 61 und GILL 364. Viel Neues bei HEIMPEL, Vener 746–59, 766–85, 797–808 (Reformvorschlag Job Veners).
[132] So schon PASTOR I 276. Zur Kardinalspolitik Martins V.: DECKER, Kardinäle 113–30. Zum grundsätzlichen Konflikt Papst-Kardinäle: LULVÈS, Machtbestrebungen des Kardinalskollegiums. Für die zweite Hälfte des 15. Jahrhunderts s. THOMSON, Popes 57–77. Prosopographisch nur zum Teil noch brauchbar: ARLE, Beiträge zur Geschichte des Kardinalskollegiums. – Bezeichnendes zum Prestige des Kollegs schrieb 1433 Kardinal Orsini dem Konzilspräsidenten Cesarini: et vulgo homines dicunt omnia scandala, que in ecclesia provenerunt, a cardinalibus processisse; ed. KÖNIG, Orsini 117.
[133] Zu Zabarella: TIERNEY, Foundations 220–37.
[134] Vgl. etwa KRÄMER, Konsens 471 s.v. ‚Kardinäle'. – Die Traktatliteratur wäre durchzugehen. S. etwa Ludovico Pontano, Consilia, Frankfurt 1577, Appendix 286–288. Kaum beachtet ist die grundlegende Stellungnahme Eugens IV. zum Kardinalat anläßlich des Rang-Streits zwischen Kardinal Kemp, Erzbischof von York, und John Chichele, Erzbischof von Canterbury, in der Bulle ‚Non mediocri dolore' (zwischen September 1440 und März 1441); RAYNALDI, Annales ecclesiastici ad. ann. 1439 (!) (Baronius-Theiner XXVIII) 321–23; Bullarium Romanum V 34–38. Ausführlich diskutiert nur bei ULLMANN, Eugenius IV., besonders 368–80; vgl. MIETHKE, González 318 f.

bei kurialen Autoren in Italien seit den vierziger Jahren des 15. Jahrhunderts wieder zunahm.[135].

Fast zwangsläufig waren die Kardinäle in die Politik der italienischen Staaten sowie ihrer Herkunftsländer verstrickt.[136] Ihre Nationalität spielte eine wichtige Rolle. Den Kardinälen wuchs eine Schlüsselstellung in der Diplomatie zwischen Kurie und Fürsten zu, die in gewisser Hinsicht der von ständigen Gesandten vergleichbar ist. So personifizierte sich in ihnen die Internationalität der Kirche ebenso wie die Nationalität der Staaten.

Bis zum Erscheinen der grundlegenden Studie von WOLFGANG DECKER[137] war die Politik der Kardinäle auf dem Basler Konzil kaum erforscht. Decker sucht für die Jahre 1431 bis 1434 das „Verhalten der Kardinäle innerhalb des Kräftedreiecks Konzil, Papsttum und weltliche Fürsten zu erhellen", um schließlich vor dem Hintergrund ihres politischen Handelns zu einer „Theorie" über das „Selbstverständnis der Kardinäle in der Konzilszeit" zu gelangen.[138]. Zumindest das erste Ziel hat Decker erreicht und dabei eine ganze Reihe neuer Aspekte ins Licht gehoben, die im folgenden kurz nachzuzeichnen sind.

Die Ereignisse der frühen dreißiger Jahre an der Kurie liefen in drei Phasen ab: Bis Anfang 1433 verließ die Mehrheit der Kardinäle Rom; eine größere Gruppe fand sich nach und nach in Basel ein. Vom Frühjahr 1433 bis zum Frühjahr 1434 waren sie in die Konzilsarbeit integriert. Seit Anfang 1434 setzten sich die meisten Kardinäle wieder langsam vom Konzil ab. Decker demonstriert, in welchem Ausmaß Verwirrung, Zwietracht und Unsicherheit die römische Kurie in die-

---

[135] Z.B.: SOLDI-RONDININI, Per la storia del Cardinalato del secolo XV, mit Edition des Traktats von *Martino Garati*, ‚De cardinalibus' 55–88. – SÄGMÜLLER (Ed.), Traktat des *Teodoro de Lelli* über das Verhältnis von Primat und Kardinalat; zu Lelli vgl. DELL' OSTA, Un teologo del potere papale. – Über einen Traktat *Torquemadas* s. GARCIA MIRALLES, El cardenalato. – Zu Traktaten des *Domenico de Domenichi* s. JEDIN, Domenico de Domenichi 236–41 (Nr. 12); 257–68 (Nr. 17).

[136] Hingewiesen sei hier nur auf GIRGENSOHN, Wie wird man Kardinal? Der Prototyp eines ‚Nationalkardinals' war Henry Beaufort, Bruder Heinrichs V. von England. S. unten 225 f.

[137] W. DECKER, Die Politik der Kardinäle auf dem Basler Konzil (bis zum Herbst 1434), in: AHC 9 (1977) 112–53, 315–400, aus einer Berner Diss. erwachsen, mit umfassenden Lit.hinweisen. Vgl. DECKER, Drei prominente Studenten des kanonischen Rechts in Bologna. – Persönlichkeitsbild einer Reihe von Kardinälen bei PASTOR I 273–86 und 373–76.

[138] DECKER 112.

sen Jahren beherrschten[139]. In den konstitutionellen Konflikt des Kardinalskollegiums mit dem neugewählten Papst Eugen IV. (Wahlkapitulation) mischten sich römischer Parteienstreit und die Affäre um die Zulassung des Kardinals Capranica (25. Oktober 1431: Konstitution von 10 Kardinälen gegen Capranica). Der Streit um die Auflösung des Basler Konzils führte dann vollends zur Spaltung des Kollegs und zur sukzessiven Flucht der meisten Kardinäle aus Rom (12. November 1431: Unterzeichnung des Dekrets über die Auflösung des Konzils durch 10 Kardinäle; 29. April 1432: erste Zitation der Kardinäle nach Basel; 20. Juli 1432: Protestation von 5 Kardinälen gegen die Auflösung). Decker macht wahrscheinlich, daß bis September von den 22 Kardinälen (nicht alle residierten freilich an der Kurie) 14 mehr oder weniger auf der Seite des Konzils standen: Von diesen sind Cesarini, Capranica, Branda Castiglione, Aleman, Lusignan, Rochetaillée, Correr, Cervantes, Carrillo, Colonna und Ram in Basel nachgewiesen[140]. Ihre Eingliederung in den Konzilsbetrieb und seine Ämter scheint erstaunlich reibungslos verlaufen[141]. Zu dieser konzilsfreundlichen Gruppe zu zählen sind vermutlich, wenn auch ohne eigene Teilnahme, die Kardinäle Casanova, Montfort und Beaufort. Auf seiten Eugens bzw. in Distanz zum Konzil blieben Conti, Condulmer, della Porta, Foschi, Casini, Orsini, Foix und, obgleich er nach Basel reiste, auch Albergati, also acht der zwölf italienischen Kardinäle!

Die Quellenlage gestattet es nicht, die Position der Kardinäle zu den großen Streitfragen der Jahre 1433/34 in jedem Fall zu ermitteln. Zwei Komplexe standen im Vordergrund: Das Ringen um Monition, Zitation und Suspension Eugens IV. und die Reformpläne des Konzils. Beim Verfahren gegen Eugen wirkten die Kardinäle mehrheitlich als treibende Kraft, konzentriert vor allem in einer Widerstandsgruppe um Castiglione, Cervantes, Capranica und Carrillo; Rochetaillée erscheint zurückhaltender. Cesarini, durch sein Präsidentenamt ohnehin stärker aufs Vermitteln verwiesen, nahm pragmatisch und

---

[139] DECKER 130–52. Vgl. PÉROUSE 85–127; BRANDMÜLLER, Übergang vom Pontifikat Martins V. zu Eugen IV. - S. unten 253 f.

[140] Nach DECKER 147–52. Vgl. OURLIAC, Sociologie 14 Anm. 3. Foix und Beaufort residierten in den kritischen Jahren 1431–33 nicht in Rom.

[141] Zwei Beispiele: Kardinal Cervantes war von Mai 1433 bis September 1434 ‚iudex fidei', zunächst sogar als einziger; MC II 358. Rochetaillée erhielt auf sein ultimatives Drängen hin wieder sein kuriales Amt als Vizekanzler; s. oben 38 Anm. 71. Eine bisher unbekannte Konzilsbulle über die Sicherstellung der kurialen Einkünfte der Kardinäle in Basel: Konzilsprotokoll KOPENHAGEN, Ny kgl.saml. 1842, f.356^V–357^r.

flexibel eine wechselnd harte oder weiche Haltung ein[142]. Sein Einfluß
in Basel erscheint nach Decker geringer, als es der gängigen Ansicht
entspricht. Im heißen Herbst 1433, wo die Entscheidung über die Suspension fallen sollte, sahen sich die Kardinäle dem Druck von zwei
Seiten ausgesetzt: Die Mehrheit der Basler forderte strenge Maßnahmen, eine Partei unter Cesarini, vor allem aber Kaiser Sigmund und
Venedig drängten zum Gegenteil und setzten sich bekanntlich durch.
Bis zu welcher Grenze die Kardinäle wirklich zu gehen bereit gewesen
wären, ob sie ein Schisma riskiert hätten, muß offen bleiben[143]. Die
Sonderverhandlungen, die der Kaiser und die französischen Gesandten mit ihnen führten, deuten an, daß man sie als eigenständigen und
einflußreichen Faktor einschätzte.

Welche Ursachen den Ausschlag für die allmähliche Abwendung
der Kardinäle gaben, wird auch bei Decker nicht ganz klar. Feststehen
dürfte, daß die schon vor der Einigung zwischen Papst und Konzil diskutierten Reformpläne des Konzils eine gewichtige Rolle spielten.
Als es um Fragen des Kirchenregiments und damit um Rechte und
Versorgung der Kurie und des Kardinalskollegs selbst ging, erwies
sich die Koalition von Kardinälen und Konzil bald als brüchig. Decker
stellt hier die Pläne des Konzils zur Verwaltung des Kirchenstaates und
zur Neufassung eines Simoniedekrets[144] sowie als besonders brisant
die Überlegungen zu Reform und Finanzierung der Kurie in den Vordergrund, erwähnt aber auch theoretische Fragen wie die des kurialen
oder konziliaren Ursprungs der Legationsgewalt[145]. Die Kardinäle
wollten sich weder für die reichlich fossilen Pläne des Kaisers zur
Rekuperation des Kirchenstaates, noch für die weitschießenden Ziele
des Konzils einspannen lassen. Offensichtlich dachten sie doch in
erster Linie kurial und sahen, ungeachtet ihrer Konflikte mit dem
Papst, das eigene Schicksal mit dem seinen eng verknüpft. Nicht ohne

---

[142] Zu *Cesarini*: DECKER 315–19 und passim. Zum Vergleich KRÄMER, Konsens 125–65;
CHRISTIANSON, Cesarini passim, die beide stärker den theologischen Horizont einbeziehen, ebenso wie de VOOGHT, Pouvoirs 105–136 und MEUTHEN, Cesarini. – Überholt:
BECKER, Cesarini. Weitere Lit. bei A.A. STRNAD–K. WALSH, in: DBI 24 (1980) 188–95. *
Zu *Rochetaillée* fehlt neuere Literatur. Vgl. BEYSSAC, Jean de Rochtaillée (veraltet), zu
Basel: 35–46. Alles weitere in: HELVETIA SACRA I/3, 96 f., und bei DECKER.

[143] Vgl. DECKER 342. Zum angestrebten Wahlprüfungsverfahren ebd. 336–42.

[144] Dazu DECKER 370–73, 397 f. und unten 338. Die Kardinäle geraten in der Simoniefrage in den Sog der Parteiung zwischen Prälaten und Nichtprälaten. Rochetaillée und
Correr stehen auf Seiten der Prälaten, Cervantes vertritt die Gegenposition.

[145] Zum letzten Gesichtspunkt s. DECKER 387–90.

Wirkung blieb schon die Ankunft des angesehenen papsttreuen Kardinals Albergati (September 1433). Auf der anderen Seite starb im März 1434 Carrillo, einer der Hauptgegner Eugens IV. im Kollegium. Den wichtigsten Anlaß gab wohl die Grundsatzdebatte zur Präsidentenfrage (Februar–April 1434), in deren Verlauf eine „Schwenkung (der Kardinäle) . . . vom Konzil zu den päpstlichen Präsidenten"[146] zu beobachten ist. Zugleich brach das wohl immer schon latente Mißtrauen des Konzils gegen die Kardinäle gerade in dem Moment auf, als diese ihre Standesinteressen zur Geltung brachten[147]. So reisten die meisten von ihnen ab – just zu der Zeit, als Eugen IV. so geschwächt war wie nie und einer oligarchischen Pression des Kollegs von Basel aus kaum Widerstand hätte entgegensetzen können. So aber wirkte die Teilnahme an einer Konzilsgesandtschaft zum Papst im September 1434 schon fast wie ein Vorwand, Basel zu verlassen. Zurück blieben nur Cesarini und, als der kommende Mann des Konzils, der gerade erst im Juni 1434 eingetroffene Kardinal Aleman. Eine moderne Biographie über Aleman gehört zu den dringendsten Desideraten, da das wichtige Werk von PÉROUSE (1904) zusehends veraltet.[148]

DECKER zieht schließlich folgende Bilanz: „Es war dem Konzil nicht gelungen, die Kardinäle auf lange Sicht . . . einzugliedern. Ihr Verlust bedeutete den Verlust des entscheidenden kurialen Gegengewichts gegenüber dem Papst[149], letztlich den Beginn des eigenen Niedergangs. . . . Doch auch die Kardinäle hatten ihrerseits die Gelegenheit verpaßt, das Konzil als ein ihnen dienstbares Gegengewicht zu einem übermächtigen Papsttum auf die Dauer hinaus zu begründen"[150]. Deckers Arbeit hat gezeigt, daß die Bedeutung der Kardinäle in Basel größer war,

---

[146] Zur Diskussion um die Präsidentenfrage: DECKER 374–87 (Zitat 387), sowie die weitere Literatur unten 466 Anm. 176.

[147] Am schärfsten die Ausfälle des Erzbischofs von Lyon, Amédée de Talaru; DECKER 386 f.; CB III 53; MC II 676. Vgl. ZWÖLFER, Reform 217 f. Den eigentlichen Hintergrund bildete freilich der Streit um das Simoniedekret!

[148] G. PÉROUSE, Le cardinal Louis *Aleman* et la fin du Grand Schisme; stellt zugleich eine Geschichte des Basiliense dar. – Zum Präsidentenamt s. LAZARUS 99–105 und oben 42. Spätere Lokalstudien zu Aleman sind mangelhaft bis unsinnig: BEYSSAC, Le bienheureux Louis Allemand; SAVIO, Il cardinale d'Arles; DALLEMAGNE, Un Bugiste. Vgl. stattdessen die Artikel von E. PASZTOR, in: DBI 3 (1960) 145–47, und N. COULET, in: LexMa I, 350. Prosopographische Ergänzungen demnächst bei MÜLLER, Franzosen. Einen ersten Traktat Alemans entdeckte jüngst MEUTHEN, Neue Handschrift.

[149] Die Kardinäle Felix' V. konnten diese Funktion nicht mehr einnehmen.

[150] DECKER 113.

und daß sie auch als Gruppe mehr Kohärenz bewiesen als bisher angenommen. Sie gestalteten zwar nicht selbst maßgeblich die Konzilspolitik, wurden aber als „kuriales Gegengewicht" umworben, dessen
Zustimmung oder Ablehnung etwas zählte. Ob die anwesenden Kardinäle dabei als eine Art „dritte Kraft" zwischen Papst und Konzil oder
eher als „verlängerter Arm des Konzils"[151] zu betrachten sind, mit dem
sie ja potentiell das konstitutionelle Interesse gegenüber dem monarchischen Papsttum verband, ist eine offene Frage.

Besonders verdienstvoll erscheint bei Decker die Herausarbeitung
der persönlichen Motive einzelner Kardinäle sowie ihrer Verflechtungen in die europäische Politik. Einige Beispiele: *Capranica*[152] ging es
wesentlich um seine Anerkennung als Kardinal. Als er sie Ende 1433
erhalten hatte, erlahmte sein konziliares Engagement sehr rasch. *Cervantes*[153], der wie Capranica Anhänger der Colonna gewesen war,
scheint zusammen mit Cesarini noch am ehesten ‚konziliar' orientiert
gewesen zu sein. Doch ist seine Haltung ingesamt noch ungeklärt und
hätte eine eigene Untersuchung verdient, die auch die späteren Aufenthalte in Basel vom Februar 1435 bis zum September 1437 und vor
allem in den Jahren 1438/49 einbeziehen müßte[154]. Der Spanier
Carrillo erweist sich immer mehr als eine „Schlüsselfigur" der
französisch-kastilischen und mailändischen Politik in der ersten
Konzilsphase[155]. Seine Ernennung zum Generalvikar für Avignon und
Venaissin (Februar 1433), wo er sich gegen die vom Papst eingesetzten
Konkurrenten Marco Condulmer und *Pierre de Foix*[156] zu behaupten

---

[151] DECKER 336.
[152] Zu *Capranica*: DECKER 130–40; (Capranica-Affäre), 319–22, 375. Vgl. PASTOR I 274–
79, 414 f., 874 s.v.; A. A. STRNAD, in: DBI 19 (1976) 145–53; MIETHKE, González; ANTONO-
WICZ, Library; MEUTHEN, in: LexMa II 1488.
[153] Zu *Cervantes*: DECKER 140 f., 327–29, 380 f.; ders., in: LexMa II 1634 f. – Vgl. ARLE,
Kardinalskollegium 32 f.
[154] Noch im Januar 1438 wurde Cervantes in die Kommission des Konzils zur Verwaltung des Kirchenstaates berufen; MC III 30. Rechnete man ihn also noch zu den
Konzilsfreunden?
[155] Zu *Carrillo*: DECKER 138–40, 145, 151, 330 f., 391–93; L. VONES, in: LexMa II 1530 f.;
MINGUELLA Y ARNEDO, Historia de la diócesis de Sigüenza II, 125–32. Kaum bekannt sind
die Äußerungen Eugens IV. über die Basler Kardinäle, insbesondere Carrillo, in einem
Brief an den Dogen Foscari (Oktober 1433) ROM Reg.Vat. 359 f.72; ed. A.G. LUCIANI, in:
Res publica litterarum 7 (1984) 133 f. – Zur angeblichen Papstkandidatur s. unten 209,
260. Interessanterweise scheinen alle drei spanischen Kardinäle (Carrillo, Cervantes und
Ram) dem Konzil in besonderer Weise nahegestanden zu haben. Warum?
[156] Zu *Pierre de Foix* immer noch BARON, Pierre de Foix; DECKER 145. – Zu den Ereignissen in Avignon s. unten 164. Vgl. ALVAREZ PALENZUELA, Extincion del cisma del occidente (1977), mit der gesamten Literatur zu Foix.

suchte, geschah unter französischem Einfluß. Vor diesem Horizont ist wohl auch die in der Forschung trotz dünner Quellenlage bisweilen vermutete Papstkandidatur (mit geplantem Sitz in Avignon!) zu sehen. Ebenso als ‚politischer Kardinal' erscheint in Basel *Branda da Castiglione* – ein seit Jahrzehnten erfahrener Diplomat der mailändischen Politik. Er kannte Deutschland von seiner Legationsreise (1421–25) und war Vertrauter Kaiser Sigmunds, dessen Annäherung an Venedig er zu verhindern suchte.[157] In der wichtigen Konzilsphase September/Oktober 1433 amtierte Branda einige Wochen als Konzilspräsident.[158] Die von den Fürsten praktizierte Politik der Pressionen gegen Eugen IV. fand in ihm als Agenten Mailands einen ersten großen Meister. Nachdem er Basel 1434 verlassen hatte, „hielt er zu Eugen IV." (Girgensohn).

Deckers Studie verlangt nach Fortsetzung: Im September 1434 endete ja lediglich die Geschichte der Kardinäle als geschlossener Gruppe auf dem Konzilsforum. Welche Politik aber betrieben die ehemaligen ‚Basler' Kardinäle in den folgenden Jahren? Für die Geschichte des Basiliense bleiben zu untersuchen: Die Legationen von *Albergati*[159] und Cervantes zwischen Februar 1436 und September 1437, also gerade in der Zeit, als die Spaltung des Konzils erfolgte; die politische Rolle des *Hugo von Lusignan*[160], eines Mitglieds der cypriotischen Königsfamilie mit verwandtschaftlichen Beziehungen zum savoyischen Herzogshaus; er starb nach mehrjährigem Aufenthalt am Hofe zu Lausanne. Zu wenig weiß man auch über den Auftritt *Prosper Colonnas* in Basel (Nov. 1434 bis Nov. 1435) und die Tätigkeit des *Dominicus Ram* als Gesandter Kg. Alfons' V. von Aragón (Juli 1438 bis Sommer 1439)[161].

---

[157] Zu *Branda da Castiglione*: DECKER 322–27, 349–51, 395, 399 f.; D. GIRGENSOHN, in: DBI 22 (1979) 69–79, mit Lit; ders., in: LexMa II 1562 (Zit.); s. unten 263. Zur Legation in Deutschland: FOFFANO, Tra Constanza e Basilea; TÜCHLE, Mainzer Reformdekret; STRNAD, Frühzeit des nationalen Protektorats; Konstanz und der Plan eines deutschen ‚Nationalkardinals'.*

[158] DECKER 350–52. Kein Hinweis bei LAZARUS.

[159] Zu *Albergatis* Tätigkeit in und für Basel bisher am ausführlichsten, wenngleich hagiographisch: de TÖTH, Albergati 222–425 (!). Vgl. DECKER 357, 388, 399 f.

[160] Zu *Lusignan*: ARLE, Kardinalskollegium 34 f.; DECKER 146, 387–90, 392 f.; RUDT de COLLENBERG, Cardinaux de Chypre 101–15.

[161] Zu *Ram*: ARLE, Kardinalskollegium 38 f.; CB VI 273 Z. 5; MC III 141, 273 f.; PREISWERK, Einfluß Aragons, ohne Hinweis; VALOIS II 415 s.v. ‚Ram'. – Unklarheit herrscht über den angeblichen Übertritt des Kardinals *Orsini* 1438 auf die Seite des Konzils; LAZARUS 237. Vgl. HERRE, RTA X, S. LXXXIII.

Um wirklich eine „Theorie des Selbstverständnisses der Kardinäle"
zu erarbeiten, wie sie Decker vorschwebte, wären freilich deren eigene (nicht sehr zahlreiche) Äußerungen[162] und die der Theoretiker mit
einzubeziehen. Neu zu erörtern sind auch die Basler Dekrete zur
Kurienreform[163], die allzuleicht nur unter dem Aspekt der ‚Reform'
beurteilt werden, ohne sie in die allgemeine kirchentheoretische
Diskussion einzubetten. Doch traten schon zwischen den Dekreten
der 4. und 23. Session (‚de numero et qualitate cardinalium') Differenzen auf[164]. Die Diskrepanz zwischen den Konstanzer und Basler
Dekreten und der Praxis des Konzils nach 1439 wurde geradezu
eklatant, als der Konzilspapst Felix V. selbst Kardinäle kreiert hatte[165].
Das eigentliche Problem dürfte letztlich darin bestanden haben, wie
das faktische ‚Dauerregiment' des Konzils kirchentheoretisch legiti-
miert werden konnte, das hieß im Fall des Kardinalskollegs, wie dieses
ordentliche Leitungsorgan der Kirche mit dem Konzil und seinem
Anspruch, oberste Legislativ- und Exekutivinstanz zu sein, ohne
Widersprüche zu vereinbaren war: Eben dies gelang in der Praxis nicht
– und wurde auch in der Theorie, soweit ich sehe, nicht versucht. Der
Effekt war, daß die so stolze Institution des Kardinalskollegs unter
Felix V. fast zwangsläufig in ihrer Bedeutung verfallen mußte: „Aus
den Repräsentanten der Gesamtkirche, die die Kardinäle in Pisa darstellten, waren die dem Konzil verantwortlichen, vornehmsten Beam-
ten der Kirche geworden"[166]. Papst Felix V. besaß lediglich ein „dele-
giertes Ernennungsrecht", Kontrolle und Bestätigung der Kardinäle
lagen beim Konzil. Kein Wunder, daß einige der Ernannten die zu-

---

[162] Als großen Theoretiker kann man wohl keinen der Kardinäle bezeichnen. Vgl.
MEUTHEN, Cesarini. Zu Aleman ders., Zwei neue Handschriften (1986). Zwei Traktate
von *Casanova*, die allerdings ziemlich verbreitet waren, in der Hss.-liste bei KRÄMER,
Konsens 443, vgl. ebenda 221; SIEBEN, Traktate 35; ROBLES, Juan de Casanova; REPER-
TORIO 3 (1971) 163–66. MIRUS, Deposition 233, 245 f. Gedruckt wurde der ‚Tractatus de
potestate papae' schon 1480 in Köln. Zur Verfasserfrage s. auch PERARNAU, Raphael de
Pornaxio, Joan de Casanova o Julià Tallada; CREYTENS, Pornaxio 171 f.. Zu ergänzen:
MIETHKE, González 314 f.; Lex Ma II 1542 f.
[163] COD 462 f., 464, 468 f.; 494–504; ZWÖLFER 28–42. Vgl. den Überblick von Konstanz
bis Trient bei JEDIN, Kardinalsreform. Die Tatsache, daß die Basler entgegen der in Konstanz geübten Praxis wieder den Kardinälen das alleinige Recht zur Papstwahl übertru-
gen, kann wohl nur mit Reserve als Beweis ihrer ‚traditionellen' Grundausrichtung (so
bei ANDRESEN, Geschichte 184) gewertet werden. Vgl. unten 333 f.
[164] Hinweis MEUTHEN, Cesarini 147.
[165] DIENER, Segovia 325. Vgl. HERRE, CB VII, S. XXIX.
[166] DIENER, Segovia 326. Zu den entsprechenden Finanzproblemen s. ECKSTEIN,
Finanzlage 77–88.

sehends kompromittierende, zum Teil schlicht als politische Vereinnahmung gedachte Ehre eines felicianischen Kardinalats einfach ignorierten (Gerard Machet; Alfonso Carrillo, der Neffe des Kardinals; die Erzbischöfe Talaru und Coëtquis).[167]

Die Kardinalsernennungen Felix' V. 1440 und 1444 und die Geschichte des Kollegs unter dem Gegenpapst bedürften nach den mittlerweile über achtzig Jahre zurückliegenden Arbeiten von EUBEL und BAUMGARTEN[168] neuer Analyse und prosopographischer Ergänzung. Den kirchenpolitischen Effekt der Kreationen von 1440 hatte Eugen IV., worauf zuletzt YOUNG hinwies[169], ohnehin schon geschickt unterlaufen, indem er am 18. Dezember 1439 siebzehn Kardinäle auf einen Schlag erhob. Unter ihnen war seit langem wieder ein Deutscher, Peter von Schaumberg, Bischof von Augsburg, eine Tatsache, die stärkere Beachtung verdient[170]. Nikolaus von Kues sollte 1448 der nächste sein.

6. Orden

a) Allgemeine Themen

Das Thema ‚Orden und Basler Konzil' ist geradezu gespickt mit Desideraten. Doch dürfte die Forschung hier an die Grenzen ihrer Möglichkeiten gelangen, denn die ungeheure lokale und personelle Vielfalt läßt eine umfassende Darstellung des Themas derzeit schwerlich denkbar erscheinen.[171] Die älteren Ordensgeschichten schenkten dem Basiliense wenig Aufmerksamkeit. Fast allgemein ist die bei

---

[167] Allerdings ignorierte der französische Kanzler Regnault de Chartres ebenso konsequent die Kardinalserhebung durch Eugen IV. (18 XII 1439) – hätte doch eine Annahme zu früh die Festlegung auf Rom bedeutet.

[168] EUBEL, Basler Konzil 273–76; Hierarchia Catholica II 29 f.; BAUMGARTEN, Kardinalskonsistorien Felix V.; PÉROUSE 344-47; DIENER, Segovia 322–31. Unter den insgesamt 19 Kardinälen Felix' V. (8 weitere lehnten ab) dominierten die Franzosen-Savoyer (7) und Deutschen (7), dagegen gab es nur einen Italiener, Bartolomeo Vitelleschi (s. Helvetia Sacra I/3, 118 f.). Zu Lancelot de Lusignan (ernannt August 1447) s. RUDT de COLLENBERG, Cardinaux de Chypre 115–26.

[169] YOUNG, Changes in the Nature of the Cardinalate 13–20.

[170] S. UHL, Peter von Schaumberg. Doch führte dieser den Titel erst ab 1450. – Zum Thema ‚deutsche Kardinäle' auf dem Konstanzer Konzil vgl. HEIMPEL, Vener 1589 s.v.

[171] Sämtliche Ordens- und Klostergeschichten, Kapitelsakten und Urkundenbücher wären zu prüfen – von prosopographischen Verästelungen zu schweigen. Die unübersehbare Ordensliteratur ist hier nicht auszubreiten. Vgl. DLO 1031–1105; MOELLER, Spätmittelalter 36–39; FINK, HKG III 2, 516–38, 678, 693–97, und jetzt den Forschungsbericht von ELM, Verfall und Erneuerung des Ordenswesens im Spätmittelalter (1980), mit umfassender Literatur.

Ordensgelehrten übliche Beschränkung auf den eigenen Orden zu beobachten, wenngleich neuerdings Horizonterweiterungen unverkennbar sind. Als sehr nützlich erweist sich die momentan einzige Übersicht zu unserem Thema bei STIEBER[172]. Sie erfaßt aber nur die deutschen Gebiete. Hingegen klaffen in der Erforschung der französischen und italienischen Ordensgeschichte des Spätmittelalters noch große Lücken. Parallel zum gegenwärtigen Aufschwung der Baselforschung mehren sich die Spezialstudien zu einzelnen Orden: LECLERCQ, SPÄTLING, ZUMKELLER, MISCHLEWSKI, TELESCA und andere[173]. Völlig unbearbeitet sind dagegen bisher die Stifte geblieben.[174]

Die maßgebliche Rolle der Orden und Ordensleute in Basel bzw. die Attraktivität, die das Konzil für diese Kreise besaß, ergibt sich schon aus den Inkorporationszahlen: 8 Mönchs- und 3 Ritterorden sowie viele Einzelklöster waren offiziell durch Gesandte inkorporiert. Lehmann nennt (bei 319 Inkorporationen von Äbten und Ordensoberen) mit insgesamt 587 Ordensleuten sicher eine zu niedrige Zahl. Nach Black machten sie in den Jahren ihrer höchsten Frequenz 1433–35 sogar 40 % der Konzilsteilnehmer aus.[175]

---

[172] STIEBER 92–113 mit Literatur.

[173] LECLERCQ, Cluny et le concile de Bâle (1942); SPÄTLING, Anteil der Franziskaner an den Generalkonzilien 229–33 (1961); ZUMKELLER, Augustinereremiten … an den Konzilien von Konstanz und Basel (1965) 36–56; ders., in: GUTIÈRREZ, Geschichte des Augustinerordens I 2, 182–95; VALVEKENS, De habitudine Praemonstratensium (1979); MISCHLEWSKI, Antoniter zwischen Konzil und Papst (1980); TELESCA, The Order of Cîteaux during the Council of Basel (1981); BLIGNY, La Grande Chartreuse au temps du Grand Schisme et de la crise conciliaire (1983). Vgl. bei VALOIS II 263 Anm. 1.

[174] S. aber die Inkorporationsliste bei LEHMANN 210–35 (Pröpste, Dekane, Scholaster etc.) und 166–68 (48 inkorporierte Dom-Kapitel). – Zur geplanten Stiftsreform s. ZESCHIK, Augustinerchorherrenstift Rohr 8–10 (Propst Petrus Fries in Basel) und CB VIII 51–55 (Nr. 5). Ein Beispiel (Aschaffenburg) bei KOLLER, Ebbracht 213–21.

[175] S. LEHMANN 79–81, 84 und die Listen 146–61, 164 f., 243–45; BILDERBACK, Membership 232–37 (Tabellen zu den inkorporierten Äbten); STIEBER 100. – Der Anteil der inkorporierten Äbte ist der Größe und Organisationsform des Ordens entsprechend bei den Benediktinern am höchsten, gefolgt von den Zisterziensern. Vgl. BLACK, Council 33 f.; gestützt auf die Präsenzliste vom Frühjahr 1433 (ed. LAZARUS 350 f.): Die Zahl der Äbte (incl. Prokuratoren) sank von 90 im April 1433 auf 8 im Jahre 1439! – Ein gesondertes Thema der angedeuteten Multivalenz bildet die nach Überwindung der Anpassungskonflikte des 13. Jahrhunderts nunmehr vielfach symbiotische Verbindung der Bettelorden mit den Universitäten; Lit. bei STIEBER 106 f. Anm. 69, zu ergänzen durch LICKTEIG, German Carmelites at the Medieval Universities; FRANK, Huntpichler 93–101 (Erfurt) und passim; Hausstudium 89–155, 312–18 und passim (Wien). Von den bei ZUMKELLER, Augustinereremiten 36–56, aufgeführten 27 in Basel inkorporierten Augustinern waren 17 Universitätsgelehrte. Aus diesem Phänomen resultiert wohl die extrem geringe Anzahl der bei LEHMANN 243–45 unter ‚Ordensleuten' aufgeführten Mönche. Die anderen befinden sich in der Rubrik ‚Gelehrte'!

In der Haltung der Orden zum Konzil zeigen sich große Unterschiede, die von Indifferenz über Sympathie bis zur vehementen Parteinahme reichen. In gewisser Weise spiegelt sich darin die große Zerrissenheit im Ordenswesen des Spätmittelalters. Differenzen gab es sowohl zwischen einzelnen Orden, als auch und vor allem innerhalb der Ordensverbände. Man denkt hier zuerst an die säkulare Auseinandersetzung zwischen Observanten und Konventualen, deren Bedeutung für die europäische Kulturgeschichte über die Orden hinausreicht. Man begegnet aber auch Differenzen einzelner Ordensteile mit ihren Generälen, zwischen einzelnen Ordensprovinzen, Klöstern usw. Die ‚nationale' Differenzierung war längst auch in die Orden eingedrungen. Es entspricht aber eher der allgemeinen Tendenz, daß das Basler Konzil bei deutschen Ordensleuten auch nach 1439 mehr Zustimmung fand als beispielsweise bei den italienischen, die zwar vor 1437 in erstaunlich großer Zahl (vor allem Benediktiner) das Basiliense beschickten, sich aber nach der Spaltung von 1437 wie die meisten Italiener größtenteils dem Ferrariense Eugens IV. zuwandten. Die zersetzende Wirkung, die schon in der Schismazeit bei der Werbung um Obödienzen auf die Kohärenz zentral organisierter Orden ausging, wird in der jüngeren Literatur nun auch für die Zeit nach 1439, etwa am Beispiel der Zisterzienser, konstatiert.[176] Fast unausweichlich war es, daß schon seit Generationen schwelende Konflikte auch auf dem Basiliense ausgefochten wurden, an erster Stelle der Machtkampf zwischen Observanten und Konventualen und der Streit zwischen Bettelorden und Weltklerus um die Seelsorgerechte. Selbstverständlich diente Basel auch vielen lokalen Ordensquerelen als Prozeßinstanz.[177]

Ein Hauptinteresse kennzeichnete fast alle Orden: Die Reform. Die meisten monastischen Reformbewegungen erhofften sich vom Basler Konzil wie schon vom Konstanzer geistige und organisatorische Förderung, waren die Konzile doch unter dem Panier der ‚Reform' angetreten. Freilich wurden Reformer und Observanten damit keineswegs automatisch zu Konziliaristen, wie das Beispiel der rivalisierenden Franziskaner Johann Capistran und Matthias Döring

---

[176] TELESCA, Cîteaux. Vgl. THOMSON, Popes 53: Das Generalkapitel der Zisterzienser von 1439 betraute in Erwartung des Schismas prophylaktisch drei Äbte mit der Aufgabe, in diesem Falle nationale Ordenskapitel einzuberufen. – Die Literatur zu den Orden im Großen Schisma ist recht zahlreich; s. die Übersicht bei ELM, Verfall 205 Anm. 24.

[177] Ein Beispiel: MISCHLEWSKI, Johann von Lorch und der Streit um die Präzeptorei Roßdorf. – Bekannter ist der Streit der Abteien Saint-Antoine und Montmajour; s. unten 128.

zeigt: Der Observant Kapistran war ebenso reformfreudig wie ‚papalistisch', Döring, der Konventuale, war bis zuletzt (1449) ein engagierter Vorkämpfer des Konzils.[178]

Den im Februar 1434 entbrennenden Streit zwischen Mendikanten und Säkularklerus um die Seelsorgerechte[179] hat die Forschung bisher weder in seiner Bedeutung für die Ereignisgeschichte des Basler Konzils noch in seinen kanonistischen und ekklesiologischen Dimensionen angemessen gewürdigt. Die Arbeit von MEERSSEMAN (1938)[180] blieb weitgehend isoliert. Einige Ereignisse: Die am 12. Februar 1434 unter Umgehung der Deputationen lancierte Konzilsbulle „Inter alias"[181] – wer waren die Autoren? – gegen einige nicht näher genannte Mendikanten der Diözesen Ivrea und Aosta wirkte wie eine Lunte an ein Pulverfaß. Der Proteststurm der Mendikantenvertreter unter Führung des italienischen Dominikanerprovinzials Johann von Montenigro enthüllt sofort, daß es hier um Prinzipienfragen, ja um eines der wichtigsten Reizthemen der spätmittelalterlichen Kirche ging: die Rechtsgeltung der päpstlichen (!) Mendikantenprivilegien einerseits, der Pfarrgebräuche andererseits.[182] Eine Kommission der deputatio fidei wurde eingesetzt, zahlreiche Traktate und Sermo-

---

[178] Zu *Döring*: ALBERT, Matthias Döring (1892), zu Basel 28–49 (veraltet); STIEBER 109 Anm. 78 (Lit.); DHGE 14 (1960) 563–65; Verfasserlexikon 2, Berlin 1981, 207–10 (K. COLBERG); vgl. SPÄTLING, Anteil der Franziskaner 329 ff.; MEIER, Barfüsserschule 47–50 (mit Hss.), 119 (Dörings Konziliarismus wird verdrängt), 136 s.v.; KLEINEIDAM, Universitas Erfordensis I, 132 275 f. und 376 s.v.* Zu *Kapistran*: HOFER, Johann Kapistran I–II.

[179] Zum Problem nach wie vor grundlegend: CONGAR, Aspects ecclésiologiques dans la querelle entre les mendiants et les séculiers (1961). Vgl. LIPPENS, Droit nouveau des mendiants. Die Literatur stellt zusammen MIETHKE, Rolle der Bettelorden 134–43. Exemplarisch am Beispiel von Würzburg: SEHI, Bettelorden (1981), und von Wien: FRANK, Huntpichler 369–84.

[180] MEERSSEMAN, Giovanni Montenero O.P., difensore dei Mendicanti, besonders 22–61, 83–160: Texte-. Vgl. HEFELE-LECLERCQ VII 2, 871 f.; LIPPENS, Droit nouveau des mendiants 277 f.; ZUMKELLER, Augustinereremiten 46–48; SEHI, Bettelorden 372 f., ohne Kenntnis der wichtigsten Literatur. Kein Hinweis bei STIEBER. Vgl. den Niederschlag in der ‚Chronica' des NIKOLAUS GLASSBERGER (vom Ende des 15. Jh.) 292–99, mit Text der Dekrete.

[181] Mansi XXX 824 f.; MEERSSEMAN 83-88. - LIPPENS, Droit nouveau des mendiants 277, hält die Kardinäle für die Drahtzieher der Bulle.

[182] Es scheint mir symptomatisch zu sein, daß auch Persönlichkeiten wie Gerson (PASCOE, Gerson 157 ff.) oder Nikolaus von Kues 1451/52 auf seiner Legationsreise gegen die Mendikanten und für den Pfarrklerus Stellung bezogen bzw. die alten Orden förderten. Beide waren selbst Weltkleriker – mit entsprechender Standesmentalität? Zum Mendikantentum als ‚Skandalum', sowohl grundsätzlich wie in seinen vielgegeißelten ‚Mißständen', ist wohl noch nicht das Letzte gesagt.

nes entstanden.[183] Das Konzil sah sich schließlich gezwungen (Meersseman: „il concilio ebbe paura dei Mendicanti"), die Bulle am 27. August 1434 zurückzunehmen, ohne daß der Streit damit beendet gewesen wäre.[184] Im Gegenzug solidarisierten sich die vier zuvor zerstrittenen Mendikantenorden in der für die Ordensgeschichte wichtigen ‚Concordia' vom 2. April 1435.[185] Möglicherweise hat der Konflikt auch die Abwanderung vieler Mendikanten auf die Seite Eugens IV. gefördert, doch ist hier stärker als bei Meersseman zwischen Italienern und Nichtitalienern zu unterscheiden[186]. Gerade für die Franziskaner behielt das Konzil wegen der immer noch erhofften Dogmatisierung der ‚Immaculata Conceptio Mariae' eine gewisse Attraktivität.

b) Stellung einzelner Orden

Die Haltung der Orden zum Basiliense ergibt – folgen wir zunächst einmal STIEBER – für Deutschland ein grob geschnittenes Bild etwa folgender Art: Unter den *Benediktinern*[187] fand das Konzil vor allem bei den führenden Leuten und Klöstern der Reformkongregationen breiten Zuspruch; die übrigen hielten sich eher neutral, eindeutig auf die

---

[183] Ediert ist das ‚Defensorium' Johanns von Montenigro bei MEERSSEMAN, Giovanni Montenero 89–160. Ein weiterer Traktat von ihm zu diesem Thema: BASEL Univ.bibl. A IX 20; SCHMIDT, Bibliothek Nr. 125; vgl. KAEPPELI II 484-87. - Über einen neuentdeckten Traktat des Juan González zum Mendikantenstreit demnächst E. Meuthen.

[184] Eine frühere Nichtigkeitserklärung Cesarinis vom 25.VI.1434, wahrscheinlich aus dem Besitz Montenigros, ed. MEERSSEMAN, Dominicains 75 f. – Ab März 1441 befaßte sich das Konzil, angestachelt von dem obskuren irischen Magister Philipp Norreys erneut mit der Angelegenheit, nachdem Eugen IV. die Mendikanten in der Bulle ‚Regnans in coelis' vom 3. August 1440 geflissentlich begünstigt hatte. Nach endlosen Streitereien, die den Niveauverlust des Konzils deutlich erkennen lassen, wurde die alte Bulle vom Februar 1434 in veränderter Form 1443 doch noch registriert; s. MEERSSEMAN, Giovanni Montenero 43–61; zu Norreys s. auch SCHOFIELD England 180 f.; Ireland 384 f.

[185] Dazu MEERSSEMAN, Concordia inter quattuor ordines mendicantes; zuvor BUGHETTI, Statutum concordiae. Frühere partielle Textedition von HOPPELER, Bündnisvertrag zwischen den Mendikantenorden auf dem Basler Konzil. Ähnliche Konkordien gab es schon seit dem Ende des 13. Jahrhunderts. Die unmittelbar nach 1435 in einigen deutschen Städten (Köln 1436/37) zwischen den Mendikantenklöstern geschlossenen Konkordien könnten von Basel beeinflußt sein (Hinweis von J. van Elten, Köln).

[186] Nach MEERSSEMAN, Giovanni Montenero 42, hätten die Mendikanten das Konzil 1439 „quasi completamente" verlassen; vgl. dagegen STIEBER 111 mit Hinweis auf weiterhin in Basel tätige Bettelmönche aus Deutschland.

[187] STIEBER 93–100 mit Literatur. S. ferner unten 129 ff. zur Ordensreform. Zum Tegernseer Kreis: REDLICH, Tegernsee 131–70, sowie unten 160 Anm. 333. Kaum bekannt ist V. SCHMIDT, Abt Sigismund Pirchan aus Hohenfurt.

Seite Eugens IV. hat sich offenbar kein Kloster gestellt.

Die beiden deutschen Provinzen der *Dominikaner*[188] blieben ebenfalls offiziell neutral. Der Ordensgeneral, Barthelémy Texier, war zwar dem Konzil inkorporiert, trat aber dann auf die Seite Eugens IV. Viele Mönche waren kirchenpolitisch stark engagiert, unter den deutschen Dominikanern besonders für das Konzil und Felix V.: z.B. Hans Meyer (Basel), Heinrich Rotstock (Wien), Gottfried Slussel (Köln); auf eugenianischer Seite findet man einflußreiche Männer wie Johann Huntpichler (Wien) und Heinrich Kalteisen (Köln). In Basel gehörten Dominikaner beiderseits zu den intellektuell führenden Köpfen. Doch stand dem herausragenden Johann von Ragusa eine Mehrheit von Dominikanern gegenüber, die „outstanding champions of the papacy" waren: Torquemada, Montenigro, Kalteisen, Nider.[189]

Der spätere Generalprior der *Augustinereremiten*[190], Gerhard von Rimini (1434–43), suchte selbst zwar im Mai 1433 reforminteressiert das Konzil auf, berief aber 1437 die inkorporierten Ordensmitglieder nach Ferrara ab. Einige Deutsche blieben weiter in Basel. Man kann die Haltung der vier deutschen Provinzen als „neutrality who favoured the Council of Basel"[191] umschreiben, ein Bild, das nach ZUMKELLER aber nicht auf den Gesamtorden übertragbar ist. Zu den deutschen *Augustinerchorherren* und zur Windesheimer Kongregation gibt es bisher wenig brauchbare Angaben. Nur sehr vorläufig mag daher Stiebers Befund gelten, daß die deutschen Chorherren nach der Spaltung zusammen mit den Benediktinern das Basler Konzil favorisierten, während speziell die Windesheimer in strikter Neutralität verharrten.[192]

---

[188] STIEBER 105–07 mit Literatur. Wichtig: MORTIER, Histoire des maîtres généraux IV, 276–309 (umfangreichste Darstellung das Basler Konzils in einer älteren Ordensgeschichte); Material auch bei MEERSSEMAN, Dominicains.

[189] Zitat BLACK, Council 33; ähnlich schon JEDIN, Trient I 37 f. – Zu *Johannes Nider* († 1438), Prior des Basler Dominikanerklosters und Generalvikar der Provinz Teutonia: DThC 11, 851-54; MORTIER, Histoire des maîtres généraux IV 218–50; FRANK, Hausstudium 202–05, 214–17; STIEBER 105 Anm. 68; HEIMPEL, Vener 1587 s.v.

[190] ZUMKELLER, Augustinereremiten 36–56, und in: GUTIÉRREZ, Geschichte des Augustinerordens I 2, 191–94; vgl. ders., Nicolinus von Cremona; STIEBER 103 f. (etwas verzeichnet). - Zumkeller folgend: KUNZELMANN, II 248-56.

[191] STIEBER 104.

[192] STIEBER 103. Vgl. HALLER, Papsttum und Kirchenreform 14; KOLLER, Koloman Knapp 19–32. Am 30. VIII. 1432 ließ sich *Egidius Bocheroul ... pro toto Capitulo gen. Wydesemense Trajectensis diocesis* (CB II 203 Z. 24 f.) inkorporieren. 1435 erhielt Windesheim vom Konzil den Auftrag, die deutschen Augustinerklöster zu reformieren; HKG III 2, 528.

Bei den *Franziskanern*[193], dem Orden mit den stärksten inneren Spannungen, zeigte sich besonders deutlich der typische Unterschied zwischen deutschen und italienischen Ordensteilen. In Deutschland hielten sich die Provinzen Köln und Österreich neutral, während Straßburg und Sachsen unter den Provinzialen Caroli und Döring auf Basler Kurs geführt wurden. Das besondere Interesse des Ordens galt, wie gesagt, dem theologischen Problem der Unbefleckten Empfängnis. Hierbei waren auch die von der Forschung kaum berücksichtigten spanischen Ordensmitglieder beteiligt.

Die *Kartäuser*[194] waren offenbar der einzige Orden, der nach dem Schisma Felix V. offiziell anerkannte (Gesandtschaft nach Basel vom 13. Mai 1440). Ein Grund dürfte allein schon darin zu suchen sein, daß die Grande Chartreuse auf savoyischem Gebiet lag. Der italienische Teil des Ordens schwenkte allerdings 1442 zu Eugen IV. um. Rege deutsche Forschungstätigkeit gilt einigen Kartäusern, die wie Jakob von Paradyz (= ‚von Jüterbog‘), Johannes Hagen, Vinzenz von Aggsbach und Bartholomäus von Maastricht zu den profilierten Konzilsanhängern gehörten – zum Teil über das Ende des Basiliense hinaus.[195]

Zu den *Karmeliten* sind die unbestimmten Andeutungen bei Stieber jetzt durch die Ordensgeschichte von SMET–DOBHAN (1981) zu ergänzen[196]: Die Karmeliten beschickten das Konzil sehr früh (Mai 1432), unter anderem durch ihren Ordensgeneral Bartholomäus Roqual (Rocalli)[197] sowie durch den 1434 nachfolgenden Jean Facy. Sie gaben

---

[193] STIEBER 107–11 mit Literatur; SPÄTLING, Anteil der Franziskaner 129–33; MOORMAN, History of the Franciscan Order 441–78; MEIER, Barfüßerschule (Hss. und Prosopographisches). Zu den verfehlten Versuchen eines Teils der Franziskaner-Forschung, die deutschen, voran die Erfurter Minoriten (Bremer, Lackmann etc.) vom konziliaristischen ‚Makel‘ zu retten und als getreue Anhänger Eugens IV. hinzustellen, kritisch FRANK, Huntpichler 93–101. Zu *Johannes Bremer*: MEIER, Bremer; Barfüßerschule 50–53 und 135 s.v.; KLEINEIDAM, Universitas Studii Erffordensis 134–39 (Mitarbeit am Universitätsgutachten von 1440); LThK 5 1011.

[194] STIEBER 100–02 mit Literatur; HANNA 44 f.; BLIGNY, Grande Chartreuse (1983) 45–49 (unergiebig). Vgl. den Antwortbrief des Nikolaus von Kues an ein ungenanntes Kartäuserkloster über zehn Fragen zur Stellung der Kartäuser im Basler Schisma (Anfang 1441); AC I 2 Nr. 468.

[195] STIEBER 102 f. Anm. 57 (Lit.); KLAPPER, Johannes Hagen, vor allem 118–20; MERTENS, Jacobus Carthusiensis – in beiden Werken wichtige Hss.-studien. Zu Paradyz ferner unten 143, 268 Anm. 344. – MEIJKNECHT, Bartholomeus von Maastricht (s. unten 447). – ROSSMANN, Leben und Schriften des Kartäusers Vinzenz von Aggsbach; Vinzenz von Aggsbach zur mystischen Theologie des Johannes Gerson.

[196] SMET–DOBHAN, Karmeliten 100–05.

[197] Er hatte allerdings einen konkreten Anlaß zum Besuch: den Streit um das Bistum Marseille. Nach seinem Weggang hielt er es mit Eugen IV.

auch in späteren Jahren Rückhalt, wie in der nach 1438 fortdauernden prokuratorischen Vertretung des Ordens in Basel sichtbar wird.

Über die von Stieber gänzlich übergangenen Antoniter und Zisterzienser besitzen wir jetzt die Studien von MISCHLEWSKI (1980) und TELESCA (1981).[198] Für die vornehmlich aus Franzosen bestehenden *Antoniter* war der Streit ihrer Mutterabtei Saint-Antoine mit der Abtei Montmajour (OSB) um Pensionszahlungen wohl der Hauptanlaß, das Konzil zu beschicken.[199] Seit September 1434 lief in Basel der Prozeß. Nach dem für den Orden negativen Urteil vom 30. April 1438 vollzogen die Antoniter, bei denen ohnehin „von einem Echo auf die großen Fragen der Kirchenreform . . . wenig zu spüren war", eine „bewußte Kehrtwendung weg vom Konzil zum Papst"[200]. Einzelne Personen bilden auch hier typische Ausnahmen: so der Savoyarde Aymeric Seygaud, Prior von Saint-Antoine, der noch 1439 in Florenz die Unionsbullen unterzeichnet hatte, 1440 aber in Basel und bei Felix V. erschien, um diesem schließlich bis zu dessen Tod (1451 VII 1) die Kanzlei zu leiten.[201]

Die *Zisterzienser* erscheinen bei TELESCA als exemplarisch für die schwierige Situation der Orden allgemein: Das Konzil und sein Reformgeist lösten ein starkes Echo aus; noch im Jahr 1431 erschien in Basel eine große Gesandtschaft mit dem Abt von Cîteaux, Jean Picart, an der Spitze. Mit ihm zählten die Zisterzienseräbte Johann von Gelnhausen (Maulbronn), Jean Robert (Bonneval bei Rodez) und Thomas Livingston (Dundrennan in Schottland) zu den wichtigsten Persönlichkeiten des Konzils.[202] In den ersten Jahren hatte man auch zu Eugen IV. gute Beziehungen unterhalten. Nach der Eröffnung des Ferrariense wurde die Lage prekär. Der Zentralismus des Ordens war nicht in der Lage, eine einheitliche Haltung zu gewährleisten, sondern drohte im Gegenteil durch besondere Privilegien, Provisionen und Dispense an einzelne Klöster und Äbte ausgehöhlt zu werden. – Unsere

---

[198] MISCHLEWSKI, Antoniter; TELESCA, Cîteaux.

[199] MAILLET–GUY, Saint-Antoine et Montmajour au concile de Bâle (1928); MISCHLEWSKI, Antoniter 160–62; Grundzüge der Geschichte des Antoniterordens 163 ff., 193 f., 210–12 und s.v. ‚Basel'. – Kommendatarabt von Montmajour war übrigens kein geringerer als Kardinal Louis Aleman!

[200] Zit. MISCHLEWSKI, Antoniter 168 und 163.

[201] MISCHLEWSKI, Antoniter 166–68. Vgl. DEPHOFF, Kanzleiwesen 39; EUBEL, Hierarchia catholica II² 216.

[202] S. WALTER, Johann von Gelnhausen auf dem Konzil von Basel; HANNA 85; LThK 5, 1035 f. Zu *Livingston* s. unten 233. Zu Jean Robert demnächst MÜLLER, Franzosen.

Kenntnisse über die Haltung der *Cluniazenser* beschränken sich auf einen Briefwechsel des Abts von Cluny mit dem Basler Konzil.[203]

Eine Sonderstellung nahmen naturgemäß die Klöster am Konzilsort Basel selbst ein. Sie dienten als Tagungsstätten von Konzilsgremien, Wohnungen von Konzilsvätern oder auch als nahegelegene Objekte des Reformeifers. Am besten sind in dem Zusammenhang das Franziskanerkloster und das Augustinerchorherrenstift St. Leonhard erforscht, wo Cesarini wohnte und reformierte.[204]

Weniger bekannt ist, welche Anziehungskraft das ,Konzil vor der Haustür' seinerseits auf den Basler Säkular- und Ordensklerus ausübte.

c) Basler Konzil und Ordensreform[205]

Ebenso wie eine „Synopse" der zahlreichen überregionalen und lokalen „Reform- und Observanzbewegungen noch aussteht und ihre Einbettung in den Gesamtzusammenhang des Spätmittelalters und der frühen Neuzeit zu den noch offenen Desiderata unserer Wissenschaft gehört"[206], ist auch die Rolle des Basler Konzils auf diesem

---

[203] LECLERCQ, Cluny. Unbekannt war dem Verf. die Ed. der Einladungsschreiben des Basiliense an Abt Otto und von Schreiben der Cluny-Gesandtschaft aus Basel an den Abt bei NEUMANN, Francouzská Hussitica 125–27 (Nr. 31 f.) und 141–49 (Nr. 41 f.).

[204] Literatur zu Basler Klöstern in Auswahl: R. WACKERNAGEL, Geschichte des Barfüsserklosters zu Basel (1894), zum Konzil 194–201. – Zum Leonhardstift sind parallel zu benutzen: SCARPATETTI, Augustiner-Chorherrenstift St. Leonhard (1974), zum Konzil 167–71, 198–202, zur Ordensreform 193–348, und LADNER, Cesarinis Reformstatuten für das Leonhardstift (1980). – GERZ VON BÜREN, Geschichte des Klarissenklosters (1969), zur Reform 96–107; NICKLES, Chartreuse du Val Ste-Marguérite (1903) 82–116, zahlreiche Hinweise auf Kontakte von Konzilsmitgliedern, vor allem Kardinal Albergatis, zur Basler Kartause. – DEGLER-SPENGLER, Klarissenkloster Gnadenthal (1969), zu Konzil und Reform 34, 73 f. – Zu den Basler Bettelorden NEIDIGER, Mendikanten (1981).

[205] Die Literatur ist unübersehbar. S. jetzt den grundlegenden Forschungsbericht von ELM, Verfall (1980) mit derzeit vollständigstem Literaturverzeichnis. Mit instruktiven Tabellen und breiten Literaturangaben (235–69) am Beispiel der Basler Mendikanten: NEIDIGER, Mendikanten; ebd. 161 f. über die Interdependenz von Reform und Wirtschaftskraft der Klöster. Ferner in Auswahl: MORTIER, Histoire des maîtres généraux IV, 141–275; STUTT 15–22; HANNA 14–19; ZWÖLFER 46–48 (alle zu Basel); PAULHART, Kartause Gaming zur Zeit des Schismas und der Reformkonzilien, schöpft ausschließlich aus lokalen Quellen; GILL, Eugenius IV 186–91; JEDIN, Trient I 111–32; BAUERREISS, Kirchengeschichte Bayerns V, 42–110; RAPP, L'Église 27 f. (Lit.), 216–25; FRANK, Huntpichler 369–84. Zu Konstanz: HEIMPEL, Vener 913–61.

[206] ELM, Verfall 189.

Gebiet in keiner Synthese beleuchtet worden. Soviel darf aufgrund verstreuter Einzelstudien als gesichert gelten: Das Basler Konzil zog vor allem die schon vom Konstanzer Konzil beflügelten benediktinischen Reformbewegungen (1417 Äbtekapitel von Petershausen)[207] und wenigstens Teile der mendikantischen Observanzbewegung an sich und wurde zu deren „Brennpunkt", aus dem „neue Unternehmungen entzündet wurden."[208] Sozusagen von der ersten Stunde an entwickelte sich Basel zur Begegnungsstätte führender Reformer. Die Forschung hob besonders eine „süddeutsche Reformergruppe" (Thoma) der Kastler und Melker Reformkongregation, zum Beispiel Abt Johann von Ochsenhausen vom Wiener Schottenkloster, Petrus von Rosenheim (†1433), den Melker Prior Martin von Senging, hervor aber auch einen Mann wie Arnold von Vache, Propst von Neuenburg bei Fulda.[209] Außerordentlich eng – und relativ gut erforscht – erscheinen die Beziehungen des Basiliense zur jungen *Bursfelder Kongregation* mit Johannes Rode, Abt von St. Matthias in Trier, und Johannes Dederoth.[210] Auch der Abt der Paduaner Reformkongregation von Santa Guistina, Lodovico Barbo[211], wurde am 15. März 1434 dem Konzil inkorporiert, wenngleich als einer der vier päpstlichen Präsidenten das Gegenteil eines ‚Konziliaristen'. Seitens der Franziskaner ist Nikolaus Caroli[212] als eng mit dem Konzil zusammenarbeitender Reformer hervorzuheben.

---

[207] S. ZELLER, Provinzialkapitel im Stifte Petershausen; zuletzt W. MÜLLER, Humanismusrezeption 36–46.

[208] BECKER, Benediktinische Reformbewegungen 174.

[209] Literatur bei STIEBER 93–99. Besonders THOMA, Petrus von Rosenheim 151–66. Zu Arnold von Vache s. LEINWEBER, Klosterreform in Fulda 323–29. – Zu den Melker Prioren Johann Schlitpacher, der selbst nicht zum Konzil ging, und Martin von Senging (Bericht an das Basiliense über den Zustand der österreichischen Benediktinerklöster) s. auch LHOTSKY, Quellenkunde 371–73.

[210] Zu *Bursfeld* immer noch zu benutzen: BERLIÈRE, Origines de la Congrégation de Bursfeld, zu Basel 394–413; REDLICH, Johann Rode; die Forschungen von P. BECKER: Reformprogramm des Johannes Rode, zu Basel 21–32; Verfasser einer Reformdenkschrift ans Basler Konzil (Text der Denkschrift CB VIII 143–47); Benediktinische Reformbewegungen 177–83; B. FRANK, Erfurter Peterskloster; LexMa II 1108–10; ENGELBERT, Bursfelder Benediktinerkongregation (Forsch.bericht).

[211] Literatur zu Sta Giustina bei ELM, Verfall 220–22 Anm. 73 und 77; BECKER, Benediktinische Reformbewegungen 274–78. Zum Konzilsbesuch Barbos s. oben 42 Anm. 92.

[212] S. STIEBER 108 f. Einige Reformbullen des Konzils, zum Beispiel die Ernennung Carolis zum ‚custos' der Straßburger Observantenprovinz, in NIKOLAUS GLASSBERGERS ‚Chronica' 311–15.

Die Reformkreise des Konzils schritten mit Cesarini[213] als treibender Kraft bald an die Arbeit. Man drängte die Orden, Provinzialkapitel abzuhalten und führte mit Hilfe beauftragter Visitatoren, die meist aus der Gruppe der bereits profilierten Reformer stammten (zum Beispiel Johannes Rode), in Klöstern vor allem des südwestdeutschen (St. Gallen), bayerischen und österreichischen Raums Reformen durch.[214] Zeugnisse für die typischen Probleme derartiger Unternehmungen mit Reformunwilligen einerseits (Söflingen!) und Ortsordinarien, die auf ihr Visitationsrecht pochten, andererseits, finden sich in der Literatur zur Genüge.[215]

Eine genaue Übersicht über Anzahl und Reichweite der Reformprojekte existiert nicht. So ist die wirkliche Bedeutung des Basiliense für die Ordensreform schwer zu gewichten. Außerdem läßt sich nicht immer trennen zwischen direkten Initiativen des Konzils selbst und seiner indirekt beflügelnden Wirkung auf einheimische Reformaktionen bzw. deren nachträgliche Bestätigung. In gewissem Sinne zukunftsweisend war es, daß auch Fürsten wie die Bayernherzöge und Albrecht von Österreich von dem sonst gegenüber Laien so defensiven Konzil das Visitationsrecht erhielten.[216]

Offensichtlich wurde das Basiliense in den Kreisen der pragmatischen Ordensreformer zumindest im Reich bis weit in die vierziger Jahre fast uneingeschränkt als geistliche Autorität anerkannt. Be-

---

[213] Zur Reformtätigkeit Cesarinis: BECKMANN, CB VIII 25 f., 28, 182–86 (Statuten); REDLICH, Johann Rode 82–85; LADNER, Cesarinis Reformstatuten; CHRISTIANSON, Cesarini 128 f.

[214] Reformwellen fielen vor allem in die Jahre 1434/35, 1437 und 1439. Vgl. in Auswahl: SPAHR, Reform im Kloster Sankt Gallen 54–69; BECKER, Visitationstätigkeit des Johannes Rode in St. Gallen und auf der Reichenau (1974) – für 1435. Im URKUNDENBUCH DER ABTEI SANCT GALLEN Teil V, Lief. IV (1430–1436), Lief. V. (1437–1441) und Teil VI (1442–63) zähle ich 15 Stücke, die sich auf die Reform via Konzil beziehen. S. ferner TASSI, Barbo 91 f.; KOCHAN, Reformbestrebungen 117, 161–66. Bekannt geworden ist der 1436 gescheiterte Reformversuch im Klarissenkloster Söflingen bei Ulm; s. K.S. FRANK, Klarissenkloster Söflingen (1980) 85–87. Ein später Reflex der harten Reformwirklichkeit, bei dem offenbar Söflingen Pate stand, bei Geiler von Kaysersberg: *Das gantz consilium zu Basel war nit so mechtig, das es möcht ein frawencloster reformieren in einer stat, wan dy stat es hielt mit den frawen*; 'Die Emeis', Straßburg 1516, f. XXI^V, zit. PASTOR I 409. – Auch im seit 1427 laufenden Ebersberger Visitationsprozeß setzte sich der reformfeindliche Abt Simon Kastner durch; THOMA, Petrus von Rosenheim 159–66.

[215] Vgl. die Anm. 214 genannten Titel passim. Ferner G. KOLLER, Koloman Knapp 122–32; BRAUN, Klerus des Bistums Konstanz 160–90, vor allem 183 f.

[216] Beispiele bei RANKL, Kirchenregiment 184–94; KOLLER, Princeps in ecclesia 89 f., 106–11; ELM, Verfall 225–28.

zeichnend ist, daß man auch in Basel zu einer Zeit, als der eigene Elan
zur großen Kirchenreform längst versiegt und man sich ihres Scheiterns bewußt war, dennoch hartnäckig an der Ordensreform quasi als
letztem Residuum festhielt. Gerade in diesen Jahren verdankte die
Bursfelder Kongregation nicht zuletzt dem Konzil, wo man die
Chancen dieses neuen Verbandes offenbar erkannte, ihren Durchbruch. Noch am 11. und 25./26. März 1446 erteilte Kardinal Aleman zu
Frankfurt als Legat Felix' V. der Kapitelversammlung der Bursfelder
Union die Approbation ihrer Statuten.[217]

Ingesamt wird man die Leistung des Konzils vor allem in der ziel-
gerichteten Sammlung und Förderung bereits bestehender Reformpläne und -bewegungen sehen. – Als Schlüsseldokument der benediktinischen Reform ist die Konzilsbulle ‚Inter curas multiplices' (1439
II 20) anzusehen.[218] Im gleichen Jahr erhielt die Franziskanerobser-
vanz ein wichtiges Privileg zugunsten ihrer Verwaltungsautonomie,
das die Durchführung der Observanz in Deutschland während der folgenden Jahrzehnte beschleunigte.

Vielleicht gewinnen die Initiativen des Konzils bei der Ordensreform für die Wissenschaft noch besondere Bedeutung, wenn die
bisher noch unerforschten Auswirkungen des Reformgeistes in den
Orden auf Reformation und katholische Gegenreform[219] besser geklärt sind.

7. Universitäten

Zum festen Bestand der Forschung gehört die Erkenntnis, daß in
der Zeit des Großen Schismas und der Reformkonzilien die Universitäten, allen voran Paris, eine ganz maßgebliche Rolle gespielt haben:
Als intellektuelle Zentren und als Reservoir von theologischen und
juristischen Fachleuten entwickelten vor allem sie die älteren Keim-

---

[217] BERLIÈRE, Origines 408–13 (Text); VOLK, Urkunden zur Geschichte der Bursfelder
Kongregation 56–67, Nr. 4–8. Die nächste Bestätigung am 2. Dezember 1448 in Mainz
erfolgte allerdings durch den päpstlichen Legaten Carvajal; VOLK Nr. 10. Quellen über
Kontakte der Melker Kongregation mit Basel nach 1440 bei HUBALEK, Briefwechsel des
Johannes Schlitpacher von Weilheim.

[218] S. STIEBER 98 Anm. 53, auch zur Rezeption. – Am 5. Sept. 1437 und 5. April 1444 (!)
bestätigte das Konzil dem Zisterzienserorden die päpstlichen Privilegien von 1246 und
1255. Privilegien für die Prämonstratenser: Mansi XXIX 1179 f., 1203 f. – Eine systematische Zusammenstellung der konziliaren Ordensprivilegien wäre zu wünschen.*

[219] Vgl. Hinweis bei ELM, Verfall 235 f. – Eine offene Frage betrifft das Verhältnis von
Humanismus und Ordensreform; vgl. W. MÜLLER, Humanismusrezeption 32.

zellen der konziliaren Theorie weiter. Sie, die schon lange als theologische Schiedsinstanzen (Paris) gewirkt hatten, traten jetzt mehr denn je im ideologischen Tageskampf hervor. Nicht zufällig wurden gerade die universitären Gliederungen nach Nationen[220] oder Fakultäten bei der Organisation des Konstanzer und des Basler Konzils übernommen. Korporativer Geist und akademisches Milieu der Universitäten prägten ebenso stark die Atmosphäre der Konzilien wie sie die konziliare Ekklesiologie befruchteten: Universitätsgelehrte stellten schließlich einen beträchtlichen Teil der Konzilsväter. All das war bereits der älteren Literatur weitgehend geläufig. Der Aufschwung der jüngeren Universitätsforschung[221] hat vornehmlich die Kenntnis der sozialen, verfassungs- und geistesgeschichtlichen Rahmenbedingungen verbreitert.

Eine Welle von Universitätsneugründungen[222] seit der zweiten Hälfte des 14. Jahrhunders, acht allein in Deutschland zwischen 1365 und 1425, ließ die Zahl regionaler geistiger Zentren bis in die Zeit des

---

[220] Zu den Universitäts-Nationen s. oben 47 Anm. 104. Nachzugehen wäre dem Gedanken einiger polnischer Theologen der Konzilszeit, die Universität zum Staatsmodell zu erheben; s. PALACZ (Hg.), Filozofia Polska 53–57.

[221] Aus der unübersehbaren Literatur nur einige weiterführende Titel: Vollständigste Übersicht bei SCHEURKOGEL, Universiteitsgeschiedenis (1981). Nach wie vor unentbehrlich das Standardwerk von RASHDALL-POWICKE–EMDEN, Universities of Europe I–III (1936), allerdings nur wenige Bemerkungen zu den Reformkonzilien, etwa I 572 und 576. Eine moderne umfassende Universitätsgeschichte fehlt. Nützlich VERGER, Universités (1973), vor allem 119–23 mit treffenden Urteilen; COBBAN, Medieval Universities (1975), besonders 122–59 (‚The collegiate movement'). S. auch DLO 459–86; MEUTHEN, 15. Jahrhundert 91 f., 158 f. Instruktive Problemübersicht bei MORAW, Sozialgeschichte der deutschen Universität (1975). Das Spektrum derzeitiger Forschungsrichtungen wird sichtbar in der Aufsatzsammlung der Kyrkohistorik Årsskrift 77 (1977; = The Church in a changing world), 187–244 (Vorträge, die auf dem vom Comité international d'histoire ecclésiastique comparée veranstalteten Kongreß 1977 gehalten wurden; hier besonders der Abschlußbericht des Leiters der Sektion ‚Kirche und Universitäten im Mittelalter', J. MIETHKE: Die Kirche und die Universitäten im Spätmittelalter und in der Zeit der Reformation, ebd. 240–44). Wichtige Aufsatzsammlung: IJSEWIJN-PAQUET (Hg.), Universities in the Late Middle Ages (1978).

[222] Die Gründungen gingen auch während des Basler Konzils in ganz Europa weiter: 1432 Caen, Angers, Löwen (theologische Fakultät), Rostock (theologische Fakultät), Poitiers; 1441 Bordeaux; 1444 Catania. In Deutschland setzte erst nach längerer (durch die Neutralität und ihre Nachwirkungen bedingter?) Flaute eine neue Gründungsserie ein: 1455/73 Trier; 1457/60 Freiburg i. Br.; 1460 Basel. Vgl. SCHUBERT, Motive deutscher Universitätsgründungen des 15. Jahrhunderts. – Interessanterweise versuchten das Basler Konzil und Felix V. nicht, das traditionell päpstliche Monopol der Universitätsprivilegierung an sich zu ziehen! Die oben aufgezählten Neugründungen wurden sämtlich von Eugen IV. bestätigt. Vgl. aber unten 157 f.

Basler Konzils weiter anwachsen. Sie zeugt zwar von einem gesteigerten Bildungsbedürfnis, aber auch von einer zunehmenden Provinzialisierung und ‚Nationalisierung'. Symptomatisch ist die Entwicklung der Universität *Paris*: Im Großen Schisma[223] und auf den Konzilien von Pisa und Konstanz war ihr als Mentor der konziliaren Idee noch einmal ein Höhepunkt an internationalem Einfluß zuteil geworden, nicht zuletzt dank ihrer Koryphäen, der ‚Divines' Pierre d'Ailly und Jean Gerson. Zugleich setzt das Schisma selbst aber einen Reduktionsprozeß in Gang. Die Universität ‚nationalisierte' sich in doppeltem Sinne: Sie glitt immer stärker in die Probleme der französischen Politik hinein, wurde in diesem Zusammenhang durch die fünfzehnjährige englische Besetzung der Stadt entsprechenden Belastungen ausgesetzt und geriet in den vierziger Jahren in erheblichem Maße unter den Einfluß des Königs von Frankreich. Schisma und Hundertjähriger Krieg führten zu Abwanderung oder Exil (Gerson in Lyon) vieler Gelehrter, die dann oft die Neugründungen in Mitteleuropa prägten. Zur Zeit des Basiliense war Paris nicht mehr das Zentrum der europäischen Bildung, sondern nur mehr eine, wenngleich gewichtige und traditionsreiche Stimme im Konzert konziliaristischer Universitäten.

a) Bedeutung der Gelehrten

Die Forschung hat ‚die Gelehrten' zusehends als soziale Schicht von ständig wachsender Bedeutung ins Auge gefaßt, mit dem noch unerreichten Ziel einer „sozialen Biographie" (Miethke). Und zwar treten die Universitäten selbst als „Knoten im Netz persönlicher Beziehungen" und „Sammelplätze einer geistigen Elite" (Moraw) ins Rampenlicht, denn die „akademische Kameraderie" (Heimpel) ist eine entscheidende Voraussetzung für spätere Personenbeziehungen in geistiger Verwandtschaft – zum Beispiel in den Idealen des Konziliarismus. H. Müller hat anhand der Universität Avignon und des Pariser Navarrakollegs zwei besonders eindrucksvolle Beispiele für solche geistige und personale Koinzidenz herausgestellt.[224] In diesem Zu-

---

[223] Zur Universität *Paris* im Großen Schisma statt vieler anderer: Martin, Origines II 36–72, 125–44; Pascoe, Gerson 80–89; Alberigo, Chiesa 367 s.v. ‚Università Parigi'; Swanson, Universities and the Great Schism. Den Bedeutungsrückgang von Paris erkannte auch Segovia: MC III 531; vgl. Vidal, Sermons 315. - Gabriel, ‚Via antiqua'; DLO 248; Ourliac, Sociologie 20. Zu Paris s. ferner Anm. 250 f.

[224] H. Müller, Prosopographie 152 und 159–66; Lyon 39–43; Franzosen. Zur Methode s. auch Moraw, Sozialgeschichte 53–55; Wriedt, Personengeschichtliche Probleme universitärer Magisterkollegien.

sammenhang begann man auch die wechselseitigen Kontakte der Universitäten zu untersuchen, die sowohl institutionell als auch personell zu sehen sind[225]. Im Zentrum des Interesses steht allerdings die Gruppe jener „„clerici'... mit universitärer Bildung", für die sich die Bezeichnung „gelehrte Räte' durchgesetzt hat: Diese „für den okzidentalen Rationalisierungsprozeß des Spätmittelalters schlechthin unentbehrliche Schicht ... die als planende, als ausführende, als beratende Expertenelite in den Kanzleien, Gerichtssälen und Ratsstuben der geistlichen und weltlichen Herrschaftsträger" und auch, so darf man hinzufügen, in den Konzilien „Platz nahm"[226].

Versteht die Forschung unter diesen ‚gelehrten Räten' in erster Linie Kleriker-juristen – HEIMPEL hat mit seinem monumentalen Werk über Job Vener das jüngste Beispiel geliefert -, so ist im Umfeld der Probleme von Schisma und Konzilien besonders die wachsende Bedeutung der theologischen Fachleute zu betonen. Ihr Einfluß wird im Zuge der noch zu erörternden ‚Theologisierung'[227], eines Phänomens der allgemeinen Intellektualisierung, in Basel einen gewissen Höhepunkt erreichen und die Bedeutung der Juristen übertreffen. Entscheidend scheint mir zu sein, daß die sachliche Notwendigkeit theologischen Fachwissens ihrerseits theologisch-biblisch begründet und zu einer gelegentlich fast hymnischen Aufwertung der Theologen im pneumatischen und hierarchischen Gefüge der Kirche gesteigert wurde. Ockham war hier mit seinem rationalistischen Ansatz, der den „Vorrang des wissenschaftlichen vor dem lehramtlichen Urteil"[228]

---

[225] Hierzu eine wachsende Zahl von Veröffentlichungen: MAIER, Internationale Beziehungen an spätmittelalterlichen Universitäten; GABRIEL, ‚Via antiqua'; Intellectual relations; WEILER, Relations entre l'université de Louvain et l'université de Cologne; UIBLEIN, Beziehungen der Wiener Universität. Man beachte unter diesem Blickwinkel die wechselseitigen Konsultationen der Universitäten zur Zeit des Basler Konzils. Auf die an vielen Universitäten bestehende Personalunion von Orden und Universitäten sei nur am Rande hingewiesen.

[226] MIETHKE, Ekklesiologie 375; vgl. Geschichtsprozeß 574–77. Zu den gelehrten Räten, deren Erforschung sichtlich voranschreitet: BOOCKMANN, Mentalität spätmittelalterlicher gelehrter Räte (1981), läßt sozialgeschichtliche Kriterien weg; H. LIEBERICH, Art. ‚Gelehrte Räte', in: HRG I 1474–77; HEIMPEL, Vener 7–17 und passim; MILLER, Sierck 258–77. Eine gute Umschreibung der gelehrten Räte bei MORAW, Beamtentum und Rat 118: „Graduierung, Fachkenntnisse, kollegiale Solidarität und der Rückhalt einer Universität" machen den gelehrten Rat wesentlich aus. Als Gesandte ihrer Fürsten weilten nicht wenige von ihnen auf dem Basler Konzil. Zwischen den Räten der rheinischen Kurfürsten bestand eine enge personale Verflechtung; vgl. unten 274-77.

[227] Dazu unten 417-20.

[228] SCHÜSSLER, Primat VII; zu Ockham ebd. 123–27.

postulierte, vorangegangen. Vor allem Gerson[229], vollends dann Segovia und das Basler Konzil haben, wissenschaftliche Kompetenz, Schriftkenntnis und Lehramt harmonisierend, den Doktoren der Theologie ausdrücklich Vorrang vor den Juristen eingeräumt und ihnen, gestützt unter anderem auf Eph. 4, 11 f. und Mt. 18, 15–17, die Aufgabe der spirituellen ‚perfectio' in der Kirche und das Recht zu Glaubensentscheidungen zugewiesen: *Ad theologos pertinet de fide iudicare*[230]. Dieser Anspruch kollidierte natürlich mit dem amtlichen ‚magisterium' der Bischöfe. Im Grunde bestand aber die Ausnahmestellung der Universitäten schon lange, hatten ihnen doch die Päpste selbst Häresieprüfungen usw., also Glaubensentscheidungen übertragen. Potentiell hätten sie also auch im Sinne der Kurie zur Prüfung der konziliaren Lehren – in Konkurrenz zum ‚magisterium' des Basler Konzils – eingesetzt werden können! Das eigentlich Erstaunliche ist, daß eben das nicht geschah – bzw. nicht möglich war –, weil die renommierten Universitäten entweder selbst konziliaristisch dachten oder aber sich distanziert, jedenfalls nicht aktiv ‚papalistisch' verhielten. Als Gutachter- und Schiedsinstanzen wirkten die Universitäten auch in der Zeit des Basler Konzils ausgiebig, aber nicht auf Bestellung der Kurie. Die bisher bekannten Gutachten sind von konziliaristischem Engagement erfüllt.

Die große Aufwertung der Theologen bildet in gewisser Hinsicht nur eine Facette des allgemein gestiegenen Sozialprestiges und vice

---

[229] Gerson, De unitate ecclesiastica, in: Oeuvres complètes, ed. GLORIEUX VI, 138: Autorität, die Epikie *doctrinaliter* anzuwenden, liegt *principaliter apud peritos in theologia, quae est architectoria respectu omnium aliarum, et consequenter* (d.h. in zweiter Linie) *apud peritos in scientia juris canonici et civilis*... Vgl. POSTHUMUS MEYJES, Gerson 184–90, 267–71; Het gezag van de theologische doctor in de kerk (1983) 121–28; PASCOE, Gerson 90–94; DLO 243; s. auch BOOCKMANN, Falkenberg 159. Das Verhältnis der Theologen zu den Juristen und das jeweilige Selbstverständnis müßte freilich bis ins Hochmittelalter zurückverfolgt werden. Zur Situation der Kanonistik an den europäischen Universitäten s. OURLIAC-GILLES 97–111. Zur Bedeutung der Theologen ferner: GUELLUY, Place des théologiens dans l'Eglise; EPINEY-BURGARD, Rôle des théologiens dans les conciles (schwach); BRANDT, Excepta facultate theologiae, zu Basel 209 ff.; LYTLE, Universities as Religious Authorities (ohne Berücksichtigung der Reformkonzilien). – S. auch die Literatur in Anm. 231 sowie oben 90 Anm. 61.*

[230] So das Basler Konzil an König Albrecht II. im Oktober 1439; RTA XIV 410 Z. 25–34. Zitat der ganzen Passage bei BLACK, Universities (1978) 519 f.; vgl. Monarchy 19; Council 111, mit Belegen bei Segovia: MC II 364 Z. 3–6; III 267, 651 f. Weitere Belege jetzt bei MEUTHEN, Basler Konzil 22 f. Anm. 53; González 263.

versa des gewachsenen Standesbewußtseins der ‚Doktoren', ein Vorgang, den die Forschung schon seit längerem herausgearbeitet hat.[231] In diesen Zusammenhang zu rücken ist die Kritik am faktisch bestehenden Monopol des privilegierten, aber eben oft ungebildeten[232] Geblütsadels auf die hohen Kirchenämter. Ihm stellte sich ein durch den Doktortitel quasi nobilitierter und öffentlich anerkannter ‚Intelligenzadel' zu Seite[233], der selbst beanspruchte, im Kirchenregiment, bei der Ämterbesetzung und in Glaubensentscheidungen mitzubestimmen, Ziele, denen die Zusammensetzung, Geschäftsordnung und Reformpolitik des Basler Konzils dann in so starkem Maße Rechnung trugen. Akademische Grade qualifizierten geradezu selbstverständlich auch zur Konzilsteilnahme.

b) Universitäten und Konziliarismus – einige Schattierungen

Während für die Zeit des Schismas und des Konstanzer Konzils mehrere Studien zur Haltung der Universitäten existieren[234], sind für das Basler Konzil noch viele Wünsche offen: Nach der längst verges-

---

[231] Zum Beispiel BRESSLER, Universitäten 37 f., 42–44; HEIMPEL, Vener 169–99; LIEBERICH, Art. ‚Gelehrte Räte' (wie Anm. 226) 1476 f.; LE GOFF, Les intellectuels 142–49. Ferner LE BRAS, Velut Splendor Firmamenti. Le docteur dans le droit de l'Église médiévale; setzt im 12. Jahrhundert ein, sieht die Hochschätzung der ‚doctores' vielleicht doch in allzu hellem Licht; BOEHM, Libertas scholastica. Entstehung und Sozialprestige des Akademischen Standes, vor allem 33; LANGE, Vom Adel des doctor; CLASSEN, Studium und Gesellschaft im Mittelalter (Aufsatzsammlung).*

[232] Zur Kritik an der Unbildung des bischöflichen Adels auf dem Basler Konzil vgl. LEHMANN 95–97; ZWÖLFER 191; s. auch HEIMPEL, Vener 736–43. Geradezu klassisch die Klage des Andreas von Escobar, ‚Gubernaculum conciliorum', ed. VON DER HARDT VI 198: Die *doctores* werden gegenüber den *prelati* zurückgesetzt, von denen *multi… nesciunt verbis Latinis loqui nec quae dicuntur verbis Latinis intelligere, dum tamen possint et sciant bene equitare, multos equos habere, arma ducere* usw.; vgl. CB I 225. – An diesem heiklen Punkt wird wieder der Riß zwischen Prälaten und universitär dominiertem niedrigerem Klerus spürbar. Von einem „Aufstand der . . . Universitäten gegen die hierarchische Feudalität" zu sprechen wie FINK, Scheitern 243, greift etwas zu weit.

[233] S. etwa bei VON DER HARDT, I 640: *Gradus etiam doctoratus vel licenciae in sacra pagina…pro quacumque nobilitate putentur.* Ohne Bewertungen dieser Art bleibt es unverständlich, daß in Basel Bakkalare der Theologie und Lizentiaten der Jurisprudenz zur Inkorporation zugelassen wurden.

[234] Hier nur eine Auswahl: SWANSON, Universities and the Great Schism (1979) – mit der isolierten Meinung, der universitäre Einfluß sei bereits vor Konstanz abgesunken. Ferner Swansons Spezialstudien: St. Andrews and the Great Schism; Cologne and the Great Schism. ULLMANN, Cambridge and the Great Schism; KOMAREK, Das Schisma in der Sicht der öffentlichen Meinung und der Universitäten (Diss. masch.); GENESE et début du Grand Schisme 163–232. Zu Konstanz etwa: DAX, Universitäten (1910); GIRGENSOHN, Universität Wien.

senen Dissertation von FRIEBE (1869)[235] verfügen wir mit der Arbeit
von HERMANN BRESSLER (1885)[236] über ein für seine Zeit beachtliches
und bis heute unersetztes Ausgangswerk, wenngleich die Quellenbasis sich seitdem beträchlich erweitert hat. Bressler untersuchte die
Verhältnisse an den deutschen Universitäten vor allem anhand ihrer
Korrespondenzen mit dem Konzil und ihrer Gutachten aus den vierziger Jahren. Ebenfalls auf die deutschen Universitäten bezogen sich
KAUFMANN (1896) und als jüngste Zwischenbilanz mit breiter Aufarbeitung der Literatur das einschlägige Kapitel bei STIEBER (1977)[237].
Zwei wichtige Aufsätze von BLACK (1974 und 1978) haben stärker die
Bedeutung der Universitätsgelehrten für die personelle Zusammensetzung, die Organisationsform und die theoretische Leistung
des Basiliense im Blick als die Stellungnahme einzelner Universitäten[238]. Da steht nach wie vor der Beitrag von HERMANN KEUSSEN
(1929) über die Universität Köln als Einzelstudie ziemlich allein, zu
ergänzen lediglich durch einen Aufsatz von KNOLL (1984) über
Krakau und wenige kleinere Quellenstudien und prosopographische
Arbeiten.[239] Liegen für die deutschen Universitäten immerhin fruchtbare Ansätze vor, die durch Auswertung der Universitätsarchive und
der Traktatliteratur vertieft werden könnten, sind unsere Kenntnisse über die Haltung der englischen, französischen, spanischen,

---

[235] M. FRIEBE, Quomodo universitates Germaniae literariae adversus Concilium Basiliense se gesserint; vor allem zu den Universitäten Wien und Prag. Als ältesten Titel s.
SCHWARZ, De legato academiae Lipsiensis ad concilium Basiliense (1786).

[236] H. BRESSLER, Die Stellung der deutschen Universitäten zum Basler Konzil und ihr
Anteil an der Reformbewegung, Leipzig 1885.

[237] KAUFMANN, Geschichte der deutschen Universitäten II 419–68, zu Basel 443 ff. (hier
stark von Bressler abhängig). STIEBER 72–92 gewährt den schnellsten Überblick über Forschungsstand, Quellen und Literatur. Im folgenden werden die bei Stieber aufgeführten
Titel nicht in extenso wiederholt. Literatur zu einzelnen Universitäten wird nur in be-
grenzter Auswahl geboten.

[238] BLACK, The Universities and the Council of Basle (1974) und dasselbe 1978 – verschiedene Untertitel, geringfügige Überschneidungen. Mit heranzuziehen BLACK, Council 33, 35 f., 43–45, 110–12 und 248 s.v. ‚Universities‘. Nicht zugänglich war mir die leider
ungedruckt gebliebene Habilitationsschrift von K. WRIEDT, Die deutschen Universitäten in den Auseinandersetzungen des Schismas und der Reformkonzile (1972). Vgl.
aber WRIEDT, Kurie, Konzil und Landeskirche.

[239] KEUSSEN, Stellung der Universität Köln 234–53; KNOLL, University of Cracow in the
Conciliar Movement, zu Basel 198–207. Die übrigen Titel in den folgenden Anmerkungen.

italienischen und osteuropäischen Universitäten größtenteils recht rudimentär.[240] Wie schon bei anderen Personengruppen wird man auch bei den Universitäten zu unterscheiden haben zwischen: (1) den Institutionen und ihrer ‚offiziellen' Haltung a) auf dem Konzil; b) ‚zuhause' am Universitätsort und (2) den Universitätsgelehrten als sozialer Gruppe, deren einzelne Mitglieder persönliches Profil aufweisen und auch in Basel in den verschiedensten Umfeldern begegnen. Diese Unterscheidung ist auch zur Klärung der bisher noch nicht eindeutig beantworteten Frage nötig, ob der Einfluß der Universitäten in Basel gegenüber der Zeit des Konstanzer Konzils gestiegen sei oder sich vermindert habe[241]. Die communis opinio sieht ‚die Universitäten' als konziliaristisch an und läßt sie konsequent auf der Seite des Basler Konzils stehen, so wie der ganze Konziliarismus wesentlich ein „academic movement" (Black) gewesen sei[242]. Der maßgebliche Anteil von Universitäten an der Entfaltung der konziliaren Theorie ist freilich unbezweifelbar. Ebenso gesichert ist, daß die dominierenden Kräfte an den Universitäten Paris, Köln, Erfurt, Wien, Leipzig, Krakau und wohl auch an der von Köln beeinflußten Universität St. Andrews[243] ‚konziliaristisch' waren und Basel mit Felix V. positiv gegenüberstanden. Doch gilt es, subtiler zu differenzieren, als in bisherigen Forschungsansätzen geschehen ist: Nicht nur ist wie üblich die Zeit vor und nach dem Schisma von 1439 zu unterscheiden, sondern auch zwischen ganz dezidierten Positionen (Paris, Erfurt, Wien, Krakau)

---

[240] Zu den französischen Universitäten jetzt als Grundlage: S. GUENÉE, Bibliographie d'histoire des universités françaises I–II; s. auch VERGER, Universités françaises au XVe siècle, zu Basel 52 f. – Zu den spanischen Universitäten: JIMENEZ, Historia de la Universidad Española (1971); DHEE IV (1974) 2605-51. – Zu den italienischen Universitäten s. den Literaturbericht von SBRIZIOLO, Storia delle Università d'Italia (1973).

[241] MEUTHEN, 15. Jahrhundert 91, hält ihren Einfluß in Basel gegenüber Konstanz für „merklich geringer".

[242] Einige Beispiele: PASTOR I 201, 292; CREIGHTON II 216; STUTT 1; DLO 241; FEINE 119 ff.; HÜRTEN, Ekklesiologie 227. Zurückhaltend dagegen RITTER, Heidelberg 309: „Die deutschen Universitäten haben in diesem Kampf nur eine Reserve- und Hilfestellung bezogen." Vor allem habe „nicht der deutsche Professorenstand" zu den treibenden Kräften gehört!

[243] Das bedürfte genauerer Aufarbeitung. Zumindest hat konziliares Gedankengut in St. Andrews weitergewirkt (John Major; s. unten 488 f.). Die Beziehungen zur Universität Köln waren besonders eng. Hier studierte seit den zwanziger Jahren eine ganze Gruppe Schotten. Die Schlüsselfigur scheint Thomas Livingston zu sein. – Allgemein s. CANT, University of St. Andrews; COISSAC, Universités d'Ecosse (ohne Kirchenpolitik).

und mehr vermittelnden, neutralen oder desinteressierten. Bei vielen der immerhin ca. 50 europäischen Universitäten von 1440 war die Resonanz auf Basel offenbar so gering, daß sich in den Quellen kaum Spuren finden. Doch ist vorläufig ein zurückhaltendes Urteil geboten, da der lokale Forschungsstand vielfach noch unzureichend aufgearbeitet ist. Gern wüßte man zum Beispiel mehr über die Haltung von Avignon, Padua, Siena oder Valladolid, um nur einige Lücken zu nennen.

Einen gewissen Rückhalt für Eugen IV., der beweist, daß der Kreis der Universitäten nicht geschlossen und aktiv eine ‚konziliaristische' Front bildete, gab eindeutig die 1425 gegründete, 1432 durch päpstliches Privileg mit einer theologischen Fakultät ausgestattete Universität *Löwen*.[244] Im Fall *Bolognas* stößt man auf Unklarheit: Während Black die Haltung dieser im Kirchenstaat gelegenen Universität als „pro papal" einstuft, lassen sich auf der anderen Seite konzilsfreundliche Stimmen nachweisen.[245]

Von *Oxford* und *Cambridge* vermutet Black, sie seien „acquiesced in the pro-papal policy of the English crown"[246] gewesen. Man könnte daher die Frage stellen, ob sich nicht überhaupt der Kreis der im Kirchenkampf engagierten Universitäten gegenüber der Zeit des großen Schismas verengt hat, und zwar im wesentlichen auf die deutschen Universitäten, flankiert im Westen und Osten von den konziliaristischen Hochburgen Paris und Krakau.

---

[244] Zu *Löwen* s. MOREAU, Histoire de l'Église en Belgique IV 127–38 und besonders den Sammelband: VAN EIJL (Hg.), Facultas S. Theologiae Lovaniensis (1977), darin die Beiträge von van Eijl 19–36 und 69–154 sowie die Bibliographie 494–565 (!). Die Einbindung der Universität Löwen in die papstfreundliche Politik des Burgunderherzogs Philipps des Guten ist besonders zu beachten.

[245] BLACK, Universities (1974) 348: „Louvain and Bologna were pro-papal" – ohne Beleg; ähnlich Council 44 und 111, gestützt auf ein Gutachten Bolognas für Eugen IV. von 1443; RTA XVII 161 f. nr. 68. Das gegenteilige Bild vermittelt eine bei PIANA, Nuove ricerche 238–55 edierte ‚Defensio sententiae latae per sacro-sanctum generale concilium Basiliense contra dominum Eugenium papam per doctores disputata Bononiae' vom 8. August 1439. Johannes Wenck schrieb 1441 über Aleman (HAUBST, Studien 49 ist wie folgt zu berichtigen): *Iste cardinalis ostendit litteras mihi, quomodo Bononiensis studi rector ad doctores Litteram a concilio Basiliensi directam eis gratanter et benevole susceperit.* Vgl. auch RTA XIV 393 mit Anm. 3.

[246] BLACK, Universities (1974) 348 – ohne Beleg. Oxford und Cambridge, beide noch in Konstanz vertreten, leisteten einer Einladung der Universität Paris, das Basler Konzil zu besuchen, keine Folge und teilten offenbar das allgemeine Desinteresse Englands am Basler Konzil. Stichproben in der Literatur zu Cambridge und Oxford ergaben vorerst keine weiteren Hinweise. Vgl. die Schreiben der Universitäten Oxford und Cambridge für die Provinzialsynode von Canterbury 1446; Mansi XXXI 151E–159A.

Eugen IV. verschickte seine programmatische Bulle ‚Etsi dubitemus' (1441 IV 21) auch an Universitäten.[247] Bekannt sind Exemplare
für Paris, Montpellier, Salamanca[248], Avignon, Toulouse[249] und Siena –
also außer Paris sämtlich Universitäten, die in damals papstfreundlichen Gebieten lagen. Dies ist aber nur eines von vielen Beispielen
dafür, daß die Gepflogenheit der Kurie weiterging, wichtige kirchliche
Verlautbarungen und Ereignisse den europäischen Universitäten mit-
zuteilen. Das Basler Konzil handelte nicht anders. So wie seine ganze
Korrespondenz, ist auch der intensive Schriftwechsel mit den europäischen Universitäten nur partiell erschlossen. Den künftigen Bearbeiter des Themas erwartet mühevolle Arbeit in den Universitätsar-
chiven, aber auch die Aussicht auf manch interessanten Fund. Denn
das Konzil überschwemmte die Universitäten so wie andere Institutionen und die Fürsten mit hartnäckig wiederholten Einladungsschreiben, Propagandaschriften, Solidaritätsappellen, Kopien von
Konzilsdekreten usw. Empfänger waren keineswegs nur die konziliaristisch eingestellten Universitäten, denen wir uns gleich zuwen-
den wollen. Es scheint jedenfalls fraglich, ob der Empfang von Briefen
und Bullen als Indiz für papst- oder konzilsfreundliche Haltung einer
Universität angesehen werden kann.

[247] Hinweis AC I 2 Nr. 518 Anm. 14. Die Auswahl der Universitäten dürfte wohl ein
Zufall der Überlieferung sein. – Eugen IV. suchte durchaus auch ‚konziliaristischen' Universitäten entgegenzukommen, so 1437 Köln mit Pfründenprivilegien; s. unten Anm.
311. Belege für den schriftlichen Kontakt zwischen Kurie und Universitäten sind
zahlreich: Etwa CF AI 2 Nr. 218, AI 3 Nr. 250 an Paris.

[248] Zu *Salamanca* reiches prosopographisches Material bei BELTRÁN de HEREDIA, Cartu-
lario de la Universidad de Salamanca I, 314–409 („Presencia y actuación de personalida-
des castellanas en el concilio de Basilea"), betrifft aber nur am Rande die Haltung der
Universität selbst. Zum Gesandten der Universität, Johann von Segovia; ebd. 362–76;
FROMHERZ 19–24; DIENER, Segovia 306–11; KRÄMER, Konsens 208. Vgl. aber den Brief
Eugens IV. bei SUAREZ FERNANDEZ, Castilla 435 (Nr. 180), an die Universität, der er für
Hilfe im Kampf gegen das *Basiliense monstrum* dankt – was wohl auf eine pro-eugenianische
Haltung der Empfängerin schließen läßt.

[249] Auch im Falle von *Toulouse* ist Vorsicht geboten. S. SMITH, University of Toulouse in
the Middle Ages: Gegenüber dem starken Engagement der Universität im Schisma (ebd.
121–56; vgl. VALOIS, Le pape I–IV s.v.) findet sich zum Basler Konzil nur die Bemerkung:
„Toulouse continued to take some interest in the conciliar movement" (182). Wenn aber
Eugen IV. die Universität am 14. März 1432, drei Monate nach der ersten Auflösung des
Basiliense, aufforderte, das (neue) Konzil zu besuchen, dann wohl nur, damit sie dort in
seinem Sinne wirken sollte; GADAVE, Documents 56, 110 (Nr. 169); vgl. Nr. 177–178
(Eugen IV. vom Ferrariense). Vgl. die bei VALOIS II 120, 122, 172, 208 in den Anm.
genannten ungedruckten Briefe des Basler Konzils an die Universität. – Für die Universität *Orléans* drei Konzilsbriefe von 1439 bei JULIEN de POMMEROL, Sources 45 f., 102,
169 f.

Die Geschichte der Universität *Paris* im Spätmittelalter bedarf seit dem unersetzten Opus von Du Boulay (1670) und dem Quellenwerk von Denifle-Chatelain (1897) schon längst einer umfassenden Neudarstellung[250], die dann auch ihre Politik zur Zeit des Basler Konzils deutlicher machen würde. Im Moment sind unsere Kenntnisse gemessen an der Bedeutung von Paris erstaunlich gering. Der Kontakt der Konzilsgesandten mit der Zentrale, Stellungnahmen von Paris selbst, die Verstrickung in den französisch-burgundischen Konflikt, schließlich seit 1440 die wachsende Knebelung durch Karls VII. Neutralitätspolitik und Versuche der Universität, sich ihr zu entziehen[251] – all dies bedürfte der Synthese.

Die große Bedeutung der Universität *Krakau* nicht nur für die Kirchenpolitik Polens, dessen intellektuelles Zentrum sie war, sondern auch für das Basler Konzil und seine Ekklesiologie müßte ebenfalls neu untersucht werden. Die jüngste Übersicht von Knoll (1984), der im wesentlichen die älteren Werke von Fijalek (1900) und Morawski (1903) resümierte, läßt dieses Desiderat nur noch dringender erscheinen.[252] Schon in Konstanz hatte die Universität durch ihren Staatsrechtler Paulus Vladimiri von sich reden gemacht. Im Kreis der

---

[250] César Égasse Du Boulay, Historia Universitatis Parisiensis V, besonders 408–549. Schon der emeritierte Rhetorikprofessor J. B. Crévier charakterisierte 1761 das Werk von Du Boulay als „mine précieuse, mais qui présente plutôt des matières a façonner que des richesses toutes prêtes pour l'usage"; Histoire de l'université de Paris I, S. V; Créviers eigenes ‚façonnement' fiel dann freilich dürftig aus (zu Basel: IV 49–116, 150–54). – Denifle–Chatelain, Chartularium Universitatis Parisiensis IV; Auctarium Chartularii II. – Im übrigen s. S. Guenée, Bibliographie I (1981) 171-566 (4926 Nrr.); Valois I–II s.v.; Verger, University of Paris at the End of the Hundred Years War; sowie oben 134, unten 445.

[251] Zum Beispiel die Anfrage des Pariser Gesandten in Basel, Denis Sabrevois, vom 22. XII. 1440 und die Antwort der Universität: Valois II 237–41; Black, Universities (1974) 348 f.; Council 111 f. – Auch am 10. II. 1441 erklärte sich die Universität für Basel; CB VII 309 mit Anm. 2. Der Einfluß des Königs auf die Universität ging schließlich so weit, daß 1442 bis 1446 schrittweise die Gerichtsbarkeit des Rektors abgeschafft, 1452 schließlich eine ‚Universitätsreform' von oben oktroyiert wurde!

[252] Zu *Krakau*: Knoll, University of Cracow 198–207; Morawski, Université de Cracovie II 35–99; Fijalek, Jakób z Paradyza, besonders I 228–95. – Wichtige Quellensammlung (Korrespondenz mit Konzil und anderen Universitäten): Codex Diplomaticus Universitatis Cracoviensis II (1873). Ferner s.: Zegarski, Polen 29–33, 50–57; Zarebski, Krakauer Universitätsprofessoren auf dem Basler Konzil; Pieradzka, Uniwersytet Krakowski 115–27; Kuksewicz, La philosophie au XV[e]s. à l'université de Cracovie; Kloczowski, Conciliarisme à l'Université de Cracovie; Black, Universities (1974) 350 f.; Council 112, 114 f. Jüngst: Wlodek, Université de Cracovie, centre intellectuel au XVe siècle. Im übrigen s. unten Kap. 267 f.

Universitäten, die nun das Basiliense stützten, agierte Krakau am kompromißlosesten und ausdauerndsten – bis 1449. Die theologische Fakultät besaß hohen Rang. Das berühmte Krakauer Gutachten von 1442 (verfaßt 1440/41) besteht aus einer Komposition der Traktate von fünf prominenten Krakauer Theologen: Johann Elgot, Lorenz von Ratibor, Jakob von Paradyz, Benedikt Hesse. Stanislaus Stzrempinksi übernahm die Schlußredaktion.[253] Die Schrift dieses Fünferkollegiums wird als das profundeste Manifest der Basler Kirchentheorie außerhalb des Konzils angesehen. Sie fand weiteste Verbreitung – schließlich in Basel selbst. Es erscheint geraten, das Gutachten und die Schriften der Krakauer Theologen überhaupt stärker in die Darstellungen der Basler Ekklesiologie einzuarbeiten. Ebenso aufschlußreich dürfte es sein, die Verbindungen der Universität zum polnischen Königshof prosopographisch zu analysieren.

In den Positionen der deutschen Universitäten hat bereits BRESSLER anhand der Gutachten größere Unterschiede aufgezeigt. STIEBER und BLACK sind ihm in ihren Kurzberichten zum Teil gefolgt – nicht ohne untereinander differierende Urteile abzugeben.[254] So ist das Bild von der Haltung der deutschen Universitäten etwas unklar. Dies liegt nicht zuletzt an den zeitgenössischen Rahmenbedingungen und am Genre der Gutachten selbst. Die Gutachten entstanden auf Anfrage, meistens von geistlichen Kurfürsten, in der Zeit der offiziellen deutschen Neutralitätspolitik. Hier hatten die befragten Fachleute offensichtlich politische Rücksichten zu nehmen, die ihr Urteil öfters schwanken oder weniger eindeutig ausfallen ließen, als es ihrer zweifellos konziliaristischen Grundüberzeugung entsprach. Denn *Erfurt*, „the staunchest defender of the council of Basel among the German uni-

---

[253] Text: DU BOULAY V 479–517 (vgl. MC III 956 f.); MC III 1153–95: Das Basiliense benutzt das Krakauer Gutachten als offizielle Antwort auf Eugens IV. Bulle ‚Etsi dubitemus‘ (1441). – Die ausführlichste Analyse bei FIJALEK, Jakób z Paradyza I 295–349; ebd. 349–80 partielle Edition des Traktats von Paradyz. – Auf Fijalek fußen wesentlich MORAWSKI, Université de Cracovie II 64–71; DLO 282, 424 f.; GABRIEL, Intellectual Relations 50–52, 55; KNOLL, University of Cracow 201–04. Vgl. BLACK, Monarchy 185; Council 112, 250 s.v. ‚Cracow university‘, wo die theologische Substanz stärker zum Tragen kommt. WALSH, Laurentius of Ratibor 200–06.

[254] BRESSLER 45–67; STIEBER 78–90 (mit Editionsangaben); BLACK, Council 110–13; Universities (1974) 348–51. Vgl. KAUFMANN, Geschichte II 463–66; KEUSSEN, Stellung der Universität Köln 240 f.; JEDIN, Trient I 34–36; ANGERMEIER, Reich 571 f.; vor allem FRANK, Huntpichler 84–101, 128–37 und WRIEDT, Universitäten (wie Anm. 238). – Die wichtigsten Gutachten: Köln 1440, 1444; Erfurt 1440; Wien 1440, 1442, 1444; Leipzig 1443, 1444.

versities"[255], *Wien*[256] und *Köln*[257] – alle drei mit bedeutenden theologischen Fakultäten –, aber auch, wenngleich vorsichtiger, *Leipzig*[258] waren nach allgemeiner Ansicht in den vierziger Jahren dezidierte Anhänger des Basiliense. Die Gutachten nun wandten sich zwar durchweg gegen die Neutralität und widersprachen damit immerhin der herrschenden Reichspolitik, aber Köln, Erfurt und Leipzig folgten dennoch dem Fürstenplan eines ‚Dritten Konzils'. Die Legitimität Felix' V., der eigentlich heikle Punkt, wurde nur selten öffentlich bestätigt (Köln 1444). Im Einzelfall bleibt es schwer zu beurteilen, wie sehr fürstlicher Druck, Opportunismus (Angst um Pfründen) oder eigene Unsicherheit die Urteile geformt haben. Die Aussagekraft der Gutachten jedenfalls wird man nur zurückhaltend einschätzen, worauf nachdrücklich FRANK hinwies.[259] Ein klares Bild vermitteln in jedem Fall die direkten Korrespondenzen der Universitäten untereinander bzw. mit dem Basler Konzil und Felix V. selbst.

Bei den drei übrigen Universitäten auf Reichsgebiet lag die Sache etwas anders. Während *Rostock*[260], durch innere Konflikte paralysiert,

---

[255] STIEBER 81, ebd. 78–81 Überblick; BRESSLER 18–21, 49–51, 85; KLEINEIDAM, Universitas Studii Erffordensis I 125–40; FRANK, Huntpichler 93–101; H. JUNGHANS, Art. ‚Erfurt, Universität', in: TRE 10, 141–44.

[256] Überblick mit Literatur bei STIEBER 82–84. ZEIBIG, Wirksamkeit 606–16; ASCHBACH, Geschichte der Wiener Universität I 263–85 (in diesem Band viel prosopographisches Material); BRESSLER 24–29, 48 f., 60–66, 72–79. Grundlegend und weit über den Titel hinaus informativ: FRANK, Hausstudium 33–78; Huntpichler passim, besonders 107–37 zum sogenannten ‚Wiener Konziliarismus'. Eine Reihe von Arbeiten beschäftigt sich mit dem Gesandten der Wiener Universität, *Thomas Ebendorfer*: ASCHBACH (wie oben) 493–525; EBERSTALLER, Ebendorfers erster Bericht vom Basler Konzil (ist Teil einer unzugänglichen masch. Wiener Hausarbeit); Vertretung der Wiener Universität. Wichtig die Arbeiten von I.W. FRANK: Ebendorfers Obödienzansprache (Text 341–53); Huntpichler 137–81. Literatur zu Ebendorfer als Theoretiker s. auch unten 442 f. Anm. 99. – Im Jahre 1439/40 war der Regens der Wiener Dominikanerschule, *Heinrich Rotstock*, in Basel: s. LÖHR (Ed.), Documenta 86–91 (Briefe an die theologische Fakultät Wien); FRANK, Hausstudium 200 f., 206–10; STIEBER 83 und 107 Anm. 69. KAEPPELI II 216-18.

[257] S. Anm. 263.

[258] Überblick mit Literatur bei STIEBER 87–89; BRESSLER 32–34, 56–60, 69–71; BRIEGER, Leipziger Professor – es handelt sich um Nikolaus Weigel, der 1427 Rektor, 1433 Gesandter der Universität und überzeugter Konziliarist gewesen ist. Vgl. die alte Studie von SCHWARZ, De legato (1786); MARSCHALL, Schlesier 318–20.

[259] FRANK, Huntpichler 86 f.

[260] BRESSLER 72; STUTT 29; STIEBER 90; KRABBE, Universität Rostock (1854) 113–19. Die Universität appellierte ans Basler Konzil, um ihre Translation nach Greifswald zu erwirken; entsprechender Konzilsbeschluß (1436 IX 28): CB V 285 Z. 20–286 Z.2 mit Exkommunikation des Stadtrats; 1435 bereits Interdikt über die Stadt.

und *Prag*[261], seit 1409 hussitisch beherrscht, als eigene Stimmen weitgehend ausfielen, war *Heidelberg*[262] nach RITTER nur sehr zurückhaltend konziliar eingestellt, seit Mitte 1433 von Basel distanziert und nach 1437 als einzige der größeren deutschen Universitäten eine zeitlang mehr oder weniger neutral.

Zweifellos am besten ist – dank KEUSSEN – die Konzilspolitik der Universität *Köln* erforscht.[263] Die keussenschen Regesten dokumentieren die dichte Korrespondenz des Kölner Gesandten in Basel Heymericus de Campo und des Konzils mit der Universität. Die Kölner Provinzialsynode des Oktober 1440 bot den Anlaß dafür, daß die Universität Köln gleichsam selbst ‚Forum‘ der konziliaren Auseinandersetzung wurde: Unter Anwesenheit von zwei Konzilsgesandten (Michel Baldouini und der einstige Kölner Kommilitone Thomas Livingston) debattierten prokonziliare Kölner Universitätsgelehrte wie der Rektor Johannes Tinctoris mit Theologen aus dem Gefolge der eugenianisch orientierten Kölner Suffraganbischöfe von Lüttich und Münster.[264] Unter ihnen befand sich Heymericus de Campo, jetzt als Professor der Universität Löwen. Die ‚Propositiones‘ der Kölner Oratoren vom 10. Oktober 1440 und das auf Ansuchen Erzbischof Dietrichs von Moers verfaßte Gutachten vom 9. und 15. September 1444, das von zwanzig Doktoren und Professoren unterzeichnet war, bilden die wichtigsten offiziellen Stellungnahmen der Kölner Universität im Basler Schisma.[265]

---

[261] S. unten 361. Am 2. August 1446 leistete die Universität allerdings Eugen IV. Obödienz; CHMEL, Reisebericht 669 f.

[262] Grundlegend RITTER, Heidelberg, besonders 301–19. Vgl. BRESSLER 30–32, 67–69; STIEBER 90; HANNA 9 nennt Heidelberg „konzilsfeindlich".

[263] Zu *Köln*: Übersicht bei STIEBER 85–87. Wichtigste Quellen bereits bei BIANCO, Alte Universität Köln I 1, Anlagen XXIV–LXII, S. 154–244. Grundlegende Zusammenstellung bei KEUSSEN, Regesten, vor allem 69–124 (Nr. 479–1005) passim (zum Teil durch RTA XVI und XVII zu ergänzen, etwa Keussen Nr. 865–66 = RTA XVI 116–18 nr. 69–70; Keussen Nr. 881–82 = RTA XVI 352–55 nr. 169, 171; Keussen Nr. 927 = RTA XVII 330–33 nr. 164); KEUSSEN, Ungedruckte Quellen; Kölner Traktat. Die Darstellung von KEUSSEN, Stellung der Universität Köln (1929; zu Basel 234–53) ging ein in des Verfassers Universitätsgeschichte: Die Alte Universität Köln 57–81. Noch zu benutzen BRESSLER 21–23, 29 f., 47 f., 51–55, 79–85, der die Kölner Universität als besonders opportunistisch brandmarkt. Ferner: FRANK, Huntpichler 87–93.

[264] J.P. SCHNEIDER, Unbekanntes Provinzialkonzil (1887); BRESSLER 44 f., 47 f.; KEUSSEN, Regesten 97–99 (Nr. 839–40, 854–854e); RTA XV 303–06, 452–75 nr. 250–60; KEUSSEN, Stellung der Universität Köln 245 f.; STIEBER 85 f., 214 f.; FRANK, Huntpichler 87–93; BLACK, Council 59 f.

[265] RTA XV 462–67 nr. 254 (= KEUSSEN, Regesten Nr. 854); RTA XVII 330-33 nr. 164 (= KEUSSEN, Regesten Nr. 927).

In der Endphase des Basler Konzils (1446–49) gehörten einige Universitäten, wie schon Bressler feststellte[266], zu denjenigen Konzilsanhängern, die sich am längsten Eugen IV. bzw. Nikolaus V. widersetzten, auch hier mit charakteristischen Unterschieden: Leipzig und Heidelberg verließen die Konzilsseite schon 1446 im Gefolge ihrer Landesherren, während in Köln lange Zeit Unsicherheit und Zwist herrschten, bis die Mission des ehemaligen Kölner Professors und profilierten Eugenianers Heinrich Kalteisen (1448) die Emotion neu entfachte, aber letztlich das Einlenken beschleunigte[267]. *Contra ictum fluvii non coneris*[268], sagten die Kölner mit rheinischem Realismus. In anderen Fällen bedurfte es des massiven Drucks der Landesherren – am bekanntesten sind die Ereignisse in Wien (Obödienz 1447 IX 11)[269] –, ehe sich die Universitäten fügten. Als letzte mußten Erfurt und Krakau, die bis zuletzt verzweifelt versucht hatten, durch Rundbriefe an die ehemals konziliaristischen Universitäten (vor allem Paris) eine geschlossene Position zu halten, das Spiel verloren geben und Nikolaus V. Obödienz leisten – Krakau am 3. Juli 1449![270] Nicht ohne Bewegung wird man die hektische Korrespondenz der Universitäten verfolgen: Es war so etwas wie der letzte Kampf des Basler Konzils.

Wieder einmal enthüllte sich, in wie vielen Facetten Kirchenfragen zu Fürstenfragen geworden waren. Das Verhältnis Fürst–Universität nahm selbstverständlich auch in der allgemeinen Universitätsgeschichte einen wichtigen Platz ein, insbesondere, wenn es sich um fürstliche Universitätsgründungen handelte. Unter den deutschen Universitäten trug nach Ansicht der Forschung vor allem die pfälzische Grün-

---

[266] BRESSLER 68–85; STIEBER 85–91; FRANK, Huntpichler 104–07.

[267] BRESSLER 80–85; KEUSSEN, Stellung der Universität Köln 251 f. Wichtigste Quelle ist der Brief (1448 IX 19) des konziliaristischen Kölner Bedells Sebastian de Viseto an die Bedelle von Krakau; KEUSSEN, Regesten 121 (Nr. 991); CODEX DIPLOMATICUS UNIVERSITATIS CRACOVIENSIS II 89–93 (Nr. 144); KAUFMANN, Geschichte II 581–84.

[268] CODEX DIPLOMATICUS UNIVERSITATIS CRACOVIENSIS II 89. Vgl. ebd. 95 die trutzige Haltung der Krakauer: *ne pecorum ritu sequamur antecedentium gregem* (sc. der Nikolaus V. Obödierenden).

[269] BRESSLER 72–79; FRANK, Ebendorfers Obödienzansprache; Huntpichler 106 f., 172–78; STIEBER 83 f.

[270] Den Brief Krakaus an Paris (1448 VII 16) und die gehemmte Antwort von Paris (1448 X 3): CODEX DIPLOMATICUS UNIVERSITATIS CRACOVIENSIS II 73–76 (Nr. 136) und 96–98 (Nr. 147). Ebd. II 81–83 (Nr. 140) ein Brief des Konzils von Lausanne (1448 III 26), wo Krakau für die *fidei vestrae magnitudo* gedankt wird. Die Anfragen Krakaus und die Antworten der Universitäten im Jahre 1448 ebd. Nrr. 136–38, 139, 142–47. Vgl. GABRIEL, Intellectual Relations 55–57; KNOLL, University of Cracow 204 f.

dung Heidelberg bereits den Charakter einer ‚Landesuniversität', aus der der Landesherr seine gelehrten Räte und Doktoren rekrutierte. Diese enge personale Verflechtung von Hof und Universität wirkte sich natürlich auch auf kirchenpolitischem Gebiet aus:[271] Nicht zufällig waren die drei Gesandten des Pfalzgrafen Ludwig von1432 nach Basel zugleich Professoren und Gesandte der Heidelberger Universität.[272] Als sich die Pfalz 1440 kurzfristig mit Felix V. arrangierte, mußte das vorher eher neutrale Heidelberg die Kursänderung mitvollziehen, ähnlich wie die Universität Leipzig beim analogen Manöver des Kurfürsten von Sachsen im Jahre 1444. Dagegen genoß die städtische Universität Erfurt offenbar beträchtliche Unabhängigkeit.

Wir haben die Universitäten als Ganze in den Blick genommen; unberücksichtigt blieben die internen Differenzen, das ‚Innenleben' der einzelnen Universität. Ehe man die konkreten kirchenpolitischen Parteiungen analysiert, wären die grundsätzlichen Strukturen jeder Universität zu beleuchten und dann zu vergleichen. Die Forschung hat hier zum Teil große Fortschritte gemacht. Folgende Faktoren kommen in Frage: soziale Konfiguration der Universität; finanzielle Ausstattung; Verhältnis von Klerikern und Laien; Verbindung mit den Bettelorden und ihren Studia; ‚nationale' Zusammensetzung; Einfluß der Studenten; Lehrtradition; Einfluß von Landes- oder Stadtherren bzw. Bischöfen; die Stellungnahmen der offiziellen Amtsträger (Kanzler, Rektoren, Bedelle, Dekane etc.); schließlich die Position der Fakultäten. Gerade die Fakultäten spielten, wie schon die ältere Forschung gesehen hat, in den internen Konflikten die entscheidende Rolle als Meinungs- und Abstimmungskörper, wenngleich die Fronten auch quer hindurch verlaufen konnten.

Am bekanntesten sind die Verhältnisse in Wien: Schon im Januar 1440 sprachen sich die Artisten und Theologen gegen die ‚Neutralität' aus, während Juristen und Mediziner sie für legitim erklärten. Die gleiche Konstellation wiederholte sich 1444 und zugespitzt 1447: Die Artisten, die nach Bressler schon immer am energischsten die Konzilssache verfochten hatten, und die Theologen wehrten sich gegen

---

[271] STIEBER 72, 91, 213. Extrem bei KAUFMANN, Geschichte II 441 f., ebd. 110–24 zur landesherrlichen Universitätsaufsicht allgemein. Vgl. WRIEDT, Kurie, Konzil und Landeskirche. Auf weiterführende Literaturangaben ist hier zu verzichten.

[272] Es handelt sich um Gerhard Brant, Otto de Lapide und Nikolaus Magni von Jauer (Jawor). Doch wurden im Mai 1433 nur die beiden ersten ausgesandt; CB II 110 Z. 11–13. BRESSLER 30 f.; RITTER, Heidelberg 306; HANNA 6, 76; POENSGEN, Berühmte Lehrer 25-28.

eine Obödienz für Nikolaus V. Sie wurden deshalb von König Friedrich III. massiv unter Druck gesetzt, wobei ihm der Theologieprofessor und ehemalige Konziliarist Thomas Ebendorfer zur Seite stand. Erst nach zähem Ringen gaben die Theologen nach und schlossen sich den Juristen und Medizinern an, nun gemeinsam die Artisten majorisierend.[273] Die Gruppierungen der Wiener Fakultäten bestätigen die Ansicht, daß die Theologen, nicht die Juristen, die schärferen Verfechter des Basler Konziliarismus waren, aber auch die Notwendigkeit, sich ein genaueres Bild über die Artisten und ihr konziliares Profil an den deutschen Universitäten zu machen. Welches theologische Interesse bei den Medizinern bestanden haben mag, wäre ebenfalls noch zu erörtern. Herrschte bei ihnen der theoretischen Prinzipien abholde Pragmatismus von Spezialisten vor?[274] Bressler sah die Wiener Gruppierung als typisch für das ganze 15. Jahrhundert an; sie sei über den aktuellen kirchenpolitischen Anlaß hinaus „aus tieferen Unterschieden" entsprungen[275]. Doch stehen solche Typisierungen der Fakultäten auf zu unsicherer Grundlage.

Weitere Differenzierungen innerhalb einer Universität ergeben sich schlicht aus dem Meinungspluralismus der dort lehrenden Personen, die ihrerseits meist nicht ‚subjektiv' dachten, sondern bestimmten philosophischen und theologischen Lehrtraditionen verpflichtet waren: So sehen wir zum Beispiel in der ‚konziliaristischen' theologischen Fakultät zu Wien den „antikonziliaristischen Dominikaner Leonhard Huntpichler", der 1443–45 auch im ebenso ‚konziliaristischen' Köln lehrte. ISNARD W. FRANK (1976) hat Huntpichler in den Mittelpunkt einer Studie gerückt, die auch für die allgemeine Universitäts- und Konzilsgeschichte der Zeit von Bedeutung ist.[276] In Köln finden wir, ebenfalls mit antikonziliarer Tendenz, den Franziskaner-Provinzial und Theologieprofessor Heinrich von Werl († 1463)[277]. Und umgekehrt: An der dem Konzil neutral bis distanziert gegenüber-

---

[273] S. Anm. 269.

[274] Immerhin zwei der Pariser Konzilsgesandten waren aber Mediziner: Canivet und Poitevin.

[275] BRESSLER 62 Anm. 1.

[276] FRANK, Huntpichler. Vgl. die Vorstudien FRANKs: Leonhard Huntpichler O.P.; Antikonziliarer Traktat.

[277] CLASEN, Heinrich von Werl; Walram von Siegburg 114–26, mit prosopographischem Material zur Kölner Universität. Vgl. KEUSSEN, Stellung der Universität Köln 248 f.; FRANK, Huntpichler 91 f. Schon 1440 hatte es geheißen, die Universität Köln sei durch *adversarii concilii . . . periculosissimi . . . pro parte corrupta*; KEUSSEN, Regesten 101 (Nr. 867).

stehenden Universität Heidelberg verfaßte der Theologie-Professor
Johannes Wenck einen Traktat mit dem Titel „De ecclesia" (1441)
ganz im Sinne der Basler Ekklesiologie[278]. Ebenfalls von Heidelberg
kam Rudolf von Rüdesheim, einer der von Anfang an engagiertesten
Konzilsväter[279]; mit Nikolaus Weigel und dem Franziskaner-Provinzial Matthias Döring besuchten das Basiliense zwei flammende Konziliaristen der Universität Leipzig, die selber nur vorsichtig ,konziliari-
stisch' war[280]. Die Beispiele ließen sich vermehren.

Andere wechselten im Laufe der Jahre ihre Position. Aus dem Universitätsbereich vielleicht am bekanntesten ist das Beispiel des Kölner
Albertisten und Theologieprofessors Heymericus de Campo, der
um 1437 vom Basler Konzil auf die Seite Eugens IV. überging, nachdem er 1432–34 als Gesandter der Universität Köln in Basel maßgebliche Beiträge zur Entfaltung der Konzilslehre geleistet hatte[281]. Wohl
nicht von ungefähr war seinem ,Frontwechsel' 1435 eine Berufung an
die eher ,papalistische' Universität Löwen vorausgegangen. Gelehrte
wie der oben genannte Leonhard Huntpichler bildeten zwar meist
eine kleine Minderheit – häufig waren es Mendikanten – an ihren Universitäten, doch relativieren sie das Gesamtbild ganz erheblich. Man
sollte indes nicht so weit gehen wie ALBERIGO, der in Überzeichnung
der von Black angeregten Interpretation meint, die Unterstützung
des Basler Konzils durch die Universitäten sei lediglich eine persönliche Sache gewesen, aber keineswegs durch die Universitäten als
Institutionen erfolgt.[282]

Ein Wort noch zu den Lehrtraditionen oder ,viae': Die Forschung
hat die Frage gestellt, in welchem Verhältnis die ,via antiqua' (die scholastische, thomistische, albertistische, jedenfalls ,realistische' Richtung) und die ,via moderna' (grosso modo der seit der zweiten

---

[278] Zu *Wenck*: RITTER, Heidelberg 313, 424–34; HAUBST, Studien (1955), zu den
Handschriften; WRIEDT, Epistula in causa schismatis. Bekannt ist seine (philosophische)
Auseinandersetzung mit Nikolaus von Kues. S., neben Haubst, ACI 2 Nr. 475, 477, 479,
512–513. – Bartholomäus von Maastricht war in seiner Heidelberger Zeit noch nicht
konziliar eingestellt; s. unten 447. Er wird öfters mit dem lic. theol. Rudolf von Seeland
verwechselt; s. RITTER, Heidelberg 313 f.
[279] S. oben Anm. 152.
[280] Zu *Weigel*: BRIEGER, Leipziger Professor; MARSCHALL, Schlesier 318–20; LthK 7,
1001. - Zu *Döring* s. oben Anm. 178.
[281] Lit. zu Heymericus de Campo unten 441 f. Anm. 96. Seine Tätigkeit als Gesandter
der Universität Köln in Basel (1432–35) skizziert KEUSSEN, Stellung der Universität Köln
236–43; BLACK, Council 58–60.
[282] ALBERIGO, Movimento 938.

Hälfte des 14. Jahrhunderts viele Universitäten beherrschende Nominalismus) zum ‚Konziliarismus' standen[283]. In der älteren Literatur hat man nicht nur den nominalistischen Ockhamismus fälschlich als Wurzel und Bedingung der konziliaren Theorie überhaupt deklariert, sondern folgerichtig auch die ‚via moderna' als notwendige Voraussetzung für die ‚konziliaristische' Position einer Universität betrachtet[284]. Heute sieht man nicht nur umgekehrt den ‚Realismus' für die konziliare Ekklesiologie seit Gerson als prägender an, sondern geht zum Teil so weit, beide ‚viae' ganz auf Erkenntnistheorie und Naturphilosophie zu begrenzen. Auch der Rückschluß von der jeweiligen ‚via' auf die Haltung der Universitäten zum Konziliarismus ist leicht widerlegbar: Die Universität Heidelberg zum Beispiel war zwar seit Marsilius von Inghen nominalistisch geprägt, verhielt sich aber zur Zeit des Basler Konzils als einzige der älteren deutschen Universitäten nicht konziliaristisch, sondern wie wir sahen neutral bis distanziert. Köln liefert ein Beispiel für die umgekehrte Möglichkeit: Die Universität äußerte sich zwar ‚konziliaristisch' und baselfreundlich, vertrat aber gerade die ‚via antiqua', ja galt als Hochburg des aufblühenden Albertismus und Thomismus[285]. Vieles deutet übrigens darauf hin, daß Paris, die Vormacht des Konziliarismus, bereits in den zwanziger Jahren rein realistisch orientiert war.[286] Demnach ist es wohl nur als Zufall anzusehen, wenn Löwen zugleich die ‚via antiqua' und eine dezidiert ‚papalistische' Haltung vertrat. So verwundert es schließlich nicht, daß nominalistisch geprägte Universitäten wie Oxford überhaupt ohne spürbares Interesse an konziliaren Problemen gewesen zu sein scheinen. Eine schematische Zuordnung von ‚Nominalismus' und

---

[283] Die schwierige Thematik kann hier nicht diskutiert werden. Vgl. unten Kap. VII 1 c: ‚Streitfall Ockham', sowie zur allgemeinen Orientierung: RITTER, Via antiqua; Marsilius von Inghen; EHRLE, Sentenzenkommentar 146–238, mit Quellenanhang – wegen ihres irreführenden Titels zu wenig genutzte Studie zum Wegestreit. Ferner jüngeren Datums: GABRIEL, ‚Via antiqua'; OBERMAN, Werden und Wertung 28–55 (zum Wegestreit in Tübingen); GÖSSMANN, Antiqui und moderni; Sammelband ANTIQUI UND MODERNI (1974); CLASSEN, Libertas scholastica 261–70.
[284] So zum Beispiel noch CHAUNU, Temps des reformes 238.
[285] Zum Wegestreit in Köln s. WEILER, Heinrich von Gorkum 56–83, mit der älteren Literatur. – Die Kölner Professoren Heinrich Tinctoris und Leonhard Huntpichler waren beide Pioniere des Thomismus – im Kirchenstreit vertraten sie konträre Positionen; ein Schema ist nicht zu erkennen!
[286] Das bekannte Antwortschreiben der Universität Köln an die Kurfürsten vom 24. XII 1425 sagt, daß die realistische *doctrina . . . inibi* (sc. in Paris) *sola (!) colitur*; EHRLE, Sentenzenkommentar 285.

‚Konziliarismus' ist daher ebenso unmöglich wie die umgekehrte von ‚Realismus' und ‚Papalismus': Der Wegestreit war auf die Kirchenpolitik ohne Einfluß – so polarisierend er auch sonst die Universitäten okkupiert hat.

c) Die Universitätsleute auf dem Konzil

In Basel bemühte man sich von Anfang an intensiv um die Universitäten, wie aus den hartnäckigen Einladungs- und Mahnschreiben[287] und den zahlreichen Gesandtschaften hervorgeht. Man brauchte die Doktoren nicht zuletzt als Fachleute in den anstehenden dogmatischen und juristischen Auseinandersetzungen. Die Schreiben zeigen aber auch, daß man die Empfänger für Parteigänger der Konzilssache hielt; dabei überschätzte man vielleicht ihren Einfluß.[288] Allerdings gehörten mit den Gesandten der Universität Paris, nämlich Courcelles, Beaupère (Pulchipatris), Sabrevois, Évrard, Lamy (Amici) und Canivet, die sich zum größten Teil bereits seit dem 9. April 1431 in Basel aufhielten, profilierte Universitätsleute zu den Männern der ersten Stunde.[289]

Auf PARIS folgte zunächst ERFURT (Februar 1432)[290]. Bis Mai 1433 waren den Protokollen zufolge dann WIEN, AVIGNON,[291] KÖLN, HEIDELBERG und die gerade (1432) neugegründete Universität ANGERS[292]

---

[287] Als Beispiel die Einladungsserie für Wien: ZEIBIG, Wirksamkeit 206–10. Andere Beispiele: BRESSLER 10–12; HANNA 5–7.

[288] So vermutet BRESSLER 41.

[289] Am deutlichsten BLACK, Council 38 f.; Universities (1974) 344 f.; CB II 3–15, 615 s. v. ‚Johannes Pulchripatris'; CB V 1–3; MC I 70; VALOIS II 412 s.v. ‚Paris'; ALLMAND, Beaupère; ROSSMANN, Sprenger 386 Anm. 96. Die Pariser Gesandten traten auch von Basel aus mit Schreiben an andere Universitäten hervor, zum Beispiel 1435 II 17: KEUSSEN, Regesten 81 (Nr. 568). – Zur Teilnahme am Jeanne d'Arc-Prozeß s. DENIFLE-CHATELAIN, Chartularium IV, Nr. 2369–2390; dies., Procès de Jeanne d'Arc et l'Université de Paris; MÜLLER, Prosopographie 159 f., sowie mit weitreichenden Schlußfolgerungen THOMAS, Jeanne la Pucelle, besonders 327–40.

[290] BRESSLER 11, 18; Liste der inkorporierten Universitäten bei LEHMANN 164 mit Belegen; es fehlt Heidelberg (s. oben Anm. 272). Vgl. BLACK, Council 36. Von Krakau ist mir keine offizielle Inkorporation bekannt, doch weilten die maßgeblichen Konzilsanhänger als Prokuratoren anderer Institutionen in Basel.

[291] Die Inkorporation Avignons 1432 IX 19 (CB II 224 Z.9, 13–16; MC II 227) dürfte unter Mitwirkung des damals in Avignon als Generalvikar des Basler Konzils residierenden Kardinals Carillo zustande gekommen sein.

[292] Vermutlich war die Tatsache, daß Angers als völlig neue Stimme unter den Almae Matres auftrat, der Grund für den sofort ausbrechenden Rangstreit mit Avignon. Dieser – das Konzil entschied übrigens zugunsten von Angers (MC II 580 f.; CB III 24 f.) – verdiente genauere Untersuchung. S. vorerst MÜLLER, Prosopographie 167 Anm. 150.

in dieser Reihenfolge inkorporiert[293], denen im nächsten Jahr noch SALAMANCA (1434 VIII 4, vertreten durch Johann von Segovia), und, höchst widerwillig, LÖWEN[294] folgten. Als Nachzügler stieß dann im Januar 1439 noch die 1422 gegründete Universität DÔLE in Burgund hinzu[295]. Die Anzahl der gewährten Prokuratoren – sie ist nicht in allen Fällen (zum Beispiel für Erfurt) genau bekannt – schwankte zwischen 7 (Paris), 4 (Avignon) und 1 (Wien mit Thomas Ebendorfer) gleichzeitig anwesenden Oratoren[296]. Sowohl für Dôle, wie für Angers und Avignon scheint in der Forschung noch wenig über Motive und Politik bekannt zu sein.

Selbstverständlich bildeten die offiziellen Gesandten der Universitäten (ca. 25) nur einen Bruchteil der insgesamt in Basel inkorporierten Universitätsgelehrten. Die Forschung hat vor allem nach der Anzahl, nicht aber, was kaum dasselbe ist, nach dem politischen Gewicht eben dieser Universitätsgelehrten in Basel gefragt. Aus den bei LEHMANN zusammengestellten Listen lassen sich 890 „Gelehrte" addieren[297]. Das würde bei einer absoluten Zahl von 3182 Konzilsmitgliedern (nach Lehmann) für die Zeit von 1431–1441 einen Anteil von 27,9 % bedeuten. Für Februar 1432 hatte BRESSLER eine knappe 2/3-Mehrheit von „Graduierten" feststellen wollen[298], wogegen BLACK für 1433 auf 19 % „university clergy", für den Zeitraum 1433–37 im Schnitt auf 24–28 % und für die ganze Spanne von 1432–1442 auf 22 %

---

[293] LEHMANN 164 mit Belegen. Die Namen der Gesandten sind bisher nirgendwo systematisch aufgelistet worden.

[294] S. MOREAU, Histoire de l'Église en Belgique IV 134 f. Das Beispiel Löwen zeigt, daß auch bei den Universitäten die Konzilsteilnahme nicht automatisch auf irgendeine ‚konziliaristische Überzeugung' zurückzuführen ist.

[295] MC III 211 Z. 22.

[296] BLACK, Council 36 betont, die Universitätsgesandten seien von allen Konzilsteilnehmern das „only elected element" gewesen. Doch trifft das wohl auch auf Ordens- und Kapitelsvertreter zu.

[297] LEHMANN 169–210. Leider hat er (87–94) die eigenen Listen nicht immer richtig addiert. Anders sind manche seiner Ziffern nicht zu erklären. Man muß also selber noch einmal nachzählen; vgl. auch LAZARUS 38 f., 352. MIETHKE, Forum 752 f., kommt unter Berufung auf Lehmann lediglich auf 703 (= 22 %) „nachweisliche Universitätsabgänger", rechnet also u. a. 77 „Magister" mit „unbestimmtem Fach" (Lehmann 207–10) nicht mit. BILDERBACK, Membership, berücksichtigt die Graduierten überhaupt nicht. Lehmanns Ordnungsbegriff „Die Gelehrten" ist freilich zu vage und irreführend.

[298] BRESSLER 35 f. Anm. 1; ähnlich MIETHKE, Forum 753. – Für das Frühjahr 1433 ermittelt Bressler eine 3/5 Mehrheit.

kommt[299]. Die Differenzen ergeben sich vermutlich vor allem durch eine unausgesprochen abweichende Terminologie: Nicht jeder ‚Graduierte‘, also jemand, der irgendwann einen Universitätsgrad erworben hatte, kann einfach dem ‚Universitätsklerus‘ zugerechnet werden. In der Regel war die Universität für den Betreffenden nur ein Durchgangsstadium gewesen, und er übte jetzt ein Amt als Bischof, Ordensmann, Kanoniker oder gelehrter Rat aus. Nur ein Teil des sogenannten ‚Universitätsklerus‘ kommt also direkt von einer Universität. Dessen Anteil stieg nach 1437 und noch einmal nach 1440 unverhältnismäßig stark an. Ob man die Graduierten, die zur Zeit des Konzils nicht mehr Universitätsmitglieder waren, zum ‚university clergy‘ zählt oder nicht, ist eine Ermessensfrage[300]. Sie muß aber entschieden sein, wenn man die derzeitige Unklarheit in den Zahlen vermeiden will.

Zum politischen Gewicht: Hatte zum Beispiel GILL kritisch gemeint, daß „die Stimmen, welche die Versammlung beherrschten, im Grunde genommen die der Universitäten waren"[301], urteilt BLACK viel vorsichtiger: „But, even after 1437, we cannot say that university men comprised the dominant element in the leadership of the Council"[302]. Die politischen Führer waren eben meistens hohe Prälaten, die nicht dem ‚Universitätsklerus‘ zuzurechnen sind. Auch im Kreis der „majority faction" (Black) um Aleman überwog eher der „non-university clergy". Doch herrscht hier sofort wieder die Schwierigkeit mit der Terminologie: Ein Mann wie Johannes Bachenstein[303], Protegé und

[299] BLACK, Universities (1974) 343: „in 1433…about 75 (19 %) universiy clergy"; ders., Universities (1978) 513: „those listed as doctors comprised about 30 % of the Council in the years 1431–5"; ders., Council 33, zählt „for April 1433… university clergy (doctors and masters) 24 %", mit Prokuratoren „around 28 %" der Teilnehmer unter Berufung auf MC II 355 f., 650 f., alles in allem ein etwas uneinheitliches Bild. – Ein Vergleich mit dem Konstanzer Konzil bei MIETHKE, Forum 747 unter Benutzung von RIEGEL, Teilnehmerlisten 74 f.: 18 % (409 von 2290) Graduierte werden gezählt. Wenn die Zahlen bei Riegel stimmen, lag der Anteil in Basel durchschnittlich höher als in Konstanz, nach 1437 sogar beträchtlich höher. Laut MIETHKE 752 zwischen 1432 und 1442 bei 22 % (s. o. Anm. 297).
[300] Zu diesem Problem indirekt LEHMANN 91. Vor allem BLACK, Universities (1974) 345; Council 35; MIETHKE, Forum 752 f.
[301] GILL, Konstanz-Basel-Florenz 358; Representation 194; ähnlich DLO 239, 248 f.
[302] BLACK, Universities (1974) 345 (Zitat) und 351; Universities (1978) 514 f. Ähnlich bereits HALLER, Kirchenreform 25: „Aber die Akademiker bilden doch nur die größere und nicht die wichtigere Hälfte der Versammlung."
[303] Zu Bachenstein in diesem Zusammenhang: BLACK, Universities (1974) 345; Universities (1978) 514 f.; Council 40 und 44: „a rather mediocre nature". Die notwendige Einzelstudie fehlt. Vgl. STIEBER 24 Anm. 30 und 487 s.v.; ERLER, Rechtsgutachten 129–36, sowie oben 62 Anm. 166.

Akteur des Patriarchen von Aquileia, Ludwig von Teck, und einer der eifrigsten Basler Aktivisten, war zwar Dr. decretorum; als ‚Universitätsgelehrten‘ im engeren Sinne kann man ihn und viele ähnliche Personen aber nicht bezeichnen. Man sollte also zwischen ‚Personen mit Universitätsgrad‘ und ‚unmittelbaren Universitätsangehörigen‘ unterscheiden.

Die von LEHMANN vorgenommene statistische Aufschlüsselung der „Gelehrten" nach Fakultäten (Theologen, Juristen beider Rechte, Artisten, Mediziner) und akademischen Graden (Doktoren, Magister, Lizentiaten, Bakkalaren) sind in der Forschung noch zu wenig verwertet worden.[304]. Einzig die Frage, ob Theologen oder Juristen numerisch oder geistig das Konzil dominiert haben, stieß auf Interesse. Zwar waren nach der Präsenzliste vom Frühjahr 1433[305] mit 46 gegenüber 29 Konzilsvätern mehr Theologen als Kanonisten anwesend, doch relativiert sich diese Zahl ganz entschieden, wenn man, nach Lehmanns Liste, die Gesamtzahl der inkorporierten „Gelehrten" ins Auge faßt: Dann stehen nämlich 145 Theologen 555 Juristen (Kanonisten, Legisten und Inhabern beider Doktorate) gegenüber. Hinzu kommen 89 Artisten, 24 Mediziner und 77 in ihrem Fach nicht sicher bestimmbare Universitätsleute[306]. Zahlenmäßig dominieren also ganz eindeutig die Juristen. Die prägenden Köpfe, die für die Formulierung der konziliaren Theorien verantwortlich sind und die ‚deputatio fidei‘ beherrschen, sind aber ebenso unzweifelhaft die Theologen gewesen[307]. Aus dieser Fakultät waren bezeichnenderweise auch die Bakkalaren offiziell zur Inkorporation zugelassen, bei den Juristen dagegen lag das Limit mit dem Lizentiat um einen Grad höher; doch wurde die Bestimmung nicht befolgt, wie die Zahl von 181 inkorporierten Bakkalaren beider Rechte beweist[308].

---

[304] LEHMANN 169–207. Lehmanns eigene Auswertung 87–91 liefert nicht wenige falsche Zahlen. S. aber MIETHKE, Forum 752.

[305] BLACK, Council 44; Universities (1978) 515. Liste bei LAZARUS 352–54.

[306] Universitätsmitglieder ohne akademischen Grad sind bei Lehmann nicht erfaßt und wohl auch kaum erschließbar.

[307] Das wichtige ‚consistorium fidei‘ vom Februar 1436 war mit acht Theologen und vier Kanonisten besetzt. Die Überzahl der Theologen ist hier allerdings sachgemäß; CB IV 55 Z. 15–17.

[308] LEHMANN 188–93. Es wäre aber zu untersuchen, wieviele von ihnen aufgrund eines Kirchenamts inkorporiert waren. Zum Inkorporationslimit: MC II 580; vgl. CB II 414 Z. 14–18; LAZARUS 33 f.; GILL, Representation 191 f.

Eine ‚konziliaristische' Gesinnung der einzelnen Personen ist natürlich nicht immer festzustellen und kann daher nur mit Vorbehalt als Signum ‚der Graduierten' angenommen werden. Eher bildeten die materiellen Interessen eine gewisse gemeinsame Konstante. Hier holte der Alltag die Väter ein. Konziliares Engagement konnte zwar prinzipiell auch für einige Universitäten und ihre Mitglieder bedeuten, daß sie sich von der Kurie, ihrer einstigen Mitbegründerin und Förderin, abkehrten. Doch in der Regel verstand man, beides miteinander zu verbinden, wie das Pariser oder das Kölner Beispiel[309] zeigt, zumal Eugen IV. weiterhin um die Universitäten warb. Bei der Besetzung von Benefizien hatte der kuriale Zentralismus den Universitätsgelehrten durchaus Vorteile und bessere Chancen gebracht, als sie sich sonst, zum Beispiel bei Wahlen in den aristokratisch beherrschten Kapiteln, ausrechnen konnten[310]. Selbstverständlich witterten die Universitäten eine Chance, auch über das Konzil an Privilegien und Pfründen zu kommen. Prekärerweise waren sie aber, wie in der Literatur mehrfach gezeigt wurde, gerade aus Geldmangel oft nicht imstande, größere Gesandtschaften auszurüsten, die in Basel die Interessen der Universität langfristig hätten vertreten können[311].

In den Reformdebatten und -traktaten des Konzils forderten die Graduierten immer wieder ein Dekret, das ‚die Doktoren' bei der Besetzung von Kirchenämtern vor Nichtgraduierten bevorzugen sollte. Die Reform der kirchlichen Ämterbesetzung wird durch dieses Problem geradezu beherrscht![312] Hier ist eine durchaus soziale Komponente zu sehen. Auf der anderen Seite wehrten sich die Universitäten, oft im Verein mit anderen Korporationen wie den Orden, gegen jeden Eingriff des Konzils oder der Ordinarien in ihre Autonomie und ins gehütete Netz ihrer Privilegien[313]. Die Forschung hat an diesem

---

[309] BRESSLER 41; KEUSSEN, Stellung der Universität Köln 243–45; KAUFMANN, Geschichte II 447, 449 f.; FRANK, Huntpichler 87. Am 9. Juni 1437 erreichte die Universität, daß Eugen IV. die Zahl der durch Bonifaz IX. 1394 an den Kölner Stiftskirchen gewährten 11 Kanonikate für ihre Mitglieder verdoppelte; KEUSSEN, Regesten 84 f. (Nr. 583–88, vgl. 902–03); s. auch WRIEDT, Kurie, Konzil und Landeskirche 206 f.

[310] So z.B. VERGER, Universités 121; MIETHKE, Kirche und Universitäten 241; WRIEDT (wie oben) 206 f. – In Basel votierte dann bezeichnenderweise Beaupère gegen die Abschaffung der päpstlichen Expektanzen; CB II 284 Z. 19–23. Ähnliche Beispiele bei DLO 249 Anm. 13; ZWÖLFER 151 Anm. 30, vgl. 221.

[311] BRESSLER 12–17; KAUFMANN, Geschichte II 449–54; ECKSTEIN, Finanzen 6–10; KEUSSEN, Stellung der Universität Köln 236 ff.

[312] S. ZWÖLFER 149–56, 163, 166–69, 186–98, 221; BLACK, Council 43 f.

[313] S. z.B. CB II 284 Z. 19–23, 286 Z. 10–19; MC II 287; ZWÖLFER 9–11; DLO 249. Statt vieler Angaben s. KIBRE, Scholarly Privileges in the Middle-Ages.

Punkt besonders treffend die Doppelgesichtigkeit der Reformpläne aufgezeigt, denn die Stärkung der Ordinarien gehörte ja gleichfalls zum eisernen Bestand der Basler Reformziele. So sahen sich „die Universitätsmagister vielleicht am greifbarsten dem Dilemma ausgesetzt ..., mit ihrer eigenen rechtlichen Verfassung den Reformforderungen im Weg zu stehen, die sie sich sonst so energisch zu eigen machten"[314]. Erst nach Jahren und gegen den Widerstand des Regularklerus und der Bischöfe erfüllte das Konzil wenigstens partiell die Forderungen der Doktoren: ein Dekret der 31. Sessio (1438 I 24) räumte ihnen ein Drittel der Benefizien an Kathedral- und Kollegiatkapiteln und gewisse Präferenzen für die Besetzung von Pfarrstellen ein[315]. Die ebenfalls angestrebte Universitätsreform blieb – schon damals – ein Torso ohne gültigen Beschluß[316].

Für das Fortleben des Konziliarismus nach 1449 spielten viele Universitäten nach verbreiteter Ansicht die Rolle von Refugien. Gerade die Universitäten, die sich am stärksten ‚konziliaristisch' engagiert hatten (Paris, Erfurt, Krakau, Wien und, von Köln geprägt, St. Andrews) hielten diese Tradition in Gestalt vieler Universitätslehrer der Basler Generation hoch[317], aber auch an kanonistischen Fa-

---

[314] MIETHKE, Kirche und Universitäten 241.

[315] Mansi XXIX 163–65; MC III 24 f.; ZWÖLFER 191, 196–98; OEDIGER, Klerikerbildung 159–61; Bildung der Geistlichen 60 f., 65. – Vgl. einen Konstanzer Reformentwurf: VON DER HARDT I 659–62. Nach einem Konkordat von 1418 wurde den Graduierten nur 1/6 aller Kanonikate und Praebenden eingeräumt (BERTRAMS, Staatsgedanke 122 Anm. 15), in der ‚Pragmatique' von Bourges dagegen in Erweiterung des Basler Dekrets 2/3 (!) der Praebenden; VALOIS, Pragmatique CXVI-CXIX. – Im Konkordatsentwurf Eugens IV. für Frankreich von 1442 ff. war vorgesehen, daß in einem der sechs Monate, in denen die Ordinarien die beneficia non electiva besetzen sollten, alle Stellen für Leute der Universitäten und Generalstudien reserviert werden; NÖLDEKE, Kampf Eugens IV. 121 f. – Zu beachten ist, daß manche Korporationen längst ihrerseits die Graduierung zum Aufnahmekriterium erhoben hatten, z.B. das Breslauer Domkapitel (1411, 1435); SCHULTE, Konrad von Breslau 421–36.

[316] Mögliche Perspektiven einer Universitätsreform im Entwurf Jean Beaupères: CB VIII 175–82; vgl. DANNENBAUER ebd. 27 f. In Wien wurde allerdings 1435/36 durch die Konzilsgesandten Juan Palomar und Philibert de Montjeu tatsächlich eine Reform durchgeführt; ZEIBIG, Wirksamkeit 213 ff.; BRESSLER 71; WRIEDT, Kurie, Konzil und Landeskirche 206 f. – Vgl. allgemein VERGER, Universités françaises, zu Basel 52 f. Zu Reformplänen Gersons in globalerem Zusammenhang: OZMENT, University and Church Reform; BELLONE, Organizzazione degli studi nei decreti dei concili; hat seinen Schwerpunkt im 13. Jahrhundert.

[317] So insbesondere JEDIN, Trient I 24–28, sowie vor und nach ihm viele andere, z.B. SCHNEIDER, Konziliarismus 42 f. Für St. Andrews: BURNS, Scottish Churchmen 86. Für Wien: FRANK, Wiener Konzilsappellationen; Huntpichler 101–03. – Vgl. auch GABRIEL, Intellectual Relations 54–57.

kultäten italienischer Universitäten wie Padua und Pavia soll sich gemäßigt konziliares Gedankengut gehalten haben[318]. Dies ist für das geistige Umfeld des Pisanums von 1511 und des V. Lateranums wohl nicht ohne Bedeutung gewesen[319], doch sind die Zusammenhänge noch nicht genügend bekannt.

Insgesamt sieht die (ältere) Forschung den kirchlichen Einfluß der Universitäten nach Ende der konziliaren Epoche in ein Wellental absinken. Ob man wirklich von einem Abfall des Niveaus an den alten und neugegründeten Universitäten sprechen kann, erscheint allerdings zusehends zweifelhaft. Die Forschung beschäftigt in diesem Zusammenhang unter anderem das Vordringen des Humanismus an den Universitäten, ein Thema, das in die Universitätsgeschichte der frühen Neuzeit überleitet. Die Zukunft gehörte zwar mehr dem „universitätsfreien Wissenschaftler", aber: „Ohne Wittenberg wie Salamanca sind Reformation und katholische Reform nur schwer vorstellbar"[320].

d) Die Basler Konzilsuniversität

Die Affinität der Basler Konzilsväter zum Universitätswesen zeigte sich nicht zuletzt in der Gründung einer eigenen Konzilsuniversität. Von ihr hatte man lange Zeit nur ein verschwommenes Bild, bis VIRGIL REDLICH (1929)[321] mittels neuentdeckter Tegernseer Handschriften und dann, vertieft und auf die von Redlich übergangene Zeit vor 1440 ausgedehnt, JULIUS SCHWEIZER (1932)[322] ihre Existenz wieder ans Licht hoben.

Die Anfänge lagen auffällig früh, bereits im Mai 1432, als der Venezianer Dr. decr. Simon de Valle mit kanonistischen Vorlesungen beauftragt wurde. Doch erst der Konzilsbeschluß vom Juni 1433[323] verlieh den Studenten und Dozenten Rechte und Privilegien, die

---

[318] Hinweis bei JEDIN, Trient I 29.

[319] Dazu s. unten VII 3a.

[320] MEUTHEN, 15. Jahrhundert 91.

[321] S. REDLICH, Eine Universität auf dem Konzil von Basel (nur ab 5. Nov. 1440 und nur auf Deutsche begrenzt); ders., Basler Konzilsuniversität (nichts Neues); Tegernsee 117–21.

[322] SCHWEIZER, Zur Vorgeschichte der Basler Universität (1432–1448). Vgl. BONJOUR, Universität Basel 21–38. In Details dürfte sich noch manche Ergänzung zur Geschichte der Konzilsuniversität finden lassen. Vgl.LEHMANN 91 f., mit einigen Mißverständnissen.

[323] MC II 188 und 363 f.

sie anderen, ‚regulären' Universitäten gleichstellten – ein völliges No-
vum: Erstmals erfolgte die Gründung eines ‚studium generale' ohne
eigenes päpstliches Privileg, nur ‚auctoritate concilii', womit das
Konzil im Prinzip auf einem neuen Sektor in die päpstlichen Vor-
rechte eingegriffen hatte.[324] Doch eigentlich ist auch die Gründung
des ‚studium generale' in der Phase des Aufbaus von Konzilsbehörden
als Konkurrenz und Kopie der Kurie in Rom zu sehen, wo seit 1244
eine Kurienuniversität bestand. Sie war 1406 geschlossen und gerade
erst (1431) von Eugen IV. wieder eröffnet worden. Die Forschung
betont die praktischen Motive der Gründung: Viele Kleriker wollten
auch während des Konzilsaufenthalts weiterstudieren, bzw. die Zeit
für sich und ihre Familiaren zur Weiterbildung nutzen. Vermutlich
versuchten die Gründer, durch die besonders niedrigen Universitäts-
Taxen Leute anzuziehen und so auch das Konzil attraktiver zu
machen. Nicht vollständig zu klären ist, wie Konzil und Universität im
einzelnen personell, organisatorisch und vor allem ‚ideologisch' verbunden waren. Sollte man in der Gründung nicht doch ein wenig die
Demonstration oder wenigstens das Anstreben von Autonomie, ja
Autarkie, auch in wissenschaftlichen Dingen sehen? Dennoch wird
man davon ausgehen müssen, daß sich das Selbstbewußtsein des konziliaren Lehramts nicht in den Veranstaltungen der Universität, sondern eben in den Konzilssitzungen selbst niederschlug[325]. Eine Kader-
schmiede des Basler Konziliarismus ist die Universität nie geworden!
Im Gegenteil – obwohl so viele Universitätsleute das Konzil bevölkerten, blieb das ‚studium generale' ein eher kümmerlicher Neben-
betrieb und lag dem Konzil trotz mancher Belebungsversuche
offenbar nicht vordringlich am Herzen. Niemand drückt dies pointier-
ter aus als Segovia: *Sed alii sunt labores universalis synodi, alii studii generalis* –
nicht zuletzt durch die Dauerbelastung, der die Väter durch die
ständigen Konzilssitzungen ausgesetzt waren[326].

Zum Universitätsbetrieb seien einige Beobachtungen zusammen-
gefaßt, die sich im wesentlichen auf Schweizer stützen: Personell wie
institutionell war die Universität eng ans Konzil gebunden und ist
auch von vornherein nur ‚durante concilio' geplant gewesen. Von

---

[324] S. SCHWEIZER, Vorgeschichte 3 f. – Entscheidend ist aber, daß das Basiliense sonst
keine Universitätsprivilegien ausgestellt zu haben scheint.
[325] Vgl. BRANDT, Excepta facultate theologica 211, der in diesem Zusammenhang wohl
irrig von „Institutionalisierung des Konziliarismus auf Universitätsebene" spricht.
[326] MC II 363 Z. 22 f.

den Fächern fielen, nach dem derzeitigen Kenntnisstand, in der Phase bis 1440 nur die Kanonistik, an zweiter Stelle die Medizin ins Gewicht;[327] ein Beispiel, daß die in der Forschung häufiger hervorgehobene ‚Theologisierung' nicht auf allen Gebieten zu beobachten ist[328]. Wollten die Väter lieber selbst auf den Sitzungen des Konzils Theologie betreiben und der Konzilsuniversität nur die ausgetretenen Pfade der Kanonistik zugestehen? Hier würde man erst klarer sehen, wenn über die personellen und geistigen Verflechtungen von Konzil und Universität bessere Kenntnis bestünde. Organisatorisch und in den Lehrinhalten bestand das traditionelle scholastische Schema. Vorlesungen in griechischer Grammatik seit Juni 1437 durch den Griechen Demetrios bildeten ein bemerkenswertes, aber ephemeres Ereignis[329]. Im Lehrkörper der Konzilsuniversität dominierten, noch deutlicher als auf dem Konzil selbst, die Franzosen, ja die Konzilsuniversität wirkte lange wie eine Art Zweigstelle der Universität Paris. Alle die bekannten Pariser Universitätsgesandten lehrten dort und bekleideten Universitätsämter. Selbst Konzilsväter der allerersten Stunde, hatten sie auch maßgeblich auf die frühe Gründung einer Universität hingearbeitet[330].

Erst in der zweiten Phase ihrer Geschichte (1440–1449), als die Universität nach dem feierlichen Einzug des neuen Papstes Felix' V. am 5. November 1440 als offizielle Kurienuniversität neugegründet wurde[331],

---

[327] Die Stärke der Medizin war zunächst wohl ausschließlich auf die zwei Pariser Mediziner Canivet und Poitevin zurückzuführen. Ab 1439 erschienen zusehends Deutsche, die bei ihnen studieren wollten; SCHWEIZER, Vorgeschichte 12 Anm. 21.

[328] SCHWEIZER, Vorgeschichte 3 betont besonders für die erste Phase der Universität (bis 1440) deren „juristischen Charakter". Für die Kurienuniversität nach 1440 liegen konkrete Angaben nicht vor, doch scheint hier die Theologie ein stärkeres Gewicht bekommen zu haben. Die von KARPP, Bibellob, vorgestellte Rede des Johannes Keck (s. unten Anm. 333) deutet nur indirekt auf eine verstärkte Theologisierung hin, handelt es sich doch nach Karpp um die an theologischen Fakultäten der Universitäten zu dieser Zeit verbreitete rhetorische Gattung der ‚laudes bibliae'!

[329] SCHWEIZER, Vorgeschichte 10. Vgl. CB VI 58 Z. 7–13. Eine Supplik des Demetrius auf Provision wird angenommen, *quodque ipse Graecus* (sc. Demetrius) *hortetur legere gramaticam in lingua greca* (13); vgl. auch AC I 2 Nr. 297 Anm. 5. Demetrius wurde offenbar 1439 an die Universität Krakau ‚weggelobt'; MORAWSKI, Université de Cracovie II 98 f., ohne Erhellung der näheren Umstände.

[330] SCHWEIZER 12 f., 16 f.; REDLICH, Universität 92, 94, 96, 99 f. Eine systematische Aufstellung aller Lehrenden und Doktoranden sowie der Lehrgegenstände der Konzilsuniversität würde, soweit überhaupt möglich, tiefere Aufschlüsse geben.

[331] MC III 515. REDLICH, Universität 92 f.; SCHWEIZER, Vorgeschichte 11 f.

nahm auch der Anteil der Deutschen spürbar zu[332]. Wie auf dem Konzil selbst spielte hier der neuernannte Kardinal Johann Grünwalder die Rolle einer Integrationsfigur für die Deutschen, um die sich viele ‚homines novi‘ scharten. Seit Redlich wird aus ihrem Kreis vor allem der bayerische Benediktiner Johannes Keck[333] genannt. Er wurde an der Konzilsuniversität wohl als erster Theologe überhaupt promoviert und lehrte dort als erster deutscher Professor.

Mit dem Konzil versandete langsam auch seine Universität - und die Erinnerung an sie. Die Neugründung im Jahre 1459/60 durch die Stadt Basel schlug ein neues Kapitel der Universitätsgeschichte auf[334]. Und doch sieht die Forschung, insbesondere Bonjour, in der Juristischen Fakultät (Johannes Textoris, Peter von Andlau) und nicht zuletzt in der Person des bestätigenden Papstes Pius-Aeneas eine gewisse Kontinuität zwischen Konzils- und Stadtuniversität.[335]

10. Städte[336]

a) Städtische Interessen

Städte und Konzil – ein eigenes Kapitel? Die gänzlich fehlende Forschung jedenfalls böte dazu keinen Anlaß, sondern bestätigte eher das traditionelle Bild vom „schnödesten Partikularismus" der Reichsstädte (Haller), in deren kirchturmpolitischen Horizont ein Generalkonzil selbstverständlich nicht auftaucht.[337] Warum sollte es auch,

---

[332] REDLICH, Universität 96 f.; SCHWEIZER, Vorgeschichte 17 f.

[333] REDLICH, Universität 95–101 (mit Auszug aus Doktoratsrede vom 24. März 1441 (clm 19606 f. 156ʳ-157ᵛ); vgl. ders., Tegernsee 117–121, und jetzt Verfasserlexikon 4, (1983) 1090–95 (G. KEIL), 1093 f. zu den konziliaren Traktaten von 1443 (für Basel) und 1447 (gegen Basel). Ferner KARPP, Bibellob passim, und ROSSMANN, Marquard Sprenger 372–81 (Lit., Hss.!); ders., Johannes Keck; MÜLLER, Humanismusrezeption 76-78. Keck verließ schon Anfang 1442 das Konzil, um im Dezember desselben Jahres die Profeß im Kloster Tegernsee abzulegen. Er starb als päpstlicher Pönitentiar in Rom (1450).

[334] Dazu BONJOUR, Universität Basel; Gründungsgeschichte.

[335] BONJOUR, Gründungsgeschichte 59–61; Universität Basel 23 f; KISCH, Anfänge der Juristischen Fakultät Basel 25–33; Enea Silvio 104. – SCHEFFELS, Peter von Andlau 15 f., 19–23.

[336] Gemeint sind vor allem die Städte im Reich. Die italienischen Stadtstaaten werden in Kap. IV 9 behandelt.

[337] Vgl. in Auswahl: BACHMANN, Neutralität 73 („die stets misstrauischen Reichsstädte") und 130; STÜTZ, Neutralitätserklärung 158; BERGER, Zürichkrieg 92, mit wohl zutreffendem Urteil: „Im Allgemeinen mischten sich die Reichsstädte ihrer vorsichtigen und abwartenden Natur gemäß nicht in den kirchenpolitischen Streit ein". Ähnlich STIEBER 81 und 335 f. SIEBERG 109 machte allerdings auf den „Widerhall" der Kirchenfrage in den Städtekorrespondenzen aufmerksam.

möchte man fragen, erstaunlich wäre vielmehr das Gegenteil – und genau dafür gibt es einige Anhaltspunkte: Die Berührungen zwischen Konzil und Städten scheinen dichter und vielfältiger gewesen zu sein, als die Forschung bisher bewußt machen konnte. Man wird dabei zunächst weniger den „vornationalen Universalismus" (Schmidt)[338] im Selbstbewußtsein der spätmittelalterlichen Reichsstädte assoziieren, als vielmehr die Einbindung der Städte in die Politik und den diplomatischen Verkehr des Reiches berücksichtigen.[339] Natürlich wurde in den Stadträten oder auf den vielen Städtetagen – zwei von ihnen fanden 1432 in Basel statt! – nicht über die Superioritätsfrage und andere Theologoumena disputiert; so theologisch gebildet wie in der Reformationszeit war das Stadtbürgertum noch nicht. Wohl aber beratschlagte man zum Beispiel darüber, wie man Gesandtschaften des Basler Konzils und Eugens IV. empfangen und beherbergen sollte, über die vom Konzil verhängte Handelssperre gegen Venedig, die Eintreibung des unbeliebten Basler Griechenablasses und die allesamt beschäftigende Hussitenfrage[340].

Zum Teil hat schon GERBER in einer wenig beachteten Dissertation (1914)[341] Material zur reichsstädtischen Politik im Kirchenstreit zusammengestellt. Eine repräsentative Übersicht über die Beziehungen von Städten und Basler Konzil existiert jedoch nicht. Ein vorläufiges Urteil wird die Politik der Reichsstädte gegenüber Konzil und Papst als vorsichtig und zurückhaltend beurteilen. Eine regelrechte Obödienzerklärung im Stile der Fürsten ist nur im Fall der Stadt Rom bekannt.[342]

---

[338] SCHMIDT, Städtechroniken 76 und öfter.

[339] S. statt weiterer Angaben ISENMANN, Reichsstadt und Reich, mit Literatur. – Vgl. im Zusammenhang der Reichsreform: LAUFS, Reichsstädte 186 f.; KOLLER, Aufgaben der Städte 208 f.; BERTHOLD, Städte und Reichsreform.

[340] Zum Empfang päpstlicher Gesandtschaften s. jetzt AC I 2 Nr. 359, 362, 364, 436, 447a, 449a, 453, 457, 460, 502, 503. – Für Konzilsgesandtschaften dürften sich ähnliche Belege finden lassen. Zur Frage des Handelsboykotts: RTA XII 268–70; 27–77 nr. 164–170 (Städtetag zu Ulm 1437 IX 29). Man beschließt, in der Frage Gesandte zum Konzil zu schicken; RTA XII 276 f. nr. 170; GERBER, Frankfurter Politik 65. Stellung zur Ablaßfrage: RTA XII 76–94 nr. 42–60; GERBER 68–70. Die Hussitenfrage spielt auf fast allen Kurfürsten-, Städte- und Reichstagen eine Rolle. Erste Kontakte des Konzils mit den Hussiten liefen über den Rat der Städte Nürnberg und Eger; PALACKY, Urkundliche Beiträge II, Nr. 772–788, 811, 892–95.

[341] GERBER, Frankfurter Politik.

[342] Man sollte nicht vergessen, daß Städte im Großen Schisma durchaus Position bezogen haben; WERMINGHOFF, Verfassungsgeschichte 107.

Die Zurückhaltung in kirchenpolitischen Entscheidungen ist allein schon deshalb verständlich, weil diese (noch) nicht in die Kompetenz der Städte fielen. Sie bedeutete aber weder, daß die Städte von den streitenden Parteien als quantité négligeable betrachtet wurden, noch daß sie nicht über das Geschehen informiert sein wollten.[343] Gängig dürfte die Praxis der Stadt Frankfurt gewesen sein, Erkundigungen über das Konzil beim Rat der Stadt Basel und von Gesandten befreundeter Städte einzuziehen. Die Städtegesandten auf dem königlichen Tag 1432/33 und dem Reichstag 1433/34 in Basel fungierten natürlich auch als ‚Konzilsbeobachter‘ für die Stadträte.[344] Das gleiche gilt für solche Personen, die ihre Städte in Prozeßangelegenheiten vor dem Konzil vertraten. Besonders zu nennen sind: Stephan Coler und Sigmund Stromer für Nürnberg, Walter von Schwarzenberg und Jost im Steinenhuse für Frankfurt oder der Altammanmeister Adam Riff

---

[343] In der Forschung kaum genutzt für Beziehungen einer Stadt zu Konzil und Papst: KRAUS, Nürnberg, besonders 24–29 (Hussitenverhandlungen des Konzils, Judendekret), 56 (Ablaßfrage) etc. S. ebenso WEIGEL, Konhofer 227–49. – Weder die ‚Deutschen Reichstagsakten‘, noch weniger die ‚Deutschen Städtechroniken‘ sind zum Thema ausgeschöpft. Hier ein paar ausgewählte Beispiele: Die Städtekorrespondenzen des Jahres 1438 (RTA XIII nr. 12, 16, 188, 340 und 399–437) enthalten zum Teil durchaus Berichte über die Kirchenfrage (besonders nr. 403, 405, 406), wenngleich deutlich andere Themen (Reichsreform, Schlesischer Feldzug Albrechts II. etc.) dominieren. Zum grundsätzlichen Problem des Mitspracherechts von Städten als Reichsständen in der Kirchenfrage s. BECKMANN RTA XIII, S. XXX. Vgl. ebd. 847 Z. 15 f. nr. 405: Hans von Louffen (Basel) und Adam Riff (Straßburg) als Vertreter der Reichsstädte in einer Gesandtschaft des Reichs zum Konzil! – Als Beispiel für Beziehungen der römischen Kurie zu Städten vgl. den Brief Eugens IV. (1438 II 18) an die Stadt Konstanz, in dem er den Ort des Einheitskonzils von Konstanz auffordert, *adversus eos qui Basilee sunt*, Widerstand zu leisten; HEYCK (Ed.), Schreiben Eugens IV. Derartige Propagandabriefe an Städte waren keine Ausnahme; vgl. RTA XII 128 f. nr. 177 (Eugen IV. an schwäbische Reichsstädte 1438 VI 6); ACI 2 Nr. 359. Im März 1438 hatte Ulm von Eugen und den Baslern einen Brief erhalten, RTA XIII 62 Z. 17–43 nr. 16. – 1432 II 20 schrieb das Konzil an die in Straßburg tagenden Städtevertreter und die Stadt Straßburg; RTA X 257 f. nr. 154. - 1432 III 8 schrieb Speyer an Eugen IV., er möge das Basler Konzil anerkennen; RTA X 262 f. nr. 158.

[344] Am reichhaltigsten natürlich die während des Basler Reichstags gelaufene Korrespondenz zwischen Städten und ihren Vertretern in Basel. S. RTA XI 170–99, 200–360 nr. 87–192, besonders 175 f. (Gesandte der Städte) und nr. 93–112 (Berichte der städtischen Gesandten, vornehmlich Walters von Schwarzenberg an Frankfurt). Vgl. KIRCHGÄSSNER, Walter von Schwarzenberg 47–55. Schon 1432 XI 16 und 1433 I 11 hatten in Abwesenheit Sigmunds zwei königliche Tage in Basel stattgefunden, die auch von Städten beschickt wurden; RTA X 536–38, 542–51 nr. 333–41. – 1432 VII 27 ein Fürsten- und Städtetag unter Leitung des Konzilsprotektors Wilhelm von Bayern; RTA X 932–39, 966–90 nr. 593–608. Konzils- und Reichsangelegenheiten traten schon durch den gemeinsamen Ort in Verbindung. Vgl. ZECHEL, Schlick 132–38.

für Straßburg, dieser auch als Mitglied einer Reichsgesandtschaft. Doch wollte er das Konzil schon bald verlassen – mit einer die mangelnde Breitenwirkung des Konzils erhellenden Begründung: da *er nit gelert were*[345]. Als Städte regelrecht inkorporiert findet man nur Rom – nach dem Aufstand gegen Eugen IV. 1434 wohl kaum nur symbolisch – und interessanterweise Lübeck, wobei sicherlich dem Bischof Johannes Schele eine Schlüsselrolle zufiel.[346] ‚Anwesend', aber eben nicht dem Konzil inkorporiert, waren zweifellos sehr viel mehr Städtevertreter. Ihr besonders hoher Anteil im Jahre 1434 ist sicher wesentlich auf die Anziehungskraft des Basler Reichstags zurückzuführen.

Interessant werden konnte das Konzil für die Städte nicht zuletzt als zentrale Prozeßinstanz. Doch ist die nicht geringe Zahl von Prozessen, an denen Städte beteiligt waren (z.B. Worms, Straßburg, Mainz, Lüttich, Brügge, Bremen, Rostock) wie die Masse der übrigen Konzilsprozesse allenfalls in verstreuten Lokalstudien erwähnt.[347]

Eine existentielle Rolle haben eigentlich nur zwei Städte für das Konzil gespielt: Avignon – und natürlich die Konzilsstadt Basel

---

[345] RTA XIV 31 Z. 29 nr. 14; s. auch seine Berichte nr. 5, 18, 39. Unschwer ließen sich weitere Städtegesandte finden wie der Augsburger Bürgermeister Hangenor; AUGSBURG Stadtarchiv, Ratsmissativbuch III f. 239 Nr. 1007 (1433 V 3); nach KIESSLING, Bürgerliche Gesellschaft 320 Anm. 25.– Noch im April 1445 ist ein Nürnberger Gesandter in Basel bezeugt; s. WEIGEL, Konhofer 246 f.

[346] *Rom*: Inkorporiert am 23. Juli 1434; CB III 154 Z. 9–11, 161 Z. 37–162 Z. 32; MC II 713 Z. 34. Dazu LEHMANN 86, 169; VALOIS I 356 f. Prokuratoren waren die Kardinäle Cesarini und Capranica! Bei DECKER, Kardinäle, kein näherer Hinweis. *Lübeck*: Inkorporiert im März 1437; MC II 941 Z. 40; LEHMANN 169. Die Zusammenhänge sind unklar; vermutlich war der Streit der Stadt Lübeck und ihres auf dem Konzil sehr aktiven Bischofs Johannes Schele mit mecklenburgischen Adligen der Anlaß. Vgl. STUTT 28 f.; AMMON, Schele 29 f.

[347] Eine kleine Auswahl (weitere Beispiele unten 193 f.). Zu *Lüttich* s. DESSART, Liège 710–12. Material auch bei HANNA 19–23. Zu *Mainz* (Schankstreit der Stadt mit dem Klerus 1433–35): HANNA 21 f. Zu *Brügge* s. etwa einen Brief des Konzils an die Stadt Ypern (1436 X 30): Es bittet um Intervention zugunsten der Opfer eines Massakers an Leuten der Hanse in Brügge; Hanserecesse 2. Abt. 1431–1476, Bd. I, S. 505.– Zum Streit zwischen Erzbischof und Stadt *Magdeburg* (1429–35), den das Konzil, wie fast immer in solchen Fällen, gegen die Stadt entschied (1434 II 25 und X 23) s. FAUST, Streit 44, 48–51, 56–58, ohne die Konzilsquellen.– Zwei Beispiele, daß auch Städte von der Rivalität der beiden Päpste Eugen IV. und Felix V. zu profitieren verstanden: Nachdem Eugen IV. am 7. Jan. 1445 den *Nürnberg*ern Fastendispens für Butter gewährt hatte, überbot ihn Felix V. prompt, indem er die Dispens am 9. März 1445 auf alle Laktizinien ausdehnte; KRAUS, Nürnberg 40.– Der Rat von *Ulm* ließ sich den Kauf der kirchenherrlichen Rechte über die Ulmer Pfarrkirche vom Basler Konzil und Eugen IV. bestätigen; GEIGER, Ulm 76 f., 122–46.– Bullen des Konzils finden sich in vielen Stadtarchiven; s. als Beispiel CARLÉ, Recklinghausen. Zum *Rostock*er Ratsstreit s. oben 144 Anm. 260.

selbst. Für Avignon galt dies wenigstens indirekt schon 1432/33 beim Kampf des vom Konzil ernannten Generalvikars Carrillo mit den päpstlichen Legaten Foix und Condulmer um die Herrschaft in der Stadt und im Comitat Venaissin.[348] Wichtiger war die zweite Phase 1436/37: Avignon erhielt von der Basler Majorität die Präferenz als Ort des geplanten Unionskonzils[349]. Vorausgegangen war ein veritabler Städtewettstreit: Neben Avignon bewarb sich massiv Lyon[350] als Konkurrentin an der Rhône, machte sich Kaiser Sigmund für Ofen in Ungarn stark, ließ Florenz durch Leonardo Bruni die Register humanistischen Städtelobs ziehen und mit allerlei Artigkeiten gegenüber den Baslern verzieren[351]. Die ‚Siegerin‘ Avignon war bekanntlich am Ende mit beträchtlichen finanziellen Verlusten die Düpierte; den Ruhm der Unionsstadt trugen Ferrara und Florenz davon. – Die Verhandlungen des Basiliense mit diesen Städten verdienten unbedingt eine zusammenfassende Darstellung.

b) Basel als Konzilsstadt

Die Konzile verwandelten die Städte Konstanz und Basel für einige Jahre in Zentren der Christenheit. Die Kirche war „gleichsam nach Deutschland verlegt worden“ (Moraw). Das allgemeine Geschichtsbild assoziiert freilich mit Basel nicht primär die ‚Konzilsstadt‘, jedenfalls in ungleich geringerem Maße als dies bei Konstanz der Fall ist. Welchen Stellenwert das Konzil damals und heute im Bewußtsein der Basler Bürger einnimmt, wäre im Lichte der eigentümlichen Wirkungsgeschichte des Basiliense sicherlich interessant zu eruieren. In der Basler Stadtgeschichtsschreibung scheint mir das Konzil eine Sonderrolle zu spielen, die im letzten randhaft bleibt.

Schilderungen von Konzilsmitgliedern wären zu sichten. Es fehlt nicht an lobenden Worten: Enea Silvio erhob die Konzilsstadt zum Gegenstand einer humanistischen ‚laudatio urbis‘[352], die immer

---

[348] CB V 295–303. BARON, Pierre de Foix 58–76; GRAILLY, Révolte des Avignonais; VALOIS I 166–75, 262–69. S. oben 118 f.

[349] HEFELE-LECLERCQ VII 2, 928–30, und vor allem LABANDE, Translation, mit Ed. wichtiger Aktenstücke. Ferner BARON, Pierre de Foix 77–86; PÉROUSE, Aleman 209–46 passim; Documents inédits 371 (Nr. IV); SCHARLA, Rudolf von Rüdesheim 19–23; ECKSTEIN, Finanzlage 16-18.; SCHWEIZER, Lapalud 128–33.

[350] VAESEN, Translation; FÉDOU, Révolte populaire 260 f.; MÜLLER, Lyon 50 f.

[351] Es handelt sich um fünf Briefe zwischen 3. Juli und 23. Dezember 1436; Bruni, Epistolae, ed. MEHUS II 235–43. S. unten 171 f.

[352] S. dazu unten 171 f. Die Responsio ‚Cogitanti‘ sagt über die Konzilsstadt: *Si mente lustratis omnes christianitatis regiones, vix ulla est ad celebrandum concilium accomodacior, securior ac fertilior hoc loco intus et in circuitu;* MC II 258.

auch einen apologetischen Zug hat. Als Konzilsorte prädestiniert waren weder Konstanz noch Basel, mochten auch zentrale Lage und ökonomische Potenz ihre Wahl verständlich machen.

Als das Konzil in seinen Mauern tagte, galt für Basel wie für die Vorgängerin Konstanz das Wort von Traugott Geering: „Ein Concil ist die stärkste Coniunctur, die sich für das gesamte Wirtschaftsleben einer mittelalterlichen Stadt denken läßt".[353] Über siebzehn Jahre hindurch (1431–1448) stellten Unterbringung, Versorgung und Schutz der Konzilsväter Rat und Bürgerschaft vor schwierige, aber auch lukrative Aufgaben. THOMMEN (1895), GEERING (1896) und WACKERNAGEL (1907)[354] haben diese auch für die Stadtgeschichtsforschung nicht unwichtigen Zusammenhänge detailreich untersucht. Sie sind ohne Nachfolge geblieben. Die Beziehungen ließen sich womöglich in einem Viereck Stadt-Bischof-Konzil und Kaiser darstellen. Der in der Forschung (GILOMEN-SCHENKEL) am besten bekannte Basler Bürger der Zeit, Henmann Offenburg,[355] verband in persona die Interessen von Stadt und Konzil. Er gehörte dem städtischen Dreierausschuß an, der dem Konzilsprotektor zur Seite stand, und vertrat mehrmals Stadtrat und Synode als Gesandter.

Wie die Basler Bürgerschaft den eigentlichen kirchlichen Anliegen des Konzils gegenüberstand, ist schwer zu beurteilen.[356] Gemeinsam erlitt man im Sommer 1439 das Wüten der Pest.[357] Immerhin identifizierten sich die Basler mit ‚ihrem' Konzil doch so sehr, daß sie ab

---

[353] GEERING, Handel und Industrie der Stadt Basel 266. Die Basler Papierindustrie verdankt ihre Entstehung wesentlich der durch den Bücherbedarf der Konzilsteilnehmer hervorgerufenen Konjunktur; LEHMANN, Büchermärkte 270. – Für die Konzilsteilnehmer sah das freilich oft so aus: *Cara omnia ultra modum nec est modus, nec norma, neque tenent cives quod promittunt* schreiben die Gesandten von Cluny 1434 an ihren Abt; NEUMANN, Francouzská hussitica 148 (Nr. 42).

[354] THOMMEN, Basel und das Basler Konzil; GEERING, Handel 266–95; WACKERNAGEL, Geschichte der Stadt Basel I, 476–528, II 1, 511–14. Vgl. LAZARUS 57–66; GILOMEN-SCHENKEL, Henmann Offenburg 79–100. – Reiches Material in: URKUNDENBUCH DER STADT BASEL VI und VII. Supplementär: BASLER CHRONIKEN IV und V, die eher ein peripheres Interesse am Konzil erkennen lassen. Zu den Basler Klöstern s. oben 129. – Zu ergänzen: EHRENSPERGER, Basels Stellung im Handelsverkehr 329–33, 463 f.

[355] GILOMEN-SCHENKEL, Henmann Offenburg, bes. 79–100; HÖDL (1978) 208 s. v.

[356] Einige Stimmen des Konzils forderten zum Beispiel die Basler Bürgerschaft auf, in der Abstimmung über die Ortsfrage zugunsten der Majorität einzugreifen; MC II 963 f. – 1438 baten ihrerseits die Bürger das Konzil, von einem Papstprozeß abzusehen; MC III 18.

[357] S. VON DER MÜHLL, Vorspiel 71–77, und, gestützt auf die Berichte des Enea Silvio: BUESS, Pest in Basel 57–63.

15. Februar 1438 für zehn Jahre Exkommunikation und Interdikt auf sich nahmen.[358] Selbst in den Jahren 1447/48 ließ man erst auf massiven Druck Friedrichs III. das Rumpfkonzil ausweisen.[359] Als Andrea Jamometič 1482 gerade in Basel seinen Konzilsversuch startete, hat er sehr zu recht auf den dort noch nicht verblaßten Nimbus des großen Konzils gesetzt.[360]

11. Humanisten

a) Humanismus und Konziliarismus

‚Humanisten und Basler Konzil'? Die Humanismusforschung hat diesem Thema nur sehr geringe Aufmerksamkeit geschenkt.[361] Ein erster flüchtiger Blick auf die Literatur vermittelt den Eindruck, daß die Humanisten das Basiliense entweder ignorierten oder ihm in selteneren Fällen polemisch gegenüberstanden. Am Constantiense sei ihr Interesse größer gewesen – symbolisch der Tod des Chrysoloras daselbst im Jahre 1415. Wenn überhaupt ein Konzil, dann habe Ferrara-Florenz und der Kontakt mit Griechen wie Bessarion, Plethon oder Argyropoulos die humanistische Leidenschaft entfacht.[362]

---

[358] Vermutlich blieben die Kirchenstrafen der Bulle ‚Exposcit" (COD 520 Z. 1–5) jedoch ohne größere Wirkung.

[359] S. Basler Chroniken V, 404–408; THOMMEN, Basel und das Basler Konzil 220–25; SCHMIDLIN, Letzte Sessio; PÉROUSE 427–30; WACKERNAGEL, Geschichte der Stadt Basel I 536; VALOIS II 344; STUTZ, Felix V. 288–93; DLO 291 f.; STIEBER 311.

[360] S. unten 481 f. – WACKERNAGEL, in: BZGA 2 (1903) 173, schreibt über die Stimmung der Basler in der zweiten Hälfte des 15. Jh.: „Dagegen war Basel die Stadt des Konzils gewesen, und gewiß hat dieses mächtige Faktum auf die ganze kirchliche und religiöse Richtung der Bewohner dauernd eingewirkt. Das Wesen der Kirche, die Möglichkeit von Reformen war ihnen grösser, lebendiger vor Augen gestanden, als irgend Anderen, ein Interesse für solche Dinge . . . war wohl bei Vielen unter ihnen die Folge dieser Erlebnisse." *

[361] Zu nennen sind: SABBADINI, Niccolò da Cusa e i conciliari di Basilea alla scoperta dei codici (1911); ders., Scoperte 114–22 und FUBINI, Tra umanesimo e concili (1966), ausgehend von PAREDI, Biblioteca (1961), subtil über den Bischof Francesco Pizolpasso, v.a. 149–51, mit Ed. neuer Briefe. Vgl. aus der älteren Literatur vor allem u. passim: VOIGT Enea Silvio I 212–28; PÉROUSE 200–02; Überblick von WALSER, Konzilien (1913) – wenig bekannt; VANSTEENBERGHE, Cardinal 21–24; DLO 248 („le clan des humanistes") leider ohne Anmerkungen. – Vgl. den Hinweis bei SCHNEIDER, Konziliarismus 43 Anm. 115: „Die Rezeption konziliaristischer Ideen bei den Humanisten bedarf noch einer sorgfältigen Untersuchung." *

[362] Zum Beispiel PASTOR I 416: „Humanisten . . ., die in ihrer großen Mehrzahl den konziliaren Streitfragen gleichgültig gegenüberstanden"; DLO 248: „leurs sympathies secrèts vont au partie pontifical"; FUBINI, Tra umanesimo e concili 350: „indifferenza alle dispute conciliari". – Zur Begegnung mit den Griechen und ihren kulturgeschichtlichen Folgen

In direktem Widerspruch zu diesem Befund steht aber eine andere, in der Forschung viel weiter verbreitete Ansicht: Das Basler Konzil habe ganz entscheidend für die Ausbreitung des Humanismus nördlich der Alpen gewirkt – und zwar bis ins Gebiet der Malerei hinein.[363] Damit gerät Basel in ein ebenso weites wie kompliziertes Problemfeld. Maßgeblicher Promotor der These scheint wie so oft GEORG VOIGT (1856) gewesen zu sein, zuletzt wurde sie (wohl überspitzt) von GIANNI ZIPPEL (1963) vertreten.[364] Basel soll also einerseits die Humanisten nicht interessiert, zugleich aber als Strahlquelle des Humanismus gewirkt haben? Der naheliegende Weg, dem Widerspruch auf den Grund zu gehen, ist der, von den Personen auszugehen, wobei als Hauptfigur sogleich Enea Silvio Piccolomini die Bühne betritt. Eine grundsätzliche Unterscheidung müssen wir vorausschicken: Die unbestreitbare Anwesenheit einiger italienischer Humanisten in Basel und gewisse humanistisch geprägte Aktivitäten, wie Reden, gelehrte Korrespondenzen, Handschriftenjagden können nicht mit Inhalt und Geist der eigentlichen Konzilsarbeit gleichgesetzt werden. Es ist vielmehr seine äußere Funktion als europäischer Treffpunkt und multiples Forum, die das Konzil nahezu automatisch a u c h zum Umschlagplatz humanistischen Gedankenguts machen konnte. Daß humanistisches Interesse damals auch in Teilen des Klerus und der Orden, vor allem Italiens, Eingang gefunden hatte, ist der Forschung schon lange geläufig.[365]

Unausweichlich steht man damit stets vor einem sehr diffizilen Problem: Wer darf ‚Humanist' genannt werden und wer (noch) nicht? Wo

---

hier nur: HOFMANN, Humanismus in concilio Florentino; MOHLER, Bessarion I 56–178; STINGER, Humanism 203–22; STORIA DELLA CULTURA VENETA III 1, 212–15.

[363] Insbesondere bei Konrad Witz († 1444): MASTROPIERRO, Influenza dell'umanesimo. S. oben 69.

[364] VOIGT, Enea Silvio I 212: „Wohl aber ist es eine für die Literaturgeschichte höchst bedeutsame Tatsache, daß jenes Studium, welches in Italien seit dem Anfange des Jahrhunderts sich reißend ausbreitete, auf dem basler Concil zuerst in den Weltverkehr zu treten, sich anderen Nationen mitzutheilen und in das öffentliche Leben einzudringen begann"; ebd. 219: „Es herrschte also zu Basel schon eine gewisse Empfänglichkeit oder gar Vorliebe für den Humanismus." – ZIPPEL, Inizi dell'Umanesimo tedesco 352–69, ebd. 352: „Storicamente l'atto di nascita dell'Umanesimo tedesco-renano può ben essere fatto coincidere con gli eventi del concilio di Basilea"; ähnlich 361, 365, 368. In seiner jüngsten Publikation zum Thema zieht ZIPPEL, Piccolomini e il mondo germanico (1981), den Blick wieder auf Enea Silvio zurück. – Weitere Beispiele für diese These: BORSA, Pier Candido Decembri 56; HERMELINK, Reformbestrebungen 9 (skeptisch); WALSER, Konzilien 19–21; FINK, HKG III 2, 551. Negativer Befund: STEINMANN, Schrift 385-93.

[365] Stellvertretend für eine Vielzahl von Arbeiten: KRISTELLER, Contributions of Religious Orders; ELM, Verfall 223 f. mit Literatur.

liegen die Grenzen zwischen einem gelehrten, dem Humanismus gegenüber zumindest aufgeschlossenen Theologen und einem ‚echten' Humanisten? Selbst die klärende Eng-definition Kristellers – ‚Humanisten' sind nur diejenigen, die sich hauptsächlich mit den fünf Fächern der ‚humaniora' befassen – wird da keine ganz exakten Scheidungen ermöglichen. Am intensivsten wurde die Frage an der Person des Nikolaus von Kues erörtert (Seidlmayer, Meuthen usw.): Man hielt die Unterschiede zwischen seinem Denken und den Anliegen und Methoden der Humanisten für so tiefgreifend, daß auch seine antiquarischen Interessen, seine Suche nach alten Handschriften und seine Freundschaft mit einigen italienischen Humanisten ihn deshalb keineswegs selbst zum ‚Humanisten' im engeren Sinne machten.[366] Das gleiche wird man dann von Cesarini, Albergati oder Johann von Ragusa sagen müssen. Andererseits – einem Kardinal Orsini, den Bischöfen Francesco Pizolpasso und Gerardo Landriani oder – als Paradebeispiel – dem Kamaldulensergeneral Ambrogio Traversari kann man die Bezeichnung ‚Humanist' kaum verweigern.[367]

Sieht man die Korrespondenz einiger Humanisten durch, spürt man weder sonderliches Interesse am Basler Konzil, noch läßt sich eine geschlossene Haltung bei ihnen feststellen. Selbst solche, die wie Aurispa oder Pizolpasso selbst Konzilsmitglieder waren, korrespondieren mit ihren Freunden, auch von Basel aus, im gewohnten Stil mehr über Cicero und Handschriften, als über den Konzilsbetrieb.[368] Die Briefe Enea Silvios und Traversaris sind allerdings auch für die Geschichte des Konzils Quellen erster Ordnung. Zwischen ‚Humanismus' und ‚Konziliarismus' bestand im Prinzip weder eine besondere Affinität, noch schlossen sie sich aus; das entsprach der flexiblen, ‚weltanschaulich' ungebundenen, dabei keineswegs antikirchlichen Natur des Humanismus. In der Literatur wurden freilich immer wieder feindselige Äußerungen von Humanisten zitiert: Neben den Anklagen Traversaris springt besonders die maßlose Invektive ins Auge,

---

[366] SEIDLMAYER, Nikolaus von Cues und der Humanismus, vor allem 75 ff., 103 ff., spricht nur von einer „allgemeinen Wahlverwandtschaft … mit dem Gesamthumanismus seiner Zeit" (105). Bestätigend GAMBERONI, Cusanus; MEUTHEN, Nikolaus von Kues und die Geschichte 235–37, 251 f. und AC I 1. Der ‚Humanismus' des Cusanus dagegen stark betont bei VANSTEENBERGHE, Cardinal 17–32 (zur Basler Zeit 21–24); REDLICH, Tegernsee 117–30; ZIPPEL, Inizi dell'umanesimo tedesco 354–65. Vgl. BERSCHIN, Griechisch-lateinisches Mittelalter 310–18.

[367] Zum Verhältnis von ‚Humanismus' und ‚Scholastik' am Beispiel Piero da Montes s. HALLER, Monte *16–*20, *42–*46. Vgl. SIEBERG 154 f.

[368] Ausführlicheres hoffe ich demnächst andernorts vorzulegen.

die der „eingefleischte Curiale" (Georg Voigt) Poggio Bracciolini
gegen die ‚Pöbelherrschaft' des *latrocinium Basiliense* abschoß und
damit unter Aufwendung seines „ciceronian bombast" (Black) die
gängigen antikonziliaren Topoi übertrumpfte.[369] Am Konstanzer
Konzil hatte Poggio persönlich teilgenommen und sogar eine Rede
gegen die ‚vitia cleri' verfaßt.[370] Doch galten seine Gedanken bekanntlich mehr ‚Plautus im Nonnenkloster' als den konziliaren Ideen.
Indirekte Kritik am Basler Konzil ist auch von Flavio Biondo,
Francesco Filelfo[371] und Lapo da Castiglionchio[372] bekannt. Zugleich –
und damit wird die Sache interessant – verteidigten insbesondere Poggio und Lapo die römische Kurie. Man mag darin zum Teil rhetorische
Routine angepaßter Humanisten sehen, die die Kunst ihrer Feder der

[369] Zit. BLACK, Monarchy 88. – Zu Poggio s. DBI 13 (1972) 640–46. Die im Herbst 1447
entstandene ‚Invectiva in Felicem Antipapam', (in: Poggius Bracciolini Opera Omnia,
ed. FUBINI I, 155–64; Auszüge bei BARONIUS–THEINER, Annales ecclesia stici XXVIII ad a.
1440 (!), 336 f. und ad a.1447, 486; vgl. Repertorium Fontium II 574 f.) wird in der
Literatur nur nebenher berücksichtigt: VOIGT, Enea Silvio I 172 Anm. 2, 196–98; Wiederbelebung II 10 f., 77; WALSER, Poggius Florentinus 262 (vgl. 151–55 Poggios Verhältnis
zum Basler Konzil); PASTOR I 176 f.; AMELUNG, Bild des Deutschen 46 f. – Poggio reagiert
auf den Versuch Felix V., nach dem Tod Eugens IV. doch noch die Anerkennung der Fürsten zu finden (s. die Briefe in: Mansi XXXIA 189C–191A; Martène-Durand, Veterum
scriptorum... collectio VIII, 989–94). Die ‚Invectiva' ist wohl Zeichen einer gewissen Nervosität in Nikolaus' V. erstem Pontifikatsjahr, zugleich Zeugnis eines in dieser Stärke
unter den Humanisten ungewöhnlichen Konzilshasses, dessen Wachsen man bereits in
Poggios Korrespondenz mit Cesarini und Pizolpasso verfolgen kann: Poggio Bracciolini,
Lettere, ed. HARTH, II Nr. III 12, III 15, IV 3–4, V 2, V 8, VIII 3, VIII 13. – Wenn Poggio
gelegentlich ganz untypisch als Konzilstheoretiker und Verf. eines Traktats ‚De potestate et concilii generalis et papae' figuriert (VOIGT, Enea Silvio I 219 Anm. 1 unter Berufung auf RAYNALDI; BLACK, Monarchy 54–56, 61, 67, 123, 174; Council 40) beruht dies auf
einer doppelten Verwechselung a) mit Johannes de Podio (= Jean du Puy, Bischof von
Cahors († 1438) mit seinem Traktat obigen Titels (PARIS Bibl. Nat. Ms. lat f. 194–219;
VALOIS I 173; der bei BLACK 174 genannte Druck, Rom 1510–20, ließ sich nicht ermitteln); bzw. b) mit Johannes de Podio (= Giovanni Battista del Poggio, Kanonist in
Bologna († 1447) mit einem Traktat ‚De potestate summi pontificis et concilii';
CHROUST–CORBETT, Laurentius of Arezzo 69 Anm. 33, wo letzterem wiederum fälschlich
die ‚Invectiva' zugeschrieben wird.
[370] Jüngste Edition bei FUBINI, Teatro del mondo 93–132. Vgl. ders., Papato e storiografia 328 f. Zum Konstanzer Aufenthalts K. VOIGT, Italienische Berichte 55–63 mit
Literatur.
[371] Einen ‚christlichen Humanismus' Biondos im Dienste Eugens IV. überbetont:
MARINO, Eugenio IV e Flavio Biondo (1973); dazu kritisch ONOFRI, A proposito (1976);
FUBINI, Papato e storiografia 324–27. Über *Filelfo* nur eine Bemerkung von PÉROUSE 201.
Vgl. seinen Tadel an Enea Silvios konziliarem Engagement (1436 II 27); Briefwechsel,
ed. WOLKAN I 1, S. 41.
[372] Zu *Lapo* s. R. FUBINI, in: DBI 22 (1979), 44–51. – Der Traktat ist ediert bei SCHOLZ,
Humanistische Schilderung der Kurie 116–53; vgl. ders., Ungedruckte Schilderung,
besonders 401 f., 412. Zuletzt ed. bei GARIN, Prosatori latini 179–211 unter dem Titel

Kurie liehen, so wie der junge Enea Silvio Piccolomini die seinige dem Basler Konzil. Doch schwingen wohl auch tiefere Motive mit: Das feine Hochgefühl einer überlegenen Bildung und Ethik, das schon in der Polemik vieler Humanisten gegen die Bettelmönche zutage getreten war, aber auch deutliche Spuren des alten italienischen Ressentiments gegen die nördlichen ‚Barbaren' werden sichtbar.[373] Die Solidarisierung mit Kurie und Papsttum würde so gesehen doppelt verständlich: Die Kurie ist Förderer der (humanistischen) Kultur und insofern – nicht selten als direkter Brotherr – ein Teil der humanistischen Lebenswelt; es liegt also sowohl im eigenen wie im nationalen Interesse, daß sie von den Machenschaften des Konzils der Ultramontanen unbehelligt bleibt.[374] Wenn wir dennoch eine beachtliche Zahl von Humanisten in Basel antreffen, geht dies wesentlich auf ihre Verpflichtungen als Bischöfe, Äbte und Diplomaten zurück. Man kannte sich oft schon lange und pflegte die Kontakte auch in und von Basel aus weiter. Inwieweit ihre Konzilsreden ‚humanistisch' geprägt sind, bedürfte genauerer Untersuchung. Man begegnet Giovanni Aurispa[375] in Begleitung des jungen Meliaduce d'Este, den Bischöfen Francesco Pizolpasso (Pavia, ab 1435 Mailand)[376] und Gerardo Lan-

‚De commodis curiae Romanae'. Die Kurie wird hier als Bildungs- und Humanistenzentrum verteidigt.

[373] Poggio schrieb an Pizolpasso über die Basler (1439 II 5): *acuerem ... calamum adversus impudentiam eorum, qui ambitione quadam pestifera et truci adversus Italos (!) odio divina humanaque jura perturbant*; Poggio Bracciolini, Lettere II, ed. H. HARTH, 342 Z. 49–51. Vgl. AMELUNG, Bild des Deutschen 45–66; DLO 249. – Zur humanistischen Mönchskritik s. VASOLI, Poggio e la polemica antimonastica (1982).

[374] Über möglicherweise doch bestehende prinzipielle Idiosynkrasien, aber auch Affinitäten (Reform) zwischen Konziliarismus und Humanismus sind vorläufig nur Mutmaßungen möglich. War es ein grundsätzlicher ‚Konservatismus', wie man ihn im politischen Denken Salutatis hat beobachten wollen (‚ein guter Bürger ist, der die Verfassung nicht ändert'; s. KESSLER, Humanistische Denkelemente [1983], v.a. 37 f.), der, auf die Kirchenverfassung übertragen, einen Poggio die ‚seditio' der Basler ‚tumultuaria manus' verhaßt machte? Demgegenüber versuchte zum Beispiel TIERNEY, eben jenen ‚civic humanism' mit dem ‚conciliarism' zusammenzubringen: „as two alternative rhetorical strategies through which the communal ethos of the Middle Ages was transmitted to the early modern world"; TIERNEY, Religion, Law 87. Tierney faßt natürlich nur eine Komponente des Konziliarismus ins Auge. Die Bezeichnung „rhetorical strategy" erscheint mir für den Konziliarismus ebenso abwegig zu sein, wie sie für den Humanismus zutrifft. – Diskutabel wäre eher ein Vergleich des Florentiner ‚libertas'-Ideals (Salutati, Bruni) mit dem ‚libertas'-Begriff in Basel; s. oben 27-29, 93-98.

[375] Aurispa wird mehrmals als Übersetzer aus dem Griechischen während der Unionsverhandlungen genannt (s. unten 381). Vgl. SABBADINI, Niccolò da Cusa 31–33; Biografia 67 f.; SOTTILI, Traversari-Pizolpasso-Aurispa (anhand der Korrespondenzen).

[376] S. PAREDI, Biblioteca del Pizolpasso 35–58; FUBINI, Tra umanesimo e concili; SOTTILI, Traversari-Pizolpasso-Aurispa, hier 56–63 ein Brief aus Basel an Aurispa (1435 V 16); ZACCARIA, Decembrio-Pizolpasso-Pisani. Vgl. AC I 1 Nr. 292, I 2 Nr. 297 und 349.

driani (Lodi, ab 1437 Como)[377] als mailändischen Gesandten. Noch am 24. Mai 1441 hatte der Dichter und Humanist Ugolino Pisani als Orator Alfons' V. von Aragón Audienz bei Felix V. und hielt dort einen Panegyricus auf den Gegenpapst.[378] Gerade Pizolpasso fungierte in Basel weiter als Schaltstelle der ‚res publica litterarum‘, obwohl ihn die Politik schwer belastete. Leonardo Bruni, als Kanzler von Florenz damals der ‚Humanist im Staatsdienst‘ par excellence schrieb in dieser Eigenschaft 1436 im Städtewettstreit um das Unionskonzil fünf höfliche Briefe an die Basler, um Florenz als Ort attraktiv zu machen.[379] Kurz darauf wurde Basel zum Schauplatz eines durch Humanisten ausgefochtenen Streits zwischen Mailand und Florenz. Als Medium diente das humanistische Städtelob: Seit 1434 verbreitete Bruni erneut seine 1403/04 entstandene ‚Laudatio Florentinae urbis‘. Sie wurde alsbald durch den visconteischen Sekretär Pier Candido Decembrio durch einen ‚De laudibus Mediolanensium urbis panegyricus‘ konterkariert, gewissermaßen eine Wiederholung des berühmten ‚libertas‘-Streits zwischen Salutati und Loschi. Die ‚Laudatio‘ und ein gegen sie gerichteter anonymer Brief, für dessen Verfasser Pizolpasso den Decembrio hielt, kursierten auch in Basel und wirbelten Staub auf.[380] Beide Laudationes regten dann Enea Silvio zu

---

[377] S. zuletzt SAMMUT, Unfredo 5–7, 238 s.v., dort 3–53 eine Fülle prosopographischer Details zu den England-Kontakten der italienischen Humanisten.

[378] Teiledition bei ZACCARIA, Decembrio-Pizolpasso-Pisani 204 f.; vollständige Ed. bei VITI, L'orazione di Ugolino Pisani per Felice V. (1981) 92–108. Diese ‚ciceronianische‘ Basler Rede Pisanis ist erwähnt bei REDLICH, Tegernsee 119; ROSSMANN, Johannes Keck 339 Anm. 41. Der Text gelangte über Keck nach Tegernsee, jetzt clm 18298 f. 117ʳ–120ʳ. – Ein weiterer Humanist in Basel war *Lodovico da Pirano*, Franziskanerprovinzial von Padua, inkorporiert 1434 III 15 (CB III 46 Z. 10 f.; MC II 271 Z. 18). Er hielt angeblich dort eine von antiken Klassikern gespickte Rede ‚in coena Domini‘, zog 1437 zum Ferrariense, dort im regen Austausch mit den Griechen; s. YATES, Lodovico da Pirano's Memory Treatise 113 und 119. Hinweise auf die bei Yates 113 erwähnte Rede fanden sich in CB und MC nicht.

[379] Bruni, Epistolae, ed. MEHUS, II 235–43. Zur sog. ‚controversia Alphonsiana‘: BIRKENMAJER, Streit, v. a. 130 ff.; HARDT, Brunis Selbstverständnis (Lit.).

[380] S. GARIN, Cultura milanese 581 f.; K. VOIGT, Italienische Berichte 105 f. ohne letzte Klarheit; ZACCARIA, Decembrio e Bruni 520–28. – Text Decembrios ed. G. PETRAGLIONE, in: Archivio storico Lombardo ser. IV vol. 8 (1907) 27–45 sowie zuletzt in: Petri Candidi Decembrii Opuscula historica (= RIS XX, 1) 1011–25. – Text Brunis ed. ZACCARIA, ebd. 528–54, und BARON, From Petrarch to Bruni 232–63, ebd. 228: „Florentine propaganda" in Basel. – Decembrio hatte 1435 als Gesandter Mailands eine Reise durch Deutschland, Flandern, Frankreich und Savoyen, wo er Amadeus VIII. traf, gemacht; BORSA, Pier Candido Decembri 12 f., ebd. 56 f., 59, 68 zur Korrespondenz mit Basler Konzilsmitgliedern. ZIPPEL, Inizi del umanesimo tedesco 356, unterstellt ihm und Maffeo Vegio Nähe zu konziliaren Ideen.

seiner zweiten ‚Descriptio urbis Basileae' von 1438 an.[381] Ein sprechendes Beispiel dafür, wie sich gelehrter Humanistenstreit mit politischer Rivalität und nicht zuletzt mit konzilstaktischem Kalkül (Kon-
kurrenzkampf um das Unionskonzil) verbinden konnten. Mit ‚Konziliarismus' oder ‚Papalismus' hatte dies alles nur sehr wenig zu tun.

Anders lagen die Dinge bei dem eindeutig ‚papalistisch' orientierten Humanisten Ambrogio Traversari: Sein Besuch in Basel, gekrönt
von der großen Rede am 7. Oktober 1435, ist, anhand der Briefe, als
Versuch anzusehen, Basler Konzilsmitglieder im Sinne der Kurie
umzustimmen.[382] Können seine rhetorischen Mittel, die vor allem mit
vielen Beispielen aus Väterzeit und Geschichte arbeiten, ‚humanistisch' genannt werden? Bezeichnend ist Traversaris Irritation über
Cesarini, der im vertraulichen Gespräch mit ihm über die Konzilsfrage wie über antike Klassiker spricht - und dann doch loyal zum Basiliense steht. Schließlich der Modellhumanist, Enea Silvio Piccolomini[383]: Zehn Jahre band er sich an Konzil und Gegenpapst, sicherlich
Aufstiegschancen witternd, aber auch mit Überzeugungen, über
deren ‚Aufrichtigkeit' sich die Forschung zu streiten pflegt. Zugleich
hält man ihn mit dem Kreis um Nikolaus von Città di Castello, Petrus
von Noceto und andere für die maßgeblichen Verbreiter einer gewissen humanistischen Aura in Basel - und später in Wien gar für den
„Apostel des Humanismus in Deutschland" (Voigt). Gerade die in
Basel verfaßten Schriften sind aber noch keineswegs hinreichend
interpretiert.

---

[381] CB VIII 191–204. Weitere Editionen: PREISWERK, in: BZGA 4 (1905) 5–17; Enea Silvio, Briefwechsel, ed. WOLKAN, I 1, 84–95. Deutsch von WIDMER, in: Enea Silvio-Papst
Pius II., 348–70. Vgl. WIDMER, Enea Silvios Lob der Stadt Basel; K. VOIGT, Italienische
Berichte 100–110; ZIPPEL, Piccolomini e il mondo germanico 273–80; zuletzt GOLD-
BRUNNER, Laudatio urbis 317–19. – In den Kreis der latent kirchenpolitischen Humani-
stenschriften gehört natürlich auch Lorenzo Vallas ‚De falso credita'; s. dazu unten
244 f.

[382] Text der Rede: Mansi XXIX 1250–75; dazu STINGER, Humanism 186–97. Aus der
Traversari-Literatur neben der wichtigen Arbeit von STINGER (1977) und der älteren Pro-
grammschrift von MASIUS, Traversari (1888) hier nur, soweit für den Aufenthalt in Basel
relevant: HEFELE-LECLERCQ VII 2, 887–95; PÉROUSE 203–09; VALOIS I 387–94; DINI TRA-
VERSARI 226–73; DÉCARREAUX, Traversari 101–30; SOTTILI, Traversari-Pizolpasso-Aurispa;
K. VOIGT, Italienische Berichte 70–76; KRÄMER, Konsens 157 f. – Eine Analyse der ca. 40
in Basel verfaßten Briefe ist nötig; vgl. Liste in: Traversarii... Epistulae. ed. CANNETI,
1137 f.

[383] Zu *Enea Silvio* s. oben Anm. 381 und unten 446 Anm. 115. Im hiesigen Zusammenhang besonders zu nennen: VOIGT, Enea Silvio I 116–20, 149 f., 222–28, 257 f., 271–
76; BUYKEN, Enea Silvio 1–41; WIDMER, Enea Silvio 1–35 und passim; K. VOIGT,

b) Basel als Büchermarkt

Das geradezu typische Interesse der Humanisten wurde bisher ausgeklammert: Die Suche nach Handschriften. In diesem mehr äußerlichen Punkt sind die Verbindungen von Humanisten und Reformkonzilien ins breitere Bewußtsein bis hinein in die Schöne Literatur eingedrungen. In der großen ‚Scoperta‘-Welle italienischer Humanisten bildeten besonders das Konstanzer, aber auch das Basler Konzil reiche Etappen,[384] allein schon, weil sie manchem Humanisten die willkommene Gelegenheit boten, etwa im Gefolge hoher Geistlicher gen Norden zu reisen und dort die Bibliotheken durchzuforschen. Was Poggio an Funden während des Constantiense gelang, glückte Aurispa – wenn auch nicht mehr ganz so spektakulär – während des Basiliense. Er fand zum Beispiel den Terenz-Kommentar des Donat in Mainz.[385] Der Bibliomane Niccolò Niccoli hatte 1431 sogar den Kardinälen Cesarini und Albergati eine Suchliste für Handschriften auf ihre Reisen nach Norden mitgegeben.[386]

Die Trouvaillen der Humanisten bilden jedoch nur eine Facette der großen Bedeutung, die die Konzilien selbst als „Büchermärkte" für die abendländische Bildungsgeschichte gehabt haben. PAUL LEHMANN (1921) und nach ihm MARTIN STEINMANN (1978) und JÜRGEN MIETHKE (1981) haben diese Tatsache hervorgehoben und an Beispielen demonstriert.[387] Das Zusammenströmen so vieler theologisch und juristisch Interessierter, die neuen Gelehrtenbekanntschaften, die manche zuvor „geschlossene Öffentlichkeiten" (Miethke) und „gruppeninterne, literarische Märkte" (Boockmann) amalgamierten und erweiterten, nicht zuletzt der Bedarf an Texten für die Konzilsarbeit selbst, machten Basel beinahe zwangsläufig zu einem Multiplikations-

Italienische Berichte 18–21, 77–153; ZIPPEL, Piccolomini e il mondo germanico 267–95 und passim. Seine Konzilsreden müßten systematisch analysiert werden, man höre etwa J. BURCKHARDT, Kultur der Renaissance 213, über seine Rede zum Ambrosiusfest (1438 IV 4; Mansi XXX 1094–1114): „Es war den außeritalischen Basler Konzilsherren etwas Neues, daß der Erzbischof von Mailand (sc. Pizolpasso) am Ambrosiustage den Aeneas Sylvius auftreten ließ, welcher noch keine Weihe empfangen hatte; trotz dem Murren der Theologen ließen sie sich es gefallen und hörten mit größter Begier zu." Vgl. O'MALLEY, Praise and Blame 80; HALLER, Rede des Enea Silvio 85, charakterisiert eine zwischen November 1438 und März 1439 vor dem Konzil gehaltene Rede als „Humanistenrede".

[384] Grundlegend immer noch: SABBADINI, Scoperte 114–24, und erweitert: Niccolò da Cusa e i conciliari di Basilea alla scoperta dei codici (1911).

[385] SABBADINI, Storia e critica di testi 214–25, 243–45 (²159–81); Niccolò da Cusa 31–33.

[386] Ed. R.P. ROBINSON, in: Classical Philology 16 (1921) 251–55.

[387] LEHMANN, Büchermärkte, zu Basel 270–80, mit nach Bibliotheken geordneter Liste von Hss. Basler Provenienz. Ähnlich, mit Ergänzungen: STEINMANN, Ältere

zentrum für Handschriften verschiedenster Art. Sie wurden vielfach
an Ort und Stelle in florierenden Skriptorien kopiert und dann von
den Konzilsvätern aus ganz Europa mit in ihre Heimatländer genommen.[388] Dort sind sie häufig nachweisbar, und mancher Fund
dürfte noch gelingen. Freilich wird deutlich, daß die antiken Klassiker, denen ein ‚humanistisches' Interesse an erster Stelle hätte gelten
müssen, im Panorama der in Basel zirkulierenden Handschriften nur
einen kleinen Teil ausmachte. Die Konzilsväter kauften viel mehr
theologische, aber auch gängige juristische und spirituelle Handschriften. Manche Texte des 14. Jahrhunderts wie Quidort und Ockham
erlebten erst jetzt „geradezu eine Explosion ihrer Verbreitung".[389]
Aus der Antike waren Kirchenväter mehr gefragt als Cicero und auch
sie nicht aus Antikenbegeisterung, sondern zu theologisch-prakti-
schen Zwecken. Der eigene Suchauftrag, den das Konzil seinen
Gesandten nach Konstantinopel auf den Weg gab, spricht eine deutliche Sprache: *Date operam perquirendi libros auctorum Grecorum antiquorum,
per quos errores orientalium modernorum confutari possint.*[390]

Vor diesem Horizont wird man auch dem Auftrag vom 31. Mai 1437
für den Griechen Demetrios, an der Konzilsuniversität Vorlesungen
in griechischer Grammatik zu halten[391], nur entfernt humanistische
Bedeutung zuschreiben.

Fassen wir zusammen: Es gab auf dem Basiliense zwar einige Humanisten und humanistische Aktivitäten, aber als Randerscheinungen,
die nicht den Geist des Konzils bestimmten. Ein anderes Ergebnis
müßte wohl auch überraschen. Dennoch gab es allein schon perso-
nenbedingt mehr Verbindungen zwischen Humanismus und Konzilsgeschichte als bisher gesehen wurden. Sicherlich hat das Konzil als
universales Forum und vielseitiger Multiplikator auch die Ver-

theologische Literatur; Schrift 388-92. Vgl. MIETHKE, Forum 753–67, sowie unten VII 1 i
zur Rezeption von Basler Traktaten.

[388] Beispiele in den Titeln von Anm. 387. Ferner s. REDLICH, Tegernsee 17–21; MÜLLER,
Humanismusrezeption 77 f. – IZBICKI, Library of Torquemada 307 f., 311 (drei Hss. von
Torquemada in Basel gekauft: Augustinus Triumphus; Escobar, Gubernaculum; Basler
Hussitenreden). – FRANK, Hausstudium 209 f. (über Heinrich Rotstock). – ZAREBSKI,
Krakauer Professoren auf dem Baser Konzil 12–23; ders., in: Dzieje Uniwersytu (hg. A.
LEPSZY) I, 156–58. * Umgekehrt verblieben manche Hss. aus dem Besitz von Konzils-
vätern in Basel (LEHMANN, Büchermärkte 272–74), zum Beispiel die Bibliothek Johanns
von Ragusa (SCHMIDT, Bibliothek; STEINMANN, Ältere theologische Literatur 472 ff.). Sie
wurde von den deutschen Humanisten später stark frequentiert.

[389] MIETHKE, Forum 758; Ekklesiologie 377 f.; Marsilius und Ockham.

[390] CB I 372. – Vgl. aber MC II 895: Einladung berühmter Humanisten für die
Unionsverhandlungen (1436).

[391] S. oben 159, unten 381.

breitung humanistischer Ideen befördert – aber eben nur unter anderen. „Der Humanismus geht mit stillem Tritt neben den geräuschvollen Konzilsdebatten."[392] Die Wirkungsströme von Basel auf die Entstehung des deutschen Humanismus sind mit Exaktheit schwer nachzuweisen, soweit sie nicht von der Person des Enea Silvio ausgehen. Ob man den Beginn des deutschen Humanismus daher wie ZIP-PEL[392a] von Basel aus früher datieren kann, erscheint fraglich. Dem Problem ist aber weiter nachzugehen – und zwar bei allen europäischen Früh-Humanismen.[393]

12. Das Basler Konzil – ein europäischer Kongreß

Am 27. Februar 1815, als der Wiener Kongreß tagte, eröffnete JOSEPH VON GÖRRES einen Artikel seines ‚Rheinischen Merkur' mit einem Loblied auf das vorbildhafte Basler Konzil: „Als unter Kaiser Siegmund in Basel die große Kirchenversammlung sich vereinigte, da ging ein starkes Hoffen über Teutschland, es werde aus der Zusammenkunft so vieler angesehen und mächtigen Fürsten und alles dessen, was die Kirche Würdiges und Geehrtes besaß, eine durchgreifende Umbildung des geistlichen und weltlichen gemeinen Wesens hervorgehen."[394] Görres liefert uns nicht nur einen interessanten Beleg für die Wirkungsgeschichte des Basiliense, sondern ging mit seiner Analogisierung von Basler Konzil und Wiener Kongreß gewissermaßen der Forschung voraus, die Basel sowohl in verfassungsgeschichtlicher Perspektive mit dem ständisch-konstitutionellen Parlament, aber auch unter internationalem völkerrechtlichen Aspekt mit einem Gesandten-Kongreß verglichen hat: Das Konzil sei „die in ihrer Art einzige grossartige Erscheinung eines internationalen Parlaments sämmtlicher Völker der Christenheit" gewesen (Palacký) bzw. „one of the largest international assemblies of late medieval Europe" (Allmand), aber es bilde auch institutionsgeschichtlich „eine wichtige Vorstufe zum europäischen Gesandten- und Fürstenkongreß" (Meu-

---

[392] WALSER, Konzilien 19.

[392a] ZIPPEL (wie Anm. 364). Lit. zum Frühhumanismus ist hier nicht auszubreiten.*

[393] Zum französischen Frühhumanismus s. den Forschungsbericht von OUY, L'humanisme français; vgl. OUY, L'humanisme de Gerson.

[394] [Joseph von Görres], Guter Rath in alter Zeit, in: ‚Rheinischer Merkur' vom 27. Februar 1815 und 1. März 1815 (Nr. 200 und 201). Der Artikel enthält zu neunzig Prozent wörtliche (verdeutschte) Zitate aus der ‚Concordantia catholica' des Nikolaus von Kues. Zit. A. SCHIEL, in: Unsere Diözese in Vergangenheit und Gegenwart 10 (Hildesheim 1936) 3, und SIEBEN, Traktate 59 f.

then).[395] Wiederum ein zukunftsträchtiges Element im Basler Konzil! Führen von ihm tatsächlich Linien zu den europäischen Kongressen von Münster-Osnabrück 1644–48, Utrecht 1713 und Wien 1814/ 15?

Hier ist allerdings eine Unterscheidung zu treffen: Auf der einen Seite wurde das Basler Konzil, obwohl eigentlich eine Kirchenversammlung, zwangsläufig auch zu einem Treffpunkt europäischer Gesandtschaften und zu einer Drehscheibe der Staatenpolitik; auf der anderen Seite gab die Kirchenfrage einigen Fürsten Veranlassung, unabhängige ‚echte‘ Fürstenkongresse zu inszenieren. In umfassender Perspektive wird man also die säkularisierenden Auswirkungen des europäischen Kirchenproblems als Fürstenproblem nicht nur in der einschlägig bekannten landeskirchlich-nationalen Verengung, sondern umgekehrt auch in einer internationalen Erweiterung und Extensivierung sehen müssen!

Als internationales Verständigungsmittel bewährte sich das Lateinische. Nach Ansicht LHOTSKYs erlebte es in der Epoche der Reformkonzilien einen neuen Aufschwung gegenüber den Volkssprachen.[396]

Sind nun die Institutionen des Basler Konzils selbst zukunftsweisend für den europäischen Kongreß gewesen oder hat die faktische Notwendigkeit, auf längere Zeit miteinander umzugehen, indirekt den Formen des diplomatischen Verkehrs neue Impulse gegeben? Die Frage läßt sich nur vage beantworten, solange man nicht die konstitutiven Wesenszüge eines Kongresses definiert hat, falls das überhaupt möglich ist.[397] Zu nennen wären vielleicht: entwickeltes Gesandtschaftswesen, fixierte Organisationsformen, festgelegte Themen, multilaterale Teilnehmerschaft etc. Dem Selbstverständnis des Konzils als genuin priesterlicher Repräsentation der Gesamtkirche hätte der weltliche Kongreßcharakter wohl ebensowenig entsprochen wie es der Vergleich mit weltlichen Ständeversammlungen

---

[395] PALACKÝ, Urkundliche Beiträge II, Vorbericht (ohne Seitenzählung); ALLMAND, Normandy 1; MEUTHEN, Art. ‚Basel‘ 1519; ders., Basler Konzil 32 f. Vgl. ähnlich HALLER, Kirchenreform 9; ders., in: HZ 110 (1913) 660 f.: „Das Basler Konzil war ein politischer Kongreß und nicht eine Gesellschaft für innere Mission.“

[396] LHOTSKY, Quellenkunde 319 und 381. Die These wäre aber noch einmal zu überprüfen, ebenso die Behauptung, daß dies „mit dem Humanismus noch keineswegs zu tun hatte“ (319).

[397] Ein zunächst jahrelang unter dem Namen von K. Repgen, jüngst unter ‚N.N.‘ angekündigtes Buch ‚Europäische Friedenskongresse der frühen Neuzeit‘ (= Erträge der Forschung) wäre es wert, bald zu erscheinen.

und Parlamenten erklärtermaßen nicht tat.[398] Die weitaus größte
Zahl aller Kongresse sind Friedenskongresse gewesen, internationa-
lisierte Formen der älteren Schiedsgerichte[399]. Da zu den Aufgaben
des Basiliense unter anderem die Sicherung der ‚pax‘ gehörte, nahm
das Konzil schließlich auch die Funktion eines ständigen Schiedsgerichts wahr.

Umgekehrt beteiligten sich Gesandtschaften der Basler an anderen,
weltlichen Friedensverhandlungen, wobei der allgemein als ‚Kongreß‘ bezeichneten Versammlung von Arras (1435)[400] die zweifellos
größte Bedeutung zukam. Kongreßcharakter hatte schon die ältere
Forschung einigen deutschen Reichstagen der Jahre 1438–1446 zugesprochen[401]. Auf dem Reichstag von Mainz (März-April 1439) waren
neben deutschen Fürsten und Gesandten König Albrechts II. auch
solche Eugens IV. und des Basler Konzils sowie Gesandte anderer europäischer Mächte wie Frankreich, Kastilien, Portugal und Mailand
zugegen. Ähnlich verhielt es sich auch auf dem Mainzer Reichstag im
Februar-April 1441.

Besonderes Augenmerk ist auf die Pläne zu selbständigen Für-
stenkongressen zu richten: Die Organisation des von Friedrich III. am
1. Juni 1443 durch Briefe an die europäischen Monarchen vorgeschla-
genen Kongresses in Nürnberg hatte man sich wohl in enger Anlehnung an das Schema der deutschen Reichstage gedacht[402]. Das Antwortschreiben Karls VII. von Frankreich (1443 X 7) enthält seinerseits einen mit dem Friedrichs konkurrierenden Kongreßplan:
Die Fürsten, Prälaten und Städte sollten, gleichsam an dem in endlo-
ser Planung befindlichen ‚Dritten Konzil‘ vorbei, das Schisma im

---

[398] S. unten 487 f. mit Belegen.

[399] S. unten 183-86.

[400] Grundlegend: DICKINSON, Arras. Vgl. LACAZE, Origines. Materialreich: COSNEAU,
Richemont 205–34; LEGUAI, Bourbon 133–52. Eher populär: STUART, Arras, und REE-
VES, Arras. Zur Politik Eugens IV. und des Basler Konzils: SCHNEIDER, Friedenskongreß;
VAN LEEUWEN, Vredeswerk 174–81 sowie unten 185 f. Zum kanonistischen Aspekt des
Völkerrechts s. IZBICKI, Treaty of Troyes.

[401] PÜCKERT, Neutralität 86 f.; WEIGEL, RTA XIV, S. XIV; BÄUMER, Eugen IV., 95; STIE-
BER 157. Erstmals wohl VOIGT, Enea Silvio I 159. Wie aus MC III 159 f. hervorgeht, emp-
fand man in Basel die kirchenpolitisch derart aufgewerteten Reichstage als Konkurrenz
zum ‚generale concilium‘.

[402] RTA XVII 148–50 nr. 60; dazu STIEBER 264 f. – Den Vorschlag des Nikolaus von
Kues (‚Concordantia catholica‘ III 35), unabhängig von den traditionellen Reichstagen
in Frankfurt eine Versammlung von Kaiser, Kurfürsten, niederem Adel, Bürgern und
Universitätsgelehrten, aber ohne die übrigen Fürsten (!) zu konstituieren, hat man mehr-
fach mit dem Basiliense als dem vermutlichen Modell in Verbindung gebracht; zuletzt
MORAW, Versuch 34.

Alleingang beenden.[403] In diese Reihe gehört auch ein von BLACK herausgestellter Vorschlag der juristischen Fakultät zu Wien vom Frühjahr 1444: Wenn das geplante neue Generalkonzil nicht zustande komme, solle nach dem Willen der Könige und Fürsten ein ‚generale parlamentum‘ abgehalten werden.[404]

Die Beispiele bezeugen nicht nur das ungemein gewachsene Prestige und kirchenherrliche Selbstbewußtsein der Fürsten, sondern zunächst einmal schlicht die Zuversicht, daß eine solche Versammlung überhaupt möglich sei. Dies scheint mir ein weiteres Indiz für eine vorher nicht dagewesene Internationalisierung der Diplomatie zu sein. Europa beginnt sich in dieser Zeit endgültig als Ensemble prinzipiell gleichrangiger, auf diplomatischem Wege miteinander verkehrender Staaten herauszubilden. Fast möchte man schon vom ‚Europäischen Mächtekonzert‘ sprechen.

Die Tatsache, daß die genannten Kongreß-Pläne nicht verwirklicht wurden oder wie der von Papst Pius II. inaugurierte Fürsten-Kongreß von Mantua (1459) scheiterten, ändert nichts an der Gesamttendenz. Die Kongreßidee fand seither immer wieder Verfechter aus verschiedensten Lagern, zum Beispiel schon bald nach Pius II. den böhmischen König Georg Podiebrad in den Jahren 1462–64. Seine Idee eines europäischen Friedensbundes dürfte auch über konziliare Veteranen wie Gregor Heimburg von der Gedankenwelt der Konzilszeit beeinflußt sein.[405]

---

[403] RTA XVII 190–92 nr. 86: *Convencionem solempnem . . . ubi mutua super hiis habeatur intelligencia et inibi de viis et modis oportunis quibus hec nefanda divisio fidem accipiat, sinceriter pertractetur*; 191 Z. 28–31. Dazu BLACK, Monarchy 118; Valois II 257. Der Plan, ein Schisma durch Verhandlungen unter den Fürsten zu beenden, hatte am französischen Hof eine längere Tradition. Nach einem an den jungen Karl VI. gerichteten Appell des Philippe de Mezière soll 1379 schon König Karl V. einen solchen Vorschlag gemacht haben; KRYNEN, Idéal du prince 170–74, besonders Anm. 439; vgl. MÜLLER, Königtum 141 f.

[404] *Ut saltem de regum et principum earundem nacionum voluntate et assensu generale teneretur parlamentum* (!) *pro hujusmodi adhesione seu declaracione concordie fienda*; RTA XVII 268 Z. 38–40 nr. 118b; BLACK, Monarchy 120. Interessant hier der Begriff *parlamentum*; vgl. ebd. Z. 34 f.: ein Nationalkonzil wird vorgeschlagen *puta per viam parlamenti in dieta*. Was heißt hier *parlamentum*, da es von *dieta* (=Reichstag?) unterschieden wird? Es würde sich lohnen, derartige Begriffe für Versammlungen systematisch zusammenzustellen; vgl. in diesem Zusammenhang auch das Wort *intelligencia* = ‚Übereinkunft‘.

[405] Literatur bei MEUTHEN, Basler Konzil 32 f. Anm. 93, bes. VANĚČEK (Hg.), Cultus pacis; ebd. Hinweis auf einen frühen Kongreßplan des Pierre Dubois um 1300, der „bezeichnenderweise . . . in einer Frühphase konziliaristischen Interesses (Jean Quidort, Durandus)" entstand.

IV. DIE EUROPÄISCHEN REICHE
UND IHRE POLITIK
GEGENÜBER KONZIL UND PAPST

Vorbemerkung

Bei der Weite dieses Gebiets kann hier nicht mehr als eine Zwischenbilanz gezogen werden, ja selbst sie ist nach dem disparaten Forschungsstand nur bedingt möglich. Die Mehrzahl der Arbeiten ist älteren Datums, entstanden zu einer Zeit, als Diplomatie und Staatengeschichte auch die Spätmittelalterforschung noch stärker beherrschten. Aus der jüngeren Zeit sind dagegen weniger Fortschritte zu verzeichnen. Von einer Gesamtsicht, die das hohe Maß der durch Basel bedingten diplomatischen Verdichtung aufzeigte, ist man noch entfernt.[1]

Einen Schwerpunkt wird zunächst die Trias Frankreich-Burgund-England bilden. Der Hundertjährige Krieg mit der englischen Besetzung Nord- und Südwestfrankreichs, das englisch-burgundische Bündnis und die burgundische Expansion legen nahe, die Politik dieser drei Mächte zusammenzusehen. Frankreich und Aragón verbindet wiederum der Faktor Neapel. Die iberischen Staaten, Polen und Skandinavien werden geraffter behandelt. Das gleiche gilt für die verschiedenen italienischen Territorien, allein schon weil die Forschungslücken hier besonders empfindlich sind. Auch Savoyen wird nicht in einer Weise gewürdigt werden können, die der Wichtigkeit des Herzogtums für die Geschichte des Basiliense entspricht. Böhmen kommt nur im Zusammenhang mit der Hussitenfrage zur Sprache, Zypern und

---

[1] Den von CROWDER, Politics 43, vorgebrachten Wunsch „to re-establish the importance..., the primacy of political decisions over theological decisions" in der Geschichte der Reformkonzilien gilt es erst noch einzulösen. – Im Folgenden wird die allgemeine Ereignisgeschichte als Hintergrund vorausgesetzt. Vgl. als Ausgangsbasis die Panoramen der politischen Geschichte bei ENGEL, Handbuch der Europäischen Geschichte III 209–18; MEUTHEN, 15. Jahrhundert 27–73, 134–46 (Forschungsprobleme); Basler Konzil 26–36. Beste und ausführlichste Übersicht über die Kirchenpolitik in Frankreich, England, Deutschland und Spanien: DLO 315–447, mit vielen Passagen zum Basler Konzil. Als kritische Synthese mit strukturellem Ansatz bisher unerreicht: GUENÉE, L'Occident, mit Bibliographie. Viel Material bei THOMSON, Popes. Vgl. auch die Grundlagen in Kap. II 5, III 3 und III 10.

Ungarn[2] bleiben unberücksichtigt, haben für Basel aber auch nur eine geringe Rolle gespielt.

Der Komplex ‚Reich‘, repräsentiert vor allem durch die Politik der deutschen Könige Sigmund, Albrecht II. und Friedrich III. sowie der Kurfürsten, stellt vor besondere Schwierigkeiten: Um die Knotenpunkte der Neutralitätserklärung (1438), der Mainzer Akzeptation (1439) und des Wiener Konkordats (1448) müßte eine Vielzahl einzelner Reichsfürsten mit ihrer Politik gruppiert werden. Dies lassen aber weder der Forschungsstand noch unser Arbeitsziel zu.

Politische Geschichte läßt sich zwar heute kaum mehr ausschließlich als ‚Politik der Fürsten und Höfe‘ schreiben. Doch ist es hier natürlich unmöglich, die inneren Verhältnisse jedes Landes zu analysieren und die angemessene regionale und prosopographische Differenzierung zu verzeichnen. Das Verhältnis Fürst-Landesklerus, die Ausstrahlung des Konzils in die Einzeldiözesen, die verwirrenden Konsequenzen des neuen Schismas für den hohen Klerus – auf all das sei nur allgemein hingewiesen. Die Friedenspolitik des Basler Konzils scheint mir allerdings in den Zusammenhang der politischen Geschichte mit hineinzugehören und sich, da in der Sache eng mit dem Kongreß-Kapitel verbunden, zur Eröffnung anzubieten. Ziel künftiger Forschung könnte sein, sowohl eine „Geschichte der internationalen Politik aus dem Blickwinkel des internationalen Konzils"[3] zu schreiben – wie man einmal Jedins Trient-Werk charakterisiert hat – als auch umgekehrt eine ‚Geschichte des universalen Konzils aus dem Blickwinkel der internationalen Politik‘ zu komponieren. Besonders für diese zweite Aufgabe hoffen wir einige Bausteine beizusteuern.

---

[2] Zur Kirchenpolitik in *Ungarn*: DLO 428 f.; STIEBER 168 f. Am ehesten wäre Elisabeth von Ungarn, die Witwe Albrechts II., zu berücksichtigen. Sie nahm zunächst für Felix V. Partei; vgl. CB VII 238 Z. 26 f., 265 Z. 3–9. Die Beziehungen der Kurie zu Ungarn waren von der Türkenfrage bestimmt. Zu *Zypern*: HILL, History of Cyprus III, 494 Anm. 4 und 498. Hauptbezugsperson ist hier Kardinal Hugo von Lusignan; s. RUDT DE COLLENBERG, Cardinaux de Chypre.

[3] E.W. ZEEDEN, in: GWU 30 (1979) 41.

1. Pax et unio.
Das Konzil als Friedensvermittler und Prozeßinstanz

a) Friedenspolitik

In der Intention der ersten Konzilssession vom 14. Dezember 1431 wird gewünscht: *Ut bellorum rabie, qua satore zizaniae seminante, in diversis partibus mundi affligitur et dissipatur populus christianus, congrua meditatione sedata, pacis auctore praestante, in statum reducatur pacificum et tranquillum*[4]. Der Satz demonstriert mit seinen Anklängen an Mt 13,24–30, welch existentielle Bedeutung die Friedensstiftung im Selbstverständnis des Konzils einnahm. Die Einrichtung einer eigenen ‚deputatio pacis' unterstrich die Grundsätzlichkeit des Ziels und schuf das institutionelle Organ der künftigen Basler ‚Friedenspolitik'. In der Forschung hat man bislang weder die vielen einzelnen Friedensmissionen und Prozesse zusammenfassend untersucht, noch die sie möglicherweise begründenden politischen und theologischen Motivationen hinreichend aufgedeckt.[5] Fragen bleiben offen: Gab es im 15. Jahrhundert eine spezifische ‚Friedensidee', und welche Impulse gingen dabei vom Basiliense aus? Warum kümmert sich ein Universalkonzil um die Schlichtung von Adelsfehden und Kriegen der Laienwelt? Allein die Tatsache, daß ein korporatives Verfassungsorgan der Kirche säkulare Aufgaben an sich ziehen wollte, mußte strukturelle Probleme aufwerfen. So ist es geradezu signifikant, daß Kaiser Sigmund dem Konzil vorwarf, es vermische mit seinen Friedensaktivitäten geistliche und weltliche Gerichtsbarkeit.[6] Andererseits stand Basel durchaus in einer

---

[4] COD 456 Z. 16–19. – Beim Konstanzer Konzil, das sich ebenso wie das Basiliense im Zeichen der drei großen Ziele Frieden, Reform und Einheit versammelte, war die Friedensaufgabe im Dekret der 1. Sessio (Insert der Invokationsbulle Johannes XXIII.) wesentlich schwächer ausgeprägt: COD 405 Z. 12–14: *ad pacem, exaltationem et reformationem ecclesiae, ac tranquillitatem populi christiani.*

[5] Neben der nicht sonderlich ergiebigen Studie von F. SCHNEIDER, Friedenskongreß (über Arras), zum Thema lediglich SIEBERG 209–24, und kürzlich VAN LEEUWEN, De praktijk van het vredeswerk. Het Concilie van Basel. Wichtig zuletzt MEUTHEN, Basler Konzil 33–36. Auf spezielleren Quellen als der Titel erkennen läßt beruht HÖDL, Reichspolitik. Weitere Lokalstudien s. unten. Das angesprochene Defizit an theoretischen Untersuchungen möchte VAN LEEUWEN, Vredeswerk 169, ausdrücklich auffüllen; s. ebd. 172–77 Sichtung einschlägiger Konzilsäußerungen – ein fruchtbarer, aber doch recht vorläufiger Ansatz.

[6] Schreiben vom 8.IV.1435 (vorausgegangen waren Interventionen des Basler Konzils in einem Lütticher Prozeß): *quatenus per vestram sacram cohortem ea, quae concernunt forum temporale, cum foro spirituali non commisceantur . . .*; nach einem Insert zum Protokoll der Generalkongregation vom 10.VI.1435, überliefert im Protokoll KOPENHAGEN,

langen Tradition kompensatorischer Rechts- und Friedenswahrung durch die Kirche, einer Tradition, die von der Gottesfriedensbewegung bis zur universalen päpstlichen Appellationsgerichtsbarkeit reichte. Nur – im 15. Jahrhundert wurden solche Eingriffe von den weltlichen Gewalten nicht mehr in dem Maße geduldet!

JOHANNES HALLER hatte in der ihm eigenen Sucht nach Desillusionierung auch hier nur politischen Opportunismus am Werke gesehen: Die Friedensvermittlung habe dem Konzil vor allem zur Stärkung seines Prestiges gedient, als Konkurrenzwaffe gegen Eugen IV., mit deren Hilfe es die Fürsten auf seine Seite zu ziehen hoffte.[7] So richtig dieser Aspekt für die Beurteilung einiger Beispielfälle ist, er trifft keineswegs immer zu und erklärt auch nicht alles. Frieden als Grundbedürfnis der Menschen galt seit alters als Aufgabe einer guten Regierung. In einer Zeit, die wie das 15. Jahrhundert von Kriegen (Hundertjähriger Krieg, Hussitenkriege etc.) und Fehden geschüttelt war, gehörte der Ruf nach ‚pax‘ und ‚concordia‘ zum Generalbaß vieler Verlautbarungen – man denke an Paulus Vladimiri, Dietrich von Niem, Jean Gerson, Lorenzo Valla und später von Politikerseite an den Friedensplan des Georg Podiebrad.[8] Daß auch die konziliaren Theorien, allein schon durch das Schisma bedingt, ganz wesentlich um Begriffe wie ‚unio‘ (Gerson) und ‚concordantia‘ (Nikolaus von Kues) kreisten, ist kein Zufall. Bereits ZELLFELDER, vor allem aber jüngst VAN LEEUWEN

Kon.Bibl. Ny kgl. Saml. 1842 fol, f. 186ʳ; zit. MEUTHEN, Basler Konzil 35 Anm. 97. – Ähnlich die Beschwerde Sigmunds: *quidquid esset de foro nostro, nobis dimitterent et res imperii jurisdiccioni ecclesiastice non intricarent*; RTA XI 481 Z. 29 f. Weitere Beispiele unten 195, 288 Anm. 432.

[7] S. dazu mit einigen Einschränkungen VAN LEEUWEN, Vredeswerk 175 f., der im konkurrierenden „struggle for life" zwischen Papst und Konzil ebenfalls ein, wenn auch nicht entscheidendes, Motiv der Basler Friedenspolitik sieht. Er verkehrt die Quellen allerdings in ihr Gegenteil, wenn er die Äußerung *dicta synodus reverendissimum dominum cardinalem sanctae Crucis, quamdiu tractatibus pacis regnorum Franciae et Angliae insistet, includere non intendit* . . . (Dekret der 3. Sessio 1432 IV 29; COD 459 Z. 6–8) als Widerspruch zur sonstigen Friedensmission der Basler und als eifersüchtigen Tadel an Kardinal Albergati ansieht, der zu dieser Zeit für Eugen IV. in Frankreich vermittelte. Sie enthält vielmehr einen Dispens für Albergati, nicht wie die anderen Kardinäle unverzüglich auf dem Konzil erscheinen zu müssen; s. COD 458 Z. 30 – 459 Z. 6.

[8] Hinweise bei OBERMAN, Shape 24–27. Einige Beispiele auch bei VAN LEEUWEN, Vredeswerk 166–68; WIDMER, Enea Silvio 138. Zu Ansätzen der Kanonisten s. BUISSON, Potestas 442 s.v. ‚Friede‘; s. auch TONI, Arévalo. Zu Podiebrads Friedens- und Kongreßplan s. VANĚČEK (Hg.), Cultus pacis; i MEUTHEN, Basler Konzil 32 f. Anm. 92. Zur allgemeinen Orientierung über spätmittelalterliche Theorien zum Kriege und respektive auch Frieden: JOHNSON, Ideology 25–80; CONTAMINE, Notes sur la paix. Bezüge zur Malerei (!) bei MASTROPIERRO, Influenza.*

(1980)[9] – dieser ausdrücklich gegen Haller – haben daher auf ‚ideelle‘ Motive der Basler Friedenspolitik aufmerksam gemacht: a) auf ein rein religiöses Moment, das auf dem biblischen Friedensgebot beruht, und b) auf ein mehr politisches (van Leeuwen: „gotsdienstpolitieke"), das Reform, Union der Kirchen und Kreuzzug in einen Kausalzusammenhang bringt: Kriege unter den Christen verhindern die Kirchenreform, fördern die ungehemmte Ausbreitung der Ketzerei (Hussiten), absorbieren die Kräfte, die eine geeinte Christenheit dem griechischen Kaiser gegen die türkischen Heiden zu Hilfe schicken könnte. Die Quellenbasis aus offiziellen Schriftstücken des Konzils und aus Traktaten ist allerdings, wie van Leeuwen selbst feststellen muß, recht schmal. Obwohl das Thema noch nicht aufgearbeitet ist, wird man doch sagen können, daß echte ‚Kreuzzugsgedanken‘ in Basel nur wenige Persönlichkeiten, zum Beispiel Kaiser Sigmund, den Verlierer von Nikopolis, und – schon damals – Enea Silvio ernsthaft beschäftigt haben.[10]

Aus rechts- und diplomatiegeschichtlicher Sicht erscheinen die Friedensmissionen der Basler Konzilsgesandten unter dem Thema des spätmittelalterlichen Schiedsgerichts, das nach der Definition von ENGEL aus „Sondergesandten" mit „legatorischem Auftrag"[11] bestand, wobei der Auftrag sowohl von den Kontrahenten selbst als auch von Dritten (Konzil, König) ausgehen konnte. Vor allem im Reich zog das Konzil „in starkem Maße die Landfriedenspolitik an sich ... und (wurde) schließlich ein ordentlicher Gerichtsstand für Fehdeherren."[12] Es forderte und vermittelte vor Ort oder von Basel aus ‚Treuga‘,

---

[9] ZELLFELDER, England 130 f.; VAN LEEUWEN, Vredeswerk 169–85.

[10] Viele Energien dürften bereits in den vier erfolglosen Kreuzzügen gegen die Hussiten verpufft sein! Kreuzzugsideen in Konstanz: ENGELS, Reichsgedanke 374–76; HEIMPEL, Vener 898–912 und s.v. – Die Basler Belege sind spärlich: BECKMANN, Kampf Kaiser Sigmunds 96–98, 103 f. Vgl. aus den Reformtraktaten CB VIII 129 f. § 114 (Schele), 171 Z. 32; WIDMER, Enea Silvio 35, 88 f., 93 ff. – Im Dezember 1433 soll eine türkische Gesandtschaft bei Sigmund in Basel gewesen sein (RTA XI 315 Z. 21). – Vgl. auch die Aufforderung der Basler an König Johann II. von Kastilien, dem König von Zypern zu helfen (1435 IV 3), sowie die Ankündigung eines Zwanzigsten zu gleichem Zweck (1435 IV 9); SUÁREZ FERNÁNDEZ, Castilla 344–46, Nr. 345–46. – Eine ungleich größere Rolle spielten Kreuzzugspläne bekanntlich an der Kurie Eugens IV., in Polen und Ungarn. Cesarinis tragisches Schicksal in der Schlacht bei Varna 1444 war die Einlösung des Hilfeversprechens für die Griechen; s. mit Literatur: STIEBER 199–203; SETTON, Papacy II 66–107. Vgl. unten Kap. VI 2 und BARTLMÄS (Ed.), Ebendorfers Kreuzzugstraktat.

[11] ENGEL, Schlichtung 122. Bei ANGERMEIER, Königtum und Landfriede 372, nur am Rande ein Hinweis auf Basel. Vgl. zum Thema WEISE, Schiedsgerichte.

[12] HÖDL, Reichspolitik 49. Vgl. oben 37 f.

drohte Strafen an und verhängte sie auch. Die fehlende Exekutive war dadurch freilich nicht zu ersetzen. Das Konzil stand vielmehr unter Erfolgszwang: Nur ein erfolgreiches Konzil wurde als Schiedsinstanz überhaupt respektiert; auf der anderen Seite erwarb es sich diese Autorität erst durch Vermittlungserfolge. Die geglückte Lösung der Hussitenfrage – hier waren ‚causa fidei‘ und ‚causa pacis‘ eng verknüpft – kann man daher nicht hoch genug veranschlagen. Wie sich das Konzil seine Schiedsrichterstellung letztlich dachte, bleibt unklar. Basel selbst durch Zitierung der streitenden Monarchen zum Friedenskongreß zu erheben, hat man nur einmal, 1433, und zwar erfolglos versucht. Der Kongreß fand dann bekanntlich in Arras statt. Das ist wohl nicht zuletzt ein sprechendes Zeichen dafür, daß die weltlichen Herrscher der kirchlichen Instanz nicht die Führung überlassen wollten, sondern tunlichst auf eigenem Forum ihre Politik zu machen gedachten.

Ein vorläufiger Befund scheint zu ergeben, daß sich die Vermittlertätigkeit der Basler quantitativ vor allem auf das Reich konzentrierte. Hierbei sind sicherlich auch die geographische Nähe und die beteiligten Persönlichkeiten zu beachten: Ohne einen Politiker wie den Lübecker Bischof *Johannes Schele*[13], den nicht nur sein Konziliarismus, sondern auch große reichspolitische Erfahrung und Königsnähe auszeichneten, wären die Erfolge der Synode im Reich sicherlich geringer gewesen. Unser Bild läuft solange Gefahr, verzerrt zu sein, ehe nicht die Prozesse aus anderen Ländern, vor allem aus Frankreich, wenigstens annähernd gesichtet und gewichtet sind. Ob das Bedürfnis nach effektiver Friedensvermittlung in Deutschland, insbesondere

---

[13] S. HÖDL, Reichspolitik passim. Hödl (56 f.) beobachtet jenes „merkwürdige Wechselspiel in den legatorischen Funktionen" Scheles: „Als königlicher Gesandter zum Konzil delegiert, übernimmt er Legationen der Basler, um dann als vom Konzil beauftragter Vermittler mit dem König sein ‚Reichsamt‘ in die Waagschale zu werfen." – Vgl. HÖDL, Albrecht II., 209 s. v. und die reiche Materialsammlung von AMMON, Johannes Schele von Lübeck auf dem Basler Konzil (1931), 39–41: Übersicht über Friedensmissionen Scheles; ZIMMERMANN, Herkunft Johann Scheles; SCHMITDINGER, Paderborner Scholaren 187 f. – Eine neue Biographie könnte hier ein Beispiel für die Verflechtung von Reichs-, Kirchen- und Bistumspolitik herausarbeiten. – Vergleichbare Bedeutung als Diplomat für König und Konzil kommt dem Bischof von Augsburg, Peter von Schaumberg, zu, der kein Konziliarist war. Viel Material bei UHL, Peter von Schaumberg 31–85. Eine wichtige, wohl zu wenig beachtete Rolle für Friedenspolitik und Prozeßwesen des Basler Konzils spielte der königliche Protektor, Herzog Wilhelm III. von Bayern-München; s. KLUCKHOHN, Wilhelm III, 538–45, 578–80. Verschiedene Basler Prozesse bei STUTZ, Felix V. (Diss.) 19–22, und besonders bei BRANDMÜLLER, Simon de Lellis de Teramo 247–55. Einen Basler ‚Musterprozeß‘ zeichnet nach: LAZARUS 286–91.

beim Adel, größer war als anderswo, bleibt vorerst eine spekulative Frage.

b) Fürstensachen

Mehrfach bedrohten Kriege aufgrund der geographischen Lage und der politischen Verflechtungen der Stadt Basel sogar die Existenz des Konzils. Friedensstiftung wurde ein Akt der Selbsterhaltung, besonders als die Kriegsgefahr 1431 von Eugen IV. als Grund für seine Konzilsauflösung angeführt wurde. Dreimal geriet die Synode in den Sog militärischer Auseinandersetzungen: Im Krieg zwischen Friedrich IV. von Tirol und dem Herzog von Burgund 1431/32[14], im Toggenburger Erbschaftsstreit 1436–41[15] und im Zürcher Krieg beim Einfall der Armagnaken 1443–45.[16] Wenn es jedesmal gelang, die Gefahr zu bannen, verdankte man dies freilich nur zum Teil der eigenen Aktivität.

Die nach allgemeiner Ansicht wichtigsten Friedensverhandlungen der Epoche fanden 1435 auf dem *Kongreß zu Arras* statt, nun neben dem Basler Konzil der zweiten Versammlung von europäischer Dimension.[17] Die Basler - und vor ihnen bereits Eugen IV. - hatten sich im Hundertjährigen Krieg, dem Europa am stärksten paralysierenden Konflikt, schon seit Januar 1432 als Vermittler engagiert. Anfängliche Rivalitäten zwischen päpstlicher und konziliarer Friedenspolitik wenigstens äußerlich beilegend, indem es den allgemein respektierten Kardinal Albergati als Gesandten für beide Instanzen auftreten ließ, beschickte das Konzil im August 1435 den Kongreß.[18]

---

[14] TOUSSAINT, Relations 27–41, besonders 40 f; MALECZEK, Diplomatische Beziehungen 23-29; Österreich 132–40, weist dem Konzil das „größte Verdienst" an der Friedenssicherung zu. Vgl. WELCK, Weinsberg 45–47.

[15] BERGER, Zürichkrieg 65–104.

[16] Grundlegend, auch für Politik Friedrichs III.: BERGER, Zürichkrieg 115–92.

[17] Zum Kongreß von Arras: DICKINSON, Arras, besonders 97–112; DLO 260 f.; SCHNEIDER, Friedenskongreß; TOUSSAINT, Relations 71–105, 120; ZELLFELDER, England 140–47; SIEBERG 217–22; LACAZE, Origines. Fast unbekannt geblieben ist die Arbeit des polnischen Grafen und Diplomaten LASOCKI (1928) über seinen Vorfahren, den Krakauer Propst Nikolaus Lasocki, der als Gesandter des Königs von Polen in Basel, aber auch auf Konzilsgesandtschaften wirkte. Ferner zu Arras oben 177 Anm. 400.

[18] Zu Albergatis Tätigkeit in Arras: de TÖTH, Albergati 222–85. Die übrigen Konzilsgesandten waren international gemischt: Hugo von Lusignan, Kardinal von Zypern; Philippe de Levis, Erzbischof von Auch; Nikolaus Ragvaldi, Bischof von Waxjö und Gesandter Dänemarks (s. SÖDERBERG, Ragvaldi 16–19); Matteo del Caretto, Bischof von Albenga und Abt von Subiaco; Nikolaus Lasocki, Propst von Krakau; Guillaume Huin (Wilhelm Hugonis), Archidiakon von Metz; Pierre Brunet, der Konzilssnotar. Dazu als

Die Literatur hebt deutlich hervor, daß Albergati, der langjährige
Erfahrung als päpstlicher Unterhändler in Frankreich besaß, in Arras
den dünkelhaften und eifersüchtigen Konzilskardinal Hugo von Lusignan in jeder Hinsicht übertraf.[19] Arras zeigte auch prinzipiell die
Grenzen der Vermittlerrolle Basels. Seine Bemühungen wurden
solange von den weltlichen Gewalten akzeptiert, als sie sich ausschließlich auf die Verbesserung des Verhandlungsklimas und auf das
rein formale Vermitteln beschränkten. Den Ausschlag gab ohnehin das
Kalkül der beteiligten Fürsten und ihrer adeligen und gelehrten
Berater. Blieb die Funktion der Konzilsgesandten – mit Ausnahme
Albergatis – a priori eher dekorativer Natur, so zeigte sich nichtsdestoweniger, daß das Konzil, seiner Zusammensetzung entsprechend,
nicht unparteiisch war, sondern der französischen Seite zuneigte.
Nach dem Abzug der Engländer, die von Anfang an die Vermittlung
durch Papst und Konzil mißtrauisch beäugt hatten, förderte man den
frankoburgundischen Separatfrieden. Doch glich dieses Ergebnis
nach den im Dezember 1431 (unter der Ägide Albergatis!) und Januar
1435 in Nevers vorausgegangenen Verträgen einem abgekarteten
Spiel. Obwohl die Konzilsgesandten keine allzu glanzvolle Rolle gespielt hatten und der Krieg zwischen England und Frankreich fataler-
weise weiterging, feierte man den Frieden von Arras (21. September
1435) in Basel mit echter Begeisterung als den bisher größten Erfolg
des Konzils[20]. Vier Jahre später, 1439 in Gravelingen und Calais,
gelang es einer Gesandtschaft des Konzils nicht einmal mehr, sich als
Vermittler ins Gespräch zu bringen. Sie wurde von den Engländern
abgewiesen.

Arras war ein Höhepunkt. Die zahlreichen weiteren Friedensvermittlungen können und wollen wir nur in einer Auswahl skizzieren:
1431 und in den folgenden Jahren ging es um den geldrischen Erbfolgestreit;[21] von Mai 1434 bis März 1435 um den mehr als hundert Jahre
alten, reichspolitisch bedeutsamen Streit um die sächsische Kurwürde zwischen den Linien Wettin und Lauenburg. Das Konzil

---

Konzilsvertreter jeweils für England und Frankreich: Bertrand de Cadoène, Bischof von
Uzès und Abt Alexander von Vézelay; TOUSSAINT, Relations 90 f. In Begleitung Albergatis
ferner: Thomas Parentucelli und Enea Silvio Piccolomini.

[19] ZELLFELDER, England 145 f.; DICKINSON, Arras 97–102.
[20] Mansi XXX 967–69; MC II 852 f. Vgl. LASOCKI 58–61; VAN LEEUWEN, Vredeswerk
179–81.
[21] S. CB III 649 s.v. ‚Geldern'. Literatur zu lokalen Streitsachen wird in den folgenden
Anmerkungen nur in Auswahl geboten.

bestätigte schließlich den kaiserlichen Spruch von 1423, der den Wettinern die Kur zugesprochen hatte[22]. 1433–1438 wurde mit Unterbrechungen der Dauer-Erbstreit der drei bayerischen Herzöge verhandelt, der von Ludwig VII. dem Gebarteten von Bayern-Ingolstadt (1413–43), einem notorischen Unruhestifter, ausgelöst worden war. Basel hatte hier sozusagen die Vermittlerrolle von Konstanz geerbt. Jetzt mischte sich noch die Affäre um Agnes Bernauer († 1435) und ein Streit zwischen Friedrich I. von Brandenburg (1415–40) und Herzog Ludwig hinein. Verschiedene Initiativen des Konzils endeten vorerst mit der Treuga zu Regensburg vom 19. Juli 1436, an der Bischof Johannes Schele und Nikolaus von Kues als Schiedsrichter maßgeblichen Anteil hatten[23]. Die bayerischen Händel sind ein gutes Beispiel dafür, wie sich Konzils- und Landesgeschichte verknüpfen konnten. 1434–37 drohte Krieg zwischen Burgund und Kaiser Sigmund im Nordwesten des Reiches[24]. 1438/39 kam es zum Konflikt König Albrechts II. mit Polen um die Nachfolge in Böhmen; er endete am 10. Februar 1439 mit dem Waffenstillstand von Namslau[25]. Von 1434 bis 1438 zog sich ein Streit zwischen Kastilien und Portugal um die Kanarischen Inseln; er wurde von Eugen IV. ohne das Konzil entschieden[26]. Als unfriedlicher Ostinato begleitete schließlich die Feindschaft zwischen Polen und dem Deutschen Orden die Jahre des Basler wie zuvor schon die des Konstanzer Konzils.[27]

Wenn die Konzilsgesandten auch bisweilen zum Erfolg der Friedensverhandlungen beitrugen, wird man doch fragen, wie durchschlagend ihr Einfluß wirklich war. Mit den Aufgaben einer ‚UNO‘ des 15. Jahrhunderts war das Konzil in jedem Fall überfordert. Im Gegenteil, die allgemeine Friedenssehnsucht trug nicht wenig dazu bei, die Mo-

---

[22] MC II 670–72; RTA XI 637 s.v. – LEUSCHNER, Streit um Kursachsen, zu Basel 329–37.

[23] CB VI, S. LXXV-LXXVIII (1436 ff.). Dazu AC I 1 Nr. 266–77, 280; I 2 Nr. 354, 380; MEUTHEN, Wittelsbacher 96; HÖDL, Reichspolitik 49–55; AMMON, Schele 40; UHL, Peter von Schaumberg 36–39; VON DER MÜHLL, Vorspiel 42–44; ZUMKELLER, Augustinereremiten 38–40; Handbuch der bayerischen Gesch. II 225, 240 f.; ANGERMEIER, Königtum und Landfriede 344 ff., 355 ff. (ohne Basler Konzil); KLUCKHOHN, Wilhelm III. 585–98; RANKL, Kirchenregiment 26 f.; KLEBER, Reichsgerichtsprozeß (1922), enthält ein minutiöses Prozeßreferat, zur Appellation Ludwigs ans Konzil 44–49, Quellen 113–227.

[24] S. TOUSSAINT, Relations 106–24; MALECZEK, Österreich.

[25] HÖDL, Albrecht II. 132–34; RTA XIII 768–80 nr. 380–83. Zum schlesischen Feldzug: WOSTRY, Albrecht II 43–102.

[26] S. unten 247 f.

[27] S. unten Kap. IV 10 b.

narchie zu stärken! Wie in der Forschung schon mehrfach beobachtet wurde, erhoffte sich eine wachsende öffentliche Meinung von der Monarchie eine effektivere Sicherung von ‚pax' und ‚tranquillitas' und ließ diese Hoffnung auch in der (kirchen-)politischen Theorie manifest werden.[28] Das Konzil selbst wurde ja, endgültig nach dem Schisma von 1439, zum polarisierenden Faktor par excellence. Fast seine ganze politische Aktivität stand nun im Zeichen der Öbödienzgewinnung: Basel oder Florenz, Felix oder Eugen?

c) Bistumsstreitigkeiten und andere Prozesse

Obwohl auch derartige Angelegenheiten zum Aufgabenbereich der deputatio pacis, später auch von Rota und Konsistorium Felix' V. gehörten, tragen sie doch stärker innerkirchlichen Charakter und sollen daher einem eigenen Kapitel zugeordnet werden. Die bekannte Tatsache, daß gerade in die Besetzung von Bischofsstühlen oft hochpolitische Interessen hineinspielten, machte sich in der Zeit des Basler Konzils ganz besonders bemerkbar. Denn das traditionelle Kräftedreieck Papst-Domkapitel-Fürst geriet durch Hinzutritt des Konzils in Verwirrung; nach 1439 kam mit dem Gegenpapst Felix V. noch ein weiterer Irritationsfaktor hinzu.

Doppelbesetzungen, Prozesse und oft ein heilloses Durcheinander waren die Folge, zumal die Kompetenzen nach der Suspension Eugens IV. jenseits aller juristischer Kodifikation in Wildwuchs übergingen. Die Wünsche der Fürsten, die natürlich die ihnen genehmen Kandidaten zum Zuge kommen lassen wollten, stürzten die Basler bisweilen in quälende Gewissenskonflikte, da sie einerseits an ihren Wahl- und Benefiziendekreten festhalten, aber auch verdiente Mitstreiter des Konzils durch ein Amt belohnt sehen, und es vor allem im Obödienzkampf mit keinem der mächtigen Fürsten verderben wollten. Dilatorisches Verzögern blieb manchmal der einzige hilflose Ausweg. Ein Musterbeispiel bildet dafür der Freisinger Bistumsstreit (1443–48).

Seit EUBEL (1902)[29] hat sich, von ein paar peripheren Exkursen abgesehen, offenbar niemand mehr die Benefizialpolitik und Prozessent-

---

[28] Dies herausgestellt bei BLACK, Monarchy 67–69. Vgl. ebd. 163 (Torquemada, Summa de ecclesia f. 117ʳ): *Pax autem et unitas subditorum est finis regentis ....* Zum Frieden als Fürstenideal s. KRYNEN, Idéal du prince 156–83. Zuletzt MEUTHEN, Basler Konzil 34.

[29] EUBEL, Basler Konzil 276–86 über Bistumsbesetzungen, an denen das Konzil beteiligt war. – Vgl. STIEBER 438 f. Appendix J (Bistumsbesetzungen zwischen 1439–1448).

scheidungen des Basler Konzils systematisch angesehen. Zu unterscheiden ist zunächst zwischen der Zeit vor und nach der Suspension Eugens IV. (1438 I 24). Während das Konzil vorher nur als Konfirmations- und Schiedsinstanz etwa bei Doppelwahlen oder Doppelkandidaturen angegangen wurde, wenn zum Beispiel der Kapitelskandidat nicht der von Eugen providierte war (s. Trierer Schisma), griff es nach der Suspension – übrigens im Widerspruch zum konziliaren Wahldekret – aktiver ein und providierte eigene Kandidaten.

Bereits der Zustand vor 1438 schließt, wie die Übersicht bei Eubel[30] erkennen läßt, eine schematische Sicht aus: Teils bestätigte das Konzil den Kandidaten Eugens (z.B. in Trier, Gurk, St-Brieuc), öfter stärkte es jedoch die Position des Kapitelselekten (so in Albi, Tournai, Utrecht, Marseille, Bergamo, Lucon, Sisteron etc.), wobei sich häufiger Kandidaten gegen den Konzilsbeschluß durchgesetzt zu haben scheinen als umgekehrt. Nach der Deposition Eugens IV. gewannen die großen Ämterbesetzungen für das Konzil an Pikanterie, weil sie potentiell jedesmal mit einem Obödienzjunktim verbunden werden konnten. Auch hier waren die Möglichkeiten vielfältig: Konfirmation einer Wahl durch Basler Konzil und Eugen IV. (z.B. in Würzburg 1443), Konfirmation nur durch Basel (z.B. in Salzburg 1441), oder der für die Basler seltene Glücksfall einer Konfirmation durch das Konzil bei gleichzeitiger Anerkennung Felix' V. (so 1440 in Kammin und Straßburg).

Von den bei Eubel aufgeführten 79 Fällen, in denen das Konzil in irgendeiner Weise bei einer Bistumsbesetzung mitwirkte, sind nur wenige genauer erforscht, viele wohl auch nicht mehr rekonstruierbar. Überdies ist Eubels Liste mit Sicherheit nicht vollständig: so fehlen etwa Séez und Bremen. Desungeachtet gestatten die Zahlen interessante Einblicke: Auf Frankreich und Burgund entfielen allein 23, auf Italien immerhin 19, auf das Reich (mit habsburgischen Ländern) 15 und auf Savoyen 4 Nominierungen. Auch wenn man die objektiv große Zahl an Bistümern in Italien und Frankreich berücksichtigt, ist es doch bemerkenswert, daß für England und Schottland nur je ein Fall vorkommt – Zeichen der Harmonie oder vielmehr Ausdruck längst ,staatskirchlicher' Zustände auf den britischen Inseln!

Material auch bei STUTT 21–29; HANNA 19–31; AMMON, Schele 24–30, und schon bei PÜCKERT, Neutralität 125–36.

[30] EUBEL, Basler Konzil 286.

Auch hier müssen wir uns mit einer Aufzählung ausgewählter Fälle begnügen, soweit sie überhaupt durch Literatur nennenswert erschlossen sind.[31] Ähnlich wie zu den Friedensvermittlungen scheinen auch hier die deutschen Arbeiten gegenüber den französischen oder gar den italienischen am zahlreichsten zu sein. Der Forschung steht noch ein weites Feld offen. Künftige Studien müßten die Ebenen ekklesiologischer Ansprüche, europäischer Obödienzdiplomatie und juristischer Florett- (oder Hämmer)künste mit den je verschiedenen lokalen Interessen und prosopographischen Verästelungen in Beziehung bringen. Am besten ausgewertet ist durch die Studien von MEUTHEN (1964) und HEIMPEL (1982) der *Trierer Bistumsstreit* (1430–1434).[32] Nicht von ungefähr hielt man ihn offenbar für den interessantesten von allen: Der ungewöhnliche Aufwand an juristisch-theologischen Gutachten und Traktaten, das Niveau der beteiligten Fachleute (Nikolaus von Kues, Job Vener), hoben den Trierer Bistumsstreit in der Tat aus der Masse der übrigen Prozesse heraus und machten ihn zu einer grundsätzlichen „Konfrontation der Ideen" (Heimpel). Sie endete am 15. Mai 1434: Das Konzil entschied für den von Eugen IV. providierten Raban von Helmstadt und gegen den von Cusanus verteidigten Trierer Lokaladeligen Ulrich von Manderscheid –, den immerhin auch Burgund gefördert hatte! Wie viele andere, blieb auch dieser Basler Urteilsspruch zunächst ohne direkte Wirkung. – Seinen Schwerpunkt im savoyischen Gebiet hatte der Streit des Louis de La Palu (=Lapalud)[33] um die Bischofsrechte in *Lausanne* gegen den päpstlichen Kandidaten Jean de Prangins, dem er 1433 durch eine Translation nach Avignon hätte weichen sollen. Die Angelegenheit beschäftigte das Konzil sieben Jahre (1433–1440) – La Palu(d) gehörte dem engeren Cercle des savoyischen „parti conciliare" an, und wurde vom Herzogshaus massiv protegiert, aber auch sein 1438 inkor-

---

[31] Die folgenden Literaturangaben erheben keinerlei Anspruch auf Vollständigkeit. Im Dickicht der zahllosen lokalhistorischen Zeitschriften dürfte sich noch manches verbergen. Eine systematische, reichhaltige Auswertung der Konzilsprotokolle nach Prozessen bei AMMON, Schele. S. auch BECKMANN CB VI, S. LXXIX-XCI.

[32] MEUTHEN, Trierer Schisma; Laie 109–20; Absolutionslisten; AC I 1 passim. – HEIMPEL, Vener 13 f., 455–610 (zum Basler Konzil 498–507), 1148–65, sowie Texte Nr. 35–36. Ferner: WATANABE, Episcopal Election; MILLER, Sierck 19–26, 34–38.

[33] SCHWEIZER, Louis de Lapalud (1929), stellt quasi eine Geschichte des Basiliense anhand des Lapalud-Prozesses dar; vgl. Rezension von HALKIN, Procès; EUBEL, Basler Konzil 276 f.; STUTZ (Ed.), Felix V. (Diss.) XV-XVII (Bulle 1440 IV 17); SEGRE, Document: 73 f., 77 f., 81; MARIE JOSÉ, Maison de Savoie II 152–55.

porierter Rivale war kein Feind des Konzils – bis La Palu(d) 1440 mit einem Kardinalshut Felix' V. und dem Bistum Maurienne abgefunden wurde.

Vor allem im Nordwesten Europas gerieten Bistumsbesetzungen unvermeidlich in den Sog des franko-burgundischen und burgundisch-westdeutschen Gegensatzes: so in Tournai (1433–37), *Bayeux* (1432–34)[34] und vor allem in Utrecht (1433–36). In *Tournai*[35] war es burgundischer Druck, der Eugen IV. veranlaßte, den von ihm schon bestätigten Kandidaten des Kapitels, Jean d'Harcourt, 1436 nach Narbonne zu transferieren und den Kandidaten Philipps des Guten, Jean Chevrot, zu providieren. Französische Proteste und ein Kassationsurteil des Basler Konzils änderten daran nichts. Im *Utrechter* Bistumsstreit[36] prallten burgundische Interessen (für Rudolf von Diepholz) mit denen einiger Reichsfürsten aufeinander, die Walram von Moers, den Bruder des Kölner Erzbischofs unterstützten. Die Angelegenheit, in der sich Rudolf von Diepholz mit Rückendeckung Eugens IV. durchsetzte, blieb für mehrere Jahre ein Politikum ersten Ranges. Im *Gurker* Bistumsstreit[37] (1432–36) fand der von Habsburg protegierte Kandidat Johannes Schallermann nach langem Prozeß Bestätigung bei Papst u n d Konzil, doch konnte sich der vom Salzburger Erzbischof nominierte Lorenz II. von Lichtenberg vorerst halten.

Aus der Zeit nach dem Schisma wurden die Besetzung des Bistums Straßburg (1440), der Streit um die Würzburger Propstei (1440–41) und der Freisinger Bistumsstreit (1443–48) als Beispiele für die Verflechtung von Obödienzkampf, Fürsteninteresse und Ämterschacher

---

[34] Zu *Bayeux*: ZELLFELDER, England 374 s.v.; TOUSSAINT, Relations 17 f. Vgl. MAHIEU, Évêques de Bayeux; ALLMAND, Normandy 8 f; FOFFANO, Umanisti italiani 7-18.

[35] Zu *Tournai*: EUBEL, Basler Konzil 279; TOUSSAINT, Relations 154–57; VAUGHAN, Philipp the Good 218–20; THOMSON, Popes 150 f.; W.P.BLOCKMANS, Art. ‚Chevrot‘, in: LexMa II 1806. – Zu den zahlreichen französischen Bistumsstreiten gibt es offensichtlich wenig Spezialliteratur. Zu *Séez*: ALLMAND, Séez. – Zu *Marseille* (1432–35): SMET-DOBHAN, Karmeliten 101 ff. – Im übrigen sei auf die zu erwartende Habil.-schrift von MÜLLER, Franzosen, hingewiesen.

[36] Zu *Utrecht*: de HULLU, Utrechtsche schisma; EUBEL, Basler Konzil 278 f.; POST, Utrechtsche bischopsverkiezingen 158–63; Kerkgeschiedenis van Nederland II, 1–21; Nederlanders 159 f.; JONGKEES, Stat en kerk 133–45; VAUGHAN, Philipp the Good 224–27. Teile der Prozeßregister befinden sich in BASEL Univ. Bibl. E I 6 und E I 7; TOUSSAINT, Relations 217, s. auch ebd. 19 f., 157 f., 182–85.

[37] WEINZIERL-FISCHER, *Gurker* Bistumsstreit. Zum Prätendenten Schallermann: STRNAD, Johannes Schallermann; s. auch SCHMITDINGER, Paderborner Scholaren 184–87; SCHMIDT-HEIMPEL, Winand von Steeg 117. – *Chur* (1440–42): Stutz, Felix V. 197 f.

in der Literatur besonders hervorgehoben: Nachdem in *Straßburg* der Kapitelskandidat Konrad von Bu(ch)snang nach seiner Konzilsinkorporation (Januar 1440) auf dem besten Wege war, als Bischof anerkannt zu werden, reichte ein Basel-Besuch das Pfalzgrafen Stephan von Pfalz-Simmern und seines Sohnes Ruprecht (13. August 1440) mit anschließender Obödienzerklärung für Felix V. (15. August) offenbar aus, das Konzil unverzüglich umzustimmen. Am 14. August wurde Ruprecht zum Protonotar, am 18. zum Bischof von Straßburg ernannt.[38]

Im Fall der *Würzburger Propstei*[39] wiederholten sich die Dinge in gesteigerter Form: Hier stand auf der einen Seite als einer der verdientesten Konzilsanhänger Johannes Bachenstein, seinerzeit die rechte Hand des nun verstorbenen Patriarchen von Aquileja, Ludwig von Teck; auf der Gegenseite Philipp von Sierck, mit dem entscheidenden Vorzug, Bruder des mächtigen Trierer Erzbischofs Jakob von Sierck zu sein. Ihn hatte bereits Eugen IV. providiert. Desungeachtet tat das Konzil schließlich just das gleiche und ließ Bachenstein fallen. „Beide Seiten überschlugen sich also förmlich, es den Sierckern recht zu machen."[40]

Der *Freisinger Bistumsstreit*[41] wurde für das damals durch Obödienzschwund schon stark verkümmerte Konzil fast zu einer Existenzfrage. Die politische Konstellation macht es einleuchtend: Der Kapitelskandidat Johann Grünwalder war ein (unehelicher) Wittelsbacher und immerhin Kardinal Felix' V. Hinter ihm standen die Bayernherzöge, die zum Teil noch immer zum Konzil hielten. Der

---

[38] Zu *Straßburg*, kaum bekannt: GROSHAENY, Église de Strasbourg (zur Bulle Felix' V. von 1440 VIII 18). Vgl. PÜCKERT, Neutralität 119 f.; RTA XV 483 Anm. 4; HANNA 42 f., 84; MILLER, Sierck 121 Anm. 71; EUBEL, Hierarchia catholica II² 106.

[39] Zu *Würzburg*: Herre CB VII, S. LIII–LV; MILLER, Sierck 119–21. Vgl. JOACHIMSOHN, Gregor Heimburg 66 f. – 1440–43 entbrannte ein Konflikt zwischen Kapitel und dem zum Bistumspfleger ernannten Hz. Sigmund von Sachsen, der sich an Felix V. hielt; s. VON PÖLNITZ, Reformarbeit 56–58, 60.

[40] MILLER, Sierck 120 f.

[41] Zu *Freising* jetzt: MEUTHEN, Rosellis Gutachten, mit Literatur in Anm. 1; RTA XVII 240–42, sowie, erstmals von Meuthen berücksichtigt: Segovia MC III 1335–1341. Ferner: VOIGT, Enea Silvio I 308–21; HUFNAGEL, Kaspar Schlick 334–48; ROSSMANN, Marquard Sprenger 356–65, 371 und öfter; RANKL, Kirchenregiment 36–41; STIEBER 261–64, 310 f. Zu *Grünwalder* bisher nur: KOENIGER, Johann III. Grünwalder (1914); MEUTHEN, Grünwalders Rede (1985). Vgl. STRZEWITZEK, Sippenbeziehungen der Freisinger Bischöfe 170–73; KOLLER, Princeps 125–27; NDB 10, Berlin 1974, 485 (A. LEIDL) mit Lit.; LThK 5, 1039 f.; ROSSMANN (s. oben); RANKL, Kirchenregiment 25–28, 32–41, 97–100, 178–86; ANDRIAN-WERBURG, Urkundenwesen 113 f.

Gegenkandidat, Heinrich Schlick, Bruder des versatilen königlichen Kanzlers Kaspar Schlick, hatte Eugen IV. und, was entscheidend war, den deutschen König Friedrich III. hinter sich. Es dauerte bis zum 13. November 1444, ehe das Konzil sich diesmal zu einer Charaktertat entschließen konnte und Grünwalder konfirmierte – auf die Gefahr, damit den König endgültig in die Arme der Kurie zu treiben. Die Forschung hatte diese wichtigen Ereignisse vornehmlich unter politischem oder landesgeschichtlichem Aspekt betrachtet und erst jüngst durch MEUTHEN auch den beträchtlichen Aufwand an Gutachten und Traktaten ans Licht gehoben.[42] Das Gutachten Antonio de Rosellis macht allerdings anschaulich klar, wie sehr die Diskussion um die Rechte von Papst und Konzil bereits in Klischees erstarrt war.[43]

Von der Masse der übrigen kirchlichen Prozess- und Supplikenfälle, aber auch vieler Laienangelegenheiten, die den Alltag des Konzils als synodalen Gerichtshofs allein schon quantitativ nachhaltig dominierten, sind bisher nur wenige zu einer eigenen Darstellung gelangt. Erinnert sei an so disparate Fälle wie den Streit der Abteien Saint–Antoine und Montmajour (1434–38)[44], den Konflikt des Bischofs von Würzburg mit seinem Kapitel und dem fränkischen Adel (1436)[45], den Streit der Hallinger von Aussee (1433–36)[46], den Kampf des Kölner Erzbischofs Dietrich von Moers mit dem Paderborner Kapitel um die Inkorporation von Paderborn (1414!–1444)[47] und auch städtische Querelen wie den Rostocker Ratsstreit[48].

---

[42] S. MEUTHEN, Rosellis Gutachten (1983).

[43] Aus einer Vielzahl weniger spektakulärer Bistumsbesetzungen seien noch hervorgehoben: die Nachfolge in *Trient* (1444–46) nach dem Tod des konziliaren Bischofs Alexander von Masovien; s. LECHLEITNER, Kampf um die Rechtskraft 10–12. – *Salzburg* 1441: Ernennung Friedrichs von Emmerberg (1441–52) durch das Basler Konzil (1441 XII 11); s. WRETSCHKO, Besetzung des Stuhles Salzburg 209, 249–53 (Text der Ernennungsbulle), 264 f. (Obödienzeid auf das Basler Konzil), 284 f. Beide Texte wurden bisher kaum zur Kenntnis genommen. – Streit um das Bistum *Oesel* zwischen Ludolf Grau (Kandidat des Konzils) und Johannes Kreul (Favorit des Deutschen Ordens); STIEBER 294 Anm. 38; BOOCKMANN, Laurentius Blumenau 45 f.

[44] MAILLET-GUY, Saint-Antoine et Montmajour; MISCHLEWSKI Antoniter 160–62; Johann von Lorch. S. oben 128.

[45] AC I 1 Nr. 256 Anm. 1, 257, 259–61. Nikolaus von Kues war einer der Konzilsvermittler.

[46] AMMON, Opfergeldstreit.

[47] S. CB VI, S. LXXIX; STENTRUP, Dietrich von Köln 54 ff.; HANSEN, Vorgeschichte 53–72; STUTT 22–25; SCHMITDINGER, Paderborner Scholaren 185 f., 188–94. 1434 erfolgte die Appellation ans Konzil durch Hermann von Recklinghausen; CB III 55 Z. 19. – Ein bescheideneres Kölner Beispiel: die *causa abbatissatus XI^{cim} milium virginum Coloniensis*; MC III 288–91; HALLER (Ed.), Beiträge 226 f. – ein Streit um den Sitz der Äbtissin am Stift St. Ursula. Das entsprechende Indult des Konzils erging am 27. VI. 1439.

[48] Vgl. oben 144, 163. Aus einer Fülle weiterer Beispiele: Ein *Kölner* Streit um das

2. Fürstliche Politik und Basler Konzil

Über die Haltung der Basler und Eugenianer zu den Fürsten war im Kapitel über die ‚Laien‘ schon ausführlich die Rede. Wie verhielten sich umgekehrt die Fürsten zum Konzil?

Leider gibt es auch zu diesem Thema keine vergleichende Studie. Die Forschung könnte trotz der Unterschiede im einzelnen versuchen, typische Konstanten herauszuarbeiten – etwa in der Art von J.A.F. Thomsons ‚Popes and Princes‘ (1980).[49] Hier nur ein vorläufiger Überblick. Einmütigkeit besteht darin, daß den Fürsten, wie schon im Großen Schisma und auf dem Constantiense, so auch in der Geschichte des letzten Reformkonzils die Schlüsselrolle zufallen sollte. Das Basler Konzil bildete ja wieder einen politischen Kristallisationpunkt und durch die langanhaltenden Auseinandersetzungen mit Papst Eugen IV. einen Krisenherd, der „ne laisse aucun souverain indifférent“ (Toussaint). Bis zum Jahre 1436 hatten sich nach und nach 10 Könige, 18 Herzöge (einschließlich der Kurfürsten) und mindestens vier Grafen auf dem Konzil vertreten lassen[50].

Vorsicht und Vielgleisigkeit im Agieren und Reagieren zeichnete die fürstliche Politik durchweg aus. Man beschickte das Konzil nur zögernd oder wenn politische Opportunität es nahelegte. Für konziliare Nibelungentreue gab es keinen Platz. Die Literatur hat an vielen Beispielen immer wieder gezeigt: Das Konzil wurde den Fürsten Mittel

---

Heiratsgut der verstorbenen Johanna von Hosteden. Am 16. VIII 1437 entschied man auf Bannung ihres Bruders Johann, der dem Witwer Heinrich von der Neersen das Gut vorenthalten hatte; s. MittSTAKöln 19 (1890) 33 Nr. 11281 GB. Ein weiterer Niederschlag des Falls in einer Urkunde des Kölner Offizialats (1443 I 5), ed. L. Korth von der Harff in: AHVN 57 (1893) 37 f. Einige weitere Kölner Belege bei Oediger, Liber 97 f. Nr. 153, 101 Nr. 168, 112 f. Nr. 190. In einem für das Thema ‚Stadt und Kirche‘ nicht uninteressanten Streitfall des Stiftskapitels von St. Quirin mit der *Neusser* Bürgerschaft entschied das Konzil 1434: Die Bürger sind bei außerordentlichen Reparaturen an der Stiftskirche beitragspflichtig, weil es sich um ihre Pfarrkirche handelt; vgl. CB II 401 und 406, dazu Kottje, St. Quirin 149–51. - Zum *Bamberg*er Immunitätenstreit: Mahr, Beziehungen des Bamberger Rats (1984); vgl. oben 69 Anm. 181. - Zu *Besançon*: Decker, Kardinäle 400.

[49] Thomson, Popes 1–28, 144–200; viel Material ebenso DLO 280–85, 288, 315–447. Als Problem gesehen wurde das Thema schon von Hashagen, Papsttum und Laiengewalten; ders., Staat und Kirche 97–109 und passim; Guenée, L'Occident 237–42, sowie gestreift bei Haller, Kirchenreform 20–24; DLO 215 f.; Meuthen, 15. Jahrhundert 36–38, 138 f. Anregende Zwischenbilanz jetzt bei Meuthen, Basler Konzil 26–36. Der aufsatz von Crowder, Politics, gibt für Basel nicht viel her.

[50] S. Lehmann 161–64.

zu verschiedensten Zwecken, die nichts mit dem Konzil zu tun hatten (zum Beispiel die französischen und aragonesischen Ambitionen auf Neapel), indem man es benutzte, um Druck auf Eugen IV. auszuüben. Prinzipiell war das nichts Neues, doch hatte es wohl noch nie eine so günstige Möglichkeit gegeben, Kirchliches für weltliche Zwecke einzuspannen. Die folgenreichste Ambivalenz wird darin gesehen, daß man sich kirchenpolitische Maximen des Konzils, vor allem die Schwächung des päpstlichen Zentralismus, leicht zu eigen machen konnte, daß aber am Ende die fürstliche Kirchenhoheit gestärkt wurde, ein Ergebnis, das den Zielen der Basler gerade widersprach[51]. Als bekanntestes Beispiel wird immer wieder Frankreich mit der ‚Pragmatique‘ von Bourges und ihrer Wirkungsgeschichte genannt. Unter kirchen- und reformpolitischem Gesichtspunkt sieht man daher die Allianz von Fürsten und Basler Konzil als allenfalls „zeitweilige Interessengemeinschaft"[52] an. Denn richteten sich Grundforderungen der Basler wie die ‚libertas ecclesiae‘ (im engeren Sinne als Wiederherstellung der freien kanonischen Wahl und der Steuerimmunität) nicht letztlich gegen die Kirchenherrschaft der Laienfürsten? Eingriffe des Konzils in ihre weltlichen Kompetenzen, in ihre ‚Souveränität‘, wiesen die Fürsten ohnehin zurück[53]. Der historische Wandel der Kräfteverhältnisse hatte es mit sich gebracht, daß jetzt das Konzil die Frontlinie gegenüber den weltlichen Gewalten bezog, die traditionell

---

[51] S. mit guten Beispielen THOMSON, Popes 170 f. Thomson ist dem Problem ‚Fürsten und Kirche‘ allgemein ab 1440 nachgegangen. Dabei wird auch die Kirchenpolitik der Fürsten zwischen Konzil und Papst berücksichtigt. Vielseitigstes Material-Sammlung und kluge Darbietung zeichnen die Arbeit aus, die allerdings auf Wertungen und ideengeschichtliche Ansätze verzichtet. Unerklärlich bleibt, warum Thomson das wichtige Buch von GUENÉE, L'Occident, nicht benutzt hat. – Zitate, die die Fürsten als die eigentlichen ‚Sieger‘ im Kirchenstreit bezeichnen, sind Legion; s. unten. Anm. 70.

[52] FRANK, Huntpichler 398.

[53] Zu Konflikten kam es, wie wir sahen, bei Streitfällen, in die sich das Konzil als Schlichter eingeschaltet hatte. Die Beschwerden Kaiser Sigmunds sprachen das deutlich aus. S. oben 181 f. Anm. 6. - Hier war die Jurisdiktion „sphere of conflict", einst zwischen Papst und König, jetzt zwischen Konzil und König; s. THOMSON, Popes 193. Auf allen drei Konfliktfeldern im Sinne Thomsons (144–200): Stellenbesetzung, Steuererhebung und Jurisdiktion, erbte das Konzil als Zentralgewalt die Probleme des Papsttums und mußte sich gleich diesem mit den Fürsten arrangieren. Ein Bewußtsein fürstlicher ‚Souveränität‘, das an Philipp den Schönen erinnert, scheint hinter einer Anweisung König Heinrichs VI. an die englische Konzilsgesandtschaft zu stehen: Die Gesandten sollen in Basel darauf achten *quod in nostri domini(i) temporalis preiudicium in quo superiorem non recognoscimus in terris, nil decernatur aut fiat*; zit. SCHOFIELD, England 48, nach LONDON, Brit. Mus., Ms. 826 f.48.

die Päpste eingenommen hatten. Gegen Ende der konziliaren Epoche
war es das römische Papsttum, das aus Schwäche den ‚realpolitischen' Weg zu einer „dangerous alliance" (Black)[54] mit den europäischen Fürsten gegen Basel einschlagen zu müssen glaubte.

Wenn ein Fürst eine Gesandtschaft zum Konzil schickte bzw. wieder abzog, wirkte das schon an sich als prestigeträchtiges Politikum.
Durchschlagend war die Wirkung vor allem dann, wenn der Fürst
bereits so weitgehend über den Klerus seines Reiches verfügte, daß er
ihm gleicherweise gestatten oder verbieten konnte, das Konzil zu
besuchen. Bekannt ist der durch fürstliche Interessenpolitik bedingte
wellenartige Andrang von Aragonesen (1436), Bretonen und Savoyarden (1439), und vice versa deren Abzug auf fürstlichen Befehl: Burgund 1436, Bretagne 1440 und, für das Konzil besonders verheerend,
Aragón 1443.

Als sich die Rivalität zwischen Eugen IV. und den Baslern durch die
Eröffnung des Ferrariense (1438) und die schismatische Papstwahl
von 1439 gleichsam institutionalisiert hatte, wurden die Fürsten
noch deutlicher von beiden Seiten umworben. Wenn sie eine der
Parteien offen unterstützten, schloß das intensive Kontakte zur
Gegenseite natürlich nicht aus. Häufig ging es um die Besetzung von
Bischofsstühlen[55], ein Feld, das traditionell von empfindlichem Interesse für die Fürsten war und, wie wir sahen, schon vor 1438 ihr Verhältnis zu Kurie und Konzil stark bestimmen konnte. Die Forschung hat
in vielen Details bekannt gemacht, wie sie sich ihre jeweiligen Obödienzen durch Privilegien im kirchlichen Bereich belohnen ließen.
Eugen IV. war hier großzügiger als die Basler, wie auch seine Konkordatspolitik seit 1441 neue Akzente setzte. Die Welle der Obödienzener-
klärungen für die römischen Päpste 1446–49 hatte zwar zum Teil nur
mehr affirmativen Charakter[56], verdiente aber dennoch eine vergleichende Betrachtung. Seit Ende der dreißiger Jahre war das Selbstbewußtsein der Fürsten noch gewachsen: Es äußerte sich in koordi-

---

[54] BLACK, Monarchy 129, ganz ins Prinzipielle gewendet: „In preferring royalism to
Conciliarism the fifteenth century papacy contracted a dangerous alliance." Vgl., um nur
aus der jüngsten Literatur zu zitieren: STIEBER 345 ff., sowie THOMSON, Popes 51: „The
primary concern of the papacy was to resist the threat from within the church rather than
that of outside, and they saw in the prince a potential ally against conciliarist aims."

[55] S. Beispiele bei THOMSON, Popes 145–66. Vgl. oben Kapitel IV 1c.

[56] Zum Beispiel leistete Burgund, das längst in der Obödienz Eugens IV. stand, im Mai
1447 noch einen besonderen Treueid; TOUSSAINT, Relations 198 f. Der Kurie brachte das
zusätzlichen Prestigegewinn, dem neue Herzog neue Indulte ein.

nierten Protestaktionen gegen die Papstabsetzung[57], autonomen
Rezeptionsakten der Basler Dekrete (‚Pragmatique‘ von Bourges und
Mainzer ‚Akzeptation‘) und Plänen zu einem ‚Dritten Konzil‘ unter
fürstlicher Ägide. In der Tat: „Seule la tolérance des princes prolon-
geait le concile" (Ourliac)[58].

Bei der Liquidation des Schismas Ende der vierziger Jahre hatten
Fürsten, allen voran der französische König, vollends die Leitung in
der Hand. So gewinnt es fast symbolhafte Bedeutung, wenn Thomas
de Courcelles für den französischen und Robert Botyll für den englischen König den Text der Retraktationsbulle Nikolaus’ V. ‚Tanto nos
pacem‘ konzipierten, die das Schisma beendete[59].

Obwohl in der Literatur seit Haller mehr die Beispiele von Fürsten-
opportunismus und gezielter antikurialer Scharfmacherei hervorgehoben werden (z.B. Mailand 1433, Aragón 1438), ist doch festzuhalten, daß ein gemeinsames Interesse der Fürsten darin bestand, ein
neues Schisma unbedingt zu verhindern. ‚Vermittlung‘, nötigenfalls
mit Druck verbunden, war 1433 mit und 1438/39 ohne Erfolg eine
verbindende Leitlinie der europäischen Fürsten, insbesondere des
deutschen Königs. Man erkennt hier Beispiele einer veritablen europäischen Fürstenkoalition, wenn zum Beispiel der Vermittlungs-
vorschlag der Kurfürsten im April 1439 von Frankreich, Kastilien,
Mailand, Portugal, Dänemark und kurz darauf auch Aragón unter-
stützt wurde[60]. Als eines der wichtigsten politischen Ergebnisse der
Konzilszeit ist zu sehen, daß die europäischen Fürsten als Ensemble
von Monarchen – der Papst war einer von ihnen! – zusammenrück-
ten.

Die Jahre nach der Suspension Eugens IV. durch die Basler (24.
Januar 1438) eröffneten die Möglichkeit eines besonderen Typs politischen Verhaltens: die Neutralität. Erstmals von Frankreich im Großen
Schisma mit dem Obödienzentzug von 1398 erprobt, wurde ‚Neutralität‘ jetzt eine verbreitete Tendenz, teils offiziell verkündet wie von
den Kurfürsten, den deutschen Königen Albrecht II. und Friedrich
III. und dem polnischen König, teils wenigstens de facto praktiziert

---

[57] Vgl. dazu die Erklärungen des Nikolaus von Kues: AC I 2 Nr. 520 Z. 711–14, Nr. 469
Z. 53–73; Nr. 599 Z. 231–55.

[58] DLO 285.

[59] Nach dem Konzept BASEL Univ.Bibl. E I 4 f. 121ʳᵛ; s. MEUTHEN, Basler Konzil 32
Anm. 90. Text: Mansi XXXII 49A–51A; vgl. PASTOR I 403.

[60] S. PREISWERK, Einfluß Aragons 67 f., 75–77; STIEBER 150 f., 179–83 mit Quellen.

wie von der französischen Politik nach 1439. Mag man die Serie der
‚neutralitates‘ als Unsicherheit oder Konzilsmüdigkeit, als Ausweis
fürstlicher Souveränität oder als berechnende Taktik interpretieren,
bemerkenswert scheint mir zu sein, daß man Neutralität auch als
staats- und kirchenrechtliches Problem gesehen hat, wie eine Reihe
von Traktaten und Gutachten bezeugt[61].

Dies leitet zu einem grundsätzlicheren Problem über: Schwierig
und dementsprechend in der Forschung umstritten ist die Frage, ob
und in welcher Weise ideelle Konzeptionen die fürstliche Politik
geleitet haben. Verstanden die Fürsten überhaupt die konziliare oder
papalistische Herrschaftstheorie und, wenn ja, glaubten sie so daran,
daß ihr politisches Handeln davon mitbestimmt wurde? Über das, was
Herrschaft in concreto ist, bedurften die Fürsten wohl kaum des
Nachhilfeunterrichts, entscheidend in unserem Zusammenhang ist
vielmehr: Glaubten sie auch an das bessere Recht von Papst und Konzil? Wie hoch ist überhaupt die ‚Theoriefähigkeit‘ eines spätmittelalterlichen Fürsten einzuschätzen? Im voraus zu berücksichtigen
wären unter anderem der Bildungsgrad des Fürsten selbst und der geistige Horizont seiner für die Gestaltung der Politik oft wichtigeren
Ratgeber.

Die Forschung sah das Problem vor allem verfassungspolitisch und
stritt darüber, wieweit die Fürsten ein ideologisches Konzept zum
systematischen Ausbau ihres Staates bzw. ihrer Kirchenhoheit besaßen.
So sieht STIEBER quasi als Fazit seines Buches die deutschen Fürsten im
15. Jahrhundert nur sehr eingeschränkt als „systematic ‚state buil-
ders‘“[62] an. Ihr „political outlook“ sei vielmehr durch „concern for
concrete advantages in dynastic politics and very little by abstract
political principles“ geprägt gewesen[63]. Die gleichen Motive – so der
Analogieschluß – hätten auch ihre Kirchen- und Konzilspolitik
bestimmt. Diese von prinzipieller Skepsis gegenüber ideellen Impulsen geprägte Ansicht darf stellvertretend für einen Teil der englischen und deutschen Forschung gelten. Andere Autoren wie FRANK
oder KRYNEN heben gerade diese ideellen Antriebe (‚Idéal du prince‘,
Verkirchlichung des Herrscherbildes) hervor[64], ohne dabei einzelne

---

[61] S. unten 294 Anm. 454.

[62] STIEBER 344; vgl. 320 f., 343–45.

[63] STIEBER 335. Ähnlich schon VALOIS II 158: „L'ésprit pratique des enfants du siècle
subordinait les solutions théoriques à des avantages immédiats et palpables.“

[64] FRANK, Huntpichler 385–93; Kirchengewalt 51–60, besonders 53; KRYNEN, Idéal du
prince; ANGERMEIER, Reich 531 f.; THOMSON, Popes 35 und öfter. Zum Fürstenideal sehr

Fürsten als eigenständige Theoretiker aus ihrer intellektuellen Entourage am Hofe bzw. dem allgemeinen geistigen Umfeld heraustreten zu lassen. Entsprechend wird auch das theologische Interesse der Fürsten an den ekklesiologischen Anliegen des Basler Konzils allgemein gering eingestuft. Jedenfalls wird man keinen Fürsten als ‚Konziliaristen' bezeichnen können. Die Oratoren des Konzils und Eugens IV., die sich mit ihren Vorträgen über hehrste Prinzipien bei verschiedenen Fürsten geradezu die Klinke in die Hand gaben, standen Pragmatikern gegenüber. *Stultus, qui putat libellis et codicibus moveri reges* sagte Enea Silvio treffend und meinte damit den Konzilsgesandten Tudeschi mit seiner dreitägigen Redeorgie auf dem Frankfurter Reichstag von 1442[65].

Man könnte die Zusammenhänge vielleicht so sehen: Die Fürsten entschieden zwar am Ende nach praktischen Gesichtspunkten, aber diesen durfte die theoretische Legitimation zumindest nicht entgegenstehen. Die kontroversen Reden und Traktate öffneten also die Möglichkeit, so oder so zu entscheiden; die Theorie war insofern doch eine unerläßliche Handlungsbedingung. Zu erwägen wäre andererseits, ob sich die Kirchenpolitik ab 1438 nicht allgemein als Ausdruck einer „Vertrauenskrise" der Theologie verstehen läßt, wie sie etwa ENGEL für die zweite Hälfte des 16. Jahrhunderts konstatieren will[66] – vorausgesetzt freilich, daß ein solches Vertrauen fürstlicherseits überhaupt je bestanden hatte.

Die ältere Literatur machte es sich oft zu leicht, indem sie a priori jedes Engagement eines Fürsten für Basel als vorgetäuschte Tarnung handfester, bloß politischer – und womöglich antipäpstlicher – Ziele entlarven wollte. Man verkannte auch oft die Verantwortung der Fürsten, unter dem Damoklesschwert eines neuen Schismas politische Entscheidungen zu fällen, ebenso wie den bisweilen vorhandenen ernsten Reformwillen. Eine sich wandelnde Herrscherethik, die auch die Sorge für Kirche und Religion zum bonum commune zählt, für das der Fürst verantwortlich ist, verbunden mit traditionellen Rechten (Vogtei, Patronat, ius reformandi). Beide Faktoren werden in der Forschung neuerdings mitgenannt, wenn sie wie früher die Fürsten als die

---

wichtig: GUENÉE, L'Occident 133–50; vgl. MOELLER, Spätmittelalter 32; BUISSON, Potestas 448 f. s.v. ‚Krönungseid'. – Das im übrigen recht zukunftsträchtige Thema kann hier nur angedeutet werden.

[65] Briefwechsel, ed. WOLKAN II, 203.*

[66] ENGEL, in: Handbuch der Europäischen Geschichte III, 144.

eigentlichen ‚Sieger‘ aus dem Kampf zwischen Papst und Konzil hervorgehen sieht. Die ‚Entstehung der Landeskirchen‘ im Prozeß einer
allgemeinen, wenngleich von Land zu Land unterschiedlich intensiven Verstaatung bleibt eines der wesentlichen Forschungsprobleme
des späten Mittelalters und der frühen Neuzeit.[67]

Erinnern wir uns jetzt noch einmal jener Warnung, die Eugen IV.
den Fürsten ans Herz gelegt hatte[68]: Wie beim ‚Aufruhr‘ des Konzils
gegen den Papst, drohe auch ihnen von ihren Untertanen Aufstand
und Fronde, wenn man die Basler gewähren lasse. In der Literatur war
schon früher hie und da von der „staatsfeindlichen Tendenz der konziliaren Bewegung"[69] gesprochen worden; doch hat wohl erst BLACK
über prinzipielle Analogien von ‚Demokratie‘ und ‚Monarchie‘ in
Staat und Kirche hinaus nach konkreten Beispielen gesucht, ob auch
die Fürsten diese Gleichsetzung mitvollzogen. Sahen sie – also doch in
gewissem Grad theoretisch denkend – das monarchische Prinzip
bedroht und verbündeten sich deshalb mit dem päpstlichen Schick-
salsgenossen gegen das Basler Konzil?[70] Blacks Analyse des ‚response
of the secular powers‘ zeigt, etwa am Beispiel Friedrichs III., Heinrichs
VI. von England, Alfons’ V. von Aragón und Philipps des Guten von
Burgund[71], daß die Fürsten auf die Verfassungsproblematik zwar am
Rande eingingen, doch reicht das kaum aus, die Verteidigung des
monarchischen Prinzips quasi nach Art der ‚Heiligen Allianz‘ zu ihrer
politischen Leitlinie zu stilisieren. Für Karl VII. von Frankreich meint
Black selbst: „there is no evidence that Charles himself was in any way
moved by the papal appeals to constitutional theory".[72]

---

[67] Literatur s.unten. Anm. 538; ENGEL (wie Anm. 66) 31–35, 38.

[68] S. oben 101-03.

[69] BERTRAMS, Staatsgedanke 94 f., vgl. 175 f.

[70] So etwa die Grundauffassung von HALLER, Kirchenreform 20 f., 23 f., und HASHAGEN,
Staat und Kirche 101–07 passim, sowie vieler Stimmen unterschiedlichster Couleur vor
und nach ihnen: HOLLNSTEINER, Kirche 311, 318; HEIMPEL, Deutschland 102 f.; BAETH-
GEN 115 f.; BERTRAMS, Staatsgedanke 94 f., 159–92; JEDIN, Trient I 15; GILL, Eugenius IV
209–11; OURLIAC, Sociologie 25, 28 f.; MOELLER, Spätmittelalter 31; OAKLEY, Western
Church 71 ff.; FRANK, Huntpichler 385–93, 398–401; ULLMANN, Geschichte des Papsttums 295 ff.; STIEBER 151, 197, 345–47.

[71] BLACK, Monarchy 112–24; vgl. ähnlich 111 f., 122 f. (Thomas Ebendorfer), 92 f., 101 f.,
108. Blacks Ansatz, einer der wertvollsten seines Buchs, könnte im Sinne einer Studie
‚Fürsten und Basler Konziliarismus‘ vertieft werden.

[72] BLACK, Monarchy 108; ähnlich STIEBER 335, der von einem „limited effect" des ‚Libellus Apologeticus‘ und seiner Intentionen spricht. – Vgl. aber MÜLLER, Kirche des Spätmittelalters 42.

Fruchtbarer scheinen in diesem Zusammenhang zwei weitere Ansätze Blacks zu sein, nämlich das Verhältnis der einzelnen europäischen Fürsten zu ihren Ständen (États, Cortes, Parliaments, Landstände etc.) in der Zeit des Basler Konzils zu untersuchen und dabei zu fragen, ob Theorie und Praxis des Konzils das korporative Selbstbewußtsein und politische Handeln der Stände oder gar Volksaufstände und Adelsfronden[73] bzw. umgekehrt die monarchischen Reaktionen beeinflußt haben. Augenfällig scheint eine gewisse Parellelität vor allem in Frankreich zu sein: Nach 1439 – es war zufällig das Wahljahr des ‚Papstes von synodalen Gnaden' – wurden die États généraux, die in den vorausgegangenen Jahrzehnten einigen Einfluß hatten, nicht mehr einberufen. Doch ist dies sicherlich mehr als Folge einer allgemeinen, auch außenpolitischen Erholung des französischen Königtums anzusehen, denn als Reaktion auf die von Basel ausgehende ‚konstitutionelle Bedrohung'. Adelsfronden wie die Praguerie (1440)

---

[73] BLACK, Monarchy 116 f. nennt folgende Ereignisse: a) 1443: Konflikt der Eidgenossen mit Friedrich III. (Zürcher Krieg); zitiert werden aber nicht Äußerungen der Schweizer, sondern eine briefliche Auseinandersetzung des Enea Silvio (für den Monarchen gegen die ‚Rebellen') und Herzog Ludwigs VII. von Savoyen („in terms reminiscent of both Hussite and Baslean ideology").
b) 1443: mißglückter Aufstand des Neffen Kardinal Alemans in Avignon („the only recorded example of a civic rising in support of Basle", 116); s. Pérouse 400–04.
c) 1452: Revolte der Wiener gegen Friedrich III., verbunden mit einer Konzilsappellation, aber: „. . . the ideological bond between Baslean Conciliarism and civic thought was not reflected in practice" (116 Anm. 7). Vgl. Frank, Wiener Konzilsappellationen. Später wies Black auf die besonders starken Aktivitäten der kastilischen Cortes und der sächsischen Stände in den dreißiger und vierziger Jahren des 15. Jahrhunderts hin; Black, Council 192, 196. – Das englische Parlament tagte während des Basler Konzils in zehn unterschiedlich langen Sitzungsperioden; Meuthen, Basler Konzil 37 Anm. 107. – Allgemein geht die Forschung aber von einem Niedergang der ständischen Organe und einem Aufstieg der Monarchie in Theorie und Praxis aus; s. Lewis, Failure. Auch bei städtischen Aufständen des 15. Jahrhunderts ist kaum von konziliarem Einfluß auszugehen. Viel eher ließen sich Einflüsse des Hussitismus annehmen, der in der marxistischen Forschung ja als Teil einer ‚antifeudalen' Kampfbewegung gesehen wird. So etwa zum *Wormser Bauernaufstand* 1431/32, der auch das Basler Konzil beschäftigte: Smirin, Deutschland vor der Reformation 102–16. Der Wormser Bauernaufstand hatte allerdings schon die Forschung im 19. Jahrhundert interessiert: Bezold, Bauernaufstand (1875); s. RTA X 229–33 und nrr. 136–44, 163–66. – Franz, Akten zur Geschichte des Wormser Bauernaufstands; Eckhardt, Bechtheimer Dorfordnung. – Zur ‚demokratischen Empörung' in Rostock (1432 ff.); s. oben 102, 144 Anm. 260, 193. - Die sog. *‚Rebeyne' von Lyon* 1436 richtete sich vornehmlich gegen die königliche Steuerpolitik (gabelles). Indirekte Wirkungen für die Geschichte des Basiliense zeitigte sie insofern, als die Pläne der Konsuln, das Konzil nach Lyon zu ziehen, wegen des Aufstands aufgegeben werden mußten; s. Vaesen, Translation. Zur ‚Rebeyne': Fédou, Révolte populaire.

sind ohnehin ein konstantes Phänomen der europäischen Geschichte. Die Absetzung Eugens IV. hat selbstverständlich auch die Fürsten
alarmiert, aber man fürchtete das Schisma, nicht den Verlust des eigenen Throns. Eine im Prinzip nicht abwegige Verbindung der Papstdeposition zu den Königsabsetzungen von 1399 (Richard II. in England),
1400 (König Wenzel) und – in der Forschung meist unbeachtet – 1439
(Erich von Dänemark) läßt sich bei ihnen explizit nicht feststellen[74].
Doch haben die beiden ersten Depositionen, worauf jetzt ALBERIGO
hinwies, für die Widerstandslehre des frühen Konziliarismus Bedeutung gehabt[75]. Die Basler selbst wehrten sich in den Jahren 1439–44
ohnehin gegen den Vorwurf, ‚antimonarchisch‘ zu sein, und lehnten
eine Übertragung ihrer Verfassungsprinzipien von der Kirche auf die
Staaten ab – wenigstens in Reden sub auspiciis principum. Darüber
wird an anderer Stelle noch zu sprechen sein[76]. Black hat die skizzierten Ansätze nicht weiterverfolgt – vielleicht ein zusätzliches argumentum ex silentio dafür, daß kaum direkte Beziehungen zwischen
konziliarem und ständischem Konstitutionalismus bestanden.

3. Frankreich

a) Valois – Frankreich

Wie sehr das Basler Konzil bis zum Jahre 1439 ein ‚französisches‘
Konzil gewesen ist, wenngleich es auf deutschem Boden stattfand,
wurde schon früh bemerkt,[77] ohne wohl hinreichend ins Bewußtsein
der Forschung gelangt zu sein. Nicht nur quantitativ stellte der französische Klerus zusammen mit dem deutschen in den Jahren 1432–
1440 die größten Kontingente mit jeweils etwa einem Drittel aller
Teilnehmer, sondern mit der Vielzahl von politisch und theologisch
einflußreichen Köpfen wie Talaru, Coëtquis, Aleman, Courcelles,
Mauroux, um nur einige zu nennen, und seinem reformerischen Engagement war er die am stärksten treibende Kraft des Konzils, nach Our-

---

[74] Anklänge dieser Art hält BLACK, Grundgedanken 307 Anm. 46, in einer Rede des
Thomas de Courcelles von 1439 für möglich (angeblich nach Enea Silvio, „Commentarii
8“). Vgl. VALOIS II 231 f. Es geht um die Tyrannenabsetzung, die in der Kirche analog zum
Staat gestattet sei.

[75] ALBERIGO, Chiesa 71–76 mit Literatur; BUISSON, Potestas 305 f., 317–24. Bei ZIMMER-
MANN, Papstabsetzungen, keinerlei Hinweis. Vgl. SCHNITH, Königsabsetzungen.

[76] S. unten 487. Vgl BLACK, Monarchy 44–48, 109–11.

[77] S. schon VOIGT, Enea Silvio I 99, 107; HALLER CB I 137; PÉROUSE 197; LEHMANN 105;
DLO 249; STIEBER 18, 134; MÜLLER, Verfassungsprinzipien 418 Anm. 16.

liac „l'âme du parti conciliaire".[78] Dazu tritt die Bedeutung des französischen Königs als zeitweiliger politischer Stütze der Synode.

Erstaunlicherweise fehlte bislang eine umfassende, geschweige denn moderne Studie.[79] Man ist stattdessen durchweg auf Werke älteren Datums angewiesen, die sich im wesentlichen auf Ereignis- und Diplomatiegeschichte beschränken: So, noch immer unersetzt, das sechsbändige Monumentalwerk von GASTON DU FRESNE DE BEAUCOURT (1881–91), wo das Basler Konzil natürlich nur Randthema ist, und die Darstellung bei VALOIS auf französischer Seite, sowie von deutscher Seite verschiedene Studien von HALLER, die Dissertation seines Schülers REINHARD WITTRAM (1927), die nur den Basler Schauplatz beleuchtet, und die Dissertation von ERDMANN JOHANNES NÖLDEKE (1957).[80] Vorerst läßt der Forschungsstand noch viele Wünsche offen: Weder die gallische Konzilsnation, noch die ‚Wirkung' des Konzils in Frankreich (Korrespondenzen, Prozesse, Rezeption von Dekreten auf Synoden etc.), die Reaktion des damals noch keineswegs vom Königtum zentralistisch gleichgeschalteten Hochadels[81], sind hinreichend aufgearbeitet: einzelne Diözesen, Kapitel und Klöster, also die kirchliche Basis ebenso wie die führenden Personen und ihre Verbindungen, wurden, wenn überhaupt, in nicht repräsentativer Streu-

---

[78] DLO 249.

[79] Hier wird demnächst die Habil.schrift von Heribert MÜLLER (Köln), dem ich gerade zu diesem Kapitel wichtige Hinweise verdanke, Abhilfe schaffen.*

[80] DU FRESNE DE BEAUCOURT, Charles VII, Bd. VI 513 s.v., sowie für die Jahre 1444–49 ders., Pacification. – VALOIS I 152–58, 196–89; II 218–44, 327–58 sowie 393 und 400 s.v. ‚Charles VII.' und ‚France' passim. Dazu in scharfer, teils berechtigter, teils überzogener Kritik: HALLER, [Rezension von] N. Valois, Le pape. Vgl. Haller CB I 117–59 passim (für die Jahre 1431–37); Pragmatische Sanktion; Belehnung René's d'Anjou. WITTRAM, Französische Politik (reicht bis 1437, reine Diplomatiegeschichte auf der Basis von CB und MC); NÖLDEKE, Kampf Eugens IV., mit wertvollem Quellenanhang. Nöldeke war seinerseits Schüler von Hallers Lieblingsschüler Dannenbauer. Ferner: LEHMANN, Mitglieder 101–104 zur Teilnehmerfrequenz; STIEBER 62–71, 231–34, 305–08, 322–30; THOMSON, Popes 146–49, 168 f. Im übrigen s. den Forschungsbericht bei MÜLLER, Prosopographie 140–50. – Beste Darstellung der französischen Kirche in der ersten Hälfte des 15. Jahrhunderts: DLO 315–77. - S. auch BRANDMÜLLER, Pavia-Siena I 39-57.

[81] Immerhin schickte beispielsweise Graf Jean IV. von Armagnac 1433 nicht weniger als fünf Gesandte zum Konzil! Zu einem von ihnen, dem Bischof von Lectoure, s. SAGÜEZ, Martin de Guetaria 280-89, Ed. einer Konzilspredigt 290-303. Inkorporation der fünfköpfigen gräflichen Gesandtschaft: CB II 393 Z. 1. S. LEHMANN 164, mit Daten von zwei weiteren französischen Grafen. Bei SAMARAN, Maison d'Armagnac (1907) findet sich kein Hinweis auf Basel, ebensowenig bei LEGUAI, Ducs de Bourbon (1962); bei COSNEAU, Richemont (1886) ganz am Rande. Die Beispiele signalisieren den geringen Stellenwert des Basiliense beim französischen Adel.

ung behandelt.[82] Jedenfalls muß man sich davor hüten, „die Franzosen' unbesehen mit der Politik des französischen Hofes gleichzusetzen. Erst die jüngeren prosopographischen Forschungen von HERIBERT MÜLLER suchten die vielfältigen lokalen Institutionen und das gerade in Frankreich äußerst dichte und kohärente Netzwerk der Personenbeziehungen in ein Gesamtbild zu integrieren. Dabei wurden etwa die Nukleusfunktion der Universität Avignon und des Pariser Navarrakollegs herausgestellt.[83] Ziel ist es, das Funktionieren eines Interaktionsdreiecks gegenwärtig zu machen, das sich a) aus der französischen Krone, b) einem Netz lokaler Institutionen und personaler Beziehungen und schließlich, als Brennpunkt, c) dem Basler Konzilsforum zusammensetzt.[84]

Natürlich heißt die Maxime auch hier: Differenzieren! Vor vereinfachende Schemata wie: ‚Papalisten'– ‚Konziliaristen' und mit politischer Entsprechung: Lancaster/Burgund – Valois sei, so Müller, „ein prosopographisches Warnschild (zu) setzen". Die politischen Frontlinien zwischen Lancaster- und Valois-Frankreich lassen sich nämlich keinesfalls auf fixe kirchenpolitische Positionen gegenüber Papst und Konzil übertragen. Bestes Beispiel dafür sind Franzosen wie Courcelles, Beaupère und andere Vertreter der Universität Paris, das damals englisch besetzt war: Sie wirkten auf anglo-burgundischer Seite am Prozeß gegen Jeanne d'Arc mit u n d waren zugleich überzeugte Konziliaristen in Basel. Auch regional zeigte ‚Frankreich' große Unterschiede: Fast der gesamte Midi blieb, oft in Opposition zur Kirchen- und Konzilspolitik Karls VII., eine „papstverbundene Sonderwelt" (Müller); ein Ergebnis, für das vor allem die Arbeit von GAZZANIGA[85] mit ihren Studien zur (fehlenden!) Rezeption der ‚Pragmatique' von Bourges im Midi den Grund gelegt hat. Freilich sind auch hier gewichtige Ausnahmen ins Feld zu führen: So etwa die ganze Diözese Rodez; die Bischöfe Bernard de la Planche von Dax, Gérard de Bricogne von Pamiers bzw. St-Pons, Bertrand de Cadoène von

---

[82] Vgl. oben die Kapitel II 6 (Aspekte der Prosopographie), III 4 (Diözesen), III 6 (Orden), III 7 (Universitäten) mit verschiedenen französischen Beispielen sowie im einzelnen RONSIN, St-Dié; LECLERCQ, Cluny; MAILLET-GUY, Saint–Antoine; GERMAIN, Lettres du concile de Bâle aux consuls de Montpellier, mit Text. Im übrigen sei global auf die Arbeiten von H. MÜLLER: Prosopographie; Lyon; Franzosen, hingewiesen.

[83] MÜLLER, Prosopographie 140, 170; Lyon 55 f.

[84] MÜLLER, Prosopographie 152, 159–66; Lyon 39–43 (zu Avignon).

[85] GAZZANIGA, Église du Midi, besonders 109–32, 192–96 und s.v. ‚Bâle'.

Uzès usw. Keineswegs ergriff jedenfalls „toute la France" die Partei des Konzils.[86]

Die gallische Konzilsnation in Basel kann man sich dementsprechend nicht spannungsgeladen genug vorstellen: In ihr prallten Kleriker aus den von Karl VII. beherrschten Gebieten mit solchen aus den noch englisch besetzten Regionen, also Untertanen Heinrichs VI. von England, zusammen, ferner die burgundischen (Burgund war bis 1435 mit England verbündet), sowie, jeweils mit Eigeninteressen die bretonischen und die savoyardischen Konzilsteilnehmer. Ein Pulverfaß! Die Streitigkeiten der großen Politik wirkten hier unausweichlich fort.[87] Innerhalb der Nation nahm das Gewicht der ohnehin schon starken Valois-Franzosen ständig zu, um ab 1435 (Arras) zu dominieren. Sie drängten die anfangs ebenfalls starke burgundische Gruppierung unter dem Bischof Jean Germain an den Rand und machten die gallische Konzilsnation mehr und mehr zum Instrument der königlich französischen Politik.[88]

Diese Tendenz würde dem allgemeinen Aufschwung der politischen Lage des französischen Königs entsprechen. Frankreich befand sich weiterhin im Krieg mit England und war noch zu beträchtlichen Teilen von den Engländern besetzt; doch hatten sich die Verhältnisse im Vergleich zur Zeit des Konstanzer Konzils gewendet. Frankreich begann sein ‚nationales' Selbstbewußtsein wiederzufinden.[89] Die wachsende politische Handlungsfreiheit gestattete dem französischen Hof, auch zwischen Basel und Eugen IV. immer wirkungsvoller Politik zu machen.

Der Forschungslage Rechnung tragend, beschränken wir uns auf die Politik der französischen Krone und ihrer Diplomaten. Die Forschung hat drei Hauptziele deutlich hervorgehoben, bei denen Basel als Faktor eine Rolle spielte. Man sollte sich dabei stets bewußt sein, daß das Konzil nur e i n Aktionsfeld der gleichzeitig mit vielen großen innen- und außenpolitischen Problemen kämpfenden französischen

---

[86] So allerdings DLO 235. Auch GAZZANIGA, Église du Midi 124, dürfte irren, wenn er den Erzbischof von Toulouse, Denis du Moulin, als „partisan acharné du concile de Bâle" bezeichnet.

[87] Hinweise bei LAZARUS 172–175; TOUSSAINT, Relations 80–82; ZELLFELDER, England 45 f. Anm. 22, 145 f.

[88] LAZARUS 174 f.; WITTRAM, Französische Politik 22 f., 48, 55.

[89] Zur allgemeinen Orientierung: GUENÉE, État et nation; LEWIS (Hg.), Recovery of France (Neuedition wichtiger Aufsätze meist französischer Autoren in englischer Übersetzung); s. auch LEWIS, Later Medieval France (1968) und MÜLLER, Königtum.

Politik war, bei weitem nicht das wichtigste – was allerdings die Konzilsforschung leicht suggerieren konnte.

a) Wiederherstellung der gallikanischen Freiheiten[90], die in den vorausgegangenen Konkordaten von 1418 (Konstanz) und 1426 (Genazzano) eingeschränkt worden waren. Die von den Baslern beabsichtigte Schwächung päpstlicher Exekutiv- und Jurisdiktionsgewalt kam dem französischen Interesse insofern sehr entgegen. Daher die Rezeption von Basler Dekreten in der Pragmatique, eine Politik, in der König und größere Teile des Landesklerus zusammenarbeiteten.

b) Avignon: Die ‚süßen Tage‘ des avignonesischen Papsttums (1309–76, 1378–1417) waren in Frankreich unvergessen; ihre Wiederherstellung wurde, so vermuteten schon Zeitgenossen, insgeheim wieder angestrebt. Den Brückenschlag hätte eventuell ein von Basel nach Avignon verlegtes Unionskonzil (Versuche in diese Richtung: 1432/33 und vor allem 1436/37) bewerkstelligen sollen.[91] Doch war die ‚natio Gallica‘ nach Italien (Pisa, Pavia-Siena) und Deutschland (Konstanz, Basel) ohnehin mit einem Konzil quasi an der Reihe.

c) Neapel: ein dynastisches Ziel. Durch Förderung des Prätendenten René d'Anjou, Herzogs von Bar-Lothringen, gegen den aragonesischen Rivalen sollte das Königreich Neapel nach dem Tode Johannas II. wieder unmittelbar französischem Einfluß unterworfen werden.[92] Mit dem Papst als Lehnsherrn Neapels galt es daher sich tun-

---

[90] Dazu allgemein: HALLER, Papsttum und Kirchenreform 197–479; Ursprung der gallikanischen Freiheiten (Versuch, die englischen Vorbilder aufzuzeigen). Grundlegend: MARTIN, Origines du gallicanisme (1939); DDC VI (1957) 426–525; DLO 315–77; LThK IV, 499-503. Zur monetären Komponente der königlichen Kirchenpolitik s. das instruktive Buch von MISKIMIN, Money 73–90, besonders 83–85 zur Pragmatique.

[91] Darüber, neben den einschlägigen Handbüchern: LAZARUS 168 f., 175 f.; HALLER, Valois-Rezension 340 ff., scharf gegen Valois; ders., Pragmatische Sanktion 43 ff., und CB I 147 ff. Ferner: LABANDE, Translation, mit Quellen. Zum ehrgeizigen Plan der Konsuln von Lyon, das Konzil in ihre Stadt zu ziehen: VAESEN, Translation, mit Quellen; FÉDOU, Révolte populaire; MÜLLER, Lyon 50 f. Die französischen Pläne wurden auch von Zeitgenossen klar erkannt. Ambrogio Traversari an König Sigmund: *Instat Gallica nacio Arelatensem cardinalem et Lugdunensem archiepiscopum* (Talaru) *habens duces, pontificatumque summum in Galliam transferre cupit ... si pontifex Eugenius Avenionem se conferret, omnes illuc ad illum ipsius nacionis prelatos concursuros*; RTA XII 19 Z. 25–29 nr. 6; vgl. Ulrich Stoeckel (CB I 101 Z. 2-8); *Ytalici vero et quam plures de Alemania, suspicantes, ne forte Gallici sic ad se conarentur trahere papatum ... alium papam facerent, et sic scisma fieret*. Vgl. auch die Warnung des Filippo Maria Visconti (1438 VII 28); RTA XIII 565 Z. 17–20 nr. 296.

[92] Dazu: HALLER, Belehnung; Pragmatische Sanktion 45–49; CB I 137 ff., 153; NÖLDEKE, Kampf Eugens IV. 8–10; PREISWERK, Einfluß Aragons 3 ff. und öfter; FARAGLIA,

lichst gut zu stellen. Von Haller und seinen Schülern wurde dieser Komplex als entscheidendes Movens der französischen Politik wohl über Gebühr herausgestellt.

Die genannten drei französischen Interessen mußten sich notgedrungen kreuzen. Man konnte sie weder gleichzeitig noch bei einer Instanz allein durchsetzen. Geschmeidige Politik tat not. Die ältere Forschung versuchte vor allem nachzuweisen, wie die Franzosen das ‚Doppelspiel' auf zwei Bühnen, nämlich im Konzil und an der Kurie, ungewöhnlich virtuos beherrschten. HALLER und WITTRAM prangerten diese Politik als skrupellose, sich der bewußten ‚Täuschung' bedienende, ausschließlich politisch-dynastischen Zielen nützende Taktik polemisch gegen das apologetisch geglättete Bild bei NOËL VALOIS an. Dieser – wie übrigens auch Du Fresne de Beaucourt – ebenso ultramontan wie national geprägte Gelehrte versuchte einerseits Eugen IV. milder zu beurteilen als die Basler, andererseits den französischen König sowohl als ‚allerchristlichsten' (sprich papsttreuen) wie nationalbewußten Herrscher darzustellen, dessen Politik aufrichtig gewesen sei.[93] Über die kaum verhohlenen nationalistischen Affekte (am Vorabend des Ersten Weltkriegs) hinaus, erscheint die Haller-Valois-Kontroverse wissenschaftsgeschichtlich interessant: Politische Geschichte als Entlarvung oder als harmonisierende Apologetik stehen sich hier gegenüber, wobei unterschiedliche Begriffe von Macht und politischer Moral zugrundeliegen. Sicherlich wird man die Biographie der beiden Kontrahenten sowie die innen- und außenpolitische Situation ihrer Gegenwart mitzuberücksichtigen haben: Für Valois erscheint Karl VII. geradezu als Gegenbild der damals scharf laizistischen

---

Storia della lotta; AMETTLER Y VINYAS, Alfonso V, II 1–496 passim. Zu René d'Anjou immer noch: LECOY DE LA MARCHE, Le roi René. Neue Details zur neapolitanischen Frage bei MILLER, Sierck 38–51. Literatur zu Alfons V. s. unten 240 f.

[93] Die entscheidende Kontroverse: HALLERS Rezension von Valois' ‚Le pape et le concile' in: HZ 100 (1912) 338–52; die Erwiderung von VALOIS, in: HZ 111 (1913) 338–44, und Schlußwort von Haller, ebd. 344–48. S. aber schon die scharfe Rezension des Buches von Valois über die ‚Pragmatique de Bourges' durch HALLER, Pragmatische Sanktion. Zur Kontroverse vgl. MÜLLER, Prosopographie 147. – Charakteristische Sätze zum Politikverständnis finden sich im Vorwort der Studie von WITTRAM: „Hauptreiz" sei für ihn gewesen, „das Spiel der diplomatischen Schachzüge, die Kunst der realen Zwecke und fragwürdigen Mittel zu studieren." Diese Sichtweise ist für die Politik dieser und anderer Zeiten zweifellos ‚realistisch'. Umso inkonsequenter, wenn dann die französische Diplomatie, die diesem Bild entspricht, moralisch denunziert wird. Bismarck wurde ob vergleichbarer ‚Schachzüge' bekanntlich als genialer Politiker gepriesen. Die Doppelgesichtigkeit Machiavellis!

französischen Regierung. Hallers antifranzösische Affekte könnten
durch seine Erfahrungen an der stark französisch beeinflußten Kurie
neue Nahrung erhalten haben. Für das Frankreich des 15. Jahrhunderts traf Hallers desillusionierende Sicht tendenziell doch etwas
Richtiges: die fortschreitende Funktionalisierung der Religion für
die Politik.

Festzustellen bleibt: Frankreich hat in keiner Phase ausschließlich
auf das Konzil gesetzt, vielleicht mit Ausnahme des Frühjahres 1437,
als die Translation des Konzils nach Avignon vollendete Tatsache zu
sein schien. Die diplomatischen Kontakte zur Kurie liefen freilich
weiter. Vor allem für Neapel war Eugen IV. eine Schlüsselfigur, die
nicht zu umgehen war, während sich in der Reformfrage die Möglichkeit sowohl eines päpstlichen Konkordates als auch eines eigenen,
gegebenenfalls vom Basler Konzil sanktionierten Weges bot, der mit
der ‚Pragmatique‘ von Bourges dann auch beschritten wurde.

Weil der königliche Hof die Schaltzentrale der französischen Diplomatie war, konnten sich Parteiungen und Personenwechsel dort
prinzipiell auch auf die Kirchenpolitik auswirken. Doch ist für den
Hof Karls VII. trotz einiger Krisen (1433 Sturz von de la Tremoïlle;
1440 ‚Praguerie‘) eine bemerkenswerte Kontinuität festzustellen, die
sich in Gestalten wie dem Kanzler und Erzbischof von Reims, Regnault de Chartres oder dem überzeugten Gallikaner Gerard Machet,
Bischof von Castres und königlichem Beichtvater, personifiziert, der
in der Forschung noch mehr als maßgeblicher Gestalter der französischen Politik in den Vordergrund rücken dürfte[94]. Auch wenn neuerdings die persönlichen Fähigkeiten und politischen Impulse König
Karls VII. aufgewertet wurden (VALE 1974)[95], bleibt die maßgebliche

---

[94] Über ihn, ebenso wie über Regnault de Chartes, fehlt eine Biographie – ein For-
schungsdesiderat! Material bisher bei MÜLLER, Prosopographie 156 f., 163–65; Lyon 44 f.
– Eine Edition des wichtigen Briefwechsels von Machet bereitet P. SANTONI (Marseille)
vor (Hinweis H. Müller). Vgl. SANTONI, Gérard Machet. Zu den Ratgebern Karls VII.
jetzt: GAUSSIN, Conseillers (1982) – nach Auskunft von H. Müller vor allem in der prosopographischen Liste stark der alten, kaum bekannten Arbeit von A. VALLET DE VIRIVILLE,
Charles VII. (Paris 1859) verpflichtet; die Konzilspolitik des Hofs erscheint nur sehr am
Rande (81).

[95] VALE, Charles VII. Das Fehlen fast jeglichen Hinweises auf das Basler Konzil bildet
ein Beispiel für den an der westeuropäischen Literatur häufiger zu beobachtenden Tatbestand, daß das Basiliense für sie gleichsam nicht existiert. Das gleiche Phänomen ist
übrigens an den beiden neuen englischen Biographien über Heinrich VI. (s. u. Anm. 163)
festzustellen. Vgl. die knappe Charakteristik der Konzilspolitik Karls VII. bei DLO
347 f.

Rolle seiner Berater unbestreitbar. Die Politik des Hofes und die Aktionen der erzbischöflichen Gesandtschaftsführer Talaru und Coëtquis scheinen aber keineswegs immer in Übereinstimmung gewesen zu sein, nicht zuletzt deshalb, weil diese beiden persönlich geradezu fanatische Konziliaristen waren und nicht zuletzt daher mit ihren diplomatischen Weisungen fast unweigerlich in Konflikt gerieten.

Obwohl sich der französische Klerus unter Führung Talarus, Erzbischofs von Lyon, schon am 26. Februar 1432 in Bourges für Basel erklärt hatte[96], traf die hochkarätig besetzte königliche Gesandtschaft erst relativ spät, im Mai 1433, auf dem Konzil ein, nachdem das Terrain sorgfältig vorbereitet war. Unter Leitung von Talaru und Coëtquis wirkte Frankreich zusammen mit Mailand und im Gegensatz zu fast allen anderen Fürsten zunächst auf eine Verschärfung des Konflikts in der Suspensionsfrage hin, nach Wittram mit dem Ziel, tatsächlich die Absetzung Eugens zu erwirken.[97] Kardinal Carrillo, den das Konzil bereits zum Gouverneur von Avignon und der Grafschaft Venaissin ernannt hatte, hat man angeblich als präsumptiven Kandidaten für ein neues Papsttum in Avignon ins Auge gefaßt. Doch herrscht hierzu bei Wittram mehr Spekulation als Klarheit.[98]

Nach dem Sturz der Tremoïlle-Clique im Juni 1433 durch eine Gruppe um Jolanthe von Anjou, der Mutter Ludwigs III. und des damals gefangenen René d'Anjou, schob sich naturgemäß die Neapelpolitik stärker in den Vordergrund. In Basel hielt der Hof vorübergehend einen gemäßigteren Kurs für angebracht.[99] Hier zog jetzt

---

[96] Die französische Gesandtschaft zu Eugen IV. endete Anfang 1432 mit einem Eklat. Er trieb Frankreich in die Arme Basels.

[97] WITTRAM 37–44, überbewertet den Willen des französischen Hofes, die Absetzung Eugens IV. ernstlich erreichen zu wollen. Hier war die konziliaristische Leidenschaft von Talaru und Coëtquis ungleich radikaler als die ihrer Auftraggeber am Hof. Zu Coëtquis jetzt: LexMa III (1. Lieferung) 15 f. (H. MÜLLER). Als eine Art konziliaristisches Bekenntnis Talarus mag man seinen Brief an Jean de Lapalud von 1432 in Reaktion auf die gegen das Basler Konzil gerichteten Machenschaften des päpstlichen Gesandten Jean Dumont ansehen (Mansi XXIX 634–37). Dazu VALOIS I 155 f.; WITTRAM 12; DESSART, L'attitude 699–702.

[98] WITTRAM 19, 43 f. mit weiteren Kandidaten, und DECKER, Kardinäle 139, 144 f., 330 f., 337, 340 f., 390–93. Vgl. oben 118, 260. Forscht man genauer nach, scheint der einzig nennenswerte, aber kaum sehr tragfähige Beleg einer politisch (durch Mailand) insinuierten Papstkandidatur Carrillos der Bericht des Sienesen Cione di Battista Orlandi aus Mailand von 1433 VII 20 zu sein; RTA XI 27 Anm.1, Z. 28–30.

[99] Im Zusammenhang mit der Präsidentenfrage 1434 gab es seitens der Franzosen freilich wieder eine Absetzungsdrohung; WITTRAM 57–61.

als neuer Mann der gebildete Ritter Simon Charles in zwei gezielten Missionen die Fäden, ein versierter Diplomat (so etwa am 14. Juni 1434 Bündnisschluß mit Kaiser Sigmund), der im Gegensatz zu Talaru und Coëtquis persönlich ohne jedes konziliare Interesse gewesen zu sein scheint.[100]

Der Tod der Königin Johanna II. von Neapel (1435 II 2) führte aus naheliegenden Gründen zu intensiveren Kontakten mit der Kurie. Als Höhepunkt der diplomatischen Offensive Frankreichs wird die Doppelgesandtschaft von 1436 nach Florenz u n d Basel angesehen[101], nachdem sich Karl VII. auf dem Kongreß von Arras politisch den Rücken frei gemacht hatte. Den Forderungen der Franzosen an Eugen IV. (Belehnung Renés, Unionskonzil in einer Frankreich genehmen Stadt, Modifikation der Konkordate von 1418 und 1426, Ernennung neuer französischer Kardinäle) stand seitens des Papstes das Junktim gegenüber, die Franzosen hätten dafür in Basel kompromißlos seine Sache zu vertreten. Wenngleich manches an den Verhandlungen noch dunkel erscheint, vor allem die Rolle italienischer Vermittler, so steht doch fest, daß Eugen IV. den Franzosen zwar in der neapolitanischen Frage halb entgegenzukommen gedachte, nicht aber ihren übrigen Forderungen. So wurden denn die Belehnungsurkunden für René zwar ausgestellt – aber vom päpstlichen Treuhänder Cosimo Medici nicht ausgehändigt.[102] Sie blieben so als dauerhafter Köder benutzbar, während die Kurie ihren höchst eigenen territorialen Zielen in Neapel nachging. Doch bewirkte die Maßnahme andererseits, daß Alfons V. von Aragón in Basel seine Pressionspolitik gegen Eugen IV. aufnahm. Um ihren Teilerfolg umfassender zu machen, arbeiteten die Franzosen daraufhin, so WITTRAM in der Nachfolge HALLERS, „mit dem Mittel einer wohlüberlegten Täuschung"[103]: Einerseits als Partei-

---

[100] Zu ihm ist nur wenig Literatur vorhanden: DU FRESNE DE BEAUCOURT, Pacification 2–5. Demnächst MÜLLER, Franzosen. Zur Frage seiner Inkorporation und Stimmrechtsausübung s. oben 87.

[101] CB I 400–21; WITTRAM 72–83. Die Tatsache, daß verschiedene Mächte mit Konzil und Kurie in Kontakt standen, wurde von der älteren Literatur oft vorschnell als Beweis von doppelgleisiger Politik oder ‚Intrige' gewertet. Doch trug die Diplomatie nicht auch der Situation Rechnung, daß Konzil und Papst allein schon räumlich getrennt waren? Daß sie meist eine verschiedene Politik machten, bleibt natürlich ebenso eine Tatsache.

[102] S. HALLER, Belehnung, mit den entscheidenden Quellen; WITTRAM 68–70. Vgl. FARAGLIA, Storia della lotta 59–63.

[103] WITTRAM 85. Bei MARTIN, Origines II 274–82, ist dagegen bezeichnenderweise ausschließlich vom französischen Reforminteresse die Rede und wird das Engagement zugunsten Eugens IV. für „sincère" gehalten.

gänger Eugens IV. auftretend (in der Entschädigungsfrage und im Bemühen, das Unionskonzil in Italien abzuhalten), betrieben sie andererseits insgeheim die Wahl Avignons zum neuen Konzilsort. Diese Kernthese von Haller-Wittram fand Eingang in die Handbücher, aber es mehren sich die Anzeichen, daß sie nur sehr eingeschränkt zu halten ist.[104]

In den denkwürdigen Abstimmungen vom 5. Dezember 1436 und 7. Mai 1437 hatten die Franzosen, nachdem unter anderem die Deutschen auf ihre Linie eingeschwenkt waren, bekanntlich Erfolg.[105] Nur die Weigerung der Griechen verhinderte das französische Unionskonzil. Daß Eugen IV. unter diesen Umständen weiterhin René d'Anjou stützte, erscheint nur auf den ersten Blick verwunderlich. René war nicht nur leichter zu kontrollieren als der mächtige König von Aragón, sondern beschickte auch geflissentlich das Ferrariense, ja leistete gar Obödienz. Zum anderen konnte ein völliger Bruch mit Frankreich – das allerdings selbst seinen Prälaten den Besuch des Ferrariense verbot[106] – für die Kurie nur Nachteile bringen.

Die folgenden sechs Jahre päpstlicher und französischer Diplomatie, die in der ‚Pragmatique‘ von Bourges und den Konkordatsverhandlungen gipfelten, sind in den einschlägigen Studien von VALOIS, HALLER und MARTIN zur Pragmatischen Sanktion, vor allem aber durch die materialreiche, jedoch ungedruckte und daher wenig bekannte Dissertation von NÖLDEKE erschlossen worden: Nach dem vorläufigen Scheitern des Avignonplans ging man zunehmend eigene Wege. Vor allem zwei Grundsätze prägten die französische Kirchenpolitik: Zunächst die Sicherung der Basler Reformdekrete für Frankreich, ohne sich dafür kompromißlos auf das Konzil einschwören zu müssen, da man offensichtlich schon früh erkannt hatte, daß es auf die Dauer unterliegen würde; danach die Annäherung an die Kurie, ohne Basel offiziell fallenzulassen. Das geschah nach Ausbruch des Schismas vor allem mit der Intention, über ein „Drittes Konzil‘ doch

[104] S. HEIMPEL, Deutschland 101; GILL, Council of Florence 71; ULLMANN, Geschichte des Papsttums 192 usw. – Alles weitere demnächst bei MÜLLER, Franzosen.
[105] Die Wertungen der älteren Forschung sind drastisch: Laut PASTOR I 320 „erniedrigten sie (sc. die „radikalen Elemente“) das Konzil zu einem Werkzeug des nationalen Egoismus“. Ähnlich dann HOLLNSTEINER, Kirche 304. Doch dürfte der französische Einfluß in der Unionsfrage von der älteren deutschen Forschung laut KRÄMER, Beitrag 50, überschätzt worden sein. Im übrigen waren es ja keineswegs nur ‚Konziliaristen‘, die das überwältigende Votum für das französische Avignon zustandekommen ließen!
[106] RTA XIII 176 f. nr. 116; VALOIS II 140 f.; GILL, Council of Florence 133 f.

noch eine allgemeine Kirchenversammlung nach Frankreich zu
ziehen und so den Ruhm des großen Vermittlers zu gewinnen.

Die berühmte ‚Pragmatique‘ von Bourges vom 7. Juli 1438 und ihre
wechselvolle Geschichte bis zum Konkordat von Bologna 1516
scheint mir in der Forschung hinreichend beleuchtet.[107] Der französische Klerus unter Führung des Königs (!) übernahm fast wörtlich,
wenngleich mit einigen aufschlußreichen Modifikationen, wesentliche Teile der Basler Reformdekrete, deren Zustandekommen er selbst
maßgeblich mitbewirkt hatte. Für die Basler war das äußerlich ohne
Zweifel ein Erfolg.[108] Doch war dort die Enttäuschung groß, als sich
das französische Interesse schlagartig abkühlte, nachdem das Konzil
den Papst abgesetzt und nach längerem Zögern auch die in der ‚Pragmatique‘ eingebauten Modifikationen approbiert hatte (1439 X 17).[109]
Für Frankreich war damit die Ernte eingefahren. –

Obwohl die Basler jeder konstitutiven ‚Rezeption‘ ihrer Dekrete
das Recht absprachen, zeigt gerade die Bestätigung vom Oktober
1439, daß sie diese Grundsätze aus politischer Opportunität gelegentlich suspendieren mußten. Im Grunde bedeutete es nichts anderes als
eine indirekte Anerkennung des Rezeptionsrechts[110], was übrigens
den deutschen Fürsten und der Mainzer ‚Akzeptation‘ verweigert
wurde.

Die Forschung hat hervorgehoben, wie die in den Dekreten der
‚Pragmatique‘ gesicherten Rechte im Laufe der Zeit vom nominellen
Nutznießer, dem französischen Klerus, immer mehr auf die Seite

---

[107] Text (immer noch!): Ordonnances des rois de France XIII (1772) 267–91. Grundlegend: VALOIS, Pragmatique Sanction, mit umfänglichem Quellenanhang. Mitzubenutzen die Kritik von HALLER, Pragmatische Sanktion. Ferner: HEFELE-LECLERCQ VII 2,
762–80; MARTIN, Origines II 293–324; NÖLDEKE, Kampf 12–18; BUISSON, Potestas 342 ff.,
352 ff.; DLO 353–68; STIEBER 64–71; MISKIMIN, Money 83–85. In Frankreich unbekannt:
RÜCKER, Rechtsnatur 57–63. Vergleiche mit der Mainzer ‚Akzeptation‘ s. unten 298. Zur
späteren Geschichte und zum Konkordat von Bologna: IMBART DE LA TOUR, Origines II
447–87, mit wichtiger Bibliographie raisonnée von Y. LANHERS: 585–624; OURLIAC,
Pragmatique sanction; KNECHT, Concordat of 1516; GAZZANIGA, Église du Midi 172–86;
AUBENAS-RICARD 171–81; BERTRAMS, Staatsgedanke 142–50; FEINE 557–64; THOMSON,
Popes 159–64; 176 f. – stellvertretend für eine Fülle älterer Literatur.

[108] Vgl. allerdings DLO 355: „La Pragmatique, voulue par l'Église de France, a été conçue
dès l'origine ... plus comme la charte d'une Église nationale que comme une concession
aux thèses conciliaires.“

[109] MC III 405 Z. 38–42; CB VI 301 Z. 30–33, 643 Z. 25–29 usw. Vgl. VALOIS, Pragmatique XCIV; BECKMANN, CB VI 65–67. Bei NÖLDEKE, Kampf 49, unklar.

[110] Zur Rezeptionsproblematik s. zuletzt HELMRATH, Selbstverständnis 226 f., sowie
unten 302-06, 433, 459.

der französischen Krone, des eigentlichen Gewinners gravitierten. So entsprach es dann ganz den Realitäten, wenn im Konkordat von 1516 – ein Jahr vor Beginn der Reformation – die Kontrolle des kirchlichen Finanz-, Jurisdiktions- und Nominierungswesens als staatliches Kronrecht fixiert wurde.

Man hat aber auch darauf hingewiesen, daß die ,Pragmatique' sehr unterschiedlich rezipiert wurde.[111] Nicht einmal in Valois-Frankreich wurde sie offensichtlich überall befolgt. Im Midi, der seit den Tagen des avignonesischen Papsttums überwiegend ,ultramontan' gesinnt war, lehnte man sie auf den États Généraux überwiegend ab[112], während umgekehrt der englische König Heinrich VI. sie in seinen französischen Territorien zeitweilig durchzusetzen suchte; war sie doch geeignet, diese Gebiete an die längst bestehenden staatskirchlichen Verhältnisse in England anzugleichen.[113] In der Bretagne, in Burgund und Savoyen galt die Pragmatique nicht.[113a] Deren Herrscher sollten sich landeskirchliche Rechte großen Umfangs bald auf direkterem Wege sichern: durch päpstliche Privilegien und Konkordate. Daß Karl VII. es trotz hartnäckiger Werbung der päpstlichen Legaten nicht zu einem Konkordat kommen ließ (1444), muß man wohl aus dem Wunsch nach politischer Unabhängigkeit, aus Rücksicht auf die starke gallikanische Strömung im Lande (am Hofe wesentlich von Machet gestützt) und dem Bewußtsein erklären, mit der ,Pragmatique' auch als Monarch besser abzuschneiden als mit einem Konkordat. Die umstrittene Persönlichkeit des päpstlichen Legaten da Monte dürfte gleichfalls eine Rolle gespielt haben. Am wenigsten leitete den Hof wohl irgendeine Rücksicht auf Basel.

---

[111] So VALOIS, Pragmatique XIIIC-CXXVI; HALLER, Pragmatische Sanktion 12, 22–26, mit Beispielen, daß aus Valois-Frankreich weiterhin Annaten gezahlt wurden; NÖLDEKE, Kampf 44; DLO 367; SCHWARZ, Abbreviatoren 247; GAZZANIGA, Église du Midi 109–32, 173–76, 192–96; SALVINI, Application de la Pragmatique.

[112] Dazu GAZZANIGA, wie oben. Vgl. ähnlich, aber moralisch, nicht regional differenzierend: VALOIS II 221 f.: „... la plus nombreuse et plus saine partie du clergé de France ... désapprouvait les décisions de l'assemblée de Bourges". Zum Midi auch OURLIAC, Parlement de Toulouse, besonders 508.

[113] Hinweis bei PLEYER, Nikolaus V. 14. – Zur Konkordatsvereinbarung vom 26.II.1447 für die Kirchenprovinz Rouen: SCHWARZ, Abbreviatoren 252. Vgl. auch, mit aufschlußreichem Quellenzitat, THOMSON, Popes 150: Die Abtwahl in Le Bec fand 1447 noch *pragmatica sanctione in Normannia minime locum habente*, 1452 aber *secundum pragmaticam sanctionem* statt.

[113a] S. aber das abgewogene Urteil von JONGKEES: Pragmatieke Sanctie; Philippe le Bon et la Pragmatique.

Blicken wir noch einmal auf die entscheidenden Jahre 1439/40 zurück: Die französische Diplomatie hatte sich 1438/39, zum Teil in Koordination mit anderen Fürsten, vor allem dem Reich[114], als Vermittler betätigt, um die Absetzung Eugens IV. zu verhindern. Die Gesandten zogen aber im Lauf des Monats Mai 1439 aus Basel ab und verließen die Koalition der Vermittler. Der Abgang Talarus, der persönlich bis zuletzt die Absetzung Eugens IV. geschürt hatte, vollzog sich geradezu fluchtartig. Hatte er sich den Unwillen des Königs zugezogen? Jedenfalls verschwand er danach bis zu seinem Tod († 1444) in der politischen Versenkung.[115] Seit Ende 1439 nahm die französische Politik eine abwartende Position ein.[116] Der Anteil von Franzosen aus Valois-Frankreich sank in dem Maße, wie die Zahl der Konzilsmitglieder aus Savoyen und dem Dauphiné nach der Wahl Felix' V. stieg. Die Synode von Bourges (August/September 1440) macht[117] die allmähliche Distanzierung gegenüber Basel ganz offenkundig und markiert einen Wendepunkt: Absetzung Eugens IV. und Wahl Felix' V. werden nicht anerkannt; Eugen IV. gilt als einzig legitimer Papst, das Basler Konzil freilich als einzig rechtmäßiges Konzil. Was äußerlich als klassische Kompromißhaltung erscheint, bedeutet jedoch faktisch, wie die folgenden Jahre zeigen, daß das Konzil „in Frankreich nichts mehr zu sagen hatte" (Nöldeke) und mehr und mehr zu einer politischen ‚quantité négligeable' absank, während die Kontakte zur römischen Kurie enger wurden. Es kann nur vermutet werden, daß auch ein gewisser monarchischer Legitimismus die französische Haltung beeinflußt hat. Grundsätzliche Änderungen der Kirchenstruktur lehnte man am Hof jedenfalls prinzipiell ab. Doch gibt es, wie gesagt, nach Ansicht von BLACK kaum Anzeichen, daß

---

[114] NÖLDEKE, Kampf 18–34, der (20 f., 26 f.) die verfehlte These von PREISWERK, Einfluß Aragons 59–63 und 68, den Franzosen sei es gelungen, eine sich anbahnende Verständigung Eugens IV. mit dem Reich zu torpedieren, mit dem Nachweis widerlegt, daß eine derartige Annäherung noch gar nicht begonnen hatte.

[115] MÜLLER, Lyon 52 f. Talaru schrieb nach seinem Abgang an Aleman nach Basel nicht ohne Bitterkeit: *presens sum semper mente, absens tamen corpore*; zitiert ebd. 53.

[116] NÖLDEKE, Kampf 33, der auch sonst nicht an Worten wie „undurchsichtig" (32), „unentschieden", „unklar" (44), „zweigleisig" (46) spart, um die französische Politik zu charakterisieren.

[117] Dazu NÖLDEKE, Kampf 48–66 mit der älteren Literatur; RTA XV 594 f. nr. 312; DLO 283; HALLER, Belehnung 204, wertet die französische Kompromißhaltung als ausschließlich von „Rücksicht auf René" bedingt; ebenso: Pragmatische Sanktion 48. Er ist, wieder in Gegensatz zu Valois, der Ansicht, eine Anerkennung Felix' V. hätte der Mehrheit der französischen Kirche zu diesem Zeitpunkt eher entsprochen und den „natürlichen Abschluß einer Kirchenpolitik von Jahrzehnten" gebildet (Belehnung 204).

innenpolitische Vorgänge in Frankreich (1439 Entmachtung der
États généraux, 1440 Adelsopposition der sog. ‚Praguerie‘) bei Hofe
irgendwie mit den Maßnahmen der Basler (Absetzung des päpstlichen
Monarchen als Triumph des kirchlichen Repräsentativorgans) in
Beziehung gesetzt wurden.[118] – Die ‚Wirkung‘ des Basler Konzils auf
lokaler Ebene nach 1440 ist bisher nicht einmal in Konturen er-
faßbar.

Kirchenpolitisch waren die Jahre 1441–44 durch die Gesandtschaft
von Robert de Ciboule und Pierre de Versailles nach Florenz (November 1441–Frühjahr 1442), und vor allem die mehrjährige Legation
Piero da Montes (1442–44) geprägt, die NÖLDEKE[119] minutiös erschlossen hat. Der sehr weitgehende und differenzierte Konkordats-
vorschlag da Montes scheiterte jedoch Ende 1444, angeblich „hundert
Schritte vor dem Ziel“.[120] Insofern blieb Frankreich, wenn auch nur
indirekt, eine Stütze des Basler Rumpfkonzils. Die Belehnung Alfons’ V. mit Neapel im Vertrag von Terracina (1443) bestätigte zwar
nur die realen Machtverhältnisse in Süditalien, stärkte aber kaum die
Neigung Frankreichs, für Eugen IV. Handlangerdienste gegen die
Basler zu verrichten.[121]

Die sporadischen kirchenpolitischen Kontakte mit dem Reich in
den Jahren 1438–43 verliefen ohne Ergebnis. Sie resultierten ohnehin
nur aus einer unausgesprochenen Rivalität der beiden Monarchen, ein
‚Drittes Konzil‘ im eigenen Gebiet zu eröffnen und den Vermittler-
ruhm für sich zu erringen.[122] Die französischen Aktivitäten an der
Westgrenze des Reiches, der von Karl VII. und dem Dauphin persönlich koordinierte Armagnakeneinfall (1444 f.)[123], die Bündnisse mit

---

[118] S. BLACK, Monarchy 105–08; vgl. oben 200-02. Allgemeiner: LEWIS, Failure of the
French Medieval Estates.

[119] NÖLDEKE, Kampf 72–78, 83–172; HALLER, Monte *93–*96.

[120] S. NÖLDEKE, Kampf 165–69, der in seiner Interpretation der gegen da Monte ge-
sponnenen Intrigen Haller folgt. – Kernpunkt aller Konkordatsentwürfe blieb freilich
die Forderung, die ‚Pragmatique‘ aufzuheben!

[121] S. VALOIS II 277–89, und unten 245. Da Karl VII. das Basler Konzil vorerst nicht
gänzlich fallenlassen wollte, bediente sich die Kurie unter anderem der Unrast des Dau-
phins für ihre Zwecke. Er hatte schon 1443 um einen Zehntanteil gebeten, erhielt dann
1446 20.000 fl. aus französischen Zehnteinkünften und wurde zum Gonfaloniere und
Protektor der Kirche ernannt; vgl. THOMSON, Popes 172. Auch der Marsch auf Basel 1444
während des Armagnakeneinfalls lag wohl im Interesse Eugens IV.; VALOIS II 295–98.

[122] Zu den Kontakten: VALOIS II 247–52; NÖLDEKE, Kampf 18–34, 69 ff.; STIEBER 223 f.,
231 f.

[123] Zum Armagnakenproblem s. RTA XVII, und immer noch: TUETEY, Ecorcheurs; vgl.
STIEBER 243–45 mit Literatur, sowie unten 309.

den Kurfürsten von Köln, Pfalz, Trier und Sachsen sowie dem Bischof von Straßburg – also mit den wichtigsten fürstlichen Konzilsanhängern! – am 13.II.1445 in Trier und wieder am 28.VI.1447 in Bourges sind französischerseits wohl in erster Linie als „Einkreisungspolitik" (Miller) gegen Burgund mit dem Ziel einer Art ‚cordon sanitaire' zu verstehen, was den Interessen der betreffenden Reichsfürsten durchaus entsprach.[124] Letzte Einzelheiten der diplomatischen Kontakte sind allerdings noch aufzuhellen.

Entsprechend seiner kontinuierlich gewachsenen politischen Bedeutung in Europa war es am Ende der französische, nicht der deutsche König, der sich als Liquidator des Basler Rumpfkonzils in Szene setzen konnte.[125] Karl VII. und seine Unterhändler bemühten sich offensichtlich darum, den Baslern und auch dem savoyischen Verwandten einen halbwegs ehrenvollen und friedlichen Abgang zu verschaffen. Diese Generosität hatte sicherlich auch innenpolitische Gründe: so ließen sich die seinerzeit ja nicht wenigen Konzilsanhänger aus dem eigenen Reich ohne größeren Konflikt wieder integrieren, eine Linie, die Karl VII. auch gegenüber ehemaligen Anhängern Englands und Burgunds verfolgte. Die Versöhnungsstrategie des neuen Papstes Nikolaus V. bewegte sich auf ähnlichen Bahnen. Er verlieh Karl VII. im April 1447 Vollmachten für die Abdankungsverhandlungen, so wie zuvor schon (1445) Herzog Ludwig von Savoyen die Lösung des Schismas in die Hände Karls gelegt hatte.[126] In den langwierigen Verhandlungen von Chinon (März 1446), Bourges (Juni 1447), vor allem Lyon (August 1447) und schließlich Genf (Dezember 1447) fungierten bisweilen andere Fürsten als Sekundanten – so die Könige von England und Kastilien, René d'Anjou und die verbündeten Kurfürsten, allen voran der versatile Jakob von Sierck. Ziel

---

[124] Zur Politik einiger Kurfürsten gegenüber Frankreich: MILLER, Sierck 147–53, 168–70. Im übrigen s. unten 311-13.

[125] Dazu gibt es zwar vielerlei Einzelhinweise, aber keine moderne Gesamtdarstellung. Quellen: CB VIII 251–427, ed. PÉROUSE; DU FRESNE DE BEAUCOURT, Charles VII, Bd. IV 252–83; Pacification; VALOIS II 327–58, besonders 339–46; PÉROUSE 431–68; DLO 289–92; STIEBER 305–08, 311 f., 322–30; MILLER, Sierck 166–73.

[126] DLO 289. – Savoyen war allerdings auch durch verschiedene politische Faktoren an Frankreich gebunden (Bündnis vom Februar 1446 gegen die Eidgenossen; Italienpolitik im Streit um das mailändische Erbe ab 1447). Pikant wirkt in diesem Zusammenhang das keineswegs friedfertige Angebot Nikolaus V. an Karl VII., daß dieser Savoyen annektieren dürfe (1447 XII 12); Mansi XXXII 47 ff.; VALOIS II 338 f.; PLEYER, Nikolaus V., 6 f. Karl VII. ging darauf nicht ein.

letzterer war es freilich auch, im Gefolge des Königs von Frankreich ihre kirchenpolitische Isolierung im Reich zu kompensieren und bessere Obödienzbedingungen zu erzielen. Erst am 7. April 1449 trat Felix V. zurück. Die Bullen Nikolaus' V. vom 18. Juni 1449, die den Anhängern des Basler Konzils eine ehrenvolle Reintegration in die wiedergeeinte Kirche ermöglichten, beruhten zum guten Teil auf den in Genf ausgehandelten und von königlichen Räten vorformulierten Texten. Die Vorgänge um die Auflösung des Basiliense dokumentieren besonders deutlich, wie sehr sich der kirchliche Einfluß der Laienfürsten, personifiziert im französischen König, verstärkt hatte.

Die eigentliche Obödienzerklärung Frankreichs hatte Karl VII. bewußt lange hinausgezögert. Sie erfolgte erst im Juli 1448 in Rom durch Jacques Juvénal des Ursins und – Thomas de Courcelles, der bis kurz zuvor noch im Kreis der Basler Konzilsprominenz amtiert hatte. Nikolaus V. belohnte die Franzosen und ernannte in seinem Pontifikat sechs französische Kardinäle.

Der deutsche und der französische Herrscher hatten während der Endphase des Basler Konzils weitgehend getrennte Wege beschritten und dabei sehr unterschiedliche Ergebnisse erzielt, die in der Forschung als Spiegelbild der monarchischen Position beider Könige gewertet werden. Während das Reich die Mainzer ,Akzeptation' fallenlassen mußte und im Wiener Konkordat verhältnismäßig schlecht abschnitt, gelang es der durch die Krone straff geführten Kirche Frankreichs, die ,Pragmatique' als wichtigstes Ergebnis der Konzilsepoche zu bewahren. Friedrich hatte zu keiner Zeit für das ganze Reich handeln und am Ende nur für seine Stammlande Vorteile gewinnen können, Karl VII. gelang es dagegen, fast ganz Frankreich hinter der Politik der Krone zu einen.[127]

b) Bretagne

Über die Kirchenpolitik der Herzöge Johann V. (1399–1442) und Franz I. (1442–50) und über ihr Verhältnis zu Konzil und Papst sind wir durch die beiden älteren Studien von VAUCELLE (1906) und POCQUET

---

[127] Vergleich zwischen Karl VII. und Friedrich III. bei STIEBER 329 f. Er stellt in wohl überzogener Weise Friedrichs „weakness as a secular ruler" und seine „petty dynastic interests" der „self-assurance and power" des französischen Königs gegenüber. S. aber demnächst die Bilanz bei MÜLLER, Franzosen.

Du Haut Jussé (1928) recht gut informiert.[128] Die politische Situation ist natürlich mitzuberücksichtigen: Vom französischen Lehnsherrn weitgehend unabhängig, mußte die Bretagne versuchen, sich im Hundertjährigen Krieg mit England und Burgund möglichst zu arrangieren.[129]

Das Basler Konzil beschickte Johann V. erst im März 1434 mit einer Gesandtschaft[130] und stand bis Anfang 1439 mit Eugen in gutem Einvernehmen. Nur in den Jahren 1439/40 stieg der Anteil von Bretonen in Basel rapide an (60 von insgesamt 106 Inkorporationen innerhalb eines Jahres)[131] – wieder einmal ein sprechendes Beispiel dafür, wie aktuelle politische Motive kurzfristig die Haltung eines Fürsten zum Konzil und in entsprechender Folge dessen Zusammensetzung beeinflussen konnten. In diesem Fall entzündete sich der herzogliche Ärger vor allem an eigenmächtigen Bistumstranslationen Eugens IV., in deren Verlauf bretonische Prälaturen zunehmend mit Valois-Franzosen besetzt wurden.[132] Der mit dem Mittel der Obödienz ausgeübte Druck dieses „kirchenpolitischen Zickzackkurses" (Schwarz)[133] hatte Erfolg: Eugen IV. lenkte ein, die allgemeine Unsicherheit wurde bald im Konkordat von Redon (14. August 1441) beseitigt.[134] Unseres Wissens ist es die erste mit einem weltlichen Fürsten geschlossene Vereinbarung im Zuge der nun einsetzenden Konkordatspolitik Eugens IV. Die Kurie bewahrte das Reservationsrecht, soweit die Kandidaten dem Herzog konvenierten, und gewährte ihm selbst die Besetzung von

---

[128] VAUCELLE, Bretagne et le concile de Bâle, mit Schilderungen der vor das Konzil getragenen Prozesse. Auf Vaucelle stützt sich BILDERBACK, Membership 162–68. POCQUET DU HAUT-JUSSÉ, Les Papes et les ducs de Bretagne, mit ausführlicher Berücksichtigung des Basiliense II 513–605. Das Wesentliche knapp bei DLO 368–70; THOMSON, Popes 149 f.

[129] S. KNOWLSON, Jean V. duc de Bretagne, besonders 155 und 157.

[130] CB III 88 Z. 31; MC II 669 Z. 36. Die Gesandtschaft umfaßte immerhin sieben Personen; LEHMANN 163. Zum Rangstreit mit Burgund s. TOUSSAINT, Relations 62–66.

[131] Dazu BILDERBACK, Membership 124 f., 166 f.; Proctorial Representation 150.

[132] Angelpunkt war der seit 1434 schwelende Streit um St. Mâlo; VAUCELLE, Bretagne 504–13.

[133] SCHWARZ, Abbreviatoren 251. Vgl. MC III 256 Z. 6, 270 Z. 18.

[134] Es wurde von VAUCELLE, Bretagne 527 ff. noch nicht in seiner Tragweite erkannt. Vgl. POCQUET DU HAUT-JUSSÉ, Papes 475–90; DAHYOT-DOLIVET, Concordat de Redon (nicht gesehen); BUISSON, Potestas 356 f., sowie SCHWARZ, Abbreviatoren 251. Es hatte auch schon 1432 und 1436 Privilegien für den Herzog gegeben. – Große Bedeutung in der kirchenpolitischen Diskussion erhielt ein Brief Eugens IV. an den Herzog der Bretagne vom 25. Mai 1439. Dazu näheres oben 101 f. Anm. 94.

50 kleineren Benefizien. 1479 erhielt er das Nominationsrecht für 5 Bischofssitze.[135] In Teilen des bretonischen Klerus scheinen auch nach dem herzoglichen Konzilsintermezzo gewisse Sympathien für Basel bestanden zu haben. Genaueres wäre noch zu ermitteln.

4. Burgund

Dank der grundlegenden, viele ungedruckte Quellen verarbeitenden Arbeiten von JOSEPH TOUSSAINT (1942) und der Ergänzungen von A.G. JONGKEES sind wir auch über die Haltung des Herzogtums Burgund zum Basler Konzil vergleichsweise gut unterrichtet.[136] Doch ist der Blickwinkel TOUSSAINTS, bei antikonziliarer Grundhaltung, stark – und maßvoll apologetisch – auf die Person Philipps des Guten zugeschnitten. Die große Bedeutung seiner Ratgeber auch in der Kirchenpolitik, und die Rolle des burgundischen Klerus wären dagegen noch stärker aufzuhellen.[137] Allerdings ist vorauszusetzen, daß die Kontrolle des Landesherrn über den Klerus, ähnlich wie in England oder Aragón, schon beträchtlich fortgeschritten war.[138] An Untersuchungen lokaler kirchlicher Institutionen und prosopographischen Studien zum höheren Klerus mangelt es für Burgund ähnlich wie für andere Länder.

Philipp der Gute war bei allem Prestigebedürfnis ein nicht ungeschickter Politiker, der, umgeben von erfahrenen Beratern, das

---

[135] Das Konkordat von Redon war zuvor schon zweimal (1444 und 1453) ergänzt worden; s. THOMSON, Popes 164 f.

[136] J. TOUSSAINT, Relations diplomatiques de Philippe le Bon avec le concile de Bâle, mit Quellenanhang 245–93. S. dazu die Rezension von DROUOT, Question. Ferner: TOUSSAINT, Philippe le Bon et le concile de Bâle (1942) – im wesentlichen eine Quellenpublikation über die ersten burgundischen Kontakte zu Basel bis Oktober 1432, insbesondere zum burgundisch-österreichischen Krieg. – JONGKEES, Philips de Goede, het concilie van Basel (1942; Besprechung der beiden Bände von Toussaint); Philippe le Bon et la Pragmatique Sanction (1966); Pragmatieke Sanctie (1964; zur Rezeption am Beispiel der Abtei St. Bavo in Gent). Das wichtige Buch von JONGKEES, Staat en kerk in Holland onder de Bourgondsche hertogen (1942), enthält kaum Hinweise auf Basel. – Vgl. ferner die Quellenpublikation von STOUFF, Contribution (1928), aus den Archives de la Chambre de Compte de Dijon. – Zu Philipp dem Guten grundlegend: VAUGHAN, Philip the Good, zu Basel: 206–16.

[137] So auch DROUOT, Question 55.

[138] Zu Kirche und herzoglicher Kirchenpolitik: JONGKEES, Staat en kerk; MOREAU, Histoire de l'Église en Belgique IV 41–123, besonders 51–54; DLO 288, 370–77, zu Basel: 373 f.; THOMSON, Popes 150 f., und jetzt die Neuausgabe der großen Algemene geschiedenis der Nederlanden IV 377–439, mit abundanten Literaturangaben 451–92.

Spiel mit vielen Bällen beherrschte. Es ist daher oft schwierig, die Windungen und Verästelungen der burgundischen Diplomatie nachzuvollziehen. Die fragile Mittellage des gerade erst zum politischen Machtfaktor aufgestiegenen Reiches und seine systematische Arrondierungspolitik prädestinierten geradewegs zu Konflikten mit den westlichen und östlichen Nachbarn: Die im Bunde mit England säkulare Auseinandersetzung mit Frankreich, der Streit mit Friedrich IV. von Tirol 1430–32 und mit Kaiser Sigmund 1434 ff. riefen das Basler Konzil direkt als Vermittler auf den Plan,[139] wogegen das Gerangel um die Luxemburgische Erbfolge und um das burgundische Klientelfürstentum Kleve (1443 ff.) das Verhältnis zu den westlichen Reichsständen, vor allem den Kurfürsten von Trier, Köln und Sachsen belastete. Alle diese Gegner verbündeten sich gleichsam automatisch mit Frankreich, das bis zum Frieden von Arras (1435)[140] Burgunds Feind, danach sein mißtrauischer bis intriganter Rivale war, der keine Chance zu einer ‚Einkreisung' ungenutzt ließ.

Eine Art kirchenpolitischer Stabilisierung seines fragilen Herrschaftsgebildes sah Philipp offenbar in einem guten Verhältnis zur römischen Kurie gewährleistet.,[141] wobei er im übrigen auch mit dem englischen Verbündeten konform ging. Diese Prämisse bedingte ganz wesentlich die Rolle, die das Basler Konzil für den Burgunder spielen sollte.

Immerhin früher als die französische erschien im März 1433 eine imposante 22-köpfige Gesandtschaft des Herzogs unter Führung des Bischofs von Nevers, Jean Germain.[142] Ungeachtet aller diplomatischen Raffinessen und einer zeitweiligen äußerlichen Neutralität

---

[139] Vgl. oben 187. TOUSSAINT, Relations 106–24; Philippe le Bon 31–126; QUICKE, Relations diplomatiques; MALECZEK, Österreich; GRÜNEISEN, Westliche Reichsstände.

[140] Zu Arras, neben der oben 185 genannten Literatur zur burgundischen Perspektive: TOUSSAINT, Relations 68–105; VAUGHAN, Philip the Good 98–107, mit skeptischem Urteil über die diplomatischen Fähigkeiten Philipps („poor statesman").

[141] So TOUSSAINT, Relations 13, und öfter; JONGKEES, Philips de Goede 198; PETRI, Nordwestdeutschland 84.

[142] Zur Gesandtschaft: VALOIS I 158–60; STOUFF, Contribution 97–107; TOUSSAINT 22–26, 135 f., 151 f.; VAUGHAN, Philip the Good 107 f. Zu *Jean Germain*, der 1436 von Nevers auf den lukrativeren Bischofsstuhl von Chalon-s-Saône transferiert wurde: TOUSSAINT, Relations 22 f., 319 s.v.; CHACHUAT, Jean Germain; DHGE 20, fasc. 117–18 (1983) 931 f. (Y. LACAZE) mit Lit.; vgl. ders., Debuts de Jean Germain. Eine Biographie wäre wünschenswert. – Ein weiteres wichtiges Gesandtschaftsmitglied war der damalige Dekan von Besançon und Generalvikar von Bayeux, Jean de Fruyn; vgl. GAUTHIER, Jean de Fruyn (nicht gesehen); TOUSSAINT 318 s.v.

scheint Philipp aus seiner traditionellen Verehrung für den römischen Papst auch weiterhin kein Hehl gemacht zu haben. Er wurde Eugens „krachtigster bondgenoot" (Jongkees), ohne sich dabei je unklug zu exponieren. Den konziliaren Ideen scheint er desinteressiert, der Reform indifferent gegenübergestanden zu haben, bildete also hierin keine Ausnahme unter den Fürsten.[143] Kühle kirchenpolitische Zurückhaltung unterschied ihn aber sowohl von Herrschern wie Alfons V. und anderen, die das Konzil als Druckmittel gegen den Papst einsetzen, wie auch von Friedrich III., der sich jahrelang um Neutralität und Vermittlung bemühte. Nach Ansicht der Forschung interessierte ihn vornehmlich, daß die Entscheidung der Basler in den zahlreichen Bistumsstreitigkeiten, worin seine Kandidaten verwickelt waren, im Sinne Burgunds ausfiel[144]. Auch die politische Schlichtertätigkeit des Konzils, etwa auf dem Kongreß von Arras, ließ man sich gern gefallen. Aufs ganze gesehen gilt wohl das Resümee DROUOTS: „Le concile servait Philippe plus que Philippe ne le servait."[145]

Über seine Gesandten in Basel suchte der Herzog zwar 1433/34 im Konflikt zwischen Papst und Konzil vermittelnd zu wirken, was möglichst über eine Koalition der Fürsten erreicht werden sollte. Im Krisenfall aber trat man für Eugen IV. ein.[146] Der Burgunder war sich mit ihm darin einig, ein französisch beherrschtes Papsttum in Avignon zu verhindern, zeigte sich indessen über die anjoufreundliche Politik der Kurie eher verstimmt. Das Konzil seinerseits hatte sich monatelang mit den geradezu notorischen Rangstreitigkeiten der Burgunder und diverser anderer Fürsten herumzuschlagen[147]. – Über den burgundischen Konzilsklerus wäre man gern noch besser informiert.

Das Gastspiel der Burgunder dauerte kaum länger als vier Jahre. Als sich 1437 ein Auseinanderbrechen des Konzils abzeichnete, erteilte

---

[143] Über Philipp als religiöse Persönlichkeit ist hier nicht zu urteilen. Die reservierte Haltung gegenüber dem Konzil wird unter anderem auf die Erfahrungen mit dem eher burgundfeindlichen Constantiense (Petit-Prozess) zurückgeführt; TOUSSAINT, Relations 8 f.

[144] S. zusammenfassend DROUOT, Question 52–54. Zu den Bistumsstreitigkeiten s. TOUSSAINT, Relations 16–21, 154–57, 191 f. usw.; MOREAU, Histoire de l'Eglise en Belgique IV 60–68; VAUGHAN, Philip the Good 218–38, sowie oben 191.

[145] DROUOT, Question 53.

[146] Zur Politik der burgundischen Gesandtschaft in Basel: TOUSSAINT, Relations 125–59.

[147] TOUSSAINT 49–67; VAUGHAN, Philip the Good 207–09, sowie unten 322 f. Anm. 562.

Philipp der Gute am 25. September als erster Fürst den Abzugsbefehl. Er galt nicht nur für die herzoglichen Gesandten, sondern für den gesamten burgundischen Klerus. Jede Rückkehr, ja jegliche Appellation nach Basel wurde jetzt und in den folgenden Jahren verboten.[148] Versuche des Konzils, ihn umzustimmen, schlugen fehl (August 1438).[149] Stattdessen schickte der Herzog nach René d'Anjou als einziger der bedeutenderen weltlichen Fürsten im November eine große Gesandtschaft zum Konzil von Ferrara-Florenz.[150] Auf einigen Reichstagen ließ er seine Oratoren die Sache Eugens IV. vertreten. Zu den Savoyern war das Verhältnis schon vor der Wahl des Amadeus zum Papst getrübt, doch versuchte dieser als Felix V. noch im März 1447 (nach dem Tode Eugens IV.!) mit einer Gesandtschaft in Burgund für sich zu werben.[151] Ähnlich wie in anderen Ländern, deren Fürsten es mit Eugen IV. hielten, wird für Burgund auch nach 1438 eine Anhängerschaft des Konzils unter dem Klerus vermutet.[152]

Eugen IV. tat nun alles, um dem Herzog entgegenzukommen und vergalt seine Haltung mit einem Strom von Geschenken – unter anderem einer wundertätigen Hostie – und Privilegien, vor allem Nominationsrechten, und schließlich dem günstigen, für die burgundischen Gebiete *extra regnum Franciae* geltenden Konkordat am 6. November 1441, dem dritten aus jener Anfangsphase der kurialen Konkordatspolitik – nach dem Konkordat von Redon (1441 VIII 14) mit der Bretagne und dem mit Lüttich vom 31. Oktober 1441, womit das burgundische in Zusammenhang stehen dürfte.[153] Der schon

---

[148] TOUSSAINT, Relations 163–66 und 261–63 (Nr. 41).

[149] Ebd. 161–63 (Gesandtschaft unter Louis Dupont).

[150] Ebd. 169–73.

[151] Ebd. 286–90 (Nr. 46), Ed. der Bulle für den Gesandten Martin Le Franc.

[152] So JONGKEES, Philips de Goede 208. Bei TOUSSAINT dazu keine Hinweise.

[153] Zum Konkordat, das weitgehend auf Expektanzen und Reservationen der Kurie verzichtete, die Annaten aber bestehen ließ, s. TOUSSAINT, Relations 175–79 und 281–85 (Nr. 44). VALOIS II 212–15; DLO 374; VAUGHAN, Philip the Good 213 f., 233–37; SCHWARZ, Abbreviatoren 218, 247 f. Zusammenhänge mit Lüttich erläutert DESSART, L'alternative 516–18. Zum Vergleich das sehr ähnliche Konkordatsangebot an Frankreich: NÖLDEKE, Kampf, Nr. 24–31 des Urkundenanhangs, besonders Nr. 11. – 1442 IV 23 wurde das Konkordat auf Gebiete ausgedehnt, in denen der Herzog nur ‚protector et defensor' war – Besançon und Cambrai; SCHWARZ, Abbreviatoren 147 f. – Im Zusammenhang des Konkordats absolvierte Johann Kapistran seine Burgundreise (1442/43): s. LIPPENS, Jean Capistran; HOFER, Kapistran I 261–70. Zu den unter Nikolaus V. 1447–50 erteilten Privilegien: JONGKEES, Philips de Goede 211 ff., wonach noch keine letzte Klarheit über deren Umfang besteht. Vgl. PLEYER, Nikolaus V., 11 f.

lange geübten Politik, verdiente Kleriker des herzoglichen Hofes mit hohen Kirchenämtern zu belohnen, war jetzt freiere Hand gegeben. Das Konkordat und seine späteren Erweiterungen trugen dazu bei, daß eine „specific Burgundian church" (Vaughan)[154] entstehen konnte, die die Einheit des Staates stabilisierte.

Die burgundische Politik der vierziger Jahre war von Versuchen, sich nach dem Sonderfrieden mit Frankreich auch mit England wieder zu arrangieren, vor allem aber durch die vielfädigen Auseinandersetzungen an der Ostgrenze bestimmt.[155] Trotz beachtlicher Fortschritte in der jüngeren Forschung bleiben hier noch einige Züge unklar. Bestrebungen des Burgunders, aus der Hand Friedrichs III. die Königskrone für ein deutsch-burgundisches Reich zu erhalten, finden sich bereits hier, wichtiger dürfte ihm damals noch die Anerkennung seiner Herrschaft in Holland, Brabant und Luxemburg gewesen sein, die ihm Kaiser Sigmund strikt verweigert hatte.[156] In diesem Zusammenhang ist vielleicht die auf den ersten Blick rätselhafte „apathie bourguignonne" (Toussaint) angesichts der großen Chance zu sehen, die Eugen IV. zu bieten schien, als er im Februar 1446 die Erzbischöfe von Köln und Trier absetzte und mit Verwandten des Herzogs, Adolf von Kleve und Johann von Cambrai, neu besetzte.[157] Doch dürfte Philipp das Scheitern dieser unklugen Maßnahme Eugens ebenso wie die offenbar kaum sonderlich interessierten neuen Kandidaten nüchtern vorhergesehen haben. Ein im Fall ihrer Amtsübernahme zweifellos geschlossen gegen Burgund aufgebrachtes Reich hätte dessen Pläne auf längere Sicht mehr gestört als der ephemere Gewinn hätte nützen können.

Im großen Kirchenstreit überließ der Burgunder Frankreich die Hauptrolle bei der Auflösung des Basler Rumpfkonzils. Sein Vermittlerehrgeiz konnte sich in Grenzen halten, hatte er sich doch bereits früh auf Eugen IV. festgelegt und dabei das Optimum für seine Kirchenherrschaft herausgeholt. Am Ende waren die feindlichen Brü-

---

[154] Vaughan, Philip the Good 236.
[155] Zur burgundischen Ostpolitik: Toussaint, Relations 180–202; Vaughan, Philip the Good 98–126, 274–302. Zur Luxemburg-Frage statt älterer Literatur: Miller, Sierck 80–113 mit neuen Einzelheiten. Vgl. Dietze, Luxemburg, besonders 86–104, und allgemein Petri, Nordwestdeutschland, besonders 84–90; Grüneisen, Westliche Reichsstände 22–34 und, Lacaze, Philippe le Bon et l'Empire (1981/82) – ersetzt ältere Aufsätze des Verfassers.
[156] S. Lacaze, Philippe le Bon et l'Empire 166–75, mit Literatur.
[157] Dazu Toussaint, Relations 192–97; Stieber 276–81; Miller, Sierck 162 f., 165 f.

der Frankreich und Burgund auf verschiedenen Wegen zu ähnlichen
Ergebnissen gelangt: der eine über Basel mit der ‚Pragmatique', der
andere über Eugen IV. mit Privilegien und Konkordaten.

5. England und das ‚lancastrische Frankreich'

Die Haltung Englands gegenüber dem Basler Konzil ist gut er-
forscht, obwohl ‚Basel' für die englische Politik eine eher drittrangige
Rolle spielte. Die ältere, sehr ausgewogene Arbeit des Beckmann-
Schülers AUGUST ZELLFELDER (1913) wurde in jüngerer Zeit durch die
Werke von E.F. JACOB und vor allem durch die aus neuem Quellenstu-
dium geschöpften Aufsätze des katholischen Kirchenhistorikers
A.N.E.D. SCHOFIELD wesentlich vertieft.[158] Studien lokalen Charak-
ters fehlen freilich auch hier.

Ein Blick auf die politische und kirchliche Situation Englands
um das Jahr 1431: Die englische Kirche[159] hatte unter Führung des
Königtums früher als andere den Weg einer von Rom weitgehend unabhängigen Staats-Kirche eingeschlagen. Die Statuten ‚of Provisors'
(1351 und 1389/90) und ‚Praemunire' (1353 und 1392/93) blieben
auch im 15. Jahrhundert so irreversible Marksteine, daß deren Inhalt
im sogenannten Konkordat von 1418 nicht einmal erwähnt wurde.[160]
Daher erklärt sich auch der in der Forschung unisono betonte „lack of
keen interest among English prelates in taking part in the Council"

---

[158] ZELLFELDER, England und das Basler Konzil; JACOB, Englishmen and the General
Councils; Register of Henry Chichele I–IV, s. IV 408 s. v. ‚Basel'; Henry Chichele (1952);
Archbishop Henry Chichele (1967) 53–60. – SCHOFIELD, England and the Council of Basle
(1973), mit nützlicher Zeit- und Quellentafel 110–17; grundlegend überarbeitete
Zusammenfassung folgender Aufsätze des Verfassers: First English Delegation; Second
English Delegation; England, the Pope and the Council of Basle (für die Jahre nach 1435
weiter zu benutzen); English Representation. – Ferner: DLO 394 f.; FERGUSON, English
Diplomacy 130–39; BLUST, English Clerical Diplomats. Die ungedruckte Diss. von E. M.
SPENCER, English Church and the Councils, St. Andrews 1977, ist laut MÜLLER, Prosopogra-
phie 143, nur ein Resümee älterer Literatur. Vgl. BRANDMÜLLER, Pavia-Siena I 24-39.
[159] S. Überblicke bei HALLER, Papsttum und Kirchenreform 375–465; Monte *42-*46.
Grundlegend DLO 379–96 mit der älteren Literatur. S. auch die Bibliographie im Handbuch von DICKINSON, The Later Middle Ages (1979) 468–80, sonst ohne Hinweis auf
Basel; THOMSON, Popes 151–53, 169 f., 174 f. Als Auswahl aus der reichen, vor allem
sozialgeschichtlich orientierten Literatur zur englischen Kirchengeschichte: STOREY,
Recruitment of the English Clergy; RODES, Ecclesiastical Administration.
[160] S. DLO 390 f.; HALLER, England und Rom unter Martin V.; JACOB, English Concordat. – Die Pfründen holte man sich freilich weiter an der Kurie in Rom, wie schon HALLER,
Papsttum und Kirchenreform 426 ff., bemerkte!

(Schofield) und das ebenso geringe Reforminteresse, eben weil in England viele der Phänomene wie päpstliche Jurisdiktion, Reservationen etc. bereits weitestgehend abgeschafft waren, die bei Klerus und Fürsten anderer Länder den Unmut gegen die Kurie und damit das Interesse an Basel noch anzufachen vermochten.[161] Allein schon aus diesem Grunde fiel es den Engländern nicht schwer, in den Jahren des Basiliense stets mehr oder weniger offen die päpstliche Seite zu unterstützen.

Politisch und militärisch hatte sich die Lage Englands seit den glorreichen Tagen Heinrichs V. entschieden verschlechtert. Sein Prestige in Europa begann zu sinken. Das Zweckbündnis mit Burgund von 1421 zeigte bereits deutliche Risse.[162] Mit den besetzten Gebieten in Nordfrankreich hatte man sich eine potentiell krisenträchtige Bürde aufgeladen, die zusehends schwerer wurde. Es mußte folglich ein Hauptziel englischer Politik sein, das fragile Doppelkönigtum über England und die in der Literatur häufig als das ,lancastrische Frankreich' bezeichneten Gebiete zu stabilisieren. Der in dieser Perspektive geringe Stellenwert des Basiliense wird indirekt auch dadurch angedeutet, daß das Stichwort ,Basel' in der reichen Literatur zur politischen- und Kirchengeschichte Englands im Spätmittelalter nur sehr sporadisch aufscheint.

Wer aber machte die englische Politik? Die Lage erscheint nach dem Tod Heinrichs V. († 1422) verworren: Es kreuzten sich der Einfluß König Heinrichs VI., der aber erst 1437 mündig wurde, des ,King's Council', der Brüder Heinrichs V.: Herzog John Bedford als Regent von Frankreich, Humphrey von Gloucester als eigenwilliger Regent von England, vielleicht als einziger der Vier mit konziliaren Affinitäten, und der Kardinal und Bischof von Winchester Henry Beaufort. Er, Beaufort, war der eigentliche spiritus rector der englischen Politik; doch selbst in den vielfältigen Aktivitäten des Kardinals kam das Basiliense offenbar nur selten vor. Unter den übrigen Prälaten spielten die Erzbischöfe John Chichele von Canterbury und John

---

[161] ZELLFELDER, England 11 f., 15; SCHOFIELD, England 67 (Zit.); JACOB, Henry Chichele 12–17; FINK, in: HKG III 2, 584.

[162] Aus der umfangreichen Lit. zur politischen Geschichte: Guter Überblick zur Situation um 1431 bei ZELLFELDER, England 7–33. Ferner das Handbuch von JACOB, The Fifteenth Century, zur Kirchengeschichte 264–304; FOWLER (Hg.), Hundred Years War (Aufsatzsammlung), sowie die Aufsätze von MCFARLANE, England in the Fifteenth Century. Jüngst: THOMSON, Transformation (1984), zur Kirche 303–70.

Kemp von York in der Politik eine führende Rolle.[163] Allerdings geht es nicht an, ‚England' nur auf das Inselreich und auf die Person Heinrich VI. zu beschränken, wozu SCHOFIELD in seinem gegenüber ZELLFELDER etwas verengten Blickwinkel neigt, sondern auch das ‚lancastrische' Frankreich und die daraus resultierenden Konsequenzen politischer und personengeschichtlicher Art sind mit einzubeziehen. Vor allem den Arbeiten von C.T. ALLMAND verdankt die Forschung in jüngerer Zeit neue Erkenntnisse über Bedford und die englische Verwaltung in Frankreich; von ihm stammt auch die einzige Regionalstudie zu unserem Thema, nämlich über die Haltung der Normandie zum Basler Konzil (1965).[164]

Eine genauere prosopographische Analyse des Klerus im lancastrischen Frankreich steht noch aus. Während vor allem die französische Forschung Zentren der ‚résistance' gegen die ‚occupation anglaise' hervorgehoben hat[165], darf nicht übersehen werden, daß ein beträchtlicher Teil der Prälaten England verpflichtet war: Zu den profiliertesten Persönlichkeiten gehörten Zeno da Castiglione, Neffe des Kardinals Branda, der im Januar 1432 von Eugen IV. von Lisieux

---

[163] Zu *Heinrich VI.* die fast gleichzeitig (1981) erschienenen Biographien von GRIFFITHS und WOLFFE; beide politik- und verfassungsgeschichtlich ausgerichtet, das Basler Konzil kommt nicht vor. Zum religiösen Aspekt s. daher mit Vorbehalt noch GASQUET, Religious Life 93–102, der die Papsttreue des ‚Holy King' hervorhebt; vor allem aber SCHOFIELD, England 93–95. Zu *Bedford*: WILLIAMS, My Lord of Bedford; Kirchenpolitik erscheint nur ganz am Rande. Vgl. ZELLFELDER 22–29; ALLMAND, Lancastrian Normandy 333 s.v. Eine modernen Ansprüchen genügende Biographie Bedfords fehlt. – Zu *Gloucester*, der meist im Rahmen des englischen Frühhumanismus behandelt wird: VICKERS, Humphrey, Duke of Gloucester, dort 328 f. zu konziliaren Neigungen des Herzogs; SCHOFIELD, England 23. Seine Briefe an das Konzil: Mansi XXX 165 f., 919. Zum Humanismus: WEISS, Humanism 39–70; HEAD, Aeneas Sylvius 17, 22–24, und jüngst: SAMMUT, Unfredo di Gloucester (1980) 3–53 mit viel prosopographischem Material und Literatur – auch zu Basler Konzilsvätern. – Zu *Beaufort*: LexMa II 1753. Ältere Biographie von RADFORD, Henry Beaufort (1908), zu Basel 233–37, 251 ff., sowie Aufsätze von MCFARLANE, wiederabgedruckt in: ders., England 79–114 und 115–38; zur Rolle Beauforts in den Hussitenkriegen s. unten 357 Anm. 16.* Zu *Chichele* s. die Bücher von JACOB (wie Anm. 158); ULLMANN, Eugenius IV; ZELLFELDER, England 376 s.v. Zu seinem Konflikt mit Prosper Colonna um den Archidiakonat von Canterbury: ZELLFELDER 120–29, 297–309 (Nr. 13). In Basel entschied man gegen Chichele, was dessen „unversöhnliche Gegnerschaft" gegen das Konzil bewirkt habe (129).

[164] ALLMAND, Normandy. Zur englischen Besetzung jetzt grundlegend ders., Lancastrian Normandy (1983) mit abundanter Bibliographie. Vgl. auch POLLARD, John Talbot (1983).

[165] Aus einer stattlichen Reihe lokaler Literatur: BOSSUAT, Parlement de Paris. Im übrigen s. ALLMAND, Normandy 2 f.; Lancastrian Normandy (Literatur).

nach Bayeux transferiert wurde und ein Vertrauter Bedfords war; Pierre Cauchon, Bischof von Beauvais, 1432 nach Lisieux transferiert, einer der Richter der Jeanne d'Arc; Burgund näher stand dagegen Philibert de Montjeu, Bischof von Coutances; er wurde eines der aktivsten Mitglieder des Basiliense und 1432 für einige Monate gar dessen Präsident.[166] In eine beinahe tragische Situation geriet der Südfranzose Bernard de la Planche, Bischof von Dax, in seiner Doppelstellung als englischer Gesandter einerseits und konziliaristisch orientierter Bischof andererseits – vor allem, nachdem die offizielle englische Gesandtschaft Basel verlassen hatte.[167] Die zahlreichen Bistumsstreitigkeiten gerade in der Normandie spiegeln die sich dort kreuzenden englischen, burgundischen und französischen Interessen wider.

Die Konzilspolitik Bedfords, welcher der Basler Synode persönlich reserviert gegenüberstand, bezeichnet ALLMAND als gezielte „policy of inactivity"[168]: Er ließ zwar den Klerus nach Basel ziehen, um dessen Mißmutspotential abzubauen und wohl auch ein Gegengewicht gegen die einflußreiche Gruppe der Valois-Franzosen zu setzen, schickte aber selbst keine offizielle Gesandtschaft. Englands Versuch, sein Konzept einer „dual-monarchy" (Schofield) 1434 durch eine gemischte englisch-normannische Gesandtschaft auch auf dem Konzil zu manifestieren, scheiterte. Das Konzil, ohnehin mit profranzösischer Tendenz, erkannte die ‚Normannen', nämlich die Bischöfe Zeno da Castiglione und Pierre Cauchon, den Kanoniker Pierre Maurice und den Archidiakon Nicolas David nicht als ‚französische' Gesandte und Heinrich VI. nicht als König von Frankreich an.[169]

---

[166] Eine Studie über *Philibert de Montjeu*, den Konziliaristen zwischen England, Frankreich und Burgund, gehört zu den prosopographischen Desideraten. S. vorerst TOUSSAINT, Relations 4 Anm. 4. Am 1. September 1433 wurde Philibert in die burgundische Gesandtschaft berufen, s. TOUSSAINT 136, 254 Anm. 2; ALLMAND, Normandy 7 Anm. 28. Ferner zu ihm ZELLFELDER, England 382 s.v. ‚Montjeu'. Als Konzilsvater zeichnete ihn sein Engagement in der Hussitenfrage aus; s. unten 359. Zu *Pierre Cauchon*, s. Ph. WOLFF, Art. ‚Cauchon', in: LexMa II 1578 f.; GUILLEMAIN, Pierre Cauchon. Zu *Zeno da Castiglione*s. SAMMUT, Unfredo 23-28 mit Literatur; FOFFANO, Umanisti; DBI 22 (1979) 178-81.

[167] S. ZELLFELDER, England 155–62, 228–30 und 383 s.v. ‚Plancha'; SCHOFIELD, England 63, 81; DE ROOVER, Rise and Decline 214.

[168] ALLMAND, Normandy 7, ebd. 4–11 die beste Darstellung von Bedfords Politik gegenüber dem Konzil. Zur Kirchenpolitik vor 1431 s. Anm. 159 f.; HALLER, Papsttum und Kirchenreform 375–465; ZELLFELDER, England 22–29, 232–35 zur Kontroverse Haller-Valois über den sog. ‚Rotulus Bedfordianus' (1424); DESSART, L'alternative 195–98; DLO 391–93; ALLMAND, Normandy 1–4.

[169] MC II 771 f. – Vgl. ZELLFELDER, England 110–12; ALLMAND, Normandy 7 f., 10; SCHOFIELD, England 68 f.

Die Auftritte der beiden offiziellen Gesandtschaften des englischen Königs vom Februar 1433 und August 1434 haben ZELLFELDER und SCHOFIELD hinlänglich geschildert:[170] Nicht nur zahlenmäßig, sondern vor allem nach Engagement und Durchsetzungskraft waren sie im Vergleich zur führenden Rolle, die ihre Vorgänger in Pisa, Konstanz[171] und noch in Pavia-Siena gespielt hatten, obwohl auch jetzt wieder hochrangig besetzt, nur mehr ein schwacher Abglanz. ZELLFELDERS überzeichnetes Bild vom „kläglichen Auftreten" der Engländer in Basel wurde von SCHOFIELD zwar gemildert, aber nicht eigentlich revidiert.[172] Selbst wenn man berücksichtigt, daß das englische Interesse an der Kirchenreform gering war und auch keine Neigung bestand, das Konzil als politisches Druckmittel gegen die Kurie zu benutzen, scheint die ungeschickte Vorstellung der Engländer in Basel durchaus mit den allgemeinen Rückschlägen der auch international immer schlechter gelittenen englischen Stellung in Europa zu korrespondieren.

Wie aus den königlichen Instruktionen hervorgeht, hatten die beiden Gesandtschaften unterschiedliche und nur am Rande kirchliche Aufgaben: Hauptanziehungspunkt für die erste Gesandtschaft scheint die in Basel anstehende Auseinandersetzung mit den Hussiten gewesen zu sein, an deren Bekämpfung der englische König und sein Klerus, die es mit den verwandten Lollarden zu tun hatten, sehr interessiert waren. Die Engländer traten äußerst scharfmacherisch gegen die Hussiten auf, erreichten aber nicht die gewünschte Auslieferung des zur hussitischen Gesandtschaft gehörenden Engländers Peter Payne.[173] Die in Geheiminstruktionen fixierten Aufgaben der zweiten Gesandtschaft waren in erster Linie politischer Natur: die Ansprüche Heinrichs VI. auf den französischen Thron sollten verteidigt und gleichzeitig die Chancen für Friedensverhandlungen mit Frankreich auf der Basler Diplomatenbühne sondiert werden. Doch agierten die englischen Gesandten ohne Fortüne. Stattdessen gelang es ihnen

---

[170] ZELLFELDER, England 34–129, 155–62; SCHOFIELD, England 17–84; ALLMAND, Normandy 7–11. – Vorausgegangen waren 1432/33 zwei Gesandtschaftsreisen des humanistischen Bischofs von Lodi, Gerardo Landriani, in konziliarem Auftrag nach England; s. SCHOFIELD, England 17–26; SAMMUT, Unfredo 3–8 und 232 s.v.

[171] DLO 389 f.; JACOB, English Conciliar Activity 1395–1418. Zur Kirchenpolitik im Schisma jetzt: HARVEY, Solutions to the Schism (1983).

[172] SCHOFIELD, England 82 f.; ZELLFELDER, England 106 (Zit.), ebd. 95: „Ueberall ein Verzicht auf Initiative, von vornherein auf die Defensive gerichtet."

[173] S. ZELLFELDER, England 66–76, 230 f.; JACOB, Bohemians 110 f.; SCHOFIELD, England 32–37; COOK, Peter Payne 278 f., 290–94; s. unten 361.

rasch, sich bei vielen unbeliebt zu machen und sich in einen Knäuel zum Teil schon älterer Konflikte zu verstricken. Von Anfang an hatten sie aus naheliegenden Gründen die Deputationen und den Inkorporationseid abgelehnt, wogegen ihnen umgekehrt von Franzosen und Spaniern, ähnlich wie in Konstanz und Pavia-Siena, die Anerkennung als eigene Konzilsnation bestritten wurde. Die Folge war, daß die erste Gesandtschaft gar nicht, die zweite nur mit einem ‚entschärften' Eid inkorporiert wurde.[174] Einen weiteren, dem englischen Prestige ebenso abträglichen Konflikt, entzündete der Rangstreit mit den Kastiliern, in dem England prompt unterlag.[175]

Obwohl sie ziemlich isoliert waren, haben die Mitglieder der zweiten Gesandtschaft immerhin von Oktober 1434 bis Juni 1435 auf dem Konzil mitgearbeitet. Sie stimmten unter anderem gegen das Annatendekret (1435 VI 9). Kurz darauf, vor Beginn des Kongresses in Arras verließen die meisten Gesandten das Konzil; der Status der verbliebenen (Bernard de la Planche) war unsicher. Die konkreten Ursachen der Abreise, die Zusammenhänge mit dem Kongress in Arras, scheinen der Forschung ebensowenig eindeutig zu sein wie schon der „virtual withdrawal" der ersten Gesandtschaft im Sommer 1433.[176]

Verglichen mit anderen Ländern war der Anteil englischer Kleriker am Basler Konzil recht gering.[177] Neben dem allgemein sehr gedämpften Interesse ist zu berücksichtigen, daß die englische Kirche auch absolut gesehen nicht so vielköpfig war wie die französische, deutsche oder italienische.

Für den ungünstigen Ausgang des Kongresses von Arras, den sich die Engländer allerdings wegen ihres „stubborn refusal to face facts" (Allmand) teilweise selbst zuzuschreiben hatten, machte man in England vor allem Albergati und die Basler verantwortlich. Die vorübergehende Abkühlung der Beziehungen zur Kurie wurde aber bald

---

[174] Vgl. CB I 245 Z. 3–7; Lazarus 160–62; Zellfelder, England 64–66, 102–06; Schofield, England 30 f., 60 f., 69–71. Zum Vergleich: Brandmüller, Pavia-Siena I 180–88.

[175] Zellfelder, England 97 f., 107–19, 157–62 („Fastnachtsposse", 162); Schofield, England 71–77, 87–89; Beltrán De Heredia, Embajada de Castilla 12–15; Sieberg 193–98. Den Höhepunkt des Streites markierte ein veritables Handgemenge am 12. November 1435. Zum Phänomen der Rangstreite s. unten Kap. IV 13.

[176] Schofield, England 50, vgl. 82–84; vgl. Zellfelder, England 148–62: „Die Scheinvertretung Englands am Basler Konzil".

[177] S. Lehmann 105 f. Prosopographische Details bei Schofield, England 31 f., 48–50, 64–69 und passim.

aufgefangen (Legation da Montes 1435–40)[178], und die ohnehin immer sehr geringe Bedeutung des Konzils in und für England sank von nun an fast auf Null.[179] Mehrere Gesandtschaften und Friedensinitiativen der Basler stießen auf taube Ohren.[180] England stand in den kommenden Jahren zu Eugen IV. Die persönliche Devotion des jungen Monarchen Heinrich VI. mag diese Haltung noch verstärkt haben, wie etwa sein Loyalitätsschreiben vom 28. Mai 1440 andeutet, dem am 20. August 1439 ein entsprechendes Absageschreiben an die Basler vorausgegangen war.[181] Auch die Normandie folgte ab 1438 „virtually" dem englischen Vorbild, wenngleich bei Teilen des Klerus zunächst noch weiter für Basel Sympathien bestanden.[182] Einige Zentren des ,lancastrischen' Frankreichs wie zum Beispiel Rouen, dessen Domkapitel sich stark aus Absolventen der Universität Paris zusammensetzte, sind geradezu konziliaristische Hochburgen gewesen.

Die diplomatischen Kontakte Englands mit den deutschen Königen und Kurfürsten seit 1438 in der Frage der Neutralität, für die man Heinrich vergebens zu gewinnen suchte, blieben Episode und dienten englischerseits wohl auch dazu, sich diplomatisch wieder mehr in Szene zu setzen.[183] Das gleiche galt für die Teilnahme englischer Gesandter an den Auflösungsverhandlungen von Lyon und Genf (1446/47).

---

[178] Zur Legation: ZELLFELDER, England 163–78. Laut SCHOFIELD, England 85–92, hat Zellfelder sowohl den „Bruch" zwischen England und der Kurie wie den kittenden Einfluß da Montes überbewertet. – HALLER, Monte *40–*84; Hallers Edition enthält neben den Briefen und Reden da Montes auch 28 Briefe Eugens IV. (200-230) und Reden der Basler Gesandtschaften von 1438-40 (271-80). Sie ersetzt im wesentlichen ZANELLI, Monte (1907/8). – G. HOFMANN, Briefe; SCHOFIELD, England, the Pope 256–71; BLACK, Monarchy 99–102; NODARI, Pietro del Monte; SAMMUT, Unfredo 15–18, letzterer zu den humanistischen Aktivitäten.

[179] Ein so wichtiger kirchenrechtlicher Konflikt wie der zwischen den Erzbischöfen von York und Canterbury um die Primatialrechte 1440 ff. lief völlig an Basel vorbei; s. ULLMANN, Eugenius IV. Aber auch vorher scheint die Zahl der nach Basel getragenen englischen Prozesse sehr niedrig gewesen zu sein. ,Provisors' galt eben auch hier!

[180] SCHOFIELD, England 98 f., 104 f. Zu den Verhandlungen von 1439: ALLMAND, Lancastrian Normandy 274–77, mit älterer Lit.

[181] Ed. der beiden Briefe bei ZELLFELDER, England 360–63 (Nr. 20) und 366–70 (Nr. 22). Eine Gesandtschaft nach Ferrara kam trotz allem nicht zustande; SCHOFIELD, England 97 und 104; GILL, Council of Florence 300 f.

[182] S. etwa ALLMAND, Normandy 11 mit Anm. 53.

[183] SCHOFIELD, England, the Pope 266–70; England 102–104, 106; HEAD, Aeneas Sylvius 18–26; BLACK, Monarchy 116 f.; STIEBER 223 f., 233 f. – Die antikonziliare Denkschrift der Engländer vom Juni 1442 setzt durchaus theologische Beschlagenheit im Thema voraus; RTA XVI 547–57 nr. 215–16.

Den Verfall der englischen Macht auf dem Kontinent und die beginnende Zerrüttung der Insel konnte freilich auch die treueste Gefolgschaft für die römischen Päpste nicht aufhalten.

6. Schottland

Das Königreich Schottland ist, seiner Bedeutung als europäischer Mittelmacht entsprechend, keine der ausschlaggebenden politischen Faktoren für das Basler Konzil gewesen. Wie besonders die prosopographische Arbeit des schottischen Historikers J.H. BURNS (1962)[184] zeigt, war aber das konziliare Engagement wesentlich größer als etwa in England. Dagegen war Irland nur spärlich in Basel vertreten,[185] vermutlich wirkte hier die englische Konzilspolitik maßgebend.

Schottland hatte während des Großen Schismas[186] – im traditionellen Verein mit Frankreich – zu den ausdauerndsten Anhängern der avignonesischen Obödienz gehört. Die zwanziger Jahre waren kirchenpolitisch vom Versuch des Königtums bestimmt, die staatliche Kontrolle über die schottische Kirche gegen den Widerstand der Kurie zu verstärken[187] – in der Phase der Neuorientierung nach dem Konstanzer Konzil ein durchaus europäisches Phänomen. Der junge König James I. war erst 1423 aus englischer Internierung zurückgekehrt. Möglicherweise haben ihm die dort weit fortgeschrittenen landeskirchlichen Verhältnisse als Vorbild gedient. Seine energische Kirchenpolitik führte jedenfalls zu ernsten Spannungen mit der Kurie, wobei

---

[184] BURNS, Scottish Churchmen and the Council of Basle, baut sich aus 63 instruktiven Kurzbiographien schottischer Konzilsmitglieder auf. Mehr ideengeschichtlich: Conciliarist Tradition (1963). Burns verfaßte auch mehrere Studien zu den politischen Ideen der schottischen Reformation. Die Forschung setzt freilich früher ein: HANNAY, Cameron (1918); Letter to Scotland (1923); REID, Scotland and Church Councils (1943), zu Basel: 15–23. Ferner DUNLOP, Kennedy 8–18, 449 s.v. ‚Basle'; SHAW, Livingston 125–29.*

[185] Hingewiesen sei auf die prosopographische Studie von SCHOFIELD, Ireland and the Council of Basle; ders., England 67 f. – Vgl. LEHMANN 107; DLO 386 f. Von den irischen Diözesen waren nur Cashel und Dublin in Basel vertreten. Der bekannteste Ire in Basel dürfte Robert de Poers, Dekan von Limerick und Archidiakon von Lismore, gewesen sein; SCHOFIELD, England 67 f.

[186] S. STEUART, Scotland and the Papacy (1907).

[187] Zur schottischen Geschichte und Kirchengeschichte: DLO 387 Anm. 29 (Literatur). Aus der deutschsprachigen Literatur immer noch: BELLESHEIM, Geschichte der katholischen Kirche in Schottland I (1883), besonders 292 f. Es existiert eine Reihe jüngerer Handbücher: NICHOLSON, Scotland (1974), zu Basel: 197, 206 f., 301 f., 332–38; DICKINSON, Scotland (1977) 270–78; GRANT, Independence and Nationhood, Scotland 1306–1469 (1984) 91 f., 221–29 Literatur.

zwei schottische Prälaten die Gegensätze förmlich personifizierten:
John Cameron, Bischof von Glasgow, Anhänger des Basler Konzils
und als Kanzler auch kirchenpolitisch wichtigster Helfer des Königs[188],
und auf der Gegenseite William Croyser, Archidiakon von Lothian
und Triotdale, als Verteidiger und Funktionär Eugens IV. Im Jahre
1439 kam es jedoch zu einem etwas obskuren ‚renversement des coa-
litions‘, an dessen Ende man Cameron nach seiner politischen Entmachtung (!) auf Seiten Eugens IV. und Croyser in Basel wiederfindet.[189]

Es liegt nahe, die schottische Konzilspolitik mit der Forschung in
zwei Phasen zu sehen: Die erste (1431–1437) gestaltete König James
persönlich. Er betrieb eine „cautious and complex policy" (Burns)
gegenüber Basel, was sich schon darin andeutet, daß er erst zum 15.
Januar 1434 eine offizielle Gesandtschaft unter Leitung Camerons
schickte.[190] Er schien zwar an den Reformen des Konzils interessiert,
wenigstens soweit sie das päpstliche Kirchenregiment beschnitten,
hielt sich aber politisch auf Distanz und leitete noch vor seinem Tod
die Verständigung mit Eugen IV. ein.

Die auf James' I. Ermordung (1437 II 20) folgenden inneren Wirren
bestimmten wesentlich die zweite Phase der Politik gegenüber Basel
(1437–1443). Es kam zu einer Spaltung im Lande, deren Fronten
innen- und kirchenpolitisch analog verliefen: Die adlige Regentschaft
für James II., gruppiert um den Clan der Douglas, und kleinere Teile
des schottischen Klerus unterstützten die Basler und Felix V., während die Mehrheit des Klerus unter Führung des James Kennedy, seit
1437 Bischof von Dunkeld und seit 1440 von St. Andrews[191], Eugen IV.
folgte. Diese Gruppe setzte sich langsam durch (1440 VII 6 Bann über
die Felizianer auf dem ‚Black Dinner‘). Mit dem Sturz der Douglas
(März 1443) verloren die Basler ihre politische Stütze in Schottland,[192] das auf der Synode von Stirling 1443 XI 4 Eugen IV. Obödienz
leistete. Eine späte Legationsreise Thomas Livingstons 1447 im Auf-

---

[188] Zu *Cameron* speziell: HANNAY, Cameron; Letter to Scotland 52–54, 56; BURNS, Scottish Churchmen 16 f. und 93 s.v.; Art. ‚Cameron‘, in: LexMa II 1417. Zu *Croyser:* BURNS,
Scottish Churchmen 22 f. und 94 s.v.

[189] Wie Anm. 184 sowie DICKINSON, Scotland 272 f.

[190] Die Personen bei BURNS, Scottish Churchmen 16–20.

[191] Zu *Kennedy*: DUNLOP, Kennedy (1950) – wichtig für die schottische Geschichte bis
1465. Neubewertung des Bischofs jetzt bei McDOUGALL, Kennedy (1983).

[192] Die Kontakte Felix' V. mit den Douglas liefen vor allem über William Croyser;
BURNS, Scottish Churchmen 78 f. Ein Brief des Konzils (1442 X 27) an die Prälaten und
Barone Schottlands wirkt wie ein letzter Hilfe-Appell; s. HANNAY, Letter to Scotland 54–
57.

trag Felix' V. blieb fruchtlos. Nicht zuletzt die innere Lähmung Schottlands bewirkte, daß hier die Monarchie weniger als in anderen Reichen aus dem Basler Schisma Profit ziehen konnte, sondern die päpstlichen Nominationsrechte bis gegen Ende des Jahrhunderts (1487) bestehen blieben.[193]

Von den 49 durch Burns ermittelten schottischen Inkorporationen[194] fielen die meisten in die Jahre 1434–35, als auch der König offiziell in Basel vertreten war. Die relative Dichte von Inkorporationen aus der Diözese Glasgow kontrastiert deutlich zu St. Andrews, von wo nur sehr wenige Konzilsteilnehmer bekannt sind.[195] Wenn auch keine ,Hochburg' des Konziliarismus, stellte Schottland mit *Thomas Livingston*, Abt von Dundrennan,[196] doch einen der führenden Köpfe der Konzilspartei.

Im Gegensatz zur Diözese blieb die stark von Paris und Köln geprägte Universität von St. Andrews[197] auch nach Ende des Konzils, bis in die Tage John Majors und George Buchanans, ein Hort konziliarer und konstitutioneller Ideen[198] – woraus sich auch das besondere Interesse der schottischen Forschung (BURNS, BLACK) am Basiliense erklären lassen dürfte.

7. Savoyen und Felix V.

Die Geschichte des Herzogtums Savoyen in der Konzilszeit war wesentlich durch die Ereignisse um Amadeus VIII. (1391–1434, seit 1416 Herzog), des „duc qui devint pape", bestimmt und hat in dieser biographischen Form auch ihren Niederschlag in der Forschung gefunden.[199] Die Wahl (1439 XI 5) und Krönung (1440 VII 24) des

---

[193] PASTOR I 341; DICKINSON, Scotland 274 ff. mit Literatur. – Stattdessen stärkte sich, ähnlich wie in Skandinavien, die bischöfliche Stellung! James Kennedy ist es, der 1449 von Nikolaus V. Kollationsrechte erhält; SHAW, Livingston 129.

[194] Für die übrigen 14 bei BURNS, Scottish Churchmen, ermittelten Personen ist kein Inkorporationshinweis vorhanden.

[195] LEHMANN 315 s.v. ,Glasgow', 307 s.v. ,St. Andrews'. Detailstudien stehen noch aus.

[196] Zu *Livingston*: SHAW, Livingston; STIEBER 503 s.v; BURNS, Scottish Churchmen 12 f., 96 s.v.; Conciliarist Tradition 96–98; WATANABE, Kues-Fleming-Livingston 173–77.

[197] S. oben 139 Anm. 243.

[198] BURNS, Conciliarist Tradition 94–104. Vgl. unten 488.

[199] Zu *Amadeus VIII. (Felix V.)*: G. MOLLAT, in: DHGE 2 (1914) 1166–74; COGNASSO, in: DBI 2 (1961) 749–53; HELVETIA SACRA I/3, 103 f., (Literatur!); PÉROUSE 293–468 passim; BRUCHET, Ripaille 109–34 sowie Nr. LVIII, LXXIV–LXXVII und LXXXVI der ,Pièces justificatives'; COGNASSO, Amadeo VIII, Bd. II, 170–205. Mehr erzählenden Charakter

frommen, wenngleich keineswegs politisch abstinenten Pensionärs von Ripaille durch das Basler Rumpfkonzil und ihre durchaus realpolitischen Motive sind bereits in der älteren Literatur hinreichend dargestellt worden[200]. Auch das kirchenrechtlich und organisatorisch prekäre, vor allem permanent von Finanzproblemen vergiftete Verhältnis der selbstbewußten Synode und ,ihres' Papstes Felix V. ist in vielen Einzelheiten bekannt; ebenso die Tatsache, daß mit der Wahl des ehemaligen Herzogs Savoyen und Basler Konzil ihre Schicksale eine zeitlang aneinander banden, und zwar in einer Weise, die das Herzogtum zur wesentlichen Ressource eines neuen, ,konzilspäpstlichen' Fiskalismus werden ließ.[201] Seine Ernennung zum Bischof von Genf (1444)[202] machte zwar aus Genf nicht Rom, zeigte aber, daß ein Papst ohne episkopale Basis nicht auszukommen schien. Dennoch dürften über die Regierungspraxis Felix' V., seine Privilegien- und Benefizialpolitik[202a], nicht zuletzt auch die außenpolitischen Ambitionen des ehemals versierten Diplomaten als Papst noch einige Verbindungsglieder erschlossen werden, bis eine abschließende Synthese möglich sein wird. Gewisse Fortschritte läßt dafür die zur Zeit in Turin vorbereitete Edition der Bullenregister Felix' V. mit ihren über 3000 Eintragungen erwarten.[203] Allerdings ist zu berücksichtigen, daß Ludwig von Savoyen, Sohn und Nachfolger Amadeus' VIII., zwar keine von der päpstlichen Eminenz seines Vaters unabhängige Politik betreiben

---

trägt die umfangreiche Darstellung der italienischen Königin MARIE JOSÉ, Maison de Savoie I–III (künftig: Marie José); zu Amadeus und Basiliense vor 1439: III 146–62, zum Papsttum: 163–263. Ferner: VALOIS II 399 s.v. ,Felix V'; STUTZ, . . .; ECKSTEIN, Finanzlage passim; DLO 275–79; HILDESHEIMER, Pape du concile; MONGIANO, Privilegi; BINZ, Genève 517 s.v.; STIEBER 493 s.v. Zur großen ,Reformatio Sabaudiensis' von 1423 und 1430 s. COGNASSO, Amadeo VIII, Bd. II 222–72; LOEBEL, Reformtraktate 68–70 (Anteil Heinrich Tokes); HEIMPEL, Vener II 691–96. – Zur innerterritorialen Kirchenpolitik zuletzt POUDRET, Concordat; Succession.*

[200] Ausführlichste Darstellung: PÉROUSE 293–352; Documents inédits 382–89; EUBEL, Basler Konzil 269–72; VALOIS II 181–97; ECKSTEIN, Finanzlage 19–30; STUTZ, Felix V. 1–19; VON DER MÜHLL, Basler Konzil 103–50 (erzählend). Die Diss. von MANGER, Wahl Amadeo's (1901) ist überholt. – Ältere Darstellungen sind durch CB VII (s. ebd. HERRE XXV–XXXVIII) zu ergänzen.

[201] Zu den Finanzproblemen s. ECKSTEIN, Finanzlage, passim: HERRE CB VII, S. XXXXV–XXXXIX; STUTZ 107 f., 115-20; Vgl. die Korrekturen bei GILOMEN, Basler Rentenmarkt 37–42: Die Kredite von Schweizer Städten wie Bern hatten „wenig mit dem Papsttum Felix V. zu tun" (41). Zur Münzprägung s. oben 54 Anm. 134.

[202] Vgl. schon GONTHIER, Evêques de Genève 224–30, 239–61; STUTZ, Felix V. 281-83, 293-95; ELSENER, Justizreform; BINZ, Genève 517. s. v

[202a] S. vorerst STUTZ, Felix V. 195-204, 278-86.

[203] S. oben 16 Anm. 39. – Quellenverz. bei STUTZ, Felix V. (Diss.) VII-XII.

konnte, aber auch nicht dessen oder gar des Konzils verlängerter Arm war. Die Politik der Basler Synode kann ebensowenig mit der des Konzilspapstes gleichgesetzt werden. Daß Felix V. am 16.XI.1442 Basel verließ und fortan, mit einer Unterbrechung 1446, seine Residenz als „pape-évêque" in Lausanne aufschlug, darf als Zeichen sowohl der Entfremdung, wie auch einer gewissen ‚Savoyardisierung' seiner Politik gelten. Unter den außenpolitischen Aktivitäten des Konzilspapstes im Kampf um Obödienzen haben vor allem seine Kontakte mit einigen Kurfürsten, darunter die Eheprojekte mit Sachsen (1443 III 11) und, tatsächlich realisiert, mit der Pfalz (1444 X 22) Beachtung gefunden.[204] Die Tatsache, daß bei den Verhandlungen von vier Kurfürsten mit dem französischen König im Februar 1445 auch Felix' V. Vizekanzler, Jean de Grolée zugegen war, spricht für die mannigfachen diplomatischen Kontakte. Doch konnten sie seine Position nicht entscheidend verbessern, ebensowenig wie eine letzte diplomatische Offensive an mehreren Fürstenhöfen nach dem Tod des Rivalen Eugen IV. Über das Selbstverständnis Felix' V. als ‚herzoglicher Papst' bzw. ‚päpstlicher Herzog' wüßte man gern mehr.[205] Daß er sein Amt, auch nachdem es in den letzten Jahren zur Farce zu werden drohte, nicht ohne Würde ausgeübt hat, wird ihm, vieler Vorwürfe ungeachtet, von Zeitgenossen und Forschung attestiert. Die Jahre der Agonie des Basler Konzils, das ab Juli 1448 in Lausanne zwangsweise wieder mit seinem Papst vereint war,[206] der Rücktritt Felix V. (1449 IV 7) nach langjährigen Verhandlungen unter französischer Ägide und seine ehrenvolle Behandlung durch Nikolaus V.[207], sind, soweit quellenmäßig erschließbar, weitgehend bekannt. Die kirchenrechtliche Sonderstellung des ehemaligen Gegenpapstes als lokal residierender Kardinallegat mit benefizialer Sonderprivilegierung verdient besondere Beachtung. Man hat in ihm das erste Beispiel des in den folgenden Jahrzehnten vor allem in Italien typischen Fürstenkardinals sehen wollen.[208]

Als Herzog Amadeus VIII. hatte er sich vor seinem Rückzug nach Ripaille (1434) gegenüber dem in der Nähe tagenden Konzil vor-

---

[204] S. CORNAZ, Mariage Palatin. Vgl. STIEBER 258 f.; MILLER, Sierck 102, 137–40.

[205] Bezeichnenderweise fehlte es in seiner Bibliothek nicht an klassischer und religiöser, wohl aber an speziell theologischer Literatur; BINZ, Genève 106 f.

[206] GILOMEN-SCHENKEL, Henmann Offenburg 137 f.; STIEBER 311 f. Zur Datierung der 45. Sessio s. auch: SCHMIDLIN, Letzte Sessio; FROMHERZ 171 f.; STUTZ 189-95.

[207] MOLLAT, Legation 1449–1451; MARIE JOSÉ III 251–303; MONGIANO, Privilegi 182–87.

[208] Wäre aber nicht Henry Beaufort ein früheres Beispiel?

sichtig und vermittelnd verhalten. Zwar sind Gesandte Savoyens schon 1431 bezeugt, von aufmunternden Briefen des Herzogs an die Basler begleitet[209], doch scheinen sie sich in den folgenden Jahren nicht auffällig exponiert zu haben. Vielmehr stimmten sie auf dem Konzil mehrmals mit den Burgundern[210], das heißt gemäßigt für Eugen IV., zu dem die Beziehungen bis 1439 ausgezeichnet blieben.[211] Dem entsprach auch außenpolitisch eine enge Verbindung des Herzogs zu Burgund, die ihm seine schon früher geschätzte Vermittlertätigkeit, etwa im Vorfeld des Kongresses von Arras[212], erleichterte.

Das - vom Fürsten gelenkte - Interesse des savoyischen Klerus am Konzil stieg erst im Jahre 1439 an, unmittelbar vor und nach der plötzlichen Wahl Felix' V., dann freilich recht sprunghaft: Nach Bilderback fielen von insgesamt 182 Inkorporationen 107 in die Jahre 1439–1441[213]. Das Basler Konzil nahm in seinen letzten Jahren fast die Züge einer savoyischen Landessynode an. Eine Gruppe von Bischöfen aus Savoyen und dem Dauphiné bildete den Kern jener um den Kardinal Aleman gescharten konziliaristischen Führungsclique, die uns bereits begegnet ist. In den Konzilsgesandtschaften und -behörden finden sich ab 1440 entsprechend häufig Ratgeber des savoyischen Hofes (Mermet Arnauld; Ludwig, Graf von Racconigi; Jean Mareschal; Lodovico Romagnago, Bischof von Turin etc.)[214]

Einen wichtigen Faktor der vielfältigen dynastischen und finanziellen Beziehungen Savoyens[215] bildete das Verhältnis zum Herzogtum

[209] CB II 12 f.; MC I 100, 104 f.; VALOIS I 142; LEHMANN 168; HALLER (Ed.), Beiträge 207 f. (Brief 1432 I 26); SEGRE, Documenti. Vgl. MARIE JOSÉ 146–62. Die Entscheidung der Basler im Lausanner Bistumsstreit gegen den Kandidaten des Herzogs kühlte das Verhältnis zum Konzil augenscheinlich ab. S. oben 190 f.

[210] S. VALOIS I 277 f., 290.

[211] Amadeus hatte noch gegen die Absetzung Eugens protestiert (1439 VII 20). Ob der Bruch erst durch die Wahl zum Gegenpapst erfolgte, bleibt unklar. S. etwa FALCONE, Pontano 25 f. Anm. 76 f., mit Kritik an VALOIS – ohne diesen zu zitieren. Vgl. ebd. 11 und 16: Reise Pontanos an den savoyischen Hof (April 1438) fördert dessen Abkehr von Eugen. Dazu AC I Nr. 476 Z. 66 f. (= RTA XV 646 Z. 7 f.)

[212] BAUD, Amédée VIII et la guerre de Cent Ans; LACAZE, Origines de la paix d'Arras.

[213] BILDERBACK, Proctorial Representation 250; Membership 161, 170.

[214] Vgl. BINZ, Genève 304 f. Zu einem weiteren Sekretär, Nikod Festi, s. ebd. 137–40; HALLER (Ed.), Beiträge 21. Vgl. ELSENER, Justizreform 64 f. Anm. 3, 69 f. Anm. 18-22.

[215] Allgemeiner Überblick bei MARIE JOSÉ II 267–433. Vgl. DEMOTZ, Politique internationale (führt bis in die dreißiger Jahre). Erwähnt sei z.B. die enge Beziehung der Savoyer zum Haus Lusignan von Zypern, unter anderem über den Kardinal Hugo von Lusignan, der 1442 am Hof zu Lausanne starb! Beispielhaft auch die Ehe Ludwigs

Mailand unter Filippo Maria Visconti, dem Schwiegersohn des Amadeus-Felix. Es spielte insofern für die Konzilspolitik eine Rolle, als der
Visconti, zu dieser Zeit Parteigänger der Basler, seinen Schwiegervater zwar dazu ermunterte, die Tiara anzunehmen, ihn aber dann in
gewohnter Intriganz kaum unterstützte und 1443 fallenließ. Der
Kampf Ludwigs von Savoyen um das mailändische Erbe, und sein
Scheitern (1447–1449) hatte mit der Konzilsgeschichte kaum mehr
etwas zu tun.[216] Schon zuvor hatte sich Ludwig näher an Frankreich
angelehnt, dessen Hilfe er auch im Kampf mit den Habsburgern und
der Stadt Freiburg/Ü. benötigte.[217] Das Konzil wurde immer mehr zu
einem lästigen Konfliktherd, dessen sich der Savoyer mit Frankreichs
Hilfe zu entledigen suchte. Die dennoch recht lange Liaison mit dem
Basiliense erwies sich für Nikolaus V. auch im Fall Savoyens nicht als
Hinderungsgrund, 1451 und 1452 ein für die Kirchenherrschaft des
Herzogs günstiges Konkordat zu schließen.[218]

8. Iberische Halbinsel

In der spanischen Historiographie und Theologie gewinnt das Basler Konzil – sieht man von AMETLLER Y VINYAS (1903) ab – erst seit jüngerer Zeit an Interesse. Das Gedankengut des Konziliarismus hat
nach JOSÉ GOÑI GAZTAMBIDE, dem zur Zeit auf diesem Gebiet profiliertesten spanischen Forscher, in Spanien spätere und weniger tiefe
Verbreitung gefunden als in Frankreich oder Deutschland[219]. Sicherlich sind papal orientierte Persönlichkeiten wie Carvajal, Torquemada oder Sánchez de Arévalo typischer für die Grundhaltung des
führenden Klerus in Spanien gewesen als der Konziliarist Segovia.

von Savoyen mit Anna von Lusignan; COGNASSO, Amadeo VIII, Bd. I, 138–45; MARIE JOSÉ
III 362 s.v. ‚Cardinaux de Chypre'; RUDT DE COLLENBERG, Cardinaux de Chypre 111 ff.

[216] Vgl. MARIE JOSÉ III 264–93; COGNASSO, Ducato visconteo 414, 433–35. Briefwechsel
zwischen Felix V. und Ludwig über die Mailandsache: GAULLIEUR (Ed.),Correspondance
(auch für das finanzielle Abhängigkeitsverhältnis von Vater und Sohn aufschlußreich).

[217] Krieg mit Freiburg: STUTZ, Felix V. 107–20.

[218] Text: MERCATI, Concordati 196 f. Vgl. BERTRAMS, Staatsgedanke 140–42; DLO 313;
THOMSON, Popes 155 f.

[219] GOÑI GAZTAMBIDE, Conciliarismo (1978), im wesentlichen mit prosopographischem
Material. Vgl. ders., Españoles en el Concilio de Constanza. Zum Basiliense ist leider
nichts Vergleichbares erschienen. Bei DLO 431 wird für Kastilien und Portugal dagegen
„aucune concession véritable aux idées conciliaires" gesehen.

Diesen aber wie Ourliac als isoliert anzusehen[220], verbietet wohl nicht nur die konzilsfreundliche Haltung der spanischen Kardinäle Cervantes, Carrillo und Ram, sondern auch die intensive und loyale, wenngleich nicht ‚konziliaristisch‘ geprägte Mitarbeit von Torquemada, Palomar und Escobar in Basel.[221] Nachwirkungen des Konziliarismus reichen schließlich bis zu Francisco de Vitoria († 1546) und seiner Schule.

Die spanische Kirche war im Spätmittelalter sowohl durch enge Romverbundenheit als auch, wie es phasenverschoben in allen Staaten Westeuropas der Fall war, durch wachsende Kontrolle seitens eines sich langsam zentralisierenden Königtums bestimmt. Diese beiden Kriterien, enger Kontakt zur römischen Kurie und relativ weitreichende Kontrolle des Landesklerus, prägten dann auch wesentlich die Kirchenpolitik der spanischen Monarchen zur Zeit des Basler Konzils[222]. Der siebenjährige Konzilskurs Alfons' V. von Aragón gegen Eugen IV. erscheint vor diesem Hintergrund als eine wohlkalkulierte ‚Eskapade‘.

Daß auch die Teilnahme des spanischen Klerus am Basler Konzil „auffallend von den Herrschenden abhing“ (Lehmann), kann also nicht verwundern. Man hat Inkorporationen aus 28 der 30 spanischen Bistümer mit einer nach Süden hin deutlich abfallenden Frequenz festgestellt[223]. Regionale Studien fehlen beinahe gänzlich[224].

Nicht zuletzt deutsche Gelehrte haben sich der spanischen Kirchengeschichte gewidmet[225], doch liegt jetzt mit der von R. GARCÍA-

---

[220] DLO 441.

[221] Literatur zu den genannten Personen s. 440 f., 444.

[222] Zur politischen Geschichte hier nur als Auswahl: Das von R. MENÉNDEZ PIDAL herausgegebene Monumentalwerk der HISTORIA DE ESPAÑA, XV: Los Trastámaras de Castilla y Aragón (1964); HILLGARTH, Spanish Kingdoms II, 88–125, zu den kirchlichen Verhältnissen; knapp DHEE II (1972) 1136 f.

[223] LEHMANN 112 f. Die Zahl von insgesamt 141 Inkorporationen aus Spanien dürfte allerdings bei weitem zu niedrig sein; BILDERBACK, Proctorial Representation 149 f. zählt (bis 1443) allein für Aragón 176, GOÑI GAZTAMBIDE, Historia III 1, 79 für Kastilien 130 Inkorporationen.

[224] Bei GOÑI GAZTAMBIDE, Obispos de Pamplona, zu Basel lediglich 478–80 (519–21 der Buchausgabe).

[225] S. GAMS, Kirchengeschichte von Spanien I–III (1862–1879) darin III 1, 406–19: Prosopographische Angaben zu prominenten Konzilsteilnehmern. Besonders zu nennen sind die spanischen Forschungen von HEINRICH FINKE und JOHANNES VINCKE. Vgl. den Forschungsüberblick von VONES, Schwerpunkte (1984). Ferner FINK, Martin V. und Aragon; BAUER, Konkordatsgeschichte (die Zeit des Basler Konzils kommt in der Schilderung der Vorgeschichte des Konkordats von 1482 nicht vor). Posthum erschien die bedeutende Arbeit von KÜCHLER, Finanzen (1983).

VILLOSLADA herausgegebenen ‚Historia de la Iglesia en España' ein spanisches Standardwerk mit entsprechender Würdigung des Basiliense vor[226].

a) Aragón

Alfons V. von Aragón (1416–1458) ist von jeher als Prototyp des Fürsten angesehen worden, der das Konzil in kühler Realpolitik als Druckmittel benutzte, um ganz andere Ziele zu erreichen, nämlich Eugen IV. zu zwingen, ihn statt René d'Anjou mit Neapel zu belehnen. Allerdings hebt sich Alfons gerade durch seine kaum verbrämte Offenheit und die Massivität der Methoden aus dem Kreis der übrigen Fürsten heraus. Die Zusammenhänge sind weitestgehend bekannt: Der Tod Johannas II. von Neapel (1435) eröffnete eine neue Runde in der Auseinandersetzung zwischen Anjou, Aragón und der Kurie um die Herrschaft in Süditalien und hatte somit Konsequenzen von europäischer Bedeutung. Alfons V. wählte unter den ihm offenstehenden Optionen, nämlich der „kontinental-iberischen", der „imperial-mediterranen" und der „kontinental-italienischen"[227] von Anfang an die letztere, nachdem Sizilien und Sardinien als früher erworbene Brükkenköpfe die Könige von Aragón ja schon längst in die italienische Politik eingebunden hatten. Während des achtjährigen Kampfes um Neapel und vollends nach seinem Sieg wurde Alfons V. zu einem italienischen Fürsten, etablierte aber zugleich für mehrere hundert Jahre eine aragonesisch-spanische Herrschaft über Süditalien. Ein wesentlicher Faktor dieser inneritalienischen Stabilisierung war das nach der Seeniederlage und Gefangenschaft bei Ponza (1435 VIII 5) so geschwind geschlossene Bündnis des Aragonesen mit Mailand (1435 X 8) gegen Eugen IV., Genua und Florenz[228]. Das koordinierte, wenngleich

---

[226] Daraus Bd. III 1: La Iglesia en España de los siglos XV-XVI, darin 25–117: GOÑI GAZTAMBIDE, Presencia de España en los concilios generales del siglo XV, zu Basel 77–100 (zit. künftig: Historia III 1). – Im übrigen s. die konzise Einführung bei DLO 431–47. Den Aufsatz von MAURICIO, Os embargos de Espanha no concilio de Basilea (1931), habe ich nicht gesehen. Viel handschriftliches und prosopographisches Material zu spanischen Konzilsteilnehmern in: BELTRÁN DE HEREDIA, Cartulario I, vor allem 286–99, 314–409, sowie im unentbehrlichen REPERTORIO de historia de las ciencias eclesiásticas en España I–VI. Für die Zeit vor 1430 Fundgrube bei PUIG Y PUIG, Pedro de Luna.

[227] Nach DUPRÉ-THESEIDER, Politica italiana 137. – Für die dritte Option schiene mir der Terminus „mediterran-italienisch" treffender.

[228] Das Basler Konzil setzte sich übrigens für die schonende Behandlung der Gefangenen ein; CB III 485. Statt Spezialstudien s. COGNASSO, Ducato visconteo 311–14, sowie die im folgenden genannte Literatur.

stets von Finten und Mißtrauen begleitete Vorgehen der beiden Fürsten in Italien und ihrer Gesandtschaften auf dem Basler Konzil, das
auch in der Literatur vielfach beobachtet wurde, zeigt die Verflechtung von kirchlicher und weltlicher Politik. Die Forschung hat der Italienpolitik Alfons' V. mehrfach ihre Aufmerksamkeit geschenkt,
beginnend mit dem posthum veröffentlichten, immer noch nicht
ersetzten Monumentalwerk von JOSÉ AMETLLER Y VINYAS (1903–28),
einem Arzt aus Gerona[229]. Hatte dieser noch versucht, die politischen
Ereignisse in Italien in positivistischer Weise synchron mit der
Geschichte des Basiliense zu berichten, trat Basel in späteren Darstellungen der Geschichte Alfons V., abgesehen von HALLER[230], ganz
zurück[231] Man bleibt daher immer noch auf die Dissertation von
EDUARD PREISWERK (1902) angewiesen, die zwar materialreicher ist als
ihr Titel sagt, aber die aragonesische Konzilspolitik ganz aus der Perspektive des Basler Schauplatzes betrachtet und in vielerlei Hinsicht
revisionsbedürftig erscheint.[232]

Kurz die Grundzüge der aragonesischen Konzilsära: Der Zusammenhang mit der neapolitanischen Frage ist allzu evident. Erst als
1436 Eugen IV. unter französischem Druck die Belehnung des René
d'Anjou vorbereitete (1436 II 23) und Frankreich dessen Befreiung
aus burgundischer Gefangenschaft ausgehandelt hatte (November
1436), andererseits aber ein eigenes militärisches Eingreifen der Kurie
(Vitelleschi) in Neapel sich abzeichnete, änderte Alfons V. seine
zunächst eher distanzierte Haltung gegenüber Basel und zog mit

---

[229] AMETLLER Y VINYAS, Alfonso V de Aragón en Italia y la crisis religiosa del siglo XV, I–
III; zur Italienpolitik und zum Basler Konzil: I 307–488, II 1–496 passim; wichtig der für
die Geschichte des Basiliense wohl nochmals ganz zu sichtende Quellenanhang in III
503–693, v.a. 535 f., 573–77, 607–31, 637–39, 652–54. Bedauerlich ist das Fehlen
eines Namensregisters.
[230] S. HALLER, Belehnung.
[231] FARAGLIA, Storia della lotta; Giovanna II., ab 175 passim; Historia de España, Hg. R.
MENÉNDEZ-PIDAL, XV 373–434, 697–746. – DUPRÉ THESEIDER, Politica italiana, zu Basel
86–89, zum Teil fehlerhaft; RYDER, Politica italiana de Alfonso; Kingdom of Naples
under Alfonso the Magnanimous (rein innenpolitisch); PONTIERI, Alfonso V (1960);
Alfonso il Magnanimo (1975), zu Basel 93 f. DBI 2 (1960) 323–31; LexMa I, 401-03.
[232] PREISWERK, Der Einfluß Aragons auf den Prozeß des Basler Konzils gegen Papst
Eugen IV., darin 83–99 Quellen. Gute Zusammenfassung des Themas bei KÜCHLER, Alfons V. von Aragon und das Basler Konzil (1964), sowie, in der Forschung kaum wahrgenommen, bei FOIS, Valla 296–324, mit guten Zitaten. Zuletzt GOÑI GAZTAMBIDE, in:
Historia III 1, 86–100. Vgl. ferner: VALOIS II 5–17, 148–58, 277–89; PASTOR I 286–90,
338 f.; DLO 280, 284 f., 440 f.; STIEBER 60–62, 194–97. – Vgl. zur Neapelfrage von französischer Seite oben 208-11, 215.

Frankreich gleich, um sich „aus dem Konzil eine nicht minder scharfe Waffe gegen den Papst schmieden" zu können (Preiswerk). Zwei Hebel wurden in Bewegung gesetzt: ideologischer und politischer Druck in Basel durch königliche Gesandte und Zwangsmobilisierung des aragonesischen Klerus.

Die Gesandtenpolitik Alfons' V. läßt sich vielleicht nuancierter betrachten als bisher üblich. Der König hatte das Konzil selbstverständlich nicht erst 1436 entdeckt, sondern war bereits seit Januar 1433 durch einen Beobachter, seinen Almosenier, den Zisterzienser Bernhardus Serra[233], in Basel vertreten und – wie die Korrespondenz der beiden belegt – gut über die dortigen Vorgänge informiert[234].

Serra blieb offensichtlich auch nach Eintreffen der neuen Gesandten der eigentliche Koordinator im Hintergrund. Die neuen Leute[235] bildeten keine pompöse Hofgesandtschaft im Stile der englischen oder burgundischen. Es waren auch keine erfahrenen Berufsdiplomaten, sondern farbige Persönlichkeiten, die vor allem wegen ihrer Gelehrsamkeit berühmt waren und daher wohl den gewünschten Eindruck in Basel zu erzielen versprachen: Niccolò Tudeschi[236], führender Kanonist seiner Zeit und mit königlichem Plazet seit 1434 Erzbischof von Palermo; der Kanonist Juan de Palomar[237], seit 1431 auf dem Konzil in der Hussitenfrage tätig und ganz und gar die

---

[233] Zu ihm AMETLLER Y VINYAS I–II (wie oben Anm. 229), der im wesentlichen die Instruktionen Alfons' V. an Serra und andere auswertete; GOÑI GAZTAMBIDE, Conciliarismo 419 f.; PREISWERK, Einfluß Aragons 10 f., 18, 54, 73 usw.; RYDER, Kingdom 86 Anm. 208; SETZ, Valla 49 und 68. Zu Serras Bericht über die Immaculata-Conceptio-Verhandlungen in Basel (ca. 1438/39) s. MASOLIVIER, Papa. Genauere prosopographische Studien sind mir nicht bekannt. Hinweis auf eine Predigt in Basel (1436 V 20) bei VALOIS II 17 Anm.; ROM Bibl.Vat. Ms. Palat. 226–228, 603 f. Ein weiterer Sermo von 1433 I 30 bei Martène-Durand VIII 206C–212B (= Mansi XXX 200E–205D); s. CB II 330 Z. 13–16. Eine Fülle weiterer unedierter Konzils-Sermones (Hss. BASEL, DOUAI etc.; Hinweis E. Meuthen) zeigt, daß Serra in Basel nicht ohne Bedeutung war.

[234] Eine Äußerung Alfons' aus einem Schreiben an seine Oratoren in Basel (1437 VI 9) dürfte nicht nur für seine Person, sondern für fürstliches Interesse generell typisch sein: *Et nichil est quod vos maiore cura atque studio procurare debeatis quam, quantum in vobis est, honorem nostrum augere* (bzw.) *. . . quam ut honoris nostri sitis zelones*; AMETLLER Y VINYAS III 615.

[235] Inkorporation im Dezember 1436; CB IV 345 f. Vgl. VALOIS II 15–17.

[236] Lit. zu *Tudeschi* im wesentlichen unten 440. Anm. 93. Zur politischen Tätigkeit in Basel: SCHWEIZER, Tudeschi; BLACK, Council 92–95; FOIS, Valla 317 f. Ab 1433 III 7 weilte er bereits einmal kurz als päpstlicher Gesandter in Basel; MC II 335.

[237] Das Fehlen von Studien zu *Palomar* ist bedauerlich. Seine Rolle in der aragonesischen Politik, auch vor 1431, und vor allem sein theoretisches Werk harren noch genauerer Erschließung: vgl. unten 444 Anm. 106; GOÑI GAZTAMBIDE, Conciliarismo 915–19.

rechte Hand Cesarinis, mit dem er das Konzil im Januar 1438 verließ, war offenbar kein treuer Gefolgsmann Alfons' V. Johann Pesce, Bischof von Catania und, die erstaunlichste Wahl, der jugendlich brilliante Legist und Kurialbeamte Lodovico Pontano[238]. Es scheint kein Zufall zu sein, daß zwei so schillernde, vielleicht gerade wegen ihrer Ähnlichkeit ständig rivalisierende Persönlichkeiten wie Tudeschi und Pontano in den folgenden Jahren Aragón auf dem Konzil maßgeblich vertraten. Als die *duo orbis sydera*[238a] bezeichneten sie nach Enea Silvio die Zeitgenossen in einem Bild, das sowohl das Dioskurische wie das Opposite ihrer Beziehung zu treffen scheint. Zu eitel und zu sehr als Juristen und Theoretiker in den Problemen des Konzils engagiert, um als bloße Funktionäre ihres Fürsten zu agieren – und doch immer wieder gerade dazu gezwungen –, in Person und Werk brüchereich bis an die Grenze des Opportunismus, wechselten beide auch in Basel mehrmals ihren Kurs, wobei Tudeschi wohl ernster um die Entscheidungen rang als sein junger Kollege; doch immer erregten sie als Nebeneffekt das Aufsehen, dessen die aragonesische Politik bedurfte.

Die Methoden, mit denen Alfons V. den Klerus seiner Länder unter Druck setzte, überstiegen nach Ansicht der Forschung (KÜCHLER)[239] das bei anderen Fürsten anzutreffende Maß: Er befahl, unverzüglich das Basler Konzil zu beschicken, zwang sogar die aragonesischen Kurialen, von Rom nach Basel zu gehen, und drängte massiv darauf, die Basler Dekrete durchzusetzen.[240] Weigerungen begegnete er nach der Art einiger Vorgänger in der Zeit des Großen Schismas mit Pfründensperre und Benefizienentzug. Die entsprechenden königlichen Schriftstücke sind Paradebeispiele politisch instrumentalisierter Konziliar-

---

[238] Auch für *Pontano* ist die Literaturlage dürftig. Zu ihm einzig FALCONE, Lodovico Pontano, vornehmlich auf MC und CB gestützte Herausarbeitung der „ambiguità" des jungen Mannes, der im Grunde erst nach der Absetzung Eugens IV. ganz auf konziliaristischen Kurs schwenkte – und wenige Wochen später an der Pest starb. Vgl. AMETLLER Y VINYAS III 356 f.; VALOIS II 414 s.v. ‚Pontano', sowie unten 445. Eine große Rede P's: Mansi XXIX 534–557c. - 1438 hatte Pontano einen Auftritt vor der Kölner Universität: KEUSSEN, Regesten 89, Nr. 668 und 670; RTA XIII 406 und 567–69 nr. 299. S. zuletzt A.G. WALSH, in: The Universities in the Late Middle Ages, Hg. IJSEWIJN-PAQUET, 63. In den nachfolgenden Jahren wurden als Gesandte nachnominiert: Georg von Ornos, Bischof von Vich; Martin von Vera; Juliàn von Tallada, Bischof von Bosa; Odo von Moncada, Bischof von Tortosa, unter Felix V. Kardinal, ebenso wie Ornos.

[238a] Bullarium Romanum V, 176 (Retraktationsbulle 1463 IV 26). Vgl. auch Briefwechsel II, ed. WOLKAN, 193 f.

[239] Dazu KÜCHLER, Alfons V. 137–46; GOÑI GAZTAMBIDE, Historia III 1, 89 f. Zu den Ereignissen: PREISWERK, Einfluß Aragons 3–17; STIEBER 61 Anm. 3. – Ähnlich war Alfons schon 1424–29 gegenüber Martin V. verfahren.

[240] Texte bei AMETLLER Y VINYAS III 607–13 (1437 X 31 und X 15).

und Reformrhetorik[241]. Der Effekt blieb nicht aus: In großer Zahl strömten Aragonesen nach Basel. Von insgesamt 176 Inkorporationen fielen 130 in die Jahre 1437–40[242]. Sie veränderten die Kräfteverhältnisse auf dem Konzil beträchtlich.

Die Konzilsereignisse in den Jahren 1437–1439 wurden – die Forschung läßt keinen Zweifel – nicht unwesentlich vom Aktionismus der Gesandten Aragóns und Mailands (Pizolpasso) bestimmt. Man sperrte sich gegen eine Translation des Konzils nach Avignon und suchte die Versammlung aus durchsichtigen Gründen für eine Stadt in mailändischem Gebiet zu gewinnen, was allerdings in gewissem Sinne, als Ort in Italien, auch Eugen IV. entgegengekommen wäre. Nach der Spaltung des Konzils wirkten Aragón und Mailand zunächst vehement für Monitorium, Kontumazerklärung und Suspension durch das Konzil, argumentierten aber am Ende doch im Verein mit den anderen Fürsten gegen die letzte Konsequenz des konziliaren Prozesses, die Absetzung Eugens IV. Vor allem auf Tudeschi lastete die unangenehme Aufgabe, diesen Standpunkt in den tumultuösen Sitzungen des Jahres 1439 mit Hilfe seines kanonistischen Beweisarsenals zu vertreten[243].

Felix V. wurde nicht anerkannt, der Gesandtschaftsaustausch[244] mit dem Savoyer blieb letztlich ergebnislos. Alfons ließ zwar 1441 seinen Sohn Ferrante durch Felix V. anerkennen[245], entscheidend konnte der

[241] Besonders genannt wird das Rechtfertigungsschreiben gegen die Beschwerden Eugens IV.: ed. DÖLLINGER, Beiträge II 403–13; vgl. VALOIS II 15 f., und vor allem FOIS, Valla 314–24. Bei KÜCHLER, Alfons V. 142 f., Zahlen über die beträchtlichen Einnahmen der Krone aus sequestrierten Benefizien.

[242] BILDERBACK, Proctorial Representation 150; vgl. LEHMANN 113 f. Ein Anwachsen der Spanier am Beispiel der Rotarichter beobachtet MEUTHEN, Rota 484. – Zur Situation in der spanischen Konzilsnation: LAZARUS 178–80; PREISWERK, Einfluß Aragons 29–39, 44 f. Das Verhältnis der Aragonesen zu den übrigen, überwiegend papstfreundlichen Spaniern wäre genauer zu untersuchen.

[243] Die Ereignisse sind in allen einschlägigen Büchern wiedergegeben. S. PÉROUSE, Aleman 270–85; PREISWERK, Einfluß Aragons 70–77; VALOIS II 148–58, 167 f.; SCHWEIZER, Tudeschi 112–30; FALCONE, Pontano 16–19; GOÑI GAZTAMBIDE, in: Historia III 1, 96–99.

[244] Genauer bekannt ist von seiten des Konzils die Reise Georgs von Saluzzo, Bischofs von Lausanne, zu Alfons V. von Oktober 1440–Frühjahr 1441 durch WAEBER, Georges de Saluces, mit Abdruck der Legationsbulle und der vorbereiteten Rede des Gesandten (BASEL Univ. bibl. E I k f.113–118), die in Kurzfassung die konziliaren Legitimitätsargumente aufführt. – Die bei VALOIS II 277 Anm. 3., erwähnte Pariser Hs. scheint einen ähnlichen Text zu enthalten; PARIS Bibl. Nat. lat. 1500 f. 8–28.

[245] AMETLLER Y VINYAS II 438. – Dabei kam es zu jenem Auftritt des Humanisten Ugolino Pisani vor Felix V., mit einem Panegyricus auf den Gegenpapst und auf seinen Herrn Alfons V.; s. ZACCARIA, Decembrio 204 f.; VITI, Ugolino Pisani. Vgl. oben 171.

ihm in der neapolitanischen Sache dann doch wenig nützen; der König fühlte daher auch immer wieder bei Eugen IV. vor. Als dieser jedoch an René d'Anjou festhielt, setzte Alfons wieder massiv auf Basel und bot, wie schon 1437, an, den Kirchenstaat für das Konzil zu erobern[246]. Die Ernsthaftigkeit des Angebots erscheint allein schon zweifelhaft, wenn man die Höhe der damit verbundenen Geldforderungen betrachtet. Interessanterweise schreckten die Basler offenbar davor zurück, Alfons kraft Autorität des Konzilspapstes mit Neapel zu belehnen, sondern blieben hier ausnahmsweise neutral. Man darf annehmen, daß dies weniger aus lehnsrechtlichem Legitimismus als mit Rücksicht auf Frankreich geschah[247].

In diesem Zusammenhang ist ein Wort zu Lorenzo Valla und sein berühmtes Werk ‚De falso credita' zu sagen, das ca. 1440/41 entstand: Hat der Humanist in aragonesischem Dienst die Konstantinische Fälschung in politischer Absicht entlarvt? Die Forschung urteilt kontrovers: Während seinerzeit schon Voigt und zuletzt wieder Fois (1969) in der Schrift ein politisches Mittel gegen Eugen IV. sahen und in Alfons V. den Auftraggeber vermuteten, schwächte Setz (1975) die Brisanz stark ab und erklärte, Valla habe in gängiger Humanistenmanier ein „in erster Linie rhetorisch-literarisches Werk" schreiben wollen[248]. Eine Entscheidung fällt schwer, da für beide Positionen beachtliche Argumente sprechen: Für die erste sprechen gewisse Parallelen zwischen früheren diplomatischen Schreiben Alfons' V. und Reden der aragonesischen Gesandten 1439 in Basel mit dem Wortlaut bei Valla sowie die zeitliche Koinzidenz der Schrift mit der antieugenianischen Politik Aragóns. Die zweite Position wird besonders durch die Tatsache plausibel, daß die Schrift kaum verbreitet wurde, was angesichts der sonst üblichen Propagandamethoden Alfons' V. verwundert.[249] Wir

---

[246] Vgl. AMETLLER Y VINYAS II 157–60, 348–64, 578, 618, 624; DLO 284 f.; ECKSTEIN, Finanzlage 90; FOIS, Valla 311 f. – Derartige Eroberungsangebote Mailands und Aragóns behalten sämtlich einen obskuren Zug und sollten einmal gesondert untersucht werden. Vgl. PREISWERK, Einfluß Aragons 46–51.

[247] PÉROUSE, Aleman 258, wies mit Recht auf den Umstand hin, daß Aleman, die treibende Kraft der Basler, als provençalischer Prälat Untertan der Anjou war!

[248] VOIGT, Wiederbelebung I³ 469 f.; FOIS, Valla 296–345, („fu scritta su richiesta di Alfonso" (324), ähnlich 297 f., 318, 321); SETZ, Valla 24–32, 59–78, besonders 65–70, Zitat 85; vgl. 65: „nicht Mittel zu einem politischen Zweck".

[249] Die Instruktion Alfons' V. an seinen Gesandten Juan Garcia (1436 X 9), wo angeblich acht von zwölf Paragraphen mit solchen aus ‚De falso credita' übereinstimmen; ed. FOIS, Valla 346–50. Zu Kernstellen der Reden Tudeschis und Pontanos zum ‚Monitorium' (MC II 1010-1013) s. FOIS 318-24. Vgl. die Argumente bei SETZ, Valla 67-69.

müssen die komplizierte Frage nach Zielen und Motiven der Schrift hier abbrechen. Ebenso interessant wäre es, stattdessen die Diskussion um das ‚Constitutum Constantini' in Basel selbst zu verfolgen. Hier hatte bekanntlich schon Jahre vor Valla Nikolaus von Kues in seiner ‚Concordantia catholica' die Fälschung aufgedeckt und der Humanist Leonardo Teronda in seinen ans Konzil gerichteten Denkschriften scharfe Kritik am Inhalt des ‚Constitutums' geübt.[250] Nur: Spielte das ‚Constitutum' in der konziliaristischen Polemik allgemein eine Rolle? – zumal sich Lorenzo Valla persönlich vom Basler Konzil distanzierte[250a]. Ist schließlich doch alles ein Problem der Humanistenexistenz? Humanisten, die als Politiker und Kanzlisten in fürstlichen Diensten schrieben, waren zu dieser Zeit ja beileibe nichts Ungewöhnliches. Beispiele, wie sie dabei auch mit dem Konzil in Berührung kommen konnten, haben wir in einem der oberen Kapitel (III 9) vorgeführt.

Kurzum: Die Geschlagenen waren am Ende René d'Anjou und die Basler. Auf die militärische Entscheidung (Alfons eroberte am 12. Juni 1442 Neapel; René floh nach Florenz, wo er jetzt – Ironie kurialer Politik – die seit sechs Jahren hinterlegten, nunmehr bedeutungslos gewordenen Belehnungsurkunden erhielt), folgte sehr bald die politische: Die italienischen Mächte, darunter die Kurie, trugen den neuen Machtverhältnissen Rechnung. In einem ‚Wechsel der Koalitionen' verbündete sich Eugen IV. mit Mailand und Neapel gegen den Störenfried Francesco Sforza (1442 VI 30). Noch im April 1443 hatte Alfons intensiv mit Felix V. verhandeln lassen! Aber schon kurz darauf brachte ihm der Vertrag von Terracina vom 14. Juni 1443 die Belehnung durch Eugen IV. und diesem die Anerkennung als *unicus et indubitatus pontifex* sowie beträchtliche Geldsummen seitens Aragóns ein[251].

---

[250] Auf Nikolaus von Kues – hat er Valla beeinflußt? – kann hier nicht eingegangen werden; vgl. SETZ, Valla 24–29 mit Lit. - Zu *Teronda* s. VALOIS II 97–103; LAEHR, Konstantinische Schenkung 155 f.; BILLANOVICH, Teronda; SETZ, Valla 30–32. – Bei LAEHR weitere Angaben, zum Beispiel zu Palomar (149–51) und Enea Silvio (168–70), der das ‚Constitutum' 1436 in Basel verteidigte! S. auch MAFFEI, Donazione 297-312.

[250a] S. v. a. den Brief an Kardinal Trevisan (1443 XI 19); Epistolae, ed. BESOMI–REGOLIOSI Nr. 22, 246-48. Valla hatte via Basel zwei Benefizien erhalten; vgl. FOIS, Valla 172–74.

[251] Zum Gesamtkomplex der italienischen Politik 1442/43: COGNASSO, Ducato Visconteo 346–55; VALOIS II 277–89; STIEBER 193–97. Text des Vertrags von Terracina: AMETLLER Y VINYAS II 470–72; vgl. MC III 1330–34. Dazu RYDER, Kingdom 33 ff.; BAUER, Konkordatspolitik 80 ff.; DUPRÉ THESEIDER, Politica italiana 91 f.; GOÑI GAZTAMBIDE, in: Historia III 1, 99 f. – Zu den noch wenig erforschten Konkordatsverhandlungen des Jahres 1451 s. SCHWARZ, Abbreviatoren 253 f.

Damit war das Konzilsbündnis aus italienpolitischem Kalkül überflüssig geworden. Seitdem gerierte sich Alfons V. „come un principe
della controriforma" (Fois). Am 4. August 1443 mußten die aragonesischen Gesandten, darunter Tudeschi und zwei weitere Kardinäle des
Gegenpapstes, Basel verlassen[252], für die Synode ein überaus schmerz-
licher Aderlaß. Die Straße der Niederlage wurde abschüssiger.

b) Kastilien

Kastilien-Leon unter dem relativ schwachen König Johann II.
(1405–1450), dem seit 1425 auch Navarra durch Personalunion verbunden war, versuchte ein ‚équilibre difficile‘ – zwischen den politisch
ungleich aktiveren Mächten Aragón und Frankreich zu halten, wobei
man sich enger an Frankreich, aber auch an die Kurie anlehnte. Dies
wird auch in der vorsichtigen Konzilspolitik deutlich, die vor allem
LUIS SUÁREZ-FERNÁNDEZ (1960), wenngleich wohl noch nicht erschöpfend, erschlossen hat[253]. Der zögerliche Herrscher geriet unter Druck
der rivalisierenden Gesandtschaften Eugens IV. auf der einen, Frankreichs und des Konzils auf der anderen Seite. Eine entscheidende,
allerdings immer noch nicht völlig entwirrte Rolle spielten dabei die
Kardinäle Ram und Carrillo, die 1432 als päpstliche Gesandte nach
Kastilien geschickt wurden, dann aber in enger Abstimmung mit
Frankreich (Pläne um Avignon!) auf die Seite der Basler traten, Carrillo
nun gar als offizieller Gesandter Johanns II.[254] Dieser war seit dem 30.
August 1432 durch einen Beobachter, den Theologen Torquemada,
in Basel vertreten[255]. Erst am 2. September 1434 traf eine Groß-
gesandtschaft unter Leitung des Dekans von Segovia und Compo-

---

[252] MC III 1326–30; VALOIS II 283; PÉROUSE, Aleman 409–11.

[253] SUÁREZ FERNÁNDEZ, Castilla, el cisma y la crisis conciliar (1378–1440); zu Basel
107–41, wertvoll der Quellenanhang Nr. 116–181. Zur kastilischen Konzilspolitik ferner: Historia de España, Hg. MENÉNDEZ-PIDAL XV 135–43; GOÑI GAZTAMBIDE, in: Historia III 1, 79–86; DLO 235, 432 Anm. 3, 441; VALOIS II 392 s.v. ‚Castille‘, 404 s.v. ‚Jean II‘;
BELTRÁN DE HEREDIA, Embajada de Castilla (1972). Am Rande: LAURENT, Ambassadeurs
du roi de Castille; RIESCO TERRERO, Intervencio conciliarista de Juan II (unergiebig,
rein lokal).

[254] Bei SUÁREZ FERNÁNDEZ, Castilla 109 f., lediglich Andeutungen. Vgl. DLO 235 Anm.
34. Ernennung Carillos zum kgl. Prokurator: SUÁREZ FERNÁNDEZ, ebd. 343 Anm. 121. Zu
Carrillo die oben 118 genannte Lit. – Eine Schlüsselrolle in der kastilischen Diplomatie
spielte der spätere Kardinal *Juan de Mella*, ein Vertrauter Eugens IV.; BELTRÁN DE HERE-
DIA, Cartulario I, 500–28, vor allem 510 f. – Seine Rede vor dem Konzil (1433 III 7) bei
Mansi XXX 495C–498C. Ferner: IZBICKI, Notes 49–53.

[255] CB II 203 Z. 30 f.; MC II 216.

stela, seit 1435 Bischofs von Burgos, Alfonso García de Santa Maria (=
de Cartagena) und des Alvaro de Isorno, Bischofs von Cuenca, ein[256].
Jener ebenso gebildete „premier humanista español" (Goñi Gaztambide) wie geschickte Politiker spielte auf dem Konzil eine ungleich
wichtigere Rolle als die (nichtspanische) Forschung bisher erkannt
hat. Das Interesse an ihm ist allerdings zur Zeit erstaunlich rege. Eine
moderne Biographie ist mir nicht bekannt[257].

Aus dem Bereich ‚Kastilien und Basler Konzil' sind zwei Themen
auf größeres Interesse der Forschung gestoßen: 1) der vor allem für die
Analyse früher ‚nationaler' Argumentationen sehr aufschlußreiche
Rangstreit zwischen Kastilien und England (September-Oktober
1434)[258], in dem die Kastilier mit französischer Rückendeckung
siegten; 2) die auch völkerrechtlich schwierige Auseinandersetzung
Kastiliens mit Portugal um Besitz und Missionierung der Kanarischen

---

[256] Zur 8-köpfigen Gesandtschaft (darunter Rodrigo Sánchez de Arévalo) und ihrer
Zusammensetzung: SUÁREZ FERNÁNDEZ, Castilla 111–13; BELTRÁN DE HEREDIA,
Embajada 11; LEHMANN 268. – CB III 192 Z. 37–39, 193 Z. 31–37, 232-34 (Inkorporation
1434 X 22). Zu *Alvaro de Isorno*: BELTRÁN DE HEREDIA, Cartulario I 344–53; GOÑI GAZTAM-
BIDE, in: Historia III 1, 79, zählt insgesamt 130 inkorporierte Kastilier.

[257] Die Literatur zu *Al(f)onso García de Santa Maria* ist versprengt und wenig bekannt: S.
DHEE I (1971) 366 f. (Lit.); REPERTORIO 1 (1967) 288 f.; Repertorium Fontium II 196 f.;
LexMa I 408; DHGE 19 (1981) 1208 f. – Ferner: GAMS, Kirchengeschichte Spaniens III
409 f.; DLO 235, 436; SUÁREZ FERNÁNDEZ, Castilla 453 s.v. ‚Garcia de Santa Maria'; ebd.
418–25 (Nr. 173): Rede vor Kg. Albrecht II.; BELTRÁN DE HEREDIA, Cartulario I, 318–33;
HERNÁNDEZ MONTES, Biblioteca 99 (Nr. 64), 250-52. -SERRANO, Conversos, zu Basel 135–
37; CANTERA BURGOS, Alvar Garcia 416–64. Pablo de Santa Maria, Alonsos Vater, war
konvertierter Jude. Alonsos Rolle beim Zustandekommen des Basler Judendekrets
(1434 IX 7) scheint nicht ganz geklärt zu sein. – S. ferner TATE, ‚Anacephalosis'. Der überwiegende Teil des Buchs von DI CAMILLO, Humanismo Castellano, ist Alonso García
gewidmet; KOHUT, Beitrag der Theologie; zu Alonso de Santa Maria und Alonso de
Madrigal (el Tostado), besonders 186–88 Literatur. – Zur sog. ‚controversia Alphonsiana',
Garcias Streit mit Leonardo Bruni um dessen Aristotelesübersetzung, bei dem das Basiliense als ‚Forum' fungierte, s. oben 171.

[258] Dazu, neben den Handbüchern: BELTRÁN DE HEREDIA, Embajada de Castilla passim;
SUÁREZ FERNÁNDEZ, Castilla 115–20, 347–55 (Nr. 124–127); FERNÁNDEZ PONSA, Preeminencia de España (sic!) sobre Inglaterra 406–08 (Druck der Konzilsbulle von 1436 VII
27). Die entscheidenden Reden der Kastilier hielt Alonso García de Santa Maria; dazu s.
unten 325.

[259] Dazu SUÁREZ FERNÁNDEZ, Castilla 123–25; DLO 281; DE WITTE, Bulles pontificales;
MULDOON, Theory of Just War (mit Gutachten Rosellis). Gutachten des Alonso García de
Santa Maria s. REPERTORIUM FONTIUM II 196 (Hss. und Ed.). Speziell zu den Basler Ver-
handlungen weitere Arbeiten von SUÁREZ FERNÁNDEZ: Relaciones entre Portugal y
Castilla 244–72 (Rede des Alonso García de Santa Maria); Cuestión de las Canarias; Cue-
stión de derechos castellanos (die letzten Titel waren mir nicht zugänglich); PILATI,
Chiesa e stato 348 f., 355, 369 f.

Inseln (1434–38). Sie wurde allerdings fast ausschließlich in der spanischen und portugiesischen Forschung behandelt.[259] Es ist für die politische Grundorientierung der beiden iberischen Mächte bezeichnend, daß das Konzil nur einen Nebenschauplatz bildete und die diplomatischen Hauptaktivitäten in Bologna vor Eugen IV. stattfanden. Er war es auch, der mit der Bulle ‚Romanus Pontifex‘ (1436 IX 15) eine Entscheidung – zugunsten Portugals – fällte, die nach einem längeren Epilog schließlich akzeptiert wurde[260]. Als die Kastilier ihre Ansprüche erneut vor das Konzil trugen (Mai 1438), enthielt sich dieses „temeroso" eines Urteils, sondern forderte zum Frieden auf[261].

In den kritischen Jahren des Basler Konzils 1437–39 drängte Kastilien im Verein mit anderen Fürsten auf Mäßigung, wandte sich gegen Suspension und Absetzung Eugens IV. und zog konsequenter als andere Staaten seine Gesandten am 29. Juli 1439 ab, nachdem sie noch an der Gemeinschaftsmission mehrerer Fürstengesandtschaften ins Reich teilgenommen hatten[262]. Bereits 1436 hatte König Johann II., dessen papsttreue Haltung sich längst abzeichnete, günstige Patronatsprivilegien von der Kurie erhalten. Ein förmliches Konkordat kam bekanntlich erst 1482 mit den spanischen Reichen zustande[263].

c) Portugal

Zur Konzilspolitik Portugals unter den Monarchen Johann I. (1385–1433), Duarte (1433–38) und Alfons V. (1438–81) gibt es keine eigene Studie[264]. Allerdings beurteilt man die portugiesische Haltung auch dahingehend, daß „nul pays ne traitera le concile de Bâle avec plus d'élégante désinvolture"[265]. In jeder Hinsicht war die Kurie für Portugal die eigentliche Orientierungsinstanz – man denke an den eben erwähnten Streit um die Kanarischen Inseln. Es verwundert daher nicht,

---

[260] Text: DE WITTE, Bulles pontificales 317 f.

[261] SUÁREZ FERNÁNDEZ, Castilla 124 f., 411 f. (Nr. 165). Von der Bulle Eugens IV. ist in der Wiedergabe der Konzilsverhandlungen nicht die Rede.

[262] Zusammenfassend: SUÁREZ FERNÁNDEZ, Castilla 127–41. Zu den Verhandlungen im Reich ferner: VALOIS II 145–47; STIEBER 150 f., 174, 181–83.

[263] Zum Privileg von 1436 (Bestätigung eines gefälschten Privilegs Urbans II.): SCHWARZ, Abbreviatoren 252 f.; DLO 441. Zum Konkordat von 1482: BAUER, Konkordatsgeschichte.

[264] S. daher DE ALMEIDA, História da igreja em Portugal 468–70. Ferner DLO 433, 441. – Eine etwas ausführlichere Darstellung aus dem 18. Jh.: PEREIRA DE FIGUEIREDO, Portuguezes aos concilios geraes ([1]1776, [2]1787), zu Basel 47–59. – Ferner sind die Arbeiten von A. DOMINGUES DE SOUSA COSTA heranzuziehen, der die Beziehungen Portugals zur Kurie aufarbeitet, z.B.: Atentátorias de liberdades.

[265] DLO 433.

daß Don Duarte sich als letzter der europäischen Monarchen im Dezember 1436 durch eine große Gesandtschaft inkorporieren ließ [266]. Die Gesandten hatten bezeichnenderweise zuerst Eugen IV. in Bologna ihrer Loyalität versichert, ehe sie nach Basel reisten. Während insgesamt über die Haltung des portugiesischen Klerus wenig bekannt ist, personalisierte sich gleichsam eine gewisse Spannung innerhalb der portugiesischen Geistlichkeit in der konträren Haltung zweier Bischöfe: Luis de Amaral, Bischof von Viseu, war überzeugter Konziliarist, Antão Martins de Chavez, Bischof von Porto, ebenso überzeugter Anhänger Eugens IV.[267] Der erste wurde 1437 Mitglied der Majoritätsgesandtschaft nach Konstantinopel, der andere bildete mit Pierre de Versailles und Nikolaus von Kues die Gesandtschaft der Minorität. In der historischen Sitzung des 5. Mai 1437 beteiligte sich Amaral an der Verlesung des Dekrets der Majorität, Chavez wählte die Gegenseite. Ein Kardinalshut Eugens IV. wurde ihm zum Lohn (1439 XII 18).[267a]

9. Italien

Über ‚Italien und das Basler Konzil' zu sprechen, heißt zunächst eines der größten Defizite unseres Forschungsbereichs einzuklagen: Die Geschichte der italienischen Mächte in Basel ist ebenso noch zu schreiben wie die des Konzils in der damals mehr denn je verwirrenden inneritalienischen Staatenpolitik. Der Forschungsstand erscheint in jeder Hinsicht unbefriedigend: Von einem einzigen Aufsatz über Venedig (NIERO) abgesehen, ist man im wesentlichen auf Pastor, Valois und ältere Handbücher angewiesen. Am schwersten wiegt das Fehlen jeglicher Spezialuntersuchung über Mailand, obwohl der Staat der Visconti zweifellos eine der Schlüsselmächte im Verlauf des Basiliense gewesen ist. Eine Sichtung der Literatur zur Geschichte der ita-

---

[266] MC II 925. Bei LEHMANN 270 Fehlanzeige. – Eine interessante Quelle für die Gesandtschaftsreise bildet das Tagebuch des Grafen von Ourem, eines Laienmitglieds der achtköpfigen Gesandtschaft: DIARIO de jornada que fez o Conde de Ourem ao Concilio de Basilea (1952).

[267] Zu Amaral: HALLER, Papsttum und Kirchenreform 493 f.; DE SOUSA COSTA, Bispos de Camego e de Viseu, in: Itinerarium 27 (1981) 42–57. Zu einem Besuch in Köln s. KEUSSEN, Regesten 89 Nr. 668 und 670; Stellung der Universität Köln 245 und 249. Zu Martins de Chavez: Mit Nikolaus von Kues in Konstantinopel, s. GILL, Council of Florence 448 s.v. ‚Martins'; A. REGOLIOSI, in: Italia medioevale e umanistica 12 (1969) 166 f. – Biographische Daten in: SYNODICON HISPANUM II: Portugal, 350 f., nach J.A. FERREIRA, Memórias archeologico-historicas da cidade de Porto, Braga 1923–24, II 23–32.

[267a] EUBEL, Hierarchia catholica II ², 8 Nr. 14.

lienischen Territorien und Stadtstaaten[268] ergab allenfalls spärliche Hinweise auf Basel, doch ist deswegen noch nicht auszumachen, ob dieses Bild den wirklichen Proportionen entspricht. Wichtiger noch wäre es, die ca. 260 italienischen Bistümer auf Konzilskontakte oder auf synodale Rezeption der Basler Dekrete durchzumustern und die keineswegs geringe Zahl italienischer Konzilsteilnehmer prosopographisch zu untersuchen[269]. Zweifellos wird ein solches Unternehmen durch die zum Teil noch unbefriedigende Situation der lokalen Kirchengeschichtsschreibung erschwert, worauf zuletzt DENIS HAY (1977) hinwies[270]. Verbreitung und Intensität des Konziliarismus bei Klerus und Universitäten Italiens werden in der Forschung traditionell gering eingeschätzt, statt dessen ist man von unzweifelhafter Papsttreue der großen Mehrheit des Klerus ausgegangen[271]. Indes wird man vielleicht auch diese Frage noch einmal neu und vor allem differenzierter beleuchten müssen. Die großen regionalen Unterschiede bei den Inkorporationen aus Italien, insbesondere das krasse Nord-Süd-Gefälle und die zeitliche Begrenzung von 3/4 der Inkorporationen auf die Jahre 1433–37 bemerkte schon LEHMANN[272]: 191 Inkorporationen aus Norditalien, mit Mailand weitaus an der Spitze, stehen (nach Lehmann) lediglich 33 aus Mittelitalien und Rom, einschließlich der Kardinäle, und 10 aus Süditalien und Sizilien gegenüber. Die Zahlen

[268] Aus der Vielzahl seien hier zur allgemeinen Orientierung nur als Standardwerke genannt: SIMEONI, Le Signorie, vor allem I 462–531, 686–91; sowie Bd. VI. der großen ,Storia di Milano': COGNASSO, Ducato Visconteo (1955), vor allem 248–383. Alles weitere zu Beginn der Unterkapitel. Zum Konstanzer Konzil gibt es immerhin den bescheidenen Ansatz von DIETERLE, Stellung Neapels (1915). Zu Basel nur: NIERO, Azione veneziana; und natürlich, noch keineswegs ausgeschöpft, das breite Material in RTA X–XVII.

[269] LEHMANN 109–12. Zur ebenfalls unzureichend erforschten italienischen Konzilsnation bisher nur LAZARUS 177 f. Über das Verhältnis der Humanisten zum Konzil s. oben Kap. III 9.

[270] HAY, Church in Italy, besonders 1–8; das Buch ist eine instruktive Einführung mit abundanten Literaturangaben (159–76).

[271] S. etwa STIEBER 60; HAY, Church in Italy IX; vgl. aber die Bemerkung bei FALCONE, Pontano 3. Zum harten Kern der Basler ,Konziliaristen' gehören in der Tat nur wenige Italiener, ja eigentlich bloß Tudeschi als Aushängeschild, und noch für kurze Zeit der versatile Pontano. Die gegenüber dem ,Konziliarismus' lange Zeit abstinente italienische Forschung weist mit FOIS und ALBERIGO jetzt führende Vertreter in diesem Gebiet auf; s. unten 428 f., 460.

[272] LEHMANN 109–13; Zahlen und Additionen dort sind wie immer mit Vorsicht zu benutzen. BILDERBACK kommt für die Zeit März 1432–August 1443 (gegenüber August 1442 bei Lehmann) auf 172 Inkorporationen, ohne die savoyischen Gebiete der Mailänder Kirchenprovinz, aber einschließlich Aquileias; dabei 47 Inkorporationen von Bischöfen, 59 von Äbten und nur 8 von ,parish priests'; BILDERBACK, Membership 203, 222 f., 232, 239.

bedürfen einer neuen Interpretation: Die weite Entfernung dieser Gebiete vom Konzilsort und die ‚päpstlichere' Einstellung der mittel- und süditalienischen Prälaten[273] können dafür nur erste Ansatzpunkte sein. Ein Bollwerk des Basiliense, soviel steht fest, ist Italien nicht gewesen. Dessen Anziehungskraft auf den italienischen Klerus beschränkt sich wesentlich auf die Zeit von 1433 bis 1437, also vor Eröffnung des Konzils im italienischen Ferrara.

Die politischen Verhältnisse Italiens sind durch ständige und verwirrende Fluktuationen bestimmt, die allerdings als krisenhaftes Präludium zu einer neuen Konsolidierung seit der Mitte des Jahrhunderts gewertet werden können. Kriege, Waffenstillstände und stets wechselnde Koalitionen nahmen kein Ende. Die Taktik der beteiligten Fürsten- und Stadtstaaten auf dem Konzilsforum in Basel, bzw. die Benutzung des Konzils als subsidiäres Druckmittel im inneritalienischen Machtkampf waren oft genug Reflexe dieser Ereignisse. Als relative, potentiell leicht reversible ‚Konstanten' lassen sich feststellen: Die Feindschaft Mailands mit Florenz einerseits, mit Venedig und dem Kirchenstaat – der damals einem Venezianer, Eugen IV., unterstand – andererseits, folgerichtig eine Koalition von Mailand, Savoyen und Aragón gegen Florenz, Genua, Venedig und den Kirchenstaat. Neue Unsicherheit entstand durch den Italienzug König Sigmunds (1431–33) und den geschickt auf eine neue Dynastiegründung hin taktierenden Condottiere Francesco Attendolo Sforza. Ein Blick auf die Literatur läßt es geraten erscheinen, sich auf die Staaten der späteren ‚Pentarchie' zu beschränken, da über das Verhältnis kleinerer Territorien wie Genua, Ferrara, Siena, Mantua, Rimini usw. zum Basler Konzil lediglich ein vorläufiges ‚non liquet' möglich ist[274].

Die aktive ‚Italienpolitik' des Konzils selbst verdiente bei all ihrem Illusionismus, der sich meist an nichtigen Versprechen italienischer

---

[273] LEHMANN 111.

[274] Weiterführende Recherchen sind zu wünschen, wobei das Ergebnis negativ, dafür aber gesichert ausfallen mag. Um jedoch ein Beispiel zu nennen: Sollte die entscheidende Rolle Carlo Malatestas von *Rimini* auf dem Konstanzer Konzil ohne jede Konsequenz für die Politik der Malatesta in den dreißiger Jahren gewesen sein? In dem rein inneritalienisch gehaltenen Buch von JONES, Malatesta, gibt es allerdings keine Hinweise; zur Zeit Eugens IV.: 172–97. –Hinweise auf Kontakte *Parmas* zum Basiliense in: STORIA DELLA CULTURA VENETA III 3, 17 f. –Aus der dreisten Kaperung der Konzilsflotte im genuesischen Chios (Dezember 1437) sucht COHN, Konzilsflotte 25, 41 f., auf eine konzilsfeindliche Haltung *Genuas* und der herrschenden Giustiniani zu schließen; s. auch RABUT, Protestations. - Am Städtewettstreit um das Unionskonzil beteiligten sich u. a. *Florenz*. Vgl. 164, 172, 256. *Siena,* das venezianische *Udine* und das visconteische *Pavia.*

Fürsten und Condottieri entzündete, eine eigene Untersuchung. Wer
waren die Verbindungsleute des Konzils in den Kommunen – bzw. gab
es die überhaupt? Ihren Höhepunkt fand diese Politik 1438, als die
Basler nach der Suspension des Papstes in konzilstheoretisch zwar
konsequenter, politisch aber hoffnungslos chimärischer Absicht die
Verwaltung des Kirchenstaats übernehmen wollten und zu diesem
Zwecke eine recht interessant besetzte Zwölferkommission ins Leben riefen (1438 I 31)[275].

a) Neapel (bis 1435)

Über konzilspolitische Aktivitäten der letzten Anjouherrscherin
Johanna II. schweigen sich Quellen und Literatur weitgehend aus[276].
Allem Anschein nach hatte die Fürstin am Ende ihrer ,vita tempestuosa' weder persönlich noch politisch sonderliches Interesse an der
Basler Synode, sondern beschäftigte sich mehr mit dem Problem ihrer
Nachfolge. Bemühungen des Kardinals Hugo von Lusignan und des
Konzilsgesandten Alberti im Jahre 1433, *ut concilio adhaereret*[277], scheinen keinen Erfolg gehabt zu haben. Nach ihrem Tode (1435 II 2)
geriet Neapel in die Wirren der Machtkämpfe zwischen Anjou, Aragón und Kurie, die bereits an anderem Ort besprochen wurden[278], und
schied damit vorläufig als eigenständiger Faktor aus.

b) Kirchenstaat und Eugen IV.

Die Forschungen der letzten Jahrzehnte haben die sukzessive
Umstrukturierung dargelegt, der die römische Kurie und der Kirchenstaat im Laufe des 15. Jahrhunderts unterlagen. Der Prozeß kann
sowohl als Konzentration wie zugleich als Reduktion verstanden werden: Inneritalienisch stabilisierte sich der Kirchenstaat nach langer

---

[275] LAZARUS 194 f. und oben 40. Die italienischen Mitglieder des nach Nationenproporz besetzten Ausschusses waren: Tudeschi und Pontano als aragonesische und Matteo
del Caretto, Bf. von Albenga, als mailändischer Untertan. Weitere Konzilsprominenz:
Aleman, Talaru, Ludwig von Teck (!), Schele, Segovia und andere. Es erscheint kaum
denkbar, daß die Basler an die Verwirklichung geglaubt haben, zumal Filippo Maria
Visconti, von dessen militärischer Hilfe man völlig abhängig gewesen wäre, alles tat, um
eine Realisierung derartiger Vorhaben zu sabotieren.
[276] Ohne nähere Angaben zu Basel: LÉONARD, Angevins; CUTOLO, Giovanna II. Vgl.
FARAGLIA, Giovanna II 390 f. (Nicht über Haltung der Königin zum Konzil). Zur Vorgeschichte: ESCH, Das Papsttum unter der Herrschaft der Neapolitaner; DIETERLE, Stellung Neapels.
[277] MC II 459; DECKER, Kardinäle 382 f.
[278] Kap. IV 3a und IV 8a mit Literatur.

Agonie zu einer der fünf größeren Mittelmächte, international verlor
die Kurie an Gewicht und wurde zu einem jetzt nurmehr gleich-
berechtigten Partner im fürstlichen Mächtekonzert[279]. Die Forschung
(Partner, Delumeau etc.) hat sehr detailliert ermittelt, wie die Kurie
finanziell und ökonomisch mehr und mehr die Ressourcen des
Kirchenstaats als Kompensation der schrumpfenden gesamteuropäischen Einnahmen intensivierte, eine Tendenz, die schon unter Bonifaz IX. begonnen und von Martin V. und seinen Nachfolgern fortgesetzt wurde, um unter Sixtus IV. schon 63 % der Gesamteinnahmen zu
erreichen[280]. Dieser ‚Italienisierung‘ des politischen und ökonomi-
schen Horizonts entspreche, so die derzeit herrschende Ansicht, in der
zweiten Hälfte des 15. Jahrhunderts eine Italienisierung des Kurien-
personals von den Kardinälen bis hinunter zu den Skriptoren.[281] Die
Stadt Rom wurde erst jetzt wirklich zur Dauerresidenz der Päpste und
damit Schauplatz jenes vornehmlich kulturellen Phänomens, das man
gemeinhin ‚Renaissancepapsttum‘ nennt.[282]

Im Pontifikat Eugens IV. (1431–47) waren diese Entwicklungen
noch ganz im Flusse, ja sie erlebten durch neuerliche politische Wirren einen Rückschlag. Gabriele Condulmer hatte mit seiner venezianischen Herkunft nicht nur die Freundschaft der Serenissima und der
Stadt Florenz mitgebracht sondern auch die Gegnerschaft Mailands
und sich in Rom als Kandidat der Orsini geradezu automatisch die
Feindschaft der Colonna, der Familie seines Vorgängers, eingehan-
delt[283]. Die zeitliche Parallelität und gelegentliche Wechselwirkung der
von den Ursachen her ganz verschiedenen Konfliktfelder Eugens IV.,

---

[279] S. ENGEL, Handbuch der europäischen Geschichte III 31 f., 43; zum europäischen
Gesamtphänomen ebd. 29–50.

[280] Zum Kirchenstaat immer noch grundlegend: GUIRAUD, L'État pontifical (1896).
Jetzt, aus einer Fülle von Literatur, die instruktiven Bücher von PARTNER, Papal State;
Lands of St. Peter, zu Eugen IV. 408-19. Ferner als Überblick: THOMSON, Popes 78–113.*

[281] Das Phänomen der ‚Italienisierung‘ der Kurie wird in der Forschung viel und teils
kontrovers diskutiert: Zum Beispiel s. HAY, Church in Italy 26–48, 124 (sehr hilfreich).
Unter den bei SCHWARZ, Abbreviatoren 256–70, aufgeführten 75 Bewerbern um das
Abbreviatorenamt unter Eugen IV. lassen sich maximal 6 als Deutsche, fast alle aus der
Diözese Lüttich, ermitteln. Vgl. HOBERG, Amtsdaten der Rotarichter; STRNAD, Todeschini 320 f.; MEUTHEN, Rota 483 f.; 15. Jahrhundert 60. Der Prozeß setzt also frühestens
unter Eugen IV. ein, womöglich im Zusammenhang mit dem Basiliense, jedoch nicht,
wie einst PASTOR I 254–58, meinte, am Ende des 15. Jahrhunderts. Unter Nikolaus V.
scheint die Internationalität eher noch einmal anzusteigen.

[282] Statt vieler Angaben hier nur der Überblick bei STRNAD, Papsttum, Kirchenstaat
und Europa; PASCHINI, Roma; PASTOR II-IV.

[283] S. zuletzt BRANDMÜLLER, Übergang, (anhand sienesischer Gesandtschaftsberichte).

des universal-kirchenpolitischen mit dem Basler Konzil, dem er als
Monarch der katholischen Kirche gegenübertrat, und des italienisch-
militärischen, wo er es mit politischen Konkurrenten als italienischer
Territorialfürst zu tun hatte, ist in der Forschung schon lange beobachtet und ausführlich geschildert worden. Die Verschränkung beider
Faktoren führte nach allgemeiner Ansicht in den Jahren 1433/34 zum
absoluten Tiefpunkt des Pontifikats: In Rom unmittelbar von den
mailändischen Condottieri Fortebraccio und Sforza, in Basel mittel-
bar durch Prozeß und Suspension bedroht, sah sich der damals von fast
allen Kardinälen verlassene Papst gezwungen, vor den Forderungen
der Basler vorläufig zu kapitulieren (1433 XII 15). Als es dann im
Frühjahr des nächsten Jahres geglückt schien, Francesco Sforza durch
Belehnung mit der Mark Ancona ,umzudrehen' (1434 II 25), führte ein
überraschender Aufstand der Römer zur Papstflucht nach Florenz
(1434 VI 4) und zu einer über neunjährigen Abwesenheit der Kurie
von Rom (bis 1443 IX 28)[284].

Person und Politik Eugens IV.[285] sind in der Literatur entsprechend
der üblichen Frontstellung stets umstritten gewesen, aber selbst im
Urteil seiner Verteidiger (z.B. Pastor, Valois, Gill) nicht frei von düste-
ren, negativen Zügen: Härte und Starrheit, die sich bis zur Ranküne
steigern konnte, Mangel an politischer Klugheit, aber auch Unerfahrenheit hat man an ihm kritisiert, integre Lebensführung und

---

[284] Zur Ereignisgeschichte in Auswahl: VALOIS I 331–49, 353–62; PASTOR I 304–12;
DLO 256–59; GILL, Eugenius IV, 62–68; COGNASSO, Ducato visconteo 302–04. Sowie allgemein zur Geschichte Roms unter Eugen IV: GREGOROVIUS, Geschichte der Stadt Rom
VII, 27–98; PASTOR I 295–368; PASCHINI, Roma 123–65; CARAVALE-CARACCIOLO, Stato
pontificio 49–64. Zur päpstlichen Politik im 15. Jahrhundert: THOMSON, Popes 114–42
im Überblick.

[285] Zu *Eugen IV.*: Die veraltete Schrift von ABERT, Papst Eugen IV. (1884), endet mit der
Eröffnung des Basiliense (78–96); DHGE XV, 1355–59 (P. DE VOOGHT); HELMRATH, in:
LexMa IV, Lieferung 1. Auf PASTOR I 295–368, 371–73, kann nicht verzichtet werden,
obwohl die Nikolaus V. und der Renaissance gewidmeten Seiten (369–652!) die eigent-
liche Thematik (und Neigung) des Verfassers erkennen lassen; s. den entsprechenden
Untertitel des Werks: „im Zeitalter der Renaissance", deren erster Papst eben Nikolaus
V. ist. - GILL, Eugenius IV, Pope of Christian Union (zu Basel 44–62, 73–76, 102 f. und s.v.),
die momentan einzige Biographie; vgl. dazu die Bemerkungen von STIEBER 19. Ferner
Kurzbiographien von OURLIAC, Eugène IV, und soeben REINHARD, Eugen IV. – Auch für
den Charakter Eugens IV. für aufschlußreich gehalten wurde das ,Salvatorium' (1447 II 5);
s. HAAS, Salvatorium. Eine Reihe italienischer Arbeiten beschäftigt sich mit der humanistischen Geschichtsschreibung an der Kurie, zum Beispiel: MARINO, Eugenio IV.... e Flavio Biondo, besonders 265–69 zu Basel; dazu kritisch ONOFRI, Un recente studio; MIGLIO,
Storiografia pontificia, vornehmlich für die Zeit Nikolaus' V. Anläßlich dieses Buches:
FUBINI, Papato e storiografia, 322–31 zu Eugen IV. und Biondo. Eugens Beziehungen zu
den Humanisten bedürften einer zusammenfassenden Darstellung. Vgl. oben 169 f. und
unten 470 Anm. 188.

karitative Bemühungen gewürdigt. Vor allem habe dem Venezianer jedes Verständnis für Denkweise und Interessen der Kirche nördlich der Alpen gefehlt, obwohl das Konzil in Basel wesentlich von ihnen (Kirchenreform, Hussitenfrage etc.) geprägt wurde. Dies habe entscheidend die a priori bestehende Fremdheit von Papst und Konzil mitbedingt. Eine Reihe krasser Fehlentscheidungen, gehäuft gleich zu Beginn des Pontifikats, kam hinzu: Sie reichte von der vorzeitigen Konzilsauflösung (1431)[286], dem gescheiterten Avignon-Unternehmen und der Verfeindung mit Frankreich (1432) bis zur Absetzung der Erzbischöfe von Köln und Trier (1446). Tief saß in ihm, dem Neffen des in Konstanz abgesetzten Gregor XII., die Überzeugung, für das Papsttum einen Existenzkampf zu führen; sie trübte Augenmaß und Urteilskraft. Die Basler standen ihm freilich an Intrasigenz nicht viel nach. Die alte ‚Schuldfrage' im Konflikt Eugens mit dem Basler Konzil (Sabotage oder Notwehr?) ist hier aber nicht von neuem aufzuwerfen. Da eine eigene Gesamtanalyse nicht versucht werden kann, bleibt nur das Fehlen einer modernen methodischen Ansprüchen genügenden Biographie Eugens IV. zu beklagen; denn das Buch von JOSEPH GILL (1961) verliert durch seine apologetische Tendenz und die Konzentration des Interesses auf die Union, das engere Arbeitsgebiet des Verfassers, entschieden an Wert. – Insbesondere die Aufenthalte Eugens in Florenz und Bologna (1434–43) bedürfen vertieften Studiums[287], nachdem die Forschung bisher nicht eben weit über Hinweise auf den humanistischen Aufschwung an der Kurie durch die geistige Atmosphäre von Florenz[288] und – freilich schon vielseitiger recherchiert – die enge finanzielle Kooperation des Papstes mit den Medici hinausgelangt ist, worüber gleich zu sprechen ist.

Gegenüber dem strengen Eugen erscheint sein Nachfolger *Nikolaus V.* (1447–1455) als Humanist und erster ‚Renaissancepapst' in der Geschichtsschreibung seit den Humanisten beinahe als Lichtgestalt[289]. Das Urteil über seine kluge Versöhnungspolitik in den Jahren 1447–49 ist nahezu einhellig positiv.

[286] Die näheren Umstände (Bulle ‚Quoniam alto' 1431 XI 12 bzw. XII 18) und Motive Eugens IV. waren in der Forschung lange Zeit unklar. Dazu: BILDERBACK, Eugene IV. Vgl. VALOIS I 118–29; ALBERIGO, Chiesa 247–53; FINK, HKG III 2, 574 f.

[287] So schon PARTNER, Lands of St. Peter 397.

[288] Etwa PASTOR I, 312 f.; DELLA TORRE, Storia dell'Accademia 228-32, 239-48.

[289] HEFELE-LECLERCQ VII 2, 1173-1200; GREGOROVIUS, Geschichte der Stadt Rom VII 99–144; er zählt Nikolaus V. zu den „Wohlthätern der Menschheit" (144). Vgl. PASTOR I 369–652; PLEYER, Nikolaus V.; TOEWS, Formative Forces – instruktiv über die Probleme der Konsolidierungspolitik Nikolaus' V., aber mit veralteter Lit.; VASOLI, Profilo di un papa umanista; FUBINI, Papato e storiografia 331–40; STIEBER 505 f. s.v.

c) Florenz

Die Republik Florenz gehörte zu den engsten Parteigängern Eugens IV. und zeigte am Basler Konzil deutlich geringes Interesse. Cosimo Medici, der faktische Herrscher des Stadtstaats, dessen Familie seit den siebziger Jahren des 14. Jahrhunderts Bankier der Kurie war, genoß, wenigstens bis zum Jahre 1442, wirtschaftlich und politisch das engste Vertrauen des Papstes[290]. Der lange Aufenthalt Eugens in Florenz tat ein übriges und ermöglichte es den Florentinern, das Unionskonzil von Ferrara im Jahre 1439 in ihre Stadt zu holen, wobei die Medici die Hauptkosten trugen[291]. Schon 1436 hatte sich Florenz über seinen Kanzler Leonardo Bruni in Basel um die Beherbergung des Unionskonzils beworben.[292] Merkwürdigerweise finden sich in der unübersehbaren Literatur zu Florenz im 15. Jahrhundert zu diesen kirchenpolitischen Aspekten und über die lange Papstresidenz in der Stadt recht wenige Angaben. Wie verhielt sich zum Beispiel die Kommune dazu?

Das Basler Konzil taucht, wie sich an den Studien von DE ROOVER (1963) und LOSI (1969)[293] verfolgen läßt, in einem von der übrigen Forschung meist übersehenen wirtschaftlichen Zusammenhang auf: Auf Ersuchen Cesarinis eröffnete die Medici-Bank zwischen 1433 und 1443 (!) eine Agentur in Basel. Sie stand zunächst unter der Leitung von Giovanni Amerigo Benci (1433) und Roberto Martelli (1433–38), regelte Finanzgeschäfte des Konzils und organisierte den Geldtransfer und Kredite für die Konzilsmitglieder[294]. Die Bilanz aus dem Jahre

---

[290] 1434 X 17 kehrte er aus kurzem Exil zurück. Beispiel für das Vertrauensverhältnis ist allein schon die Tatsache, daß Cosimo die Belehnungsurkunden des Papstes für René d'Anjou treuhänderisch verwahrte und entsprechende Verhandlungen mit Gesandten Renés führte; s. HALLER, Belehnung passim. Allgemeiner: PARTNER, Florence and the Papacy, besonders 393 ff. Zu den Bankbeziehungen: HOLMES, How the Medici became the Pope's Bankers; ESCH, Bankiers der Kirche, sowie im grundlegenden Werk von DE ROOVER, Rise and Decline of the Medici Bank 192–224. Zu Geschäften Eugens IV.: KIRSHNER, Eugenio IV e il Monte Commune.

[291] S. GILL, Cost of the Council of Florence; Council of Florence 108 f., 174–79.

[292] S. oben 171. Zur Bewerbung von Florenz ferner AC I2 Nr. 307 und 309.

[293] ECKSTEIN, Finanzlage 13 f.; LAZARUS 253–56; DE ROOVER, Rise and Decline 212–17. Die unveröffentlichte Florentiner Dissertation von LOSI, Rapporti dei Medici con il concilio di Basilea-Ferrara-Firenze (1969), war mir leider nicht zugänglich; sie enthält nach Auskunft von E. Meuthen eine Auswertung der mediceischen Agenturberichte aus Basel. Vgl. auch WACKERNAGEL, Geschichte der Stadt Basel I 2, 512 f.; EHRENSPERGER, Basels Stellung 329 ff.

[294] Es wäre natürlich äußerst interessant, über die Geldgeschäfte der einzelnen Konzilsmitglieder Genaueres zu erfahren. Nach DE ROOVER, Rise and Decline 214, stammt die größte Geldeinlage überhaupt (2.000 fl.) von Bernard de la Planche, Bischof von Dax, aus

1442 wies bezeichnenderweise bis 1437 einen Gewinn von 5.499 fl., für die folgenden Jahre dagegen 434 fl. Verlust aus[295]. Diese Summen wirken, gemessen am Volumen sonstiger Bankgeschäfte der Zeit, eher bescheiden, doch müßte man die Summe der insgesamt bewegten Gelder berücksichtigen, um ein Urteil über die wirtschaftliche Bedeutung der Medici-Agentur für die Stadt Basel und das Konzil im internationalen Rahmen abzugeben. Ihre Aufgaben blieben natürlich nicht auf Banktechnisches beschränkt. Da Florenz und die Medici keine offiziellen Konzilsgesandten geschickt hatten, diente die Agentur mit ihren Berichten nach Florenz zugleich als politische Informationsquelle und quasi als Nuntiaturersatz – ohne daß sich die Republik auf dem Konzil hätte politisch exponieren müssen. – Ehe die Arbeit von Losi nicht veröffentlicht ist, kann man kaum abschätzen, ob und wie die Forschungen zu diesem Thema weitergehen könnten.

d) Venedig[296]

Daß sich auch die Serenissima im ganzen als treuer Bundesgenosse Eugens IV. verhielt, hat seinen Grund natürlich weniger in bloßer Anhänglichkeit an ihren Landsmann als in der territorialpolitischen Situation der Stadt: Nach den Eroberungen auf der ‚Terra Ferma‘ zu Beginn des Jahrhunderts lebte sie in ständiger Feindschaft mit Mailand (zwischen 1426 und 1450 vier Kriege!)[296a], auf dessen Kosten die Erwerbungen zum Teil gegangen waren, und, da es sich um Reichsgebiet handelte, mit König Sigmund, mit dem sie in seiner Eigenschaft als König von Ungarn ohnehin seit langem in Konflikt um die Adria und Dalmatien stand[297]. Beide, der Herzog von Mailand und Sigmund, unterstützten das Basler Konzil. Der Patriarch von Aquileia, Ludwig

---

dem englisch besetzten Frankreich. Er, so möchte man interpretieren, hatte nach dem Bruch mit England tatsächlich seine ganze, auch die materielle Existenz mit dem Konzil verbunden.

[295] Zahlen nach DE ROOVER, Rise and Decline 213 ff. Neben und nach den Medici betätigten sich die Alberti und Gianfigliozzi als Konzilsbankiers in Basel. Eine Abrechnung des Konzils mit den Alberti, die ins Basler Supplikenregister gelangte, bei HALLER, Beiträge 233–45.

[296] Zur allgemeinen Geschichte aus dem deutschen Sprachraum immer noch: KRETSCHMAYR, Geschichte von Venedig II, 231–54 für die Jahre 1424–54. Jüngst die voluminösen Bände der STORIA DELLA CULTURA VENETA III, 1–3, eine ästhetische Fundgrube.

[296a] Piccininos Sieg bei Valtellina (1432 IX 19) über die Venezianer wird von den mailänesischen Gesandten in Basel als Fest gefeiert; CB V 32: *gaudentes cum fistulatoribus*.

[297] Zu den Kriegen mit Mailand: COGNASSO, Ducato Visconteo 195–383 passim; NIERO, Azione 4 Anm. 2 (Lit.). Zum Konflikt mit Sigmund s. unten 259 sowie TENENTI, Politica veneziana e l'Ungheria. Ferner auch für Sigmunds Italienzug zu benutzen: SPORS, Beziehungen, der fast ausschließlich aus RTA XI–XII schöpft.

von Teck, Parteigänger Sigmunds und der Ungarn, dessen Herr-schaftsgebiet die Venezianer 1419/20 annektiert hatten[298], tat das gleiche, um sein Recht zu finden: Die Position Venedigs im Kirchen-streit ergab sich unter diesen Voraussetzungen fast von selbst[299]. Denn eine Schwächung der Kurie hätte eine Schwächung Venedigs nach sich gezogen.

Durch die Arbeit von ANTONIO NIERO (1962)[300] sind wir über die venezianische Politik in Basel vergleichsweise besser informiert als über die der anderen italienischen Staaten. Sie behandelt allgemein die mäßigende Rolle der Venezianer, die durch Gian Francesco Capo-dilista, Andrea Gattari, Andrea Donato und Federigo Contarini[301] ver-treten waren, und speziell den Konzilsprozeß des Ludwig von Teck gegen Venedig. Die Venezianer übten auch in Basel ihre Tugend einer „cautelata vigilanza" und hielten, von Basel und Eugen IV. gleichzeitig zu parteiischer Einflußnahme gedrängt, eine „funzione mediatrice"[302] bei grundsätzlich papstfreundlicher Einstellung für opportun.

In der Teck-Affäre hatten die Venezianer das stark von Deutschen geprägte Konzil eindeutig gegen sich[303]. Die politischen Mechanis-men in Basel recht gut durchschauend, bemühte sich die Serenissima seit 1434, möglichst viele italienische Prälaten zur Teilnahme am Konzil und dort zu pro-italienischen, sprich pro-venezianischen Voten zu bewegen[304]. Nach zahllosen Aufschüben folgten am 23.

---

[298] S. DE RINALDIS, Memorie storiche 51–76, 91–110; NIERO, Azione, passim (Lite-ratur).

[299] HERRE RTA X 282.

[300] NIERO, L'azione veneziana al concilio di Basilea (1431–1436). – Die Quellen in RTA X–XII, mit vielen Stücken aus der venezianischen Gesandtenkorrespondenz, könnten freilich noch genauer verarbeitet werden. S. auch HALLER, Monte* 13–*25.

[301] Zu den Gesandten COGGIOLA, CB V, S. XLVII ff.; NIERO, Azione 12–14. S. die Gesandteninstruktion (1433 IX 28; RTA XI 143–48 nr. 72). Als weiterer „semioffiziel-ler" (Niero) Repräsentant kann Ludovico Barbo, Abt von Sta. Giustina zu Padua, seit 1434 einer der päpstlichen Präsidenten, betrachtet werden. – Tagebuch des Gesandten Andrea Gattari, ed. G. COGGIOLA, CB V, S. XXXIII-LXXVI, 375–443; zuvor aber schon eine deutsche Übersetzung von H. ZEHNTNER, Hg. R. WACKERNAGEL, in: Basler Jahrbuch 1885, 1–58; dazu kritisch COGGIOLA, CB V, S. XXXIII. Zu Gattari zuletzt VOIGT, Italieni-sche Berichte 66–70.

[302] Zitate: NIERO, Azione 7, 14. – Zur Sache vgl. auch DECKER, Kardinäle 334.

[303] Zum Beispiel CB III 76 Z. 10–22, 108 Z. 13–21; MC II 656 und öfter. Dazu RTA XII 268 f.; DE RENALDIS, Memorie storiche 91–110; NIERO, Azione 24–46. Vgl. auch BANSA, Weinsberg 55 ff., 61 ff. – Zu Ludwig von Teck s. oben 62. Die Rolle des Kaisers im Teck-Prozeß – Sigmund war schließlich seit 1435 mit Venedig verbündet – müßte nochmals beleuchtet werden.

[304] NIERO, Azione 25–27.

Dezember 1435[305] die Zitation des Dogen und schließlich Exkommunikation und Interdikt über die Stadt nach einem Mehrheitsbeschluß des Konzils. Gleichzeitig scheint man ein Mittel angewandt zu haben, das kurz vorher noch König Sigmund zwischen 1418 und 1433 gegen Venedig selbst sowie Martin V. und das Konzil von Pavia-Siena gegen die Böhmen ausprobiert hatten: den Handelsboykott[306]. Diese Zusammenhänge sind auch in der wirtschaftsgeschichtlichen Forschung bisher nur am Rande beachtet worden. Ganz ohne Wirkung kann die Maßnahme nicht gewesen sein, beschäftigte sie doch danach auch die Versammlungen der davon betroffenen deutschen Reichsstädte[307]. Ludwig von Teck († 1439) sollte allerdings nie mehr einen Fuß auf den Boden Friauls setzen![308]

Damit hatte das Konzil es sich mit Venedig verdorben, obwohl man auch in Basel bald dessen wichtige Rolle bei der technischen Abwicklung des bevorstehenden Unionskonzils erkannte. Eine Wiederannäherung kam nicht zustande, vor allem nachdem die Ortspräferenz der Venezianer, Udine in dem von ihnen besetzten Friaul, aufgrund des Widerstands von Frankreich und Mailand keine Chance hatte, von einer Konzilsmehrheit angenommen zu werden. Die letzten offiziellen Brücken Venedigs zum Basiliense brachen im Anschluß an die Translation nach Ferrara weitestgehend, aber nicht vollständig ab: Noch um die Jahreswende 1439/40 führte Felix V. Verhandlungen und bot den Venezianern 12.000 *equi*, wenn sie Eugen IV. zur Abdankung bewegten oder ihm die Obödienz entzögen[309].

---

[305] CB III 602 Z. 4–30; NIERO, Azione 38 f.

[306] Vgl. die vorsichtige Äußerung von BECKMANN, RTA XII, S. LIV und 269. Ein entsprechendes Schriftstück ist nicht erhalten, so daß schwer zu entscheiden ist, ob die Basler ein gesondertes Handelsverbot erließen oder ob dies nur die Konsequenz der Exkommunikation war. Zu Sigmunds. zuerst HEIMPEL, Handelspolitik. Vgl. KLEIN, Sigismunds Handelssperre; VON STROMER, Kontinentalsperre (war mir nicht zugänglich). Sigmund befahl 1437 VI 24 bzw. 30 allerdings, daß der Handel der Städte mit Venedig entgegen dem Basler Verbot nicht gehindert werde; RTA XII 271 f. nr. 164. Schon 1433 VI 8 hatte er, damit seine Handelssperre faktisch aufhebend, aufgefordert, die Venezianer als Reichsfreunde zu betrachten und nicht zu schädigen; RTA XI 817 nr. 490.

[307] Eine Stichprobe: Auf den Städtetagen zu Ulm, August und November 1437 (RTA XII 268–77 nr. 164–70), beschließt man, in der Frage des Handelsverbots Gesandte nach Basel zu schicken; RTA XII 276 f. nr. 170. Vgl. GERBER, Reichsstädtische Politik 65; BERTHOLD, Städte und Reichsreform 72–74.

[308] Der Plan des Konzils, Friaul selbst zu verwalten (NIERO, Azione 42 f.) liegt auf der gleichen illusorischen Linie wie die intendierte Verwaltung des Kirchenstaats.

[309] AC I Nr. 476 Z. 68 f. mit Anm. 62 (= RTA XV 760 f. nr. 350 § 4 und ebd. Anm. 14).

e) Mailand

Obwohl Filippo Maria Visconti, Herzog von Mailand (1410–1447), nach verbreiteter Ansicht älterer und jüngerer Forschung der „thatkräftigste Anhänger des Konzils" (Beckmann) war, das vor allem in seinen ersten Jahren „in der Rechnung der mailändischen Politik eine Schlüsselposition einnahm" (Decker)[310], entspricht das bisherige Interesse bei der Quellenauswertung diesem Sachverhalt keineswegs[311]. Die Editoren der schon für Venedig, mehr noch für Mailand grundlegenden Bände X–XII der Reichstagsakten legten bereits nahe, die Motivationen der visconteischen Konzilspolitik in steter Relation zum inneritalienischen Machtpoker zwischen Venedig und Mailand zu sehen, wobei sie die zweifellos wichtige Rolle von König Sigmunds Italienzug (1431–1433) wohl doch aus Reichssicht etwas überschätzt, kirchenpolitische Implikationen Mailands in Basel dagegen unterbewertet haben. Die ausschließlich auf den Reichstagsakten fußenden älteren Dissertationen sind auf diesem Wege gefolgt, ohne selbst das Niveau ihrer Vorlage zu erreichen[312]. Für die Folgezeit gilt wie so oft, daß die Reichstagsakten im Grunde die wesentliche Arbeit schon selbst geleistet haben – um dann forschungsgeschichtlich die Existenz zwar luxuriöser, aber international unbeachteter Gräber zu führen.

Aus der Sicht der Forschung hatte das scharfe Vorgehen Mailands gegen Eugen IV. in Basel, dem in einer militärischen Parallelaktion der

---

[310] Zitate RTA XI 23; DECKER, Kardinäle 351. Vgl. etwa den Bericht des Cione di Battista Orlandi an seine Heimatstadt Siena: (Der Herzog von Mailand) *a in mano lo stato d'Italia ... lui fa fare el diffare el choncilio come gli piacie...* "(1433 VII 20; RTA XI Anm. 1 Z. 28 f.). Vgl. oben 118, 209 zur angeblichen Papstkandidatur Kardinal Carillos.

[311] VALOIS I 288–301, 350–55, 357; II 148–57 und 424 s.v. ,Visconti'; DLO 257, 280, 284; COGNASSO, Ducato Visconteo 249–383, für die gesamte Epoche der italienischen Politik 1428–1447, das Basiliense kommt nur am Rande vor (299 ff.); THOMSON, Popes 125 f.; DECKER, Kardinäle 139, 322–27, 350 f., 357, 365–67, 394–96 (wichtig); RTA X 4–12, 131 f., 284–90, 608–13 (HERRE); XI 23–29, 193–99 (BECKMANN); XII 107–11 (BECKMANN) zum Verhältnis Mailand-König (Kaiser) Sigmund. Kaum bekannt sind CORNAGGIA-MEDICI, Vicariato visconteo sui concili generali riformatori, besonders 92 f., 117–26, und PROSDOCIMI, Diritto ecclesiastico di Milano 88–92; PAREDI, Biblioteca 35-58. Mailändische Quellen ferner in: OSIO, Documenti diplomatici III (1877); doch sind weitere Archivstudien nötig.

[312] Die Zeit bis zum Romzug behandeln unter anderem BAETHGEN 55 f., 57 f., 85–87; KAGELMACHER, Filippo Maria; SCHIFF, Sigismunds italienische Politik. S. auch FINK, Sigismund und Aragón. Auf die zahllosen Verhandlungen während des Romzugs mit den verschiedenen italienischen Städten ist hier nicht einzugehen. Zur Romfahrt: KOCH, Kirchenpolitik König Sigmunds; ZECHEL, Schlick 70-131. Vgl. RTA X 1–227, 279–514, 608–848; XI 1–170; COGNASSO, Ducato visconteo 274–88, 296–99. – Zur allgemeinen Orientierung: TRAUTZ, Reichsgewalt in Italien 74–79; GOTTSCHALK, Sigmund 1–113.

Einfall der Condottieri Attendolo-Sforza und Fortebraccio in den Kirchenstaat folgte (August 1433), vor allem das Ziel, eine für Mailand bedrohliche Annäherung Sigmunds an Venedig zu verhindern[313]. Damit – es dürfte freilich kaum das einzige Ziel gewesen sein – scheiterte der Visconti: Am 4. Juni 1433 schlossen Sigmund, jetzt als Kaiser, und die Serenissima einen von der Kurie vermittelten Waffenstillstand, dem am 31. August 1435 gar ein förmliches Bündnis folgte[314]. Damit hatten sich die Koalitionen umgekehrt. Bezeichnenderweise war es ein gemeinsames Interesse der italienischen Mächte, allen voran Mailands, den deutschen König, der finanziell und politisch die ohnehin verworrenen Verhältnisse noch mehr belastete, möglichst bald wieder aus Italien entfernt zu sehen. Die Taktik bestand darin, mit allen Mitteln seine Gegenwart in Basel zu erzwingen. Aber auch das Konzil drängte auf ein Erscheinen Sigmunds, um sich seiner in Konstanz so strahlend erwiesenen Kunst der Integration zu bedienen. Die Kaiserkrönung wurde von beiden Seiten mit Forderungen hinsichtlich des Basler Konzils verquickt: Sigmund verlangte die Anerkennung der Synode, die im Laufe des Jahres 1433 auch schrittweise erfolgte; Eugen IV. war zur Krönung nur bereit, wenn der Kaiser im päpstlichen Sinne bremsend auf die Basler einwirken würde, was Sigmund während seines Konzilsaufenthalts vom Oktober 1433 bis April 1434 ja dann auch tat. Die Krönung verzögerte sich über diese Verhandlungen bis zum 31. Mai 1433[315].

Man wird die Politik Filippo Marias global als eine Politik der Revision verstehen müssen: Es ging ihm im letzten immer darum, die Vormachtposition Mailands aus der Glanzzeit unter Giangaleazzo (†1402) wiederherzustellen. In der Art, wie er das Konzil als politisches Instrument benutzte, hat man ihn mit Alfons V. von Aragón verglichen. Doch tritt beim Visconti ein undurchsichtig intriganter Zug hinzu, den schon die Zeitgenossen geißelten und auf seinen Charakter zurückführten. Man mag hier jene „zum wahren Kunstwerk gesteigerte Falschheit" (Burckhardt)[315a] am Werke sehen, die der Machterhalt rechtfertigt.

---

[313] S. DECKER, Kardinäle 350 f.
[314] RTA X 725–27 mit 812–14 nr. 487; RTA XII 553–55 mit 588–594 nr. 316; SPORS, Beziehungen 22–48.
[315] Zu den Verhandlungen: RTA X 296–311, 613–16, 709–20; GOTTSCHALK, Sigmund 64–88; MILLER, Sierck 28–33. Zur Kaiserkrönung RTA X 728–37 mit 818–837 nr. 491–501. Eine Ergänzung zu den bisher bekannten Akten: MEUTHEN, Trierer Schisma 34 Nr. 59 (offizielle Anzeige der bevorstehenden Krönung durch den Kardinalkämmerer).
[315a] BURCKHARDT, Andreas von Krain 15.

Die Forschung hat in diesem Zusammenhang auf eine etwas dubiose Wirkung des Basler Konzils in Italien hingewiesen: Die mailändische Expansionspolitik im Kirchenstaat und ihre ausführenden Condottieri beriefen sich darauf, im Auftrag des Basler Konzils zu handeln; Fortebracchio nannte sich zum Beispiel *Sanctae synodi et sanctae matris ecclesiae capitaneus generalis*[316]. Auf der Suche nach authentischen Belegen für einen solchen Freibrief des Konzils stieß man auf eine ‚Responsio‘ an den Herzog von Mailand vom 21. August 1432[317]. Reine Usurpation war das ‚Mandat‘ des Konzils offenbar nicht, denn die Basler und selbst Cesarini gerieten auf die massiven Vorwürfe Kaiser Sigmunds in einer Debatte am 28. April 1434 etwas in Verlegenheit[318]; sie verteidigten sich mit dem formalen Argument, im betreffenden Schriftstück sei nirgendwo ausdrücklich von militärischer Intervention die Rede. Daß die Schwierigkeiten Eugens IV. nicht wenige in Basel mit Befriedigung erfüllten, scheint aber ebenso evident. CORNAGGIA-MEDICI (1936) legte als Hintergrund dieser Problematik in einem wenig bekannten Aufsatz dar[319], daß hinter den Ambitionen der Visconti, die 1395 den Herzogstitel erhalten hatten, ein Anspruch auf das Schutzvikariat über die Kirche (advocatus ecclesiae) stehe. König Sigmund hatte damit in Konstanz großen Prestigegewinn erzielt; 1423, zur Zeit des Konzils im mailändischen (!) Pavia, und jetzt, 1432/34, sollte es dem Ansehen der Visconti dienstbar gemacht werden. Der Vikariatsanspruch verzahnt sich aber ebenso mit den weitreichenden landeskirchlichen Herrschaftszielen, die die Visconti mit anderen Fürsten teilten und in hohem Maße bereits durchgesetzt hatten[320]. Hier scheinen mir möglicherweise Beziehungen zum Basler Konzil und zu seinen Reformplänen zu bestehen, die ein persönliches Interesse Filippo Marias auch an der Konzilsarbeit selbst nahelegen. Vielleicht sollte man diesen Aspekt in der Forschung weiterverfolgen.

---

[316] S. PASTOR I 304 Anm. 5. Zum Einfall der Condottieri: VALOIS I 294–302, 350 f.; CORNAGGIA-MEDICI, Vicariato visconteo 117 ff.; PROSDOCIMI, Diritto ecclesiastico 90 f.; COGNASSO, Ducato visconteo 299–302; DLO 256 f.; PARTNER, Lands of St. Peter 407–09; DECKER, Kardinäle 325, 394.

[317] ‚Synodalis responsio duci mediolani fovendi adherentes et ad obedienciam inducendi‘; MC II 226 f.; vgl. 531–34, 588, 657–60; Mansi XXX 228 f.; CB V, S. XLIX.

[318] MC II 657–60; RTA XI 353–57 nr. 188–90.

[319] CORNAGGIA-MEDICI, Vicariato visconteo. Etwas unklar bleibt, in welchem Verhältnis das Reichsvikariat Mailands zum Anspruch auf das Konzilsvikariat steht. Vgl. zur Übertragung des Reichsvikariats an Venedig 1437 VII 20: BECKMANN RTA XII, S. L–LIII, 181–184 nr. 113.

[320] S. CORNAGGIA-MEDICI, Vicariato visconteo 109, 119–28. DLO 313 (ohne Beleg!) erwähnen für 1439 eine „ordonnance qui reprenait presque éxactement les termes de la Pragmatique Sanction"; dem wäre nachzugehen.

Der Herzog schickte als einer der ersten Fürsten eine Gesandtschaft nach Basel (1432 III 16)[321]. Als Hauptagenten der mailändischen Politik auf dem Konzil fungierten bezeichnenderweise die höchsten geistlichen Häupter des Landes: An der Spitze die Erzbischöfe von Mailand, Bartolomeo della Capra († 1433 in Basel) und sein Nachfolger, der Humanistenfreund Francesco Pizzolpasso, ungeachtet, daß er im innersten Herzen eher der papalen Seite zuneigte[322]. Als eigentlicher Kopf ist jedoch der hochbetagte lombardische Kardinal Branda da Castiglione anzusehen, wie jüngst DECKER verdeutlichen konnte[323]. Seine kurze Amtszeit als Konzilspräsident in Vertretung des erkrankten Cesarini (1433 IX 16–X 13) bezeichnete einen Höhepunkt des mailändischen Einflusses in Basel[324]. Um ein Haar wäre Eugen IV. damals suspendiert worden. Generell erscheint am mailändischen Episkopat bemerkenswert, daß er besonders auffällig, ja mit patriotischen Zügen in der staatlichen Politik engagiert war.

Die folgenden Jahre seien nur kurz skizziert: Nach einer vorübergehenden Entspannung der Beziehungen zu Sigmund um die Jahreswende 1433/34 folgte[325] konzilspolitisch in Basel (Präsidentenfrage) und militärisch in Italien eine neue Konfrontation (1434 VIII 28 Sieg über ein päpstliches Heer bei Bologna)[326]. Das Bündnis mit Aragón seit 1435 führte als Gegengewicht zur Allianz Florenz-Venedig-Kurie-Kaiser bis 1443 zum Teil auch in Basel zu einem taktischen Zusammenspiel, so zu massiver gemeinsamer Agitation für eine Suspension des Papstes in den Jahren 1437/38, ohne daß man dann den Schritt zur Absetzung mitvollzog[327].

---

[321] CB II 96 Z. 4; COGNASSO, Ducato visconteo 284.

[322] Zu *Pizolpasso* s. oben 170 f. Über seine Politik in Basel vor allem PAREDI, Biblioteca 35–58. Zu *Bartolomeo della Capra,* dessen Epitaph sich übrigens im Basler Münster befindet: D. GIRGENSOHN, in: DBI 19 (1976) 108–113 mit Literatur. Nachzutragen: SPERONI, Testamento di Bartolomeo della Capra. Auszüge der Basler Totenrede für Della Capra ed. SABBADINI, Niccolò da Cusa 22-24. Weitere Gesandte Mailands waren im Laufe der Jahre die Bischöfe Gerardo Landriani (Como), zu ihm SAMMUT, Unfredo 3–14, und oben 170 f. Matteo del Caretto (Albenga); sowie Francesco della Cruce, Cristoforo del Caretto, Cristoforo da Velate, Francesco Barbavera, Filippo Provana.

[323] Zu Branda s. oben 119; DECKER, Kardinäle 139, 322–27, 350–52.

[324] DECKER, Kardinäle 350–52; LAZARUS 91 Anm. 36; VALOIS I 279.

[325] DECKER, Kardinäle 357. Zur gleichzeitigen Erneuerung des Bündnisses Mailand-Savoyen s. COGNASSO, Ducato visconteo 304–08.

[326] COGNASSO, Ducato visconteo 308–10.

[327] VALOIS II 148–57; PREISWERK, Einfluß Aragons 37 f., 44 f., 59 ff., 70–77. Eugen IV. drückte dafür seinen Dank aus; RTA XIV 73 nr. 30; 86 nr. 35. Vgl. oben 243.

Das Verhältnis Filippo Marias zu Savoyen und zum Konzilspapst Amadeus-Felix, seinem eigenen Schwiegervater, müßte wohl noch deutlicher geklärt werden. Die Literatur konstatiert auch hier wieder ein ‚Doppelspiel‘ des Mailänders, ohne aber die territorialpolitischen Hintergründe genügend einzubeziehen: Filippo Maria habe Amadeus dazu gedrängt, die Tiara anzunehmen, um ihm dann die Obödienz zu verweigern[328]. Auch jetzt winkte der Herzog, wie schon in früheren Jahren, je nach Gutdünken mit Angeboten, Teile des Kirchenstaats für das Basler Konzil bzw. Felix V. zu erobern[329]. – Über die Tätigkeit mailändischer Gesandter in Basel nach 1439 sind wir wenig informiert. Die Kontakte liefen wesentlich über Felix V.; das Konzil spielte für den Visconti wohl keine entscheidende Rolle mehr. Der Friedensschluß mit Venedig 1441 und der Ausgang des Kampfes um Neapel legten es auch Mailand nahe, das Konzil fallenzulassen und sich 1442 mit Eugen zu arrangieren[330].

10. Polen und Deutscher Orden

Es erscheint angebracht, beide Mächte im gleichen Kapitel zu behandeln, da ihre Politik gegenüber Basel zu einem wesentlichen Teil von ihrem gegenseitigen Konflikt bestimmt wurde. Dies war mit noch schrilleren, durchaus ‚national‘ gefärbten Tönen (Falkenberg-Affäre) bereits in Konstanz der Fall[331].

a) Polen

Eine moderne Arbeit über ‚Polen und das Basler Konzil‘ gehört zweifellos zu den wichtigsten Desideraten. Ältere Monographien, wie die polnische von GROSSÉ (1885) und die Freiburger Dissertation von TEOFIL ZEGARSKI (1910), die schon bei Erscheinen nur auf gedrucktem Material fußten, sind völlig veraltet.[332] Ähnlich wie bei der tschechischen

---

[328] Z.B:. PÉROUSE 359 f.; VALOIS II 264–74. Ein Reflex der Rolle Mailands findet sich noch in der Schedelschen Weltchronik von 1494, f. CCXLIII[r]: *Eugenius ... ward ... durch verfuegung* (!) *hertzog philipsen von Mayland des babstthumbs entsetzt*; ebenso Christoph Offenburg, in: Basler Chroniken V, 320 Z. 24 f. Vgl. oben 236 f.

[329] So noch im Juni 1441; zu den Verhandlungen: MC III 963 f. Vgl. ECKSTEIN, Finanzlage 89 f.; LAZARUS 195.

[330] COGNASSO, Ducato visconteo 346–50; VALOIS II 263–89. Text eines Bündnisvertrags (1445 VII 30) bei OSIO, Documenti diplomatici III 369–72 (Nr. 331). Gemeinsam ging man gegen Sforza vor, der prompt mit Felix V. verhandelte; VALOIS II 275–77; PASTOR I 339 Anm. 3; COGNASSO, Ducato visconteo 350-52; STIEBER 195-97.

[331] Grundlegend, auch für das Vorverständnis der Basler Ereignisse: BOOCKMANN, Falkenberg, mit Literatur.

[332] GROSSÉ, Stosunki Polski; ZEGARSKI, Polen und das Basler Konzil.

hat sich auch für die polnische Forschung die Sprachbarriere in betrüblicher Weise rezeptionshemmend ausgewirkt, und zwar wechselseitig. Der Fundus polnischer Literatur und Quellenpublikationen ist jedenfalls breiter, als in der westlichen Forschung derzeit geläufig ist; aber eine umfassende politische Darstellung scheint auch hier zu fehlen. So sind nach wie vor die Krakauer Universitätsgeschichte von MORAWSKI (1900-05), die ins Französische übersetzt ist, und FIJALEKS Werk über Jakob von Paradyz (1900) als prosopographisch ergiebige Basiswerke zu benutzen. Die quellennahe Monographie von HAIN (1948) über Vinzenz Kot, Erzbischof von Gnesen, blieb dagegen weitgehend unbekannt.[333]

In einer ersten Skizze lassen sich folgende Umrisse andeuten: Die Konzilspolitik der polnischen Herrscher Wladyslaw II. Jagiello (1386-1434), Wladyslaw III. (1434-44) und Kasimir IV. (1447-92) tritt, falls man von einer solchen überhaupt sprechen kann, in den Handbüchern nur am Rande auf. Aktiv war eher umgekehrt das Basler Konzil, wenn es etwa in die vielfältigen Dynastie- und Grenzkonflikte Polens als Vermittler eingriff, so im bereits genannten Krieg mit dem Deutschen Orden und den litauischen Großfürsten (1431-1435) sowie in den Streit mit König Albrecht II. um die Nachfolge in Böhmen (1438-39), der mit dem von Basel mitvorbereiteten Frieden von Namslau 1439 endete. Das Hauptinteresse des Monarchen an seiner

---

[333] MORAWSKI, Université de Cracovie, vor allem II 35-99; FIJALEK, Jakub z Paradyz; HAIN, Wincenty Kot, mit französischem Resumée 218-20, zur polnischen Konzilspolitik 1439-48 besonders 164-83, aber s. auch 141-63, 184-97 und 221 s.v. ‚Bazylea‘. – Weitere verstreute Literatur: Allgemein aus dem deutschen Sprachraum noch zu benutzen: CARO, Geschichte Polens IV, besonders 48-54, 308-32, 484-96. Vgl. VÖLKER, Kirchengeschichte Polens 95-102 (Lit.); GRABSKI, Polski 254-77, zu Basel 354-63; DLO 224-26. Vielfach wird die polnische Politik eng mit dem Hussitenproblem verknüpft, z. B. bei LÜCKERATH, Rusdorf 148-54 (Lit.); CAMBRIDGE HISTORY OF POLAND I 210-49, zu Basel: 230, 236, 239, 275. Speziell zu Basel: ALTMANN, Peterspfennig; vgl. LAZARUS 264 f.; ZACHOROWSKI, Polityka kościelna (nicht gesehen); BURSCHE, Reformarbeit 106-13; KOT, Basel und Polen 71-73 (von Morawski abhängig – so wie viele andere!). Zuletzt: FORSTREUTER, Polnische Denkschrift. Ferner s. oben 142 f. Bisher viel zu wenig ausgeschöpft die Edition: CODEX EPISTULARIS SAECULI DECIMI QUINTI I-III (1876 ff.). Auch das große Geschichtswerk des *Johannes Dlugosz*, der seit 1431 Sekretär Oleśnickis und selbst einmal in einer Pfründensache kurz in Basel war, wäre von Grund auf neu zu sichten; s. in deutscher Sprache immer noch die Preisschrift von ZEISSBERG, Polnische Geschichtsschreibung 197-344, dort 172-74, 178, 201 auch zu Basel. Die riesige Literatur zu Dlugosz ist hier nicht auszubreiten; s. Repertorium Fontium IV 214-26; Hagiografia polska II 656 f., Nr. 114; LexMa III 1139 f.*.

im übrigen erst spät (1434 XI 5) inkorporierten[334] Gesandtschaft scheint darin bestanden zu haben, mit ihrer Hilfe, in Fortführung der Konstanzer Taktik, erfolgreich gegen den Deutschen Orden Stimmung zu machen[335]. Seit 1438 verfolgte auch der polnische König nach dem Vorbild der deutschen Kurfürsten eine Politik der Neutralität[336], dies bei überwiegend konzilsfreundlicher Haltung des polnischen Klerus. Ein angeblicher kurzzeitiger Übertritt auf die Seite Felix' V. 1440/41 stellt sich in der Literatur unklar dar[337].

Das Ergebnis der Synode von Leczyca (Mai 1441) gilt auch für die Haltung des Monarchen: Im Prinzip für Basel – bei faktischer Neutralität. Das intensive diplomatische Werben der Basler Konzilsgesandtschaften in den Jahren 1440/41 erreichte zwar eine Reihe von Sympathieschreiben und die persönliche Obödienz des Bischofs Zbigniew Oleśnicki, aber offenbar nicht die Obödienz der polnischen Krone. Die Bedingung dafür, Wladyslaws Anerkennung als König von Ungarn, wollten offenbar weder Eugen IV. noch die Basler erfüllen.

Die Kontakte zum Basler Konzil nach 1438 bedürften im einzelnen einer neuerlichen Sichtung. Besser erforscht sind dagegen für die Jahre 1442-44 die Bemühungen der päpstlichen Diplomatie um den Polenkönig, der 1440 Regent von Ungarn geworden war und damit auch der päpstlichen Türkenpolitik zugänglicher werden mußte. Cesarinis letzte Legation verband nach Ansicht der Forschung[338] das Ziel eines Türkenkrieges mit der versteckten Absicht, den Baslern den Wind aus den Segeln zu nehmen, indem man, über einen möglichen Kreuzzugserfolg hinaus, auch auf den König einwirkte, den polnischen Klerus von Basel abzuziehen. Die Katastrophe von Varna 1444

---

[334] CB III 242 Z.8-10; MC II 766 Z.3. Vgl. das Entschuldigungsschreiben König Wladyslaws wegen der Verzögerung der Gesandtschaft (1434 I 12); CB III 611-13. Mitglieder des polnischen Klerus saßen allerdings schon seit Oktober 1433 in Basel. Gesandte aus Litauen waren 1433 VII 16 eingetroffen.

[335] So etwa LÜCKERATH, Rusdorf 111 und 116 f. Zur polnischen Gesandtschaft s. ZEGARSKI, Polen 30-33. Sie umfaßte neben Bischof Stanislaus Ciolek von Posen den königlichen Kanzler Johannes de Konyeczpolye (nicht inkorporiert), den Dekan von Krakau, Nikolaus Lasocki und Johannes Luchonis (Lutek von Brześć), Kanoniker aus Gnesen.

[336] Vgl. für den Zeitraum bis 1447: ZEGARSKI, Polen 39-67; HAIN, Vincenty Kot 164-83.

[337] CB VII 384 Z.14-16: *totalem obedienciam regni Polonie*, 391-93; ZEGARSKI, Polen 58-64; GRABSKI, Polska 361 f. (Obödienzerklärung durch Elgot); OBERTÝNSKY, Jeszcze... Elgota (zu 1442). Vgl. Codex Epistularis II Nr. 282. Vgl. KNOLL, University of Cracow 204: „The monarchy never abandoned its neutrality."

[338] Die wichtigste Literatur bei STIEBER 199-202; SETTON, Papacy II 66-98.

machte solchen Plänen ein Ende. Erzbischof Oleśnicki und große Teile von Adel und Klerus hatten sich dem Unternehmen ohnehin widersetzt, unter anderem, um Eugen IV. nicht zu stärken[339]. Wladyslaws III. Nachfolger Kasimir, hatte 1441, noch als Großfürst von Litauen, vorübergehend Felix V. anerkannt, leistete aber als König am 6. Juli 1447 der allgemeinen Tendenz folgend Nikolaus V. Obödienz. Sein ebenfalls zeitgemäßer Wunsch nach umfassenden kirchherrlichen Privilegien wurde von Nikolaus V. jedoch nur unvollkommen erfüllt[340].

Unzureichend ist derzeit noch die prosopographische Erforschung der polnischen Konzilsteilnehmer. 44 Inkorporationen, davon 10 bischöfliche aus den Erzdiözesen Riga und Gnesen, hat man für Polen (einschließlich Pommerns) gezählt[341]. Zbigniew Oleśnicki, Bischof von Krakau und königlicher Kanzler, wird zwar allgemein als führender Kopf der konzilsfreundlichen Kreise um die Universität Krakau als geistiges Zentrum genannt; eine neuere Studie über ihn fehlt jedoch[342]. Die Tatsache, daß Oleśnicki und Vinzenz Kot, Erzbischof von Gnesen und Primas von Polen, 1440 und 1444 durch Felix V. zu Kardinälen ernannt wurden und nach langen Verhandlungen mit den Konzilsgesandten Marco Bonfili und Wilhelm Lasne de Balma auch annahmen[343], darf man als Symbol der recht breiten konziliaren Strömung in Polen ansehen. Zwar hat die Forschung auf die Bedeutung der Universität Krakau in der Spätphase der konziliaren Theorie hingewiesen und in diesem Zusammenhang Personen wie Nikolaus Lasocki, der sich allerdings später Eugen IV. zuwandte, Thomas Strzempinski, Nikolaus Kozłowski, Johann Elgot, Stanislaus Ciolek, Bischof von Posen, Benedykt Hesse und Jakob von Paradyz genannt –

---

[339] S. STIEBER 201 f.

[340] Noch 1447 IV 29 hatte das Basler Konzil einen Brief an den König gerichtet, der wie ein Hilfeschrei klingt; CODEX EPISTULARIS III 8 f. (Nr. 6). Zur Obödienz: PASTOR I 395; ZEGARSKI, Polen 70 f.; BLACK, Monarchy 126; SCHWARZ, Abbreviatoren 126; THOMSON, Popes 155 f. – Zu den ,Konkordaten', die erst 1519 und 1525 geschlossen wurden: BERTRAMS, Staatsgedanke 152 f.; MERCATI, Concordati 253 ff.

[341] BILDERBACK, Membership 203, 222.

[342] Die reiche Literatur zu Krakau s. oben 142 f. Über Oleśnicki s. KOCZERSKA, Pietnastowieczne biografie Zbigniewa Oleśnickiego (1979), 81-83 frz. Resümee. Vgl. im übrigen die in Anm. 333 genannte Literatur; ZEGARSKI, Polen 61 f. und passim; ULLMANN, Eugenius IV 380-82; Hagiographia polska II 688 f., Nr. 403.

[343] Der König verbot ihnen aber, den Titel zu führen. HAIN, Vincenty Kot 184-97; MORAWSKI, Université de Cracovie II 73-75; ZEGARSKI, Polen 60-62; EUBEL, Hierarchia Catholica II² 9 f.; Basler Konzil 274 f.; PIERADZKA, Uniwersytet Krakowski 124.

bis auf die beiden letzten sämtlich auch Konzilsteilnehmer[344]. Eine Geschichte des Konziliarismus in Polen unter Auswertung der Traktatliteratur ist allderdings noch zu schreiben. Die rege polnische Forschung der letzten beiden Jahrzehnte wendet sich diesen geistesgeschichtlichen Zusammenhängen nach einem ersten Höhepunkt um die Jahrhundertwende wieder verstärkt zu, wobei die Universität Krakau, aber auch katholische Institutionen besonders hervortreten.[345] Offen bleibt die interessante Frage, ob der Konziliarismus das politische Denken und die oligarchische Verfassungsentwicklung in Polen („Schlachta' des Adels) beeinflußt hat.[346]

b) Deutscher Orden

Die Forschungslage ist zumindest befriedigend: Die für ihre Zeit sehr materialreiche Berliner Dissertation von LUDWIG DOMBROWSKI (1913) ist zwar noch unersetzt, muß aber durch die ‚Berichte der

[344] Überblick bei KNOLL, University of Cracow. HEIMPEL, Studien II 40 hatte schon für den Beginn des Jahrhunderts auf „ein kirchenreformerisches Viereck Prag-Heidelberg-Padua-Krakau" hingewiesen, dessen polnische Exponenten Paulus Vladimiri und Matthäus von Krakau waren. Literatur zu Einzelpersonen in Auswahl: Allgemein ist auf MORAWSKI II s.v. und die Lit. zur Universität Krakau zu verweisen. Zu *Lasocki*: LASOCKI, Lasocki; vgl. T. WITCAK, in: Polski Słownik Biograficzny XVI, Warschau 1971, 542-44; KOZICKA, Lasocki. Zu Paulus *Vladimiri* (Włodkowicz): BARTOŠ, Publicistiky velikého schismatu a koncilu basilejského; HEIMPEL, Studien II 31-48 (hält ihn für den Verfasser des ‚Speculum aureum'); BELCH, Paulus Vladimiri I-II; ZATHEY, in: ZAREBSKI (Hg.), Historia biblioteki Jagiellónskiej I 68 f.; WOS, Paulus Wladimiri; BOOCKMANN, Falkenberg 225-37 und 368 s.v.; RECHOWITZ, Założeniu Wydzialy 129-32 (Lit.); PALACZ (Hg.), Filozofia polska 27-45. *Strzempinski*: ZATHEY, in: ZAREBSKI (Hg.), I 96-100, v. a. 98 f. Zu *Kozlowski*: ebd. 72-77. ZAREBSKI, Aufenthalt 19-23. - Zu *Paradyz* (mit der älteren Literatur): FIJALEK, Jakub z Paradyza passim; MERTENS, Jacobus Carthusiensis; Jakob von Paradies über die mystische Theologie. – Das Kopialbuch des *Stanislaus Ciolek* (ed. CARO, Liber Cancellariae) ist eine Fundgrube, vornehmlich für die zwanziger Jahre. Vgl. MORAWSKI II 14-17; Repertorium Fontium III 485-87. Zu *Benedykt Hesse*: RECHOWITZ, Jan Kanty y Benedykt Hesse, besonders 175-87, mit franz. Resumée 213-28 und Literatur 293-304 (!); PALACZ, (Hg.), Filozofia polska 494 s.v. Zu *Johannes Elgot*: FIJALEK, Mistrz Jakób I 272-81, II 35-41; Repertorium Fontium IV 307-09; Hagiographia polska II 659, Nr. 131, und oben Anm. 337. - WALSH, *Laurentius von Ratibor* 200-06.*

[345] Neben den oben 142 f. und in der vorigen Anm. genannten Titeln s. SENKO, Conceptions de l'Eglise, besonders 55 f.; HECK, Fortschrittliche Ideologie 68-72; BYLINA, Krisen 88-91 (Referat wichtiger Arbeiten von KLOCZOWSKI). Fundgruben zur polnischen Geistesgeschichte des 15. Jahrhunderts in den Sammelbänden: R. PALACZ (Hg.), Filozofia polska XV wieku (1972), 42-48 zum Konziliarismus (W. SENKO); und M. RECHOWITZ (Hg.), Dzieje teologii katolickiej w Polsce (1974), hier u. a. den Aufsatz von RECHOWITZ, Założeniu Wydzialy 140-44 zum Konziliarismus, 289 f. einige Konzilsreden.

[346] S. BLACK, Universities (1974) 351; ähnlich KLOCZOWSKI, Conciliarisme 223.

Generalprokuratoren des Deutschen Ordens an der Kurie' und entsprechende jüngere Aufsätze von FINK, FORSTREUTER, LÜCKERATH und KOEPPEN ergänzt werden[347].

Politisch hatte der Orden unter Hochmeister Paul von Rusdorf (1422-1441) seinen Zenit überschritten und war gegen das erstarkende Polen-Litauen in immer mühsamere Defensive geraten. In Basel sollte es nicht anders sein. Als Hauptprobleme des Ordens, die am 7. April 1433[348] nach längerem Zögern seine Inkorporation auf dem Konzil geraten erscheinen ließen, wurden in der Forschung herausgestellt: Erstens und entscheidend der Existenz-Konflikt mit Polen, der in Abständen kriegerische Form annahm (so 1431 ff.) und daher das Basler Konzil zu Friedensmissionen veranlaßte; an zweiter Stelle der langschwelende Streit mit Erzbischof und Kapitel von Riga über die Inkorporation in den Orden, nachdem der Erzbischof ans Konzil appelliert hatte[349]; schließlich der ordensinterne Konflikt zwischen Hoch- und Deutschmeister.

Die schier erdrückende Menge weiterer Streitfälle[350], die gravierenden Finanzprobleme, wie sie etwa DOMBROWSKI annalistisch ausbreitet, sind in gewissem Sinn symptomatisch für die zusehends prekäre Position des Ordens im 15. Jahrhundert. Denn im Grunde fehlte ihm, seitdem Litauen christlich geworden war, die Hauptaufgabe (Heidenkampf) und Existenzberechtigung, es sei denn die, „Versorgungsinstitut für nichterbberechtigte Söhne des Niederadels" zu sein.[351] Diesem Anachronismus entsprechen Zahl und Intensität der Anfeindungen.

Das Basler Konzil, so urteilt LÜCKERATH, „bereitete dem Orden im Grunde nur Schwierigkeiten".[352] Während jedoch DOMBROWSKI den

---

[347] DOMBROWSKI, Die Beziehungen des deutschen Ordens zum Basler Konzil (im Folgenden zitiert: Dombrowski), auch prosopographisch reich; FORSTREUTER (Ed.), Berichte der Generalprokuratoren IV 1-2 (1429-36 Kaspar Wandofen);* FINK, Streit zwischen dem Deutschen Orden und Polen (Quellen); FORSTREUTER, Der Deutsche Orden und die Kirchenunion; LÜCKERATH, Rusdorf, zum Basler Konzil 103-22, 182 f., ausschließlich auf Ordensquellen fußend, ohne jede Benutzung von CB und MC; das gleiche gilt für JÄHNIG, Pfaffendorf. S. ferner: KOEPPEN, Kardinalprotektorat. Polnische Literatur im vorausgegangenen Kapitel. Zur Rolle des Deutschen Ordens bei der Kollektur des Basler Ablasses von 1436 s. ARBUSOW, Ablaßhandel 72-76; LASLOWSKI, Ablaßwesen 18-41; SIMSON, Danzig; LAMPE, Reise Konrads von Weinsberg. – Vgl. BRANDMÜLLER, Pavia-Siena I 6f., 19-22, 268 f.
[348] CB II 382 Z.4-6; MC II 342; DOMBROWSKI 35-37.
[349] DOMBROWSKI 114-32, 163-69; LÜCKERATH, Rusdorf 104-09, 118f.
[350] Zu erwähnen wäre etwa der Streit mit Danzig; DOMBROWSKI 132-58.
[351] BOOCKMANN, Falkenberg 52, ebd. 50-53 knappe Analyse der Situation des Ordens.*
[352] LÜCKERATH, Rusdorf 111.

Ordensgesandten unter Führung von Andreas Pfaffendorf einen „kümmerlichen und kleinlichen Eindruck" bescheinigt, so daß er der Agitation Polens leicht unterlegen sei, überwiegt bei LÜCKERATH und FORSTREUTER eher das Bild einer vorsichtigen, fast lustlosen Konzilspolitik, da der Orden ohnehin stärker auf Eugen IV. gesetzt und sein Interesse an Basel nach der Schlichtung seiner Streitigkeiten mit Polen am 31. Dezember 1435 (Frieden von Brest) und kurz davor mit Riga am 4. Dezember des gleichen Jahres schnell erloschen sei[353]. Statt dessen hielt sich der Orden ab 1436 mehr an Eugen IV., exponierte sich aber dabei kirchenpolitisch möglichst wenig, um nicht auch noch in diese Schußlinie zu geraten. So wurde weder der Kontakt zum Konzil gänzlich abgebrochen, noch trat man der deutschen ‚Neutralität' bei.[354]

Die politischen Verhältnisse in Nordosteuropa hatten für das Konzil insofern eine interessante Komponente, als der Verbündete des Deutschen Ordens, der litauische Großfürst und Rivale des polnischen Königs, Switrigail, mit dem Angebot einer prestigeträchtigen Kirchenunion der russisch-orthodoxen Ruthenen lockte. Diese Hoffnungen zerschlugen sich schnell[355]. Auch Pfaffendorfs Werben um einen Kardinalprotektor des Ordens auf dem Konzil ähnlich dem an der Kurie – gedacht war an Aleman oder Cesarini – blieb erfolglos[356].

Die relative Unbeliebtheit des Deutschen Ordens auf den Konzilien von Konstanz und Basel sowie auch bei Martin V., die ungleich größere Sympathie für die Polen trotz deren verdeckter Kooperation mit den Hussiten bildet meines Erachtens ein interessantes Phänomen, das mit dem größeren ‚konziliaren' Engagement der Polen allein nicht zu erklären ist[357].

[353] DOMBROWSKI 5 (Zitat). Zu Andreas Pfaffendorf und Andreas Slommau, den beiden wichtigsten Gesandten des Ordens, s. DOMBROWSKI 33 f., 240-47 (zu Slommau); LÜCKERATH, Rusdorf 118 f.; JÄHNIG, Pfaffendorf. Zum Frieden von Brest: LÜCKERATH 157-72; JÄHNIG 178-86.

[354] Bis 1441 ließ der Orden einen Beobachter in Basel, Johann von Ast; LÜCKERATH, Rusdorf 122. Zu Ast: BOOCKMANN, Rechtsstudenten 330-32. Rusdorf antwortete auch auf die Mitteilung der Krönung Felix' V.; MC III 497 Z. 17f., was freilich nicht (wie von PÉROUSE 356 behauptet) auf Obödienzleistung schließen läßt.

[355] Dazu: DOMBROWSKI 37-50, 101-03; FORSTREUTER, Streit passim; Preußen und Rußland 50 -55; LÜCKERATH, Rusdorf 110, 123-33; BINDER, Slawen 118-20.

[356] S. KOEPPEN, Kardinalprotektorat 267-71. Vgl. STRNAD, Protektoren des Deutschen Ordens 302-07.

[357] Auch die Frage des frühen ‚Nationalismus' gehört zu diesem Umfeld; s. BOOCKMANN, Falkenberg passim. LÜCKERATHs Ansicht, der Orden habe wegen seines eher altertümlichen Charakters dem „Neuerungswillen" des Reformkonzils nicht entspro-

11. Skandinavien

Nordeuropa ist durch die gründliche Studie von BEATA LOSMAN (1970)[358] überdurchschnittlich gut erschlossen: Die drei skandinavischen Länder waren wegen ihrer Randlage und geringen Bevölkerungszahl kirchenpolitisch ohne große Bedeutung. Die wenigen Inkorporationen[359] sprechen für sich. Der König der brüchigen Nordischen Union, Erich der Pommer (1412–1439), hatte mit eigenen Problemen genug zu tun und überdies ein zu gutes Verhältnis zu Eugen IV., um sich stark für das Konzil zu engagieren, schickte aber am 15. März 1434, dem allgemeinen Fürstentrend folgend, eine Gesandtschaft nach Basel[360]. Ihr Leiter, Nikolaus Ragvaldi, Bischof von Vaxjö, 1438 Erzbischof von Uppsala, gilt nicht nur als einer der markantesten Konziliaristen in Basel, sondern auch, nach seiner Rückkehr 1436 bis zu seinem Tod 1448, zusammen mit dem Erzbischof von Lund, Johannes Pedersson (Laxmand), als entscheidender Wegbereiter des konziliaren Einflusses in Nordeuropa. Als bedeutend wird sein Konzilsaufenthalt auch unter ,national'-schwedischem Aspekt gesehen: Seine Reden im Rangstreit über Herkunft und Würde der Schweden trugen wohl mit dazu bei, daß das traditionelle Randgebiet Schweden und mit ihm ganz Skandinavien im europäischen Völkerkonzert stärker zur Geltung kamen – eine Voraussetzung für Schwedens Aufstieg in der frühen Neuzeit.[361]

Besondere Interessen betrafen die Stellung der schwedischen Klöster, ein Problemfeld, wozu im weiteren Sinne auch die in Basel anhängige Prüfung der Visionen von Schwedens Nationalheiliger Birgitta gehört.[362] Der Nachfolger des abgesetzten Königs Erich, Christoph

---

chen, wogegen Eugen IV. aus dem gleichen Grunde der „bewahrende Hort" des Ordens gewesen sei, erscheint anfechtbar; LÜCKERATH, Rusdorf 103 und 119.

[358] LOSMAN, Norden och Reformkonsilierna 1408–1449; zum Basler Konzil: 111–271, mit deutscher Zusammenfassung 275–82 und breiter Bibliographie der skandinavischen Literatur 288–91. [S. dazu Svensk historisk tidskrift 92 (1971) 131-39.] Wohl aus sprachlichen Gründen wird diese Arbeit viel zu wenig genutzt. Sie ersetzt: LINDHARDT, Danmark og Reformkoncilierna, zu Basel 62–95. – Ferner wichtig OLESEN, Rigsråd, v.a. 226–41, 271 f., 591 s.v. ,Basel'; DLO 426 f.

[359] LEHMANN 100 f. Nach BILDERBACK, Membership 22, gab es drei Inkorporationen von Bischöfen.

[360] CB III 46 Z. 20 f.; MC II 617. Gesandte: Ulrich, Bischof von Aarhus; Nikolaus Ragvaldi, Bischof von Vaxjö.

[361] Zu *Ragvaldi*: LOSMAN, Norden 196–233 und s.v.; SÖDERBERG, Ragvaldi; OLESEN, Rigsråd 607 s.v.; SCHMIDINGER, Begegnungen 191–97; LHOTSKY, Ebendorfer 129; MARCHAL, Fromme Schweden 68–73, sowie unten 325.

[362] LOSMAN, Norden 244–55; OLESEN, Rigsråd 229–41. Zu Birgitta s. unten 405 f.

von Bayern (1439–1448), ist nach LOSMAN und OLESEN als Anhänger des Basiliense anzusehen (1441 II 27 Anerkennung Felix' V.), und mit ihm die Mehrheit des dänischen und schwedischen Episkopats.[363] Die späten prorömischen Obödienzleistungen Dänemarks (1447) und Schwedens (1448) passen in dieses Bild hinein.[364]

Größeres Interesse verdienen einige verfassungsgeschichtliche Aspekte: Den in ganz Europa fortschreitenden staatskirchlichen Tendenzen der Monarchie stand gerade in den skandinavischen Ländern eine massive ständische Opposition aus Klerus und Adel gegenüber. Während jedoch in fast allen Reichen die Reformkonzilien faktisch – nicht von ihrer Intention her – zu einer Stärkung der landesherrlichen Kirchhoheit führten, war in Skandinavien offenbar das Gegenteil der Fall. Es scheint so, als ob die ohnehin starke adlige und kirchliche Opposition durch die Verbindung mit konziliarem und reformerischem Gedankengut des Basler Konzils zu größerer Unabhängigkeit von einem relativ schwachen Königtum gelangte[365]. Ob die Absetzung König Erichs durch den Reichsrat (1439) – ein in der Verfassungsgeschichte oft übersehenes Beispiel konstitutionellen Selbstbewußtseins – von kirchlichen Kreisen beeinflußt wurde, die sich die konziliare Theorie zueigen gemacht hatten, ist eine zumindest erwägenswerte Frage[366].

12. Das Reich. Könige und Kurfürsten

a) Grundlagen

In der deutschen Geschichtsschreibung über das 15. Jahrhundert und die Reformkonzilien läßt sich häufig mit dem Jahre 1438 eine Zäsur beobachten: Die Perspektive wechselt von Basel hinüber zu den kirchenpolitischen Ereignissen im Reich auf den großen, kongreßähnlichen Reichstagen; ja ehemals wie heute grundlegende Studien, beginnend mit dem Droysenschüler PÜCKERT (1858), sodann BACHMANN (1889), WEBER (1915) bis hin zu STIEBER (1978) setzen mit diesem Jahr überhaupt erst ein.[367] Dies geschah nicht ohne Berechti-

---

[363] LOSMAN 256–69; OLESEN 226–29, 271 f.

[364] S. PLEYER, Nikolaus V. 19 f.; LOSMAN, Norden 142 und 267–269. Noch im April 1448 holte der Nachfolger Ragvaldis als Erzbischof von Uppsala, Jens Burgtsson, eine Wahlbestätigung in Basel ein. – Die Rezeption von Basler Dekreten in Skandinavien bedürfte noch genauerer Untersuchung. – Umgekehrt hatte der Eugenianer Heinrich Kalteisen größte, schließlich vergebliche Mühe, sich ab 1449 als Erzbischof von Drontheim durchzusetzen. Material bei BUGGE, Kalteisens Kopibog.

[365] S. LOSMAN, Norden 282. Vgl. aber NYBERG, in: Lex Ma III, 524.

[366] Zum Problem s. oben 101f., 202.

[367] Von grundlegender Bedeutung für die Erforschung dieses Komplexes wurde naheliegenderweise die Publikation der „Reichstagsakten". Man kann die einschlägige

gung, denn durch die Ereignisse in Basel 1437/38 und Kaiser Sigmunds Tod wuchs den Reichsständen, voran den Kurfürsten, auch international eine Schlüsselrolle für das Schicksal des Konzils zu.

Das Werk des Amerikaners JOACHIM W. STIEBER[368] fußt auf breitester Literaturbasis und einer sorgfältigen Auswertung der gedruckten Quellen, vor allem der ‚Deutschen Reichstagsakten‘, gegenüber denen allerdings kaum entscheidende Neubewertungen vorgenommen werden. Militant ‚konziliaristische‘ Bekenntnisse stören ganz überflüssigerweise diese gründliche Sachdarstellung, von der die Forschung heute auszugehen hat.

In der deutschen Literatur überwog naturgemäß ein reichsbezogener Ansatz. So hat man die Kirchenpolitik schon immer keineswegs isoliert, sondern im weiteren Zusammenhang mit den Verfassungsproblemen des Reiches betrachtet, die anhand der Kirchenfrage geradezu exemplarisch demonstriert werden konnten. Aus jüngerer

Literatur geradezu in zwei Epochen vor und nach dem Erscheinen der jeweiligen Bände einteilen. – W. PÜCKERT, Die kurfürstliche Neutralität während des Basler Conzils, stellte als erste substantielle Spezialarbeit zum Thema eine Pionierleistung dar. Obwohl in vielen Punkten überholt (dazu letztmals Stieber 186 Anm. 104) ist sie durchaus noch lesenswert. Wissenschaftsgeschichtlich interessant erscheint ein Vergleich mit der Darstellung bei Pückerts Lehrer DROYSEN, Geschichte der preußischen Politik I 128–54, II 144–74. Hier werden die Jahre 1442–1447 die Zeit des „Bürgerkriegs" genannt (144). – A. BACHMANN, Die deutschen Könige und die kurfürstliche Neutralität 1438–1447. – G. WEBER, Die selbständige Vermittlungspolitik der Kurfürsten im Konflikt zwischen Papst und Konzil 1437–38. Für die ältere ‚nationalkirchliche‘ Betrachtungsweise nach wie vor repräsentativ: WERMINGHOFF, Nationalkirchliche Bestrebungen. Er spannt den Bogen von Aribo von Mainz (1021–31) bis Luther; zur Epoche des Basiliense 33–109. – Von den meist älteren Handbüchern wären besonders zu nennen: LINDNER, Deutsche Geschichte 1278–1437, 371–77, 412–17; KRAUS, Deutsche Geschichte 1438–1486, 3–202 (Fortsetzung von Lindner in der gleichen Reihe, besonders detailreich); LOSERTH, Geschichte des späten Mittelalters 498–529; HEIMPEL, Deutschland im späteren Mittelalter 98–107; BAETHGEN 88–91, 105–16 und passim; DLO '(281–84, 419–24; FINK, in: Handbuch der Kirchengesch. III 2, 585 f.; ZEEDEN, in: Handbuch der europ. Gesch. III 449–79; MEUTHEN, 15. Jahrhundert 41–49, 141 f. (Lit.); MORAW, Propyläen-Gesch. Deutschlands III 362–85; ENGEL, in: Handbuch der Europäischen Geschichte III 1–49. Viel Material und ein bemerkenswert gutes Urteil bei JOACHIMSOHN, Gregor Heimburg 42–95. S. auch UHL, Peter von Schaumberg 17–85. – Wenig ergiebig und mit schon seinerzeit veralteten und verqueren Beurteilungen ZIEHEN, Mittelrhein und Reich 34–38, 56–62. Zur Haltung der Reichsstädte s. oben III 8a. - Auf die Register der RTA wird unten nicht eigens verwiesen.

[368] J.W. STIEBER, Pope Eugenius IV, the Council of Basel and the Secular and Ecclesiastical Authorities in the Empire; mit Literaturverzeichnis: 410–37 (!). Hervorzuheben ist auch Stiebers Versuch, die Politik der Westmächte gegenüber dem Reich sowie territorialgeschichtliche Aspekte einzubeziehen. Statt in jeder Fußnote von neuem die vollständigen Titel zu zitieren, hätte der Verfasser öfter die Reichstagsakten selbst zu Wort kommen lassen sollen. Vgl. die Rezensionen von H. MÜLLER, in: DA 35 (1979) 650; SCHOFIELD, in: ZKG 91 (1980) 445-47.* M. FOIS, in: AHP 19 (1981) 380–83.

Zeit ist hier vor allem HEINZ ANGERMEIER (1961)[369] zu nennen. Das
Kernproblem sah und sieht man in der theoretisch wie praktisch unge-
klärten Situation des Reichskörpers als politisches Gebilde zwischen
Königtum und Reichsständen, zwischen Lehnsstaat und ständischem
Verband, zwischen monarchischem und korporativem Prinzip.[370] Die
sich geradezu aufdrängende „Übertragung der . . . konziliaren Doktrin
auf das Verhältnis der Kurfürsten zum Reichsoberhaupt" findet aber,
obwohl sie öfters behauptet wird[371], in den Quellen nur spärliche Belege.

Welche Probleme ergaben sich für das Reich, als es in der Kirchenfrage Stellung beziehen mußte? Inwieweit war ‚das Reich' überhaupt
in der Lage, eine homogene Politik zu betreiben? Handelten die Kurfürsten als ‚Kopf' der Reichsstände oder als separierte Kraft? Welche
Einflußmöglichkeiten boten sich für diejenigen Reichsstände, die nicht
dem Kurkolleg oder den in jener Zeit kirchenpolitischer Entscheidungen besonders maßgebenden geistlichen Reichsfürsten angehörten?
– Über der engeren Verfassungsproblematik geriet die ‚weltpolitische'
Bedeutung der beiden auf Reichsboden tagenden Konzilien leicht
außer acht. Demgegenüber hielt jüngst MORAW wohl zurecht Konstanz und Basel für „den Höhepunkt der internationalen Rolle
Deutschlands und seines Königtums-Kaisertums im späten Mittelalter."[371a]

Andererseits ist es schwierig, die Kirchenpolitik auch nur der wichtigeren deutschen Territorien, repräsentiert durch ihre Fürsten und
deren Räte, im einzelnen darzustellen. Teils geben die Quellen, vom
Desinteresse der betreffenden Fürsten am Basler Konzil bedingt,
wenig her, teils ist vorhandenes Material noch nicht aufgearbeitet.
Letzteres gilt leider auch für die orts- und personengeschichtliche
Auswertung der ‚Deutschen Reichstagsakten'. Gute Möglichkeiten
für Einzelstudien böten sich am Beispiel Bayerns (s. Kapitel 12 a) und
der rheinischen Kurfürstentümer. Die erfolgversprechenden methodischen Anregungen MORAWs und anderer[372], die durch eine Verknüp-

[369] H. ANGERMEIER, Das Reich und der Konziliarismus, mit Ausgriff ins 14. Jahrhundert;
jetzt zurückhaltender ders., Reichsreform (1985).
[370] Statt uferloser Literaturangaben sei nur auf SCHUBERT, König und Reich, und die
Bibliographie dort verwiesen. Ferner MEUTHEN, 15. Jahrhundert 41–44, 141 f., sowie als
jüngste der einschlägig bekannten Studien von MORAW: Wesenszüge der ‚Regierung'
und ‚Verwaltung' (1980); sowie in: Deutsche Verwaltungsgeschichte I, 21–64 (§ 1–4);
Art. ‚Reich', in: Geschichtliche Grundbegriffe 5 (1984) 446–56. Ferner ANGERMEIER,
Königtum und Landfriede.
[371] Etwa DROEGE, Dietrich von Moers 55. Vgl. dagegen: QUIDDE RTA XI, S. XIX; BECK-
MANN RTA XIII, S. XXXIII; ANGERMEIER, Reich 552; Reichsreform (wie Anm. 404).
371a MORAW, Propyläen – Geschichte Deutschlands III, 368.
[372] Literatur bei MEUTHEN, 15. Jahrhundert 141–46, 191 f.

fung von Prosopographie mit Institutionen-und Landesgeschichte auf eine umfassende Neubewertung des spätmittelalterlichen Reiches abzielen, werden nach längerer Verzögerung immer häufiger in Detailstudien umgesetzt.[373] Allerdings wendet man sich schwerpunktmäßig den Kanzleien zu, womit auch ältere Forschungstraditionen weitergeführt werden, und dort, nun unter prosopographischen Vorzeichen, dem Kanzleipersonal und den sog. ‚Gelehrten Räten'.[374] Bei Fürsten-Biographien hat sich die neue Richtung jedoch, nach einem älteren, freilich nicht genuin biographischen Ansatz von QUIRIN (1971) über Albrecht Achilles von Brandenburg[375], bisher nur in der vorbildlichen Arbeit von MILLER (1983) über Jakob von Sierck niedergeschlagen.[376] Sierck war zwar in der Kirchen- und Reichspolitik der vierziger Jahre einer der führenden Akteure, hat freilich am Basler Konzil, auch bevor er 1440 Erzbischof von Trier wurde, wenig Interesse gezeigt.[377] Dagegen ließ ihn sein sicherer Instinkt für Machtverhältnisse mit einem Dynasten wie Felix-Amadeus von Savoyen ausgiebig in Verhandlungen treten. An seiner Person wird auf der einen Seite deutlich, wie sich die Reichspolitik in den vierziger Jahren gegenüber Basel zusehends verselbständigte, auf der anderen Seite aber auch die steigende ‚Europäisierung' der Diplomatie des Reiches und seiner Einzelmitglieder, – wozu allerdings Sierck durch seine Herkunft besonders prädestiniert war. Teile der deutschen Forschung – auch der jüngsten –scheinen demgegenüber nach wie vor in besagter Reichsbefangenheit verhaftet zu sein. Es ist zu hoffen, daß ähnliche Studien wie die millersche über Sierck auch anderen Reichsfürsten gewidmet werden. Die dringendsten Desiderate bilden Dietrich

[373] Für die personengeschichtliche Methode exemplarisch etwa: BOOCKMANN, Laurentius Blumenau (1965), und das ausladende Vener-Werk HEIMPELS (1982), der mit seiner Biographie Dietrichs von Niem (1932) schon lange vorher Maßstäbe gesetzt hatte.

[374] S. bereits HEIMPEL, Kanzlei Kaiser Sigismunds. Jüngere Arbeiten in Auswahl: BRANDT, Klevisch-märkische Kirchenpolitik; RINGEL, Studien zum Personal der Kanzlei des Mainzer Erzbischofs, besonders 61–64, 94–98, 113–15 zu einigen auch in der Kirchenpolitik hervorgetretenen Mainzer Räten; MILLER, Sierck; v. BRANDENSTEIN, Urkundenwesen und Kanzlei. Zuletzt: Landesherrliche Kanzleien im Spätmittelalter I–II (1984); KOLLER, Ebbracht (1984) – materialreiche Kanzlistenbiographie. Zu den ‚gelehrten Räten' als Forschungsproblem s. oben 134 f. Die in den folgenden Anm. gegebenen Angaben betreffen nur eine kleine Auswahl von Personen.

[375] QUIRIN, Albrecht Achilles. Vgl. NDB 1 (1953) 161–63 (E. v. GUTTENBERG). Zur Kirchenpolitik Albrechts vgl. ZANDER, Beziehungen Albrecht Achilles'; HENNIG, Kirchenpolitik.

[376] I. MILLER, Jakob von Sierck 1398/99–1456; zur Kirchen- und Reichspolitik der 40er Jahre: 114–73. Zum methodischen Selbstverständnis der Arbeit ebd. 1.

[377] MILLER, Sierck 358 s.v. ‚Basel'.

von Erbach, Erzbischof von Mainz (1434–1454)[378] und, begünstigt durch einen besseren Stand der Vorarbeiten, Dietrich von Moers, Erzbischof von Köln (1416–61).[379] Das Fehlen moderner Biographien über die deutschen Könige Sigmund und Friedrich III. nach den Werken von ASCHBACH (1845) und CHMEL (1840/43) ist ein schon notorisches Defizit der deutschen Spätmittelalterforschung und wird sich auch mit dem Hinweis auf die Schwierigkeiten und den Umfang des Quellenmaterials nicht mehr lange rechtfertigen lassen. Doch auch die Räte der deutschen Könige müßten auf Rekrutierung, Personenbeziehungen und diplomatische Technik neu untersucht werden. Die Forschung hat, vor allem am Beispiel der herausragenden Gestalten des Kanzlers Kaspar Schlick[380] († 1449) sowie des Finanzgenies und zeitweiligen Konzilsprotektors (1438–1444) Konrad von Weinsberg[381], auf die erstaunliche Kontinuität ihres Dienstes unter den Herrschern Sigmund, Albrecht und Friedrich III. hingewiesen. Die große Vielzahl, häufige Fluktuation und ständische wie herkunftsmäßige Heterogenität der königlichen Konzilsgesandten – von Bischöfen wie Peter von Schaumberg (Augsburg), Johannes Schele (Lübeck), Johannes IV. Naso (Chur) über den Herzog Wilhelm von Bayern zu Rittern wie Hartung von Clux und ‚gelehrten Räten‘ im engeren Sinne wie Nikolaus Stock, Georg Fischel (Ritter!), Johann von Eich, Albert von

---

[378] S. vorerst RINGEL, Studien passim; NDB 3 (1957), 679 f. (W. KAEMMERER).

[379] Das grundlegende Material zur territorialen Kirchenpolitik, die auch auf die Reichspolitik einwirkte und zum Teil vor dem Basler Konzil verhandelt wurde (Inkorporation Paderborns, Soester Fehde – beide jeweils in einen Konflikt Kurköln–Kleve/Burgund ausgeweitet), bei HANSEN, Westfalen und Rheinland I–II; ders., Vorgeschichte. S. auch STENTRUP, Erzbischof Dietrich (paderbornensisch-lokalpatriotisch); DEUS, Soester Fehde; HEIMANN, Böhmen 153–299. Veraltet: SCHOLTEN, Papst Eugen IV.; BIRCK, Dietrich von Moers. S. jetzt BRANDT, Klevisch-märkische Kirchenpolitik; DROEGE, Verfassung 20–45 (allgemeiner politischer Überblick), und dessen Kurzbiographie: Dietrich von Moers, zum Basler Konzil: 54–58. – Reizvoll wäre eventuell auch eine Studie über Friedrich IV. von Tirol und das Basler Konzil, umgab doch sein Territorium die Stadt weitgehend. S. WEBER, Vermittlungspolitik 67 ff.; PÜCKERT, Neutralität 119; MALECZEK, Diplomatische Beziehungen 11–39.

[380] Die älteren Arbeiten zu Kaspar Schlick, die vor allem um die ‚Fälschungsfrage‘ kreisen, wären jetzt durch eine methodisch avancierte Studie abzulösen: HUFNAGEL, Kaspar Schlicks letztes Hervortreten (1910); Caspar Schlick (1911), besonders 291–334 (s. dazu Warnungen Stiebers 261 Anm. 20); ZECHEL, Studien über Kaspar Schlick (1939), v.a. 131–41; HÖDL, Albrecht II. 209 s. v.; MAHR, Beziehungen (1984).

[381] S. zuletzt: IRSIGLER, Konrad von Weinsberg, mit der älteren Literatur. Zum Konzilsprotektorat: LAMPE, Reise Konrads von Weinsberg, sowie, offenbar ohne gegenseitige Kenntnis in kurzem Abstand erschienen: BANSA, Konrad von Weinsberg als Protektor (1972); WELCK, Konrad von Weinsberg als Protektor (1973); HÖDL 206 s. v. Eine umfassende finanzgeschichtliche Würdigung Weinsbergs steht noch aus. Die Diss. von KARASEK, Konrad von Weinsberg (1967), klammert den kirchenpolitischen Bereich aus.

Pottendorf, Heinrich Fleckel, Gregor Heimburg etc.,[382] veranschaulicht, wie sehr der königliche Dienst im morawschen Sinne auch auf diesem Gebiet als Integrationsfaktor gewirkt hat. Die Bedeutung der (gelehrten) Räte wird in der neueren Forschung ständig hervorgehoben. Wie prägend ihr Einfluß auf die Politik ihrer fürstlichen und königlichen Herren wirklich gewesen ist – etwa Johanns von Lieser auf die des Mainzers – läßt sich generell nur schwer und höchstens im Einzelfall beurteilen.[383]

b) Bayern – ein Beispiel

Der gegenwärtige Forschungsstand – vorwiegend auf veralteten, neuerdings von RANKL zusammengefaßten und ergänzten Arbeiten beruhend[384] – ergibt folgendes Bild: Von allen Fürstentümern hat Bayern dem Konzil sowohl durch seine Fürsten wie mit der Mehrheit seines Klerus den wohl größten und dauerhaftesten Rückhalt gewährt. Von den regierenden Wittelsbachern galt dies vor allem für die Münchener Linie mit den Herzögen Ernst (1397–1438) und besonders Wilhelm III. (1397–1435) sowie ihren Nachfolgern Albrecht III. (1438–1460), dem Gatten der Agnes Bernauer, und Adolf (1435–1440), denen auch persönliches Engagement zugesprochen wird.

---

[382] Die erste prokuratorische Inkorporation König Sigmunds erfolgte 1432 VI 13 durch den Prokurator Nikolaus Stock; CB II 140 Z. 31; MC II 190 Z. 21; LEHMANN 161. Eine genaue Sichtung der Prokuratoren und Gesandten der Könige Sigmund, Albrecht und Friedrich existiert bisher nicht. Die Literatur zu *Gregor Heimburg* (1400–1472) und seinen ebenso zahlreichen wie ruhelosen politischen und geistigen Aktivitäten, die der ganzen Epoche eine besondere Würze geben, ist immer noch unbefriedigend. Unersetzt (wie seine häufige Benutzung zeigt): JOACHIMSOHN, Gregor Heimburg, zum Aufenthalt in Basel 9–41; Verfasserlexikon 3, Berlin 1981, 629–42 (P. JOHANEK); WENDEHORST, Gregor Heimburg, mit der älteren Literatur; WATANABE, Gregor Heimburg and Early Humanism, dort weitere Aufsätze des Verf.; ders., Imperial Reform. Partiell brauchbar die Diss. von HIKSCH, Heimburg (1978), zu Basel 5-24, 130-39. Vgl. auch SCHMIDINGER, Begegnungen 186–88; STIEBER 500 s.v. Heimburg war auf dem Konzil vor allem als Gesandter verschiedener Kurfürsten tätig. – Ein frühes biographisches Beispiel eines städtischen ‚gelehrten Rats‘, der zeitweise Kollege Heimburgs war, lieferte M. WEIGEL, Konrad Konhofer.

[383] Hinweis auf Bedeutung der „Gelehrten" schon bei JOACHIMSOHN, Gregor Heimburg 51 f. Zusammenstellung der für die Reichs- und Kirchenpolitik der Jahre 1438–1448 so wichtigen (gelehrten) Räte der Kurfürsten bei STIEBER 140–42 mit Literatur; s. auch RINGEL, Studien passim. Sie bilden ein prosopographisch interessantes Personengeflecht par excellence! Zu *Johann von Lieser*: FALK, Johannes von Lysura (veraltet); WEIGEL, Kaiser, Kurfürst und Jurist; RINGEL, Studien 237–42.

[384] KLUCKHOHN, Wilhelm III.; RANKL, Kirchenregiment 23–42 mit der älteren Literatur. Ferner: HANDBUCH DER BAYERISCHEN GESCHICHTE II, 222–27, 622 f. Vgl. BAUERREISS, Kirchengeschichte Bayerns V, 29–41; MEUTHEN, Nikolaus von Kues und die Wittelsbacher 95–97.

Heinrich der Reiche von Bayern-Landshut (1393–1450) verhielt sich dagegen bei grundsätzlich positiver Einstellung vorsichtiger – und wurde folgerichtig von Eugen IV. besonders umworben –, während Ludwig VII. der Bärtige von Bayern-Ingolstadt (1413–47) Konzil und Papst mehr durch seine dauernden Streitigkeiten als durch eine profilierte Kirchenpolitik beschäftigte.[385] Im Jahre 1438 stimmte Ernst von Bayern-München gegen die Neutralität und für Basel, sein Nachfolger leistete am 10. Juli 1440 Felix V. offiziell Obödienz[386], so daß in den vierziger Jahren „Bayern ... zusammen mit Mainfranken, Österreich und der Schweiz das einzige ziemlich geschlossene Gebiet (war), in dem der Superioritätsanspruch des Konzils weiterhin Anerkennung fand."[387] Deutlich wurde die Zusammenarbeit auch auf dem Gebiet der Ordensreform.[388] Während sich Bayern-Landshut und Bayern-Ingolstadt schon auf dem Reichstag von Nürnberg 1444 mit Friedrich III., Mainz und Brandenburg gegen Basel verbanden, blieb die Münchner Linie dem Konzil treu, um als eines der letzten deutschen Fürstentümer erst im Mai 1448 Nikolaus V. Obödienz zu leisten.[389] Die diplomatischen Kontakte der Wittelsbacher zum Konzil sind im einzelnen wohl noch genauer zu analysieren.

Die prosopographische Erforschung des bayerischen Klerus und seiner Verflechtungen mit Basel weist noch viele Lücken auf. Sie müßte sich vor allem auf Johann Grünwalder, den wittelsbachischen Bastardsohn und Generalvikar von Freising, seit 1440 Kardinal Felix' V., konzentrieren, da er offenbar wichtigster Kristallisationspunkt und treibende Kraft für Basel war.[390] Brüche im bayerischen Episkopat zwischen Anhängern des Basler Konzils (Salzburg als Metropolit, Eichstätt, Bamberg, Würzburg, Regensburg) und Gegnern bzw. distanziert Abwartenden (Augsburg, Passau, Freising bis 1443 unter

---

[385] Zum bayerischen Herzogsstreit und der Vermittlung durch die Basler s. oben 187.

[386] CB V 146 Z. 6–11; VII 204 f.

[287] HANDBUCH DER BAYERISCHEN GESCHICHTE II 226 (Th. STRAUB). Hinter „Österreich" wäre allerdings ein Fragezeichen zu setzen.

[388] RANKL, Kirchenregiment 184–94.

[389] RANKL, Kirchenregiment 40–42.

[390] Vgl. unmißverständlich Johannes Keck in seiner Promotionsrede vor der Konzilsuniversität: *cuius protectione tam ego quam tota fere natio Bavarica a neutralitatis macula perstitimus illaesi*; zit. ROSSMANN, Marquard Sprenger 373 Anm. 69; MEUTHEN, Grünwalders Rede 417. Zu Grünwalder und zum Freisinger Bistumsstreit (1443 ff.) s. oben 192 f. Zur bayerischen Kanzlei, allerdings für Basel unergiebig: VON ANDRIAN-WERBURG, Urkundenwesen, Kanzlei, Rat; LIEBERICH, Klerus und Laienwelt.

Nikodemus della Scala) sind unverkennbar.[391] Grundsätzlich bleiben
der wittelsbachisch-habsburgische Gegensatz und die unklaren Verzahnungen von herzoglicher Gewalt (Bayern, Österreich) und Metro-
politangewalt des Salzburgers für einen allgemeinen politischen
Orientierungsrahmen zu berücksichtigen.

Gleichsam als symptomatisch für die engen Beziehungen zwischen
Bayern und dem Basler Konzil wird das zweijährige Protektorat
Wilhelms III. von Bayern-München angesehen, wenn auch seit KLUCK-
HOHNs Arbeit von 1862 keine neuere Darstellung hierzu erschienen
ist.[392] Wilhelm III. war nicht nur ein Vertrauter König Sigmunds, der
ihn am 11. Oktober 1431 für die Zeit seiner Abwesenheit in Italien
zum Protektor ernannt hatte, sondern als der machtloseste der
regierenden Wittelsbacher wohl auch ‚abkömmlicher' als andere Fürsten. Quellen und Literatur stellen seiner mit großem Einsatz verfochtenen Tätigkeit als Konzils-Protektor ein lobendes Zeugnis aus.
Soviel ‚Idealismus' in der Kirchenfrage wäre für einen zeitgenössischen Fürsten ziemlich einzigartig.[393] Die eventuelle Rückbindung
des Protektorats an politische Interessen Bayerns müßte daher wohl
neu bewertet werden. Das gleiche gilt für Wilhelms Bedeutung in der
Friedenspolitik und in der Prozeßtätigkeit des Konzils.[394] Der Protektor wurde von den verschiedensten Parteien auch in kirchlichen Fragen um Hilfe angegangen. Vermutlich sah man in ihm einen Mittler
zwischen Konzil und Fürstenmacht, dem gerade in der Exekutive
wirkungsvolles Handeln zuzutrauen war.

In diesem Zusammenhang wäre das Protektorat des Wittelsbachers
auch im Rahmen der Verfassungsgeschichte des Reiches neu zu
beurteilen. Die umfangreichen Vollmachten für Friedenssicherung
und Rechtsprechung vom 11. Oktober 1431 und vor allem die
Erweiterungen vom Juli (Reichsbanner) und Dezember 1432[395] verliehen Wilhelm eine Stellung, die dem im Kurkolleg so umstrittenen

---

[391] S. vorläufig BAUERREISS, Kirchengeschichte Bayerns V, 35–39.

[392] A. KLUCKHOHN, Herzog Wilhelm III. von Bayern, der Protektor des Baseler Concils
und Statthalter des Kaisers Sigmund; LAZARUS 73–80; RANKL, Kirchenregiment 296 s.v.-
Wilhelm III. war überhaupt der einzige durch inkorporierte Prokuratoren vertretene
bayerische Fürst; CB III 97 Z. 30; MC II 669 (1434 V 14); er selbst war als Laie nicht
inkorporiert.

[393] Es gibt meines Wissens keine Hinweise dafür, daß das Protektorat bei den Fürsten
besonders begehrt gewesen wäre.

[394] Bisher nur KLUCKHOHN, Wilhelm III. 538–45, 578–80; LAZARUS 76–78.

[395] RTA X 186–88 nr. 109; 968–71 nr. 594–95; MC I 265 f.; Mansi XXX 224. - W. WEN-
DEHORST, Reichsvikariat 59-64.

Amt des Reichsvikars nahekam. Nicht umsonst versuchte der Pfälzer konkurrierend auf seine Vikariatsrechte zu pochen.

c) Reichsreform – ein deutsches Sonderthema

Unter ‚Reichsreform' verstehen wir hier die Summe der vielfältigen Pläne des 15. und beginnenden 16. Jahrhunderts von ständischer, monarchischer und gelehrter Seite, den Verfassungsdualismus des Reiches durch Institutionen zu binden und funktionsfähig zu machen sowie Friedenssicherung, Gerichts- und Finanzwesen des Reiches effektiver zu gestalten. Sie hat immer wieder das Interesse (ausschließlich!) der deutschen Verfassungsgeschichte und Vorreformationsforschung gefesselt, manchmal vielleicht über Gebühr, wenn nämlich die gesamte Verfassungstheorie ihre Stichworte ausschließlich dem Feld der Reichsreform entnahm. Eine lange erwartete Gesamtdarstellung verdanken wir jetzt HEINZ ANGERMEIER (1985) als Bilanz jahrzehntelangen Forschens.[396]

Auf dem internationalen Forum des Basler Konzils, dies sei gleich vorweggenommen, hat die ‚Reichsreform' nie auf der Tagesordnung gestanden,[397] trotz der starken deutschen Beteiligung. Die wenigen erhaltenen Traktate sind im offiziellen Konzilsbetrieb isoliert gebliebene Leistungen einzelner Deutscher gewesen: Dies galt zum Teil schon in Konstanz für das ‚Avisamentum' von 1417, als dessen Verfasser HEIMPEL den gelehrten Rat Job Vener identifizieren konnte[398], sowie in Basel für die Reformschrift des Bischofs Johannes Schele

---

[396] ANGERMEIER, Die Reichsreform 1420–1555 (leider ohne Register), 22–30 kritisches Panorama der Forschung. Vgl. ders., Begriff und Inhalt der Reichsreform; Reich 566 f. Nur noch für die Traktatliteratur zu benutzen: MOLITOR, Reichsreformbestrebungen, besonders 43–114. Neuere Literatur (in Auswahl): LOEBEL, Reformtraktate 54–73; HEIMPEL, Vener 364–72, 691–912; MORAW, in: Deutsche Verwaltungsgeschichte I, 58–65; LAUFS, Reichsstädte und Reichsreform, zu den Konzilien 186 f.; KOLLER, Kaiserliche Politik; Aufgaben der Städte 200 f.; Reformen im Reich (1984); HÖDL, Albrecht II. 185-96; Reichsregierung; WATANABE, Imperial Reform, sowie KRAFT, Reformschrift (Diss. 1982). Demnächst die Beiträge des Konstanzer Arbeitskreises 1984 über ‚Königtum und Reformversuche in der Mitte des 15. Jahrhunderts', in: VF XXXII. Der Reichsreform als Vorbereitung der ‚frühbürgerlichen Revolution' im 16. Jh. hat sich auch die marxistische Forschung zugewendet: HÜHNS, Theorie und Praxis in der Reichsreformbewegung; SMIRIN, Deutschland 116–57; STRAUBE, Reichsreformbestrebungen; BERTHOLD, Städte und Reichsreform, besonders 85 ff; HIKSCH, Heimburg 145-54.

[397] Dies sah bereits SIEBERG 216. Vgl. auch die Bemerkungen bei BOOCKMANN, Wirkungen 539.

[398] HEIMPEL, Vener 743–877, mit weiteren wichtigen Ausführungen zur Reichsreform auf dem Konstanzer Konzil und in der Folgezeit; ebd. 1290–1315 (Nr. 28) Neuedition des ‚Avisamentum'. Zu Konstanz ferner ENGELS, Reichsgedanke 391–94.

(ca. 1433), die einzig in Cesarinis Handakten überliefert ist[399], das III. Buch der ‚Concordantia catholica' des Nikolaus von Kues (2. Hälfte 1433)[400] und einige kleine Schriften Heinrich To(c)kes.[401] Auch hier finden wir jene für die Reformtraktate als typisch angesehene „Ambivalenz von Reform und Tradition, von Theorie und praktischem Sinn" (Heimpel), ein Changieren zwischen Hellsichtigkeit, Illusionismus und Begrenztheit, dem als offenbar unreflektiertes Problem nicht zuletzt ein allseits „diffuser ‚Reichs'-Begriff"[402] zugrundelag. Direkter Einfluß dieser und anderer theoretischer Schriften auf die Reformpraxis der Könige und Fürsten läßt sich kaum nachweisen, hatten sie doch offenbar mehr wiederspiegelnd atmosphärische denn mitgestaltende Bedeutung.[403]

In welchem Verhältnis stehen Kirchenreform und Reichsreform? Die Frage drängt sich umso mehr auf, als jüngst ANGERMEIER die strikte Unabhängigkeit der Reichsreform von der kirchlichen Reformdiskussion zu einer Hauptthese seines Buches erhob.[404] Allerdings würde niemand behaupten können, die Höhepunkte der Reichsreformwelle 1438 und 1442 (‚Reformatio Friderici')[405] seien inhaltlich von Basler Reformtraktaten oder -dekreten beeinflußt. Pläne für

[399] CB VIII 109–130 (Nr. 10) (zuvor als Anhang bei AMMON, Schele 92–110); dazu DANNENBAUER, CB VIII, 14 ff.; HALLER, Kirchenreform 3 ff.

[400] Zu *Cusanus* in Auswahl: MOLITOR, Reichsreformbestrebungen 52–70; SIGMUND, Nicholas of Cusa 188–217; WATANABE, Political Ideas; HEIMPEL, Vener 859–76. Marxistisch: TÖPFER, Reichsreformvorschläge; HÜHNS, Theorie und Praxis 22–25.

[401] Von SMEND, Reichsreformprojekt des Basler Konzils (1907), noch nicht eindeutig als Werk *Tockes* identifiziert. Vgl. LOEBEL, Reformtraktate 54–72; 91–105: Edition der ‚Concepta pro reformacione status ecclesiastici in Alamania', nach LEIPZIG Univ. Bibl. Cod. 176 f.190ʳ–194ʳ, sowie CLAUSEN, Heinrich Toke. Ergänzend: BARTOŠ, Ješte něco o Dr. Jindřichu Tokovi. Zuletzt KRAFT, Reformschrift 75–93, ebd. 85–93 Aufweis enger Parallelen des ‚Abschieds Geistlicher Kurfürsten' von 1455 zu Schriften Tockes.

[402] Zitate HEIMPEL, Vener 740, 837. Vgl. auch die treffenden Bemerkungen bei BOOCKMANN, Mentalität 315.

[403] So nachdrücklich ANGERMEIER, Reichsreform 87 und 90, sowie ebd. 84–99 zu den Reformtraktaten.

[404] ANGERMEIER, Reichsreform 25 f., 36, 54 f., 65–69, 75 f., 83, 89 f., 104–13. Ähnlich MEUTHEN, 15. Jahrhundert 42. Umgekehrt betonen die Verbindung u. a.: HEIMPEL, Dietrich von Niem 163; BAETHGEN 94; KRAFT, Reformschrift 23–35, 87–92.

[405] RTA XVI 396–407 nr. 209. Dazu KOLLER, Aufgaben der Städte; Reformen im Reich 122–24; ANGERMEIER, Reichsreform 113–24. Vgl. die ‚16 Artikel' Kaiser Sigmunds von 1434 IX 27; RTA XI 503–507 nr. 264–264b, und die Vorschläge für den Reichstag zu Eger Juli 1437; RTA XII 53–58, 118 f. nr. 32 und 64, sowie die kurfürstlichen und städtischen Entwürfe des Jahres 1438; RTA XIII 443–464 nr. 223–226. Zu Sigmunds Reformvorschlägen jetzt, mit sehr positivem Urteil ANGERMEIER, Reichsreform 51–75: Sigmund sei hier „weder ein Theoretiker noch ein Träumer gewesen" (71).

Kirchen- und Reichsreform zugleich entwickelten freilich die oben genannten Traktatautoren. Für das universalistische Denken der Verfasser war das nur natürlich. Aber auch strukturell sah man Parallelen zwischen Reichs- und Kirchenreform: *Quia pro reformacione sacri imperii est in multis par racio cum reformacione papatus*[406]; eine Logik, die nicht so fern liegt, wenn man die Ziele gewisser ständischer Reformpläne und konziliaristischer Ideen vergleicht. Sollte man das Reich ganz aus der europäischen Verfassungsdiskussion, zu der die kirchliche eben mitgehört, ausgrenzen können? Ein Mann wie Johannes Schele verband zudem kirchenreformerisches Engagement mit hoher reichspolitischer Erfahrung. Am Kriterium der direkten Wirkung kirchlicher Reformideen gemessen, bleibt es, wie gesagt, völlig berechtigt, die Verbindungen von Reichs- und Kirchenreform für nur rudimentär zu halten. Doch wie steht es um das Atmosphärische? Der Reformgeist der Konzilien blieb ja nicht in einer rein kirchlichen Glocke gefangen, sondern wirkte, als die große Zeitströmung, die er war, allgemein befruchtend. Die Reichstage an den Konzilsorten Konstanz (1415, 1417) – der Geburtsstätte der Reichsreform – und Basel (1433/34) sind wohl nicht nur deshalb zustandegekommen, weil sich der Kaiser gerade da aufhielt. Einen Anstoß zum Basler Reichstag gab immerhin schon die deputatio pro reformatorio des Konzils (1432 II 15)[407]. Auf weltlicher Seite wird zumindest für die Person Sigmunds angenommen, daß er das Feuer der Kirchenreform auf die schwerfälligen Reichsstände überspringen lassen wollte.

Unser Exkurs ließe sich damit abschließen, wäre nicht im Umfeld des Basler Konzils eine Schrift entstanden, die seit den Zeiten DROYSENS in forschungsgeschichtlich äußerst bemerkenswerter Weise zum schier unerschöpflichen Quell gelehrter Hypothesen geworden ist: die sog. *Reformatio Sigismundi.*[408] Grundsätzliche Fragen der For-

---

[406] Job Veners ‚Avisamentum' von 1417; HEIMPEL, Vener 1309 Z. 529 f., dazu s. 834 ff. Vgl. ähnlich Johannes Schele, CB VIII 127 § 100.

[407] CB II 246 Z. 16–20 (KRÄMER, Konsens 276 Anm. 40). – Das dritte Buch der ‚Concordantia catholica' ist bekanntlich für die Ankunft Kaiser Sigmunds in Basel fertiggestellt worden. Zum Basler Reichstag s. Anm. 433. Bereits 1432 VII 27 fand zu Basel ein Fürsten- und Städtetag statt; RTA X 932–39. Weitere königliche Tage, in Abwesenheit Sigmunds, daselbst: 1432 XI 16 und 1433 I 11; s. RTA X 536–38.

[408] Aus der uferlosen Literatur nur eine Auswahl: Zum Stand der älteren Forschung s. K. BEER, in: MIÖG 59 (1951) 55–93. Die Fortschritte der Diskussion lassen sich an der Qualität der bisher vier Editionen verfolgen: nach BOEHM (1874), WERNER (1908) und BEER (1933) jetzt maßgeblich KOLLER (1964), Reformation Kaiser Sigmunds. Dazu KOLLER, Untersuchungen zur Reformatio Sigismundi I–III; DOHNA, Reformatio Sigismundi (1960) mit chronolog. Bibliographie (203–17) – wegen der ‚textimmanenten' und über-

schung kreisten um das Problem der verschiedenen Bearbeitungen der Urschrift, ihrer höchst unterschiedlichen Tendenzen und ihrer Rezeption bis zum Bauernkrieg, dessen „Brandtrompete" sie nach einem vielzitierten Wort von BEZOLD gewesen sein soll; weiter um die Verfasserfrage und um die in der Wissenschaftsgeschichte allgemein mit klassischer Regelmäßigkeit auftretende Frage, ob es sich um eine ‚revolutionäre' oder um eine ‚konservative' Position handle – mit allen damit verbundenen begrifflichen und hermeneutischen Bedenklichkeiten.[409] Beschränken wir uns auf die Zusammenhänge mit dem Basler Konzil: Zu den mittlerweile wohl gesicherten Erkenntnissen gehört nach den Forschungen von DOREN, KOLLER und jüngst, bekräftigend, HIERSEMANN, daß die Urschrift der ‚Reformatio Sigismundi' gegen Ende des Jahres 1439 zu Basel in der damaligen „instabilen" Situation des Konzils entstanden ist.[410] Über der Verfasserfrage schwebt, nachdem knapp ein Dutzend verschiedener Hypothesen – vom Waldenser Friedrich Reiser (Boehm 1876) bis zum Basler Offizial Heinrich von Beinheim (Bartoš, zuletzt 1955) – aufgestellt worden ist, immer noch ein beinahe hoffnungsloses ‚non liquet'.[411]

---

dies ‚konservativen' Interpretation der Schrift von Teilen der Forschung kritisiert, zuletzt bei STRUVE, Reform 76, 78 f., und STRAUBE, Reichsreformbestrebungen 126–256. Desungeachtet wird das Niveau der Studie anderswo kaum erreicht. DE VOOGHT, Hussites et ‚Reformatio Sigismundi' (1970), rannte mit dem Nachweis, daß kein hussitischer Einfluß vorliegt, bereits offene Türen ein. – MOMMSEN ‚Reformatio Sigismundi' (1970), umsichtige Überlegungen zur Herkunft des Verfassers, ohne neue Hypothesen. IRSIGLER, Die ‚Kleinen' (1976); STRUVE, Reform oder Revolution? (1978), wichtig, mit Literatur. BOOCKMANN, Wirkungen (1979) beurteilt den Rezeptionsgrad der Schrift anhand der Hss. und Drucke, gegen STRUVE, sehr skeptisch. S. ferner KRAFT, Reformschrift 27–75. Zum Basler Umfeld vgl. H. WERNER, Reformation XIII-L; HIERSEMANN, Konflikt (1982); und THOMAS, Jeanne la Pucelle (1985) mit fragwürdiger Spekulation: Die möglicherweise auf dem Basler Konzil vermittelte Kunde über die *pucelle* Jeanne d'Arc könnte die Vision vom *sacer pusillus* der ‚Reformatio Sigismundi' beeinflußt haben. - In der nichtdeutschen Forschung findet sich kaum ein Niederschlag der Diskussion; als Ausnahme: GUENÉE, L'Occident 76.

[409] Zum Problem: H. GRUNDMANN, in: DA 17 (1961) 582 f. Als Beispiel zwei Gegensätze aus der jüngeren Literatur: Während DOHNA, Reformatio 54 ff., 155, die Schrift als „wesenhaft konservativ" (18) bzw. „spirituales Anliegen eines konservativen Reformers" (155) bewertet, sieht STRUVE, Reform, hier unter dem „Deckmantel des Althergebrachten" (121) nach wie vor „eine wichtige Etappe innerhalb der geistigen Vorbereitung des Bauernkrieges" (105). In der Bauernkriegsforschung wiederholen sich logischerweise beide Grundpositionen.

[410] DOREN, Reformatio Sigismundi 38–48; BARTOŠ, Basilejský Revolutionář 111–40; KOLLER, Untersuchungen II 442 ff., III 138–56; STRAUBE, Reichsreformbestrebungen 133–47; HIERSEMANN, Konflikt 4–13, nicht immer überzeugend.

[411] In diesem Sinne auch WACKERNAGEL, Heinrich von Beinheim 284–87. Auf die übrigen, fast sämtlich widerlegten Hypothesen ist hier nicht einzugehen. Unter den mög-

Genauere Kenntnisse und positive Sicht der Basler Konzilssituation –
vor allem in der G-Redaktion – machen eine Teilnahme des Verfassers
am Konzil immerhin wahrscheinlich[412], ohne daß sie dadurch allein
schon gesichert wäre; denn Kenntnis bedeutet nicht notwendig Teilnahme.[413] Zur Lösung des Quellenproblems hatte schon HALLER beigetragen, als er die Benutzung des um 1434 in Basel entstandenen lateinischen Reformtraktats von Johannes Schele nachwies, sodann
WERNER, der das gleiche für die Mainzer Akzeption von 1439 zeigte.
Die Arbeiten von KOLLER haben auch diese Ergebnisse vertieft.[414]
    Die ‚Reformatio Sigismundi‘ dürfte die Forschung auch weiterhin
beschäftigen. Ob nun der Verfasser oder wenigstens der Personenkreis, dem er angehört, irgendwann einmal genau bestimmt werden
wird oder nicht – man sollte vielleicht doch noch einmal untersuchen,
in welchen Punkten die Redaktionen der ‚Reformatio Sigismundi‘ mit
der Reformdiskussion des Basler Konzils übereinstimmen. Die Möglichkeiten scheinen freilich begrenzt!

d) Sigmund und die Kurfürsten 1431–1437

Wie gesagt, setzt die Forschung zu dieser Thematik überwiegend
erst bei den Ereignissen von 1438 ein, um sich vor allem mit den Mark-
steinen der Neutralitätserklärung (1438), der Mainzer Akzeption
(1439), dem Frankfurter Fürstentag (1446) und den Konkordaten
von 1447/48 zu befassen. Für die Jahre 1431–1437 klafft eine gewisse
Lücke, sieht man von der Arbeit von GOTTSCHALK (1911) über Sigmunds Vermittlungspolitik bis 1434 ab.[415] Die Editoren der Reichstags-
akten-Bände X–XVII haben in ihren ‚Einleitungen‘, die oft Monographien ersetzen, das Wesentliche bis 1445 soweit aufgearbeitet, daß
sich hier ein Referat verbietet. Unter verfassungsgeschichtlichem
Aspekt (Verhältnis König-Kurfürsten) hat ANGERMEIER auch die Zeit
Sigmunds neu beurteilt.[416]

---

lichen Personenkreisen wird des öfteren der ‚Kreis‘ um den Basler Ratsherrn und Dip-
lomaten Henmann Offenburg genannt; zuletzt wieder HIERSEMANN, Konflikt 13. Vgl.
GILOMEN-SCHENKEL, Henmann Offenburg – ohne Hinweis dazu.
    [412] Nach KOLLER, Untersuchungen II 442, hat der Verfasser der Urschrift das Konzil
„persönlich besucht“.
    [413] So schon MOMMSEN, ‚Reformatio Sigismundi‘ 91.
    [414] HALLER, Überlieferung; vgl. ders., Kirchenreform 9 ff. Bestätigend: KOLLER,
Untersuchungen II 427–34. – WERNER, Verfassungskonflikt, vor allem 742 ff. Dazu KOL-
LER, Untersuchungen II 435–38; zur Quellenfrage ebenda passim. Eine Benutzung der
‚Concordantia catholica‘ erscheint unwahrscheinlich (ebd. 461 f.).
    [415] GOTTSCHALK, Sigmund. Einen gewissen Ersatz bietet STÜTZ, Neutralitätserklärung
1–62.
    [416] ANGERMEIER, Reich 556–68.

Verglichen mit den späteren Jahren ist die Phase 1431–37 reichspolitisch gesehen relativ ruhig und harmonisch verlaufen. Die kurfürstliche Opposition der zwanziger Jahre, gipfelnd im Binger Kurverein
(1424), wich ab 1430 einer relativen Eintracht.[417] Die um das Basler
Konzil kreisende Kirchenpolitik habe diese „Wende" (Angermeier)
gebracht. Der kurfürstliche Anspruch auf Mitsprache und Mitregie-
rung habe dabei keineswegs ab- sondern eher zugenommen, diesmal
allerdings von Sigmund ausdrücklich gefördert.[418] Der Wille zur Vermittlung, ja bereits jetzt ein latenter Zug zur ‚Neutralität', habe die
kurfürstliche Politik gegenüber Papst und Konzil bestimmt, und zwar
im Einklang mit dem König. Die dazu erforderliche Steigerung der
Schriftlichkeit, aber auch der Gesandtschaftstätigkeit, mit anderen
Worten jene „Verdichtung des politischen Konzerts" (Moraw) im
Reich jener Jahre sind gewiß auch als bedeutsamer verfassungsgeschichtlicher Nebeneffekt der Reformkonzilien zu bewerten und als
solcher stärker hervorzuheben.[419] Die Kirchenfrage beschleunigte
den trägen Pulsschlag des Reiches.

Das Kurfürstenkolleg stand dem jungen Konzil offensichtlich mit
Wohlwollen, seit Oktober 1432 in grundsätzlicher Adhärenz gegenüber,[420] suchte indes den Bruch mit Eugen IV. durch Vermittlung auf-
zuhalten.[421] Ein Urteil über die persönlichen Einstellungen und

---

[417] Zur kurfürstlichen Politik der 20er Jahre jetzt: MATHIES, Kurfürstenbund und
Königtum (1978), 267–75 Ausblick auf die 30er Jahre.

[418] ANGERMEIER, Reich 566, zit. 564.

[419] Zit. MORAW, in: Deutsche Verwaltungsgeschichte I, 25. Man denke nur an die dichte
Korrespondenz, die Sigmund aus Italien aus mit den verschiedensten Reichsinstanzen
führte. – KOLLER, Kaiserliche Politik 69, sieht übrigens direkte Wirkungen des Basler
Behördenapparates, vermittelt durch Sigmunds Konzilsaufenthalt, auf die Intensivierung der Schriftlichkeit an der Reichskanzlei. S. auch KOLLER, Ebbracht 203 f.

[420] RTA X 526–34 nr. 326–30 (nr. 326 = Rede des Konzilsgesandten Thomas Ebendorfer vor den Kurfürsten).

[421] Die Kurfürsten wurden auch von päpstlicher Seite angegangen und in die Kirchenpolitik involviert, etwa indem sie Eugen IV. mit dem Schutz des Konzils betraute (1433 II
14); RTA X 659–63 nr. 386. Vgl. nr. 391 (1433 II 18): Eugen IV. fordert die Kurfürsten
auf, das Konzil zu beschicken und dort bis zur Ankunft seiner Legaten Aktionen zu verhindern. Zur kurfürstlichen Vermittlungspolitik dieser Jahre s. HERRE RTA X 616–24;
ANGERMEIER, Reich 568. – Ein Blick auf die tatsächlichen Inkorporationen zeigt, daß von
den weltlichen Kurfürsten zunächst nur Pfalzgraf Ludwig (1432 V 2) prokuratorisch
inkorporiert war, die Sachsenherzöge folgten erst 1434 V 21, 1435 XI 4 und 1440 VIII 15;
Friedrich und Stephan von Pfalz-Simmern 1440 III 8; der Brandenburger war nie inkorporiert. Das Spektrum der übrigen inkorporierten Reichsfürsten ist recht aufschlußreich: Lediglich Albrecht von Österreich (1432 VII 4), Wilhelm von Bayern-München
(1434 V 14), die Herzöge von Kleve (1433 I 30), Schlesien (1435 III 18) und Oppeln (1439
IX 4) finden sich neben den genannten Kurfürsten; Zahlen nach LEHMANN 163.

Erwartungen der einzelnen Fürsten ist grundsätzlich schwierig; sie dürften aber zunächst kaum über allgemeine Reformerwartungen und einen ‚horror schismatis‘ hinausgegangen sein. Als ausgesprochener Konzilsanhänger gilt in der Literatur nur der Kölner Erzbischof Dietrich von Moers.[422]

Ein grundsätzliches strukturelles Problem, das in der Forschung wohl noch zu wenig gewürdigt worden ist, bestand darin, wie kirchliche Maßnahmen, insbesondere Konzilsbeschlüsse, für das Reich und seine Territorien ‚artikuliert‘ und durchgesetzt werden konnten; dasselbe galt umgekehrt für Entscheidungen des Reiches in kirchlichen Fragen. In dieser Interferenz von Kirchlichem und Weltlichem spielten neben den ‚Reichstagen‘ (das Wort ist erst 1471 erstmals belegt[423]) die bischöflichen Provinzial- und Diözesansynoden eine wichtige Rolle als Forum nicht nur des Klerus, sondern auch des Reiches. Dies zeigt sich bereits in den Synoden der Jahre 1430/32[424], gleichsam ‚assemblées constituantes‘ für die Anerkennung und Beschickung des anstehenden Konzils, wie sie als Typus auch in anderen Ländern stattfanden, und später ab 1438 in einer Serie weiterer Provinzialkonzilien. Daß aus dem gleichen Grunde die geistlichen Reichsfürsten in ihrer Doppelfunktion mächtig aufgewertet wurden, versteht sich fast von selbst. Am Ende ging freilich die ‚große Politik‘ der weltlichen Fürsten im Verein mit der Kurie über die der geistlichen –ungeachtet ihrer kirchenpolitischen Position – hinweg!

Zu Kaiser Sigmund und seiner Kirchenpolitik finden sich aus den letzten Jahrzehnten keine größeren Arbeiten, wohl aber einige wichtige Impulse.[425] Die ungeheure Vielfalt seiner Tätigkeitsfelder als Monarch mit der unvermeidlichen Verflechtung von dynastischen Interessen,

---

[422] So zuletzt DROEGE, Verfassung 19; Dietrich von Moers 52 f.; STIEBER 214 f.; MILLER, Sierck 118. Dietrich von Moers besaß freilich weder das diplomatische Raffinement eines Jakob von Sierck, noch scheint sein theologisches Niveau sonderlich hoch gewesen zu sein.

[423] MEUTHEN, 15. Jahrhundert 42.

[424] Dazu s. BEER, Nationalkonzil; KRÄMER, Konsens 15 f.

[425] So ist man immer noch auf ASCHBACH, Geschichte Kaiser Sigmunds I–IV, angewiesen, zu Basel IV 129–38, 163–72, 220–27, 365–79. Ferner auf der Basis der RTA: GOTTSCHALK, Kaiser Sigmund als Vermittler zwischen Papst und Konzil. Ein ungarisches Buch zum gleichen Thema: HOÓR-TEMPIS, Zsigmond Király, gilt bibliothekarisch als nicht auffindbar; FROMHERZ 119–26; ANGERMEIER, Reich 546–54, 556–68; Reichsreform 51–75; STIEBER 510 s.v.; sowie COLBERG, Kaiser Sigmund und das Schwurverbot (1983), zum Basler Konzil 101 f., und HEIMPEL, Königlicher Weihnachtsdienst (I) 408–11. Zu Sigmund auf dem Constantiense s. ENGELS, Reichsgedanke, (Lit.) – Zur Regierung in Ungarn jetzt: MÁLYUSZ, Zsigmond Király (1984). – Vgl. KÉRY, Sigismund (1972).

universalen Ideen und persönlichem Prestigebedürfnis läßt gerade bei Sigmund eine isolierte Betrachtung der Kirchenpolitik nicht zu. Ständig ist von der ,schillernden Persönlichkeit' dieses letzten Luxemburgers die Rede, ohne daß über die genauen Ziele seines restaurativen Romantizismus wirklich Klarheit zu gewinnen wäre. Über sein Verhältnis zum Basler Konzil herrscht jedoch eine gewisse communis opinio: Sigmund hatte höchstes Interesse, die Hussitenfrage, die seine Installierung als König von Böhmen verhinderte, nach der Serie militärischer Desaster von Deutsch-Brod (1421) bis Taus (1431) nun auf friedlichem Wege, eben über Verhandlungen des Konzils, zur Lösung zu bringen.

Um ein zweites lange gehegtes Ziel, die Kaiserkrönung, zu erreichen, war aber auch ein Einvernehmen mit dem Papst unerläßlich. Eine Politik der Vermittlung bot sich geradezu an. Sigmund betrieb die Ausgewogenheit phasenweise, indem er auf seinem Italienzug[426] vor der Krönung (1433 V 31) das Konzil gegen die Auflösungsversuche Eugens IV., dann aber, im Besitz des Kaisertitels, schon von Italien aus, nach seiner Rückkehr (1433 X 6) auch in Basel den Papst gegen Suspension und Absetzung durch die Synode verteidigte. Daß es Ende 1433 nicht zur Suspension kam, schreibt man in der Tat seinem ganz persönlichen Einsatz zu.[427] Nach ANGERMEIER suchte Sigmund den kirchlichen Universalismus, repräsentiert im Konzil, für die Wiederaufrichtung des Reiches als Vormacht der christlichen Welt bzw. eines „imperialen Universalismus",[428] gipfelnd in einem Kreuzzug unter kaiserlicher Führung, einzuspannen, aber auch ganz real für eine Restauration der Reichsgewalt, etwa in Italien. Durch Einberufung und Leitung des Konstanzer Konzils hatte er nicht nur einen persönlichen Prestigeerfolg errungen, sondern auch den Ruhm des kaiserlichen Amtes als ,advocatus ecclesiae' beträchtlich gesteigert, ja, folgt man ECKERMANN, sogar den Wiederaufschwung des ,monarchischen Gedankens' beflügelt.[429] Daß er eine Wiederholung dieses Erfolgs auf

---

[426] Spezielle Literatur zum Italienzug s. oben 260 Anm. 312.

[427] S. etwa GOTTSCHALK, Sigmund 113–62; vgl. BECKMANN, CB V, S. XXII; DECKER, Kardinäle 351–56. Zum Basler Aufenthalt: Regesta Imperii XI, 9697a-10440.

[428] ANGERMEIER, Reich 552; vgl. Reichsreform 68 mit pragmatischerer Beurteilung. Überwiegt bei Angermeier die ,universalistische' Interpretation der Politik Sigmunds, vermag umgekehrt STIEBER 117, wie stets zuallererst dynastische Interessen am Werke zu sehen. – Vgl. oben 183.

[429] ECKERMANN, Studien 59–62. Vgl. ANGERMEIER, Reich 552: „An einem Sieg des Konziliarismus, wie ihn die Basler verfochten, war Sigmund vollends nichts gelegen". Hierzu wären aber die von Segovia zitierten positiven Äußerungen Sigmunds über den Konzi-

dem Basler Konzil anstrebte, wird allgemein angenommen. Weniger klare Auskünfte erhält man auf die Frage, warum er ihn diesmal nicht erlangte, sondern nach ca. siebenmonatigem Aufenthalt in Basel (bis 1434 V 13) tief verstimmt und beinahe fluchtartig das Konzil verließ. Offensichtlich, so darf man bisherige Ansätze resümieren, war Sigmund nicht nur enttäuscht, daß die Basler ihre Prinzipienpolitik gegen die Kurie auch nach der vermeintlichen Einigung vom Dezember 1433 weiterführten. Die Auseinandersetzungen in der Präsidentenfrage zeigten es nur zu deutlich.[430] Sigmund waren derartige Grundsatzprobleme „nebensächlich", wie er auch am Reformanliegen der Synode „aktiv kaum Anteil" nahm.[431] Umgekehrt stand seinen eigenen universalistischen Ideen die große Mehrheit des Konzils wenn nicht ablehnend, so doch desinteressiert gegenüber. Glanzvolle Zeremonien konnten nicht darüber hinwegtäuschen, daß der Kaiser mit seinen restaurativen Zielen in einer so selbstbewußten Synode wie der Basler anders als in Konstanz nicht mehr gebraucht wurde, ja zusehends störte.

Nach der Abreise blieben die Beziehungen zum Konzil eher locker, schließlich hatte auch Basel mit der Regelung der Böhmenfrage im wesentlichen seine Schuldigkeit für den Luxemburger getan. Bei den komplizierten innerböhmischen Nachverhandlungen Sigmunds wirkten die weiterhin präsenten Basler Dauergesandten eher hinderlich, da sie strikt auf volle Einhaltung der Kompaktaten pochten.

Wichtig, aber von der Forschung wohl etwas unterschätzt, erscheinen die kaum verdeckten jurisdiktionellen Kompetenzkonflikte zwischen Kaiser und Konzil, die sich aus der wachsenden Tätigkeit des Konzils als Appellations- und aktive Vermittlungsinstanz beinahe zwangsläufig ergaben, vom Kaiser aber als Übergriffe empfunden wurden.[432] Hier spielte sich auf Reichsebene zwischen König und Konzil im Grunde die gleiche Rivalität ab, wie in der Gesamtkirche

---

liarismus und die Gültigkeit des Dekrets ‚Haec Sancta' zu ergänzen; RTA XI 329 Anm. 5 Z. 27–41; BECKMANN RTA XIII, S. XXXII f.

[430] Die Rolle Sigmunds in der Präsidentendebatte behandelt GOTTSCHALK, Sigmund 162–86. Vgl. unten 466 Anm. 176.

[431] ANGERMEIER, Reich 548, 550 f.; QUIDDE, RTA XI, S. XIX.

[432] S. schon RAUMER, Kirchenversammlungen 143 f. – Vgl. CB V 104 Z. 25–28; RTA XI 468 Z. 17 ff. Ein Beispiel: die eigenmächtigen politischen Kontakte des Konzils mit dem Herzog von Mailand; s. RTA XI 353 Z. 30 – 354 Z. 33 nr. 188; dazu 362 Z. 26 f., 481 Z. 29–32 nr. 251a. – Andere Konfliktpunkte: der Streit um die sächsische Kurwürde (RTA XI 373 f.) sowie Prozesse um Bamberg und Besançon etc. Vgl. oben 181 f.

zwischen Papst und Konzil. Der Reichstag, den Sigmund am 30. Nov. 1433 und erneut für den 6. Jan. 1434 nach Basel berief, mit seiner interessanten zeitlichen und vor allem auch personellen Parallelität zum tagenden Konzil, wurde bisher zu wenig beachtet.[433]

Nicht zu vergessen – wenngleich dies ungeachtet der Arbeit von FEINE meistens geschieht – ist eine für die Reichsverfassung wichtige Tatsache: Das Basler Konzil bestätigte als erste kirchliche Zentralinstanz das königliche ‚Recht der Ersten Bitten‘ (1437 IX 20) – fünfzehn Jahre vor dem ersten päpstlichen ‚Primae-preces‘-Indult![434]

Sigmunds Tod (1437 XII 9) begrub gute Ansätze einer neuen schiedsrichterlichen Vermittlung im wiederauflodernden Kirchenstreit und schob jetzt kurzfristig den Kurfürsten die Entscheidung zu.[435]

e) Die Neutralitätserklärung und Albrecht II. 1438/39

Die Forschung hat der kurfürstlichen Neutralitätserklärung vom 17. und der darauffolgenden Einung vom 20. März 1438 stets besondere Aufmerksamkeit gewidmet,[436] verdichteten sich doch in diesen

---

[433] Zum Basler Reichstag: RTA XI 171–99, besonders 194–97; ASCHBACH IV 220–27; GOTTSCHALK, Sigmund 185 f.; AMMON, Schele 19–21; UHL, Peter von Schaumberg 40; ANGERMEIER, Königtum und Landfriede 363 f. – Auffälligerweise übergeht Segovia das Ereignis völlig (FROMHERZ 123) – Zeichen der letztlich doch bestehenden Beziehungslosigkeit zwischen Reichs- und Kircheninteressen?

[434] CB VI 114 Z. 23–33; MC II 1014; RTA XII 245–50 nr. 155–155a (Verleihung des Rechts an Sigmund durch das Basler Konzil 1437 IX 20); ebd. 253 Z. 28–41 nr. 157. Das erste päpstliche ‚Primae-preces‘-Indult erfolgte erst 1452 III 19 an Friedrich III. Zum Thema: FEINE, Papst, Erste Bitten (1939), zu Basel und Sigmund: 2 f., 7–9, zu den päpstlichen Privilegien 1446–1452: 10–15; ebd. 14 f.: Vergleich von Konzils- und Papsturkunde. Wie Feine zeigt, behielten die ‚Ersten Bitten‘ bis ins 18. Jahrhundert eine nicht zu unterschätzende Bedeutung für die kaiserliche Kirchengewalt.

[435] Zur kurfürstlichen Politik Ende 1437 bis Anfang 1438: PREISWERK, Einfluß Aragons 38–43; WEBER, Vermittlungspolitik 14–43; STIEBER 132–37. Sigmunds Plan, das Unionskonzil in Ofen, d.h. in seinem ungarischen Herrschaftsgebiet stattfinden zu lassen, hatten die Kurfürsten zugestimmt; s. RTA XII 33–37 nr. 20–22; 56 f. § 7–8; 137 Z. 19–25; vgl. aber oben Anm. 124 f. Der ‚Ofen-Plan‘ verdiente eine eigene Untersuchung. Bemerkenswert ist auch, daß Eugen IV. 1437 offenbar bereit war, dem Kaiser eine Schiedsrichterstellung einzuräumen; s. RTA XIII 36 mit Anm.

[436] PÜCKERT, Neutralität 53–85; BACHMANN, Neutralität 17–27; BECKMANN, RTA XIII, S. XXXIII f., 36–48; KRAUS, Deutsche Geschichte 11–18, 33–36; VALOIS II 135–40; WEBER, Vermittlungspolitik 73–123, besonders 96–103; HÜRTEN, Mainzer Akzeptation; RAAB, Concordata 30 f. Die letzte Monographie, eine Mainzer theologische Diss. von STÜTZ, Neutralitätserklärung (1976), faßt Vorgeschichte und Forschung in etwas hausbackener Weise zusammen. – Vgl. ferner eine Serie älterer Diss.: MANNS, Albrecht II.

Tagen Reichs- und Kirchenpolitik in bislang einzigartiger Weise. In einer politischen Vakuumsituation des Reiches sollten die Kurfürsten nicht nur die Wahl des neuen Königs, sondern gleichzeitig, gedrängt von päpstlichen und Konzilsgesandten, im zugespitzten Kirchenstreit entscheiden. Die ‚Entscheidung‘ bestand darin, sie vorläufig für sechs Monate auszusetzen.

In diesem Sinne wird die berühmte Formel *animos nostros suspensos retinebimus*[437] interpretiert – zugleich aber mit der Intention, den rivalisierenden Gewalten Papst und Konzil die Kompetenz im Regiment der Reichskirche zu ‚suspendieren‘. Während Teile der Forschung, unter kirchenpolitischem Aspekt, die Neutralität nicht als wohlüberlegtes Programm, sondern eher defensiv als „Verteidigungsakt" (Weber) oder dilatorischen „Ausweg aus einer Zwangslage" (Stütz)[438] verstanden und dabei die in dem Wort *perplex*[439] sichtbare Ratlosigkeit der Kurfürsten hervorhoben, sahen andere, aus der Sicht der dualistischen Reichsverfassung, in ihr den „Gipfelpunkt kurfürstlicher Machtentfaltung, wie sie im 15. Jahrhundert erwachsen ist" (Angermeier).[440] Die bei PÜCKERT noch dominierende Sicht, die Kurfürsten hätten die Neutralität mit dem Ziel einer oligarchischen Leitung des Reiches gegen das Königtum ausnutzen wollen, gilt freilich schon seit

---

und die Kirchenpolitik (1911); SCHOCHOW, Albrecht II. in seinem Verhältnis zu Papst Eugen IV. und zum Basler Konzil (1922); KARNBAUM, Kirchenfrage (1923).

[437] Text: RTA XIII 216–19 nr. 130 (1438 III 17), 219–20 nr. 131 (Appell an neues Konzil) und 230–32 nr. 144 (Einigung von 1438 III 20); Zitat: 218 Z. 15. Vgl. MC III 107–10. Der Begriff ‚neutralitas‘ kommt in der Erklärung nicht vor. Zur Begriffsgeschichte vgl. STEIGER, Art. ‚Neutralität‘, besonders 341 f.

[438] WEBER, Vermittlungspolitik 94; MANNS, Albrecht II. 13, hielt die Neutralität aus politischen Gründen für richtig; STÜTZ, Neutralitätserklärung 138 (Zitat), 144 ff. Ähnlich schon KRAUS, Deutsche Geschichte 34; HÜRTEN, Mainzer Akzeptation 48, und dann, ohne Kenntnis von Stütz, STIEBER 137–40. BACHMANN, Neutralität, hatte die Erklärung als „unfruchtbar" und von „unermeßlichem Nachteil" (66) charakterisiert.

[439] RTA XIII 218 Z. 5. – Die Begriffe ‚perplexus‘, ‚perplexitas‘ finden sich in dieser Zeit häufiger, was auch deshalb nicht unverständlich ist, als es sich um einen Terminus der Scholastik handelt: Zustand des Gewissens, das sich zwei verschiedenen Geboten gegenüber sieht und bei Befolgung des einen wie des anderen zu sündigen glaubt. Vgl. die Beispiele: Eb. Dietrich von Mainz an den Eb. von N.N. (= Salzburg): *in tam adversa necessitate paternitatem vestram fore perplexam . . .*; RTA XIII 191 Z. 7 nr. 125 vom März 1438. –Nikolaus von Kues, Conc. cath. I Nr. 54 S. 72, Z. 14 f.: *. . . et in tanta adversitate et perplexitate in nubibus ibi* (sc. in Basel) *congregatos . . .*; s. auch THOMSON, Popes 170 f. Vgl. dagegen die Basler: *neminem in lege sua permisit esse perplexum*; RTA XIV 337 Z. 32 nr. 188.

[440] ANGERMEIER, Reich 570; s. schon PÜCKERT, Neutralität 119: „. . . erste großartige Erscheinung kurfürstlicher Oligarchie".

BACHMANN und WEBER als widerlegt. Stattdessen hebt man die Kontinuität der kurfürstlichen Politik seit den Tagen Sigmunds, im Einvernehmen mit dem König zu handeln, stark hervor[441] und sieht diese Linie bis mindestens 1441 als prägend an. König Albrecht II. sei der Neutralität im Mai 1438 freiwillig beigetreten und habe im übrigen den Kurfürsten die Führung der Kirchenpolitik weitgehend überlassen.[442] Die ausdrückliche Erwähnung des beabsichtigten *unanimis consensus* mit dem König, aber auch *cum omnibus pontificibus et prelatis ac reliquis principibus, comitibus, baronibus, satrapis et optimatibus sacri Romani imperii* spricht eher gegen ein exklusiv oligarchisches Selbstverständnis der Kurfürsten und sollte in der neueren Literatur zum Konsens-Begriff nicht unberücksichtigt bleiben.[443]

In der älteren Literatur überwog, dem Zeitgeist entsprechend, ein nationaler Tenor, besonders ausgeprägt bei BACHMANN: Man sah die Kurfürsten nicht nur wacker gegen „römische List" streiten, sondern unterstellte ihnen auch weitgespannte „nationalkirchliche Bestrebungen" (Werminghoff), eine Ansicht, welche die Literatur des 18. und 19. Jahrhunderts wesentlich geprägt hat, aber in neuerer Zeit nach Begriff und Sache als verfehlt angesehen wird.[444] Auch die grundsätzliche Frage, wie die Motive fürstlicher Kirchenpolitik zu bewerten seien, begleitet bis heute die Diskussion um die Neutralität wie um die Mainzer Akzeptation. So hat man zwar noch jüngst den Kurfürsten jeglichen Blick für die „theologische Dimension" des Kirchenstreits abgesprochen (Stieber), auf der anderen Seite aber seit jeher unter dem Stichwort ‚Egoismus' das Ziel unterstellt, ihren Einfluß auf die Kirche im Windschatten der Neutralität erweitern zu

---

[441] PÜCKERT, Neutralität VI, 60–72, und passim. Dagegen: BACHMANN, Neutralität; WEBER, Vermittlungspolitik; BECKMANN, RTA XIII, S. XXI f., XXIV, und die gesamte Forschung bis STIEBER 120 Anm. 10 (zum Forschungsgang), 138, 185, 207, der (270 f.) sogar im Kurverein vom 21. März 1446 noch eine prinzipielle Kooperation sieht.

[442] ANGERMEIER, Reich 570.

[443] Zitat RTA XIII 218 Z. 25 f. Die Kurfürsten pochen allerdings auch auf ihr durch die Goldene Bulle normiertes Wahlrecht; RTA XIII 218 Z. 6–8. Ihre nach der Wahl Albrechts II. unterbreiteten Forderungen tragen fast den Charakter einer Wahlkapitulation.

[444] Dazu meist zitiert: WEIGEL, RTA XIV, S. XV. Vgl. RAAB, Concordata 31, und am klarsten HÜRTEN, Mainzer Akzeptation 48. Man sollte aber das Kind nicht mit dem Bade ausschütten. Bedenkt man etwa die ‚Gravamina der deutschen Nation', so wird darin deutlich, daß sich der Nationbegriff gerade auch im Zusammenhang mit der kirchlichen *natio* (so in Basel!) bildete; s. dazu unten 321, 324. In diesem Sinne wäre der Begriff ‚national'-kirchlich präzise und richtig.

wollen.[445] Zu unterscheiden wäre wenigstens, wenngleich dies kaum möglich ist, zwischen den vorgängig leitenden Absichten der Neutralität und ihren faktischen kirchherrschaftlichen Konsequenzen. Die Kontroversen entzünden sich vor allem an folgender Schlüsselstelle in der Neutralitätserklärung: *et in sola ordinaria jurisdictione citra prefatorum tam pape quam concilii supremam postestatem ecclesiastice policie gubernacula per dioceses et territoria nostra sustentabimus, donec...*[446] Folgt man der Interpretation von WEBER, ist hier zwar unzweifelhaft von Übernahme (*sustentabimus*) der kirchlichen Jurisdiktionsgewalt unter Suspension der obersten Gewalt von Papst und Konzil die Rede, doch füge sich die Erklärung „durchaus in den Rahmen der bestehenden beschränkten kirchlichen Landeshoheit des weltlichen Herrn, dessen Schutzrecht für die Kirche seines Territoriums hier zu bedeutender Anwendung" komme, ein.[447] Eine weniger prinzipienhafte Deutung erscheint hier sinnvoller, wenn man nämlich *sustentare* einfach mit „aufrechterhalten" übersetzt: Die den Erzbischöfen ohnehin *ordinarie* zustehende Jurisdiktion läuft weiter. Indem sie – vorläufig – die letzte Verantwortlichkeit übernehmen, blocken sie alle Exkommunikationen, Interdikte, Suspensionen usw. ab, die sie im Kirchenstreit auf ihre Diözesen zukommen sehen.[448] Der seelsorgerische Aspekt des Bischofsamtes spielt hier mit hinein.

Leider äußert sich die Urkunde nicht präzis über die Art der *gubernacula per dioceses et territoria*. Die weltlichen Kurfürsten sind in jedem Fall eingeschlossen, doch wird der Übergang der Angelegenheit auf die Kompetenz der geistlichen Gewalten ebenso deutlich. Die wohl entscheidende Position für Anwendung und Durchsetzung der ‚Neutralität' fällt den Erzbischöfen zu – was freilich für die Mainzer ‚Akzeptation' in noch höherem Maße gilt – und zwar neben den drei

---

[445] Z. B. VOIGT, Enea Silvio I 299, und, um nur jüngere Lit. zu nennen: HEIMPEL, Deutschland 102; KARNBAUM, Kirchenfrage 38 ff.; BERTRAMS, Staatsgedanke 160–62, und STIEBER 343–46 (einseitig). Zum Problem s. oben 103, 196 f.

[446] RTA XIII 218 Z. 15–18. Zu den älteren Kontroversen s. WEBER, Vermittlungspolitik 102 Anm. 76.

[447] WEBER, Vermittlungspolitik 100–103, Zitat 102; danach STIEBER 137 f. Das Problem kann hier nicht erschöpfend behandelt werden.

[448] Ein Beispiel für strikte ‚Neutralität' (Erlasse von Eugen IV. und Basler Konzil werden nicht publiziert) bildet die Diözese Breslau im Mai 1439; ACTA NICOLAI GRAMIS 66–69 (Nr. 69). – HUGELMANN, Stämme 484 f., war der Ansicht, die geistlichen Fürsten handelten „nicht in ihrer Eigenschaft als Kurfürsten und Fürsten, sondern kraft ihrer geistlichen Würden, sie repräsentierten die deutsche Kirche, die ‚natio Germanica' in der Kirche".

kurfürstlichen die Metropoliten von Bremen, Magdeburg und Salzburg.[449] Die Provinzial- und Diözesansynode wurde, so hat man hervorgehoben, zur entscheidenden Instanz.[450] Dieser Befund würde sich in eine Grundrichtung auch der Basler Reformarbeit einfügen: Stärkung der Ordinarien einerseits, der Synoden andererseits. Deshalb wäre es interessant zu verfolgen, ob nach 1438 tatsächlich eine Stärkung der bischöflichen und synodalen Gewalt in den deutschen Diözesen feststellbar ist. Es erscheint mir außerdem über den vorliegenden Zusammenhang hinaus für die Vorreformationsforschung dringlich und lohnend, einmal das Selbstverständnis des bischöflichen Amtes im 15. Jahrhundert zu beleuchten. Das Bild dürfte – zwischen Reformbischof und Haudegen – recht kontrastreich ausfallen.[451a]

So wie der gesamte Entstehungsprozeß der Neutralitätserklärung nicht lückenlos rekonstruierbar ist, war auch die Frage nach ihren ‚Verfassern‘ in der Forschung umstritten. Genannt wurden Johann von Lieser (Voigt), Gregor Heimburg (Joachimsohn, Heimpel) und – mit der wohl größten Wahrscheinlichkeit – der Trierer Erzbischof Raban von Helmstadt und sein Rat Hugo Dorre (Pückert, zuletzt wieder Meuthen)[451]. Doch erscheint es nach Beckmann „aussichtslos", die Erklärung bestimmten Personen zuschreiben zu wollen. Vielmehr macht die Verfasserfrage eher generell den maßgeblichen Anteil der gelehrten Räte an der kurfürstlichen Politik deutlich.[452]

---

[449] Hier wird vor allem das Schreiben der Kurfürsten vom 21. März 1438 an einen ungenannten Erzbischof zitiert; RTA XIII 233 f. nr. 146, besonders Z. 41 f.; vgl. 226 Z. 11–13 nr. 138.

[450] WEBER, Vermittlungspolitik 101, 104; STIEBER 139. Stattgefunden hat aber zunächst wohl nur eine Mainzer Provinzialsynode: RTA XIII 239 f. nr. 150 (1438 III 30), 243 f. nr. 153–154. Vgl. Überblick bei HANNA 41–48. Zur Kölner Provinzialsynode vom Okt. 1440 s. oben 145 Anm. 264. – Zur Rolle der Bischöfe vgl. den Ausspruch des Franziskanerprovinzials Matthias Döring: *Stante neutralitate pocius pape quam episcopi videbantur*; PASTOR I 344 Anm. 1, nach I.B. MENCKEN, Scriptores rerum Germanicarum praecipue Saxonicarum III, Lipsiae 1730, 10. – Vgl. allgemein: HÜRTEN, Die Verbindung von geistlicher und weltlicher Gewalt als Problem 25–28.

[451] Zur Diskussion um die Autorschaft s. BECKMANN, RTA XII, 292–94; XIII, S. XXXIII f. und 40 Anm. 4; WEBER, Vermittlungspolitik 96 f. Anm. 65; STÜTZ, Neutralitätserklärung 85–88, 163–72; PÜCKERT, Neutralität 58–61; MEUTHEN, Trierer Schisma 6; über Hugo Dorre ausführlich ebd. 3–9, und HEIMPEL, Vener 1582 s.v.

[451a] Vgl. unten 349 f. zum Bischofsideal.

[452] S. schon JOACHIMSOHN, Gregor Heimburg 51: „Es ist diese Thätigkeit der Gelehrten, die unstreitig mehr als politische Erwägungen, die Neutralität in ihrer eigentümlichen Form geschaffen hat." Die Kurfürsten selbst erwähnen ständig die Mitwirkung und Unverzichtbarkeit der Räte; in der Neutralitätserklärung werden sie namentlich aufgeführt; RTA XIII 218 Z. 37–41 nr. 130. Vgl. oben 134-37, 274-77, 308.

Unter möglichen Vorbildern der ‚Neutralität' von 1438 wurden auch die französischen Subtraktionserklärungen der Jahre 1398 und 1408 genannt, doch hatte bereits der Zeitgenosse Segovia Unterschiede erkannt.[453] Berücksichtigt man die Tatsache, daß auch andere Fürsten wie zum Beispiel die Könige von Frankreich und Polen faktisch eine ‚neutrale' Politik betrieben haben, stellt sich die Frage nach der Rechtsnatur der deutschen Neutralität. War die Neutralitätserklärung oder vielmehr die Einung vom 20. März rechtlich verbindlich – und für einen Beitritt weltlicher und geistlicher Instanzen maßgeblich? Ein neues Interesse an zeitgenössischen Theorien und Rechtsgutachten zur ‚Neutralität' wäre zu begrüßen.[454]

Grundsätzlich hat man die ‚Neutralität' immer eingebunden gesehen in die kurfürstliche Vermittlungspolitik zur Verhinderung eines Schismas, die seit 1432, im Einvernehmen mit dem König, eine Konstante bildete. Offenbar glaubten die Kurfürsten immer wieder an einen Erfolg, obwohl die Vermittlungsbemühungen vor dem Mainzer Reichstag ebenso scheiterten wie die drei Gesandtschaften nach Basel im April, Juni und Dezember 1438 und die Verhandlungen auf den beiden folgenden Reichstagen des Jahres. Die Idee eines ‚Dritten Konzils' – sie wurde von BÄUMER minutiös verfolgt – bildete sich schon im Dezember 1437 und sollte die Gedanken (oder bloß die Rhetorik?) Karls VII. von Frankreich sowie in den vierziger Jahren besonders König Friedrichs III. ebenso stereotyp wie letztlich illusionär be-

---

[453] MC III 107. (Vgl. BACHMANN, Neutralität 9–11). An gleicher Stelle der nach dem Selbstverständnis des Basiliense folgerichtige Vorwurf, eine ‚Neutralität' widerspreche der Konzilssuperiorität.

[454] S. auch FRANK, Kirchengewalt 50 f., mit Hinweis auf Christian von Zinnas ‚Tractatus de justificatione suspensionum animorum'; RTA XVII 333–342 nr. 165. – S. auch den ‚Tractatus super neutralitate principum per quendam religiosum fratrem ordinis Carthusiensis apud Coloniam s. theologiae professorem compilatus a.D. 1440'; ROM Bibl. Vat. Reg. lat. 1020 f.199^V–212^r (s. JEDIN, Trient I 477) sowie RTA XVII 366–70 nr. 169. – Heinrich Toke: ‚Pro tuitione neutralitatis nunc durantis'; RTA XVI 258–267 nr. 217. – Der genannte Hugo Dorre: RTA XII 308–310 nr. 191. – Nikolaus von Kues, z.B. AC I2 Nr. 469, 527, 598. Ferner die großen Reden der Konzils- und Papstgesandten auf den Reichstagen, etwa Segovias (1439 VIII 23) auf der Mainzer Provinzialsynode (RTA XIV 367–90 nr. 197) oder das mit CIC-Stellen gespickte Gutachten eines deutschen Anonymus von 1442; RTA XVI 567–73 nr. 217a (dazu HALLER CB I 30–36). Gegen Segovia wandte sich Nikolaus von Kues; AC I2 Nr.527. Schließlich sind die gegen die Neutralität gerichteten Universitätsgutachten der vierziger Jahre zu nennen. S. oben 143. Mit welchen kanonistischen (oder legistischen?) Argumenten wird die Neutralität verteidigt oder angegriffen?

schäftigten.[455] Illusionär deshalb, weil weder die päpstliche Seite, wenn sie auch zunächst flexibler und kompromißbereiter erschien, noch die Basler bereit waren, ihre Intransigenz aufzugeben. Diese ließen, nur durch Aufschübe gebremst, ihren Papstprozeß bis zur Absetzung eskalieren und lehnten Vermittlung, und erst recht eine Translation ihrer Versammlung ab. Ihre Argumente waren auch hier mehr prinzipiell als politisch: Man sprach den europäischen Fürsten als Laien überhaupt das Recht ab, in kirchlichen Fragen mitzuentscheiden und so die ‚libertas‘ des Konzils und damit der Gesamtkirche zu beeinträchtigen.[456] Beide Seiten wollten Obödienz, ohne ein Recht auf Rezeption zu gewähren. Diese Haltung mußte mit dem wachsenden kirchlichen Mitspracheanspruch der Fürsten kollidieren. Als deutliches Zeichen von deren Selbstbewußtsein hat man zum Beispiel die Ankündigung der Neutralitätserklärung gesehen, in der Kirchenfrage nach sechs Monaten zusammen mit König, Geistlichkeit, Adel und Gelehrten des Reiches vor „eigenem Forum" (Beckmann) zu entscheiden.[457]

Daß die Politik der immer wieder verlängerten ‚Neutralität‘, wenn sie je ein Konzept gewesen war, in den vierziger Jahren ausgehöhlt wurde und zur reichspolitischen Taktik degenerierte, ist bekannt. Die Idee einer ‚splendid isolation‘ des Reiches war nie etwas anderes als eine Fiktion gewesen. Zwar wurde die ‚Neutralität‘ bis Anfang 1440 laut STUTT und HANNA „in fast allen Diözesen (!)" anerkannt[458], doch tendierten viele Diözesen zum Basler Konzil. Fürstliche und – was im Grunde sowohl rechtlich wie nach der Interessenlage etwas anderes ist[459] – diözesane ‚Neutralität‘ gibt es in den vierziger Jahren neben

---

[455] Grundlegend und, wenngleich etwas zu stark auf das Phänomen ‚Drittes Konzil‘ beschränkt, allgemein für die Reichsgeschichte 1438–1447 zu benutzen: BÄUMER, Eugen IV. und der Plan eines ‚Dritten Konzils‘ (1965). Ansätze des Plans auf Reichsebene schon in Vorschlägen vom Dezember 1437: RTA XII 297 f. nr. 183 Artikel 9; 299 nr. 184 Artikel 3 und 5 (nach BECKMANN, RTA XIII 39), was Bäumer allerdings entgangen zu sein scheint. – Die Bezeichnung ‚Drittes Konzil‘ stammt nicht aus den Quellen.

[456] Für die Argumentation richtungweisend die Information für die Konzilsgesandten in Wien (Juli 1438); RTA XIII 366–71 nr. 195. Vgl. RTA XIV 338 Z. 1–7 nr. 188. S. oben 94.

[457] RTA XIII 39 mit Stellenangaben. Beispiele, daß auch einzelne kirchliche Fragen (Prozesse etc.) Konzil und Papst entzogen und vor „eigenem Forum" entschieden werden sollten: etwa RTA XIV nr. 219 und 223.

[458] STUTT 44; HANNA 41.

[459] S. schon PÜCKERT, Neutralität 70 f.

teils offener, teils verkappter Obödienz für Eugen IV. oder Felix V.[460]
Für den Historiker wird es wieder einmal schwer, vom Reich ein
Gesamtbild zu gewinnen.

Die in den folgenden Jahren von allen Seiten intensivierte Gesandtschaftstätigkeit (1438 zwischen Wien-Basel-Ferrara und dem Reich)
ist sicher auch quantitativ neu; strukturell neu erscheint mir jedoch
die steigende Theologisierung und Verwissenschaftlichung eines
politischen Forums wie des Reichstages, wie sie in den auch vom
Umfang her gigantischen Traktaten der eugenianischen (Nikolaus
von Kues usw.) und mehr noch der Basler Gesandten (Tudeschi,
Ragusa, Segovia, Courcelles)[461] greifbar sind: eine Materialschlacht
unter Intellektuellen. Die Frage ist: Bestimmten sie auch politisch die
Entscheidung der Fürsten?

Forschungen zur Reichsgeschichte liefen immer Gefahr, die Ereignisse auf ein Gerüst von Reichstagen zu reduzieren und dabei die
unverkennbare Europäisierung der Reichspolitik seit 1438 zu unterschätzen. Diese entstand erstens aus den Bemühungen anderer Fürsten, gemeinsam mit dem deutschen König im Kirchenstreit zu
vermitteln – man denke an die Korrespondenzen mit dem französischen und englischen König und die Auftritte europäischer Fürstengesandter auf den Reichstagen (s. die beiden Mainzer ‚Intelligenzen‘
von April 1439).[462] Zweitens sind dafür die Konflikte der rheinischen
Kurfürsten mit Burgund und deren folgerichtige Anlehnung an Frankreich verantwortlich.[463]

Ein Wort zu *Albrecht II.*: Nicht selten verhalten sich historische
Bedeutung eines Gegenstandes und Forschungsbreite aus technischen
Gründen umgekehrt proportional. Es dürfte in der Tat seine kurze
Regierungszeit sein, die dem Habsburger wissenschaftsgeschichtlich
das Glück bescherte, besser erforscht zu sein als jeder andere deutsche

---

[460] Vgl. Enea Silvio 1450 an Carvajal: *Sed hec neutralitas dualitas potius dici debuit. namque, ut quisque favorem speravit, sic vel Basilee vel Rome beneficia impetrabat* . . .; Briefwechsel II, ed. WOLKAN 199 f.

[461] Einen gewissen Auftakt stellt hierfür Tudeschis Rede am 12. März 1438 vor den Kur-fürsten in Frankfurt dar; RTA XIII 195–215 nr. 129.

[462] S. aber NÖLDEKE, Kampf Eugens IV., 18–34, 69 ff.; STIEBER 146–55, dem die Arbeit Nöldekes entgangen ist. RTA XIV 60–63 nr. 22 (Jan. 1439); MC III 240 und die Antwort der Basler: RTA XIV 75–85 nr. 33; vgl. ebd. 127–30 nr. 65, 135–39 nr. 69 (die beiden ‚Intelligenzen‘ von 1439 IV 16 und IV 26).

[463] Dazu jetzt MILLER, Sierck 114–73 passim. Weitere Literatur unten 310 ff.

König des Jahrhunderts.[464] Der jüngste Versuch von HÖDL (1978), die Regierung Albrechts II. grandios aufzuwerten, scheint sich mittlerweile auf ein realistisches Maß reduziert zu haben. So zukunftsträchtig Albrechts Regierung als Herzog gewesen sein mag, so wenig deutlich erscheinen die eigenständigen kirchenpolitischen Konturen seiner zweijährigen Königszeit.[465] Man muß sich vor Augen führen, daß Albrecht nur wenige Monate, von April bis August 1438, vordringlich der Reichs- und Kirchenpolitik gewidmet hat. In dieser Zeit war Wien allerdings ein Brennpunkt der Diplomatie. Er setzte im wesentlichen die vermittelnde Politik seines Vorgängers und Schwiegervaters Sigmund fort – ohne als neuer Mann dessen Autorität in Europa zu haben – und überließ im übrigen in maßvoller Weise den Kurfürsten und den von Sigmund übernommenen Räten das Feld. Allerdings lieferte seine angefochtene Position in Böhmen und Ungarn auch realpolitische Gründe dafür, im Kirchenstreit vorerst lieber Kurie und Basler Konzil um sich werben zu lassen, als durch Parteinahme eine von beiden Seiten zu verärgern. Im ganzen werden ihm in der Forschung eher Sympathien für die Basler nachgesagt, nicht zuletzt im Hinblick auf seine überzeugende Reformtätigkeit als Herzog.[466] Die dichte Korrespondenz zwischen Königshof und Konzil resultierte jedoch in erster Linie aus seiner Autorität als Reichsoberhaupt und scheint mehr von Pflicht als von Neigung genährt.

f) Die Mainzer ‚Akzeptation‘

Am 26. März 1439 ‚akzeptierten‘ die drei geistlichen Kurfürsten, die drei übrigen Metropoliten des Reiches (Bremen, Magdeburg, Salzburg) und Vertreter des Königs zu Mainz in einem Notariatsinstru-

---

[464] Neben der oben Anm. 367, 436 genannten Literatur s.: WOSTRY, Albrecht II. (1906/07), schenkt der Kirchenpolitik nur am Rande Aufmerksamkeit: I 67–85, II 41–43. Grundlegend jetzt: HÖDL, Albrecht II. (1978) [s. dazu P. J. HENNIG, in: ZHF 8 (1981) 229–32]; auch bei Hödl steht die Kirchenpolitik des Königs nur am Rande (132–34). Vgl. HÖDL (Ed.), Regesta Imperii XII; Albrecht II. (1975), 289-302 (Lit.); Reichsregierung (1974). Zur Königswahl: ALTMANN, Wahl Albrechts II., mit Darstellung der kurfürstlichen Kirchenpolitik, aber veraltet; LHOTSKY, Quellenkunde 340–45; PARAVICINI, Königswahl von 1438; mit dem Ergebnis, daß sowohl 1438 wie 1440 der Königskandidat des Kölner Erzbischofs Dietrich von Moers Philipp der Gute von Burgund war!

[465] S. MEUTHEN, 15. Jahrhundert 48. Wenn HÖDL, Reichsregierung 144, in der Kirchenpolitik Albrechts den Versuch „der Eingliederung des Konzils in den Rahmen der Reichs- und der habsburgischen Politik" sieht, bedürfte dies genauerer Ausführung.

[466] Zur Reformpolitik Albrechts: KOLLER, Princeps in ecclesia, ab 59 ff. passim. – Es wäre auch zu berücksichtigen, daß Johann von Ragusa als Konzilsgesandter 1438 fast fünf Monate (April–August) am Hof Albrechts in Wien weilte und währenddessen zusammen mit Jean Beaupère zum königlichen Familiaren und Rat ernannt wurde. Hat er Albrecht konziliar beeinflußt?

ment 26 Dekrete des Basiliense aus der 1. bis 31. Sessio (1438 I 24).[467] Das ganze Dokument, die Auswahlkriterien und Modifikationen der ‚akzeptierten' Dekrete wurden in der Literatur aufmerksam analysiert –, und doch erscheint es angemessen, einige Probleme nochmals aufzurollen: Von Anfang an war die Frage besonders kontrovers, ob die ‚Akzeptation' direkt oder indirekt auch das Basler Dekret ‚Sacrosancta' (2. Sessio, 1432 II 15) und damit das brisante Konstanzer Dekret ‚Haec Sancta' mitenthalte.[468] Unumstritten ist das Vorbild der französischen ‚Pragmatique Sanction' von Bourges (1438 VII 7), wenngleich aus kurfürstlichem Munde keine Erwähnung bekannt ist.[469] Die Unterschiede der beiden Dokumente bei der Auswahl der akzeptierten Basler Dekrete, der Zusammensetzung des Entscheidungsgremiums (Klerusversammlung unter Vorsitz des Königs in Frankreich – Aktion der Metropoliten im Reich) und der Rechtsgeltung hat man bereits erschöpfend untersucht.[470]Beiden Dokumenten ist gemeinsam, daß sie die bisher erlassenen Dekrete des Konzils keineswegs vollständig, sondern in „freier und wählerischer Aneignung" (Pückert) aufnahmen. Während die ‚Pragmatique' aber bis 1516 ein Grundgesetz der werdenden französischen Staatskirche wurde, geriet die Mainzer ‚Akzeptation' in Vergessenheit.

Ein Blick auf die Forschungsgeschichte erweist, daß die ‚Akzeptation' einer der wichtigsten Faktoren für die Wirkung des Basler

---

[467] Text: RTA XIV 109–114 nr. 56. Das gesamte Material der RTA XIV ist mit einzubeziehen. Eine nützliche Teilnehmerliste zu diesem Reichstag bei LIPBURGER, Studien 87–89. Zur Ereignisgeschichte des Jahres 1439 jetzt: STIEBER 155–89. Die wichtigsten Spezialarbeiten: HÜRTEN, Mainzer Akzeptation, kondensierte, teils modifizierte Fassung seiner Phil. Diss. Münster 1955 (masch.) gleichen Titels, die mitzubenutzen ist. – Juristische Diss.von RÜCKER, Rechtsnatur (1965); ihr scheint Hürtens Aufsatz unbekannt. Vgl. ferner: PÜCKERT, Neutralität 87–99; BACHMANN, Neutralität 46–68; GEBHARDT, Gravamina 114–25 (nützliche Konkordanz von Konstanzer Konkordat, Mainzer Akzeptation und Wiener Konkordat); WERMINGHOFF, Nationalkirchliche Bestrebungen 57–85, 162–74; BERTRAMS, Staatsgedanke 130–33; HANNA 38–41; RAAB, Concordata 31–35 und passim; AMMON, Schele 68–72; PREISWERK; Einfluß Aragons 72-74.

[468] S. RAAB, Concordata 31–33 mit Anm. 41 (Referat der älteren Ansichten); STIEBER 164.

[469] Doch wünschte Kardinal Aleman, die Kurfürsten sollten den König auf das Vorbild von Bourges hinweisen; RTA XIII 571 Z. 41–573 Z. 27. – NÖLDEKE, Kampf Eugens IV., Anm. 89 zu S. 24 (Urk.anhang 6b Nr. 11 Z. 22 ff.); zitiert den französischen Gesandten in Mainz, Eb. Philippe de Coëtquis: *Item laboravi ad acceptationem decretorum sacri concilii, tam Biturigis quam apud imperium Maguncie.*

[470] Literatur zur ‚Pragmatique' s. oben 212 f. – Zum Vergleich von ‚Pragmatique' und ‚Akzeptation': Konkordanz bei WERMINGHOFF, Nationalkirchliche Bestrebungen 169–74; PÜCKERT, Neutralität 97 f.; HEFELE-LECLERCQ VII 2, 1055–60; RÜCKER, Rechtsnatur 57–63; STIEBER 163–66; MEUTHEN, Basler Konzil in r. kath. Sicht 294–96.

Konzils gewesen ist, und zwar in doppeltem Sinne: als Multiplikator für eine zeitgenössische Rezeption von Basler Dekreten im Reich auf Provinzial- und Diözesansynoden[471] und viel später als Quellenarsenal der deutschen Episkopalisten des 18. und 19. Jahrhunderts, nachdem sie durch den Mainzer Staatsrechtler JOHANN BAPTIST HORIX aus dreihundertjähriger Vergessenheit befreit und 1762/63 publiziert worden war.[472] So vermochte die ‚Akzeptation‘ nach RAAB zur „Magna Charta der nationalkirchlichen aber auch der episkopalistischen Bewegung bis weit ins 19. Jahrhundert"[473] zu werden, eine kirchenpolitische Spätwirkung, die wohl nur von der des Konstanzer Dekrets ‚Haec Sancta‘ übertroffen wird. Man sah damals in der Akzeptation und in den Fürstenkonkordaten von 1447 eine verpaßte Chance der Vergangenheit, für die Gegenwart wenigstens die juristische Grundlage, das noch gültige, aber allenthalben äußerst negativ bewertete Wiener Konkordat unter episkopalistischen Vorzeichen zu ersetzen. Doch interpretiert Raab die Akzeptation wohl selbst im Sinne der Episkopalisten, wenn er in ihr schon das „Programm" der episkopalistischen Bewegung katholischer Reichsfürsten und rheinischer Kanonisten des Ancien Régime präsent sieht.[474]

---

[471] „Als taktisches Mittel hatte die Akzeptation versagt. Aber ihre Bedeutung für die Reform blieb"; HÜRTEN, Mainzer Akzeptation 66.

[472] J.B. HORIX, Concordata nationis Germanicae integra . . ., o.O., o.J. (1762/63). Auf drei Bände erweitert dasselbe Frankfurt-Leipzig 1771-73. Zu Horix: RAAB, Concordata 126–35. – Gegen Ende der episkopalistischen Welle des 18. Jh. erschien 1789 die wichtige Edition in dem grundlegenden Werk des Straßburger Rechtsgelehrten CHRISTOPH WILHELM KOCH, Sanctio Pragmatica Germanorum illustrata 105–71, mit vollständiger Zitierung der akzeptierten Dekrete, einschließlich ‚Sacrosancta‘ (1432 II 15); s. RAAB, Concordata 153–57, 168, dort weiteres Schrifttum der Episkopalisten; vgl. auch JOHANN PHILIPP GREGEL, De juribus nationi Germanicae ex acceptatione Decretorum Basiliensium quaesitis (1787). In der Erforschung der Wirkungsgeschichte klafft für die zweite Hälfte des 15. Jh. eine Lücke. Nach RAAB, Concordata 47–49 scheint die ‚Akzeptation‘ bereits Wimpfeling (1513) oder Cochläus (1549) nicht mehr bekannt gewesen zu sein. Ob sie eine und welche Rolle sie in den ‚Gravamina‘ der Kirche seit den fünfziger Jahren spielte, wäre zu ermitteln. Bei MICHEL, Wiener Konkordat 41–84, finden sich keine Hinweise.

[473] RAAB, Concordata 31: „Ohne die Veröffentlichung des Mainzer Akzeptationsinstruments sind die Koblenzer Gravamina von 1769, die Emser Punktation (1786) und der literarische Streit um die Münchener Nuntiatur (1785) nicht zu denken" (ebd. 132). S. grundlegend ebd. passim zur Diskussion der Episkopalisten und rheinischen Kanonisten bis ca. 1848. Zur episkopalistischen Bewegung ferner: SCHNEIDER, Konziliarismus 68–88; FEINE 567–73; RAAB, in: HKG V, 477–507.

[474] RAAB, Concordata 34.

Die Forschung zur Akzeptation von 1439 weist recht unterschiedliche Ansätze auf, die oft beziehungslos nebeneinander stehen. Eine Verbindung der historisch-politischen, kanonistischen und staatsrechtlichen Ansätze ist in neuer Zeit am ehesten HÜRTEN (1959) gelungen, während die Arbeit von RÜCKER (1965) trotz gewisser Fortschritte in der Systematik zu sehr der juristischen Begrifflichkeit des modernen Staatsrechts verhaftet bleibt.[475]

Unter politischem Aspekt sah man die Akzeptation als Teil des mit der Neutralitätserklärung beschrittenen neuen Kurses der kurfürstlichen Kirchenpolitik. Doch bleiben wesentliche Implikationen unberücksichtigt, wenn man die Akzeptation nur als „Mittel der Vermittlungspolitik" (Weigel) versteht.[476] Es scheint näher zu liegen, in der Annahme von 26 Konzilsdekreten einen Widerspruch zur ‚Neutralität' zu sehen, und in der Tat hat man in diesem Sinne geurteilt.[477] Die Fürsten selbst sahen da offensichtlich nichts Unvereinbares. Ungeachtet, ob man ihnen eine landes- oder gar nationalkirchliche Programmatik unterstellt, ob man ihnen „lebhaftes Interesse an den Reformarbeiten des Basler Konzils" (Hürten) oder im Gegenteil „Gleichgültigkeit" (Pückert) attestiert bzw. wie Stieber weder Programm noch Reformgeist, sondern vornehmlich finanzielle Interessen am Werke sieht[478], scheint doch die Absicht unverkennbar, nach französischem Vorbild wesentliche Teile des Basler Reformwerks für das Reich zu einem Zeitpunkt zu sichern, bevor ein solcher Schritt in der Situation eines neuen Schismas tatsächlich eine einseitige Partei-

---

[475] HÜRTEN, Mainzer Akzeptation; RÜCKER, Rechtsnatur.

[476] RTA XIV, S. XV; HÜRTEN, Mainzer Akzeptation 65.

[477] Vgl. jüngst ANGERMEIER, Reichsreform 75: Die Mainzer Akzeptation „stellte aber doch eine Option des Reiches für den Konziliarismus als der maßgebenden Kirchentheorie dar".

[478] Zitate: HÜRTEN, Mainzer Akzeptation 44, bezogen auf die ersten Jahre des Konzils; PÜCKERT, Neutralität 141; STIEBER 165 f., 172 f. Vgl. jüngst ANGERMEIER (wie oben): Die Mainzer Akzeptation „hat nämlich mit irgendwelchen religiösen Impulsen oder kirchlichen Reformbestrebungen der Kurfürsten nichts zu tun." – Die Abschaffung der Zahlungen an die Kurie (Annaten etc.), wie sie die Basler Reformdekrete vorsahen, war selbstverständlich kein geringer Anreiz. In der Tat sanken die kurialen Einnahmen aus dem Reich rapide ab. Wichtig wäre zu klären, ob dies gleich nach Promulgation der Dekrete in Basel oder erst nach der deutschen ‚Akzeptation' geschah. – Auf die eigenen, vom Diözesanklerus zu entrichtenden ‚Siegelgelder' mochten die deutschen Bischöfe – entgegen den Basler Dekreten – freilich nicht verzichten; s. RTA XIV 96–98 nr. 48 (Aufrechterhaltung der in der Mainzer Provinz üblichen Annaten) und 104 f. nr. 52 (Entschädigungsplan für die Kurie); dazu HÜRTEN, Mainzer Akzeptation 104, sowie unten 338.

nahme impliziert haben würde. Doch hätten die Fürsten, so der Tenor der älteren Literatur[479], infolge ihrer verhängnisvollen Neutralität die Dekrete kaum in der Praxis durchgesetzt und damit Reform und nationalkirchliche Unabhängigkeit für das Reich verspielt.

Noch einmal zur ‚landesherrlichen' Dimension: Das Problem wird allgemein auf die Frage zugespitzt, ob die Metropoliten mehr als Landesherren mit landeskirchlich-episkopalistischem Ziel oder mehr als geistliche Oberhirten ihrer Erzdiözesen die Akzeptation vorgenommen haben. Handelt es sich juristisch um den geistlichen oder um den weltlichen Zuständigkeitsbereich? Damit sind wir auf dem Wege zum vielmaschigen Problem der „Rechtsnatur" der Mainzer Akzeptation, worüber bis heute keine endgültige Klarheit besteht.

Die Aussage des Textes erscheint relativ eindeutig: Es akzeptieren die Oratoren des Königs *pro eo et tota Alemania cunctisque suis principibus et subditis ecclesiasticis et secularibus*, der Kurfürst und Erzbischof von Mainz für die Person des Kurfürsten von Brandenberg und *pro se, ecclesia et cunctis conprovincialibus et clero suis*[480], die übrigen Erzbischöfe mit ähnlichen Formeln. Sachsen und Pfalz, beides weltliche Kurfürsten, haben keine eigene Akzeptationserklärung gegeben, werden aber zu Beginn der Urkunde als Mitbeteiligte genannt.[481] Demzufolge agieren, nach HÜRTEN, König und Kurfürsten als „verfassungsmäßige Organe des Reiches" und die „Metropoliten als … Repräsentanten der deutschen Kirchenprovinzen", aber „ausschließlich für ihre kirchlichen Jurisdiktionsgebiete."[482] Es handelt sich zwar wesentlich um einen Akt der im Reich regierenden Erzbischöfe, aber auch um einen Akt des Reiches, repräsentiert durch König und Kurfürsten; wobei die weltlichen Kurfürsten als Reichsorgane, nicht als Landesherren beteiligt sind. Auch die wichtigen kurfürstlichen Bestimmungen vom 11. November 1439 (Strafandrohung gegen Übertretung der Neutralität, Sicherung der kirchlichen Jurisdiktion) lassen sich nicht, wie HÜRTEN überzeugend gegen WERMINGHOFF dargelegt hat, im Sinne ‚landeskirchlicher' Maßnahmen reklamieren.[483] Die praktische

---

[479] Etwa PÜCKERT, Neutralität 141 f.; BACHMANN, Neutralität 66; WERMINGHOFF, Nationalkirchliche Bestrebungen 84 f. Zum Vergleich HÜRTEN 71.

[480] RTA XIV 113 Z. 6–9.

[481] RTA XIV 110 Z. 17–21.

[482] HÜRTEN, Mainzer Akzeptation 58.

[483] HÜRTEN, ebd. 71 mit Anm. 108, zu RTA XIV nr. 214 (1439 XI 11) und nr. 185–86 (Entwürfe vom August 1439). In seiner gleichlautenden Dissertation 79 f. hatte Hürten noch eine andere Sicht vertreten: „Die Kurfürsten, auch die geistlichen, wollten als Lan-

Durchführung der akzeptierten Dekrete vollends sollte, verbunden mit der nötigen Zustimmung der Suffragane, auf Provinzial- und Diözesansynoden erfolgen.[484] Die Frage nach der geistlichen oder weltlichen Geltung der akzeptierten Dekrete ist mithin als solche schon falsch gestellt.[485]

Diese Vorüberlegungen führen zur staatsrechtlichen Dimension der Akzeptation, in der das eigentliche Kernproblem gesehen wird. Schon HINSCHIUS hatte in der ‚Pragmatique‘ eine Vorstufe des Plazets, der staatlichen Approbation kirchlicher Gesetze im absolutistischen Fürstenstaat, erblickt.[486] So sah denn die noch episkopalistisch geprägte Literatur in der Mainzer ‚Akzeptation‘ ein reguläres „Reichsgesetz“, während etwa seit der Mitte des 19. Jahrhunderts die Ansicht vorherrschte, sie sei, im Unterschied zur ‚Pragmatique‘, gerade kein „Reichsgesetz“, sondern eine „provisorische Vereinbarung“ (Hürten) gewesen, bzw. gar nur ein „Gesetzestorso“ (Rücker) geblieben,[487] da ihr – folgen wir HÜRTEN und RÜCKER – konstitutive Elemente eines Gesetzes gefehlt hätten: nämlich Publikation in vollem Wortlaut und Strafbestimmungen bzw. eine ‚Pragmatische Sanktion‘ durch den König. Hier drängt sich eine Reihe von Fragen auf, denen das grundsätzliche Bedenken vorangestellt werden soll, wieweit es im 15. Jahrhundert überhaupt ein formalisiertes Gesetzgebungsverfahren im Reich gab, das ständische und königliche Kompetenz in exakte legislatorische Beziehung setzte und vor allem auf die Übernahme

desfürsten handeln.“ Man beachte, daß in der Urkunde die Kurfürsten von Pfalz und Brandenburg ebenfalls durch geistliche Fürsten, den Bischof von Worms und den Erzbischof von Mainz, vertreten wurden; RTA XIV 330 Z. 28–32 nr. 186.

[484] S. die Übersicht über einige Synoden (Mainz, Salzburg, Freising...) bei STIEBER 169–73; vgl. HÜRTEN (Diss.) 80; Mainzer Akzeptation 70, 72; KOCHAN, Reformbestrebungen 121–25. Vgl. oben Anm. 450 – Zum Problem der ‚Durchführung‘ der akzeptierten Dekrete wären die kurfürstlichen Vorschläge von April 1439 (RTA XIV 120–21 nr. 61) stärker zu beachten. S. HÜRTEN, ebd. 64 f.

[485] Wenn es RÜCKER, Rechtsnatur 77, bemerkenswert erscheint, „daß die Akzeptation von Konzilsbeschlüssen nicht ausschließlich (!) in den Zuständigkeitsbereich der weltlichen Gewalt fiel“, sondern „auch den geistlichen Gewalten zukam“, zeugt das für sein staatsrechtlich verengtes Blickfeld.

[486] HINSCHIUS, Kirchenrecht III 749 f. Vgl. FEINE 779 s.v.; RÜCKER, Rechtsnatur 35–39, 55–57 (zum Placetierungsrecht bei Marsilius); LThK IV 545, Art. ‚Placet‘ (K. MÖRSDORF).

[487] Referat der Forschungsmeinungen bei RÜCKER, Rechtsnatur 64–66. S. etwa PÜCKERT, Neutralität 97, gegen KOCH, Sanctio pragmatica; WERMINGHOFF, Nationalkirchliche Bestrebungen 84; BERTRAMS, Staatsgedanke 130 f.; HÜRTEN, Mainzer Akzeptation 56, 63; STIEBER 166 f., 169; RÜCKER 63 und 89 (Zitat). Heranzuziehen ist auch der Vergleich mit der noch rein kirchlichen Rechtsnatur des Konstanzer Konkordats bei HÜBLER, Constanzer Reformation 315–22.

kirchlichen Rechtes (von der ‚Akzeptation' zur ‚Sanktion') formal an-
wendbar gewesen wäre. Bedurfte es überhaupt eines solchen Rechts-
aktes, kirchliches Recht zu übernehmen oder zu approbieren, und
zwar nach kirchlicher Auffassung – etwa des Basler Konzils selbst – oder
nach weltlicher Auffassung? Was verstand man unter ‚Akzeptation' und
‚Pragmatischer Sanktion', bzw. in welchem Verhältnis stehen sie zuein-
ander?[488] Beginnen wir mit dem Terminus ‚Pragmatische Sanktion': Die
bekanntesten Beispiele sind die ‚Pragmatique Sanction' von Bourges
(1438) und die unter gänzlich verschiedenen Umständen entstandene
‚Pragmatische Sanktion' Kaiser Karls VI. (1713). Doch taucht der
Begriff schon im römischen Kaiserrecht, im Hochmittelalter z.B. bei
Friedrich I., im 15. Jh. für Ordonnanzen des französischen Königs
(zum Beispiel derjenigen vom 18.II.1407) oder als Bezeichnung für
die ‚Goldene Bulle' auf.[489] Eine exakte juristische Definition für den
Gebrauch im 15. Jahrhundert scheint mir allerdings aus den heterogen-
nen Exempla gerade nicht ableitbar zu sein. Nun ist aus drei kurfürstlichen Verlautbarungen der Jahre 1438–1441 die Forderung nach
einer königlichen *sanctio pragmatica* für die geplante bzw. erfolgte
Akzeptation belegt; das heißt, es muß eine konkrete rechtliche Vorstellung davon gegeben haben.[490] Nach RÜCKER sollte diese ‚Prag-

---

[488] „Keine Akzeptation ohne Sanktion"; RÜCKER, Rechtsnatur 63. Vgl. ebd. die Defi-
nitionen: „Akzeptation ist der rechtstechnische Begriff für die Anerkennung und Übernahme kirchlichen Rechts. Sie kann sowohl durch die weltliche Gewalt wie auch durch
kirchliche Organe erfolgen" (30). – „Eine Pragmatische Sanktion ist die aus gründli-
cher Prüfung der Umstände und der Genehmigung der Reichsstände hervorgegangene
landesherrliche Verordnung", bzw. im vorliegenden Falle „ein vom König zu erlassendes
Gesetz" (67).

[489] In unserem Zusammenhang bisher nicht genutzt die römisch-rechtliche Arbeit von
SCHÖNBAUER, Sanctiones pragmaticae', geht im wesentlichen von der – übrigens erst
1719 erstmals so bezeichneten – ‚Pragmatischen Sanktion' Karls VI. von 1713 aus. Unter
ebd. 64 f. angeführten Beispielen kommt die Mainzer ‚Akzeptation' nicht vor, dafür ein
anderes Beispiel: Friedrich III. erweitert und bestätigt 1453 VI 1 das ‚Privilegium maius'
durch eine ‚Sanctio pragmatica'. Weitere Belege bei HALLER, Papsttum und Kirchenreform 202; MARTIN, Origines II 293 Anm. 1. – Auf die lange Geschichte des Begriffs kann
hier nicht weiter eingegangen werden. Vgl. P. CLASSEN, Kaiserreskript und Königs-
urkunde, Thessaloniki 1977, 249 s.v. ‚pragmatica sanctio'; jüngst: H.J. BECKER, Art.
‚Pragmatische Sanktion' in: HRG 3, 24. Lieferung, Berlin 1984, 1864–66. Festzuhalten
ist, daß die ältere Literatur, wie etwa KOCH, Sanctio pragmatica passim, aber auch noch
PÜCKERT, Neutralität 89, und BACHMANN, Neutralität 46, die Mainzer ‚Akzeptation'
selbst als „Pragmatische Sanktion der Deutschen" bezeichneten, wogegen WER-
MINGHOFF, Nationalkirchliche Bestrebungen 84, Bedenken erhob.

[490] RTA XIII 835 Z. 36 f. …. *una pragmatica sanctio conficiatur*. Im Akzeptations-Instrument
selbst ist davon explizit nicht die Rede, wohl in einem Vorschlag der kurfürstlichen

matische Sanktion' „alle Zeichen eines Gesetzes" tragen: das bedeute
a) Dekretierung durch den König unter Mitwirkung der Reichsstände, b) verbindlich angeordnete Durchführung, mit Strafbestimmungen, c) Publizierung[491] –, wobei gerade der letzte Punkt in der
spätmittelalterlichen Rechtsprechung am wenigsten geregelt war. Es
scheint mir zweifelhaft, ob der Wortlaut der Quellen mit der Prämisse
einer so stark verfahrensmäßigen Formalisierung interpretiert werden kann. Die Diskussion bleibt ohnehin hypothetisch, da eine
derartige *sanctio pragmatica* weder durch Albrecht II. noch seinen Nachfolger zustandegekommen ist.

    Eine angemessene Beurteilung der ‚Akzeptation' ist, wie vor allem
HÜRTEN gezeigt hat, nicht möglich, ohne auch die Rechtsauffassung der
Konzilsseite einzubeziehen: Die Basler haben allerdings wiederholt
die Fürsten zur Anerkennung ihrer Dekrete, und zwar ohne Ausnahme (!), vor allem natürlich des brisanten Suspensionsdekrets aufgefordert und dabei auch das kanonistisch einschlägige Wort *acceptare*
benutzt.[492] Sie verstanden darunter aber keineswegs eine konstitutive
„Inkraftsetzung" ihrer Dekrete, sondern lediglich die „Versicherung,
daß die akzeptierten Dekrete als rechtmäßig und verbindlich angesehen werden"[493], mithin einen in erster Linie der Bekanntmachung der
Dekrete und damit dem Prestige des Konzils förderlichen Akt; denn im
Prinzip leugnete ihr „Unfehlbarkeitsdoktrinarismus . . . jede Rechts-

---

Gesandten vom April 1439; RTA XIV 121 Z. 33 f.: *pro sua* (sc. des Königs) *danda sanxione pragmatica pro observacione decretorum* . . . Weitere Belege im Zusammenhang mit den sog. ‚Avisamenta Moguntina' von 1441, beispielsweise RTA XV 630 Z. 2 f.: . . . *pragmaticam sanxionem conficiendi ac penis et censuris vallandi et corroborandi* . . .; RTA XVII 394–99 nr. 183–186 (Entwürfe vom Sept. 1444, die Dekrete der Mainzer Akzeptation in Kraft zu setzen).

[491] RÜCKER, Rechtsnatur 69 f. Seine Versuche, das Problem mit Hilfe von Begriffen des neuzeitlichen Staatsrechts zu lösen, wie dem der „Transformation" von geistlichem in weltliches Recht oder des „Ratifikationsgesetzes" (67 f.), vermögen lediglich Verständnishilfen, aber keine Erklärung der kurfürstlichen Rechtsauffassung zu bieten. Nützlich die historische Übersicht über Begriff und Praxis von ‚Akzeptationen' ebd. 27–57. – STIEBER 162 Anm. 53, versucht den Akzeptationsvorgang mit der Registrierung von Gesetzen durch die französischen Parlamente zu vergleichen – was ebenfalls bedenklich ist.

[492] Belege zu den Worten *acceptare* und *recipere* von Basler Seite bei HÜRTEN, Mainzer Akzeptation 45 und RÜCKER, Rechtsnatur 21–23, 28–30, 68. – Ragusa vor Albrecht II. (Mai 1438): . . . *quatenus vestra majestas acceptet rata grataque habeat omnia (!) et singula decreta* . . . *eaque in toto imperio omnibusque regnis et dominiis exequi faciat et mandet ab omnibus observari* . . .; RTA XIII 327 Z. 29–34; weitere Belege s. unten Anm. 495 und oben 93 f.

[493] HÜRTEN, Mainzer Akzeptation 58.

[494] MEUTHEN, Basler Konzil in r.kath. Sicht 295. Ebenso mit überzeugenden Belegen MEUTHEN, Konsens 24 f. mit Anm. 97 ff.; Grünwalders Rede 420–25. Vgl. KRÄMER, Konsens 349–61, und die Kritik bei MEUTHEN (s. o.) und HELMRATH, Selbstverständnis 226 f.

erheblichkeit, die mit einer Rezeption verbunden war".[494] Man verlangte stattdessen den uneingeschränkten Vollzug in vollem Gehorsam.[495] Dieses für das Selbstverständnis des Konzils geradezu essentielle Prinzip schloß allerdings nicht aus, daß man aus politischen Gründen gelegentlich moderater wurde und wie im Falle Albrechts II. um Zustimmung der Fürsten zu werben für nötig hielt – ein grundsätzliches Dilemma der Basler![496] Entscheidend für die Rechtsnatur wäre freilich, daß auch die „Kurfürsten der Auffassung waren, die Konzilsdekrete seien aus sich verbindlich"[497], also keineswegs „neues Recht für die deutsche Kirche" aus dem „Rohstoff" (Werminghoff) der Konzilsdekrete zu setzen gedachten[498], noch kirchliches in weltliches Recht „transformieren" (Rücker) wollten. Im Gegenteil: HÜRTEN und zuletzt MEUTHEN haben mit Recht besonders darauf hingewiesen, daß König und Kurfürsten ihrerseits die in der ‚Akzeptation' erfolgten Modifikationen der Konzilsdekrete als „Abänderungswünsche" vom Konzil bestätigen lassen wollten: *sub spe, quod per sacrum concilium approbentur et decretentur.*[499] Für Hürten ist dies der stärkste Beleg, daß die ‚Akzeptation' nicht, wie noch RAAB meinte, „die juristische Grundlage für die Loslösung der Einzelkirche von der Zentralgewalt" bilden sollte, sondern gerade die „festgehaltene Unterordnung unter die kirchliche Zentralgewalt" bezeuge.[500]

---

[495] So 1440 XI 8 Thomas de Courcelles: *quidquid approbavit et approbat* (sc. generale concilium) *in favorem fidei et salutis animarum, est ab universis fidelibus approbandum et tenendum*; Mansi XXIX, 357. Tudeschi vor den Kurfürsten: *Synodus enim sacra Basiliensis . . . deprecatur, exhortatur et requirit . . . ut certe debetis (!), omnia decreta ejusdem sancte synodi . . . cum effectu recipere et recipi ac observari . . .*; RTA XIII 210 Z. 32–211 Z. 4 nr. 139. – Keinen Zweifel läßt auch Johann Grünwalder 1442 in Frankfurt: *Quecumque enim sacra sinodus statuit et decernit, nullis opinionibus contrariis seu retractationibus sunt subiecta, sed simpliciter observanda*; zit. MEUTHEN, Grünwalders Rede 423.

[496] S. auch Courcelles Bericht vor der Generalkongregation (1439 IV 11): *. . . de acceptacione autem decretorum multum gauderent concilii oratores,* (und dann etwas scheinheilig): *non quia ex hujusmodi acceptacione utilitatem vel comodum sperarent, sed quia glorificaretur pater celestis, si in hoc et in aliis laboribus concilii plurimum fructum afferrent*; RTA XIV 148 Z. 21–24 nr. 75. Der ganze Bericht (147–53) verdient größere Beachtung.

[497] HÜRTEN, Mainzer Akzeptation 57.

[498] HÜRTEN, ebd 60 gegen WERMINGHOFF, Nationalkirchliche Bestrebungen 45 f., 75.

[499] RTA XIV 112 Z. 33 f.; HÜRTEN, Mainzer Akzeptation 60; MEUTHEN, Basler Konzil in r.kath. Sicht 293. Weitere Belege: RTA XIV 120 Z. 43 f.–121 Z. 2, 27 f., 36–38 nr. 61; RTA XIV 105–07 nr. 53 (Entwurf einer Mitteilung Albrechts II. ans Basler Konzil 1439; vor III 26), von HÜRTEN 62 f. hervorgehoben.

[500] RAAB, Concordata 34; HÜRTEN 60.

Es gibt jedoch sehr zu denken, daß die Absicht, die in Mainz vorge-
nommenen Modifikationen dem Konzil zur Bestätigung zu präsentieren, nie in die Tat umgesetzt wurde; anders als in Frankreich, auf
dessen Drängen das Basler Konzil widerwillig und nach langer Verzögerung die Modifikation der ‚Pragmatique‘ von Bourges im Oktober
1439 bestätigte. Selbst die Tatsache der ‚Akzeptation‘ erfuhren die
Basler von Reichsseite nur inoffiziell durch den Gesandten Johannes
Schele. Entwürfe für ein zu bestätigendes Dokument sind zwar
bekannt, wurden aber in Basel niemals vorgelegt.[501] Glaubte man, das
Konzil werde, seinem Selbstverständnis gemäß, Abänderungen ohnehin nicht sanktionieren? Näher liegt, daß man eine durch die Bitte um
Bestätigung offenkundige Parteinahme für die Basler nach den Maßstäben der Neutralität vermeiden wollte.[502] Oder stand nicht auch ein
Bewußtsein fürstlicher Autonomie dahinter? Sollte man die Mainzer
Akzeptation, wenngleich ohne die alte ‚nationalkirchliche‘ Hori-
zontverengung, nicht doch als gewisses Zeichen für nationalen
Partikularismus sehen, für eine langsame Abkoppelung der deutschen Kirche, die sich in den folgenden Jahrzehnten bis zur Reformation verstärkte? Das Reich hätte sich damit nur in eine schon länger
anhaltende europäische Entwicklung eingefügt!

g) Königliche und kurfürstliche Kirchenpolitik 1440–1447

Da die Arbeit STIEBERS, zu ergänzen durch die ACTA CUSANA und einige Aspekte von MILLER, in die Ereignisse und regen Verhandlungen dieser Jahre doch wesentliche Klärungen gebracht hat und größere
Veränderungen wohl erst durch Band XVIII der ‚Deutschen Reichstagsakten‘ zu erwarten sein könnten, sollen hier einige Streiflichter genügen[503]:
Der Werbungskampf von Basel und römischer Kurie konzentrierte
sich in den vierziger Jahren vor allem auf das Reich. Als wichtigste neue
Persönlichkeiten betraten dort Anfang 1440 der König Friedrich III.
und schon im Herbst 1439 der neue Trierer Erzbischof Jakob von

---

[501] MC III 301 (=RTA XIV 179 nr. 94; vgl. aber 139 f. nr. 70; 171-74 nr. 89 f.); Hürten 66,
69. Die bei KOCH, Sanctio Pragmatica 171-73 (nicht in RTA XIII!) abgedruckten ‚Concilii Basiliensis literae, quibus limitationes, instrumento acceptationis decretorum a Ger-
manis adjectae, firmantur‘, machen eher den Eindruck eines Entwurfs von dritter Seite,
der dem Konzil vorgelegt werden sollte, während sie bei Koch zumindest den Anschein
eines echten Dekrets (ebd. 18) tragen.
[502] Dies im Sinne von HÜRTEN 61.
[503] Jüngste Überblicke: STIEBER 203–304; MILLER, Sierck 114–73.

Sierck die Bühne. Als Legat Eugens IV. rückte Juan Carvajal in den Vordergrund.[504] Umgekehrt bedeutete der Tod der Bischöfe Johannes Schele und Ludwig von Teck und das Zurücktreten Konrads von Weinsberg eine gewisse Zäsur, handelte es sich doch vor allem bei ersteren um Leute, die im Konzil und in der Reichspolitik verwurzelt waren. Den Baslern gingen jetzt wertvolle Verbindungsmänner verloren. Möglicherweise hat das Fehlen von Politikern wie Schele zur langsamen Isolation des Konzils im Reich mit beigetragen. Insofern scheint mir eine Personalisierung der Politik hier legitim.

Ein Urteil über Persönlichkeit und Politik *Friedrichs III.* wird sich nach wie vor einer gewissen Zwielichtigkeit konfrontiert sehen und daher vorsichtig ausfallen müssen.[505] Den einschlägigen Verdikten der älteren Literatur hatte schon JAKOB BURCKHARDT ins Stammbuch geschrieben: „Viel Gift über Friedrich III. ist bloß moderner Nationalliberalismus."[506] In jüngerer Zeit wurde Friedrich zeitweise massiv aufgewertet (LHOTSKY), doch scheint auch hier das allgemeine Urteil wieder nüchterner geworden. Nach heutiger Forschungsmeinung stand Friedrich den Anliegen der Basler Synode distanziert gegenüber und blieb auch kühl gegenüber den politischen Annäherungsversuchen Felix' V. auf seiner Schweizer Reise im November 1442.[507] Dies ist als Faktum hinzunehmen und läßt sich durch psycholo-

---

[504] GÓMEZ-CANEDO, Diplomático (reicht bis 1450); vgl. die Gesamtbiographie von GÓMEZ-CANEDO, Carvajal, besonders 43–126. – E. MEUTHEN, Art. ‚Carvajal', in LexMA II, 1536. Differenzierten Einblick in Ideologie und Taktik der päpstlichen Legaten in Deutschland, personifiziert in Nikolaus von Kues, gewährt jetzt AC I 2 ab Nr. 359 passim; zum Teil überholt: VANSTEENBERGHE, Cardinal 66–86. – Vgl. TRAME, Agitation 91-96.

[505] Die vollständigste Literaturübersicht zu *Friedrich III.* findet sich in der leider unpublizierten Salzburger Diss. von LIPBURGER, Beiträge zur Geschichte der Epoche Kaiser Friedrichs III. (1980) 26–38, 198–216, 323–97; ders., Über Kaiser Friedrich III. (1982). Ferner bei STIEBER 440–42, 455; MEUTHEN, 15. Jahrhundert 48–50; ZEEDEN, in: Handbuch der europäischen Gesch. III, 467–79. Zur Kirchenpolitik sind noch zu berücksichtigen: Die Diss. von TOEWS, Emperor Frederick III (1962), besonders 51–234, ist im wesentlichen durch STIEBER ersetzt, der die Arbeit auffälligerweise nicht zitiert. Ferner die Habil.schrift von QUIRIN, Studien zur Reichspolitik König Friedrichs III., die leider unveröffentlicht blieb und mir nur in Exzerpten zugänglich war, besonders 1–64. Ferner: DOPSCH, Friedrich III; BÄUMER, Eugen IV.; KOLLER, Reformen im Reich. Die einzige größere Biographie bleibt freilich CHMEL, Geschichte Friedrichs IV. (1840–43); wertvoll besonders die großen Quellenanhänge – die Kirchenpolitik beschränkt sich weitgehend auf die Jahre 1447/48 (II 421–54).*

[506] J. BURCKHARDT, Historische Fragmente, Hg. W. Kaegi, Stuttgart 1957, 104. Eine Arbeit über ‚Friedrich III. in der deutschen Geschichtsschreibung' dürfte wissenschaftsgeschichtlich erhellend sein. Ansätze bei LIPBURGER, Beiträge 26–38.

[507] Vgl. VOIGT, Enea Silvio I 270–72; PÉROUSE, Aleman 379–83.

gische Erklärungen wie die einer „grundsätzlichen Abneigung gegen alles Illegitime" (Lhotsky)[508] nur unvollkommen deuten. So wird dem jungen Habsburger auch eine anfängliche Unerfahrenheit in rebus ecclesiasticis und die starke Belastung durch dynastische, innerterritoriale Probleme („Albertinisches Erbe', Gegnerschaft seines Bruders Albrecht VI. und, schon stärker die Reichs- und Konzilspolitik tangierend, den „Alten Zürichkrieg' [1442–49]) zugutegehalten[509]. Gegenüber Papst und Konzil verfocht Friedrich mit der ihm eigenen Beharrlichkeit die Idee eines „Dritten Konzils', wurde sie doch von allen Vermittlungswilligen als Ausweg aus der verfahrenen Situation angesehen. Die Verwirklichung des Plans hätte nicht nur einen großen Prestigegewinn als Vermittler und „advocatus ecclesiae' mit sich gebracht – hier befand sich der Habsburger in deutlicher Rivalität zu Karl VII. von Frankreich, der Ähnliches anstrebte[510] – sondern war auch geeignet, Entscheidungen hinauszuschieben und eine in Friedrichs Situation unwillkommene Festlegung auf Basel oder Florenz zu vermeiden.[511] Gegen Ende 1444 schien der König das Illusionäre des Plans – der freilich auf dem Papier als offenbar unvermeidliches Versatzstück in der Kirchenpolitik der folgenden Jahre fortlebte – einzusehen und wandte sich 1445 in einer durch Geheimverhandlungen seiner Räte kaschierten, für das Schicksal der Basler Synode tödlichen Wendung der eugenianischen Seite zu.[512] Der maßgebliche Einfluß der Räte wird immer wieder hervorgehoben, namentlich Kaspar Schlicks, der um die Jahreswende 1442/43 als Nachfolger Jakobs von Sierck Kanzler geworden war.[513] Das kirchenpolitische Spektrum dieser Räte, etwa der „eugenianischen' Kaspar Schlick, Ulrich Sonnenberger, schließlich auch Enea Silvio Piccolomini auf der einen, des „konziliaren' Thomas Ebendorfer auf der anderen Seite, war heterogen; doch besaßen die Eugenianer das deutliche Übergewicht.[514]

<hr/>

[508] LHOTSKY, Friedrich III., NDB 5, Berlin 1961, 485.

[509] S. jetzt, mit umfassender Literatur: BERGER, Zürichkrieg (1978), auch für die habsburgische Westpolitik wichtig. Vgl. HANDBUCH DER SCHWEIZER GESCHICHTE I, 295–305; QUIRIN, Studien 65–180; STIEBER 242–47, 250, 260.

[510] MILLER, Sierck 123 f. Bei BÄUMER, Eugen IV. 97–100, ist dieser Aspekt unterbewertet. Zum „advocatus'-Ideal Friedrichs: HERRE, RTA XVI 24 f.

[511] STIEBER 259 f.

[512] S. jetzt STIEBER 271–87, wogegen bei BÄUMER, Eugen IV. 120–24, diese Tatsache unerwähnt bleibt.

[513] STIEBER 249 Anm. 95, 261–63, 284–94 passim. – S. oben Anm. 380.

[514] STIEBER 260. Literatur zu Ebendorfer und Enea Silvio s. unten 442 f., 446 f. – Vgl. STRNAD, Ulrich III. Sonnenberger.

Auf Reichsebene – so hatte Friedrich offensichtlich selbst erkannt – drohte die Parteiung im Kirchenstreit erstmals mit dem klassischen Reichskonflikt zwischen Kurfürsten und König zusammenzufallen. Als sein Ziel wird daher angesehen, eine einheitliche Front der Kurfürsten entweder gar nicht erst entstehen zu lassen oder aber sie zu spalten und auszumanövrieren, was ihm in der Tat zweimal, 1442 und (historisch entscheidend) 1446 gelang. Außenpolitisches Gespür für die Verflechtung vieler Reichsstände mit den westlichen Mächten Frankreich und Burgund wird ihm dagegen, wenigstens für diese frühen Regierungsjahre, weitgehend abgesprochen. So hat man zum Beispiel Friedrichs Inaktivität in der Luxemburger Frage angeführt, sein Verkennen der burgundischen Bedrohung und vor allem den kurzsichtigen Hilferuf an die französisch gelenkten Horden der Armagnaken, der seinem Ansehen im Reich eminenten Schaden zufügte.[515]

Die große Mehrheit der Reichsstände huldigte auch nach 1439 weiterhin dem Prinzip der ‚Neutralität‘ – ein recht flexibles Gehege, das zudem von einigen ‚Obödienzen‘ durchbrochen wurde: Für Eugen IV. traten zum Beispiel schon 1439 Graf Friedrich von Cilli und 1444 der Bischof von Würzburg ein, für Felix V. 1440 Pfalzgraf Stephan von Simmern-Zweibrücken, Herzog Albrecht von Bayern-München und die Königinwitwe Elisabeth, 1443 Herzog Joachim von Pommern und, zu verschiedenen Zeiten, die Bischöfe von Kammin, Schleswig, Salzburg und Basel.[516] – Die Politik der Kurfürsten geriet durch zwei Versuche, die Neutralität aufzubrechen, in Bewegung: Zuerst 1441/42 durch eine Hinwendung zu Eugen IV., falls dieser bestimmte Bedingungen und konziliare Errungenschaften anerkenne, die in den sog. ‚Avisamenta Moguntina‘ (Februar 1441) niedergelegt waren. Toews hat sie als „first major compromise" und Meilenstein zum Wiener Konkordat bezeichnet.[517] Nie wieder, sieht

---

[515] Zur Analyse der für die Armagnakenfrage entscheidenden politischen Verflechtungen im Westen des Reichs s. jetzt Miller, Sierck 143–53 mit Quellen und Literatur. Zu den Armagnaken nach wie vor Tuetey, Écorcheurs (1874); Gerber, Frankfurt und der Reichskrieg. Völlig neue Grundlagen durch RTA XIV-XVII. S. ferner Stieber 243–45; Berger, Zürichkrieg 134–72.

[516] Pückert, Neutralität 119–22; Bachmann, Neutralität 177. Eine vollständige Aufstellung ist mir nicht bekannt.

[517] Toews, Eugenius IV, 180. Zur Kirchenfrage auf dem internationalen Mainzer Reichstag (Februar–April 1441): Herre, RTA XV 534 f., 545–81; Stieber 215–37; AC I2 Nr. 467, 469–84. Text der ‚Avisamenta Moguntina‘: RTA XV 623–30 nr. 339, dazu Herre

man von der Ausnahmesituation des Frühjahrs 1446 ab, hat sich in den folgenden Jahren eine so umfassende kurfürstliche Partei zusammengefunden. Nur der Kölner Dietrich von Moers fehlte als einziger echter Konzilsanhänger. Daß es dem König im folgenden Jahr gelang, die Kurfürsten mit Unterstützung der übrigen Reichsstände von ihrem Plan abzudrängen[518], ist wohl als Indiz zu werten, daß das Kurfürstenkolleg für derartige Alleingänge letztlich doch zu machtlos und an Reichsstände und König gebunden war, bzw. daß es anläßlich des Kirchenstreits längst um die grundsätzlichere Frage ging, „wer die Politik des Reiches bestimmen sollte."[519] Als treibende Kraft dieses ersten Sonderweges der Kurfürsten wird neuerdings nicht in erster Linie Sierck, sondern eher der Mainzer Dietrich von Erbach und sein Rätekreis, die noch 1440 „vollkommen prokonziliar eingestellt" gewesen seien, verantwortlich gemacht.[520]

Der zweite, seit Frühjahr 1443 beschrittene kurfürstliche Sonderweg, als sich Köln, Trier, Sachsen und später Pfalz Felix V. zuwandten – übrigens zu dessen eigener Überraschung –, ging, wie nunmehr als sicher gelten darf, auf die Dynamik Jakobs von Sierck zurück.[521] Die Frage nach den bislang keineswegs ganz eindeutig geklärten Motiven dieses Kurswechsels läßt grundsätzlich auch die Frage nach Grundprinzipien der sierckschen Politik anklingen. Doch scheint bei ihm, der quasi die „Prinzipienlosigkeit zum Prinzip erhoben hatte" (Miller) und in keiner Weise ‚papalistisch‘ oder ‚konziliar‘ gebunden war, beinahe einzig eine korporative Stärkung des Kurkollegs im „kurfürstlich-

---

ebd. 545–48; MEUTHEN, Dialogus 38 f., ebd. passim zum kirchentheoretischen Umfeld; STIEBER 221–23. Nikolaus von Kues sah in einem Brief an Cesarini die Stimmung des Reichstags ganz auf Eugens IV. Seite, nicht zuletzt aufgrund seiner eigenen Rede; AC I2 Nr. 482 (= RTA XV 873–76 nr. 370). – Bei Dietrich von Erbachs Argumenten scheint auch Furcht vor einer Isolation des Reiches mitzuschwingen; RTA XV 854 Z. 14–20.

[518] Zum Frankfurter Reichstag Juni-August 1442: HERRE, RTA XVI 244–60; AC I2 Nr. 516–531; BÄUMER, Eugen IV. 107–13; STIEBER 237–46; MILLER, Sierck 132 f., 136.

[519] ANGERMEIER, Reich 573.

[520] MILLER, Sierck 122 f. Vgl. STIEBER 219; HERRE, RTA XV 303. Nach CB VI 188 bekannte sich Erbach angeblich auch im März 1438 (!) zum Konzil in Basel. Zu berücksichtigen ist allerdings, daß Eugen IV. 1440/41 über den Mittelsmann Nikolaus von Kues große Hoffnungen in Sierck setzte und ihm die Servitien für den Amtsantritt in Trier erließ, in der Erwartung, er werde im Frühjahr 1441 die Kurfürsten auf Obödienzkurs bringen; s. RTA XV 596 f. nr. 314, 876 f. nr. 371; vgl. AC I2 Nr. 433 Anm. 1 und Nr. 482 Anm. 60.

[521] Jetzt MILLER, Sierck 136–40; Reichspolitik 94 ff. Vgl. ANGERMEIER, Reich 573, 581; TOUSSAINT, Relations 343 s.v.; STIEBER 251–59, und stellvertretend für die ältere Sicht BACHMANN, Neutralität 108–13.

königlichen Dualismus" als gewisse Konstante eruierbar.[522] Die Kirchenfrage ließ sich dafür trefflich instrumentalisieren. Es war 1443 natürlich Amadeus-Felix, als Papst und vor allem Haupt des Hauses Savoyen, mit seinen engen Beziehungen zu Frankreich und anderen Fürstenhäusern, der die entsprechende Anziehungskraft ausübte, keinesfalls aber das Basiliense. Die dynastischen Ehepläne Sachsens und der Pfalz mit einer Tochter bzw. Enkelin des Savoyers deuten in diese Richtung.[523] Wesentlich scheint mir der Aufweis bei MILLER zu sein, daß der „neue Kurs" der vier Kurfürsten eng mit einer politischen Neuorientierung der gleichen Gruppierung nach Westen zu Frankreich verknüpft war. Dahinter habe der Leitgedanke eines „gegen Burgund gerichteten Allianzsystems" gestanden, mit dem Ziel, dieses vor allem durch seinen Erfolg in der luxemburgischen Erbfrage als zunehmend bedrohlich empfundene Mittelreich zu umklammern.[524] Das offizielle Bündnis der Vier mit Frankreich, am 13. Februar 1445 in Trier geschlossen, richtete sich also nicht gegen König und Reich, wie die ältere Literatur mit ‚landesverräterischen‘ Unterstellungen meinte, sondern betonte im Gegenteil „die kontinuierlichen Linien der Reichspolitik", das heißt vor allem Sigmunds gegen Burgund gerichtete Bestrebungen.[525] Die Viererkoalition der Kurfürsten prägte sich jedenfalls, ähnlich wie die eugenianische Gruppierung um Friedrich III. mit Mainz, den beiden Brandenburgern und Baden, schon 1443–45, nicht erst auf dem Frankfurter Reichstag vom September

---

[522] MILLER, Reichspolitik 94. Wohl zu weit geht ANGERMEIER, Reichsreform 104: Für Sierck „war der Sieg des Konziliarismus auch identisch mit dem Sieg der kurfürstlichen Oligarchie im Reich."

[523] CORNAZ, Mariage palatin (1931); STIEBER 258 f.; MILLER, Sierck 140. – Zu Wilhelm III. von Sachsen: ADB 43, Leipzig 1898, 124–27 (Th. FLATHE).

[524] MILLER, Sierck 148; Reichspolitik 197 f.; vgl. die gesamte Beurteilung 147 f. mit Anm. 302. – Zum Erbfolgestreit um Luxemburg zwischen Trier, Burgund und Sachsen ders., Sierck 80–113; Kurtrier (1984); STIEBER 205 f. Die Arbeit von HEIMANN, Zwischen Böhmen und Burgund (1982), vor allem 52–152, wird ihrem Titel und den hohen theoretischen Ansprüchen der Einleitung nicht völlig gerecht (vgl. H. MÜLLER, in: AKG 66 (1984) 482–85). Die interessante Hauptthese – Überflügelung der rheinischen Mächte durch die östlichen Territorialmächte Sachsen und Brandenburg bereits im zweiten Viertel des 15. Jahrhunderts – erscheint durch die Ausführungen des Verfassers selbst (153–299 nur über die Soester Fehde) noch nicht endgültig belegt.

[525] MILLER, Sierck 148 Anm. 2; Reichspolitik 97. Vgl. etwa BACHMANN, Neutralität 198, allerdings zum Jahre 1447 gesagt: „Der ganze klägliche Versuch der Kurfürsten hatte nur den Erfolg, ihren Mangel an nationalem Ehrgefühl vor dem französischen Hochmuthe neuerdings bloßzustellen."

1446 aus.[526] Der reichspolitisch bedeutsamste Aspekt wird darin gesehen, daß es nicht gelang, einen Kurswechsel aller Kurfürsten zu bewerkstelligen: Köln und, besonders signifikant, Mainz, entzogen sich und enthüllten die kurfürstliche Solidarität wieder als Schein.[527] Die Absetzung der beiden rheinischen Kurfürsten von Köln und Trier gilt in der Literatur aller Spielarten, auch der ultramontansten, als der wohl unverständlichste unter den nicht wenigen Mißgriffen Eugens IV.[528] Wie MILLER jüngst wahrscheinlich machte, hatte man an der Kurie die innenpolitischen Schwierigkeiten der beiden Fürsten überschätzt: Jakob von Sierck mußte sich gerade einer Rebellion im Domkapitel erwehren, die der Stadt Trier übrigens schon das Interdikt Eugens IV. eingetragen hatte[529], Dietrich von Moers war durch den Kampf gegen Kleve, das längst zu einem burgundischen Klientelstaat geworden war, in der Soester Fehde und zusätzlich durch die Exemtion des Klevischen Gebiets (1445 I 16) aus den vom Hause Moers beherrschten Bistümern Köln und Münster geschwächt.[530] Dies wog jedoch gering gegen den großen Solidarisierungseffekt, den die Absetzung der beiden Standesgenossen in dem bis dahin gespaltenen Kurkolleg erzeugte (Kurverein vom 21. März 1446, am 23. April um Brandenburg und Sachsen erweitert), zumal die Gegenkandidaten, beide bezeichnenderweise burgundische Verwandte, wenig Interesse zeigten, sich auf dieses unsichere Manöver einzulassen.[531] – Das Basler

---

[526] MILLER, Sierck 140.

[527] Der Hinweis von QUIRIN, Albrecht Achilles 274 f., auf eine weitgehende Identität der Fürstenkoalition des Septembers 1446 mit der des Mergentheimer Fürstenbundes [1445 I 2, erweitert 1446 VII 2 (!)], verdient größere Beachtung. Allerdings fällt Pfalzgraf Ludwig, der im Kirchenstreit auf der Gegenseite stand, aus dem Rahmen dieser Gruppierung. Überdies war schon der Mergentheimer Fürstenbund von 1441 XI 7 (RTA XVI 107 f. nr. 60–61) ähnlich zusammengesetzt: Baden, Württemberg, die Pfalzgrafen Ludwig und Otto, Mainz, Brandenburg.

[528] S. PASTOR I 346; TOUSSAINT, Relations 181–202, 208; BÄUMER, Eugen IV. 122; STIEBER 276–81; MILLER, Sierck 162–65. – Text der Bulle: HANSEN, Westfalen I 176–79.

[529] MILLER, Sierck 153–67, 310–14. – Zu ergänzen AC I2 Nr. 633 ff. passim.

[530] Literatur s. oben Anm. 379, besonders BRANDT, Kirchenpolitik; HEIMANN, Zwischen Böhmen und Burgund 153–299. Der politisch wie kirchenrechtlich bedeutsame Streit um die Exemtion Kleves 1444–49 im Horizont der burgundischen ‚Ostpolitik' verdiente eine neuere Darstellung, unter anderem nach dem Material bei HANSEN, Westfalen I–II, und neuerdings AC I2 Nr. 762–882 passim. Als päpstlicher Schlichter zwischen Köln und Kleve war 1448 Nikolaus von Kues bestellt worden.

[531] Die Umstände eines angeblich Köln im April 1446 gewährten Konkordats sind nach SCHWARZ, Abbreviatoren 249 f., unsicher. Sollte es Adolf von Kleve als von Eugen IV. designiertem Nachfolger Dietrichs von Moers den Amtsantritt versüßen?

Konzil konnte jedoch aus dieser plötzlichen Wende wider alle Hoffnung keinen Gewinn mehr ziehen.

Die Ereignisse des Jahres 1446 sind in der Literatur wiederholt abgehandelt worden[532]. Sie haben bis heute den Geruch intrigenhafter Halbheit nicht verloren: Es gelang den päpstlichen und königlichen Diplomaten (Carvajal, Kues, Parentucelli; Schlick, Piccolomini, Peter von Schaumberg) im Sept./Okt. 1446 gegen gewisse Zugeständnisse, die kurfürstliche Einheitsfront just in die Gruppierungen zu spalten, die vor der Absetzung der beiden Erzbischöfe schon bestanden hatten, und die Obödienz der Gruppe um Mainz und Brandenburg herbeizuführen (Februar 1447). Den vier ausmanövrierten Kurfürsten blieb nur der Weg, sich an die Bemühungen Karls VII. von Frankreich anzuhängen, das Basler Restkonzil ehrenvoll zu liquidieren und sich dabei mit französischer Deckung selbst passabel aus der Affäre zu ziehen.[533] Am 7. September (Sierck) und 4. Dezember 1447 leisteten auch sie Nikolaus V. Obödienz.

Vom Basler Konzil war in diesem Kapitel kaum die Rede – und das mit gutem Grund. Die flukturierenden Gesandtschaften der Basler sind hinreichend erforscht. Sie hatten lange Redeschlachten mit den päpstlichen Legaten nicht ohne Bravour bewältigt. Zwar trugen diese Reden – freilich mit zunehmend verholzten Argumenten – zur Vertiefung der konziliaren und vice versa der monarchischen Kirchentheorie bei, politisch haben sie letztlich wenig bewirkt. Wenn die Breitenwirkung Basels auch nach 1443 in kirchlichen Kreisen größer war als bisher angenommen, konnte die Synode doch politisch nur mehr reagieren oder, zusehends lästig werdend, als Bittsteller bei den Fürsten auftreten. Ob es einen Fortschritt brächte, die Geschichte dieser Jahre einmal aus Basler Sicht, nicht – wie in der bisherigen Literatur – aus der Reichsperspektive, darzustellen, erscheint fraglich. Vor Erscheinen des XVIII. Bandes der ‚Reichstagsakten', ist an eine zureichende Darstellung des Ausgangs der Konzilsepoche ohnehin nicht zu denken.

---

[532] S. Voigt, Enea Silvio I, 368–80; Kraus, Deutsche Geschichte 177–202; Bäumer, Eugen IV. 124f. Toews, Frederick III, 191–209; Stieber 288–96; AC I2 Nr. 705–715; Miller, Sierck 165 liefert keine Hinweise auf die Rolle seines Helden. – Das Engagement Mgf. Albrecht Achilles' von Brandenburg hebt Quirin, Albrecht Achilles 275–78 hervor. Vgl. Quirin, Studien 12–23; Hennig, Kirchenpolitik 14–22; Buyken, Enea Silvio 70 ff.
[533] S. Stieber 305–08, 311 f., 322–28 und Miller, Sierck 166–73; Reichspolitik 99 f. S. oben 215-17..

h) Die Konkordate von 1447/48 und die deutsche Kirche

Die vielfältigen Urteile über das Wiener Konkordat vom 17. Februar 1448[534] stellen sich, auf ihren Kern reduziert, etwa folgendermaßen dar: Die mit der wichtigen Ausnahme von FOLZ (1950) überwiegend deutsche Literatur – schließlich galt das Konkordat später als eines der ‚Reichsgrundgesetze‘ und mußten die Episkopalisten des 17. und 18. Jahrhunderts noch selber mit ihm leben – hat meist scharfe Verdikte verhängt, bis hin zur Anprangerung als „reichsverräterische Urkunde"[535]. Man zog eine Linie vom Konstanzer Nationen-Konkordat (1418) über die Mainzer Akzeptation (1439) und die Fürstenkonkordate (1447), an deren Ende dann das Wiener als klägliche Kapitulation vor der Kurie erscheint. Man habe in Wien das Erbe des Basler Konzils, das 1439 und 1447 vermeintlich für eine deutsche Nationalkirche hätte gesichert werden können, verspielt, wobei Friedrich III. die Hauptschuld angelastet wurde. Die Forschung hat dieses tiefverwurzelte Bild der ‚betrogenen Nation‘ gemildert und seine latent ‚vorreformatorische‘ Teleologie abgeschwächt. Das

---

[534] Text der *Fürstenkonkordate* (1447 II 5 und 7): KOCH, Sanctio Pragmatica 181–94; MERCATI, Concordati 168–77. – Vgl. RAAB, Concordata 37–39; STIEBER 297–301; HAAS, Salvatorium. Text des *Wiener Konkordats*: MERCATI, Concordati 181–85; ZEUMER 266–68; MIRBT⁴ 238–40; zuletzt in: Quellen zur Verfassungsgeschichte (ed. WEINRICH) 498–507. Nützliche Konkordanz des Konstanzer Konkordats, der Mainzer Akzeptation und des Wiener Konkordats bei GEBHARDT, Gravamina 114–25. Vergleiche auch bei MAURER, Weltkonzil 62–69, 88–99, 177 ff. Zum Konstanzer Konkordat s. SCHWARZ, Abbreviatoren 211–17. – Jüngste Darstellung der Wiener Verhandlungen: STIEBER 304–22; s. auch GÓMEZ-CANEDO, Carvajal 109–11. Interpretationen des Textes bei WERMINGHOFF, Nationalkirchliche Bestrebungen 86–109; BERTRAMS, Staatsgedanke 133–42; MICHEL, Wiener Konkordat 25–33; FOLZ, Concordat 25–46 (Text, frz. Übersetzung, Kommentar), ebd. 181 Liste von 5 Editionen zwischen 1600 und 1789, davon zwei französischen! Die zentralen Probleme knapp bei RAAB, Concordata 40–46; Aschaffenburg. Vgl. TOEWS, Eugenius IV and the Concordat of Vienna; ders., Formative Forces 268–70. Ferner: HEFELE-LECLERCQ VII 2, 1130–37; CREIGHTON II 280–85; PÜCKERT, Neutralität 316–22; HÜRTEN, Mainzer Akzeptation 73–75; FEINE 481–83; DLO 422–24; ANGERMEIER, Reich 581 f.; Reichsreform 107–13, mit neuer Bewertung.

[535] So THUDICHUM, Papsttum und Reformation 194: „Um unter eine solche reichsverräterische Urkunde seine Unterschrift zu setzen, dazu gehörte die ganze Ehrlosigkeit Friedrichs III." S. schon das negative Urteil bei RANKE, Weltgeschichte IX 1, 204. – Daß die marxistische Historiographie ganz wesentliche Grundeinstellungen der älteren nationaldeutschen Geschichtsschreibung übernimmt, zeigt sich auch hier: WINTER, Frühhumanismus 186, sieht im Wiener Konkordat einen „Verrat an der Freiheit der deutschen Kirche." Ein Florilegium älterer Urteile bei RAAB, Concordata 44 Anm. 76. STIEBER 313 nennt das Konkordat „the capstone of the papal victory over the conciliar movement in the Empire."

Wiener Konkordat sei, so jüngst noch ANGERMEIER, „kein Verzichts-
friede" gewesen.[536] Festzuhalten ist aber, daß das breite Themenspektrum der Kirchenreform im Konkordat auf offenkundig essentielle Streitpunkte, wie
die Regelung von Stellenbesetzung und Pfründenvergabe, vergleichsweise also auf ein „kümmerliches Rinnsal" (Werminghoff) reduziert
worden war.

Ein Urteil über die Politik der römischen Kurie nötigt jedoch, das
Wiener Konkordat auch in die Zusammenhänge der europäischen
Verfassungsgeschichte einzuordnen: Ungeachtet dessen, ob man die
Ergebnisse der Konzilsepoche als ‚Sieg des Papsttums' oder mehr als
teuer erkauften Kompromiß wertete, darf als communis opinio der
Forschung seit Ranke gelten: Die Schwächung des Papsttums in
einem ursprünglichen „Zweifrontenkampf gegen den modernen
Staat und die episkopalistisch-konziliare Bewegung" ließ die Kurie
schließlich ein ‚Zweckbündnis' mit dem Staat eingehen.[537] Diese
„Hereinnahme der weltlichen Macht in die Anstaltskirche... als einer
neuen, rechtlich unabhängigen Größe" sanktioniert die längst mani-
festen Tendenzen einer „Parzellierung" der einen Kirche in eine
„Res-publica christiana" (ENGEL) einzelner, wachsend durch die Fürsten dominierter Regionalkirchen und ebnete nun auch in Deutschland den Weg zur Landeskirche.[538] Der Wandel verdeutlichte sich in
einer veränderten rechtlichen Form des diplomatischen Verkehrs: An
die Stelle des einseitigen päpstlichen Privilegs trat der zweiseitige Vertrag, eben das ‚Konkordat', das die Fürstenstaaten nun als völkerrechtliche „Partner" der Kurie auswies.[539]

---

[536] ANGERMEIER, Reichsreform 107. Vgl. BUYKEN, Enea Silvio 74 f.; RAAB, Concordata
26 f., 44–46; Bedenken dagegen bei STIEBER 318–21. Das Zerrbild des Intriganten, in dem
Enea Silvio und Friedrich III. in der älteren deutschen Literatur erschienen, geht wesentlich auf den Frankfurter Septemberreichstag 1446 und den Abschluß des Wiener
Konkordats zurück; BUYKEN, Enea Silvio 1–3, 70 ff. versuchte gezielt, dieses Bild zu
mildern.

[537] RAAB, Concordata 26.Vgl. HASHAGEN, Staat und Kirche 101–05.

[538] Zit. ENGEL, Handbuch der europäischen Gesch. III, 31 und 33. Auf das Funda-
mentalthema ‚Entstehung der Landeskirchen' mit seiner umfangreichen Literatur kann
hier nicht eingegangen werden. S. den Überblick bei WERMINGHOFF, Verfassungsgeschichte 87–96; FEINE 489–502 (Lit.); HASHAGEN, Staat und Kirche (viel, wenngleich un-
übersichtlich geordnetes Material; dazu FINKE, in: HJb 51 [1931] 219-29); FRANK,
Kirchengewalt; ENGEL (wie oben) 29–37; THOMSON, Popes passim; STIEBER 343–45;
MIKAT, Kirchengut und Staatsgewalt, mit Literatur; MEUTHEN, Fürst und Kirche.

[539] ENGEL, ebd. 31. Ähnlich schon BERTRAMS, Staatsgedanke 108 f., 162, 178 ff.;
THOMSON, Popes, ist mit seinen Urteilen vorsichtiger. Kritisch STIEBER 320.

Der ‚Sieg' des monarchischen Gedankens über den korporativen ist nicht nur auf dem kirchlichen Schlachtfeld zwischen Papst und Konzil erfolgt, sondern auch auf staatlichem Gebiet, wobei gerade die den Fürsten durch die Kurie zugestandenen kirchherrlichen Rechte den Landesklerus auch als Stand geschwächt hatten. Dieses weitausladende Tableau ist nicht prinzipiell zu korrigieren, aber es gilt einige relativierende Bemerkungen anzufügen: ENGEL, dem unsere Formulierungen vor allem gefolgt sind, betont doch zu sehr das ‚Neue' dieser Tendenzen in der Mitte des 15. Jahrhunderts. Dabei sind landeskirchliche Entwicklungen etwa in den westlichen Monarchien bekanntlich ungleich älter, erhalten allerdings im 15. Jahrhundert auch im Reich einen entscheidenden Schub. Konkordatsähnliche Verträge – ihren Anfang bildet immer noch das auch 1448 formal nicht aufgehobene (!) Wormser ‚Konkordat' von 1122 – wurden ebenfalls nicht erst 1418 oder 1448 erfunden. Neu ist allerdings die ab 1441 von der Kurie aus kirchenpolitischem Kalkül verfochtene Linie einer systematischen Konkordatspolitik: Sie begann mit Lüttich und Bretagne (beide 1441) sowie Burgund (1441/42) und zog sich über die Konkordatsverhandlungen mit Frankreich (1442–44), das Konkordat mit dem Bistum Verden (1445), die sog. ‚Fürstenkonkordate' und das Wiener Konkordat weiter, bis hin zu den Konkordaten mit Savoyen (1452), Frankreich (1472, 1516), Spanien (1482) und Polen (1525). Man hat von einem „siècle des concordats" (Rapp) gesprochen. Die Serie verdiente, ungeachtet der verdienstvollen Arbeiten von BERTRAMS (²1950) und SCHWARZ (1980)[540] eine neue systematische Untersuchung. Schwierig dürfte es sein, sauber zwischen ‚Privilegien' und ‚Konkordaten' zu unterscheiden. Nicht nur, daß die Kurie und ihre Juristen seit Calixt III. die Konkordate als von seiten des Hl. Stuhls widerrufbar, das heißt völkerrechtlich nicht bindende Privilegien, zu interpretieren versuch-

---

[540] BERTRAMS, Staatsgedanke 115–92; SCHWARZ, Abbreviatoren 246–55, besonders 247 zu Eugen IV.; BLACK, Monarchy 114 f.; RAPP, L'Eglise 88–90, Zit. 88. Nicht zugänglich waren mir die Arbeiten von F.W. NEAL, The Papacy and the Nations, Phil. Diss. Chicago 1944 (masch.), in der BN Paris als Microfilm m. 214 (Freundl. Hinweis von H. Müller), und CALISSE, Concordati del secolo XV (1955). Man beachte auch die Kaskade der üblichen Dispens-Vollmachten für die Legaten, die selbst für kleinere Kleriker und Laien unterhalb der Fürstenebene lukrativ sein und so der eugenianischen Seite Popularität bringen konnten; [s. AC I2 Nr. 654–668 (1446 II 5–7) und 687] – insgesamt 16 Stück. – Felix V. tat übrigens das gleiche; s. TOUSSAINT, Relations 286–90 (Nr. 46): Vollmacht für den Legaten Martin le Franc (1447 III 20).

ten, was eine jahrhundertelange juristische Kontroverse auslöste;[541] auch in den vierziger Jahren des 15. Jahrhunderts sind das Konkordat und das kirchherrliche Rechte verleihende Privileg eng verquickte politische Mittel der Kurie, um die Fürsten für sich zu gewinnen. Gerade die König Friedrich III. im Februar 1446 oder Kurfürst Friedrich II. und Markgraf Albrecht Achilles von Brandenburg im Februar 1447 verliehenen Privilegien (vor allem Nominationsrechte für Bistümer und andere Kirchenämter) werden ja als die entscheidenden Marksteine auf dem Wege zur deutschen ‚Landeskirche‘ angesehen.[542] ‚Konkordate‘, zweiseitige Verträge, waren dies ebensowenig wie die sog. ‚Fürstenkonkordate‘ von 1447, die eindeutig noch in der Form päpstlicher Privilegien abgefaßt waren. Allein das formale Kriterium ermöglicht also eine gewisse Differenzierung.[543]

Verfassungsgeschichtlich anregend erscheint der Gedanke von MEUTHEN, auch die ‚Kon-kordate‘ als Konkretion des spätmittelalterlichen Konsens-Denkens zu werten[544], so daß die von der konziliaren Theorie entfaltete Konsenslehre hier in einem Medium historische Wirkung zeitigte, das faktisch gerade ihre Liquidation beabsichtigte.

Lenken wir den Blick noch einmal zum Wiener Konkordat und seinen Konsequenzen für die deutsche Kirche zurück: Es führte unter weitgehender Übernahme der Konkordatsbestimmungen von 1418 einen Teil der Reservationen und die verhaßten Annaten wieder ein, bewirkte aber insgesamt, was oft übersehen wurde, eine Verringerung

---

[541] Zu den Konkordatstheorien: R. NAZ, Art. ‚Concordat‘, in: DDC III 1353–83; BERTRAMS, Staatsgedanke 1–113; RAAB, Concordata 11–19 (knappe Übersicht); STIEBER 318 Anm. 77; H. J. BECKER, Art. ‚Konkordat‘, in: HRG 2, 1067–70; LThK 6, 456-59.

[542] FEINE 492 f.; vgl. die Übersicht bei PLEYER, Nikolaus V. 2–20, und THOMSON, Popes 153–56. Eine vollständige Liste ist mir nicht bekannt. Zu Friedrich III: PÜCKERT, Neutralität 247–51; STIEBER 274 f., 282 f., 303, und DOPSCH, Friedrich III., mit Lit. und Quellen. Zu Brandenburg: HENNIG, Kirchenpolitik 23–33; STIEBER 300 f.; QUIRIN, Albrecht Achilles 276 ff. – Die thüringische Landesordnung von 1446 erscheint zukunftsweisend. Die näheren Umstände, warum sie gerade 1446, dem Entscheidungsjahr des Kirchenstreits im Reich, entstand, bedürften nochmaliger Prüfung. Vgl. RICHTER, Die ernestinischen Landesordnungen.

[543] Gerade die äußere Form wird aber in der Konkordatslehre für „irrelevant" gehalten; RAAB, Concordata 11. Im Sprachgebrauch des 15. Jh. bezeichnen ‚concordata‘ viel allgemeiner einmütige Beschlüsse von König und Fürsten; s. RTA XVI 256.

[544] MEUTHEN, Konsens 26 f. – Die im Proömium des Konkordats erwähnten *consensus* beziehen sich auf den (angeblichen) Konsens der Fürsten mit Friedrich III., nicht auf das Verhältnis der beiden konkordierenden ‚Parteien‘.

der Steuerlast für die deutsche Kirche, gemessen am vorkonziliaren Zustand. Der von RAAB eindrucksvoll aufgearbeiteten Konkordaten- literatur beider Konfessionen, vor allem der sogenannten Episkopali- sten des 17.–19. Jahrhunderts, stellte sich die Grundfrage, in welchem Rechtsverhältnis das in Wien geschlossene Konkordat zu den damals gerade wiederentdeckten ‚Fürstenkonkordaten' und zur Mainzer ‚Akzeptation' stehe, das heißt, ob die in den letztgenannten Doku- menten rezipierten Basler Dekrete aufgehoben oder weiter gültig seien.[545] Wenngleich schon die zum Bündel der Fürstenkonkordate gehörende Bulle ‚Ad tranquillitatem' (1447 II 5) im Grunde den „pro- visorischen Charakter der Fürstenkonkordate"[546] – *donec per legatum...* *concordatum fuerit, vel per concilium... aliter fuerit ordinatum* – enthüllte und das Konkordat selbst sich über Vorurkunden ausschweigt, ent- deckten die Kanonisten in der vagen Klausel *In aliis autem...* die Mög- lichkeit, auf die Fürstenkonkordate (sc. auch die Basler Dekrete) zurückzugreifen und sie gemäß den eigenen kirchenpolitischen Zie- len „zum eigentlichen Regulativ der reichskirchlichen Beziehungen zu Rom zu machen."[547]

Entsprach der Abschluß eines Konkordats überhaupt den auf dem (da es kein offizieller Tag war, schlecht überlieferten) Aschaffenbur- ger Fürstentag (1447 VII 13)[548] gefaßten Beschlüssen, handelte Friedrich III. als Repräsentant der deutschen Kirche, bzw. besaß er überhaupt ‚Konkordatsfähigkeit'? Die Frage wird noch von MICHEL, RAAB und STIEBER verneint.[549] Der Begriff der Konkordatsfähigkeit müßte allerdings genauer definiert werden. Dies dürfte schwierig sein, da es im 15. Jahrhundert noch kein ausgeformtes Konkordatsrecht gab. Wieder steht die Frage nach der ‚Rechtsnatur' zur Sprache. Der Hinweis, nur die Spitzen der deutschen Reichskirche, die ja auch

---

[545] Aus der neueren Literatur dazu: MICHEL, Wiener Konkordat 9–24; RAAB, Concor- data 36–46; Aschaffenburg 468–70; HÜRTEN, Mainzer Akzeptation 74.

[546] RAAB, Aschaffenburg 469.

[547] ebd. 470.

[548] VOIGT, Enea Silvio I 412 ff.; RAAB, Aschaffenburg passim; STIEBER 304 f.; AC I2 Nr. 743. Diskutiert wird die Formel des Proömiums, Friedrich habe *pro ipsa natione Alemanica* (MIRBT⁴ 238) gehandelt. Vgl. aber schon Albrechts II. Beitritt zur Mainzer ‚Akzeptation': *pro... tota Alemania*; RTA XIV 113 Z 6 f. nr. 56. In c. 8 des Wiener Konkordats wird eigens erklärt (MIRBT⁴ 240), daß der *propter competentiorem descriptionem* verwendete Terminus *Ale- mania specialis natio* nicht *a Germanica natione distincta seu quomodolibet separata* gehalten werden dürfe! Welche Unklarheiten bestanden zwischen *Alemania* und *Germanica natio*? Vgl. WERMINGHOFF, Neuere Arbeiten 190, s. die Belegsammlung ebd. 184–92.

[549] MICHEL, Wiener Konkordat 26; RAAB, Aschaffenburg 470; STIEBER 315.

Rechtsträger der Mainzer ‚Akzeptation' gewesen waren, hätten eine Autorisierung zum Konkordatsabschluß gewähren können[550], wirft mehr Fragen auf als er beantwortet. Der Schleier der Heimlichkeit über den Verhandlungen des Kardinallegaten Carvajal mit Friedrich III. und seinen Ratgebern wurde schon häufig kritisch vermerkt. Die Bilanz von Friedrichs Kirchenpolitik verzeichnet zuallererst einen sehr beträchtlichen persönlichen Gewinn als Landesherr. Eine Gegenüberstellung der angeblich zugleich erlittenen reichspolitischen Defizite schmälert die Bedeutung dieses Gewinns nicht. Eine bleibende Stärkung der königlichen Zentralgewalt im Reich konnte diese Politik allerdings nicht erzielen. Es blieb beim taktischen Erfolg des Jahres 1446. Der deutschen Kirche, geschweige denn der Kirchenreform, vermochte Friedrich keine nennenswerten Vorteile zu sichern – und wollte es wohl auch nicht.[551] Mißtrauen und Entfremdung zwischen König und Reichsständen blieben vielfach zurück. – Die neueste Interpretation von ANGERMEIER sieht das Wiener Konkordat als prinzipielle Erklärung der „Inkompetenz des Reiches für die Kirchenreform", und damit als Manifestation eines „Zurücktretens des Reichsoberhaupts vom innerkirchlichen Engagement", das in dieser Zeit längst „historisch völlig unangebracht, ja unsinnig" geworden sei. Stattdessen seien die frei gewordenen Kräfte für die „ebenso konsequente Hinwendung zu den Grundlagen der Reichsgewalt im deutschen Königtum" via Reichsreform eingesetzt worden.[552] Dies ist eine interessante positive Neubewertung Friedrichs III. Für die Person dieses Königs wird man dem ersten Satz wohl zustimmen – wenn auch als Motiv vielleicht mehr Resignation als der Wille, das Reich von überholten kirchlichen Aufgaben zu befreien, im Spiel gewesen sein mag –, für den zweiten Satz fällt die Zustimmung angesichts der jahrzehntelangen Abwesenheit des Königs vom Reich schon schwerer. Man mag sich auch fragen, ob ‚Kirchenreform' und ihre eng abgesteckte Thematik ohne weiteres mit ‚Kirchenpolitik' gleichzusetzen ist. Auch wenn die kirchlichen Aufgaben des Reichs „historisch . . .

---

[550] STIEBER 315.
[551] S. unterschiedliche Urteile bei BACHMANN, Neutralität 190, 201; ANGERMEIER, Reich 582; STIEBER 283 Anm. 16, 320 f., 342 f., sieht gerade in der Kirchenpolitik Friedrichs III. weder Ansätze zur Kirchherrschaft des souveränen modernen Staates, noch Impulse einer neuen Kaiserideologie, sondern wie immer über-'realistisch' „stubborn attachment to his own dynastic interests" (321) am Werke. – Zum Problem ‚fürstliche Kirchenpolitik' und Vergleich mit Frankreich s. oben 197-200, 291 f.; 215-17.
[552] ANGERMEIER, Reichsreform 111 f.

unsinnig" geworden waren, als historisch wirksam sollten sie sich unter Karl V. im ,konfessionellen Zeitalter' ja mehr denn je erweisen. Bis zur Trennung von Kirche und Staat war es noch ein weiter Weg.

Die Tatsache, daß die einzelnen Reichsbischöfe erst nachträglich und nacheinander dem Konkordat beitraten – eine besondere Form der ,Rezeption'? – sollte man hier stärker als bislang berücksichtigen, zeigt sie doch, daß es König und Kurie nicht gelungen war, das Konkordat ohne Nachverhandlungen in der deutschen Reichskirche verbindlich zu machen. Den Anfang machte der Salzburger (1148 IV 22), bis 1446 einer der engsten Konzilsanhänger. Er tat dies nicht zuletzt mit der Absicht, durch derartiges Wohlverhalten das Besetzungsrecht über seine vier Eigenbistümer wiederzuerkaufen, das Eugen IV. 1445/46 auf Kosten des Erzbischofs dem kirchherrlichen Belohnungspaket für Friedrich III. zugeschlagen hatte. Das Manöver hatte nur begrenzten Erfolg, da Gurk in der Verfügungsgewalt des Königs verblieb.[553] Der Mainzer Erzbischof trat, obwohl er im September 1446 zur eugenianischen Fraktion gehörte, erst Juli 1449, der Kölner 1450, der Bischof von Straßburg gar erst 1476 bei.[554]

Die Forschung hat als ein Ergebnis des Wiener Konkordats die allgemeine Rechtsunsicherheit, den vagen Schwebezustand vieler ungelöster Fragen hervorgehoben: so galten ältere Konkordate (zum Beispiel mit Lüttich oder Cambrai) weiter, handelten einzelne Bischöfe Sonderkonditionen für ihre Diözesen aus, war die Gültigkeit der Basler Dekrete unklar geblieben. Daß sich „die deutschen Fürsten und Völker" nicht „mit Entrüstung" gegen das Konkordat „erhoben" (Bachmann)[555], darf kaum als Zeichen ihrer Dekadenz, sondern eher als Indiz dafür gewertet werden, daß man sich im Reich nicht ohne eine gewisse Erleichterung mit dem nun nach langen Wirren gegebenen status quo abzufinden bereit war. Zwar hatten zur Zeit der ,Neutra-

---

[553] Diese Zusammenhänge wurden von DOPSCH, Friedrich III. (1981), genauer geklärt.

[554] S. MICHEL, Wiener Konkordat 43 f. Vgl. SCHWARZ, Abbreviatoren 254. Speziell zu Trient: LECHLEITNER, Kampf um die Rechtskraft. Vgl. FOLZ, Concordat, mit dem Nachweis, daß das Wiener Konkordat in Metz und Toul auch nach deren Verpfändung an Frankreich (1552) in Kraft blieb. Zu Straßburg: KAISER, Annahme des Wiener Konkordats, mit Text. – Eine systematische Darstellung über die ,Rezeption' des Wiener Konkordats bis zum Ende des 16. Jh. (Hier setzen RAAB, Concordata, und FEINE, Besetzung der Reichsbistümer, ein) wäre nützlich; s. HINSCHIUS III 138 ff.

[555] BACHMANN, Neutralität 200.

lität' (1439–47) nur zwei von 17 Bischöfen ihre Taxen an die Kurie gezahlt[556], doch waren viele Fürsten, darunter auch mancher geistliche Reichs-Fürst, nicht zuletzt durch kuriale Privilegien und Geldzahlungen derart auf ihre Kosten gekommen, daß Widerstand nun überflüssig schien.

In der zweiten Hälfte des 15. Jahrhunderts hat das Wiener Konkordat nach und nach allgemeine Anerkennung gefunden: Stand die Aschaffenburger Provinzialsynode von 1455 noch stark im Nachhall der Konzilsepoche und der enttäuschten Reformen, so stellte man sich 1479 in Koblenz schon „grundsätzlich auf die durch das Wiener Konkordat geschaffene Rechtsbasis" (Michel), die in den Reichsabschieden von 1497, 1498 und 1500 dauerhaft bestätigt wurde. Auch die ‚Gravamina der deutschen Nation' (1455, 1479, 1484, 1521)[557], von der älteren Literatur gern als nationale Speerspitze gegen die Kurie und als „Beleg für die Notwendigkeit der Reformation" (Gebhardt) angesehen, griffen weniger das Konkordat selbst, als vielmehr seine dauernde Verletzung durch die Kurie an. Im übrigen wurden trotz aller Klage über die finanzielle Ausplünderung Deutschlands die ungeliebten Annaten „in unverkennbarer Inkonsequenz weiter gezahlt"[558], wurde weiter nach Rom appelliert, rissen die unvermeidlichen Bestechungsgeschäfte in den päpstlichen Amtsstuben nicht ab.

Der faktisch verbleibende Einfluß der römischen Kurie im Benefizial- und Finanzwesen der deutschen Kirche[559], eines der General-

[556] STIEBER 172, 438 f., nach HOBERG, Taxae.

[557] Grundlegend immer noch GEBHARDT, Gravamina (²1895); MICHEL, Wiener Konkordat 41–84, Zitat 69; CELLARIUS, Frankfurt und die Gravamina, zu Basel 13–17. Nicht zugänglich war mir die Dissertation von D.E. ZERFOSS, ‚Gravamina Germaniae'. The Archbishops of Mainz and the Papacy 1448–1484, (Diss. Harvard-University). Fragen, aber auch Pauschalurteile der älteren Literatur über den Kampf der „germans" gegen die „papalists" finden sich wieder bei TILLINGHAST, An Aborted Reformation. Der ‚vorreformatorische' Frageansatz ist fast allen Studien, die sich mit der deutschen Kirche in der zweiten Hälfte des 15. Jahrhunderts beschäftigen, gemeinsam. Zur Reichspolitik bis 1456, dem Todesjahr Jakobs von Sierck: MILLER, Sierck 230–53.

[558] MEUTHEN, 15. Jahrhundert 59; vgl. THOMSON, Popes 188 f., 200.

[559] S. etwa die älteren Diss. von VASEK, Besetzung der deutschen Bischofsstühle, und HILDERSCHEID, Reservatrechte 24–35, sowie EUBEL, Besetzung deutscher Abteien; HOBERG, Anteil Deutschlands; BROSIUS, Päpstlicher Einfluß auf die Besetzung von Bistümern; THOMSON, Popes 145–200 (Material aus allen europäischen Ländern). Eine Fundgrube: STRNAD, Todeschini 207–321. – Laut Enea Silvio, Germania, I c.20–32, ed. SCHMIDT 26–32, bestätigte die Kurie unter Nikolaus V. und Calixt III. in 15 von 19 deutschen Bischofsbesetzungen den Kapitelskandidaten. S. unten 346 f.

themen in der Vorreformationsforschung, bedürfte, um angemessen beurteilt zu werden, eines systematischen Vergleichs mit der Situation anderer europäischer Länder. Eben dies hat die auf ‚Deutschland vor der Reformation‘ konzentrierte Forschung nicht geleistet.

Ein Psychogramm der deutschen Kirche in den Jahrzehnten zwischen 1450 und 1517 muß wohl von Grund auf neu gezeichnet werden. In jener eigentümlichen Atmosphäre, in der sich Unbehagen und ‚mauvaise foi‘ mit kritikloser Arriviertheit mischten, verblaßte auch die Erinnerung an das Basler Konzil, vor allem, nachdem seine letzten Protagonisten (Heimburg, Bachenstein, Döring etc.) gestorben waren. Die in der Forschung recht gut aufgearbeitete Mainzer Stiftsfehde (1459/63)[560] wirkt, unter ganz spezifischen politischen Konstellationen von europäischer Dimension, fast wie ein letztes Aufflackern der Konzilsidee im Reich des 15. Jahrhunderts.[560a]

13. Rangstreite und ‚Nationalismus‘

Quot erant reges, tot frequenter agebantur super eminencia sedium protestationes meint treffend einmal Segovia.[561] Rangstreitigkeiten bilden in der Tat schon seit den Konzilien von Lyon II (1274) und Vienne (1311) eine meist unliebsame Begleiterscheinung auf Generalkonzilien wie bei großen Versammlungen überhaupt. In Basel zogen vor allem Rangkämpfe des Herzogs von Burgund und der Kurfürsten,[562] der Könige von England und Kastilien, sowie der Herzöge von Bretagne und Savoyen jeweils mit Burgund die Aufmerksamkeit auf sich; in Arras kämpften England und Frankreich um den würdigeren Platz in der Sitz-

---

[560] JOACHIMSOHN, Gregor Heimburg 181–249. Grundlegend: ERLER, Rechtsgutachten (mit der älteren Literatur); Neue Funde. Zu Gabriel Biel: OBERMAN usw. (Ed.), Biel, Defensorium 14–54; STRNAD, Neue Quellen zur Mainzer Stiftsfehde; BROSIUS, Mainzer Bistumsstreit. – Lit. zu *Gregor Heimburg* s. oben 277 Anm. 382.

[560a] Sehr diskutierenswert ist die Bilanz bei MORAW, Propyläen-Geschichte Deutschlands III 382: „Tatsächlich schied in diesen Jahren ... das Papsttum aus dem innerdeutschen Kräftespiel aus, das es vierhundert Jahre mitgestaltet hatte."

[561] MC II 365 Z. 18 f. Vgl. die Kritik Sigmunds; CB V 104 Z. 21–24. Die gesamte Passage MC II 363–369 sowie 543–50; CB III 139 Z. 29–144 Z. 29 wäre genauer zu untersuchen. Vgl. noch den Reflex der Sitzstreite im Gutachten des Johannes Bachenstein von 1462/ 63; ERLER, Rechtsgutachten 207 f. – Die geistliche Rangordnung bei der feierlichen Konzilliturgie: SCHIMMELPFENNIG (Ed.), Zeremoniell 286, c. 1–6; LAZARUS 145–47.

[562] Dazu jetzt HEIMPEL, Kurfürsten, mit Edition der wohl im Dezember 1433 entstandenen ‚Informatio‘ (aus der Hand Job Veners?) 472–76. Ein größerer Beitrag Heimpels steht zu erwarten; vgl. ders., Vener 610 und 1526 (Nr. 64); TOUSSAINT, Relations 49–67; SIEBERG 46–64. Reden des burgundischen Bischofs Jean Germain: Mansi XXX 205–211, 608–612.

ordnung.[563] Wir haben es da nicht ausschließlich mit einem Spezifikum der höfischen Fürsten- und Adelswelt zu tun: In Basel wie in Konstanz sah man auch die Universitäten Angers und Avignon[564], die Universität Paris und den Johanniterorden[564a] miteinander streiten. Den Konzilsbetrieb konnten solche Zwistigkeiten mit ihrer hochemotionalen Begleitmusik regelrecht lahmlegen. Das Basler Konzil hatte nach den schlechten Erfahrungen von Konstanz versucht, gleich in der ersten Session (1431 XII 14) einer Neuauflage der Querelen einen Riegel vorzuschieben und erließ die Bestimmung, jeder solle in dem Stand verbleiben, den er vor Beginn des Konzils innehatte und dürfe keine neuen Rechte geltend machen.[565]

Die einzelnen Streitfälle sind der Forschung zwar gut bekannt. Sie scheinen mir jedoch auch systematischer Analyse wert: Aus welchen Voraussetzungen entstanden diese Querelen, sind sie Symptome für Tieferliegendes? Denn über bloße Etikette oder bornierte Eitelkeiten gingen die Ursachen ganz offensichtlich hinaus. Daß eine Sitzordnung bis in heutige Zeit der sensible Widerschein einer differenzierten sozialen oder politischen Rangordnung sein kann und daher eifersüchtig beobachtet und gegebenenfalls verteidigt wird, darf zunächst einmal als sozialpsychologische Grundtatsache gelten.

Für das spätmittelalterliche Europa aber stellen sich besondere Fragen: Es gab zwar ständischem Ordo-Denken entsprechend faktisch eine politische Rangordnung, aber war sie jemals festgelegt worden? Allein die Häufigkeit von Rangstreiten zeigt schon, daß es zumindest keinen allgemein anerkannten Rangkodex gab, sondern immer wieder Konventionen durch begründete Ansprüche in Frage gestellt wurden. Die Art dieser Begründungen gilt es systematisch zu untersuchen. Sie eröffnen sogleich die nächste Frage: Wie reagierte ein nur vorübergehend durch Konvention abgesichertes Rang- bzw. Sitzordnungssystem auf Veränderungen sozialer und machtpolitischer Natur? Welche Kriterien zählten? Die Niederlage der Engländer im Rangstreit mit Kastilien – hinter dem spanischen Königreich stand im Grunde Frankreich – korrespondiert wohl nicht nur zufällig mit dem allgemeinen Machtverfall Englands in den dreißiger Jahren. Und bezeichnenderweise ist es der politische Parvenü Burgund, der in

---

[563] GILL 233–35. Literatur s. oben 221 Anm. 130, 232 Anm. 175, 250 Anm. 258.

[564] S. oben 151 Anm. 292.

[564a] SIEBERG 48, für diesen Fall ohne Beleg.

[565] Mansi XXIX 15C–E; MC II 57. Im Streit der Kurfürsten mit Burgund berief man sich auf die Konstanzer Sitzordnung als Präzedenzfall; HEIMPEL, Kurfürsten 470.

die meisten Kontroversen verwickelt war – *quod nimis alte volebat volare*, wie Kaiser Sigmund einmal hellsichtig sagte.[565a] Insofern sind die Rangstreitigkeiten wie mir scheint ein Indikator für Verschiebungen im ‚Mächtesystem'. Der Ehrenvorrang und -vorsitz des Kaisers blieb allerdings öffentlich unbestritten. Eine politische Schiedsrichterrolle Kaiser Sigmunds lehnten die europäischen Fürsten jedoch ab.[566]

Die Problematik läßt sich indes auch vor dem Hintergrund des in der jüngeren Forschung wieder viel besprochenen (spät-)mittelalterlichen ‚Nationalismus'[567] und, damit zum Teil verbunden, des Souveränitätsbegriffs betrachten, gerade was das Verhältnis des Kaisertums zu den europäischen Monarchien betrifft. So machte NONN darauf aufmerksam, daß die deutsche Konzils-‚Nation' und das gemeinsame Handeln der in ihr zusammengeschlossenen Vertreter ganz wesentliche Folgen sowohl für die Ausbildung eines deutschen ‚Nation'-Bewußtseins und für die Entstehung des Begriffs ‚deutsche Nation' im späten 15. Jahrhundert gehabt hat[568], ein Ansatz, der weiter zu verfolgen wäre. Unvermeidlich fließen in den Begriff ‚Nation' die ihn prägenden neuzeitlichen Vorstellungen und Maßstäbe ein. Über die Existenz nationalen bzw. pränationalen Bewußtseins im Mittelalter wurde in der Forschung daher sehr kontrovers diskutiert. Man rät zu Recht vielerorts, den Begriff ‚Nation' in diesem Zusammenhang nur mit gebührendem Vorbehalt zu verwenden. Nichtsdestoweniger bieten die auf dem Basler Konzil geführten Rangstreitsdebatten interessantes Material für weitere Überlegungen:

Es fällt auf, wie viele Debatten in Basel „über das Alter und die Vornehmheit der Völker"[569] geführt wurden. Greifen wir nur die be-

---

[565a] CB II 92.

[566] Hinweis SIEBERG 50 und 64. Vgl. HEIMPEL, Kurfürsten 481 f. Das allgemeine Problem ist hier nicht weiter zu erörtern. Über das Verhältnis von Kaisertum und französischer Krone jetzt KRYNEN, Idéal du prince 230–33.

[567] Statt vieler Einzelangaben s. die Literatur bei GRAUS, Lebendige Vergangenheit; SCHMUGGE, ‚Nationale' Vorurteile 440–43, der seine Beispiele im übrigen aus dem 12. Jahrhundert nimmt, und vor allem GUENÉE, L'occident 23–25 (Lit.), 113–32, 296–302; RAPP, L'Église 260–71; THOMSON, Popes 29–53. Zu Frankreich speziell: GUENÉE, Etat et nation; GRÉVY-PONS, Propagande et sentiment national; KRYNEN, Idéal du prince 141–77. Für das Reich (in Auswahl): SCHRÖCKER, Deutsche Nation; ENGELS, Reichsgedanke 394–97; SCHUBERT, König und Reich 355 f.; NONN, Heiliges Römisches Reich; HEIMPEL, Kurfürsten 79; Vener 1600 s.v. ‚Nation(en)'; THOMAS, Deutsche Nation (1985) 429–34.*

[568] NONN, Heiliges Römisches Reich, darin 134–36 zu den Konzilsnationen in Pisa und Konstanz. Dazu s. auch: SCHRÖCKER, Deutsche Nation 15 mit Lit.; HUGELMANN, Stämme 289–92. Viel Material bei HEIMPEL, Vener 1600 s.v. ‚Nation(en)'; Belegsammlung zum Begriff *nacio Germanica* bei WERMINGHOFF, Neuere Arbeiten 184–92.

[569] SCHMIDINGER, Begegnungen 193–97, Zitat 196.

rühmtesten Reden heraus: Der kastilische Gesandte, der bereits mehrfach genannte Bischof Alonso García de Santa Maria, begründete Vornehmheit und Vor-Rang der Könige Kastiliens vor denen Englands mit ihrer Abstammung von den Goten.[570] Der schwedische Gesandte, Bischof Nikolaus Ragvaldi, tat seinerseits fast das gleiche, um die Präferenz seines Landes zu beweisen, indem er kurzerhand Schweden und Goten identifizierte. Gerade seine Rede erzielte große Wirkung, indem sie nicht nur dem Nationalprestige Schwedens nachhaltigen Auftrieb gab, sondern, wie letzthin MARCHAL zeigte, über einige etymologische Metamorphosen (sueci suici) auch den Schweizern eine (gotische) Herkunftstradition vermittelte.[571] Der „Goticismus" stand in Blüte. – Die Burgunder beriefen sich dagegen auf trojanische Vorfahren und standen damit in einer langen Tradition, die von den Gründungssagen zahlreicher antiker Städte bis zu Fredegars Herkunftslegende des Frankenstammes reichte.[572] Derartige Konstruktionen in ihrer Mischung aus Stammessage, Dynastenlob und kalkulierter historischer Kontamination sind im Prinzip nichts Neues.[573] Doch wirkt hier im Spätmittelalter der Beitrag der Gelehrtenstube zur Nationallegende eindeutiger und nachhaltiger; so als handele es sich um eine künstlich erzeugte, aber offensichtlich benötigte

---

[570] CB IV 227 (1434 IX 14). Edition der Rede von F. BLANKO, in: Ciudad de Dios 35 (1894) 122–29, 211–17, 337–53, 523–42. Vgl. M. PENNA, Prosistas castellanos del siglo XV, I, Madrid 1959, 215–33. Sie wird ebd. XLVII „un poco la Magna Charta del sentimiento nacional-dinástico español" genannt; Hss. in REPERTORIO II 299 und 425. Zu Alonso García s. oben 247 mit Literatur.

[571] CB V 108 (1434 XI 12). Text bei SVENNUNG (1963) 174-80. Vgl. SÖDERBERG, Ragvaldi 12–16; LOSMAN, Ragvaldis Gotiska Tal; dies., Norden s.v. Zur Schweizer Gotensage und ihrer Rückführung auf Ragvaldis Rede: MARCHAL, Die frommen Schweden 68–74 und 95. Vgl. SVENNUNG, Goticismus (1967) 34–43, 77, 91 f. Zu Ragvaldi s. ferner oben 271.

[572] LACAZE, Rôle dès traditions. Die Trojaner werden in der Rede des Jean Germain gegen die Kurfürsten konkret genannt: *Troianorum Franco principe ortum accepit Dardanicum* (sc. das franz. Königshaus); Mansi XXX 207D. Zur Trojanersage s. GRAUS, Lebendige Vergangenheit 81–89, und MELVILLE, Vorfahren (im Erscheinen), mit Lit. Die Argumentationsbasis der Kurfürsten erscheint juristischer. Sie berufen sich auf Gesetze Karls des Großen und die Goldene Bulle, um ihren Vorrang zu beweisen; s. HEIMPEL (Ed.), Kurfürsten 476 Z. 91–102.

[573] Zum Thema s. BORST, Turmbau von Babel III 1,958–1047; das ebenso originelle wie monströse Buch könnte in der Forschung besser genutzt werden. Zum Verhältnis von Geschichtstradition und Nationalbewußtsein vielseitig und anregend: F. GRAUS unter dem etwas irreführend allgemeinen Titel ‚Lebendige Vergangenheit', vor allem 72–144 Literatur! Zum Basiliense lediglich 208 Anm. 6: sieht in Basel ein Anwachsen ‚nationaler' Gedanken gegenüber Konstanz.

Nachzüglerwelle der alten Herkunftssagen, die dadurch ebenso pathetisch wie anachronistisch erscheint. Man sieht hier neben stark konventionellen Zügen in höherem Maße ‚historische' Argumentation in politischer Absicht am Werke.[574] Sie scheint zur humanistischen Geschichtsschreibung – und Alonso García galt als Humanist – mit ihren nationalen Intentionen überzuleiten. Die ‚historische Methode', die man einigen Basler Theologen hat zuschreiben wollen, ließe sich so möglicherweise einem breiteren Trend einfügen.

Ein weiterer Aspekt, der besonders in der jüngeren westeuropäischen Forschung stärker hervorgehoben wurde, liegt in der zeitgenössischen Verbindung von Nationalgefühl und fürstlich-staatlicher Souveränität.[575] „National sentiment strengthenes princely power, while the prince served as a focus for an identification of land and people"[576]. Auch hier ist zu fragen, welche Verbindungen traditionelles dynastisches mit modernerem ‚staatlichen' Denken eingegangen ist, um schließlich die ‚Nation' als besondere Form transpersonaler Staatsvorstellungen zu konstituieren.

Unter einem letzten zusammenfassenden Gesichtspunkt wird man die Rangstreitigkeiten auf dem Basler Konzil – das sei hier besonders betont – als Symptome einer gesamteuropäischen Entwicklung verstehen, als Zeichen, daß Europa dabei war, sich neu zu formieren, ein System konkurrierender, aber prinzipiell gleichrangiger Mächte zu werden. Das Basiliense mit seinem kongreßähnlichen Erscheinungsbild läßt sich hier in besonders eindrucksvoller Weise als Forum und Fokus begreifen.

---

[574] Vgl. MARCHAL, Die frommen Schweden 69, mit Hinweis auf CB V 108 Z. 25: *recitando multas antiquas historias*; HEIMPEL, Kurfürsten 479: „Gipfel ‚historischer' Interpretation". Dagegen möchte man Segovias Bemerkung über die ‚historische' Argumentation der Kurfürsten fast ironisch auffassen: . . . *excellencie dignitatis imperii, de qua alcius exordientes a Nabugodonosor comparato arbori sublimi et robuste; subter quam habitabant animantia et bestiae* . . .; zit. HEIMPEL (Ed.), Kurfürsten 481.

[575] S. GUENÉE, État et nation; L'occident 113–32, 296–302. Zum neuen Monarchismus s. oben 97-101, 199 f., unten 478-80.

[576] THOMSON, Popes 29.

Da riß sich die Idee der Kirche zum erstenmal
entschieden los von ihrer Erscheinung (Ranke).

V. KIRCHENREFORM UND BASLER KONZIL

1. Reform, Kritik und Krise[1]

Der Ruf nach Reform ist kein Spezifikum des späten Mittelalters, sondern, wie immer wieder gesagt wird, „so alt wie die Kirche selbst" (Haller). Zu allen Zeiten hat man das Auseinanderklaffen von idealer Norm und defizienter Wirklichkeit bitter empfunden. Reform wurde daher meistens als re-formatio, als Wiederherstellung eines früheren, für besser gehaltenen Zustands der Kirche und ihrer Glieder, oft einer idealisierten ‚ecclesia primitiva' verstanden.[2] Korrektur, Verbesserung und Reform fielen damit zusammen. Substantiell war freilich zur bestehenden Kirche als göttlicher Stiftung keine Alternative denkbar. Innovationen besaßen daher nur einen begrenzten Spielraum und der Schritt in die Ketzerei war für Utopie und Reform leicht getan. Eine umfassende Studie zum Thema ‚Reform im Mittelalter' gibt es nicht. Allein begrifflich bestehen schon große Schwierigkeiten, zumal die Quellen dem nach Theorie Spähenden nur sehr kärglich den Gefallen tun, einen ‚Reformbegriff' zu explizieren.[3]

In der Literatur herrscht allerdings darin relative Einigkeit, daß Kritik wie Reformwille im späten Mittelalter in besonderer Kon-

---

[1] Das folgende Kapitel enthält lediglich einige Vorüberlegungen. Sie sollen andernorts ausführlicher mitgeteilt werden. Den Themen Ordensreform und Reichsreform sind eigene Kapitel gewidmet (III 6 b und IV 12 c).

[2] Vgl. etwa die ungedruckte Diss. von DITSCHE, Ecclesia primitiva (1958); STOCKMEIER, Causa reformationis, klammert die Zeit zwischen Konstanz und der Reformation aus; PASCOE, ‚Ecclesia primitiva' and ‚Reform' (über Gerson).

[3] Es läßt sich wenig repräsentative Literatur nennen. Die Dimensionen des Themas, das Begriffsfelder wie ‚reformatio', ‚renovatio', ‚Renaissance', ‚Utopie' und natürlich auch die ‚Kirchenreform' des Hochmittelalters umspannen müßte, sind allerdings gewaltig. S. vorläufig HALLER, Papsttum und Kirchenreform 3–22; PEUCKERT, Wende 195-212; LADNER, Reformidee (Spätantike, Ausblick ins Spätmittelalter); SEIBT, Geistige Reformbewegungen (im wesentlichen zum Hussitismus); DOHNA, Reformatio Sigismundi 59–68; BÄUMER, Nachwirkungen 244–60; RAPP, L'Église 207–25; für das 15. Jh. mit relativ engem Blickfeld: WOLGAST, Art. ‚Reform' (1982), v.a. 321–25.

zentration zu beobachten sind. Die Titel voluminöser Überblickswerke versuchen daher in suggestiver Weise, die gesamte Periode vom 13. bis zum 16. Jahrhundert, also unter Einschluß der Reformation, als „Temps des reformes" (CHAUNU) oder „Age of reform" (OZMENT) zusammenzubinden. ‚Reform' wird zum Signum eines Zeitraums von dreihundert Jahren erhoben.

Der Untertitel des genannten Buches von Chaunu lautet ‚La crise de la chrétienté' und bringt damit den zweiten zentralen Begriff ins Spiel: Krise. Der Krisenbegriff wurde in methodisch reflektierter Weise zuerst in der wirtschafts- und sozialwissenschaftlichen Literatur als ‚Krise der Agrarwirtschaft' oder einprägsamer als ‚Krise des Feudalismus' auf das 14. Jahrhundert [4] angewendet, dann aber auch zum Epochenbegriff, zur ‚Krise des Spätmittelalters' geweitet. In ihren Kontext fügt sich auch die ‚Krise der Kirche'. Als Krisenfaktoren findet man gewöhnlich die häretischen Bewegungen (Hussitismus), die Agonie des Papsttums durch Schisma und Konziliarismus sowie die Mißstände des Klerus genannt.

Der Begriff der ‚Krisis' hatte sich so von seiner Ursprungsbedeutung als Kulminationspunkt eines Prozesses widerstreitender Prinzipien zur Bezeichnung dieses Prozesses selbst gewandelt und zum Epochenbegriff objektiviert. Welche Kriterien berechtigen den Historiker, ein Ereignis, eine Institution und schließlich eine Epoche als ‚in der Krise befindlich' oder ‚krisenhaft' zu bezeichnen? Die Forschung versuchte in diesem Zusammenhang mit dem Begriff des ‚Krisenbewußtseins' (der Zeitgenossen selbst) zu operieren. Indem man so die Krise primär als Bewußtseinsphänomen faßt, wird die Problematik psychologisiert – und dies zurecht. Ein verbreitetes Bewußtsein der „Funktionsunfähigkeit der gegebenen Ordnung" (Seibt), ein „overall feeling, that everything was in decline" (Graus)[5], ein kollektives Niedergangsgefühl, einen pessimistischen, nicht selten apokalyptisch gerichteten Attentismus glaubte man beobachten zu können. Demgegenüber müßte man den synchron und in engster Verbindung auftretenden Reformwillen als Ausdruck von Optimismus und eines

---

[4] Die Masse der Literatur zur ‚Krise des Spätmittelalters' und zum Krisenbegriff ist jetzt in der Bibliographie des Bandes EUROPA 1400 (s. Anm. 8) 321–405 (!) zusammengestellt.

[5] Is. 1,6: *a planta pedis usque ad verticem non est in ea sanitas,* trifft hier gut und wird auch von Eugen IV. an die in Basel zur Reform versammelten Kardinäle gerichtet; CB I 330.

Glaubens an die universale Verbesserbarkeit des universalen Mißstandes verstehen.

Ein wesentlicher, da auch quellenmäßig auswertbarer Indikator für Krisenbewußtsein ist das Auftreten von Kritik. REINHART KOSELLECK hatte mit seinem Buch ‚Kritik und Krise‘ (1959) die geradezu dialektische Junktur dieser beiden Begriffe auf das ‚vorrevolutionäre‘ Frankreich angewendet.[6] Man könnte versuchen, sie mit gebotener Behutsamkeit auf das ‚vorreformatorische‘ 15. Jahrhundert zu übertragen und ohne prinzipielle Berührungsängste mit weiteren erkenntnisleitenden Termini wie Reformtätigkeit, Veränderungsdruck, Systemzwang, Struktur- und Entwicklungskrise zu verfeinern, auch auf die Gefahr hin, daß sich mancher Begriff als unbrauchbar erweist. In anregenden Arbeiten haben unter anderem GRAUS, DUGGAN, ELM und SEIBT wichtige Akzente gesetzt.[7] Eine Zwischenbilanz europäischer Spezialforschungen bietet der von SEIBT und EBERHARD herausgegebene Band ‚Europa 1400. Krise des Spätmittelalters‘ (1984)[8]. Leider taucht darin die Kirchenkrise nur am Rande auf.

Es stellen sich Fragen über Fragen: Wer übte Kritik? – Im wesentlichen waren es Kleriker, handelte es sich um Selbstkritik des Ordens- und Säkularklerus. Die Kritik häretischer Minderheiten gewann für die innerkirchliche Reformdiskussion keine entscheidende Bedeutung. Kritik von Laien erhielt erst gegen Ende des Jahrhunderts in den Städten nennenswertes Gewicht.[9] Was wird kritisiert? – Analog zur

---

[6] KOSELLECK, Kritik und Krise, besonders 132–57.

[7] GRAUS, Spätmittelalter als Krisenzeit (instruktiver Literaturbericht), zum Krisenbegriff 40–45; Crisis of the Middle Ages and the Hussites; Vom Schwarzen Tod zur Reformation; DUGGAN, Unresponsiveness of the Late Medieval Church; ELM, Verfall 197–210 mit guten Theorieansätzen, zum Krisenbegriff 207–10; SEIBT, Krise der Frömmigkeit. Wichtig auch Band 3 (1970) der tschechischen Zeitschrift ‚Mediaevalia Bohemica‘ mit Vorträgen über die Krise der spätmittelalterlichen Kirche. Wenig bekannt: GUTIERREZ, Crisis en la vida religiosa. Ein früher Versuch, die Aspekte Konzil, Kritik und Reform zusammenzusehen, bei EDER, Deutsche Geistesgeschichte (1937) 41–78, aber mit manchen oberflächlichen Urteilen.

[8] EUROPA 1400, Hg. F. Seibt und W. Eberhard. Zum Krisenbegriff vor allem die Einleitung von SEIBT 7–23, sowie im Resümee von EBERHARD 318 f.; zur Kirchenkrise HEIMANN 53–64, hier 57–59 Erwähnung des Konziliarismus als Krisenphänomen; sowie ebd. BYLINA 82–94, am Beispiel der polnischen und tschechischen Forschung. Ein Folgeband ‚Europa 1500‘ steht zu erwarten.

[9] Zum expandierenden Forschungs-Gebiet ‚Stadt und Kirche‘ hier nur: THEREMIN, (1909) 26–70; STÖRMANN (1916), aus älterer Forschungsphase; aus jüngerer Zeit: Einführung von SYDOW, Bürgerschaft und Kirche; als besonders gelungene Lokalstudie KIESSLING, Bürgerliche Gesellschaft und Kirche in Augsburg (306–15 zur Kirchenkrise); Bibliographie bei NEIDIGER, Mendikanten 235–69.

Unterscheidung der Reformdekrete sind Papst und Kurie (caput) sowie Klerus und Laien (membra) vielfältiger Kritik ausgesetzt. Wie ist der topische Charakter von ‚fables convenues‘ zu bewerten, den viele Kritikpunkte tragen? Ist eine Unterscheidung zwischen Krisensymptomen und Krisenursachen möglich? etc.

Das Problem der kirchlichen Mißstände – waren die ‚Zustände‘ gleich ‚Mißstände‘? – hat vor allem die Vorreformationsforschung beider Konfessionen beschäftigt. Ausschlaggebend dafür, etwas als Mißstand (scandalum, gravamen usw.) bezeichnen zu können, sind die dem Verdikt zugrundeliegenden Maßstäbe und Normen. Manche der in unserer Wertung als Mißstand erscheinenden Phänomene gehörten zum allgemeinen Lebenszuschnitt, waren mithin strukturell geworden, ja sind geradezu aus einer Art Systemzwang zu erklären, so etwa die allgemein fortschreitende Fiskalisierung. Teilweise entzogen sie sich dem zeitgenössischen Kritikhorizont, so zum Beispiel das kirchliche Benefizialwesen als solches. Die ‚Pfründe‘ ist erst später zum Symbol kirchlichen Mißstands schlechthin geworden. Die substanziellen Mißstandsanalysen von JOSEPH LORTZ (1949) tragen deutlich bekenntnishaften Charakter, der einer selbstkritischeren katholischen Deutung der Reformation den Weg ebnen sollte.[10] Die Wertungskriterien bestehen letztlich in einer Palette moralisch gefaßter und latent antimodernistischer Schuldbegriffe wie „Individualisierung“, „Peripherierung“ oder „Zersetzung“. In Reaktion auf Lortz hat man protestantischerseits einen vorreformatorischen Blütezustand eruiert, der die Zeit um 1500 nach einem überall zitierten Wort von BERND MOELLER als „eine der kirchenfrömmsten des Mittel-

---

[10] LORTZ, Mißstände; mit zeitkritischem, pastoralem Unterton, vertiefend das Vorreformationsbild des Hauptwerks: Die Reformation in Deutschland (1939) I, 3–144. – Zu beachten immer noch IMBART DE LA TOUR, Origines II 179–310. Versuch einer Systematik bei KURZE, Der niedere Klerus. – Vgl. zum Thema ‚Mißstände‘ die Ansätze bei MOELLER, Spätmittelalter 41 f.; Frömmigkeit 25–29; RAPP, L'Eglise (1971, ³1983) 347–52; OZMENT, Age of Reform 208–22; MEUTHEN, 15. Jahrhundert 85, 148 f.; Basler Konzil in röm.kath. Sicht 298 f. Die zahllosen Spezialstudien zu den kirchlichen Mißständen, insbesondere ‚vor der Reformation‘, sind hier nicht aufzuführen. Reichhaltig: PÖLNITZ, Reformarbeit. Jüngere Sittenbilder der ersten Hälfte des 15. Jh. bei GAZZANIGA, L'Eglise du midi 53–101; BINZ, Genève 271–478, mit modern aufbereitetem Quellenmaterial aus Visitationsprotokollen. Weitere Lit. bei MOELLER, Spätmittelalter 38–44, und ELM, Verfall 191–210. – Ähnlich wie das gedankenreiche Buch von RAPP (s. oben) in Deutschland zu wenig beachtet: BORDEAUX, Aspects économiques de la vie de l'Eglise (1969). – Textsammlung bei MARCOCCHI, Riforma Cattolica I (1967); zwei Basler Dekrete: 45- 62.

alters" ausweist.[11] Daß man damit indirekt der älteren katholischen Position eines JOHANNES JANSSEN nahekam, wurde zunächst kaum gesehen.[11a]

Die Natur des Konzils als universales Forum brachte es notwendig mit sich, daß sich in seinem Umfeld sowohl Kritik als auch Reformpläne bündelten. Die Forschung hat herausgestellt, daß sich Reformgedanke und Konzil erst im Verlauf des Großen Schismas zu einer regelrechten „Allianz" (Jedin) verbanden. Zwar gehörte die Reform zu den traditionellen Aufgaben einer Generalsynode: *sunt reformatoria omnia concilia.*[11b] Jetzt aber, zu Beginn des 15. Jahrhunderts, wuchs dem Konzil die Rolle des Krisenbewältigers par excellence zu. Als Notstandsorgan (Pisa, Konstanz) war es sowohl Produkt der Krise wie zugleich Mittel ihrer Überwindung. Das Schisma wurde beendet, zugleich aber „das Verhältnis des Papstes zur Kirche ... einer Revision unterzogen."[12] Schisma und Konziliarismus werden daher als Indizien einer Systemkrise angesehen.

Es ist allerdings festzustellen, daß Reforminteresse und konziliaristisches Bekenntnis zwar in vielen Traktaten gekoppelt waren, aber keineswegs zusammengehören mußten. Das zeigte sich besonders deutlich bei einer Reihe von Basler Konzilsvätern. Eine relativ breite kirchliche Öffentlichkeit hat das Basiliense in erster Linie als Reformorgan begrüßt. Auch in der Literatur spricht man selbstverständlich von der ‚Zeit der Reformkonzilien'. Da die jüngere Forschung aber so eindeutig das Ringen um die ‚fides' als Herzstück der Basler Konzilstheologie entdeckte, wird sich möglicherweise auch die allgemeine Ortsbestimmung dieses Konzils verschieben müssen.[13]

2. Die Reformarbeit des Konzils

Das Basler Konzil war unter anderem mit dem Ziel einer ‚reformatio generalis ecclesiae in capite et membris' angetreten.[14] Es wird

---

[11] MOELLER, Frömmigkeit 22. – Das Thema ‚Volksfrömmigkeit' gewinnt bekanntlich derzeit im Zuge der Mentalitätsforschung große Attraktivität. Vgl. MOELLER, Spätmittelalter 32–36 (ältere Literatur); RAPP, L'Église 21–23, 32 f. (Lit.), 143–62, 315–38; MEUTHEN, 15. Jahrhundert 150, 200–03 (Lit); HEIMANN, Akzente 60–64.*

[11a] Später würdigte auch MOELLER, Probleme des kirchlichen Lebens (1970) 27–30, das Werk Janssens.

[11b] Nikolaus von Kues, Conc. Cath. I, S. 15, Z. 13, Titel zu II 25.

[12] HALLER, Papsttum und Kirchenreform 21.

[13] Vgl. MEUTHEN, Grünwalders Rede 422.

[14] Vgl. die Intentio der 1. Sessio (COD 456 Z. 19–22) mit ihren bilderreichen, johanneischen Formulierungen.

heute fast allgemein als beachtliche Leistung gewürdigt, daß die Synode die in Konstanz begonnene,[15] aber dann liegengebliebene Reformarbeit mit großer Energie wiederaufnahm und vor allem in der fruchtbaren Phase zwischen Juli 1433 (12. Sessio) und März 1436 (23. Sessio) eine Reihe qualitativ hochstehender Dekrete verabschiedete. Oft bemängelte man diese Reformen als ‚Stückwerk‘, ohne die Frage zu stellen, wie jene vielbeschworene ‚Gesamtreform‘ überhaupt hätte aussehen sollen – und können. Die Wertungen schwanken außerdem je nach der Grundhaltung der Autoren zwischen „entschieden maßvoll" und „radikal".[16]

Die maßgebliche Analyse von Inhalt und Entstehungsprozeß der Konzilsdekrete legte, nach einem Überblicks-Vortrag von HALLER (1910) und einer unbefriedigenden Dissertation von BURSCHE (1921), RICHARD ZWÖLFER (1929/30) vor.[17] Unbeschadet der Qualität dieser

---

[15] Immer noch zu benutzen: HÜBLER, Constanzer Reformation, 281–329 zur Rezeption. – Die in den allgemeinen Darstellungen eher unterbewertete Reformarbeit des Constantiense scheint in jüngster Zeit stärker beachtet zu werden: S. BRANDMÜLLER, Causa reformationis 61–66, Versuch einer Gesamtbewertung der konziliaren Reform unter Einschluß des Basiliense; zu Konstanz ferner ARENDT, Predigten 169-250, und die ungedruckten Dissertationen von MAURER, Weltkonzil (1943), mit minutiöser Analyse der Reformanträge, sowie VON DÜHREN, Reformproblem in der Traktatliteratur (1971). Zum Bindeglied Pavia-Siena: BRANDMÜLLER, Pavia-Siena I 150–52, 225 ff., 249 f. – Kurze Überblicke bei GEREST, Concile et réforme; FINK, Scheitern der Kirchenreform; SCHWAIGER, Konzilien im Rahmen der Reformbemühungen. Zu wenig gesehen wird die sehr breite Reformarbeit des Konzils von Vienne; s. MÜLLER, Vienne 109–17, 387–648; COD 362-401.

[16] Vgl. die mit einer „maßvollen" Einschätzung der Reformlinie verbundenen Würdigungen bei: ZIMMERMANN, Verfassungskämpfe 95; ZWÖLFER 171, 44–46 und öfter; DANNENBAUER, CB VIII 29 f.; HALLER, Kirchenreform 16; ANDRESEN, Geschichte 183 f.; MEUTHEN, Art. ‚Basel‘ 1518; MIETHKE, Forum 770; KRÄMER, Konsens 12–68. – PASTOR I 301, 317–19, erging sich zwar voller Polemik gegen alle den Papst betreffenden Dekrete der „Konzilsfanatiker", sah aber in einigen Dekreten „gegen die kirchlichen Mißstände… sehr heilsame Bestimmungen." Vgl. BAUDRILLART, Art. ‚Bâle‘ 123 f.; LORTZ, Mißstände 10; DLO 262. Die Beispiele könnten vermehrt werden.

[17] R. ZWÖLFER, Die Reform der Kirchenverfassung auf dem Konzil zu Basel, in: BZGA 28 (1929) 141–247; 29 (1930) 1–58, eine der grundlegenden Arbeiten zum Basiliense; zur Reform allerdings CB VIII (1936) 33–186 (Handakten Cesarinis nach Cod. Cusanus 168) nachzutragen; HALLER, Kirchenreform; ders., CB I 107–16; BURSCHE, Reformarbeiten (chronologisch, mit vehement subjektivem Urteil). Ferner: BINTERIM VII 210–18; ZIMMERMANN, Verfassungskämpfe 83–109; BECKMANN, CB VI, S. LVIII–LXXIII; DANNENBAUER, CB VIII 3–31 (kritisch); JEDIN, Trient I 13 f.; MARTIN, Origines II 282–91; STÜRMER 185–88; DLO 261–66; GILL 239–50; KOCHAN, Reformbestrebungen 107–18, 161–66; FINK, HKG III 2, 577–80; FRANK, Huntpichler 341–401, zur Reformproblematik anhand der Schriften Huntpichlers, zu Basel 361–69; MIETHKE, Forum 767–71; WOLMUTH, Verständigung 73–75, 85–89. Vor allem aber KRÄMER, Konsens 12–68, unter Berücksichtigung der theologischen Implikationen.

bislang nicht einmal hinreichend ausgeschöpften Arbeit muß es verwundern, daß mit sehr wenigen Ausnahmen (KRÄMER) seither keine Untersuchung zur Basler Reformarbeit entstanden ist. Die Forschungsschwerpunkte verlagerten sich wie gesagt auf kirchentheoretische Fragen. Außerdem war man wohl von der historischen Wirkungslosigkeit des gescheiterten Konzils und seines Reformwerks überzeugt. Hier mag auch der Grund dafür liegen, daß die Rezeption der Basler Dekrete erst in letzter Zeit wenigstens in Deutschland als wichtiges Thema erkannt wurde (HÜRTEN, REITER, LEINWEBER usw.).

Die Interpretation der Texte weist noch Lücken auf. Schon Zwölfer hatte einige Dekrete unkommentiert gelassen, unter anderem das Synodaldekret, die Anordnungen über Disziplin des Klerus und Liturgie sowie das Judendekret. Weitere Aufgaben stehen an, zum Beispiel die quellenkritische Einbindung der Basler Reformdekrete in die kanonistische und konziliare Tradition und eine genauere Analyse des Sprach- und Formelgebrauchs der Texte, nachdem WOLMUTH hierbei zu unhistorisch vorgegangen ist.[18]

Im Folgenden nur ein knapper Überblick, ohne die einzelnen Dekrete in extenso aufzuführen: Die ‚reformatio in capite‘ betraf erstens die kirchliche Stellenbesetzung, indem die päpstlichen Eingriffsrechte und Fiskalansprüche zurückgedrängt, die Freiheit von Bischofs- und Prälatenwahlen im Wahlendekret der 12. Sessio (1433 VII 13, mit Novellen 1436 III 26 und 1439 X 30)[19], die päpstlichen Reservationen eingedämmt (1436 III 26), die Annaten (1435 VI 9) und nach längerem Zögern auch die Expektanzen (1438 I 24)[20] abgeschafft wurden. Das Annatendekret, das „radikalste, das die Basler Synode hervorgebracht hat" (Zwölfer), rief unweigerlich innerkonziliaren Dissens und einen besonders scharfen Konflikt mit Eugen IV. hervor, zumal die Basler über die heikle Entschädigungsfrage erst zu einem Beschluß kamen, als das Problem ihrem eigenen Papst Felix V. auf den Nägeln brannte (1440 VIII 4)[21]. Zweitens ging es um die Reform des Prozeßwesens (Milderung von Bann und Interdikt, gegen Mißbrauch der Appellation; 1435 I 22)[22], drittens um die Reform der Kurie

---

[18] Kritische Würdigung der Arbeit von WOLMUTH, Verständigung, unten 457-59.
[19] COD 469–472; 504 Z. 31–505 Z. 16; MC III 422 f.
[20] COD 505 Z. 17–28; 488 Z. 22–489 Z. 11; MC III 18 f., 21–25.
[21] MC III 498–502. Vgl. ECKSTEIN, Finanzlage 51–59.
[22] COD 488 Z. 1–20; 489 Z. 13–25, vgl. 391; s. unten 346. – ZWÖLFER 4–15; WACKERNAGEL, Heinrich von Beinheim 282. Wenig genutzte Materialsammlung in der Diss. von ANKER, Bann und Interdikt (1919); sowie bei GOTWALD, Ecclesiastical Censure (1927).*

(Papstwahldekret, mit Eid des Gewählten auf die Konstanzer und Basler Dekrete; Bestimmungen zur Verwaltung von Kurie und Kirchenstaat; Dekret ‚De numero et qualitate cardinalium‘, 1436 III 26)²³.

Die in der Literatur verbreitete, aber auch von Zeitgenossen wie Enea Silvio kolportierte Ansicht, das Konzil habe sich zwar eifrig der Reform des päpstlichen ‚caput‘ gewidmet, die ‚reformatio in membris‘ aber vernachlässigt, ist nur sehr eingeschränkt haltbar²⁴. Eine exakte Scheidung von ‚caput‘ und ‚membra‘ als zwei unabhängigen Reformfeldern erscheint ohnehin kaum möglich. Das Wahlendekret tangierte zum Beispiel beide Bereiche, und in der Annatenfrage etwa bildeten die Bischöfe auch ihrerseits die ‚capita‘ des Klerus. Zwischen Haupt und Gliedern besteht vielmehr ein Kausal- und Wirkzusammenhang. So versuchte man, die Priorität der Kurienreform durch die letztlich ps.-dionysische, vor allem von Gerson vertretene, Hierarchielehre zu legitimieren, die besagt, daß ‚purgatio‘ und ‚illuminatio‘ nur vom Haupt herab in die Glieder strahlen können.²⁵ Damit ließen sich natürlich die gruppenegoistischen Motive nicht verdecken: *suave . . . est de aliorum reformacione statuum cogitare*, statt *in propria . . . domo* etwas zu ändern²⁶.

Gerade an der ‚reformatio in membris‘ mußten unweigerlich die inneren Interessengegensätze der Synode aufbrechen. Zu nennen sind: a) Das Dekret ‚De conciliis provincialibus et synodalibus‘ der 15. Sessio (1433 XI 26)²⁷. Es ist zu diesem Thema das ausführlichste der

---

²³ COD 494 Z. 19 – 504 Z. 30; vgl. aber früher die Dekrete der 4. und 7. Sessio (COD 462 Z. 36–463 Z. 36, 464 Z. 3–25); s. ZWÖLFER 15–47. Die ‚professio fidei‘ des neugewählten Papstes sollte auf dreizehn Universalkonzilien, darunter Konstanz und Basel, abgelegt werden; COD 496 Z.12–17. Vgl. MC III 413; ZWÖLFER 19–22; JEDIN, Kardinalsreform 123-25; SIEBEN, Traktate 125–27. – Das Konzil dispensierte ferner die Prälaten von ihren ‚ad limina-Besuchen‘ in Rom; PATER, Visitatio liminum 80–82; vgl. oben 39 Anm. 74.

²⁴ Viel zitiert wird der Ausspruch des französischen Parlamentsrats Nicolas Ge(h)é: *Deauretur istud caput et omnia sub ipso florebunt*; CB VIII 174 Z. 12. – Vgl. ausdrücklich die Responsio ‚Cogitanti‘ (1432 IX 3): *Reformentur capita, reformabimur et nos*; MC II 254.

²⁵ *Unde fit ut languescente capite reliquum postea corpus morbus invadat*; COD 497 Z. 41 f. Dieser Aspekt ist meines Wissens bisher nicht näher verfolgt worden. (Vgl. aber KRÄMER, Konsens 19). Er enthüllt nicht nur die enge Beziehung von Reform und Ekklesiologie, worüber noch zu reden sein wird, sondern könnte auch Anknüpfungspunkt für die längstfällige Studie zur Gerson-Rezeption in Basel sein. In den pragmatischen Reformanträgen kommen solche Überlegungen natürlich nicht vor.

²⁶ MC II 359. Vgl. auch Guillaume Morel, Präcentor von Nimes: *et omnes clamant refformationem fiendam in aliis, minime in se ipsis*; CB VIII 169 Z. 26 f.

²⁷ COD 473–476 Z. 21. – Vgl. COD 236 f. (Lateranum IV, c.6); Mansi XXVIII 293 f. (Konstanzer Antrag); Nikolaus von Kues, Conc.cath. II, c. 22–25; COD 761 Z. 14–36 (24. Sessio des Tridentinums 1563 XI 11).

gesamten Konzilsgeschichte und enthält sowohl eine organisatorische Wiederbelebung der synodalen Strukturen der Kirche, als auch, was oft übersehen wird, ein Bündel von Bestimmungen über die Qualität und Sittlichkeit des Klerus. Wenn irgendwo, dann ist an diesem Dekret zu zeigen, daß die Basler Kirchenreform auch „pastoral wirksam" zu werden suchte.[28] Charakteristischer für Basel ist das Ziel einer durchgängigen Kollegialisierung der Kirche: Der Rolle des Generalkonzils in der Gesamtkirche entsprechen Diözesan- und Provinzialsynoden auf unterer, das Kardinalskollegium auf kurialer Ebene. Enthüllend wirkt der Widerstand der Prälaten gerade gegen dieses Dekret; denn den Synoden wurden hier Straf- und Kontrollrechte eingeräumt, den Bischöfen dagegen Suspension für den Fall angedroht, daß sie die jährliche Synode nicht abhielten.[29] Erst die jüngere Konzilsforschung, die vom Elan des II. Vatikanums vielfältige Impulse empfing, hat das Synodaldekret gleichsam neu entdeckt (BONICELLI, LEINWEBER)[30]. Erstaunlicherweise entstand über die bischöflichen Visitationen, die klassische Methode, um die Reform – und später die Reformation! – durchzuführen, in Basel kein Dekret.[31]

b) Ein Reformpaket der 21. Sessio (1435 VI 9)[32] betrifft die würdige Abhaltung des Gottesdienstes. Die sehr pragmatischen Bestimmungen regeln Ablauf und Zeiten des Chorgebets und Tracht der Kanoniker, verbieten das Umhergehen während des Gottesdienstes und – kulturgeschichtlich interessant – Schauspiele, Narrenfeste (*cachinnationes*) und Gelage in der Kirche usw.[33] Alle diese Disziplinardekrete sind meines Wissens bisher kaum je gewürdigt, noch ist ihr Platz in der Tradition der kirchlichen Gesetzgebung näher bestimmt worden. Alle

---

[28] KRÄMER, Konsens 67, zum Wahlendekret, das ebenfalls Bestimmungen über die Würdigkeit der Amtsträger enthält. Analog wurde eine Stärkung der Provinzialkapitel der Orden diskutiert: Antrag vom 3. Febr. 1436; CB IV 34 Z. 3. Außerordentlich interessant ist die Bestimmung COD 475 Z. 35–40, daß auf den Provinzialsynoden Delegierte für das Universalkonzil gewählt werden sollen. Vgl. unten 456.

[29] Sie unterlagen in der Abstimmung dann mit 54:300 Stimmen; s. LEINWEBER, Provinzialsynode 123.

[30] BONICELLI, Concili particolari 115–32; LEINWEBER, Provinzialsynode 120–27. Vgl. ZWÖLFER 43; BURSCHE, Reformarbeiten 61–63, 67–69. – Weiteres unten Kap. V 3.

[31] Statt vieler Detailstudien zum Thema ‚Visitationen‘ s. COULET, Visites pastorales (Lit.); BINZ, Genève passim.

[32] COD 489 Z. 26–492 Z. 28; ZWÖLFER 42 f.; SALMON, L'office divin 48-58. – Vgl. COD 449 Z. 15–39; 378 f. c. 22.

[33] Hinweise bei WESSENBERG, Kirchenversammlungen II 486–89; HEFELE-LECLERCQ VII 2, 1152. Zum Thema jetzt HEERS, Fêtes des fous (1983), als Beispiel moderner Studien zu diesem Genre von ‚mentalité‘.

beziehen sich auf die Reform des Klerus, der ‚canonici' und ‚bene-
ficiati', also offenbar in erster Linie des Stiftsklerus. Die Welt der Laien
wird allenfalls am Rande durch das Schauspielverbot berührt.

c) Das Konkubinarierdekret der 20. Sessio (1435 I 22)[34] befiehlt, daß
Kleriker jedes Standes bei Strafe totalen Pfründenentzugs und Amts-
verbots binnen zwei Monaten ihre ‚concubinae' zu entlassen haben.
Mit bisher nicht dagewesener Schärfe wird hier der Zölibat vorgeschrieben. Diesen Tatbestand hat zwar die engere Zölibatforschung
mehrfach hervorgehoben[35], aber er ist kaum ins allgemeine Bild von
der Basler Synode gelangt. Die Härte erstaunt um so mehr, als
namhafte Konzilsväter wie Johannes Schele, Enea Silvio Piccolomini
oder der Panormitanus sich überhaupt gegen den Zölibat aus-
sprachen – indem sie unter anderem auf den konstanten Mißerfolg
derartiger Dekrete hinwiesen. Das Zusammenleben mit Frauen
gehörte zum Lebensalltag vor allem des niederen Klerus auf dem
Land, nimmt aber in zeitgenössischer und späterer Klerusschelte
unter den Mißständen einen festen Platz ein. Der modernen Mentalitätsforschung böte das Thema ein ergiebiges Feld.

d) Einen Sonderfall, der nur mit Vorbehalt dem ‚Reform'-Thema an-
zuschließen ist, bildet das Basler Dekret der 19. Sessio (1434 IX 7)
über die Juden und Neophyten. Es wurde in der jüngeren Forschung
meist übergangen, die einzige vorhandene Studie, eine Freiburger Dissertation von MAX SIMONSOHN (1911)[36], vergessen. Als wichtigstes
Ergebnis Simonsohns ist vorläufig festzuhalten, daß sich das Basler
Judendekret eng an eine Bulle Benedikts XIII. (1415 V 11) anlehnte,
deren Schärfe und aggressiv-missionarischer Tenor alle bisherigen

---

[34] COD 485–87. Vgl. COD 237 (Lateranum IV, c. 7) und Mansi XXVIII 296–317 (Konstanzer Anträge). Die Zölibatsliteratur geht zum Teil darauf ein, bleibt aber in ihrer
Wirkung hermetisch: BOELENS, Klerikerehe vom II. Laterankonzil bis zum Konzil von
Basel 610–14; vgl. ders., Klerikerehe zwischen den Konzilien von Basel und Trient;
STICKLER, Célibat 428–30; DENZLER, Zölibatsgeschichte 346–50; Papsttum und Amtszölibat I, 127–30. Zum Problemfeld ‚Konkubinat' s. VASELLA, Konkubinat; HEIMPEL, Reformatio Sigismundi; BINZ, Genève 357–88; SCHIMMELPFENNIG, Priestersöhne.

[35] DENZLER, Zölibatsgeschichte 347.

[36] COD 483–85. SIMONSOHN, Judengesetzgebung im Zeitalter der Reformkonzilien, zu
Basel 35–47. Vgl. immerhin bereits WESSENBERG, Kirchenversammlungen II 492–95. Aus
der jüngeren Literatur nur RENGSTORF-KORTZFLEISCH (Hg.), Kirche und Synagoge I 247–
50 (W.P. ECKERT); GRAYZEL, Jews and Ecumenical Councils 304–07; WENNINGER, Man
bedarf keiner Juden mehr 290 s.v. ‚Konzil v. Basel'. – Das Sprachendekret des Viennense
(c.24) wurde erneuert (COD 483 Z. 21-30). Von einer Judenbekehrung während des
Konzils in Basel im Juli 1435 berichten CB III 427 Z. 1–4, 432 Z. 6–26; CB V 138 Z. 23–
139 Z. 7; AMMON, Schele 28 f.

Verlautbarungen der Päpste überstiegen hatte.[37] Das gibt zu denken
und mag das mancherorts gezeichnete Bild des 'toleranten' Konzils relativieren. Die Rezeption des Basler Judendekrets (unter anderem auf
den Legationssynoden des Nikolaus von Kues) bildet für die Geschichte
der kirchlichen Judengesetzgebung der Folgezeit einen wichtigen
Gradmesser.

Das bereits oben dargestellte Engagement des Konzils und vieler
seiner Mitglieder für die Ordensreform wird in der Literatur weithin
anerkennend vermerkt. Nur peripher registriert, aber ebenso dem
Komplex 'Reform' zuzuordnen, sind dagegen die Bemühungen des
Konzils um eine Kalenderreform[38]: Die Basler schickten sich hier an,
der Geschichte um einhundertfünfzig Jahre vorzugreifen! Ihre komplizierten Arbeiten begannen nach einer Initiative des Kardinals Correr
offiziell am 26. Juni 1434 und verebbten nach Unterbrechungen erst im
Dezember 1440. Zu dieser Zeit sah man wohl keine Möglichkeit mehr,
die Reform allgemein durchzusetzen, bzw. fürchtete laut Segovia,
durch eine differente 'konziliare Zeitrechnung' das Schisma noch zu
vertiefen.[39] Der führende Kalender-Spezialist war zunächst Nikolaus
von Kues, nach seinem Weggang der Zisterzienser Hermann Zoest.

So vielfältig diese Reformansätze erscheinen – die Literatur ver-
hehlte nicht, daß wichtige Aufgaben unbewältigt blieben, zum Beispiel
die Universitätsreform.[40] Regelrecht kapitulieren mußte das Konzil
vor einer Reform des herrschenden Pfründenwesens und seiner strukturell gewordenen Mißstände wie Pfründenkumulation und, daraus
resultierend, Amtsabsenz. Es blieb bei einem späten und reichlich per-
missiven Dekretentwurf (1441 III 31)[41]. Das Pfründenwesen war eben

---

[37] Text ed. DÖLLINGER, Beiträge II 393–403. Vgl. SIMONSOHN, Judengesetzgebung 3–
16, 38 f.
[38] BECKMANN, CB VI, S. LXXII f. Näheres in der Cusanus-Edition von STEGEMANN-
BISCHOFF, Kalenderverbesserung XXXIV-LII. Vgl. HONECKER, Kalenderreformschrift
(auch zu Zoestius); MEUTHEN, Skizze 38 und AC I 1 Nr. 233, 288–291; TÖNSMEYER, Hermann Zoestius, besonders 123, 132, 182 (Liste der kalendarischen Schriften); ZURBON-
SEN, Zoestius 13–32; s. oben 64 mit Anm. 169.
[39] MC II 709.
[40] S. oben 156.
[41] MC III 553. Bisher unbekannt sind die 'Articuli in materia reformationis offic –
(ciorum) per dominos deputatos infrascriptos facti' von 1439, nach dem Konzilsprotokoll KOPENHAGEN, Ny kgl. Saml. 1842, f. 354ʳ–356ᵛ.– Vgl. MEUTHEN, Basler Konzil in r.kath. Sicht 299; ZWÖLFER 48 f. Allgemein: DLO 306–09, 322–24; OURLIAC,
Résidence des évêques. Am Beispiel des Lütticher Pfarrklerus: ABSIL, Absentéisme.
Instruktive Genfer Beispiele bei BINZ, Genève 298–337. Das Problem spielte später auf
dem Tridentinum eine zentrale Rolle; JEDIN, Residenzpflicht.

ohne Alternative. So kam man auch in der damit verknüpften ge-
schichtsbeladenen und heiklen Frage der Simonie zu keinem Ergebnis.[42] Denn kaum ein Thema ließ eklatanter die ständischen Spannungen innerhalb der Hierarchie aufbrechen wie dieses. Es ging ja nicht nur
um die Abschaffung der Zahlungen nach Rom – dafür waren im Prinzip auch die Prälaten – sondern der niedere Klerus verlangte, auch
diejenigen Abgaben zu verbieten, die den Ortsordinarien aus Jurisdiktion und Stellenbesetzung zuflossen. Die Prälaten weigerten sich
aber fast geschlossen – bemerkenswerte Ausnahmen waren Cesarini
und Juan González[43] –, auf ihre ‚Siegelgelder‘ zu verzichten. Wir sehen
hier ein gutes Beispiel für eine innerkonziliare Polarisierung, die mit
dem Konflikt zwischen ‚Konziliaristen‘ und ‚Papalisten‘ nichts zu tun
hatte. Die Erzbischöfe Talaru und Coëtquis waren ebenso eifrige Konziliaristen wie zugleich obstinate Wortführer der Prälatenminorität!

Gewisse Schwierigkeiten bestehen hinsichtlich der ‚Originalität‘
der Basler Reformdekrete. Bekanntlich schöpfte das Konzil oft bis ins
Detail aus bereits in Konstanz erarbeitetem, aber nicht dekretiertem
Material, aus jüngeren Reformvorschlägen und Beschwerdeschrif-
ten[44] – ein von Cesarini überarbeiteter Entwurf der Kardinäle von 1429/
30 wurde als „Generallinie der Reformarbeit"[45] angesehen –, schließlich aus Beschlüssen einzelner Provinzialsynoden der zwanziger und
beginnenden dreißiger Jahre.[46] Eine disparate Sammlung von Altem

---

[42] ZWÖLFER 212–34; DECKER, Kardinäle 270–73, 297 f.; KRÄMER, 219–21 und 476 s.v.;
MEUTHEN, González 290 f. Vgl. die Reformanträge CB VIII 130–39 (Nr. 11–12) und die
Dekretentwürfe MC II 555–58.

[43] Dazu, mit Analyse der Abstimmung (1434 V 24) einer paritätisch von Prälaten und
Nichtprälaten besetzten 44-er Kommission: MEUTHEN, González 290 f. Der bislang nur
aus den Angaben bei Segovia bekannte Simonietraktat des González ist von E. MEUTHEN
kürzlich wiederentdeckt worden und wird demnächst bekannt gemacht werden. – Vgl.
Traversari, Epistulae III, ed. CANNETI, 48 (Nr. 123) S. 173: Cesarini habe gesagt, *neminem ex
omnibus decretum illud observare.*

[44] S. die Sammlungen in CB I 163–244 und CB VIII 33–186, mit Einführungen von HAL-
LER CB I 107–16, und DANNENBAUER CB VIII 3–31; s. ZWÖLFER 46–51; KRÄMER, Konsens
21–24; LOEBEL, Reformtraktate 14–48; DLO 262 f.; BRANDMÜLLER, Kirchenfreiheit;
HEIMPEL, Studien II. Unter Einbezug des Handschriftenmaterials wäre künftig eine Liste
der Reformschriften zu erstellen. Wesentlich auf Material des Basiliense fußt der von
DANNENBAUER, Deutscher Reformantrag, referierte Antrag an das Ferrariense, wo sonst
das Reformthema peinlich gemieden wurde. Der Verfasser dürfte ein Basler ‚Frontwechsler‘ gewesen sein. – Zur Rezeption der Konstanzer Konkordate (1418) stärker zu beachten: HÜBLER, Constanzer Reformation 253–329, 349–59.

[45] KRÄMER, Konsens 17; CB I 163–83 (Text).

[46] S. BEER, Nationalkonzil; KRÄMER, Konsens 15 f. Vgl. TÜCHLE, Mainzer Reformdekret.

und Neuem, Vernünftigem und Abstrusem, deren Repräsentativität im einzelnen schwer zu beurteilen ist. Manche Dekrete wiederholten oder präzisierten nur in üblicher Weise Bestimmungen älterer Konzilien. Wie steht es mit der theologischen und biblischen Begründung der meist so pragmatischen Reformen? Reform bedeutete auch für die Basler im wesentlichen ‚re-formatio‘, Wiederherstellung eines besseren ‚pristinus status‘ durch Abstellen von später eingerissenem ‚abusus‘[47]. Man hat dies oft betont, nicht zuletzt um das Konzil gegen den Vorwurf der Radikalität in Schutz zu nehmen.[48] Von den Betroffenen, insbesondere von Eugen IV., konnte die Reform qua Abschaffung kanonischer Rechtspraxis oder inveterierter *pie consuetudines*[49] durchaus als radikal empfunden werden. Welche Bedeutung die ‚ecclesia primitiva‘ als ideale Norm tatsächlich im Denken der Basler Reformer gehabt hat, ist allerdings in der Forschung nicht genau eruiert. Aus den Dekreten spricht zunächst einmal ein juristisches Problem: Wann haben die zu korrigierenden ‚abusus‘ in der kanonistischen Tradition begonnen? Wo ist der Zeitschnitt zwischen lobenswertem ‚usus‘ und verwerflichem ‚abusus‘ anzulegen – eigentlich ein Problem mit ‚historischer‘ Dimension. Es gibt kein anschaulicheres Beispiel als das Dekret der 23. Sessio (1436 III 26) über die Reservationen: Die päpstlichen Extravaganten ‚Execrabilis‘ (1317) und ‚Ad regimen‘ (1335) werden aufgehoben und die Clementine ‚Litteris‘ (1312) eingeschränkt.[50] Mit anderen Worten: Die Ämterreservation sollte auf den alten Stand des Corpus juris canonici vor der expansiven Gesetzgebung der avignonesischen Päpste zurückgebracht werden. Denn gerade

---

[47] Vgl. die Responsio ‚Cogitanti‘ (1432 IX 3): *... fieri generalem reformationem, in qua pocius ad exequendum quam ad condendum novas leges intendendum videtur*; MC II 258. Vgl. das Synodendekret: *Ideo eadem sancta synodus antiquos et laudabiles mores nostris cupiens temporibus observari ...*; COD 473 Z. 8–10 (1433 XI 26). Ähnlich Jean Juvénal des Ursins (1452): *ceulx qui estoient a Basle ne les* (sc. les decrets) *ont pas fait de nouvel, ce sont les anciens que ilz ont ordonnez estre gardés et observez*; zit. HALLER, Papsttum und Kirchenreform 203 Anm.1. Weitere Belege s. KRÄMER, Konsens 17 f. Anm. 17; WOLGAST, Art. ‚Reform‘ 322.

[48] S. oben Anm. 16. Zum re-formerischen Charakter s. HALLER, Kirchenreform 16, 18; STIEBER 52, 70; KRÄMER, Konsens 17–20, 67.

[49] Darauf pochte Jean Robert, Abt von Bonneval, im Namen der Prälaten; MC II 679 f.

[50] COD 505 Z. 22–24, 30–34; s. ZWÖLFER 184 f. und 14 f. Insofern unrichtig KRÄMER, Konsens 67. Man berief sich aber andernorts ausdrücklich auf den ‚Liber Sextus‘ Bonifaz’ VIII.; COD 471 Z. 28, 473 Z. 33 f. Vgl. auch die Belege bei HALLER, Papsttum und Kirchenreform 23 und 125 Anm. 1.

diese neuen Gesetze seien es gewesen, die den Mißstand überhaupt erst geschaffen hätten.[50a]

Natürlich wäre hier im Vorgriff auf Späteres auch der ekklesiologische Hintergrund der Basler Kirchenreform anzusprechen. Die souveräne Gesetzgeberstellung des Konzils ohne Zustimmung des Papstes, die Einschränkung der päpstlichen Jurisdiktionsgewalt durch Konzilsdekrete – dies rührte an Kernfragen der Kirchenverfassung. Wenn Kritiker dem Konzil Radikalität vorwarfen, zielten sie weniger auf einzelne Dekrete, als auf die Verfassungsziele der Basler.

Die Interdependenz von Kirchentheorie und Reformdiskussion kam nirgendwo eindrucksvoller zum Ausdruck als in den zwei Debatten um ein ‚decretum irritans‘ (1433 und 1436), das alle Akte des Papstes, die dem Basler Wahldekret zuwiderliefen, a priori für nichtig erklären sollte. Es ist das Verdienst der jüngeren Forschung (MEUTHEN, KRÄMER, ALBERIGO)[51], erstmals die ekklesiologische Schlüsselstellung dieser Debatten gewürdigt zu haben. Namhafte Konzilstheoretiker wie Nikolaus von Kues, Torquemada, Gonzáles, Kalteisen und Mauroux beteiligten sich, außer Mauroux sämtlich als Gegner eines ‚decretum irrtans‘. Es ging hier um zentrale Probleme: Darf ein Konzil dem Papst jurisdiktionelle Rechte (darunter das Dispensrecht) prinzipiell aberkennen? Betreffen die Basler Reformdekrete überhaupt den ‚status generalis ecclesiae‘ der Kirche, dessen Reform die Aufgabe des Konzils ist, oder greifen sie auch ins ordentliche Kirchenregiment ein? Das Recht auf grundsätzliche Kontrolle der päpstlichen Exekutivgewalt – denn wer außer dem Konzil könnte die Anwendung eines ‚decretum irritans‘ bestätigen und überwachen? – setzt die Gültigkeit des Konstanzer Superioritätsdekrets voraus! Daß sich in beiden Debatten die gemäßigte Linie Cesarinis durchsetzte, die Dekrete also jeweils ohne Nichtigkeitsklausel verabschiedet wurden, mag man kontrovers beurteilen. Besaßen die Gemäßigten größere Überzeu-

---

[50a] Vgl. Dietrich von Niem, De modis uniendi, ed. HEIMPEL, 40 und 46: Die Päpste haben *omni die novas leges et regulas pro habenda pecunia* erlassen. – Vgl. aber C.25 q.1 c.11. – Schließlich hatte auch Eugen IV. gleich zu Beginn seines Pontifikats die Bulle ‚Ad regimen‘ erweitert (1431 III 4); s. E. v. OTTENTHAL, Regulae cancellariae apostolicae, Innsbruck 1888, 238 (n.1 und 3–5).

[51] Zum ‚decretum irritans‘: ZWÖLFER 169 f. (1433), 179–81 (1436), sowie mehrfach MEUTHEN, Kanonistik 153 f.; González 270–85; Cesarini 162–64; ALBERIGO, Chiesa 265–74 (zu den Beiträgen des Cusanus und Torquemadas); KRÄMER, Konsens 24–62 (vor allem zu González, Mauroux und Kalteisen). – Vgl. allgemein, ohne Erwähnung des Basiliense: MERZBACHER, Rechtsgeschichte der lex irritans.

gungskraft? Waren ihre Argumente juristisch besser fundiert? Darf man hier das Zeichen einer allgemein gemäßigten Haltung des Basiliense sehen? Sicher dürfte auch die Furcht vor der zu erwartenden Rechtsunsicherheit in Pfründenfragen mitgespielt haben, die schließlich jeden treffen konnte.

Die Forschung erklärt die Basler Reform für ebenso gescheitert wie das Konzil selbst. Für die reformatio in capite trifft dies zweifellos zu. Sie scheiterte am Widerstand Eugens IV. und an fehlender Exekutive des Konzils. Ebensowenig wird man bestreiten, daß die reformatio in membris zumindest Stückwerk blieb. Zu den genannten Ursachen traten hier die inneren Spanungen der Synode und der Unwille vieler Betroffener, sich reformieren zu lassen. Schließlich war Europa kirchenpolitisch bereits so partikularisiert, daß ein europäischer Konsens über eine Gesamtreform bereits im 15. Jahrhundert unmöglich geworden war.

Auch die Basler glaubten an die „Automatik guter Gesetze"[52] an die Reform auf dem Verwaltungswege; darin waren sie Kinder ihrer – und nicht bloß ihrer – Zeit. Oft wurde dem Konzil daher in der Literatur vorgeworfen, es habe, in Buchstabengläubigkeit befangen, nur an Symptomen kuriert, aber „keine geistige Reform" entfacht. Es sei vielmehr – so wiederum BRANDMÜLLER als Theologe – „in geistlicher Windstille"[53] gestrandet. Man wird hier fragen müssen, was „geistige Reform" in dieser Zeit überhaupt bedeuten konnte. Echte Metanoia, Umkehr des Herzens, setzt Individualisierung und „culpabilisation" (JEAN DELUMEAU) voraus. Leicht läuft man Gefahr, die Kirche des 15. Jahrhunderts schon mit den theologischen Maßstäben der Reformation bzw. des Tridentinums zu messen. Aber auch in Basel jedenfalls unterschied Johann von Segovia durchaus zwischen Reform als *correctio morum, exstirpatio viciorum* und Reform als *sanctarum profectus virtutum* und *carismatum incrementum.*[53a]

---

[52] JEDIN, Bischöfliches Konzil 225.

[53] Zuletzt BRANDMÜLLER, Causa reformationis 57, 65 f. Ähnlich schon so verschiedene Gelehrte wie HALLER, Papsttum und Kirchenreform 12 ff.; DANNENBAUER, CB VIII 30 f.: „kein neuer Geist", man höre „fast nie einen wirklich religiösen Ton heraus"; BURSCHE, Reformarbeit 52 f., 116 f., 122 ff.; JEDIN (wie Anm. 52). Besonders blumiges Verdikt bei ENGEL, Handbuch der europ. Gesch. III 28. Nur KRÄMER, Konsens 21 Anm. 24, ist diametral entgegengesetzter Ansicht: „Die Väter des Basler Konzils gingen nicht wie formal-juristisch arbeitende Gesetzgeber an diese Arbeit, sondern erstrebten eine Wandlung der inneren Gesinnung" bzw. eine „Erneuerung des christlichen Geistes" (24).

[53a] MC II 667–69. – Hier ist nachdrücklich auf Gerson zu verweisen.

3. Die Rezeption der Reformdekrete auf Provinzial- und Diözesansynoden

Sollten die Reformdekrete überhaupt Wirkung erzielen, war von entscheidender Bedeutung, daß sie verbreitet, anerkannt und befolgt wurden, also in die Rechtswirklichkeit der Kirche eindrangen. Für die Umsetzung gab es zwei Mittel: die Visitation als aktiven Zugriff des Konzils und die Rezeption durch die Kirche auf Synoden. Der Visitation bedienten sich die Basler vor allem in der Ordensreform. Doch war ihre Wirkungsmöglichkeit vor Ort begrenzt, da kirchlicherseits die Ortsordinarien, weltlicherseits die Fürsten derartige Eingriffe behinderten oder sabotierten. Die Rezeption[54] der Konzilsdekrete auf Provinzial- und Diözesansynoden wurde dagegen in der Forschung als „Gradmesser für die Wirksamkeit" (Krämer) des Basiliense registriert und ihre systematische Aufarbeitung angeregt (Meuthen)[55]. Bisher blieben die Versuche sehr vereinzelt, zu nennen ist besonders der von REITER (1972) für Eichstätt.[56] Umsomehr ist deshalb an die früheren Leistungen von SCHANNAT-HARTZHEIM (Bd. V, 1763), WESSENBERG (1840) und besonders BINTERIM (Bd. VII, 1848) zu erinnern. Ihre Opera erwuchsen aus dem Aufschwung des Synodalgedankens im 18. und frühen 19. Jahrhundert und gingen dem Fortwirken der Konstanzer und Basler Dekrete nicht zuletzt aus aktuellen Motiven nach.

Das Basiliense hatte in der 15. Sessio (1433 XI 26) die regelmäßige Abhaltung von Synoden dekretiert.[57] Deren gehäuftes Zustandekommen wäre also selbst als bedeutsame Wirkung des Reformkonzils anzusehen. Eine sprunghafte Steigerung der Synodaltätigkeit ist zwar nicht festzustellen, wohl aber eine Zunahme, so daß man keineswegs von einer „äußerst geringen Wirkung"[58] dieses Dekrets sprechen

---

[54] Die Forschung zum kanonistisch-theologischen Problem der ‚Rezeption' wird auf S. 212 f. und 302-06, 433, 459 erörtert.

[55] KRÄMER, Konsens 352 und 362; HÜRTEN, Mainzer Akzeptation 74 f.; MEUTHEN, Basler Konzil in r.kath. Sicht 297. Vgl. KEHRBERGER, Provinzialstatuten 36 und 108. Zu beachten LEINWEBER, Provinzialsynode 120–27, der das Rezeptionsproblem aber nicht erwähnt. Leider ungedruckt blieb Leinwebers Augsburger Habilitationsschrift (1975): ‚Die Synoden in Italien, Deutschland und Frankreich von 1215 bis zum Tridentinum'.

[56] REITER, Rezeption von Basler Dekreten in der Diözese Eichstätt. – Weitere Beispiele in Anm. 67.

[57] COD 472–76; LEINWEBER, Provinzialsynode 120–27; BONICELLI, Concili particolari 115–32. – S. oben 334 f.

[58] LEINWEBER, ebd. 126.

kann. Allerdings war die Synodaltätigkeit auch schon in den drei Jahrzehnten vor Basel relativ dicht. Generell sollte in der Literatur stärker
als bisher zwischen Provinzial- und Diözesansynoden unterschieden
werden, zum Beispiel was Kompetenz, traktierte Gegenstände und
Multiplikatorfunktion betrifft. An LEINWEBER, der allein die Provinzialsynoden ins Auge faßt[59] und ihre Bedeutung für gering hält, ist die
Frage zu richten, ob demzufolge den Diözesansynoden das größere
Gewicht beizumessen ist.

Daß Provinzial- und Diözesansynoden als Vermittler bei der Annahme und Publikation kirchlicher Gesetze dienten, entsprach der
Tradition. Die Basler schrieben mehrmals ausdrücklich vor, daß Erzbischöfe und Bischöfe auf ihren Synoden bestimmte Reformdekrete
legi faciant et publicari[60]. Sie konnten dann in die Synodalstatuten aufgenommen werden, die ja unsere wichtigsten Quellen für dieses Thema
sind. PETER JOHANEK (1980) hat zuletzt auf die rechtsgeschichtliche
Bedeutung dieser Textgattung aufmerksam gemacht.[61] Daneben gab
es die kaum minder wirksame Möglichkeit, Konzilsdekrete weithin
bekannt zu machen, indem man sie von Basel aus an kirchliche und
weltliche Autoritäten (z.B. Universitäten, Fürsten) schickte oder
indem Konzilsteilnehmer persönlich Abschriften mit in ihre Heimat
nahmen[62]. Es wird allerdings klar, wie sehr die eigentliche Exekution
der Reformdekrete letztlich vom guten Willen der Bischöfe und Erzbischöfe, also nicht nur vom Papst abhing[63].

Die Forschung hat des öfteren hervorgehoben, daß die ‚Pragmatique‘ von Bourges (1438) und die Mainzer ‚Akzeptation‘ (1439) durch
die Zahl der aufgenommenen Dekrete (22 bzw. 26) und durch die über-
regionale Autorität der akzeptierenden Versammlungen die größte
Durchschlagskraft für die Rezeption der Basler Dekrete gehabt
haben. Bezeichnenderweise handelt es sich hier zwar um Bischofs-

---

[59] LEINWEBER, Provinzialsynode; vgl. MEUTHEN, Basler Konzil in r.kath. Sicht 297.

[60] COD 469 Z. 10–14 (Dekret der 11. Sessio, 1433 IV 27). Jährliche öffentliche Promulgation in Kirchen wurde z.B. für das Juden- und Neophytendekret der 19. Sessio (COD
485 Z. 29–33), Verlesung auf Synoden für das Konkubinarierdekret (COD 487 Z. 11 f.)
angeordnet.

[61] JOHANEK, Verbreitung von Gesetzen im Spätmittelalter, besonders 93–98 zur Publikation von Konzilsdekreten auf Synoden. Die Würzburger Habilitationsschrift (1978)
des Autors: ‚Synodalia. Untersuchungen zur Statutengesetzgebung in den Kirchenprovinzen Mainz und Salzburg‘, blieb bislang ungedruckt.

[62] JOHANEK, Verbreitung 96.

[63] S. oben 292 f., 301 f.; vgl. STIEBER 169–73.

versammlungen, doch trugen beide mehr oder weniger halbnationalen, halbstaatlichen Charakter[64]. Lösten erst diese beiden Instrumente in Deutschland und Frankreich eine breitere Befolgung der Dekrete aus, so ersetzten sie offensichtlich doch nicht die weitere Rezeption auf den kirchlichen Partikularsynoden. Da es im Reich keine ‚Reichssynoden' wie in der Karolingerzeit und im Hochmittelalter mehr gab, kamen hier die traditionellen Organe der Provinzial- und Diözesansynoden stärker zum Zuge.

Ein systematischer Vergleich aller europäischen Synoden ist derzeit selbstverständlich nicht möglich, wäre allerdings auch eine Titanenarbeit.[65] Die unumgänglichen Vorarbeiten machen in einzelnen Ländern sichtbare Fortschritte, zum Beispiel in Spanien und Italien.[66] Das differenzierteste Bild, auch hinsichtlich der Rezeption von Basler Dekreten, ermöglicht die sich über mehr als zweihundert Jahre erstreckende deutsche Literatur, wobei besonders wieder BINTERIM, aber auch eine Dissertation von KEHRBERGER (1938) hervorzuheben sind.[67] Die französische Forschung erscheint auf diesem Sektor

---

[64] S. oben 212 f. Interessanterweise fehlte in der Pragmatique ausgerechnet das Synodendekret der 15. Sessio. Die Begründung bei LEINWEBER, Provinzialsynode 125 (nach VALOIS, Pragmatique LXXXIII), daß sich hier in Bourges ‚die' Bischöfe, die in Basel überstimmt worden waren, nun „damit rächten, daß sie das Dekret fallen ließen", scheint nur zum Teil plausibel. Die Haltung des Königs wäre mitzuberücksichtigen. Ihm konnte an einem staatlicherseits kaum noch kontrollierbaren Synodalwesen nur wenig gelegen sein.

[65] S. hier nur SAWICKI, Bibliographia synodorum particularium (1967); Nachträge in Traditio 24 (1968) 508–11; 26 (1970) 470–78; Bulletin of Medieval Canon Law N.S. 2 (1972) 91–100; 4 (1974) 87–92; 6 (1976) 95–100. Weitere Literatur bei PONTAL, Statuts synodaux. Eine vollständige Liste der europäischen Provinzial- und Diözesansynoden existiert meines Wissens nicht; vgl. PALAZZINI, Dizionario dei concili VI 336–77 (unvollständig); REPERTORIUM FONTIUM III 557–603.

[66] Lit.-hinweise bei MEUTHEN, Basler Konzil 13 Anm. 26, und HAY, Church in Italy 140 f. Anm. 5. und 7. Die italienische Lokalforschung zu Synoden und Visitationen des 15. Jahrhunderts nimmt stetig zu. Für die englischen Synoden vgl. KEMP, Counsel (1961), Für die spanischen Synoden: DHEE I, 537–77; Synodicon Hispanum I-III.

[67] BINTERIM VII 219–393 (Synoden während und nach dem Basler Konzil bis ca. 1500), 467–530 (Statuten von Provinzialsynoden 1451 bis 1490); KEHRBERGER, Provinzial- und Synodalstatuten des Spätmittelalters – nützliche Zusammenstellung von ausgewählten Diözesen, zahlreiche Rezeptionen von Basler Dekreten. Im Folgenden nur eine stichprobenartige Auswahl: LEINWEBER, Synoden (masch.); JOHANEK, Synodalia (masch.); REITER, Rezeption. Zu Mainz: KOCHAN, Reformbestrebungen 119–40, zur Rezeption von Basler Dekreten 116 f., 130–32, 138, 213 f.; vgl. HALLAUER, Mainzer Provinzialsynode 1451. Zu den Synoden während der Legationsreise des Nikolaus von Kues demnächst AC I 3. – SCHWAIGER, Freisinger Diözesansynoden, besonders 268 Anm. 40, 270 f. – Zur wichtigen Breslauer Synode von 1446 mit weiterer Synodenliteratur zu Breslau: MARSCHALL, Nikolaus Stock. – HOPFNER, Synodale Vorgänge im Bistum Regensburg, besonders 264, 272 f. –

unterentwickelt[68]. Die synodale Diskussion des 15. Jahrhunderts scheint sich hier ohnehin mehr auf das Für- und -Wider- die ‚Pragmatique' mit ihrem geschlossenen Block von Basler Dekreten konzentriert zu haben. Auch für Spanien, Italien und England ist allenfalls ein sehr vorläufiges Urteil möglich. Auf den italienischen und allem Anschein nach auch auf den spanischen Synoden sind Basler Dekrete offenbar sehr wenig rezipiert worden. So deutet vieles darauf hin, daß die Reformen am stärksten im deutschen Gebiet gewirkt haben. Ein erster Überblick zeigt bereits, daß einige Dekrete nicht nur während des Konzils, sondern Jahrzehnte, ja noch Jahrhunderte später auf Synoden verkündet worden sind. Ob dabei von Bedeutung ist, daß die Statuten ein Dekret ausdrücklich mit der Provenienz ‚concilium Basiliense' kennzeichnen, stehe dahin. Falls es nicht geschah, wird man dies kaum als absichtliches Verschweigen des Basiliense ansehen, sondern es kann sich um eine ältere Provenienz handeln, deren Inhalt in den Basler Texten nur erneuert oder modifiziert worden war. Meistens verzichten die Statuten überhaupt auf Provenienzangaben, ohne daß dabei ein Prinzip erkennbar wäre. Oft wiederholen sie in regelrechten Rezeptionsketten Bestimmungen älterer Synoden der gleichen Diözese oder Kirchenprovinz; darunter können ungenannt auch Basler Dekrete verborgen sein.

Ein Versuch, nach dem derzeitigen Forschungsstand eine Liste der Synoden aufzustellen, die Basler Dekrete rezipiert haben, hätte auch nicht annähernd die Aussicht auf Vollständigkeit. Hier sei also nur auf einige Teilergebnisse hingewiesen: Die imponierendste Reihe haben die Bistümer Freising, bereits unter Nikodemus della Scala (1422–43), Eichstätt unter Johann von Eych (1445–64) und Mainz aufzuweisen[69]. Die frühesten Rezeptionen finden sich im Jahre 1435 (Konstanz, Genf), während 1433 und 1434 für Bamberg und Eichstätt noch kein

---

DALHAM, Concilia Salisburgensia (1788) 216–19. – BICKELL, Synodi Brixinenses (1880) 7 und 17. – UHL, Peter von Schaumberg 128–36 (zu Augsburg). – BINZ, Genève 143–76, sowie zur Rezeption von Basler Dekreten besonders 161, 163, 168 f., 379, 433. Reiches Material auch bei PÖLNITZ, Reformarbeit.*

[68] S. vorläufig ARTONNE-GUIZARD-PONTAL, Répertoire des statuts synodaux; LEINWEBER, Synoden (masch.); PONTAL, Statuts synodaux 14 (Lit.). – GAZZANIGA, L'Église du midi, und andere Arbeiten zur Kirche Frankreichs behandeln mehr die États généraux, auf denen ja auch der Klerus mitvertreten war. Sank dadurch die Bedeutung der Provinzialsynoden?

[69] Nach KEHRBERGER, Provinzialstatuten; SCHWAIGER, Freisinger Diözesansynoden; REITER, Rezeption; KOCHAN, Reformbestrebungen (wie Anm. 67).

Bezug auf die frischen Basler Reformdekrete festgestellt werden konnte[70]. Nach der Anzahl der rezipierten Dekrete liegen die Synoden von Konstanz 1435, Eichstätt 1447 und Mainz 1451 (unter Leitung des päpstlichen Legaten Nikolaus von Kues) an der Spitze.

Mehr beachten sollte man die Frage, welche Dekrete überhaupt, und welche besonders häufig rezipiert wurden. Schon eine erste Sichtung ergibt einen auffallend kleinen, dafür aber fast konstant wiederkehrenden Kernbestand. Er besteht aus dem Synodendekret der 15. Sessio, aus dem Konkubinarierdekret sowie den Dekreten ,De excommunicatis non vitandis'[71] bzw. zur Milderung von Bann und Interdikt der 20. Sessio, schließlich aus der Dekretserie der 21. Sessio über Chorgebet und würdige Gestaltung des Gottesdienstes. Dazu tritt nicht selten das Judendekret der 19. Sessio, dessen Rezeption einer eigenen Untersuchung bedürfte. Es handelt sich also fast ausschließlich um Dekrete, die die reformatio in membris im engeren Sinne betrafen. Die brisanten Beschlüsse über die Ämterbesetzung (Wahlen, Annaten, Reservationen etc.) kommen so gut wie gar nicht vor. Sie waren offenbar dem Aufgabenbereich dieser Art von Synoden entzogen. Ausnahmen bilden vor 1448 insbesondere die ,Pragmatique' von Bourges (1438) und die Mainzer ,Akzeptation' (1439) sowie später die von antikurialen Gravamina beherrschten Mainzer Provinzialsynoden, z. B. im Jahre 1456.[72] Wie REITER anhand des Eichstätter Materials nachweisen konnte, tauchten die Dekrete, die durch das Wiener Konkordat (1448 II 16) ersetzt oder modifiziert worden waren, nicht mehr in den Synodalstatuen auf.[73] Dann ist zu fragen, ob sie vor 1448 tatsächlich dazu gehörten. Genaueres weiß man über die Anwendung dieser Dekrete. Aus gutem Grund wurden die Annatendekrete vom deutschen Klerus bis 1448 eifrig befolgt: Nur zwei von siebzehn zwischen 1439 und 1448 ernannten Bischöfen haben nach Rom gezahlt, nämlich die von Lebus 1440 und Chur 1441. Auf der anderen Seite gab es, nach Hürten, nur drei von diesen siebzehn, die, wie im Wahldekret vorgesehen, vom (Mainzer) Metropoliten

---

[70] S. KEHRBERGER, Provinzialstatuten 37–49, 67–71, BINZ, Genève 168 f.

[71] Zum Verhältnis der Konkordatsbestimmung Martins V. ,Ad vitanda' (1418) zum Basler Dekret: HÜBLER, Constanzer Reformation 349–59. In späteren Synodalstatuten wird das Dekret teils als Konstanzer (KEHRBERGER 62) teils als Basler Provenienz (ebd. 98, 107) zitiert. Vgl. oben 333 Anm. 22; DDC I 250–52.

[72] GEBHARDT, Gravamina 15–29, vgl. 41, 48 usw.

[73] REITER, Rezeption 220. Vgl. HÜRTEN, Mainzer Akzeptation 74.

konfirmiert worden waren, nämlich die Bischöfe von Chur und Eichstätt (beide 1440) sowie von Worms (1445). Alle anderen hatten sich,
sei es bei Eugen IV., sei es bei Felix V., um päpstliche Konfirma-
tion bemüht.[74]
   Der tatsächliche Erfolg der Basler Disziplinar-Dekrete ist natür-
lich schwerer zu beurteilen. Einen gewissen Gradmesser bilden, als
querschnittartige Sittenbilder, die Visitationsprotokolle. So hat zum
Beispiel BINZ durch Vergleich solcher Protokolle für die Diözese
Genf zwischen 1411–14 und 1443–45 einen drastischen Rückgang der
Konkubinarier von 9:50 auf 1:50 festgestellt.[75] Eine Wirkung des
Basler Konkubinarierdekrets in dieser konzilsnahen Diözese? Die
Themen der Basler ‚reformatio in membris‘ – und ganz besonders die
Disziplin des Klerus – lassen sich als Gemeingut fast aller Partikularsy-
noden nach und vor Basel nachweisen. Die Basler Dekrete hatten also
weniger einen auslösenden als eher einen verstärkenden Effekt. Da
gerade diese Art von Reformdekreten einem allgemeinen Bedürfnis
entsprach, wurden sie problemlos rezipiert. Für unsere Begriffe
waren es die am wenigsten originellen, aber auch die unverfänglich-
sten Dekrete, die auch nach 1449 nicht mit dem Odium des ‚radikalen‘
Basiliense behaftet waren. Durch sie hat das Basler Konzil über sein
Ende hinaus in den Diözesen fortgewirkt, bis weit in die katholische
Reform des 16. Jahrhunderts hinein. Doch das ist ein noch uner-
forschtes Thema.[76]
   In diesem Zusammenhang sind auch die Dekretsammlungen zu
berücksichtigen, und zwar solche, die das Konzil noch selbst zusammengestellt und verbreitet hat, privat angelegte Kollektionen und
spätere Editionen. Über siebzig Handschriften für das 15. Jahrhundert
und 18 Drucke zwischen 1499 (Sebastian Brant) und 1788 (Mansi)
wurden bisher ermittelt und bilden eine imposante Bilanz.[77] Ihre

---

[74] HÜRTEN, Mainzer Akzeptation 72 Anm. 113; STIEBER 171. Das Beispiel Worms ist nur
mit Einschränkung zu gebrauchen, da Bischof Reinhard schon bald nach seiner Wahl
(1445 VII 3) auf Ermahnung Eugens IV. vor Nikolaus von Kues den Treueid auf die römische Kirche leisten sollte; AC I 2 Nr. 679–80 ohne Vermerk, ob und wann der Eid tatsächlich geleistet wurde. – S. auch oben 321 f.
[75] BINZ, Genève 359–71.
[76] Starken Einfluß der Basler Dekrete ermittelt REINHARD, Reform in Carpentras 73 f.,
90, 92, 213, 258, bis weit ins 16. Jh. – Es gibt zu denken, daß in der ‚Formula reformationis‘, die Karl V. 1548 dem Augsburger Interimsreichstag vorlegte, zwei Basler Dekrete
ausdrücklich enthalten sind: Das Synodaldekret der 15. Sessio und das Dekret über die
Graduierten der 31. Sessio (s. oben 156); s. Ed. bei BLATTAU, Statuta synodalia II 163 und
143 f.; vgl. H. RABE, Reichsbund und Interim, Köln 1971, 447–50, 458–61.
[77] S. unten 452, mit Anm. 138a, b.

Bedeutung für die Wirkungsgeschichte des Basiliense ist in der Forschung wohl noch nicht abgeschätzt. Welchem Zweck dienten diese Sammlungen? Da sie meistens das ganze Spektrum der Basler Dekrete umfassen, bildeten sie einen ungleich breiteren Wirkungskomplex, als es die oben genannten, in der synodalen Rezeption fortlebenden Dekrete taten.

4. Basler Konzil – Reform – Reformation

Nahezu alles Forschen über die Kirchengeschichte der zweiten Hälfte des 15. Jahrhunderts war und ist latent oder offen von der Frage nach den ‚Ursachen der Reformation‘ bestimmt. Es liegt nahe, daß auch das Basler Konzil und sein Scheitern im Lichte dieser suggestiven Frage beurteilt wurde. KARL AUGUST FINK suchte die Quintessenz der komplizierten Zusammenhänge ebenso prägnant wie umstritten zu formulieren: „Rom hat die Reform verhindert und dafür wenig später die Reformation erhalten."[78] Die Forschungslage zur Kirchenreform in ‚nachbasiliensischer‘ Zeit bietet sich in aller Knappheit etwa folgendermaßen dar, wobei der 1. Band von JEDINS Trient-Werk nach wie vor den Ausgangspunkt zu bilden hat[79]: Das Scheitern des Basiliense erfüllte zwar viele mit Resignation[80], schnitt aber weitere Reformen in der Kirche keineswegs ab. Auch die instrumentale Allianz von Reform und Konzil wurde in Erinnerung an das Basiliense weiterhin von manchen Zeitgenossen für unverzichtbar gehalten[81], doch ist ganz deutlich, daß sich die verschiedenen Reformbemühungen notgedrungen, vom Konzilsgedanken weg, verselbständigt hatten. Was blieb, war nach der treffenden und allgemein übernommenen Bezeichnung Jedins eine „Selbstreform der Glieder", in jedem Fall aber analog zum allgemeinen Partikularismus nur mehr eine „Teilreform". Die Forschung zeigt die Tendenz, die Gesamtleistung dieser Teilreformen zusehends höher einzustufen, je mehr Detailstudien vorliegen.

---

[78] FINK, HKG III 2, 588. Kritisch dazu BRANDMÜLLER, Causa reformationis 64 und MEUTHEN, Basler Konzil in r.kath. Sicht 297 f.

[79] JEDIN, Trient I, 1–132, besonders 111–32 zur „Selbstreform der Glieder". Ferner BÄUMER, Nachwirkungen 249–60; MOELLER, Spätmittelalter 40–44. Im übrigen vgl. unten Kap. VII 3 a.

[80] Schon um das Jahr 1437 hatte Johann Nider resignierend festgestellt: *de totali… reformacione ecclesiae ad praesens et ad propinqua futura temporalia nullam penitus spem habeo*; Formicarius I 7, (Nachdruck) 35.

[81] S. etwa den Stoßseufzer des Polen Sandko Budkonis 1458: *Desidero et illud suspiro, ut sacri concilii Basiliensis decretorum lux in universali luceat ecclesia*; zit. MORAWSKI, Université de Cracovie II 212 Anm. 1.

Für JOSEF ENGEL dagegen war das Scheitern der Basler Gesamtreform am europäischen Partikularismus der Hauptgrund dafür, das Jahr 1450 zur Epochenzäsur zu erheben. Die deutsche Reformation erscheint dann nur mehr als eine Teilreform von vielen.[81a]

Die Initiativen des Papsttums, dem sich nach dem Scheitern der konziliaren Konkurrenz die Chance einer ‚Reformation von oben' geboten hätte, werden in der Literatur recht kontrovers beurteilt. Katholischerseits reicht die Skala von reformerischer Hochstilisierung bei Pastor bis zum harschen Verdikt bei Fink.[82] Es ist allerdings zu fragen, ob die aus einem zweifellos vorhandenen, ja traumatischen ‚horror concilii' erklärbare Verhinderung von Konzilien durch die Renaissancepäpste bis zu Clemens VII. mit bewußter Sabotage jeglicher Reform gleichgesetzt werden kann. Als ernsthaftester Reformversuch der Kurie gilt die Legationsreise des Kardinals Nikolaus von Kues in Deutschland (1451/52),[83] die sich fast nahtlos an das Ende des Basiliense anschloß. Die Legation war mehr Ausläufer des Reformelans der Konzilszeit als Neubeginn. Der erbitterte Widerstand, der dem Legaten von vielen Seiten der deutschen Hierarchie und selbst der Ordenswelt entgegenschlug, deutet allerdings an, wie es dort um den Willen, sich reformieren zu lassen, bestellt war. Doch ist auch eine emotionale Komponente unverkennbar, da der Legat weithin als ‚Renegat' des Basler Konzils und der damit verbundenen ‚nationalkirchlichen' Hoffnungen der deutschen Kirche galt.

Als wesentlichste Elemente der „Selbstreform der Glieder" hat die Forschung die anhaltende Reformtätigkeit der Orden, aber auch, am Beispiel einer Reihe deutscher und oberitalienischer Reformbischöfe[84], die Leistungen im Weltklerus gewürdigt. Man sieht hier zunehmend Kontinuitäten zur katholischen Reform des 16. Jahrhunderts, die

---

[81a] ENGEL, Handbuch der europ. Gesch. III, 27–37.

[82] PASTOR I 360–63 (Eugen IV.); II 184–94 (Pius II.). Vgl. ausgewogener JEDIN, Trient I 93–110, mit älterer Lit. FINK, HKG III 2, 587 f.; Papsttum und Kirchenreform; Scheitern. Vgl. auch CELIER, Réforme; HAUBST, Reformentwurf; MEUTHEN, Letzte Jahre 341 s.v. ‚Reform'; O'MALLEY, Praise and Blame 195–237. – Unter den Vorschlägen zur internen Kurienreform (worum es in erster Linie ging), finden sich Reminiszenzen an die betreffenden Basler Dekrete, zum Beispiel bei Domenico de Domenichi; JEDIN, Domenico de Domenichi 247–50, 257–63. Vgl. unten 483.

[83] Dazu demnächst ACI 3. Vorerst KOCH, Umwelt 45–78, 116–48; MEUTHEN, Skizze 85–89.

[84] Übersichten finden sich u. a. bei JEDIN, HKG IV, 451 f. (Lit.); Trient I, 119–21; HAY, Church in Italy 72–90. – Zu den Reformbischöfen sind unter anderem zu zählen: Ludovico Barbo (Treviso); Giovanni Tavelli (Ferrara); Giacomo Imperiale (Genua);

somit nicht erst als Antwort auf die Reformation entstanden sei. Den ‚Vorläufern' der Reformation stehen also die ‚vortridentinischen' Reformer gegenüber. Diese inneren Reformen vollzogen sich zunächst vor allem in Italien und Spanien – und dabei, soweit man weiß, unabhängig von den Reformdekreten des Basiliense [85]. Die Reformkonzilien lieferten eben nicht den einzigen Reformimpuls des 15. Jahrhunderts.

Zugleich betont die Forschung den wachsenden Einfluß weltlicher Obrigkeiten (Fürsten, Städte), auch auf dem Gebiet der Kirchenreform. Reform ging hier Hand in Hand mit Kontrolle und Disziplinierung von Kirche und Klerus. Sie bildet eine Komponente des entstehenden Landeskirchentums – eine Entwicklung, der sich das Basler Konzil vergeblich zu widersetzen versucht hatte. So aber entstanden gerade in seiner Zeit die politischen Voraussetzungen, die später die Durchführung der Reformation wie der Gegenreformation im ‚konfessionellen Zeitalter' ermöglichten. [86]

Kehren wir zur Ausgangsfrage – Basler Konzil und Reformation – zurück: Die sogenannte Vorreformationsforschung ist mit ihrem latent teleologischen Ansatz längst selbst zu einem interessanten Thema der Wissenschaftsgeschichte geworden, das einmal gründlich und subtil aufgearbeitet werden müßte. [87] Dabei wird auch der historische Ort des Basiliense neu zu bestimmen sein. Ein flüchtiger Blick auf die Literatur stößt auf zwei grundsätzliche Möglichkeiten, Basler Konzil und Reformation in Beziehung zu setzen: Die eine reiht das Basiliense als wirkkräftiges Element in eine große ‚vorreformatorische' Strömung ein, die über die deutschen ‚Gravamina' bis zu Luther führt, und sieht in einigen Momenten (wie in der Wahl eines Laien zum

---

Pietro Barozzi (Padua); Erzb. Friedrich von Beichlingen (Magdeburg); Heinrich von Hewen (Konstanz); Johann von Eych (Eichstätt); Schenk von Limburg u. Rudolf von Scherenberg (Würzburg); Matthias Ramung (Speyer) etc. Sie blieben in der deutschen Fürstenkirche die Ausnahme. – Die Entwicklung des Bischofs-Bildes bedarf über JEDIN, Bischofsideal (1942), hinaus einer eigenen Studie, gerade für die Basler Zeit; s. ZIPPEL, Enea Silvio 281-86; GRASS, Cusanus 138 Anm. 4 (Lit.); LexMa II, 228-37.

[85] MEUTHEN, Basler Konzil in r.kath. Sicht 298. Vgl. oben 347 mit Anm. 76.

[86] Geradezu providentielle Verbindung sah BURSCHE, Reformarbeiten 117: Die Stärkung des Landeskirchentums war die „große gottgewollte Wirkung der Basler Reformarbeit". Zum Thema ‚Fürsten' vgl. oben 99-103, und 194-202; FRANK, Kirchengewalt; MIKAT, Kirchengut; MEUTHEN, Fürst und Kirche.

[87] Der Forschungsbericht von WUNDERLICH, Beurteilung der Vorreformation in der deutschen Geschichtsschreibung (1930), ist nur als Materialsammlung brauchbar. Vgl. JEDIN-BÄUMER, Erforschung der kirchlichen Reformationsgeschichte 19 f., 31–33, 47–63; MEUTHEN, 15. Jahrhundert 147 f. – Zum Epochenbegriff jetzt: SKALWEIT, Beginn der Neuzeit 56–122; vgl. dazu J. HELMRATH, in: Geschichte in Köln 16 (1984) 105–26.

Papst, in einzelnen Reformbestimmungen, im antikurialen Affekt)
auch inhaltliche Kontinuitäten. „Geradeaus führen die Wege der
geschichtlichen Entwicklung von Basel nach Wittenberg und Worms"
– mit diesem Satz beschloß JOHANNES HALLER seinen Vortrag über die
Basler Kirchenreform.[88] Dagegen eröffnete JEDIN sein großes Werk
mit dem Satz: „Die Geschichte des Trienter Konzils beginnt mit dem
Sieg des Papsttums über die Reformkonzilien."[88a] Im Kreis der evangelischen ‚Testes veritatis' (Flacius Illyricus) und ‚Forerunners' der
Reformation[89] von Wiklif bis Wessel Gansfoort erhielten Basel und
seine führenden Persönlichkeiten jedoch durchaus ihren Platz. Häufiger findet man die Wertung e negativo: Gerade das Scheitern des Basler Konzils und seiner Reform sei eine wesentliche Voraussetzung für
Notwendigkeit und Erfolg der Reformation gewesen.[90] Bei Luther
dominiert mehr theologisch fundierte Skepsis. Hatte er zunächst
selbst ein allgemeines Konzil gefordert, diente ihm Basel dann eher als
Beispiel dafür, daß mit einem Konzil gegen ein aus Prinzip obstrukti-
ves Papsttum die Reform gerade nicht zu erreichen sei: *es ist aber* (sc. in
Basel) *nichts außgericht und ymmer erger worden.*[91] Den Beweis für die Fehl-

---

[88] HALLER, Kirchenreform 26. Als Beispiel s. auch das fast vergessene Werk von G.H.
LECHLER, Johann von Wiclif und die Vorgeschichte der Reformation I–II, Breslau 1873, II
492 f. „Trotz alledem steht aber dennoch fest, daß die Concilien von Constanz und Basel
Frucht getragen haben für die Reformation." Vgl. BECKMANN, RTA XIII, S. XXXIV: Man
müsse „Zusammenhänge und Ähnlichkeiten zwischen beiden Bewegungen (sc. Konziliarismus und Reformation) anerkennen."
[88a] JEDIN, Trient I, 1.
[89] Zum ‚Forerunner'-problem und -begriff s. OBERMAN, Forerunners 32–43; das Basiliense kommt nicht vor. Eine Fundgrube: POLMAN, Elément historique, besonders 179–
200. Der ‚Catalogus testium veritatis, qui ante nostram aetatem reclamarunt Papae'
(1556) des Flacius Illyricus hat ein Kapitel ‚Basiliense concilium' (944), wo u. a. Aleman,
Segovia, Courcelles (auch 797–99), Panormitanus (auch 953 f.), Pontano und Alonso
Garcia de Santa Maria (letztere als Papalisten) genannt sind. Eigene Artikel auch über
Cesarini (960 f.), Nikolaus von Kues (958 f.), Heinrich Toke (966–70) und die meisten konziliaren Kirchenreformer!
[90] Seit VON RAUMERS ‚Kirchenversammlungen' (163 f.) bis in die jüngste Zeit ein gängiges Urteil: S. zum Beispiel RAPP, L'Église 364 und FINK (wie Anm. 78).
[91] Weimarer Ausgabe 6 (1888), 258 Z. 15–17; SCHNEIDER, Basler Konzil 311, vgl. 310–
12; Konziliarismus 49–54; KÖHLER, Quellen zu Luthers Schrift ‚An den christlichen Adel'
138–48, hält aufgrund inhaltlicher Parallelen für „höchst wahrscheinlich" (148), daß
Luther die Basler Reformdekrete benutzt hat, was aber kaum überzeugend wirkt. Vgl.
KÖHLER, Luther und die Kirchengeschichte I, 115–22; s. ebd. 162–236 (!) zu Luthers Verhältnis zum Konstanzer Konzil. – Auf die allgemeine Bedeutung des Konzils in Luthers
Theologie und auf die betreffende Lutherforschung ist hier nicht einzugehen. S. neben
Köhler: JEDIN, Trient I, 135–71; TECKLENBURG-JOHN, Luthers Konzilsidee (1966) 143–64;

barkeit von Konzilien hatten ihm Konstanz und Basel ohnehin geliefert, indem das eine Konzil Hus verbrannte, das andere aber den
Laienkelch zugestand.[92] Auch für die protestantischen Kirchenge-
schichtsschreiber war das Basiliense, wie SCHNEIDER gezeigt hat, „kein
bevorzugtes Feld."[93] Hier wäre unter Einbezug der calvinistischen
Geschichtsschreibung und Theologie weiter zu forschen. Vorläufig
wird man jedenfalls gegenüber einer einsträngigen Verknüpfung von
Basler Konzil und Reformation skeptisch sein.[94] Siebzig Jahre be-
deuteten Wandlung. Luther setzte 1517 nicht da an, wo das Basiliense
1449 aufgehört hatte.

Das Schlüsselproblem unseres Themas greift freilich weiter aus: Es
liegt in der Frage nach der theologischen Kontinuität oder Diskonti-
nuität zwischen Konzilszeit und Reformation. Erinnert sei nur an den
Ansatz der jüngeren, von JOSEPH LORTZ begründeten katholischen
Reformationsforschung, der Luther und die Reformation vor dem
Hintergrund eines theologischen „Defizits", bzw. einer fundamentalen
theologischen „Unklarheit" des Spätmittelalters verstand. Diese
Position wurde auch jüngst wieder geäußert, zum Beispiel von OTTO
HERMANN PESCH (1985).[95] Hier ist nun der Theologe gefragt. Wir kön-
nen mit Blick auf die während des Basler Konzils vertretene Theologie
nur soviel sagen: Mag man in der Sakramentenlehre, der Gnaden- und
Rechtfertigungslehre sowie der Theologie vom Bischofsamt ‚Defizite' erkennen, so gilt für die Ekklesiologie das glatte Gegenteil.

Damit zum neuen Kapitel überleitend, möchten wir im Folgenden
auf einige theologische Sonderthemen des Konzils hinweisen, in
deren Zentrum allerdings nur zum Teil die Ekklesiologie (Hussiten),
mehrfach aber andere theologische Fragen standen.

---

dazu kritisch BÄUMER, Theol. Revue 68 (1969) 198–202; ders., Luthers Ansicht über
die Irrtumsfähigkeit des Konzils; HOFMANN, Repräsentation 328–35.

[92] Lit. wie Anm. 91. Ein weiteres Indiz für die Erranz des Basler Konzils war ihm die
Tatsache, daß das Immaculata-Dogma ohne Verurteilung der makulistischen Gegenposition verkündet worden war. Vgl. unten 390 f. und 420-25.

[93] SCHNEIDER, Basler Konzil 328. Vgl. aber KEUTE, Hedio 84-93, 106-10, 128-31: Die
Basler Reformdekrete erscheinen Kaspar Hedio als verpaßte Chance.

[94] S. MEUTHEN, Art. ‚Basel' 1520. Eine Bemerkung von BLACK, Council 47, gerade die
Gebiete, die besonders viele Anhänger des Basiliense im mittleren Klerus aufwiesen
(Sachsen, Schweiz, Südfrankreich, deutsche und schweizerische Städte), seien ein
besonders fruchtbarer Boden für die Reformatoren gewesen, wirkt auf den ersten Blick
frappierend. Aber liegt hier wirklich ein Kausalverhältnis vor?

[95] PESCH, Luther und die Kirche, besonders 114–25. Dem Text des Vortrags folgen
Statements von S. HENDRIX, B. LOHSE und D. OLIVIER (140–51).

VI: THEOLOGISCHE SONDERTHEMEN

1. Eucharistie und Ekklesiologie: Die Auseinandersetzung mit den Hussiten

Seit jeher werden die Verhandlungen des Basler Konzils mit den Hussiten[1] zu den Höhepunkten seiner Geschichte gezählt, gelten die Kompaktaten von Prag und Iglau (1433 XI 26 und 1436 VII 5)[2] als sein vielleicht größter Erfolg. Es ist wohl kein Zufall, daß gerade diese Episode meines Wissens die einzige ist, die dem Basiliense Eingang in unsere belles lettres verschafft hat: Der zweite Teil von FRANZ WERFELS heute vergessenem Drama ‚Das Reich Gottes in Böhmen‘ (1930), mit seinen schicksalhaft verstrickten Antipoden Prokop und Cesarini, spielt auf dem Konzil.[3]

In der älteren evangelischen Kirchengeschichtsschreibung – schließlich galt Hus als der Vorläufer Luthers par excellence – erschienen Geschichte und Bedeutung des Basiliense vielfach mit seinen Hussitenverhandlungen gleichsam identisch zu sein.[4] Es spricht für sich, daß der Berliner Hugenotte JACQUES LENFANT 1731 sein großes Werk ‚Histoire de la guerre hussite et du concile de Bâle‘[5] titulierte. Dezidiert

---

[1] Aus den einschlägigen Handbüchern etwa: HEFELE, Conciliengeschichte VII 500–24, 578–80, 605–25; HEFELE-LECLERCQ, VII 2, 717–21, 728–33, 755–89, 858–71, 895–916; PASTOR I 290–92 zu Martin V., 302; HAUCK, Kirchengeschichte Deutschlands V 2, 1116–36; DLO 404–07, 419 f., 1025; GILL, Konstanz-Basel-Florenz 201–32; BAETHGEN 64–68, 79–85; FINK, HKG III 2, 576 f.

[2] Ed. PALACKÝ, in: Archiv český III, Prag 1844, 398–444. Zur 500-Jahrfeier der Kompaktaten von Iglau erschien eine deutsche Festschrift: GÖTH-SCHWAB, Iglau (1936), (nicht gesehen). – Vgl. Lex Ma I, 1542 f., sowie unten Anm. 7–9 (Lit.).

[3] F. WERFEL, Gesammelte Werke. Die Dramen II, Frankfurt 1959, 7–90. Eine Prüfung der tschechischen Literatur würde reichere Ergebnisse bringen.

[4] Dazu jüngst HENDRIX, We Are All Hussites?; SCHNEIDER, Basler Konzil 310–13, 325. Vgl. GRAUS, Lebendige Vergangenheit 316–19; POLMAN, Elément historique 195–200; GRAF, Albert Hauck; HOYER, Hus in den Flugschriften. Auch in der älteren angelsächsischen Literatur – England als Heimat Wiclifs und der Lollarden! – nehmen die Basler Hussitenverhandlungen eine bevorzugte Stellung ein. S. zum Beispiel CREIGHTON II 37–60, 92–115, 129–41, 154–61; CMH VIII 65–115 (K. KROFTA); zur Rolle Basels: ebd. 30 f., 80–83.

[5] S. oben 8.

katholische Bücher brachten neben ihrer generellen Reserve gegenüber dem ‚radikalen' Basler Konzil auch dessen engen Umgang mit den
‚häretischen' Hussiten eher Skepsis entgegen. Stärker als der konfessionelle Gegensatz hat freilich die nationale Brisanz des Hussitentums
das Gros der Literatur gespalten – in eine nationaldeutsch und in eine
nationaltschechisch getönte Sicht. Gemeinsam ist beiden Richtun-
gen, daß dabei das Konzil als naturgemäß kontrovers bewertetes Be-
gleitphänomen in die jeweilige Nationalgeschichte eingebunden wurde.[6] Die Bedeutung der Hussiten für das tschechische Nationalbewußtsein ist bekanntlich kaum zu überschätzen. Einer seiner Väter im 19.
Jahrhundert, FRANTIŠEK PALACKÝ, nimmt in seinen Funktionen als
Nationalhistoriker, als demokratischer Politiker und als Konzilsforscher eine Ausnahmestellung ein. Er steht am Anfang einer reich
verästelten, heute schlechterdings unübersehbaren tschechischen
Forschung,[7] die wegen der Sprachbarriere weit davon entfernt ist, im
übrigen Europa angemessen rezipiert zu sein. So stößt man immer
wieder auf Überraschungen wie die quellennahe Arbeit von JAROSLAV
PROKEŠ (1927) über Prokop von Pilsen, die im wesentlichen die Verhandlungen der Hussiten mit Basel bis in die vierziger Jahre darstellt,

---

[6] Ein paar deutsche Beispiele: ASCHBACH, Geschichte Kaiser Sigmunds III 252–56, 329–
92; IV 139–62, 293–305; LINDNER, Deutsche Geschichte 371–77; LOSERTH, Geschichte
des späteren Mittelalters 483–510. Albert HAUCKs monumentale Kirchengeschichte
Deutschlands V 2, 1116–36, endet mit den Hussitenverhandlungen der Basler – ohne daß
das Konzil selbst noch thematisiert worden wäre; s. GRAF, Albert Hauck. Vgl. auch BACH-
MANN, Geschichte Böhmens II, 310 ff., 322 ff., 337 ff. – DROYSEN, Geschichte der preußischen Politik I, 281–396, nannte schon die ganze Epoche ‚Zeit der hussitischen
Revolution', mit der die „Krise" (283) beginnt. – Jüngst legte auch ZIMMERMANN, Mittelalter II, den Hauptakzent seiner Baseldarstellung (192–97) auf die Hussitenfrage, ebd.
193–95.
[7] Literatur in Auswahl, soweit für Basel relevant: PALACKÝ, Geschichte Böhmens III 3,
41–52, 63–107, 112–29, 136–52, 194–202, 212–22; ders. (Ed.), Urkundliche Beiträge II
(viel Material zu Basel); TOMEK, Dějepis města Prahy IV, 481–83, 500–716 passim, 718
s.v.; VI, 328 s.v.; URBÁNEK, Věk Poděbradský I, 88–136; HOFMANN, Husité a koncilium
Basilejské. Wenig bekannt, aber reich mit Quellenpublikationen ausgestattet: NEU-
MANN, Francouzská Hussitica, besonders 37–46, 118 f., 125–51, und KROFTA, Francie a
ceské hnuti, zugänglich eher als franz. Aufsatz: La France et le mouvement tchèque, dort
342–54 zu Basel. Als Standardwerk gilt das Buch von František Michalek BARTOŠ,
Husitská revoluce I–II (1965–66) (zu Basel: II 120–62, 187–96), der schon vor dem
zweiten Weltkrieg als einer der bedeutendsten Hussitenforscher ausgewiesen war; s.
etwa BARTOŠ, Husitství 209–56 (Materialsammlung). Als wichtige Zeitschrift ist das seit
1978 in Tábor erscheinende Organ ‚Husitský Tábor' zu nennen. Zur nationalen Komponente des Hussitismus und den Folgen in der tschechischen Historiographie s. GRAUS,
Lebendige Vergangenheit 305–37 mit Literatur.

aber in der Konzilsforschung unbekannt blieb.[8] Der tschechischen Nachkriegsforschung fehlte es, soweit sie dogmatisch vom Marxismus-Leninismus geleitet wurde, lange an Verständnis für die religiös-theologische Dimension des Hussitismus und damit auch für die Dispute mit den Baslern; doch hat hier eine differenziertere Sichtweise an Boden gewonnen.[9].

Gerade im Urteil der tschechischen Literatur erhielt die Hussitenpolitik des Basiliense oft einen zwielichtig-intriganten Zug, der gegen vorwiegend positive, ja euphorische Würdigungen anderer Autoren deutlich kontrastiert: Die Basler Diplomaten hätten bewußt auf die – sich freilich längst abzeichnende – Spaltung der Hussiten hingearbeitet und damit indirekt die nationale Katastrophe von Lipány (1434) mitverschuldet.[10] Unbezweifelbar ist, daß schon die strittige Frage, ob man überhaupt in Basel verhandeln solle, und erst recht der Kompromiß der Kompaktaten diese Spaltung forciert hatten.

Dem in so vieler Hinsicht erstaunlichen Phänomen des Hussitismus und seiner durchaus europäischen Dimension kann hier selbstverständlich keine eigene Betrachtung gewidmet werden.[11] Die große Komplexität von religiösen, bildungsgeschichtlichen (Prager Universität), sozialrevolutionären, nationalen und politisch-dynastischen Elementen hat man in der Forschung schon früh erkannt[12] und vor

---

[8] PROKEŠ, Prokop z Plzné, besonders 52–120; 144–60: Übersicht über 43 hussitische Reden und Traktate, davon Nr. 2, 4, 5, 6 und 33 unmittelbar vor dem Konzil oder seinen Gesandten gehalten.

[9] Dazu vgl. den Bericht von SEIBT, Hus und die Hussiten in der tschechischen wissenschaftlichen Literatur seit 1945. Im Standardwerk von KALIVODA, Revolution und Ideologie (²1976; erste tschechische Aufl. 1961), fehlt jeder Hinweis auf das Konzil. Eine Wendung von dezidiert marxistischer zu einer abgewogeneren Position ist besonders bei F. GRAUS, aber auch bei J. MAČEK zu beobachten: s. etwa GRAUS, Crisis; MAČEK, Jean Hus, zu Basel 177–92, 201–203. Für den vorreformatorischen Ansatzpunkt aus tschechischer Sicht wichtig: ČAPEK, Duch a odkaz. Für die ältere deutsche marxistische Forschung repräsentativ die Ansicht des ostdeutschen Historikers WINTER, Frühhumanismus 177–87: Geschichte und Denken der beiden Reformkonzilien des 15. Jh. seien selbst stark von hussitisch-antifeudalem Denken geprägt gewesen. Der Hussitismus bildet in der orthodoxen marxistischen Geschichtsschreibung so etwas wie eine ‚Früh-frühbürgerliche Revolution' und das Basiliense ihren Appendix. Vgl. E. WERNER, Hussiten (1985).

[10] So zum Beispiel noch jüngst KEJŘ, Mistři prazké 95 und 98.

[11] Statt zahlloser Titel s. den Forschungsbericht von SEIBT, Zeit der Luxemburger und der hussitischen Revolution, in: Handbuch der Geschichte der böhmischen Länder I 349–568 (zur Ereignisgeschichte), sowie Seibts Forschungsbericht: Bohemica (1970); die Bibliographien bei ZEMAN, Hussite Mouvement; Restitution; PATSCHOVSKY (Ed.), Quellen zur böhmischen Inquisition 158–69; WOLF, Quellenkunde 199–219. Knapper, aber instruktiver Problembericht bei GUENÉE, L'occident 317–20 und MARESCH, Hussitismus. Zu wenig beachtet wird BETTS, Essays in Czech History.*

[12] Die Definition BEZOLDS mit ihren klassischen drei Komponenten ist im Grunde bis heute für die Forschung prägend gewesen: „Hussitentum ... ist eine Mischung und Ver-

allem in den letzten Jahrzehnten immer eindrucksvoller entfaltet – freilich unter massiven Kontroversen. Festzuhalten bleibt: Im Gegensatz zu früheren Häresien verband sich in Böhmen der religiöse Impetus derartig mit den übrigen Komponenten, daß daraus eine bei allen Gegensätzlichkeiten relativ stabile, theologisch, ja ‚konfessionell‘ profilierte und militärisch schlagkräftige Massenbewegung revolutionären Charakters gegen die krisenhaft gewordene[13] politische und kirchliche Ordnung entstehen und sich vor allem für längere Zeit behaupten konnte.

Als das Bemerkenswerteste an den Basler Hussitenverhandlungen scheint die Tatsache zu gelten, daß sie überhaupt stattgefunden haben. In der Literatur fehlte es nicht an Lob: Man pries den ‚Geist der Toleranz‘, sah sogar Ansätze von Ökumenismus, jedenfalls grundsätzliche Unterschiede zum Konstanzer Konzil, da die Basler statt eines kanonischen Ketzerprozesses eine freie Dispuation mit den e i n geladenen (nicht v o r geladenen) Hussiten führten.[14] Kündigt sich hier das europäische Toleranzdenken an?

Die Forschung – und schon die Zeitgenossen – haben freilich relativiert und die Not beim Namen genannt, welche die Tugend förmlich erzwang: Militärisch waren die Hussiten offensichtlich nicht zu besiegen; davon war man durch das Desaster von Taus (August 1431) wieder schmerzlich und endgültig überzeugt worden.[15] Stattdessen bedrohten hussitische Heere immer noch Gebiete des Reichs, fürchtete man hussitische ‚Infizierung‘ im Glauben und sozialen Aufruhr, bangte König Sigmund vor dem endgültigen Verlust Böhmens. Zweifellos war der Hussitismus damals ein gesamteuropäisches Problem.

bindung von religiösen, nationalen und socialpolitischen Bewegungen und Ideen"; F. Bezold, Zur Geschichte des Hussitentums, München 1874, 2.

[13] S. Graus, Crisis (zuerst tschechisch 1969) und, als einen der Versuche, die Gesamtheit der spätmittelalterlichen Häresien begrifflich zu fassen: Zeman, Restitution, zum Krisenbegriff 24–27. Zur „Krise" vgl. bereits Droysen (wie Anm. 1).

[14] Stellvertretend für viele Beispiele: Creighton II 141; Fink, HKG III 2, 577; Black, Council 30; Wolmuth, Basel 263; de Vooght, Confrontation 89: „Fait inoui, resté peut être unique dans les annales de l'Eglise"; H. Zimmermann, Mittelalter II 195: „Daß das Basler Konzil erstmalig in der abendländischen Kirche dem Prinzip der Toleranz religiöser Minderheiten Geltung verschafft hat, kann ... nicht hoch genug veranschlagt werden". Zum Problem jetzt Meuthen, Basler Konzil 17–19. – Segovia selbst stilisiert die caritas (Z. 31) des Konzils gegen den Hochmut der Hussiten, z.B. MC II 42; weitere Stellen bei Fromherz 83 f. mit Anm. 377–83.

[15] Ganz aufgegeben hatte man den Gedanken an kriegerischen Erfolg aber auch in Basel nicht: Ulrich Stoeckel berichtet im Okt. 1432 dem Abt von Tegernsee, das Konzil habe Fürsten und Städte eingeladen: ... in casu si contingeret, quod Bohemi non possent reduci ad fidem, quod tunc tractaretur de modo, qualiter essent expugnandi; CB I 64.

Man machte sich auch in England, Frankreich und Burgund ernste Sorgen;[16] und doch war am meisten engagiert und betroffen das Reich.[17] In jedem Fall hielt man die Hussitensache nördlich der Alpen für ungleich dringender als etwa die Griechenunion. Eugen IV., der mediterran geprägte Venezianer, hatte dagegen die großen Hoffnungen, die sich ganz besonders in der Hussitenfrage auf das junge Konzil richteten, nie recht verstanden und immer der Griechenunion Priorität eingeräumt –, ganz im Gegensatz übrigens zu seinem Legaten Cesarini[18].

Für das Konzil war also die Hussitenfrage ein Existenzgrund, die erste große Bewährungsprobe. Man brauchte, auch gegenüber Eugen IV., den Erfolg – und wenn es am Ende nur ein Kompromißerfolg (Kompaktaten) war, der viele Fragen offen ließ. Der hohe Erwartungsdruck verstärkte das Solidaritätsgefühl der Konzilsväter und bildete zusammen mit der päpstlichen Herausforderung eine Art einigender Klammer. Als diese Klammer 1436 wegfiel, spaltete sich das Konzil am neuen Problem der Unionsfrage – fast möchte man strukturelle Parallelen zur Situation der Hussiten 1433/34 sehen.

---

[16] Man denke nur an die Kreuzzugs-Aktivitäten des englischen Kardinals Henry Beaufort in den zwanziger Jahren: SCHNITH, Beaufort; dort 126 Hinweis, daß schon Beaufort an eine Disputation mit den Hussiten dachte; HOLMES, Beaufort and the Crusade. Auch bei dem Burgunder kursierten Kreuzzugspläne: LACAZE, Philippe le Bon et le problème hussite; TOUSSAINT, Relations 42–48. Zu Karl VII. s. NEUMANN, Francouzská Hussitica 129–32 (Nr. 31): Brief des Königs an die Böhmen! Zu den Hussitenkreuzzügen allgemein HEYMANN, Crusade against the Hussites, in: SETTON (Hg.), Crusades III 586–646. Eine systematische Studie über das Echo des Hussitismus in den einzelnen europäischen Ländern, etwa anhand der Ketzerprozesse, wäre sinnvoll. Einige Beispiele jetzt bei MEUTHEN, Basler Konzil 16 f. Anm. 36; z. B. CEGNA, Ussitismo piemontese.

[17] Für die deutschen Hussitenkriege existiert eine breite lokalgeschichtliche Literatur, jüngst etwa PETRIN, Der österreichische Hussitenkrieg, mit weiteren Hinweisen. – Entgegen der naheliegenden Vermutung waren laut BLACK, Council 34, und BILDERBACK, Membership 99, unter den ersten Konzilsmitgliedern die von Hussiten heimgesuchten Gebiete nicht sonderlich stark vertreten. Ein klares Gegenbeispiel bildet aber Schlesien mit der Diözese Breslau; s. MARSCHALL, Schlesier 205 ff.; MACHILEK, Johannes Hoffmann.

[18] Die entsprechenden Briefe Cesarinis an Eugen IV. werden immer wieder zitiert. Cesarini verwendete auch die Epikie, den sonst in Basel ganz zurückgetretenen Zentralbegriff des älteren Konziliarismus, als Argument für den Fortbestand des jungen Konzils. Text: MC II 95–117. Dazu s. SIEBERG 127 f.; CHRISTIANSON, Cesarini 45–51; KRÄMER, Konsens 130 f. Vgl. die Schilderung der Beweggründe bei Segovia (MC II 415); weitere Belege bei FROMHERZ 82 f.; vgl. aber ebd. 84: „Die Hussiten selbst beschäftigten Segovia kaum." – Kaum ausgeschöpft sind die Passagen der Reponsio ‚Cogitanti' (MC II 246–50).

Dennoch wird man die Verhandlungsbereitschaft und relative Fair-
ness des Konzils den Hussiten gegenüber nicht ausschließlich aus
politischem Kalkül erklären dürfen. Es hatte wirklich ein allgemeiner
Bewußtseinswandel eingesetzt. Die Parolen von ‚pax' und ‚unio' und
nicht zuletzt der für sich selbst reklamierten ‚libertas dicendi' beseelten
das Konzil nicht nur oberflächlich. Sie wurden allein schon dadurch
mehr mit Leben erfüllt, daß die Väter in Basel über die hussitische
Theologie einfach besser informiert waren als noch in Konstanz. Fast
zwanzig Jahre intensiver antihussitischer Polemik, die seit Hussens
Tod vergangen waren, hatten notgedrungen diesen positiven Effekt
bewirkt.[19] Erstaunlicher als die Verhandlungsbereitschaft der Basler
erscheint da die Tatsache, daß sich die Hussiten nach den Erfahrungen
von Konstanz darauf einließen.[20] ‚Toleranz' bedeutet im vorliegenden
Fall keineswegs freundliches Geltenlassen der anderen Meinung.
Auch in Basel waren die Hussiten Restriktionen und Berührungsäng-
sten ausgesetzt: Zum Beispiel durften sie nicht öffentlich predigen *ut
pusillis in Christum credentibus nocere non possent.*[21] Den Agon unter Fachleuten aber brauchte man nicht zu scheuen, war man doch auf beiden
Seiten von der Wahrheit und folglich Überlegenheit der eigenen,
sowie vom glaubensabtrünnigen Irrtum der gegnerischen Position
überzeugt. Was die Form der Auseinandersetzung betraf, vertraute
man offensichtlich beiderseits auf die Überzeugungskraft des scholastischen Disputs im „Zitatenkampf" (Heimpel). Und dennoch: Er-
übrigte nicht die a priori siegreiche Unfehlbarkeit des geistgeleiteten
Konzils ohnehin langes Bücherstudium und Disputieren? – ein
Gedanke, mit dem Cesarini die Hussiten in schon fast jovialem Über-

---

[19] Über regen Schriftenaustausch zwischen Hussiten und Baslern wird berichtet. Doch
waren Handschriften knapp. (Die Belege bei KRÄMER, Konsens 85, sind nur bedingt aussagekräftig). Den durch die Hussitendebatte ausgelösten Run auf theologische Handschriften erwähnen LEHMANN, Büchermärkte 271 f.; STEINMANN, Ältere theologische
Literatur 471, 473 f. Zum Beispiel kaufte sich der mit Hus' Werk freilich längst vertraute
Heinrich Toke 1433 einen Kodex mit hussitischen Traktaten (jetzt WOLFENBÜTTEL 719,
Helmstadensis 669).

[20] Sie sind sich dessen auch bewußt: *Nos scimus, quid nobis fecit concilium Constantiense*; MC I
326. Mit dem Beschluß, nach Basel zu gehen, hatte sich Rokycana gegen Prokop
durchgesetzt.

[21] MC II 298. Als einige Hussiten sich nicht an das Verbot hielten, kam es auf dem Konzil zum Eklat. Ein Reflex davon im Stück von Werfel (wie Anm. 3). – Die Hussiten
ihrerseits wollten sich nicht inkorporieren lassen, um nicht der Disziplinargewalt des
Konzils unterstehen zu müssen.

schwang gleich begrüßte.[22] All das ist in Rechnung zu stellen, wenn über die Toleranzidee in Basel geurteilt werden soll. Die These von MEUTHEN erscheint dabei bedenkenswert: „Das Basiliense weist mehr auf das konfessionelle Zeitalter als auf das Europa der Toleranz vor."[23] Ist Basel demnach ein Vorläufer der Religionsgespräche des 16. Jahrhunderts?

Die weitgehend erforschte Ereignisgeschichte der sich über fast ein Jahrzehnt erstreckenden Beziehungen zwischen Basler Konzil und Hussiten (von den Präliminarverhandlungen 1430–32 bis zum Tod des ständigen Konzilsgesandten Philibert de Montjeu († 1439 VI 19 in Prag) ist hier nicht aufzurollen.[24] Noch vom 18. August bis 29. November 1437 war eine böhmische Gesandtschaft, die vierte, in Basel, wo freilich längst andere Dinge das Hauptinteresse fesselten. Auch die Literatur behandelt die Verhandlungen in Böhmen und Basel nach 1433 mit geringerer Aufmerksamkeit, überdies weniger aus der Sicht des Konzils als unter dem Aspekt der politisch-dynastischen Probleme Böhmens bis zum Königtum Podiebrads. Das neue Schisma tangierte die Hussiten naturgemäß nicht besonders, wenngleich auch sie umworben wurden, während die böhmischen Katholiken überwiegend zu Eugen IV. gehalten haben sollen.

Ganz deutlich dominiert in der jüngeren Forschung der theologische Aspekt. So standen die entscheidenden großen Basler Dispu-

---

[22] *Quid vos multitudine librorum oneratis? ... Non michi* (sc. ecclesiae: Cesarini läßt die ecclesia selbst sprechen) *opus est iudicando quod legisperitos advocem, neque bibliotecas perscruter*; MC II 313, zit. SIEBEN, Traktate 173 Anm. 146.*

[23] MEUTHEN, Basler Konzil 17.

[24] Die in MC I edierten umfangreichen Berichte der Konzilsgesandten könnten allerdings noch besser ausgewertet werden. Als bedeutender Erfolg der Hussiten gilt die Annahme der Prinzipien des sog. ‚Richters von Eger' (Mansi XXX 146) – Bibel und Urkirche als alleiniger Maßstab etc. – durch die Basler. Zur bisher genannten Literatur sind zu ergänzen: BEZOLD, Reichskriege III 85–164; COOK, Negotiations (rein ereignisgeschichtlich), sowie die prosopographischen Arbeiten von SCHOFIELD, An English Version (Abt Nikolaus Frome befand sich als Mitglied der 2. englischen Gesandtschaft auf dem Wege zum Konzil); BRETHOLZ, Bischof Paul von Olmütz über den Abschluß der Basler Compactaten; WALTER, Johann von Gelnhausen 122–25; MACHILEK, Johannes Hoffmann aus Schweidnitz und die Hussiten, zur Tätigkeit Hoffmanns auf dem Konzil 111–13; vgl. MARSCHALL, Schlesier 299–301. – Zur Diplomatie mit einer Reihe interessanter Beobachtungen SIEBERG 125–45. Prosopographisch kaum genutzt wird die Kirchengeschichte Böhmens III–IV (1872–78) des Prager Domkapitulars FRIND. – Zur Konzilspolitik in Böhmen 1434–39 s. PALACKÝ (Ed.), Urkundliche Beiträge II passim (bis 1437); PROKEŠ, Prokop z Plzné 60–143 und 271 s.v. ‚Filibert'; KROFTA, France 348–55; ODLOŽILIK, Hussite King 13–18. – Es ging unter anderem um die Anerkennung der Kompaktaten und die offizielle Bestätigung Rokycanas als utraquistischer Bischof von Prag; die Sache beschäftigte noch

tationen über die ‚Vier Artikel' von Januar bis März 1433 naturgemäß im Zentrum. Die Debatten der folgenden Jahre wurden theologisch kaum ausgewertet; sie wirken auch mehr wie eine Nachlese, ohne noch wesentlich Neues zu bringen. Nachdem BARTOŠ in den dreißiger Jahren unseres Jahrhunderts zur Rede des Jan Rokycana, die größtenteils schon bekannt war, auch die Reden der drei anderen Hussiten entdeckt hatte,[24a] verdanken wir in erster Linie den Arbeiten von JAKOB (1949)[25], KRCHŇÁK (1967)[26], de VOOGHT (1969)[27] und zuletzt COOK (1971)[28] detaillierte Analysen des Verlaufs jenes großen rhetorischen Schlagabtauschs – mit den vier Kampfpaaren: *Jan Rokycana* von hussitischer – *Johann von Ragusa* von Konzilsseite (Artikel I: Laienkelch)[29], sicher der hochkarätigste Teil der Debatte; *Nikolaus Biskupek von Pelhřimov – Gilles Carlier* (Artikel II: Öffentliche Bestrafung von Todsünden,

---

[1448] Carvajal auf seiner Legation. Überblick bis 1458 bei ODLOŽILIK 19–50.

[24a] BARTOŠ (Ed.), Orationes (1935); Petri Payne Positio (1949).

[25] E.F. JACOB, The Bohemians at the Council of Basel 1433, zum Debattenverlauf 92–117. Vgl. noch HEFELE-LECLERCQ VII 2, 763–89.

[26] A. KRCHŇÁK, Čechové na basilejském sněmu (im wesentlichen eine Nacherzählung). Vgl. auch BINDER, Slaven 120–34.

[27] P. de VOOGHT, La confrontation des thèses hussites et romaines au concile de Bâle, in: Recherches de théologie ancienne et médiévale 36 (1969) 97–137, 254–91, stärker aus hussitischer Perspektive. – Die Ereignisse aus dem Blickwinkel der Person Cesarinis bei CHRISTIANSON 70–91. Konzentration auf die theologische Kontroverse Rokycana-Ragusa bei KRÄMER, Konsens 80–129, wovon unten noch die Rede sein wird. Krämer bringt als einziger auch die theologische Substanz der von Toke, Nider und Kalteisen geführten Präliminarverhandlungen von 1430–1432; ebd. 69–80.

[28] W.R. COOK, Peter Payne, Theologian and Diplomat of the Hussite Revolution, Phil.-Diss. 1971, Cornell-University, (bei Brian Tierney). Zu den Konzilsverhandlungen 1431–1436: 234–322, zu den Verhandlungen Frühjahr 1433: 255–96; leider, wie in amerikanischen Veröffentlichungen häufig, ohne lateinische Zitate; ebd. 399–413 gutes Hss.- und Lit.-verzeichnis, wo allerdings wichtige Arbeiten (Seibt, das meiste von de Vooght) fehlen.

[29] Mansi XXIX 699–868, XXX 337B–388D. Zum Inhalt JACOB, Bohemians 94–98; de VOOGHT, Confrontation 100–120; BINDER, Slawen 124–34. Die dortigen Quellenangaben (u.a. Mansi XXX 269B-337B) müssen für Rokycana durch BASEL Univ. Bibl. ms. lat. A I 29 f. 175^r–185^r ergänzt werden; die Seiten enthalten den dritten Teil von Rokycanas Replik (‚De ecclesia') und wurden jetzt erstmals bei KRÄMER, Konsens 366–68 partiell ediert, ebenda 85–90 ausgewertet, sowie 81 f. Anm. 37 der gesamte Inhalt der Handschrift, deren Zentrum Ragusas ‚Tractatus de ecclesia' bildet, beschrieben. Vgl. aber schon BARTOŠ, Husitská Revoluce II 40 f.; KRCHŇÁK, Cechové 13; Ragusa, Tractatus de ecclesia (ed. SANJEK) XI-XIV. Zur handschriftlichen Überlieferung von Ragusas Rede und Replik vgl. KRCHŇÁK, De vita et operibus 60–66 (Nr. 23–25), s. auch 57 (Nr. 13), mit (vorläufig) 61 Hss.! Zu Ragusa ferner unten 366 f. – Zur Person *Rokycanas*: LThK 5, 1076; HEYMANN, John Rokyzana (1959), zu den Konzils-Verhandlungen 246–48, zur Theologie 256–74. Eine moderne Biographie scheint zu fehlen.

auch bei Priestern)[30]; *Ulrich von Znaim – Heinrich Kalteisen* (Artikel III: Predigtfreiheit für alle Christen)[31]; schließlich *Peter Payne – Juan Palomar* (Artikel IV: Abschaffung des weltlichen Besitzes der Kirche)[32]. Die Reden der vier Konzilsvertreter sind die handschriftlich am weitesten verbreiteten Traktate des Basler Konzils, eine Tatsache, die für sich spricht.

Einige Bemerkungen zur Zusammensetzung dieses Personenkreises: Immmerhin sechs der acht Redner sind Universitätsprofessoren[33] (Rokycana, Ulrich von Znaim, Payne, Ragusa, Kalteisen, Palomar), also auf beiden Seiten gleich viele. Das Übergewicht der Theologen, drei gegenüber einem Juristen (Palomar) ist äußerst charakteristisch. Die proportionale Besetzung der Basler Oratoren nach den vier Konzilsnationen[34] ist hervorzuheben, nachdem die Präliminarverhandlungen der Jahre vorher in der Mehrzahl von Deutschen geführt worden waren (Toke, Nider, Johann von Gelnhausen und Kalteisen selbst). Die kirchenpolitische Grundhaltung der Kon-

---

[30] Mansi XXIX 868C–972A, XXX 391C–456C (Carlier); XXX 338–388D (Biskupec). Zum Inhalt JACOB, Bohemians 98–103; de VOOGHT, Confrontation 120–37, mit Quellenangaben. Zur Person *Nikolaus Biskupecs*: Lex Ma II 248 (Lit.); MOLNÁR, Réformation et révolution; Nicolaus Biskupec; de VOOGHT, Nicholas Biskupec; DOBIAŠ-MOLNÁR (Edd.), Mikuláš z Pelhřimova (1972). *Gilles C(h)arlier* gehört zu den noch zu wenig erforschen Personen des Basler Konzils; Literatur s. unten 446. Sein für die Geschichte der Böhmenverhandlungen wichtiger ‚Liber de legationibus‘: MC I 361–700.

[31] Mansi XXIX 971B–1044, 1045–1104 (Kalteisen); Mansi XXX 306D–391C, 456D–475C (Ulrich von Znaim). – Zum Inhalt JACOB, Bohemians 103–10; de VOOGHT, Confrontation 254–68. Die Literatur zu Kalteisen s. unten 401 und 443 Anm. 101.

[32] Mansi XXIX 1105–1168, XXX 475D–485. Zum Inhalt JACOB, Bohemians 111–17; de VOOGHT, Confrontation 269–83; Paraphrase der beiden Reden Paynes: COOK, Peter Payne 260–69, 281–89. Texte bei BARTOŠ (Ed.), Petri Payne Positio 1–40, 41–78. Zu *Payne* neben der grundlegenden Arbeit von COOK (wie Anm. 28),) vgl. BARTOŠ, M. Petr Payne diplomat husitské revoluce (1956); Sborník ... životu a dílu Petra Payna (1957), und die Aufsätze des Jubiläumsbands ‚Addresses and Essays in Commemoration of Peter Payne – Engliš 1456–1956‘, Hg. J.V. POLIŠENSKY (1957). – Mit der englischen Konzilsgesandtschaft geriet Payne in erbitterte Auseinandersetzungen; s. oben 228.

[33] Vgl. JACOB, Bohemians 110; BLACK, Universities (1978) 517. Zur häufig prekären Situation der Prager Universität vgl. KAMINSKY, University of Prague, und jetzt KEJŘ, Mistři pražské, besonders 79–84 (mit deutschem Resümee 93–99). Einen Brief der Universität ans Konzil legten die Böhmen 1433 I 16 der Generalkongregation vor; Mansi XXX 256–258A. Zur Hussitenkontroverse an deutschen Universitäten ließe sich einiges Material sammeln.

[34] Ragusa (ital. Nation), Kalteisen (deutsche Nation), Carlier (franz. Nation) besaßen bereits praktische Erfahrung im Disput mit Hussiten, von Palomar ist dies nicht bekannt. Vielleicht erhielt er als Spanier und Sekretär Cesarinis den Auftrag.

zilsredner war bei zweien (Kalteisen, Palomar) ganz und gar nicht ‚konziliaristisch' im engen Sinne – wieder ein Beispiel, wie wenig schematisch oder gar fraktionell geordnet man die Verhältnisse in den frühen Basler Jahren sehen darf. Neben den acht Hauptkontrahenten sollte man wohl stärker als bisher eine große Zahl weiterer Konzilsteilnehmer nennen, die als Diplomaten und Theoretiker in der Hussitenfrage engagiert waren: zum Beispiel die Franzosen Philibert de Montjeu, Bischof von Coutances, der jahrelang als eine Art ständiger Botschafter des Konzils in Prag lebte, Geoffroy de Montélu von St. Honorat und Martin Berruyer, die Deutschen Heinrich Toke und Thomas Ebendorfer, der in der Tradition der Universität Wien eine besonders intransigente Haltung einnahm, Nikolaus von Kues, der sich intensiv mit Rokycana auseinandersetzte, aber auch Heymericus de Campo und Matthias Döring. Fast alle haben Traktate verfaßt, die einmal zusammengestellt werden müßten.[35] Die Themen waren ja nicht erst in Basel aufgebracht worden. Traktate und Disputationen der Basler sind daher in Relation und Kontinuität einer seit Konstanz stetig anschwellenden katholischen Hussitenkontroverse zu sehen, die bereits eine Traktatwelle beachtlichen Umfangs produziert hatte;

---

[35] Hier eine kleine Auswahl: Zu *Philibert* s. oben 227. Der Böhmentraktat des Geoffroy de Montélu, ed. NEUMANN, Francouzská Hussitica (1925) 61–99. Eine Hussitenrede des *Jean Beaupère*: Mansi XXIX 712–29. Von *Heinrich Tokes* Traktat ‚De ecclesia militanti catholica' (Ende 1432) zählt KRÄMER, Konsens 77 Anm. 26, allein 10 Hss. Eine Rede in Prag (1433 XI 6): MC I 476–84; eine Rede in Eger: WIEN Nat.Bibl. Cod. 4975 f. 29^V–34^r. Vgl. KLEIN-EIDAM, Universitas studii I 127–30; KRÄMER, Konsens 77–80, der erstmals die ekklesiologische Leistung Tokes würdigt. Zu *Ebendorfer* s. LHOTSKY, Quellenkunde 337 f., 375 f.; SCHERBAUM, Das hussitische Böhmen bei Thomas Ebendorfer (Diss., masch.) habe ich nicht gesehen; vgl. stattdessen seinen Aufsatz gleichen Titels (1973). Das antihussitische Klima in Wien bemerkte schon FRIEBE, Universitates 15–30. Zu *Nikolaus von Kues*: HALLAUER, Glaubensgespräch, vor allem 53–56; AC I 1 Nr. 164–66, 169–71, 202 (Auseinandersetzungen mit Rokycana); MEUTHEN, Skizze 35 f.; Nikolaus von Kues auf dem Konzil von Trient 300–303 (zur Rezeption). Die grundlegenden Kapitel der Conc. cath. I 3–6 sind indirekt und direkt gegen die hussitische Prädestinationslehre und donatistische Ansätze geschrieben. – Zur Hussitenmission der Jahre 1451/52 s. auch HOFER, Kapistran II 57–146. Traktate des *Heymericus* gegen die Böhmen: s. BURIE, Preuve 227 f., 234.; LADNER, Konziliarismus des Heymericus 9 f.; Heymericus de Campo an Johannes de Rokycana (1985).* – Traktate des *Matthias Doering*: s. ALBERT, Doering 37–42 (‚Propositio circa Husitarum articulum de donatione Constantini', BERLIN Cod. lat. 637 f.136^V–138^r); MEIER, Barfüßerschule 49 f., 104 Anm. 28. Auf die Diskussion um das ‚Constitutum Constantini' im Zusammenhang mit Artikel IV der Hussiten sei am Rande hingewiesen; vgl. oben 244 f. Das letzte Werk des *Nikolaus von Dinkelsbühl* ‚De adoratione imaginum' entstand 1432 auf Bitten Cesarinis gegen die Hussiten gerichtet; MADRE, Nikolaus von Dinkelsbühl 266 f. – 10 Böhmentraktate z. B. BASEL UB, A VIII 28, f.3^r-307^V.

man denke zum Beispiel an die Theologen der sogenannten „böhmischen Gegenreformation" (Sieben) wie Stephan von Paleč, Stanislaus
von Znaim, Stephan von Olmütz († 1421) mit seinem Riesentraktat,
und schließlich an den bedeutenden Engländer Thomas Netter (Waldensis).[36]

An den vier Themen und ihren Verfechtern in Basel ließen sich noch
manche Details schärfer herausarbeiten. Schon de VOOGHT[37] hatte auf
die tiefgreifenden Unterschiede im Geist der ‚Vier Artikel' wie in der
Person ihrer vier Verteidiger aufmerksam gemacht. Der im Grunde
von Anfang an allein kompromißfähige Artikel I – den Nikolaus von
Kues übrigens sofort als solchen erkannt hat – unterscheidet sich
wesentlich vom „esprit tout autre" der Artikel II–IV mit ihrer, selbst
nach de Vooghts Maßstäben, eindeutig ‚revolutionären', die traditionelle Kirchenstruktur praktisch verändernden Zielsetzung. Dieser
Wesensverschiedenheit entspreche genau Denken und Charakter des
vielseitigen, zwischen den Fronten der Basler Theologen und den
Radikalen in den eigenen Reihen ausgleichenden Rokycana, eines
Mannes von der Art Cesarinis, einerseits und der drei übrigen, wesentlich doktrinäreren taboritischen Redner andererseits. Die innere Frontlinie, an der der Hussitismus schon im nächsten Jahr auch militärisch
zerbrechen sollte, liegt hier deutlich zutage. Ohne diese Spaltung der
Hussiten wäre allerdings der endgültige Kompromiß mit dem Konzil
in Iglau niemals zustande gekommen.

Bezeichnenderweise – de VOOGHT hat es mit kritischem Unterton
hervorgehoben[38] – zeigte sich das Konzil für die Kirchenkritik und die
Reformansätze der Hussiten völlig unzugänglich, sondern verteidigte
vielmehr so gut wie ausnahmslos den kanonistisch festgeschriebenen
status quo der kirchlichen Hierarchiestruktur, privilegium fori, Pfrün-

---

[36] S. die Übersicht bei SIEBEN, Traktate 136–39, 154–58. Ein Exemplar des ‚Doctrinale
fidei catholicae' von Netter ließ Cesarini 1433 II 10 Peter Payne, der den Verfasser noch
von England kannte, zukommen: qui multum gaudebat viso volumine; MC I 307; zum ‚Doctrinale': SEIBEL, Kirche; s. auch CROMPTON, Fasziculi Zizaniorum; LThK 10, 150. Zu Paleč:
LThK 9, 1049. Mancher ‚Tractatus de ecclesia' entsprang weniger der konziliaren
Diskussion in Basel als der allgemeinen theologischen Hussitenkontroverse; so zum Beispiel wahrscheinlich die 1442 entstandene ‚Quaestio de ecclesia' des Erfurter Minoriten
Johannes Bremer; Text bei MEIER, Joannis Bremer Quaestio 234–300.

[37] de VOOGHT, Confrontation 284–88.

[38] de VOOGHT, Confrontation 135–37, 282: „L'esprit évangelique de Payne et la mentalité canonique de Palomar se heurtent…"; sowie ebd.: „Pour Palomar, encore une fois, le
système était sacro-saint" und 283: „Palomar, comme Charlier et Kalteisen, exige avant
tout le maintien des normes établies."

denwesen, weltlichen Besitz der Kirche, Befehlsgewalt der Oberen usw. Vor allem jede Kritik am Priestertum – der ‚schlechte Priester' spielt im donatistischen Horizont der hussitischen Kirchenkritik eine Schlüsselrolle – wurde abgewiesen.[39]. Die Waffen aber, mit denen man diese traditionell dem Kirchenrecht zugeschlagenen Themenkomplexe von hussitischer Seite angriff und – dies hat de Vooght zu wenig gesehen – von der Basler Seite auch verteidigte, waren in erster Linie theologischer, nicht rechtlicher Natur. Am deutlichsten hat die Forschung dies für Johann von Ragusa und, fälschlich, im relativ geringsten Maße bei Kalteisen aufgewiesen[40]. Natürlich wäre es völlig verfehlt, unter dem intensiven Eindruck der allgemeinen ‚Theologisierung' zu meinen, es sei überhaupt nicht mehr kanonistisch argumentiert worden. ‚Theologie' und ‚Kanonistik' zu gänzlich trennen zu wollen, ist ebenso abwegig.

Anders als in der neutralen Darstellung bei JACOB, sind Stil und Niveau von Argumentation und Bibelexegese der vier Konzilsredner bei de VOOGHT relativ schlecht weggekommen[41]. Es ist allerdings zu fragen, ob sein Vorwurf, die Basler hätten die Schrift ‚sophistisch' ausgelegt, bzw. „manque de critique dans la citation des textes anciens"[42] gezeigt, nicht einen unangemessen modernen exegetischen Maßstab anlegt, der überdies auch gegen die Hussiten ins Feld geführt werden könnte. Daß die jüngere Forschung neben Nikolaus von Kues gerade Johann von Ragusa einen neuartig geschärften ‚historischen' Sinn im Umgang mit den theologischen Quellen zubilligen will, wäre hier zusätzlich anzumerken.[43] Es könnte durchaus sinnvoll sein, einmal die Technik des theologischen Sermo[44], seine Art der Quellenbenutzung, seine topischen Elemente zu analysieren, und es wäre keineswegs bloß statistische Spielerei, wenn man die prozentualen Anteile

---

[39] JACOB, Bohemians 102–05; de VOOGHT, Confrontation 257 ff. – Vgl. Kalteisen (Mansi 1060B).

[40] Zu Ragusa explizit KRÄMER, Konsens 187; vgl. aber die gesamte Passage 96–124. Zu Kalteisen: de VOOGHT, Confrontation 261–67 passim, der den Dominikaner aber zu juristisch interpretiert. Vgl. die Unterscheidung Palomars in einem späteren Hussitengespräch: Der berühmte Kanonist Panormitanus habe *non vero articulate aut sillogistice, sed iuristarum more* (MC II 1068) geredet.

[41] de VOOGHT, Confrontation 107, 109, 112, 134 f., 283 f. Umgekehrt attestiert JACOB, Bohemians 42, dem „standard of the speeches and the discussions . . . a high level".

[42] de VOOGHT, Confrontation 284.

[43] Dazu s. unten 425 f..

[44] Zur Disputiertechnik vgl. einige Bemerkungen bei SIEBERG 129–33.

der Zitate aus Bibel, Kirchenvätern, mittelalterlichen Theologen und kanonistischen Texten in Traktaten der Basler Akteure zusammenstellen würde. Die Ergebnisse vermögen freilich nichts über die ‚Richtigkeit' und exegetische Qualität der Zitatauslegungen auszusagen, aber doch etwas über die Grundfärbung der Traktate und Sermones. Die Forschung hat immerhin am Maßstab der Quellenzitate längst das stark theologisch-biblische Fundament sowohl der hussitischen Positionen, wie auch der Basler Gegenreden hervorgehoben, die sich dem Stil der Vorredner mühelos anschließen konnten.[45] Das Quellenspektrum der Hussiten läßt sich nicht auf ein schlichtes ‚scriptura sola' beschränken, sondern neben den Kirchenvätern, allen voran Augustinus, zitieren sie eine ganze Reihe von Theologen des Mittelalters (Bernhard von Clairvaux, Albertus Magnus etc.), ja sogar kanonistisches Material[46].

Dennoch blieb ein Streit des Konzils mit den Hussiten um den „Primat der Hl. Schrift" (Schüssler) unausweichlich.[47] Man darf die neueren Untersuchungen dahingehend zusammenfassen: Die Basler Konzilsredner konzedierten zwar, daß die Hl. Schrift den höchsten Rang unter allen Autoritäten einnehme, relativierten diesen Standpunkt aber im gleichen Atemzug, indem sie den Schriftsinn an die unfehlbare Autorität der Kirche und ihres Lehramtes, konzentriert im Universalkonzil, banden. An diesem Punkt enthüllt sich das eigentlich konfliktträchtige Substrat der gesamten ‚Vier Artikel' – der Kirchenbegriff.

Zwar hat schon die ältere Literatur auf die Schlüsselfunktion der Ekklesiologie hingewiesen[48], doch ist es erst das unbestreitbare Ver-

---

[45] Hinweise auf die theologisch-biblische Fundierung schon bei JACOB, Bohemians 109 f., 117, und de VOOGHT, Confrontation 103, 117 f., 276 usw. Zum Problem s. unten 417-20.

[46] de VOOGHT, Confrontation 115, 121. Quellenliste zu Paynes ‚Positio' bei COOK, Peter Payne 393 f. – Die kanonistischen Zitate dienten jedoch meist als Lieferanten für Väterzitate oder ähnliches. Vgl. KEJŘ, Hussitentum und das kanonische Recht, weist Einflüsse des jus canonicum bei Hus nach. Zur Augustinus-Interpretation s. FRIEMEL, Prinzipienlehre 103 ff.

[47] Zur Auseinandersetzung um den Schriftprimat vgl. JACOB, Bohemians 84 f., 106, 116; de VOOGHT, Confrontation 105 f. (Ragusa), 115 f., 124 f., 255, 268; BINDER, Slawen 126 f. Vgl. BENRATH, Traditionsbewußtsein (Wiclif). Wichtig dazu auch SCHÜSSLER, Primat 154–56 mit Zitaten; vgl. für Ragusas Argumentation KRÄMER, Konsens 118–23. Zum Thema ferner unten 420.

[48] Hinzuweisen ist hier auf BINDER, ‚Tractatus de ecclesia' 51 f.; ebenda 36 ein erhellendes Zitat von Peter Payne: *Conveniamus in quidditate ecclesiae, quia ille dicit, illi sunt ecclesia, et ille dicit, non*; vgl. MC I 281; CB II 338 Z. 16 f. Vgl. BINDER, Wesen 9 f.; de VOOGHT, Con-

dienst von WERNER KRÄMER, dies nicht nur inhaltlich aus dem Verlauf der Debatte zwischen Jan Rokycana und Johann von Ragusa[49], sondern in seiner befruchtenden Kraft für die Ekklesiologie überhaupt herausgestellt zu haben. Die Herausforderung des hussitischen Kirchenbegriffs sollte die Rolle des Wetzsteines spielen, an dem die Ekklesiologie vieler anwesender Theologen gezwungen wurde sich selbst zur Form zu schleifen. Umgekehrt wurde aber auch Rokycana durch die eindrucksvolle Rede Ragusas veranlaßt, über seine eigenen ekklesiologischen Prinzipien schärfer nachzudenken. Ungleich deutlicher als die ältere Forschung seit THILS und durchaus zu Recht stellt KRÄMER den direkt aus der Hussitendebatte gewachsenen, zuvor aber kaum erschlossenen ,Tractatus de ecclesia' Johanns von Ragusa, des – nach Wiclif und Hus, die diesen neuen Typ eines theologischen Werks ja geboren hatten –, „ersten dogmatischen Kirchentraktat(s) in der Geschichte der Theologie"[50] vor und würdigt ihn als eines der wirklich repräsentativen Werke der Basler Ekklesiologie.[51] Die langvermißte

---

frontation 106, verbannte die gleiche Erkenntnis in Anm. 61. Jüngere Hinweise bei HENDRIX, In Quest of Vera Ecclesia 370. Zur älteren Forschung: Wohl erstmals gewürdigt hat den ,Tractatus' im Jahre 1940 THILS ,Tractatus de ecclesia'; vgl. Thils in: ThQ 126 (1946), 110–22. Weitergeführt bei BINDER (wie oben); ders., Wesen s.v. ,Stojkovic'; KRCHŇÁK, Introductio ad ,Tractatum de ecclesia', weitergeführt in: De vita et operibus (1960), besonders 57–59 (Nr. 18–20). Vgl. ferner Aufsätze von KUBALIK, Jean de Raguse; sowie, wenig ergiebig: Johannes von Ragusa. Zur Ekklesiologie Ragusas auch DUDA, Johannis Stojković, besonders 60–74; WALZ, Giovanni Stojković; TOMLJENOVIĆ, Ivan Stojković (Überblick). Alle diese Vorarbeiten wurden jetzt durch KRÄMER, Konsens, und die Edition von ŠANJEK (s. unten) auf eine neue Grundlage gestellt. Nicht gesehen habe ich die Beiträge einer Tagung der ,Krsćanska sadašnjost' in Dubrovnik (16.–28. Mai 1983): La pensée et l'oeuvre de Jean de Raguse (Ivan Stojković), Zagreb 1983.*

[49] KRÄMER, Konsens 80–90, doch ist die gesamte Passage 66–124 einzubeziehen. Eine Auseinandersetzung mit den Arbeiten von Jacob und de Vooght findet, was in diesem Fall vielleicht zu vertreten ist, nicht statt. Die für die ,orthodoxe' Theologie fruchtbare Herausforderung der Ekklesiologien von Wiclif und Hus hatte vor allem CONGAR, Handbuch 1–6, unterstrichen. – Weitere Lit. zu Ragusa unten 438 Anm. 86.

[50] KRÄMER, Konsens 69, 90 (Zitat), 167 f.; vgl. bereits CONGAR, Handbuch 6.

[51] KRÄMER, Konsens 90–124, vgl. 189–93. Das ganze Kapitel über Ragusa muß als Pioniertat gewürdigt werden und gehört zu den besten des sonst im Niveau etwas unausgeglichenen Buches. Gegenüber der älteren Literatur hat Krämer die einzige Handschrift des ,Tractatus de ecclesia', Ragusas eigenes Handexemplar (BASEL Univ. Bibl. A I 29, f.302^V–432^r), systematisch ausgewertet und die Kapitel 1–2 des ersten Teils (f. 305^r– 309^V) erstmalig ediert (369–83). Die lange umstrittene Frage nach Redaktion und Datierung des Werkes löst Krämer (92–96) im Sinne von zwei Redaktionsstufen: die erste unmittelbar im Anschluß und auf der Basis der Hussitenrede ,De communione sub utraque specie' (Mansi XXIX 699–868), also vom Frühjahr 1433 bis zur Abreise Ragusas nach Konstantinopel am 24. Juni 1435. Sie reicht nach Krämer bis zum Kapitel 10 des

Editio princeps legte jetzt SANJEK (1983) in einer gediegenen Ausgabe vor[52] – ein Meilenstein für die Erforschung des Konziliarismus.

Eine Einschränkung vorweg: So entscheidend die ekklesiologische Dimension zweifellos ist, man darf nicht übersehen, daß viele Theoretiker theologische Spezialinteressen in die Hussitenkontroverse führten, die nicht ohne weiteres mit Ekklesiologie gleichzusetzen sind. Das gilt insbesondere für die Eucharistie („communio sub utraque specie', Kinderkommunion oder das grundsätzlichere Problem der Realpräsenz).[53] Diese Fragen waren ja schon länger umstritten, auch unter den Hussiten; man denke an die große Kontroverse zwischen Peter Payne und Johann von Přzíbram in den zwanziger Jahren. Sie beherrschten im übrigen ganz die späteren Hussitendebatten des Konzils, zum Beispiel die vom Herbst 1437, als sich auch Torquemada mit Segovia und Courcelles gegen Peter Payne ein-

---

dritten Teils, das mit einem eigenen Epilog versehen sei. Die zweite Arbeitsstufe sei nach dreijähriger Unterbrechung ab Februar 1438 begonnen und 1440/41 abgeschlossen worden. Zur Entstehungszeit zusammenfassend die Introductio der Edition von ŠANJEK (verfaßt von B. DUDA, T.J. ŠAGI-BUNIĆ und F. ŠANJEK) XV–XXII. Interessant der Hinweis, daß in der kurzen Vorbereitungszeit, die Ragusa für seine Hussitendisputation zur Verfügung stand, kein geringerer als Torquemada eigene Vorarbeiten zur Verfügung stellte und ihm „beim Aufsuchen der vielen Zitate zur Hand ging" (KRÄMER 81 mit Erwähnung älterer Hinweise). Die so gut wie nicht existente Rezeption des ‚Tractatus de ecclesia' (nur das Autograph und die Kopie Iselins von 1722 sind überliefert) ist freilich kaum durch den frühen Tod des Autors (1443 X 20) zu erklären – so KRÄMER 95. Ragusas Werk teilte das Schicksal vieler – keineswegs aller! – Basler Traktate, später kaum rezipiert zu werden. Entscheidend und rätselhaft ist vielmehr, daß „es kein Basler Theologe der Mühe wert fand, sich eine Abschrift zu beschaffen" (MEUTHEN, Basler Konzil in r.kath. Sicht 302); s. unten 449-52.
Das Verhältnis des ‚Tractatus de ecclesia' zur ‚Concordantia catholica' des Nikolaus von Kues war lange unklar; so noch KRÄMER, Konsens 95 Anm. 77, 98 Anm. 81, 112 Anm. 123, 267 Anm. 27, 270 Anm. 32, mit Nachweis inhaltlicher, fast wörtlicher Parallelen; er enthält sich aber eines klaren Urteils. Dabei war die Prioritätsfrage von MEUTHEN mit ziemlicher Wahrscheinlichkeit entschieden worden; AC I 1 Nr. 202a: Die Exzerptsammlung von der Hand Ragusas und seiner Schreiber (BASEL Univ. Bibl. E I 1^k) enthält wörtliche Passagen aus der ‚Concordantia catholica', die in der aus Ragusas eigenem Besitz stammenden und mit Randbemerkungen versehenen Handschrift BASEL A V 13 angemerkt sind. Aufgrund dessen ist für Meuthen „die Priorität des Cusanus-Textes ... eindeutig." Eine genauere Analyse der Exzerptsammlungen, vor allem die Datierung der einzelnen Zettel wäre allerdings unbedingt erforderlich, sowohl um den Entstehungsprozeß des ‚Tractatus de ecclesia' selbst zu verfolgen, wie um das innere theologische Verhältnis zwischen Cusanus und Johann von Ragusa genauer zu erhellen. Šanjek hat sich diese Möglichkeit in seiner Edition leider entgehen lassen.

[52] Magistri Ioannis (Stojković) de Ragusio ‚Tractatus de ecclesia'. Editionem principem curavit FRANJO ŠANJEK, Zagreb 1983.
[53] COOK, Peter Payne 156–233 passim; s. die folgende Anm.*

schaltete.[54] Doch bleibt die Beobachtung richtig, daß die Frage nach der Eucharistie leicht zu einer ekklesiologischen Grundsatzdebatte auswachsen konnte. Dogmengeschichtlich gesehen könnte man vielleicht sagen, daß die Eucharistielehre w i e d e r ekklesiologisch gewendet wurde, im Unterschied zur Hochscholastik, aber in Übereinstimmung mit der älteren Tradition.

Zurück zur Ekklesiologie: Der hussitische Kirchenbegriff[55] fußt bekanntlich im wesentlichen auf der Gnaden- und Rechtfertigungslehre, insbesondere auf dem paulinisch-augustinischen Gedanken der Prädestination. Die ‚eigentliche' Kirche besteht demnach aus der Geistgemeinschaft der ‚praedestinati' und nicht primär in den sichtbaren Formen der sakral und lehramtlich wirkenden Hierarchie der kirchlichen Amtsträger. Zu ihnen zählt, wenn man den terminus der ‚ecclesia Romana' eng faßt, auch der Papst, dem allerdings in der gemäßigten Position Rokycanas nicht die Existenzberechtigung, sondern nur die kirchen-konstitutive Bedeutung abgesprochen wurde.

Ragusa griff, wie Krämer zeigt, zunächst den methodischen Ansatz Rokycanas auf und stellte seinem Vorredner analog die Frage: ‚Was

---

[54] In dieser Zeit entstanden Johann von Segovias ‚Allegationes' über die Kommunion in beiden Gestalten; MC II 1085–1109; HERNÁNDEZ-MONTES, Obras Nr. 19; vgl. KRÄMER, Konsens 227 f. (Hier wächst die Frage allerdings zu einer Debatte um die Ekklesiologie aus!) Andere Beispiele: Torquemada ‚Tractatus valde utilis de sacramento eucharistiae' (1433–1435), Dillingen 1558; vgl. KRÄMER 81 Anm. 36. – Kalteisen ‚Responsio ad quaestionem de communione populi sub utraque specie' (1430); vgl. KRÄMER 73 Anm. 12. Nikolaus von Kues, De usu communionis' (1433/34); vgl. HALLAUER, Glaubensgespräch 53–56; AC I 1 Nr. 171. Hier dominiert eindeutig das Spezialgebiet ‚Sakramentenlehre', ohne daß diese, wie heute üblich, schon ein sauber abgegrenztes theologisches Fach gewesen wäre. Zur Debatte auf dem Constantiense vgl. MADRE, Nikolaus von Dinkelsbühl 245–50, 320 f. – Die Verhandlungen über das endgültige Eucharistiedekret (30. Sessio; 1437 XII 23): s. MC II 1061–1112; vgl. WOLMUTH, Verständigung 106 f.

[55] Die Literatur zur hussitischen Ekklesiologie ist ziemlich angeschwollen. Hier nur eine Auswahl: SPINKA, John Hus' Concept of the Church, zum ‚Tractatus de ecclesia' 252–89; dazu und zu anderen Arbeiten über Hus: MACHILEK, Ergebnisse. Von marxistischer Seite: WERNER, Kirchenbegriff. Neben den einschlägig bekannten Hus-Büchern von PAUL de VOOGHT vgl. dessen Bilanz: Jean Huss, aujourd'hui (1971), wo er versucht, einen konservativ-katholischen Hus vom revolutionären Hussitismus abzugrenzen, was in der Form allein wegen der Vielseitigkeit des ‚Hussitismus' kaum möglich sein dürfte. Speziell zur Prädestinationslehre: de VOOGHT, Notion d'Église. Vgl. aber COOK, John Wyclif and Hussite Theology: sieht verstärkten Einfluß wiclifitischen Gedankenguts in der hussitischen Theologie nach Hussens Tod; zu den Verhandlungen mit dem Konzil: 345–49. Ferner MOLNÁR, L'évolution de la théologie hussite, zu den Konzilsdebatten: 150–59; MACCARRONE, Vicarius Christi 212–22; HENDRIX, In Quest of Vera Ecclesia 371–74; KRÄMER, Konsens 85–90.

ist Kirche?', um dann ein für eine dogmatische Definition hinreichendes Spektrum von Kriterien aufzufächern. Doch während des Definitionsprozesses bezog Ragusa dann die strikte Gegenposition zum spiritualistischen Kirchenbegriff: Kirche ist eben nicht die *congregatio praedestinatorum*, sondern „glaubende Heilsgemeinschaft auf Grund der von Gott verliehenen besonderen Gnadengaben greifbar in den Amtsträgern und Propheten dieser Gemeinschaft"[56]. Die Einheitsfunktion der ‚fides' (Kirche als Gemeinschaft im Glauben), aber auch der Sakramente und der Hierarchie wird hier im Rückgriff auf die Vätertheologie neu herausgearbeitet. Daß die Gnadenlehre das theologische Thema der Zukunft werden sollte, sei nur am Rande vermerkt.

Der große Fortschritt, den es bei Johann von Ragusa ebenso wie bei Nikolaus von Kues und Johann von Segovia gegenüber den älteren Konziliaristen zu beobachten gilt, liegt darin, daß hier über den um Definition und Kompetenz des Konzils kreisenden Blick hinaus „Systematisierungsversuche einer universellen Kirchentheorie"[57] gelungen sind. Man entwickelte dafür auch ein begriffliches Instrumentarium weiter, vor allem Differenzierungen der ‚ecclesia' in paarige Begriffsformen wie *distributive* und *collective, materialiter* und *formaliter*[58].

Ein Blick in die Forschung mag den Eindruck vermitteln, als habe die sonst alles dominierende Frage der Konzilsautorität in den Hussitendebatten eine untergeordnete Rolle gespielt. Der Anschein ist zu korrigieren – wie jetzt die Ausführungen von SIEBEN über die konziliare Unfehlbarkeit nahelegen.[59] Hatte doch schon Wiclif in seinem Generalangriff gegen das priesterliche Lehramt durchaus auch die Lehrautorität der Konzilien erschüttert.[60] So nimmt es nicht wunder,

---

[56] KRÄMER, Konsens 100. Vgl. ebd. 82, 319, 323 f.

[57] KRÄMER, Konsens 69.

[58] Zu Ragusa s. KRÄMER, Konsens 114 f. Hierzu wäre aber ebenso Segovias Beitrag zu berücksichtigen; dazu BLACK, Council 148–54. Vgl. unten 454 f.

[59] SIEBEN, Traktate 172–77. Vgl. KRÄMER, Konsens 121 f.; MAČEK, Konziliarismus 312–15 (unergiebig). – Zum Folgenden sollte man sich klar sein, daß bei den Hussiten selbst das Synodalwesen seit 1421 in Blüte stand: NOŘÍZOVÁ, Utrakvistických synod 170–79, kommt auf eine Liste von 25 Synoden zwischen 1418 und 1439. Vgl. dies., Husitských synod.

[60] Daß Wiclif dabei auch spätere Essentialia des Basler Konziliarismus wie Konsens- und Majoritätsprinzip in Frage stellte, wird weniger gesehen. S. etwa Wiclif, Sermo 45, ed. J. LOSERTH, London 1889, III 392 Z. 21–393 Z. 14, zit. SIEBEN, Traktate 154 Anm. 28: ... *ideo blasphema est regula quod si major pars talium sententiae cuicumque consenserit, tunc est vera, laudabilis aut tenenda; quod si glossetur, semper credendum est maiori parti collegii habenti maiorem partem*

daß im weiten Strahlkreis der Gnadenlehre das in Basel ja selbst nicht unumstrittene Problem der Unfehlbarkeit auch zum Gegenstand der Hussitendebatte wurde. Die Hauptargumente fielen freilich in dem bisher weniger beachteten Zweikampf zwischen Ulrich von Znaim und Heinrich Kalteisen, vor allem in dessen ‚Replica‘.[61] Dem charakteristischen Vorwurf des Hussiten, die Konzilsväter seien persönlich unwürdig und daher lehramtlich uninspiriert, entgegnete Kalteisen: Die dem Konzil Unfehlbarkeit garantierende Geist-Inspiration sei vom persönlichen Gnadenstand der einzelnen Synodalen nicht abhängig, sondern ‚äußerlich‘ an die Form ‚Konzil‘ selbst gebunden. In einem eigenständigen Ansatz, dessen Repräsentativität für den Basler Konziliarismus allerdings fraglich ist, wird hier die Gnadenlehre des Thomas von Aquin von der ‚gratia gratis data‘ auf die Institution Konzil übertragen.[62]

Erst aus diesen Zusammenhängen heraus wird ein Zug in den Reden der vier Konzilsvertreter verständlich, den die ältere Literatur als ein wenig paradox angesehen, KRÄMER umgekehrt als verdeckte Apologie des Basler Konzils gegen den Vorwurf der Radikalität besonders hervorgekehrt hat: Gegenüber der hussitischen Geistkirche verteidigten sie und viele spätere Basler Traktate nicht nur die institutionale Kirche und die Unfehlbarkeit des Lehramts, sondern begründeten auch theologisch den päpstlichen Jurisdiktionsprimat (ecclesia ‚materialiter‘ verstanden), den das Konzil doch in eigener Sache so oft zu beschneiden suchte[63]. Nicht die bloße Solidarisierung gegen Häretiker

---

rationis ... multi namque corrupti communiter sese inficiunt ex consensu. Nec est plus articulus fidei (sc. eine Konzilsentscheidung), quod non errent in concilio quam in vita.

[61] Die Kernstellen Mansi XXIX 1060B-1063B; dazu SIEBEN, Traktate 173–75. Vgl. KRÄMER, Konsens 119, bei dem das Thema ‚Unfehlbare Konzilien‘ eher noch unterbewertet war (s. ebd. 476 s.v.).

[62] Mansi XXIX 1062C. – Johann von Ragusa (RTA XV 208 Z. 8–17) betont mehr das konziliare Repräsentationsprinzip, aufgrund dessen nicht alle Konzilsväter sündig sein könnten, womit freilich das Kriterium der sittlichen Qualität grundsätzlich anerkannt ist; s. SIEBEN, Traktate 180 f.

[63] Am deutlichsten KRÄMER, Konsens 107, 111–13, 180, 187, 190–92, 203. Vgl. bereits ders., Repräsentation 228 Anm. 81. Aus der älteren Lit. siehe JACOB, Bohemians 97 f. über Ragusas „strong ultramontane and hierarchical definition of the source of authority", und „John's very orthodox dogmatism". Ulrich von Znaim warf Heinrich Kalteisen sogar ironisch seine ‚papalistischen‘ Ansichten vor, obwohl er doch Vertreter des Konzils sei (s. JACOB, Bohemians 106); de VOOGHT, Confrontation 127, 131 f. (Gilles Carlier), 261 ff. (Heinrich Kalteisen). Vgl. auch, oft übersehen: MACCARRONE, Vicarius Christi 241–48, vor allem 246 ff.; CONGAR, Jalons 68; FRANK, Huntpichler 99, sowie HALLAUER, Glaubensgespräch 56: Der Cusanus-Traktat ‚De usu communionis‘ steht „in seiner Grundtendenz

trug dazu bei, sondern – nach Krämer – die Grundsätzlichkeit des ekklesiologischen Denkens und seine zwingende Systematik.

Diese Tatsachen verdienen starke Beachtung, wenn man ein sachliches Urteil über die Basler Konzilsekklesiologie fällen will. Man mag
dennoch fragen, ob sich das Konzil nicht speziell gegenüber den Hussiten ‚papalistischer‘ geben mußte als ihm vielleicht lieb war und ob
man alle dabei vertretenen Positionen als Zeichen eines grundsätzlichen „reformerischen Konservatismus“ (Krämer)[64] und Traditionalismus reklamieren kann. Eines hat Krämer jedenfalls für die Bewertung Basels ein für allemal klar gemacht: Das Basler Konzil hatte auf
ekklesiologischem Felde eine Art Zweifrontenkrieg zu führen, es
befand sich faktisch in einer doppelten „Frontstellung gegen Spiritualisten und Papalisten“[65]. Zuletzt aber ist ein Wort zu den unübersehbaren Affinitäten zwischen dem theologischen Denken der Basler und
der Hussiten zu sagen: Obwohl die Konzilstheologen in vielen
Grundsatzfragen anderer Ansicht waren – ‚verstehen‘ konnten sie die
Hussiten ungleich besser als etwa die Griechen![66] In der ekklesiolo-
gisch-biblischen Argumentationsweise, in der universalistischen Sicht
der Kirche als Gesamtheit der Gläubigen, in zentralen Inhalten wie
der Bedeutung des Begriffs ‚corpus Christi mysticum‘, zeigen sich
mehr Parallelen als Differenzen, vielleicht auch im gemeinsamen
„Begriffsrealismus“.[67]

---

in offensichtlichem Widerspruch zur konziliaren Strömung“. Cusanus ist hier aber eher
ein Beispiel für das grundsätzliche Dilemma der Basler, gegenüber dem ekklesiologischen Generalangriff der Hussiten selbst quasi päpstlicher als der Papst sein zu müssen –
ohne die eigene, das Konzil ekklesiologisch aufwertende Grundposition zu verleugnen.
Nach seinem Wechsel auf die Seite Eugens IV. versuchte er dann, die Basler mit ihren
(und seinen) eigenen Waffen zu schlagen, indem er zur Verteidigung der päpstlichen
Stellung gerade die ‚papalen‘ Argumente der vier Konzilsredner des Jahres 1433 ausführlich zitierte; besonders extensiv in AC I 2 Nr. 572 (Dez. 1443) Z. 16–38.
[64] Krämer, Konsens 180.
[65] Krämer ebd. 177, ähnlich 318 f., 331.
[66] Das gleiche gilt interessanterweise auch für das Verhältnis der Hussiten zu den
Griechen. Die von ihnen unternommenen Unionsversuche erwiesen sich schnell als völlig
illusionär. Dazu Paulová, L'Empire byzantin et les Tchèques (1953); Cook, Peter Payne
343 f.; Negotiations 94 f.; Setton, Papacy II 45 Anm. 17 (Lit.).
[67] Vgl. die Andeutungen bei Krämer, Konsens 70 f., 87 f., 180. Auf das Problem des
‚Begriffsrealismus‘ wird unten in Kap. VII 1 c eingegangen. Die entscheidende Frage ist,
ob der philosophische Realismus überhaupt für die (wiclifitische oder konziliare) Theologie von konstitutivem Einfluß gewesen ist. Immerhin standen die Hussiten bei den
Nominalisten im Ruf, extreme Realisten zu sein. Dies wiederum brachte stellenweise die
ganze ‚via antiqua‘ an einigen Universitäten in Verruf; s. Ritter, Heidelberg 352–58. Die

So erscheinen Basler Konzil und Hussiten schließlich als Kinder desselben Zeitgeistes, feindliche Brüder im so sehr sensibilisierten Felde der Ekklesiologie.

2. Die enttäuschte Einheit: Unionsverhandlungen mit den Griechen

Das Basiliense hatte den nach zähen Verhandlungen erzielten Kompromiß mit den Hussiten als großen Erfolg an seine Fahnen heften können – und damit auch seine theologische und diplomatische Leistungs- und Integrationsfähigkeit eindrucksvoll bewiesen. Die Union mit den Griechen, eine im Prinzip nicht unähnliche Aufgabe, nämlich im Klima eines allgemeinen Wunsches nach ‚pax‘ und ‚unio‘ mit anderen Glaubensrichtungen zu verhandeln, gelang ihm bekanntlich nicht. Im Gegenteil: Die Unionsfrage brachte endgültig die Spaltung des Basler Konzils, führte zur Eröffnung des Gegenkonzils von Ferrara-Florenz und schließlich zum Schisma. Diese Zusammenhänge gehören wohl zu den bekanntesten aus der Geschichte der Basler Synode.

Einige nicht unwesentliche Unterschiede zur Hussitenproblematik lassen sich herausheben: Anders als das alte Schisma der Ostkirche bedrängte das Hussitentum viele Zeitgenossen als ein völlig neues Phänomen in fast schockartiger Unmittelbarkeit, die nach sofortiger Lösung förmlich schrie. Die einzige handlungsfähige Instanz in dieser gefährlichen Lage war das nahe Konzil, während Papst Eugen IV. grollend abseits stand. An der Union mit den ‚schismatischen‘ Griechen gedachten jedoch Konzil und Papst, dessen Herzenswunsch sie war, mitzuwirken. Damit war freilich der Keim für die typische Zweigleisigkeit und Rivalität schon gelegt.

Das Thema Griechenunion hatte für den Westen eine längere Tradition. Im letzten waren die Verhandlungen immer auf einen Handel ‚Union gegen Türkenhilfe‘ hinausgelaufen. Allerdings erschien die Lage des byzantinischen Restreichs in den dreißiger Jahren des 15. Jahrhunderts prekärer denn je.[67a] Erstmals sah auch der Westen vage die türki-

---

Kölner Universität, die der ‚via antiqua‘ anhing, verteidigte sich in einem berühmten Schreiben (1425 XII 24) unter anderem gegen den Vorwurf der Kurfürsten, ‚hussitisch‘ beeinflußt zu sein und wies jeden Kausalzusammenhang zwischen ‚via antiqua‘ und bestimmten Glaubenssätzen zurück; EHRLE, Sentenzenkommentar 282–85, vor allem 284 Art. 4; WEILER, Heinrich von Gorkum 56–83.

[67a] „Die Hand, welche der byzantinische Kaiser zur Versöhnung reichte, war eine Totenhand“; GREGOROVIUS, Geschichte der Stadt Rom VII, 67.

sche Bedrohung aufdräuen, nur schätzte man hier die Notwendigkeit gegenzusteuern ungleich weniger dringlich ein. Entscheidend blieb das Prestige der Union als solcher! Die Griechenfrage wurde quasi als Stellvertreterkrieg der inneren Spannungen des Basler Konzils einerseits, des latenten und offenen Machtkampfes zwischen Papst und Konzil andererseits ausgefochten. So mischte sich in die ohnehin vorhandenen praktischen Schwierigkeiten (Zumutbarkeit des Unionsortes für alle Beteiligten, Finanzierung von Unionskonzil und Türkenhilfe) und traditionsbelasteten theologischen Differenzen (filioque, Purgatorium, päpstlicher Primat etc.) immer auch taktisches Kalkül.

Innerhalb der Basler Konzilsmajorität verbanden sich ein auf eigene Erfahrung gegründetes, gerade einer Translation des Konzils nach Italien widerstrebendes Mißtrauen gegen Eugen IV., kirchenpolitische Interessen der starken französischen Partei (Konzil in Avignon) und ein zusehends verbohrtes und pathetisches Pochen auf die Superiorität der ‚sancta synodus‘ und ihrer Mehrheitsbeschlüsse. Das führte schließlich dazu, daß man die spezifischen Interessen und Empfindlichkeiten der Griechen verkannte und überspielte.

Die Ereignisgeschichte ist in der Forschung weitestgehend aufgearbeitet und braucht hier nicht nachgezeichnet zu werden. Häufig faßte man dabei die Aktivitäten des Basiliense unter die Präliminarien des Konzils von Ferrara-Florenz. Aus der Fülle sind neben den Arbeiten von JOSEPH GILL vor allem das Buch von AUGUST LEIDL (1966) zu nennen, jeweils zu einer Zeit entstanden, als die Ökumene mit der Ostkirche ein aktuelleres Thema der westlichen Gegenwartstheologie war, sowie jüngst, stärker aus der Perspektive der Griechen, von DENO J. GEANAKOPLOS (1982).[68]

---

[68] Die folgenden Angaben beziehen sich im wesentlichen auf die Verhandlungen des Basler Konzils, während die umfangreiche Literatur zu Ferrara-Florenz nur begrenzt zitiert wird: Bei einseitig ‚papalistischer‘ Tendenz zum Florentinum grundlegend: GILL, Council of Florence, darin zu Basel 46–84; ferner die beiden sich zum Teil deckenden Aufsatzsammlungen von GILL: Personalities; Church Union. Bibliographie zu Ferrara-Florenz: REPERTORIUM FONTIUM III 556 f. – Zu den Unionsverhandlungen am ausführlichsten: LEIDL, Einheit (1966), zu Basel 35–90, mit recht verwirrendem Aufbau; ders., Verhandlungen, vor allem 263–70. Von orthodoxer Seite s. schon 1893 (!) Bischof KALOGERAS, Verhandlungen zwischen der orthodoxen katholischen Kirche und dem Konzil von Basel (unwissenschaftlich), sowie jüngst GEANAKOPLOS, Konzile, zu Basel 246–48, nicht ganz auf dem neuesten Forschungsstand. – S. ferner: HEFELE-LECLERCQ, VII 875–87, 916–18, 924–41; zu Ferrara-Florenz ebd. 951–1051; DLO 266–69, 529–72; MOHLER, Bessarion I, 56–176, besonders 76–89; RTA XII, S. LVII–LXII; Handbuch der Kirchenge-

Auch die Griechenunion ist als ein Erbe des Konstanzer Konzils anzusehen, wo sie schon geplant worden war[69]. Während der ersten Phase ihrer Selbstbehauptung hatten die Basler die Angelegenheit Eugen IV. überlassen. Indem sich das Konzil dann im Januar 1433 – zur gleichen Zeit, in der die Hussiten eintrafen – mit einer eigenen Gesandtschaft nach Konstantinopel einschaltete, entstand jene von Intrigen verdunkelte diplomatische Zweigleisigkeit päpstlicher und konziliarer Griechendiplomatie, die sich auf dem Höhepunkt des rivalisierenden Werbungskampfes um die Griechen im Herbst 1437 in Konstantinopel bis zu Tätlichkeit und Mord steigerte. Organisation, Teilnehmer und Verlauf der ungewöhnlich aufwendigen Gesandtschaften haben schon früh das Interesse der Forschung beflügelt, ganz besonders die Konzilsflotte des Jahres 1437 unter Führung des savoyischen Ritters Nicod de Menthon.[70] Auch die für die europäi-

---

schichte III 2, 579–90 (H.G. BECK); MOELLER, Spätmittelalter 29 f.; VALOIS I 378–84, II 34–81; PÉROUSE 187–92, 209–46; SIEBERG 146–51, 198–202; STIEBER 33–44; CHRISTIANSON, Cesarini 149–80; KRÄMER, Konsens 160–64, 193–98; MARX, Filíoque 280-85; AC I. Zur Geschichte der spätma. Unionsverhandlungen allgemein: VILLER, Union des Églises, inbesondere 34 f.; BECK, Byzanz, zu Basel 146–48; CONGAR, 1274–1974, ohne Hinweis auf Basel. Die offenbar nicht mehr zugängliche Arbeit von ZHISHMAN, Unionsverhandlungen (1858) dürfte überholt sein. – Nachzutragen: SETTON, Papacy II 52–66.

[69] Zu Martin V.: GILL, Council of Florence 16–45; LEIDL, Einheit 13–34, und jüngst HEIMPEL, Vener II 808–830, unter Auswertung eines Avisaments von Job Vener. Leidl glaubt die „dogmatische Milde" (28) Gersons gegenüber den Griechen mit seiner Härte gegen Hus kontrastieren zu können. In Basel – so möchte man ergänzen – war es beinahe umgekehrt.

[70] Zu den Gesandtschaften, neben der in Kapitel II 5 sowie in Anm. 68 genannten Literatur s. zunächst eine Reihe savoyischer Lokalstudien, beginnend 1859 mit RABUT, Protestations; MUGNIER, Expédition (mit Dokumenten); Nicod de Menthon; ZLOCISTI, Gesandtschaft (1907); COHN, Konzilsflotte, mit besonderer Würdigung des Nikod de Menthon († 1487); LAZARUS 295 f.; SCHWEIZER, Lapalud 137–42; ZUMKELLER, Drei Augustinertheologen 139–44, zum Konzilsgesandten Albert de Crispis. – Liste der zwischen Konzil und Gesandten gewechselten Briefe bei GILL, Council of Florence 63 Anm. 2. Zur päpstlichen Diplomatie zu ergänzen: HOFMANN, Päpstliche Gesandtschaften 57–62; COVILLE, Pierre de Versailles 236–48; PESCE, Cristoforo Garatone 31–47, 69–77. Zur Mission *Johanns von Ragusa* und seinem über zweieinhalbjährigen Aufenthalt in Konstantinopel: KRCHŇÁK, De vita 30–40; SIEBERG 174–77, 198–202; KRÄMER, Konsens 193–98, und jüngst, ohne neue Ergebnisse, TUILIER, Mission. Zu Ragusas Handschriftenfunden siehe die folgende Anm. Zu den Portugiesen Martins de Chavez (Gesandter Eugens IV.) und Luis de Amaral (Ges. des Konzils) s. oben 249. Für den Erfolg der am 3. September 1437, einen entscheidenden Monat vor der Konzilsflotte in Konstantinopel eingetroffenen päpstlichen Gesandtschaft wurde in jüngerer Zeit der persönliche Anteil des Nikolaus von Kues besonders hervorgehoben; KRÄMER, Beitrag, vor allem 50–52; AC I 2 Nr. 312–19, 323–40, vor allem 329; vgl. MEUTHEN, Skizze 50–54. Dagegen wird seine Rolle in den Arbeiten von Gill und Leidl unterbewertet.

sche Geistesgeschichte nicht unwichtigen Handschriftenfunde Johanns von Ragusa und Nikolaus' von Kues in Konstantinopel wurden eingehend gewürdigt.[71]

Auf dem Basler Schauplatz beherrschte über Jahre hinweg die Frage nach Ort und Finanzierung des künftigen Unionskonzils die Debatten. Als Markstein hat man das Dekret ‚Sicut pia mater' der 19. Sessio vom 7. September 1434 hervorgehoben, wo die Basler den Wünschen der Griechen in der Ortsfrage weitgehend nachkamen und damit sogar eine Translation nach Italien in den Einflußbereich Eugens IV. zu riskieren bereit waren[72]. Im Lauf der folgenden zwei Jahre hat die Konzilsmajorität jedoch diese Haltung geändert und – wie ihr Nikolaus von Kues später vorwerfen sollte[73] – unter Bruch von ‚Sicut pia mater' in den berüchtigten Abstimmungen vom 5. Dezember 1436 und vom 7. Mai 1437 schließlich für Avignon gestimmt, während die Minorität für eine italienische Stadt votierte. Es bleibt eine Ermessensfrage, ob die Mitglieder der Majorität ernstlich glaubten, die Griechen würden entgegen ihren dezidierten Erklärungen nach Avignon kommen. Oder hatte man, sei es aus Mangel an Realismus, sei es aus konziliaristischer Prinzipienobstinanz, das Scheitern des Unionskonzils und damit – für den Fall, daß die Griechen Eugen IV. folgten – ein Schisma einkalkuliert?[74]

---

[71] Vgl. schon ALTANER, Handschriftensammlung des Kardinals Johannes von Ragusa; SCHMIDT, Bibliothek 161 f. Analyse einzelner byzantinischer Staatsdokumente aus dem Bestand Ragusas bei DÖLGER, Byzantinisches Staatsdokument. Grundlegend: VERNET, Manuscrits grecs. Vgl. auch MERCATI, Incunaboli; HUNT, Greek Manuscripts; KRÄMER, Konsens 196 f. Ragusas Hss. waren für längere Zeit die einzigen griechischen Originale nördlich der Alpen. Es ist darauf hinzuweisen, daß seine Handschriftensuche auf ausdrückliche Anordnung des Konzils geschah, um theologisches Material für die anstehende Auseinandersetzung mit den Griechen zu beschaffen; CB I 372, siehe oben 174, unten 379 f. Zum Erwerb griechischer Hss. durch Nikolaus von Kues in Konstantinopel: RIEDLINGER, Griechische Konzilsakten; AC I 2 Nr. 333, 344 usw.

[72] COD 478–82. Das Dekret wäre noch genauer als bisher zu studieren; s. LEIDL, Einheit 55–57.

[73] Der Vorwurf, das Scheitern des ursprünglich geplanten großen Unionskonzils verschuldet zu haben, spielt in den Reden und Schriften des Nikolaus von Kues nach 1437 eine wichtige Rolle; s. AC I 2 Nr. 469, 481, 520 Z. 70–201, 294–419 u. öfter. Es dürfte auch für seine persönliche Entscheidung gegen Basel ein wesentlicher Grund gewesen sein, wie in der Forschung mehrfach angemerkt wurde.

[74] So etwa MEUTHEN, Cesarini 148 ff. Auf die vergeblichen Versuche Cesarinis, in den folgenden Monaten noch zu vermitteln, kann hier nicht eingegangen werden. Vgl. CHRISTIANSON, Cesarini 169–80. Zur Konzilsdebatte um die Ortsfrage zuletzt WOLMUTH, Verständigung 89–104. – Zum Städtewettstreit um das Unionskonzil s. oben 164, 171 f.

Jedenfalls hatte sich das Konzil in der Unionsfrage ausmanövriert und überdies seine eigene Spaltung besiegelt. Denn schon längst war „die Unionsfrage zum Schibboleth für die päpstliche Einstellung der Konzilsteilnehmer"[75] geworden. Der Bruch in der Unionsfrage gab nun allen, denen aus verschiedensten Gründen die Gesamtrichtung des Konzils nicht mehr geschmeckt hatte, die Gelegenheit auszusteigen. In der Literatur findet sich aber ebensooft die Ansicht, daß das Versagen des Konzils in der so wichtigen Unionsfrage selbst viele ‚Frontwechsler' zu ihrer Abwendung von Basel motiviert habe. Den Zerfall des Konzils in eine Majorität und eine Minorität, die sich zur ‚sanior pars' erklärte, hat man auch als grundsätzlichen Verfassungskonflikt aufgedeckt – als Krise des Mehrheitsprinzips[76].

Es ist bekannt, daß die Union mit den Griechen nicht zuletzt ein finanzielles Problem war. Das Basler Konzil sah sich nur imstande, die im Dekret ‚Sicut pia mater' eingegangenen finanziellen Verpflichtungen zu erfüllen, indem es nach sechzehnmonatigen Verhandlungen aus eigener Autorität am 4. April 1436 einen doppelten Ablaß verkündete, wie es schon vorher einen Griechenzehnten eingefordert hatte[77]. Abgesehen davon, daß die Einnahmen mangels effektiver Exaktionsmittel geradezu lächerlich gering blieben, entfesselte das Konzil mit der Ablaßfrage einen zusätzlichen Kompetenzkonflikt mit Eugen IV. Nach kanonischem Recht stand nämlich die Macht, Ablaß zu gewähren, nur der obersten Schlüsselgewalt zu[78]. Offensichtlich beanspruchte das Konzil seinerseits nun auch die oberste Binde- und Lösegewalt. Die Ablaßproblematik bildet damit eines der Felder des großen innerkirchlichen Verfassungskonflikts, den man in der Forschung zu pauschal als ‚Superioritätsfrage' zu bezeichnen pflegt. Die Edition von Heymericus' de Campo Ablaßtraktat durch LADNER[79] sollte daher stärker in diesen weiteren Problemkreis eingebettet und durch andere zeitgenössische Stimmen ergänzt werden.

---

[75] ANDRESEN, Geschichte 178.
[76] S. oben 31ff.
[77] Zu den Finanzierungsproblemen s. ECKSTEIN, Finanzlage 13–18. Zur Ablaßfrage vgl. oben 52 f. und grundsätzlich LADNER, Ablaß-Traktat. In der Literatur herrscht bisweilen, was Chronologie und Quellenzitierung angeht, einige Verwirrung (vgl. LAZARUS 265–68; HANNA 12–14; LEIDL, Einheit 41; KRÄMER, Konsens 156; CHRISTIANSON, Cesarini 158 f.). Mehr Klarheit bei LADNER 97–102.
[78] Nach der Bulle ‚Unigenitus Dei filius' Clemens VI. von 1343 (Extravag. com. 2.5.9; Friedberg II 1304).
[79] LADNER, Ablaß-Traktat (1977).

Warum schlossen die Griechen die Union mit Eugen IV. und nicht mit dem Basler Konzil? Diese in der Tat zentrale Frage hat auch die Forschung sehr beschäftigt[80]. Man hat zunächst äußere Faktoren genannt: Die günstigere Lage einer Stadt in Italien; größere Sicherheit der Finanzierung bei Eugen IV.; politischer Druck Venedigs; aber auch das zerstrittene Bild, das die Basler Versammlung bot, einschließlich ihres Umfalls in der Ortsfrage, und nicht zuletzt die größere Konzilianz und Finesse der päpstlichen Unterhändler. Generell werden auch psychologische Barrieren beobachtet, die sich im Laufe jahrhundertelanger Entfremdung zwischen Griechen und Lateinern verfestigt hatten und den dauerhaften Erfolg einer Union von Anfang an in Frage stellten. Einen Reflex davon sieht man in gewissen ‚Taktlosigkeiten‘ der Basler, wenn sie zum Beispiel die Griechen – häufiger fast als die Hussiten – ‚Häretiker‘ nennen[81].

So gewichtig diese Punkte sind, für letztlich ausschlaggebend gehalten hat man doch durchgängig die tiefgreifenden ekklesiologischen Differenzen zwischen Griechen und Basiliense.[82] Der Kirchenbegriff der Griechen war episkopalistisch-hierarchisch. Ein Unionskonzil blieb für sie nur auf der Basis der Pentarchie, der alten fünf Patriarchate, denkbar[83]. Die Präsenz des Papstes, als Patriarch des Westens, war für die Griechen folgerichtig eine conditio sine qua non: Keine Union also ohne Papst. Angesichts der Zerstrittenheit von Konzil und Papst im Westen schien gerade diese Bedingung nicht gewährleistet zu werden, wenn man sich nur dem Konzil anvertraute[84].

---

[80] Eine Auswahl: SCHMIDT, Primacy 36 f.; GILL, Council of Florence 83 f.; LEIDL, Einheit 69–71; Verhandlungen 267; KRÄMER, Beitrag 147, 150; Konsens 197 f.; BECK, Byzanz 147; GEANAKOPLOS, Konzile 346–48.

[81] LEIDL, Einheit 55 f. mit Anm. 24. Auf die „Schwierigkeiten des west-östlichen Gesprächs" bis heute macht GEANAKOPLOS, Konzile 348–55, nachdrücklich aufmerksam. Vgl. zum sog. Proömiumsstreit SIEBERG 146–50. Palomar versuchte, deutlich zwischen Hussiten (Häretiker) und Griechen (Schismatiker) zu unterscheiden; CB I 469.

[82] Am ausführlichsten LEIDL, Einheit 67–71. Vgl. auch GEANAKOPLOS, Konzile 342–46 sowie TUILIER, Mission 145–50.

[83] Dazu SCHMIDT, Primacy 36 f.; LEIDL, Einheit 63, 70, 169 ff.; Verhandlungen 258 f., 268; Primatsverhandlungen 274. In der westlichen Kirchentheorie taucht die Pentarchielehre selten auf, etwa bei Nikolaus von Kues (Conc. cath. II 3) und am Rande bei Johann von Ragusa (Tractatus de ecclesia, ed. SANJEK, 222 ff.). Vgl. Lateranense IV c.5: ‚De dignitate patriarcharum‘ (COD 236 Z. 9–24) – entstanden freilich zu Zeiten des lateinischen Kaiserreiches!

[84] Die von Ragusa in seiner ‚Relatio‘ referierte Begründung des griechischen Patriarchen für den Entschluß, nach Ferrara zu gehen, enthält alle wichtigen Punkte: *Elegerunt* (sc. Graeci) *itaque partem, quae eis tutior visa est, et saniorem, et in iure vestro probabiliorem, rectiorem in*

Der korporative Kirchenbegriff und die Repräsentationstheorie der Basler waren den Griechen nach Ansicht jüngerer Autoren wie LEIDL und GEANAKOPLOS ebenso fremd wie die Stimmrechtspraxis des Konzils (Mehrheitsprinzip, Stimmrecht niederer Kleriker)[85]. MOHLER hatte dagegen zur Idee der Konzilssuperiorität „freudige Zustimmung" bei manchen Griechen wie etwa Syropoulos gesehen[86]. Schließlich sei auch auf die fundamentalen Unterschiede der Denk- und Argumentationsmethoden hingewiesen[87]: Den kanonistischen und scholastischen Differenzierungskünsten der westlichen Redner hatten die Griechen oft nichts entgegenzusetzen. Auf der anderen Seite gerieten die Theologen des Westens oft in große Bedrängnis, wenn es um spezielle Probleme der altkirchlich-patristischen Theologie ging, auf der die Ostkirche noch ganz und gar fußte. Einige Elemente der Basler Ekklesiologie, die KRÄMER angeführt hat („Aufwertung der Rezeption und Rückgriff auf altkirchlich-förderative Strukturen")[88], hätten der Mentalität der Griechen eigentlich entgegenkommen müssen. Doch waren sie für die Ekklesiologie des Konzils eben gar nicht so zentral wie Krämer meint. Jedenfalls schlugen sie bei den Griechen offensichtlich nicht an.

Weder das euphorische Unionspathos in Cesarinis Begrüßungsrede vom 12. Juli 1434[89], noch die interessanten Dispute um die Ökumenizität eines Konzils[90] können den Eindruck verwischen, daß

---

intentione et sine comparatione in executione, et quae ultra hoc exhibet nobis locum habilem et idoneum, condordiam papae et praesentiam illius in concilio, juxta petita et desideria nostri cordis; Mansi XXXI 269A, zitiert KRÄMER, Beitrag 50, der hier die Argumentation des päpstlichen Gesandten Nikolaus von Kues zu erkennen glaubt. Vgl. KRÄMER, Konsens 197, mit Paraphrase der dort als Mansi XXXI 268B-D zitierten Stelle. Ähnlich äußerte sich Cesarini in Basel: MC II 921 f.

[85] LEIDL, Verhandlungen 267: Es „fehlte den Orientalen jedes Verständnis für das demokratische Gebaren der Basler Majorität" –, eine Haltung, die übrigens auch Leidl selbst immer wieder durchblicken läßt. GEANAKOPLOS, Konzile 344–46, zum Mehrheitsprinzip.

[86] MOHLER, Bessarion I 78: Die Griechen seien gegenüber den konziliaren Lehren lediglich „unerfahren" gewesen. Zu sichten wäre hier das theologisch-polemische Schrifttum der Griechen, zum Beispiel der Traktat des Neilos Kabasilas († 1361) gegen den römischen Primat (Patrologia Graeca CXLIX 700B-729A) mit Gedanken zur Konzilssuperiorität – freilich aus ganz anderer Tradition.

[87] JACOB, Conciliar movement 123.

[88] KRÄMER, Konsens 196.

[89] Mansi XXIX 1235–44; dazu LEIDL, Einheit 51–54.

[90] S. LEIDL, Einheit 63–66; Verhandlungen 262 f. – Es geht um zum Teil ähnliche Probleme wie in der Präsidentendebatte des Konzils im Frühjahr 1434, nämlich um Stellen-

es dem Basiliense ganz im Gegensatz zur Debatte mit den Hussiten in der Griechenfrage an gründlichen theologischen Vorbereitungen fehlte. Da bisher noch keine systematische Sichtung der entsprechenden Traktate erfolgt ist, könnte sich dieser Eindruck modifizieren. Zunächst fällt auf, daß sich zu den zwischen Griechen und Lateinern kontroversen Themen, die aller Voraussicht nach Gegenstand des künftigen Unionskonzils geworden wären, kaum Traktate finden. Außer zwei offenbar verlorenen Schriften Segovias, der immerhin im Januar 1437 mit einer Untersuchung über die Trinität beauftragt wurde[91], und den mehr politischen Berichten Ragusas[92] stammt das bisher Registrierte von Torquemada und Escobar, die bezeichnenderweise beide zum Ferrariense überwechselten[93]. Möglicherweise unterschätzte

wert und Befugnisse päpstlicher Legaten auf einem demnächst möglicherweise in Konstantinopel stattfindenden Unionskonzil. Eben dies hatte Eugen IV. den Griechen sehr zum Mißfallen der Basler durch seinen Gesandten Garatone anbieten lassen; s. LEIDL, Einheit 40, 63 f.

[91] Die Traktate erwähnt KRÄMER, Beitrag 44 Anm. 31. Vgl. FROMHERZ 27 und 153, die neben dem von Krämer gemeinten ‚Tractatus de processione spiritus Sancti‘ auch einen weiteren nennt: ‚De profunda speculatione emanacionis divinarum personarum‘. Beide sind in Segovias Testament erwähnt; (HERNANDEZ, MONTES, Biblioteca nr. 62), ersterer mit der Ergänzung: *edictus per Johannem et publicatus in concilio*. Vgl. HERNÁNDEZ-MONTES, Obras 281 f. Nr. 17–18. Der ‚Tractatus de Procession...‘ soll angeblich gedruckt (Basel 1476) vorliegen.

[92] Seine ‚Relatio‘ vor dem Konzil 1438 I 29 (Mansi XXXI 248–72; MC III 34–50) und seine unvollendete Geschichte der Unionsverhandlungen aus dem Jahre 1435 ‚De modo quo Greci fuerant reducendi ad Ecclesiam‘; CB I 331–64.

[93] Auf die Griechen zugeschnitten sind die bei BINDER, Konzilsgedanken 45 mit Anm., und KRÄMER, Beitrag 44 Anm. 31, zitierten Schriften Torquemadas zur Primatsfrage; ein ‚Tractatus super potestate et auctoritate papali‘, als Anhang zur ‚Summa de ecclesia‘, Lyon 1496 (gemeint ist wohl der ‚Tractatus compendiosissimus septuaginta trium questionum super potestate et auctoritate papali ex sententiis sancte Thome collectarum‘) ist noch in Basel entstanden. MEUTHEN, Cesarini 161 weist darauf hin, daß Torquemada um die Mitte des Jahres 1436 den Traktat des Thomas von Aquin ‚Contra errores Grecorum ad Urbanum papam‘ verbreiten ließ; Sancti Thomae de Aquino Opera omnia XL A, Rom 1967. Die Schrift wurde allerdings schon vorher auf dem Konzil benutzt, etwa in Kalteisens Gutachten zum Favaroniprozeß; ECKERMANN, Hermeneutik 26 f. und öfter. Kalteisen benutzte die Schrift wegen ihrer vorbildhaften hermeneutischen Aussagen. Das heißt, ihre Bedeutung muß keineswegs nur in Zusammenhang mit einer Vorbereitung der Basler zum Disput mit den Griechen gesehen werden, sowie auch die Anklänge bei Cesarini (MEUTHEN, Cesarini 161 und 174 Anm. 109) direkt nichts mit den Griechen zu tun haben. Zu Cesarinis theoretischen Arbeiten in Ferrara-Florenz: HOF-MANN, Denkschrift; GILL, Council of Florence 436 s.v. ‚Cesarini‘. Die Schrift befand sich auch im Besitz von Segovia und Ragusa; STEINMANN, Ältere theologische Literatur 478. Der bei KRÄMER, Beitrag 44 Anm. 31 erwähnte Traktat des Andreas von Escobar ‚Contra quinquaginta errores Graecorum‘, ed. E. CANDAL (CF, B IV 1) ist im Dez. 1437 und bereits in Bologna geschrieben! S. dazu HOFMANN, Papato 31–37. Eine Reihe von 14 älteren

man die theologischen Schwierigkeiten; immerhin waren auch die angeblich besser gerüsteten Väter des Konzils von Ferrara-Florenz oft ratlos. Vielleicht sind so manche Aktivitäten verpufft, nachdem der Basler Unionsplan gescheitert war. Relativierend wirkt auch die Tatsache, daß Cesarini noch im Juli 1436 dazu aufforderte, Texte für die zu erwartende Griechendisputation zu sammeln und dazu sprachkundige Humanisten nach Basel einzuladen.[93a] Den gleichen Auftrag hatte 1435 schon die Basler Konzilsgesandtschaft nach Konstantinopel erhalten[94]. Die Frage ist, ob Cesarinis Aufruf in Basel auch befolgt wurde. „Intensives Bemühen um Geist und Theologie des Ostens"[95] wird zwar bei einem Johann von Ragusa spürbar, keineswegs aber bei der großen Mehrheit der Basler Konzilsväter. Das gleiche Desinteresse ist übrigens auch gegenüber der Mission des islamischen Orients zu beobachten[96]. Mit ihren ökumenischen Ideen (‚una religio in rituum varietate') standen später auch Nikolaus von Kues und Johann von Segovia weitgehend allein.

Die Basler wollten zwar die Union, ihr theologisches Interesse war aber wesentlich von den neuen ekklesiologischen Fragen bestimmt. Mit den Griechen, die weder die Phase der kanonistischen Verrechtlichung der Kirche des Westens noch die neue ‚theologisierte' konziliare Strömung miterlebt hatten, wußte man sich letztlich wenig zu sagen – viel weniger als mit den Hussiten! Es ist kaum zweifelhaft, daß nur sehr wenige Persönlichkeiten der Basler Versammlung überhaupt fähig gewesen wären, mit den Griechen zum Beispiel über das filioque zu verhandeln: Torquemada, Nikolaus von Kues vielleicht, und Johann von Ragusa, der aufgrund seiner dalmatinischen Herkunft der byzantinischen Welt ohnehin näherstand. Doch gab es, wie wir noch zeigen werden, auch ‚westliche' Themen wie die Christologie Favaronis, die nur von wenigen Spezialisten bewältigt werden konnten.

Ein entscheidendes Problem wurde noch nicht erwähnt: die Sprachbarriere. Sie machte die theologische Verständigung (Probleme

---

Griechen- und Missionstraktaten befindet sich in der aus dem Besitz Johanns von Ragusa stammenden Hs. BASEL Univ. Bibl. A VI 15. Inhaltsangabe bei STEINMANN, Ältere theologische Literatur 478 f.; SCHMIDT, Bibliothek 194 f., Nr. 71.

[93a] MC II 895; vgl. SABBADINI, Niccolò da Cusa 32; KRÄMER, Beitrag 43 f.; MEUTHEN, Cesarini 161 Anm. 63.

[94] CB I 372 (zit. oben 174). Vgl. KRÄMER, Beitrag 43 ff., gestützt auf MC II 895 f.

[95] KRÄMER, Konsens 197.

[96] S. die Sichtung von Traktaten über Islam und Orient im Besitz von Basler Theologen bei STEINMANN, Ältere theologische Literatur 477–82. Die Besitzer sind fast ausschließlich Ragusa und Segovia.

der Terminologie) noch schwieriger. Dolmetscher und Übersetzer, wie zum Beispiel der Byzanzkenner und Humanist Giovanni Aurispa, waren daher sehr geschätzt[97].

Wenden wir uns ganz kurz dem Gegenkonzil von Ferrara-Florenz zu: Nach weitverbreiteter Ansicht war hier der Anteil derjenigen größer, die – nicht zuletzt aus humanistischem Interesse – mit den Griechen umgehen konten. Doch geriet man auch dort bisweilen in Verlegenheit. Einmal mußte der Dominikanerprovinzial Johann von Montenigro in Windeseile herbeigeholt werden, da nur er in einer schwierigen Frage für kompetent galt. Das hohe Maß an Entgegenkommen und Geduld, das die Verhandlungen um das filioque und andere Themen der Griechen begleitete, wird allgemein lobend hervorgehoben; es war freilich für Eugen IV. die einzige Möglichkeit, zum Erfolg zu kommen[98]. Doch sah man auch in Ferrara-Florenz die grundsätzlichen Verschiedenheiten von Ost- und Westkirche deutlich hervortreten[99]. Die Frage, um die es der Kurie selbst am allermeisten

---

[97] Zum Beispiel geht aus dem Bericht des Dekrets ,Sicut pia mater' der 19. Sessio (1434 IX 7) hervor, daß man sich offenbar mit den Griechen über Terminologiefragen zu einigen suchte: *Et primo quid intelligant* (sc. Graeci) *per verbum „synodus universalis': responderunt quod papa et patriarchae sint in dicto synodo per se vel procuratores suos: similiter et alii praelati sint ibidem vere et repraesentative...;* COD 482 Z. 7–10. Vom niederen Klerus ist bei den Griechen selbstverständlich keine Rede. Das Ganze klingt, bezieht man die folgende Passage bis COD 482 Z. 24 mit ein, nach einem Abfragespiel; vgl. SIEBERG 147. Die Episode wirft ein Licht auf die immensen sprachlichen und zugleich theologischen Probleme bei den Griechenverhandlungen. – Nur sehr wenige Basler Konzilsväter scheinen Griechisch gekonnt zu haben. Der Lehrauftrag für den Griechen Demetrios, an der Basler Konzilsuniversität griechischen Elementarunterricht zu geben, erging erst 1437, als den Baslern die Union schon entglitten war. S. näheres oben 159. Umgekehrt ist zu fragen, wieweit die Griechen das Lateinische beherrschten. – Zum Thema ,Sprach- und Dolmetscherprobleme' Ansätze bei SIEBERG 150 f. und AC I2 Nr. 329 Anm. 13. Einige neue Beispiele: Im Konzilsprotokoll heißt es zu den Eidleistungen der Griechen am 7. Sept. 1434, die Texte seien...*expositi(s) a greco in latinum per cardinalem de Cipro;* CB III 198 Z. 33–34. Daß Hugo von Lusignan als Mitglied der cypriotischen Dynastie Griechisch konnte, ist gut vorstellbar. Umgekehrt heißt es in einem erweiterten Protokoll zum gleichen Anlaß, der Erzbischof von Tarent (Giovanni Berardi) habe den Eidtext *in ydiomate ytalico* (CB III 616 Z. 37) erläutert, der griechische Gesandte Dishypatos habe daraufhin die Texte *aliis duobos collegis suis in greco retulit et exposuit* (617 Z. 9–10) – er scheint also Italienisch gekonnt zu haben. Zur Übersetzertätigkeit des *Giovanni Aurispa,* der selbst einige Jahre in Byzanz verbracht hatte, s. CB I 335; III 152 Z. 6 f.; CECCONI, Studi LXXX. Aurispa übersetzte auch Cesarinis Begrüßungsrede (1434 VII 12); s. dazu WYSS, Ein Ineditum Graecum Aurispas, mit lat.-griech. Text (16–37). Vgl. SABBADINI, Niccolò da Cusa 32, sowie oben 170 f.

[98] Zugespitzt formuliert bei BECK, Byzanz und der Westen 147: „Die Synode war der Preis, den das Papsttum für die Überwindung des Konziliarismus zahlte: der Preis für die Überwindung des westlichen Konziliarismus, bezahlt an den östlichen."

[99] S. zum Beispiel LEIDL, Einheit 145–54.

ging, hatte man den Griechen wohlweislich erst zuletzt, im Juni
1439, präsentiert, als sie nach erfolgreichen Verhandlungen schon an
Heimfahrt dachten: Eine Entscheidung in der Primatsfrage. Die Forschung hat diesem Thema besonders breiten Raum gegeben[100]. Der
Lage des Basiliense in der Hussitenfrage nicht unähnlich, befand sich
auch Eugen IV. in einer Art Zweifrontensituation zwischen der
griechischen Pentarchielehre, der die Fortdauer des petrinischen Primats im Bischof von Rom fremd war, einerseits und dem Konziliarismus des Basler Konzils andererseits[101]. Die vornehmlich christologische Begründung des päpstlichen Primats durch die Redner der
Kurie entsprach gewissermaßen der christologischen Verankerung
der Konzilssuperiorität durch die Basler. Die Unionsbulle ‚Laetentur
coeli‘ vom 6. Juli 1439[102] enthielt die Antwort auf die Basler ‚Tres Veritates‘ – in Passagen über die Stellung des Papstes in der Kirche, deren
Sprengkraft für die Diskussion im Westen den Griechen kaum
bewußt gewesen sein dürfte. Auch das Ferrariense dekretierte also
breit dogmatische Fragen (Trinität, Sakramente, Purgatorium), aber
mehr in zusammenfassender als innovativer Weise.[102a]

Es war nur natürlich, daß Eugen IV. seine prestigereichen Erfolge in
der Union propagandistisch gegen das Basler Konzil auszuspielen
suchte. Die Forschung hat 310 Abschriften der Unionsbulle in ganz
Europa ermittelt[103]. Für die monarchische Offensive der Eugenianer
lieferte die glücklich geschlossene Union neue Munition gegen Basel:

---

[100] Allgemein GILL, Council of Florence 180–304; MÖSL, Das theologische Problem des
Konzils von Ferrara-Florenz-Rom (1974). Zum ‚filioque‘ s. FOIS, Valla 351–82. – Speziell
zur Primatsfrage entstand in kurzem Abstand eine lange Serie von Arbeiten, etwa: HOF-
MANN, Papato 38–73; MACCARRONE, Vicarius Christi 250–55; BOULARAND, Primauté du
pape; SCHMIDT, Primacy; GILL, Definition of Primacy; zuletzt LEIDL, Primatsverhandlungen (1976).

[101] So etwa SCHMIDT, Primacy 43, und LEIDL, Primatsverhandlungen 278 ff. Es ist freilich
zu berücksichtigen, daß die Basler wie schon vor den Hussiten auch vor den Griechen den
päpstlichen Primat verteidigten, s. etwa LEIDL, Einheit 55–57, 67 f. Auffallend deutlich
drückten das die Konzilsgesandten Johannes Bachenstein und Mathieu Ménage im Juli
1435 vor Eugen IV. selbst aus; Mansi XXIX 454–59.

[102] COD 523–528. Die entscheidenden Passagen zum Primat: 528 Z. 15–30.

[102a] Die Unionsdekrete mit Armeniern und Kopten (COD 534–59, 567–83) gleichen
Katechismen. Vgl. zu den beiden Basler Dogmen unten 383–94, 471–75.

[103] ACI 2 Nr. 520 Anm. 163; GILL, Council of Florence 298 Anm. 1; Liste der Empfänger: CF A I2, S. XV; zu deutschen Empfängern: RTA XIV 305 f. nr. 171; STIEBER 169. – Ein
frühes Beispiel für die propagandistische Auswertung des Unionskonzils in einem Brief
Eugens IV. an die Stadt Konstanz von 1438; ed. HEYCK, Schreiben Eugens IV.

Die Basler hätten die Union verhindert, ‚unio' sei aber just der Prüfstein des wahren Konzils[104]. Das Basler Konzil versuchte seinerseits wie schon zuvor das Ferrariense zu desavouieren[105]. Die Griechenfrage hatte man bereits mit den Beschlüssen der 32. Sessio vom 24. März 1438 „offiziell ad acta gelegt"[106].

3. Mariologie: Das Dogma der Unbefleckten Empfängnis

Als das Basler Konzil im Dekret ‚Elucidantibus' der 36. Sessio vom 17. Sept. 1439[107] die ‚Immaculata Conceptio B.V. Mariae' zum Glaubenssatz erhob und die Feier des entsprechenden Festes am 8. Dezember verbindlich machte, war für die Basler wohl kaum abzusehen, daß es, von der Rezeption her gesehen, ihr wirkungsvollstes Dekret werden sollte. Innerhalb der reichen mariologischen Literatur[108]

---

[104] Als Beispiel AC I2 Nr. 448 Z. 21–41.

[105] Einzelheiten bei LEIDL, Einheit 47–49, 71–76. Unter anderem machten die Basler Eugen IV. jetzt den gleichen Vorwurf, den dieser ihnen selbst wegen der Hussitenverhandlungen gemacht hatte: Verhandeln mit verurteilten Ketzern sei illegitim; LEIDL, Verhandlungen 270. – Den Griechen aber rechneten ehemalige Konzilsanhänger wie Vinzenz von Aggsbach später sogar die Eroberung Konstantinopels durch die Türken als Strafe dafür an, daß sie sich mit Eugen IV. und nicht mit dem Basler Konzil uniert hätten! S. STIEBER 339 mit Anm. 17. Viel häufiger ist im Westen die Ansicht zu finden, die Eroberung von 1453 sei Strafe für die Sabotage der Union von Florenz in der byzantinischen Kirche gewesen.

[106] MC III 74–100; dazu LEIDL, Einheit 72–74, Zitat 74.

[107] Text: MC III 364 f.; Mansi XXIX 182D–183 D. Ergänzend das liturgisch-exegetische Dekret ‚Inter assiduas' der 43. Sessio vom 1. Juli 1441; MC III 959–961: Feier des Festes ‚Visitatio' (Mariä Heimsuchung) am 2. Juli wird verbindlich gemacht. Die entsprechenden beiden Meß-Offizien gestalteten Segovia (1439) und Courcelles (1443); MC III 365–381 und 1307–1316. Den Geschäftsgang der Ausschüsse zum Visitatio-Fest verfolgt LAZARUS 198 Anm. 1. – Vgl. BECKMANN, CB VI, S. L VII f., und HERRE, CB VII, S. XXXVIII–XXXX.

[108] Bester Überblick bei O'CONNOR (Hg.), Dogma of the Immaculated Conception (1958), dort 532–621 die wohl vollständigste Bibliographie; sowie BINDER, Nikolaus von Dinkelsbühl 60–150. Ferner die unter dem Titel ‚Virgo Immaculata' erscheinenden, von der Pontificia Academia Mariana Internationalis herausgegebenen ‚Acta congressus internationalis Mariologici-Mariani', insbesondere: Acta congressus . . . Romae anno MCMLIV celebrati, I-XVIII, Rom 1955-58, sowie Acta congressus . . . Romae anno MCMLXXV celebrati, V: De cultu Mariano saeculis XII–XV, Rom 1981. – HEFELE-LECLERCQ VII 2, 1071 widmen der „épisode" ganze 5 Zeilen. Ferner SÖLL, Mariologie (= Handbuch der Dogmengeschichte III 4), darin Lit. 1 f., 146–48, zu Basel 181–83; Lexikon der Marienkunde I, Regensburg 1967, Art. ‚Basler Konzil' 615 f. (O. STEGMÜLLER), sowie LE BACHELET, Art. ‚Immaculée conception', in: DThC VII, 845–1218, zu Basel: 1108–1115; LThK² X, 467–70. Zum Fest ‚Mariae Empfängnis' am 8. Dezember: KELLNER, Heortologie 181–99.

hat man das Ereignis durchaus berücksichtigt. Doch bildet der Pulk dieser Studien geradezu ein Musterbeispiel isoliert gebliebener Detailforschung zum Basler Konzil. Als einzige größere Arbeit zum Thema
bleibt die Studie von HYACINTH AMERI OFM (1954)[109] grundlegend,
die von der allgemeineren Basel-Forschung ebensowenig zur Kenntnis genommen wurde. Allerdings führt die katholische Mariologie
nun einmal eine etwas hermetische Existenz, und ihre Thematik war,
anders als in den fünfziger Jahren, in der nachvatikanischen Theologie
nicht gerade aktuell.

Wir müssen uns hier besonders weit auf genuin theologisches
Gebiet vorwagen. Die Fragen des Historikers zielen dabei freilich
weniger auf die subtilen Arkana des Dogmeninhalts als auf die
Umstände und Hintergründe der Dogmatisierung. Drei Aspekte
seien kurz beleuchtet: die Zeitströmung, die ‚Dogmenentwicklung‘
im Spätmittelalter und das lehramtliche und politische Interesse des
Basiliense selbst.

Ganz unzweifelhaft traf das Konzil mit dem Immaculata-Dogma
eine breite Zeitströmung, und zwar ausnahmsweise nicht nur in der
schmalen Schicht der intellektuellen Theologen, sondern, in einer
Epoche wachsender Marienfrömmigkeit[110], auch ‚im Volk‘. Natürlich
spielt für das religiöse Leben der Bevölkerung die liturgische Seite,
nämlich das schon im 14. Jh. verbreitete Fest ‚Mariae Empfängnis‘, die
spürbarere Rolle. Denn die eigentlich theologischen Probleme, die
um die ‚Immaculata‘ kreisen, sind bekanntlich von ganz außerordent-
licher Abstraktheit, was keineswegs verhinderte, daß sie seit dem 12.
Jahrhundert für die Theologen sehr fruchtbar waren und zu leiden-
schaftlicher Auseinandersetzung reizten. Die zahllosen Traktate, der

---

[109] H. AMERI, Doctrina theologorum de Immaculata B.V. Mariae Conceptione tempore
concilii Basiliensis, darin zur Ereignisgeschichte und den wichtigsten Personen 1–29,
214–22; vgl. AMERI, De debito peccati originalis apud theologos Concilii Basiliensis. Ferner: ALDÁSY, Máriaünnepek Kérdése a baseli zsinaton (1930). Von der Diss. BINNEBE-
SELS, Stellung des Theologen des Dominikanerordens (1934),scheint der bis zum Basiliense reichende 2. Teil nicht gedruckt worden zu sein. S. ferner SEBASTIAN, Controversy
over the Immaculate Conception, zu Basel 228–35 (schwach); MEO, Maria Immaculata nei
Concili, zu Basel 68–70. So gut wie unbekannt ist der ohne Verf.angabe in: Der Katholik
83,2 (1903) 518–21 erschienene Beitrag: Die Immaculata-Bulle der Väter des Baseler
Konzils 1439; mit kurzem Hinweis auf Traktat-Hss. und Drucke der Basler Bulle.

[110] Als lokales Beispiel SURY VON ROTEN, Marienverehrung am Oberrhein zur Zeit des
Basler Konzils. Hingewiesen sei auch auf den gerade aus der ‚Immaculata‘-Lehre notwendig sich ergebenden Annenkult und auf die Verbreitung des Rosenkranzes in der
2. Hälfte des 15. Jahrhunderts.

zur Zeit des Basler Konzils seit zweihundert Jahren schwelende
dogmendialektische Streit zwischen ‚Makulisten‘, repräsentiert durch
die Dominikaner, und ‚Immakulisten‘, angeführt von den Franziskanern, legen davon deutlich Zeugnis ab, wobei auf die auffällige
Zurückhaltung des Papsttums in dieser Frage besonders hinzuweisen
ist. Das Basiliense bot für diese Kontroversen endlich ein offenes uni-
versalkirchliches Diskussionsforum, nachdem das Konstanzer Konzil
sich kaum darum hatte kümmern können. Für die Offenheit der
Diskussion war es ausgesprochen förderlich, daß das Thema von der
vergiftenden Superioritätsfrage unbelastet war. Inhaltlich sollte das
Konzilsdekret gar nicht mehr viel Neues bringen, seitdem Duns
Scotus OFM († 1308) die Theorie der ‚Im-Maculata‘ nahezu definitiv
entfaltet hatte und sie danach – längst vor 1439 und erst recht vor 1854
– in weiten Kreisen zur sententia communissima geworden war. Vor
allem einige Universitäten wie Paris und Salamanca hatten sich zu
einem Hort dieser Lehre profiliert. In Basel ging, wie es scheint, vor
allem von zwei Seiten energischer Druck in Richtung auf ein Dogma
aus: Von den Monarchen Spaniens, wo die Verehrung der ‚Immaculata‘ schon Tradition hatte[111], und, was nahelag, vom Franziskaneror-
den[112]. Die Mehrheit der Konzilsmitglieder dürfte ohnehin eher den
‚Immakulisten‘ zugeneigt haben.

Die Dogmatisierung der Immaculata muß allein schon als Faktum
bemerkenswert erscheinen. Denn seit den Konzilien der Spätantike
hatten weder die mittelalterlichen Generalkonzilien vom I. Lateranum
bis zum Viennense, noch das Papsttum, ungeachtet seiner gewaltigen
Produktivität im kanonischen Recht, förmlich neue Dogmen verkündet, sieht man von marginalen Ausnahmen ab[113]. Im Gegenteil – für

[111] Auf dieses Thema ist hier nicht näher einzugehen. Ältere Literatur bei O'CONNOR
(Hg.), Dogma. Vgl. zur Initiative der aragonesischen Krone DE RUBI, La escuela
franciscana de Barcelona; zu Basel und der aragonesischen Gesandtschaft: 396–400;
MASOLIVIER, El Papa i la inmaculada concepció en la lletra d'un monjo de Poblet al concili
di Basilea. Eine neue aragonesische Gesandtschaft brach am 24. Juli 1437 unter Leitung
des Bischofs von Valencia, Alfonso de Borja, des späteren Papstes Calixt III., nach
Basel auf. Wohl im Juni 1439 schrieb der Gesandte Bernhardus Serra seinem Abt im
Zisterzienser-Kloster Poblet: Er sei beauftragt, *fundamenta et omnia motiva utriusque opinionis
videre et coligere et illa in Generali Congregacione refferre*; zit. MASOLIVIER, ebd. 218. Vgl. jetzt
GOÑI GAZTAMBIDE, in: Historia de la Iglesia en España III 1, 92. Das starke Interesse Aragóns trat auch schon auf dem Konstanzer Konzil zutage, man denke an die diesbezüglichen Briefe Alfons' V. an König Sigmund und die Predigten des Juan Palomar (s. unten
Anm. 392 Anm. 144) im Auftrag Alfons' V. vor Kg. Sigmund im Jahre 1425.
[112] Statt zahlreicher älterer Literatur nur: MÜCKSHOFF, Mariologische Prädestination,
zu Basel 450–58.
[113] Im Symbolum des Lateranense IV (1215), c.1 ‚Firmiter‘ (COD 230–231 Z.5), wird das
Dogma der Transsubstantiation der Eucharistie eingefügt. Auf dem Lugdunense II (1274)

die ‚Dogmenentwicklung' im engeren Sinne ist das gesamte Mittelalter relativ unfruchtbar gewesen, ein Tatbestand, der oft zu wenig beachtet wird. Um so erstaunlicher die dogmatischen Aktivitäten des Basler Konzils! Gleich zweimal im selben Jahr, 1439, verkündete man ein Dogma: Die ‚Tres veritates' vom 16. Mai als Credo des Basler Konziliarismus und eben das Dogma der ‚Immaculata Conceptio'[114]. Für eine Erklärung sind in erster Linie allgemein ein neues Klima theologischen Fragens sowie situativ das Selbstverständnis und das politische Interesse des Basler Konzils selbst zu berücksichtigen. Die seit dem 14. Jahrhundert unter scotistischem Einfluß zunehmend gestellte Frage nach der Autorität bzw. dem Primat der Hl. Schrift führte unweigerlich zur nächsten Frage, was eigentlich eine ‚Glaubenswahrheit' sei und mit welchen Mitteln sie als solche begründet sein müsse. In den Basler Debatten ging es dann konsequent auch um die Frage nach der Definibilität der Immaculata als Glaubenswahrheit. In diesem Bereich, weniger im theologischen Inhalt des Dogmas, scheint mir der eigentlich innovatorische Wert der Diskussionen zu liegen. Hielt man also das Thema in Basel gleichsam für dogmatisierungsreif?

Die Frage nach dem konziliaren Interesse wird aber ebenso des engen Bezugs von Mariologie und Ekklesiologie gewahr werden müssen: Ist nicht Maria schon in der Vätertheologie Typus und Inbegriff der Kirche, die Virgo Immaculata Realsymbol der Ecclesia Immaculata?[114a] Als Spiegelbild der Kirche versteht sich jedoch auch das Universalkonzil. Öffnen sich hier Verbindungswege von der Immaculatalehre ins Zentrum der Basler Repräsentationstheologie? Neues Studium der mariologischen Traktate ist gefordert.

– immerhin einem Unionskonzil – c. II 1 (COD 314 Z. 9–21) taucht ein Kanon zur Trinität auf. – In diesem Zusammenhang müßte man auch Johannes' XXII. später verurteilte Lehren zur ‚visio beatifica' rücken. Als eine Art ‚Dogmatisierung in negativum' könnte man allerdings die offiziellen Verurteilungen von Irrlehren werten, z.B. der Thesen des Petrus Johannis Olivi auf dem Viennense (1311), decr. c.1 (COD 360 f.), über die Trinität und die Form der Seele etc. In die gleiche Linie gehört natürlich die Verurteilung von Lehren Wiclifs, Hussens und Hieronymus' von Prag auf dem Constantiense (COD 421–431, 433 Z. 17–434). – Vgl. dazu LANG, Bedeutungswandel der Begriffe ‚fides' und ‚haeresis'. Leider übergeht Lang mit dem 15. Jh. die meines Erachtens entscheidende Brückenzeit.

[114] Insofern irrt ALBERIGO, Chiesa 319, wenn er im Zusammenhang mit Nikolaus von Kues vom „convincimento diffuso alla fine del medioevo che la chiesa non avesse bisogno di modifiche o di sviluppi dottrinali" spricht.

[114a] Dazu besonders RIEDLINGER, Die Makellosigkeit der Kirche... in den Hoheliedkommentaren (1958), v.a. 387–90, ebd. XX-XXVII Literatur.

Zum ekklesiologisch-politischen Faktor: Wenn die Entscheidungskompetenz über Glaubenswahrheiten zentral zum Selbstverständnis des Generalkonzils gehörte, mußte folgerichtig auch die verbindliche Festlegung solcher Wahrheiten zu seinen Aufgaben zählen. Hinzu kommt, daß das Verkünden von Dogmen selbstverständlich auch der Profilierung des Konzils nach außen und der Selbstbestätigung nach innen eminent förderlich sein mußte. Gerade in der Situation des Jahres 1439, nach der Spaltung der Synode, nach Suspension und Absetzung (1439 VI 25) Eugens IV. und nach dessen kurz darauf geglücktem Erfolg in der Griechenunion (1439 VII 6) schien eine derartige Stärkung nötiger denn je zu sein. Hatte das Dogma der ‚Tres veritates' noch wesentlich der juristischen und dogmatischen Absicherung der Papstabsetzung dienen müssen, sollte die Erhebung der Unbefleckten Empfängnis zum Dogma, so dürfen wir annehmen, ganz wesentlich auch als demonstrativer Akt der souveränen, als Glaubensinstanz vom Hl. Geist inspirierten und daher unfehlbaren ‚sancta synodus' verstanden werden.

Die langwierige, fast übersorgfältige Vorbereitung des Dekrets zeigt andererseits, daß es sich da nicht um einen kurzfristig inszenierten Akt konziliarer Kraftmeierei handelte; sie ist vielmehr geradezu ein Musterbeispiel dafür, wie gründlich und durch antiquarische Studien zusätzlich fundiert das Konzil seine theologischen Themen in der Regel vorzubereiten pflegte. Verfolgen wir kurz die Genesis des Dogmas nach AMERI[115]: Gleich nach der Eröffnung der offiziellen Konzilsarbeit zum Thema durch einen Sermo des Jean de Rouvroy am Fest der Immaculata (1435 XII 8) hatte Aleman angeordnet, systematisch sämtliche Schriften für und gegen die Immaculata in allen Bibliotheken zu sammeln[116]. Dies geschah über Jahre hinweg, wobei die Schriften Anselms von Canterbury und des Duns Scotus, aber auch solche des Ramon Llull im Zentrum gestanden zu haben scheinen. Am 23. März 1436 ernannte die Generalkongregation[117] vier offizielle Gutachter für eine öffentliche Disputation: Als Verteidiger der Immaculata die beiden Franzosen Jean de Rouvroy, Kathedralkano-

---

[115] AMERI 1–29 ist im wesentlichen ausreichend.
[116] So sagt Segovia in seinen ‚Septem Allegationes', ed. ALVA Y ASTORGA 1: *Primum et scrutatis omnibus bibliothecis Christianitatis, ad concilium adferrent omnia acta et scripta reperta pro vel contra.* Vgl. den Text des Dekrets: *diligenter inspectis auctoritatibus et racionibus, que iam a pluribus annis in publicis relacionibus ex partibus utriusque doctrine coram hac sancta synodo allegate sunt*; MC III 364 Z. 30–32.
[117] MC II 846; CB IV 91 Z. 18–24 ohne Nennung der Namen.

niker aus Bourges[118], und Jean Porcher, General der aquitanischen Franziskanerprovinz[119] – unter Assistenz des wieder einmal seine Vielseitigkeit beweisenden Thomas de Courcelles[120]. Ihnen traten natürlicherweise zwei Dominikaner gegenüber: Den Spanier Johannes Torquemada[121] und den Italiener Johannes von Montenigro, Ordensprovinzial der Lombardei[122]. Als Porcher das Konzil verließ, trat an seine Stelle Johann von Segovia, der, einmal mehr theologischer Widerpart zu Torquemada, bald zum führenden Fachmann der Immakulisten aufstieg[123]. Bis auf den weniger bekannten Jean Porcher und bis auf Courcelles hat die mariologische Forschung den genannten Personen ihr Interesse zugewandt. Nach einer durch die Spaltungswirren bedingten Unterbrechung nahm man am 30. Mai 1438 die ‚Causa

---

[118] Zu *Jean de Rouvroy* (1373–1461): EMMEN, Ioannes de Romiroy sollicitator causae Immaculatae Conceptionis in concilio Basiliensi; SANTONI, Jean de Rouvroy 21, 31–37; KALUZA, Nouvelles remarques (s. unten Anm. 145). Offensichtlich ist der Name Rouvroy in den verschiedensten Varianten überliefert, z.B. ‚de Romeyo' (AMERI 9), oder ‚Roceti', ‚Roreti', ‚Rocheti' (AMERI 7). Eine einheitliche Schreibweise sollte sich durchsetzen!

[119] Zu *Pierre Porcher*: AMERI 10 f. mit älterer Lit.

[120] Zu den mariologischen Aktivitäten des Thomas de Courcelles ist die Literaturlage ebenso schlecht wie zu seiner Person überhaupt.

[121] Zu *Torquemada*: AMERI 20–27; BINDER, Juan Torquemada und die feierliche Verkündigung der Lehre von der Unbefleckten Empfängnis auf dem Konzil von Basel; ders., Wesen 19 f. - Torquemadas Hauptwerk in der Sache, der ‚Tractatus de veritate conceptionis Beatissimae Virginis pro facienda relatione coram Patribus Concilii Basiliensis anno Domini MCCCCXXXVII mense iulio…', Rom 1547 [neue Ed. von E. BOUVERIE PUSEY, London-Oxford 1869 (ND 1966)], kam in Basel gar nicht mehr zum Tragen, weil Torquemada im Jan. 1438 nach Ferrara ging – mit seinem Traktat. Weitere Lit. in Anm. 123.

[122] Zu *Johann von Montenigro*: AMERI 11–15 mit älterer Lit.; MEERSSEMAN (Ed.), Giovanni di Montenero 161 f. (Text einer ‚Relatio' ans Konzil).

[123] Zu *Segovia*: AMERI 15–20, 30–213 passim; FROMHERZ 26 f., 152–55; MÜCKSHOFF, Mariologische Prädestination 450–58; BLACK, Council 120 mit Anm. 17 (Hinweis auf vier neue Hss.). EMMEN, „Mutter der schönen Liebe", schreibt den (ebd. 86–99 edierten und übersetzten) Baseler Konzils-Sermo Johann von Segovia zu. Dessen Hauptwerk zum Thema: ‚Septem allegationes et totidem avisamenta pro informatione Patrum Concilii Basiliensis anno Domini MCCCCXXXVI circa sacratissimae Virginis Mariae immaculatam conceptionem…', Ed. P. de ALVA Y ASTORGA, Bruxellis 1665 (ND Brüssel 1965). S. auch die Segovia-Hss. HERNANDEZ MONTES, Biblioteca nr. 38 und 42 (dazu ebd. 187-89, 196). – Laut freundl. Hinweis von E. Meuthen bereitet D.J. Urban (Mainz) eine Diss. über Segovias Lehre zur Immaculata Conceptio vor. Segovia und Torquemada werden offensichtlich auch in der mariologischen Literatur antipodisch gegenübergestellt: ALCÁNTARA, La redención y el débito de María, según Juan de Segovia y Juan de Torquemada; PALMA, Maria y la Iglesia según Juan de Segovia y Juan de Torquemada. – Wie weit die Originalität von Segovias mariologischem Werk geht, das nach ALCÁNTARA 4 „muchas ideas nuevas" enthält, kann hier nicht Gegenstand der Untersuchung sein.

Immaculatae Conceptionis' wieder auf, um sie schließlich bis zur Dogmatisierung zu führen.[124]

Der Text des Dekrets, der im übrigen lakonisch knapp ist und umstrittene Begriffe meidet, erweist, daß die skotistische Tradition, die von Segovia erweitert und in eine universale Schöpfungs- und Gnadenlehre eingebettet wurde, voll zum Durchbruch kam. Ein einmaliger Gnadenakt Gottes (*gracia singularis*) habe jene *praeservatio* (Duns Scotus) bewirkt, die Maria als einzigen Menschen vom allerersten Anbeginn ihrer Existenz an nicht der Erbschuld (*peccatum originale*) unterliegen ließ. Nicht nur inhaltlich, sondern wesentlich auch methodisch ruht das Dogma auf scotistischen Grundlagen: Gott denkt vernünftig, in Ziel-Mittel-Relationen. Da sein oberstes Ziel seine Verherrlichung in Christus um ihrer selbst willen ist, muß auch das ‚Mittel', die menschliche Mutter Gottes, Maria, etwas völlig Inkommensurables sein, das in ewiger Prädestination nicht der gefallenen Welt Adams, sondern a priori der hypostatischen Welt angehören muß. Wenn man so will, wird hier eine rationale petitio principii ausgesprochen. Eben in einem derartigen ‚theologischen Syllogismus', in der ‚Konklusionsmethode', sieht die Forschung wesentliche Neuerungen der Theologie seit dem 14. Jahrhundert[125]. Die Konklusion wird vor allem dann nötig, wenn die Verankerung eines Satzes in der Hl. Schrift problematisch ist. Gerade im Fall der Immaculata Conceptio brachten aber die Makulisten als entscheidende Kritik vor, daß sie nicht biblisch zu begründen sei[126]. Die theologische Konklusion schafft daher sozusagen eine Brücke von den in der Bibel geoffenbarten Prämissen zum Dogma des kirchlichen Lehramts, das damit eine „virtuell geoffenbarte Glaubenswahrheit"[127] darstellt. Auf dem Basler Konzil wurde ernsthaft um das fundamentale Problem des Ver-

---

[124] MC III 362 f. mit Rückblick; AMERI 215 f. – Bei Hüglin (CB VI) ist der betreffende Tag nicht protokolliert.

[125] Die ‚ratio' als eine der entscheidenden Argumentationsgrundlagen ganz deutlich bei Segovia, ‚Septem Allegationes',... Allegatio 4, ed ALVA Y ASTORGA 111: *Praedictus modus ponendi sanctificationem beatissimae Virginis per gratiam praevenientem est multo rationabilior.* Vgl. dazu SÖLL, Mariologie 182 f. Zur Konklusionsmethode LANG, Conclusio theologica. Vgl. auch SÖLL, Dogma und Dogmenentwicklung 128–34; LThK 6, 453 f.

[126] Johann von Monzon O.P. hatte zum Beispiel schon gefordert, die Immaculata Conceptio müsse, um Dogma zu sein, ausdrücklich als Satz in der Hl. Schrift stehen. Dies führte 1389 zum Ausschluß der Dominikaner von der Universität Paris! Zur Diskussion um die Schriftverankerung s. AMERI 108–25.

[127] SÖLL, Dogma und Dogmenentwicklung 111.

hältnisses von Hl. Schrift (Schriftprimat), kirchlichem Lehramt und
theologischer Wissenschaft gerungen; die Auseinandersetzung von
Segovia und Torquemada um die ‚Definibilität' der Immaculata
Conceptio bildet darin einen Kulminationspunkt[128] . Leider wird
gerade sie von SCHÜSSLER (1977) in seinem so wichtigen Buch nicht
erwähnt, das im übrigen die lange unterschätzte Bedeutung des 15.
Jahrhunderts, insbesondere der Basler Theoretiker, für die Theologie
des Schriftprimats und die Geschichte der Dogmenentwicklung eindrucksvoll hervorhebt[129] . Allem Anschein nach war die Frage, welches
die Kriterien eines ‚Dogmas' seien, in Basel noch sehr im Flusse[130] ,
doch finden sich nach Vorstufen bei Ockham und Gerson jetzt etwa
bei Torquemada und Tudeschi Versuche einer Definition und Klassi-
fizierung von ‚articulis fidei'.

Im Immaculata-Dekret des Basler Konzils spricht allein schon die
sorgsame Detailliertheit der Aufzählung dafür, wie deutlich man die
Schwierigkeit sah, hinreichende Kriterien zu gewinnen. Man hält die
Lehre der Immaculata Conceptio für *pia(m) et consona(m)* 1) *cultui ecclesiastico,* 2) *fidei catholicae,* 3) *rectae racioni* (!), 4) *sacrae scripturae*[131] , was
frei paraphrasiert hieße: (1) der bestehenden liturgischen Praxis der
Kirche (mos utentium), 2) dem bereits in der Kirche gepflegten Glauben, – dies die beiden Kriterien mit Konsenscharakter[132] –, 3) der von
der theologischen Wissenschaft gesicherten Vernünftigkeit an sich,
sowie deren Harmonisierung mit 4) der Hl. Schrift, der hier ein ‚Primat' allenfalls insofern eingeräumt wird, als das Gewicht der vier
Kriterien offenbar in der Reihenfolge zunimmt. Ein eigener Begriff

---

[128] Grundlegend AMERI 185–213 mit dem Kapitel ‚De Immaculata B.M.V. conceptione
in quantum est veritas definibilis'. SÖLL, Dogma und Dogmenentwicklung 128–34, über-
sieht das Problem der Definibilität völlig. Vgl. aber SCHÜSSLER, Primat 194–226; 218 f.
über Torquemada. Gegen LANG, Bedeutungswandel 139–41, der die Verengung eines
weiten, noetischen ‚fides'-Begriffes der „spätmittelalterlichen" Scholastik zu einem
theologisch-dogmatisch gefaßten Sinn zur Zeit des Tridentinums verfolgt, ist, sekun-
diert von Schüssler, einzuwenden, daß dieser dogmatische Ansatz bereits im 15. Jh. und
eben besonders deutlich in den Auseinandersetzungen auf dem Basiliense manifest wird.
Auf theologische Spezialliteratur kann nur allgemein verwiesen werden. Zur allgemeinen Orientierung s. die einschlägigen Artikel in: LThK 3, 438-70, bes. 457-63
(K. RAHNER).

[129] SCHÜSSLER, Primat. – Näheres s. unten 419 f., 423-25, 466-75.

[130] Auch begrifflich herrscht noch Vielfalt: *fides, veritas catholica, articulus fidei, dogma, diffi-
nitio* etc. S. auch LANG, Bedeutungswandel 141.

[131] MC III 364 Z.36 – 365 Z.1

[132] Segovia äußert sich in seinen ‚Septem Allegationes' ausführlich über die Bedeutung
des Konsenses in eben diesem Zusammenhang; Allegatio 1, ed. ALVA Y ASTORGA 21 ff.

für ‚Glaubenswahrheit' taucht hier, anders als in den‚Tres veritates',
nicht auf, ebensowenig die Verketzerung der Opponenten, sondern
es heißt hier lediglich: *ab omnibus catholicis approbandam ..., tenendam et am-
plectendam diffinimus et declaramus, nullique de cetero licitum esse in contrarium
predicari seu docere*[133]. Der zweite Teil des Dekrets, in dem die Feier des
Festes Mariae Empfängnis am 8. Dezember vorgeschrieben wird
(statuimus et ordinamus), trägt stärker pastoral-seelsorgerischen Charakter. Möglicherweise haben hier lokale Traditionen an den Herkunfts-
orten einzelner Konzilsväter mitgewirkt. Eine tiefgründigere Analyse
ist den Theologen aufgegeben, unter denen übrigens der dogmatische
Charakter des Dekrets umstritten ist[134].

Die große Aktualität der Immaculata Conceptio in der Epoche der
Reformkonzilien enthüllt sich in frappierender Deutlichkeit, wenn
man bemerkt, wieviele der besten Köpfe ihrer Zeit sich mit diesem
Thema intensiv auseindersetzten. Die Anzahl der Traktate spricht für
sich. Zu keiner Zeit außer in der Mitte des 19. und des 20. Jahrhunderts
dürfte so viel über die Immaculata geschrieben worden sein, wobei die
Trennungslinien natürlich quer durch die Fraktion der ‚Papalisten'
und ‚Konziliaristen' liefen. Außer den schon oben Genannten seien
hier erwähnt[135]: Heinrich von Langenstein[136]; Johannes Gerson[137] und
Nikolaus von Dinkelsbühl[138] als wichtige Mitglieder des Constantiense; aber auch der uns bald begegnende Agostino Favaroni[139];

---

[133] MC III 365 Z.1-3. Zum Problem der dispositiven Verben s. unten 462 f.

[134] SÖLL, Mariologie 182 und 189, interpretiert das Dekret dahingehend, daß es „keine
kategorische Definition der Glaubenslehre" dargestellt habe, „sondern nur eine indirekte, indem es diese aus vier Motiven (Kult, Glaubensbewußtsein, Vernunft, Schrift)
als damit in frommer Übereinstimmung befindlich auswies". Die Mehrheit der Autoren
spricht dem Dekret in traditionellerer Sicht den dogmatischen Wert deshalb ab, weil das
Konzil 1439 nicht mehr legitim und das Dekret nicht vom Papst approbiert gewesen sei.
Als Beispiel AMERI 222 f.; MÜCKSHOFF, Mariologische Prädestination 457, und zahlreiche andere.

[135] Die Angaben in den folgenden Fußnoten wollen lediglich einige Beispiele geben.
Eine Liste der Traktathandschriften wäre auch zu diesem Sujet ein Desiderat. Ich verweise nur als Beispiel auf die von WIDMAN, Mitteilungen aus Wiesbadener Handschriften,
in: NA 9 (1884) 225–234, ebd. 233 f. genannte Hs. Nr. 11 (15. Jh.), die neben Predigten
des Nikolaus von Kues eine Reihe von Sermones von Georg v. Ornos, Bf. von Vich
(1438), Heinrich Nakel von Deyst, Thomas Livingston (1435) enthält. S. auch G. ZEDLER,
Die Handschriften der Nassauischen Landesbibliothek zu Wiesbaden, Leipzig 1931,
26. S. auch VIDAL, Sermons 500 (Nr. 33).

[136] BINDER, Nikolaus von Dinkelsbühl 117–32 mit älterer Literatur.

[137] COMBES, La doctrine mariale du chancelier Jean Gerson.

[138] BINDER, Nikolaus von Dinkelsbühl; MADRE 215–29.

[139] ZUMKELLER, Ein „Sermo magistralis" des Augustinus von Rom.

Raphael von Pornaxio OP.; Bernardino von Siena OFM, vielleicht der einflußreichste Mariologe der Epoche[140]; Heinrich Himmel[141]; Heinrich von Werl OFM und Nikolaus Lakman OFM[142], Johannes Hagen O. Carth.[143]; die Spanier Juan Palomar[144] und Juan Carvajal sowie der französische Konzilsvater Gilles Carlier[145]. Der Konstanzer Bischof Otto von Hachberg verfaßte im Jahre 1445 einen Traktat ‚De conceptione beatae virginis‘ für die immakulistische Richtung, den Segovia in Basel lobend begutachtete, wogegen sein Verfasser, der seit 1437 auf seiten Eugens IV. stand und Traktate gegen Basel verfaßt hatte, wegen Mißachtung des Konzils von Aleman getadelt wurde[146]. Nikolaus von Kues, obwohl sehr frommer Marienverehrer, wie seine 27 erhaltenen mariologischen Sermones ausweisen, übte dagegen speziell zum Thema der Immaculata Conceptio eine wohl „bewußte Zurückhaltung" (Haubst)[147].

---

[140] Dazu, aus einer Fülle entlegener Literatur die Beiträge von G. ABATE und M. BERTAGNA, in: Virgo Immaculata VI 2, Rom 1957, 4–13 und 14–21. – Über Pornaxio s. unten 448.

[141] AMERI 29; BINDER, Nikolaus von Dinkelsbühl 145 f; ROSSMANN, Sprenger 388 A. 95 (Lit.)

[142] Henricus de Werla OFM, Tractatus de Immaculata Conceptione B.M.V., ed. S. CLASEN (= Opera omnia I), New York-Louvain 1955. – Zu den Erfurter Minoriten, die, wie Nikolaus Lakman oder Johannes Bremer, die Immaculata befürworteten und das Basler Dogma begrüßten, s. MEIER, Barfüsserschule 102 f., 115, mit Nennung verschiedener Traktate.

[143] KLAPPER, Johannes Hagen I 48–53, II 176 f. s.v. ‚Maria, Marienfeste‘.

[144] AMERI 27 f. Vgl. FITA Y COLOMAR, Tres discursos históricos. Es handelt sich um die drei Sermones, die Palomar 1425 im Auftrag Alfons V. vor König Sigmund hielt.

[145] KALUZA, Nouvelles remarques, zur Immaculata 149–54; PARIS Bibl. Nat. lat. 9581 wohl nicht von Carlier, sondern von Jean de Rouvroy (s. oben Anm. 118). Vgl. DOUCET, Magister Aegidius Carlerii de Immaculata Conceptione.

[146] Dazu WERMINGHOFF, Otto III. von Konstanz 27–33, und die theologische Diss. (1966) von JANSON, Otto von Hachberg, insbesondere 73 f. mit Anm. 291–298; Textedition: 153–234; vgl. TÜCHLE, Stadt des Konzils 61-66 (über Hachberg).

[147] Dazu jetzt eingehend HAUBST, Nikolaus von Kues in der Geschichte der Marienverehrung. Unter den 27 erhaltenen mariologischen Sermones handeln nur zwei (Nr. 158 und 252) von der Immaculata, dagegen beispielsweise acht von der Assumptio; vgl. HAUBST 291 ff. Erstere wurden in den Jahren 1454 und 1456 gehalten, also 15 Jahre nach Verkündung des Basler Dogmas! Ob hier eine Spätwirkung der Konzils-Mariologie vorliegt, oder ob der neugeknüpfte Kontakt zum späten Segovia eine Rolle gespielt hat, bleibt eine offene Frage. – Interessanterweise liefern die Marienpredigten Thomas Ebendorfers ein ähnliches Bild: acht zur Assumptio, nur eine zur Conceptio sind bekannt; LHOTSKY, Thomas Ebendorfer 78–81 (Liste der Predigten). Das Zurücktreten des Immaculata-Themas zeigt sich auch in den Marienpredigten des Nikolaus von Dinkelsbühl; MADRE, Nikolaus von Dinkelsbühl 215–29, 311 f.

Die Reihe der Personen leitet über zur Rezeptionsgeschichte. Wie eingangs gesagt, ist wohl kaum ein Dekret des Basler Konzils breiter und unbefangener von Theologen, Fürsten und Gläubigen begrüßt und rezipiert worden[148]. Dies geschah, obwohl die Synode im Jahr 1439 laut späterer offizieller Sicht als schismatisch galt und obwohl das Immaculata-Dekret allein schon zeitlich nicht mehr in die für die Rezeption so wichtigen Multiplikatoren der ‚Pragmatique' und der Mainzer Akzeptation gelangen konnte. Dafür taten die Basler Konzilsväter alles, um vielseitige Verbreitung zu gewährleisten. Segovia berichtet, daß viele Teilnehmer sofort Abschriften des Dekrets gemacht und sie *ad ecclesias, monasteria aliaque pia loca, aut personas singulares* geschickt hätten. Die stärkste positive Resonanz habe das Konzil aus Aragón, Frankreich (Lyon) und Deutschland bekommen[149]. Aus diesen Ländern stammten allerdings die in Basel verbliebenen Konzilsmitglieder fast ausschließlich.

Die Forschung hat die Wirkung des Basler Dogmas und des nachfolgenden Liturgiedekrets an vielen Stellen beobachtet und dabei Einzelpersonen wie etwa Gabriel Biel[150] und Dionys den Kartäuser, aber auch Provinzialsynoden (Avignon 1457), weltliche Regierungen (Aragón, Navarra) und Universitäten (Paris, Köln, Mainz, Wien) genannt, wo die ‚Immaculata Conceptio' jeweils als verbindlicher Glaubenssatz bestätigt wurde[151]. Im Jahre 1483 empfahl sogar Papst Sixtus IV. das Fest. Unzweifelhaft erlebte das Thema eine größere Breitenwirkung als vor der Zeit des Basler Konzils. Da das Dogma keine Erfindung der Basler war, konnte man freilich seinen Inhalt vertreten, ohne sich

---

[148] Zur Wirkung und Rezeption des Immaculata-Dekrets s. etwa AMERI 222–243; SEBASTIAN, Controversy 234–70; SÖLL, Mariologie 183–215 (Überblick bis 1854); SURY VON ROTEN, Marienverehrung 176 ff.

[149] MC III 365 Z.16–24, Zitat Z.20 f. – Eine lokale Überlieferung des vom Konzil aus versandten Dekrets berichtet für Cambrai: THELLIEZ, Une bulle du Concile de Bâle. Ähnliche Überlieferungen dürften sich in zahlreichen Archiven finden, z. B. auch in Basel selbst: BLOESCH, Das Anniversarbuch des Basler Domstifts (Textband), 496; vgl. HIERONIMUS, Hochstift Basel 242 f.

[150] Zur Mariologie Gabriel Biels s. OBERMAN, Herbst 262–299, vor allem 272–77.

[151] Überblick bei LE BACHELET, Art. ‚L'Immaculée Conception' 1116. Zur Haltung der Päpste vgl. SERICOLI, Immaculata B.M. Virginis Conceptio iuxta Xysti IV constitutiones. – Für Luther war das Immaculata-Dogma, das die makulistische Gegenposition ja keineswegs ausdrücklich verdammte, Beispiel für die Relativität und Irrtumsfähigkeit von Konzilsentscheidungen. S. KÖHLER, Luther und die Kirchengeschichte 115–18; TECKLENBURG-JOHN, Luthers Konzilsidee 156 f; vgl. oben 351 f.

immer ausdrücklich auf Basel berufen und damit mit dem Stigma des schismatischen Konzils behaften zu müssen.

Erst 415 Jahre nach der Publikation auf dem Basler Konzil erhob bekanntlich Pius IX. in der Bulle ‚Ineffabilis Deus‘ vom 8. Dezember 1854 die Immaculata Conceptio, jetzt kraft päpstlicher Autorität, erneut zum Dogma – und zwar fast mit den gleichen Worten[152]. Die Dogmatisierung durch das Basiliense war zwar nicht ganz in Vergessenheit geraten. Doch hatte dessen negatives Image allemal ausgereicht, eine lehramtliche Neudefinition so lange zu verzögern. Theologisch war Basel der Zeit in gewissem Sinne vorausgeeilt: Denn die Problematik der ‚Immaculata‘ blieb auch in der Folgezeit kontrovers.

4. ‚Ein Kampf um Augustin‘: Die Verurteilung des Agostino Favaroni

Am 15. Oktober 1435 verurteilte das Konzil von Basel aus dem Werk des Agostino Favaroni (1360-1443), eines in Ehren ergrauten ehemaligen Ordensgenerals der Augustinerermeiten[153], sieben Thesen, die dieser einige Jahrzehnte früher[154] niedergeschrieben hatte, als Irrlehren. Obwohl das Faktum lange bekannt war, hat die Forschung, allen voran WILLIGIS ECKERMANN O.S.A.[155], doch erst seit kurzer Zeit

---

[152] DENZINGER [23] Nr. 2800–2804. Geplant war eine Entscheidung schon auf dem V. Lateranum.

[153] Zur Biographie Favaronis vor allem CIOLINI, Agostino di Roma (leider nicht gesehen, da das Buch, obwohl häufig zitiert, im Leihverkehr nicht zu bekommen ist); LThK² I, 1102 f. (A. Zumkeller); ZUMKELLER, Augustinerschule 167 f. Anm. 1 (Literatur), 237–40; GUTIÉRREZ, Geschichte des Augustinerordens 26–28, 140 ff., 274 s.v.

[154] Das genaue Datum des Apokalypsentraktats scheint umstritten: Während ECKERMANN, Opera 5 f., für ein frühes Datum um 1394 eintritt, plädiert BINDER, Wesen 13 f., für eine Entstehung „etwa 1405 bis 1407“. Da ECKERMANN, Opera, 7 f., 32, bereits vor 1405 erste kritische Reaktionen auf das Werk festgestellt hat, liegt das frühe Datum näher. – Völlig abwegig MACCARRONE, Dante e i teologi 27, und ihm folgend VALLONE, Favarone de’ Favaroni 500, die offenbar aus dem Datum der Verurteilung auf das Entstehungsdatum „1435“ geschlossen haben.

[155] Für den Basler Prozeß jetzt grundlegend: Opera inedita historiam XXII sessionis concilii Basiliensis respicientia ... quae edenda curavit WILLIGIS ECKERMANN (1978), s. die Einleitung 3–27, darin 20–27 zur handschriftlichen Überlieferung (künftig: ECKERMANN, Opera). Ferner BINDER, Wesen 12–17; vgl. auch ZUMKELLER, Augustinerermeiten 42, 48–52. – Text des Verurteilungsdekrets: COD 492–94. Bei dem inkriminierten Werk handelt es sich um drei Einzeltraktate aus dem Sammeltraktat ‚In Apocalypsim S. Ioannis‘ sowie die Verteidigungsschriften Favaronis, die alle im Verurteilungsdekret genannt sind; COD 493 Z. 8–12. Davon ediert und in Basel wie in der Forschung besonders beach-

damit begonnen, Verlauf, Textgrundlage und, in ersten Ansätzen, theologische Dimension des Favaroniprozesses zu erschließen. Eine Gesamtwertung im Horizont der Basler Ekklesiologie steht noch aus[156], doch seien einige vorläufige Überlegungen gestattet.

Die große Zeitverzögerung zwischen Entstehen und Verurteilung des Werks ist an sich nicht ungewöhnlich; man denke an die posthumen Konzilsverdikte über die Lehren Olivis (1311) und Wiklifs (1415). Im Gegensatz zu den Werken dieser beiden hatte Favaronis inkriminierter Apokalypsenkommentar in den langen Jahren, bevor der Prozeß eröffnet wurde, kein sonderliches Aufsehen erregt[157]. Aber um das Jahr 1430 verdächtigt man den siebzigjährigen, allseits geschätzten Augustinergeneral plötzlich der Häresie, und zwar – was mir entscheidend zu sein scheint –, der ‚hussitischen' Häresie. Man wird wieder einmal gewahr, daß eine geistig aufgeregte Zeit sich ihre Gegner förmlich sucht, selbst wenn sie diese eigens aus der Versenkung holen müßte. Zweifellos hatten die Lehren von Wiclif und Hus die zeitgenössischen Theologen ungeheuer beunruhigt. Und nur diese Erregung und Sensibilität, die schließlich überall Hussitismus witterte, ließ auf einmal Favaronis halbvergessene Schriften aktuell werden – was wohl niemanden mehr überrascht haben dürfte als ihn selbst. So ist es wohl auch kein Zufall, daß das schleppend behandelte kanonische Verfahren gerade zu dem Zeitpunkt (August 1433) von der Kurie vor das Konzil gebracht wurde[158], als dieses seine große Hussitendebatte noch nicht lange hinter sich hatte. Schließlich trug Favaroni mittlerweile das Stigma des ‚Hussitischen', so daß seine ei-

---

tet: ,De sacramento unitatis Christi et ecclesiae sive de Christo integro', ed. A. PIOLANTI, Città del Vaticano 1971. Vgl. auch Piolantis parallel an anderem Ort erschienene Edition: Il ‚De sacramento unitatis' 310–69. Dazu kommen die bei ECKERMANN, Opera 31–83, erstmals edierten Verteidigungsschriften Favaronis aus den Jahren 1430/31; dazu ECKERMANN, ebd. 9–12.

[156] Leider wird der Favaroniprozeß in der zur Zeit wichtigsten Arbeit zur Basler Ekklesiologie nur am Rande erwähnt: KRÄMER, Konsens 229 Anm. 53, 312 Anm. 49, 391 Anm. 10. Einen gewissen Ersatz bietet, allerdings ganz im Lichte der Ekklesiologie Torquemadas: BINDER, Wesen 213 s.v. ,Favaroni', besonders 131–196.

[157] Über eine frühe Ausnahme, vor 1405, berichtet ECKERMANN, Opera 7 f. Nach seiner Ansicht fanden die Werke Favaronis in der Folgezeit „Zustimmung" (8). Im Grunde ist jedoch über die Rezeption bis 1430 nur wenig bekannt; s. ebd. (Ed.) 32 Z.29–47.

[158] Die Einzelheiten der Translation sind offenbar nicht ganz klar. Segovia (MC II 358) sagt nichts über mögliche Initiatoren, doch ist wahrscheinlich Kardinal Cervantes die verbindende Figur. Er hatte schon in Rom den Prozeß gegen Favaroni geleitet (ECKERMANN, Opera 9, 11) und war bei der Prozeßeröffnung seit einem Jahr der einzige iudex der

genartige christologische Ekklesiologie als Verhandlungsstoff just die
Dimension traf, in die sich viele Basler Theologen gerade mit heißem
Bemühen hineindisputiert hatten. Dennoch – der Fall Favaroni ist zu
keiner Zeit ein Sensationsprozeß gewesen, weder an der Kurie noch in
Basel. So wäre es eine Illusion, zu denken, sämtliche Konzilsväter hätten brennendes Interesse, geschweige denn hohe Kompetenz in dogmatischen Fragen gehabt. Segovia sagt uns anläßlich des Favaroniprozesses eher das Gegenteil: Die ‚deputatio fidei‘ litt unter Themenmangel und das Amt des Glaubensrichters war wegen der hohen
Anforderungen offenbar wenig beliebt[159]. Sowohl in Einzelfragen wie
dem Favaroniprozeß als auch allgemein in der Entfaltung des ‚Basler
Konziliarismus‘ war es primär eine kleine Elite fähiger Spezialisten,
die die Arbeit leistete – und überhaupt leisten konnte! Für diese Leute,
oder wenigstens einige von ihnen, war der Favaroniprozeß ein neuer
Wetzstein, an dem man die eigenen Gedanken schärfen und fortent-
wickeln konnte[160].

Die vielgestaltige Theologie des Agostino Favaroni ist seit dem 15.
Jahrhundert außerhalb seines Ordens weitgehend vergessen worden,
seine Schriften blieben dementsprechend ungedruckt[161]. Möglicherweise haben wir darin auch eine Folge der Verurteilung von 1435 zu
sehen, zumal die Frage nicht zwischen Basel und der Kurie kontrovers
gewesen zu sein scheint. So hat Eckermann darauf hingewiesen, daß
der Konzilsentscheid in späteren Häretikerverzeichnissen rezipiert
worden ist[162].

Erst seit Beginn des 20. Jahrhunderts hat man die Theologie Favaronis[163] wiederentdeckt, und zwar zunächst im aktuellen Zusam-

---

Glaubensdeputation des Konzils. Ob hier ein persönliches Interesse von Cervantes an
der Favaronifrage vorliegt oder nur behördliche Kontinuität, vermag ich nicht zu sagen.
Gab es eventuell auch deshalb ein so schleppendes Verfahren, weil man Favaroni an der
Kurie schonen und allgemeines Aufsehen vermeiden wollte?

[159] MC III 358. Vgl. oben 25 f.

[160] Das hoben bereits BINDER, Wesen 16 f., und nach ihm ZUMKELLER, Augustinereremiten 52, hervor.

[161] Einige Spuren im späteren 15. und im 16. Jh. dennoch nachgewiesen bei ECKERMANN,
Opera 19.

[162] Dazu ECKERMANN, Opera 19 Anm. 69. Auch Favaronis Appellation bei Eugen IV.
scheint, wie allgemein angenommen wird, ohne Erfolg gewesen zu sein; ECKERMANN
18 f.

[163] Zur Theologie Favaronis neben CIOLINI, Agostino di Roma; FRIEMEL, Prinzipienlehre des Augustinus Favaroni; TONER (wie Anm. 165); DÍAZ, De peccati originalis
essentia 217 s.v. passim; DÍAZ, Tratado inédito sobre la santidad de la iglesia. Zur Ekklesio-

menhang konfessioneller Kontroverstheologie: Katholische Theologen wie ALFONS VICTOR MÜLLER (1914) belasteten ihn als direkten
Vorläufer der Gnaden- und Rechtfertigungslehre seines Ordensbru-
ders Luther[164]. Obwohl diese These sich in ihrer Zuspitzung bald als
unhaltbar erwies[165], steht sie doch am Anfang einer breiten Welle der
Aufwertung des spätmittelalterlichen Augustinismus überhaupt, zu
dem eben auch Favaroni gehört. Die schwierigen Fragen nach der
Stellung des ‚Augustinismus‘ – falls er überhaupt genau definierbar ist
– in der Spätscholastik, seine Bedeutung für Theologie (insbesondere
Gnaden- und Rechtfertigungslehre) und politische Theorie, haben in
jüngster Zeit neue Impulse erhalten. Sie laufen im wesentlichen doch
wieder auf eine Kontinuität von ‚mittelalterlicher‘ und ‚neuzeitlicher‘
Theologie hinaus, personifiziert in einer Linie von Augustinertheologen wie Gregor von Rimini († 1358), Hugolin von Orvieto († 1373)
über Favaroni bis hin zu Johann von Staupitz – und eben Martin
Luther, der man eine Linie von „semipelagianism“ (Oberman) von
Ockham bis Gabriel Biel glaubte gegenüberstellen zu müssen[166].

---

logie wichtig ECKERMANN, Augustinus Favaroni und Johannes Wyclif; SCHÜSSLER, Primat
74 f., 266 Anm. 29; Hinweis auch bei HENDRIX, In quest of Vera Ecclesia 368 f. – Es ist in
dem Zusammenhang nicht uninteressant, daß Favaroni in seinen ekklesiologischen
Schriften a u c h einem extremen, für diese Zeit freilich untypischen ‚Papalismus‘ hul-
digt: Der Papst kommuniziert quasi gottähnlich mit der hypostatischen Union. Dazu
speziell VALLONE, Favarone de’ Favaroni; PISPISA, Il „De principatu papae“ di Agostino
Favaroni. Der Traktat gehört ebenfalls zum Apokalypsenkommentar, wurde aber vom
Konzil nicht verurteilt! Vgl. ferner MACCARRONE, Vicarius Christi 265 f.; LECLERCQ,
Royauté du Christ 208–11. Zählt Favaroni also zu den Vorläufern der neuen monarchi-
schen Theorie des 15. Jh.? – Ergänzend: GUTIÉRREZ, Biblioteca di Sant’ Agostino di
Roma; ZUMKELLER, Ein „Sermo magistralis“ des Augustinus von Rom; sowie die Lit. in
Anm. 164–66.

[164] So äußerte sich MÜLLER speziell in seinem Aufsatz: Agostino Favaroni... et la
teologia die Lutero (1914). Die Ansicht wurde bei katholischen Theologen zunächst
akzeptiert, z. B. bei STAKEMEIER, Ein Kampf um Augustin 33–48, insbesondere 34, 37 ff.,
und JEDIN: Girolamo Seripando II, 257 ff. – Zur Diskussion um Müller: ZUMKELLER,
Erbsünde 465-70; ebd. 385-87 und 603 s. v. über Favaroni.

[165] Das ist auch das Ergebnis der gründlichen Untersuchungen von TONER, Doctrine of
Original Sin, und die Fortsetzung: Doctrine of Justification; zusammen auch als Monographie, Löwen 1956. Auf die zahlreichen Arbeiten zur Rechtfertigungslehre in der
augustinischen Theologie sei hier nur pauschal verwiesen; s. dafür McGRATH, Augustinism.

[166] Hierzu sind die Arbeiten von H. A. OBERMAN zu nennen, z. B. Headwaters of the
Reformation 68–77, zu Favaroni: 72–74. Vgl. unten Anm. 167. Kritisch dagegen D.C.
STEINMETZ, Luther and the Late Medieval Augustinians, in: Concordia Theological
Monthly 44 (1973) 245–50. Vgl. aus jüngerer Zeit OBERMAN (Hg.), Gregor von Rimini.
Zum Problem einer Definition des „Augustinismus“ und sein Verhältnis zum Nomina-

Doch macht die sich häufig überschneidende Vielfalt der Theologien
es zusehends schwierig, den ‚Augustinismus' oder den ‚Nominalismus' sinnvoll zu definieren oder abzugrenzen. Der geistesgeschicht-
liche Ort Favaronis ist damit jedenfalls noch unklar bestimmt. Der
vielzitierte ‚Augustinus-réveil' des 14.-16. Jahrhunderts[167] mit seinen
mannigfachen Ausstrahlungen kann als Symptom jener allgemeinen
Theologisierung angesehen werden, die sowohl die Lehren von Wiclif
und Hus als auch die reife konziliare Ekklesiologie prägte. Während
die zentrale Bedeutung Augustins für Wiclif und Hus von der Forschung längst herausgearbeitet worden ist, steht über seine Rolle in
der konziliaren Ekklesiologie ein Urteil noch aus.

Wenn also Bibel und Kirchenväter, allen voran Augustinus, verstärkt die theologische Argumentationsgrundlage bilden, kommt es
notgedrungen zu Kontroversen um deren Exegese. Die Forschung
hat sich beispielsweise die Frage gestellt, ob Favaroni ein ‚Hussita ante
Hus' gewesen sei, und sie vor dem Hintergrund des Gesagten so beantwortet, daß zwar aller Wahrscheinlichkeit nach Favaroni nicht Wiclif,
und Hus nicht Favaroni selbst rezipiert habe, daß aber die erstaunlichen Parallelen in der Prädestinationslehre durch eine voneinander
unabhängige Exegese der gleichen augustinischen Gedanken entstanden seien[168]. Auch die Diskussion der deputatio fidei über die
Schriften Favaronis hat man zurecht als "Ringen um eine genuine
Augustinauslegung" (Eckermann) charakterisiert. Favaronis Schriften jedenfalls sind mit Augustinuszitaten förmlich gespickt[169]. Wie gut

---

lismus, das hier nicht weiter zu erörtern ist, vgl. den instruktiven Forschungsbericht von
McGRATH, „Augustinism"? A Critical Assessment, zu Favaroni 264 f. Der Artikel von G.
LEFF, Augustinismus im Mittelalter, in: TRE 4, 699–717, vernachlässigt entschieden das
Spätmittelalter; den Namen Favaroni sucht man zum Beispiel vergebens. Jetzt umfas-
send ZUMKELLER, Erbsünde (1984), 1–12 kritisch zur Forschungslage. Es verwundert
nicht, daß der Augustinerorden prosopographisch und theologisch der zur Zeit für das
Spätmittelalter am besten erforschte Orden ist. Bibliographien in: Augustiniana 26
(1976) 39–340, 29 (1978) 448–516, 31 (1981) 5–159, und bei GINDELE, Bibliographie des
Augustiner-Eremitenordens (1977); GUTIÉRREZ, Geschichte des Augustinerordens.

[167] So zum Beispiel bei OZMENT, Age of Reform 17 ff. Vgl. auch hier wieder OBERMAN,
Werden und Wertung 82–140, der die Augustinusrenaissance der zweiten Hälfte des 15.
Jahrhunderts betont und am Beispiel der Universität Tübingen demonstriert; dort auch
weitere Literatur. Wenn man von ‚Augustinus-réveil' spricht, wäre allerdings zu fragen,
ob es einen damit offenbar unterstellten vorgängigen ‚Augustinus-déclin' überhaupt
gegeben hat.

[168] ECKERMANN, Favaroni und Johannes Wyclif 325–347 und passim.

[169] Ja, er erklärt in seinen Verteidigungsschriften, wenn er verurteilt werde, dann auch
der Hl. Augustinus selbst; ‚Contra quosdam errores haereticorum' ed. ECKERMANN,

kannten sich aber die Basler Konzilsväter im Augustinus aus? Wie intensiv wurde speziell sein Werk an den theologischen Fakultäten studiert? Man wird die Frage vielleicht neu beleuchten müssen, nachdem etwa Eckermann den Baslern, einschließlich der anwesenden Augustiner, nur recht dürftige Kenntnisse attestieren wollte[170].

Weder über die persönliche Rolle Favaronis, der seit September 1433 auf dem Konzil weilte[171], noch über den Verlauf des Verfahrens

---

Opera 32. Z.26–28: *Unde nec videre possum, quod illa dicta mea abici possint, quin abiciantur et doctrina et dicta beati Augustini, quae ibi posita sunt.*) Favaroni selbst war nach ECKERMANN, Favaroni und Johannes Wiclif 334, ein „echter Augustinuskenner", der seine Gedanken „rechtmäßig von Augustinus herleitet" (338). FRIEMEL, Prinzipienlehre 191 ff., sah in Favaroni noch einen „Einzelgänger" voller „Eigenwilligkeit" und „Unausgeglichenheit", der „glaubt, Augustin zu folgen und... doch letztlich seinen eigenen Ideen folgt" (193), gestützt auf STAKEMEIER, Kampf um Augustin 34. Zahlreiche Augustinuszitate bei Favaroni selbst: ECKERMANN, Opera 199, s. v. ‚Augustinus'; vgl. FRIEMEL 103 ff. zur Augustinusinterpretation in der Auseinandersetzung des Konzils mit den Hussiten. Vgl. KRÄMER, Konsens 461 s.v. ‚Augustinus'. Reiches Material am Beispiel Torquemadas: BINDER, Wesen 212 s.v. ‚Augustinus'. Die Septuagintapredigt des Nicolinus von Cremona strotzt ebenfalls von Augustinuszitaten; s. ZUMKELLER, Nikolinus von Cremona 50–70 passim. – Auch für den ‚Monarchisten' Roselli ist Augustinus die Autorität par excellence: *Et maxime beatissimo Augustino credendum, cuius dicta usque ad unum iota nos amplecti oportet nec licet contra illa resilire*; ed. GOLDAST, Monarchia I 536 Z.15 f., zit. K. ECKERMANN, Studien 64. Die Beispiele ließen sich fast endlos fortsetzen. Die kaum zu überschätzende Bedeutung Augustins im Konziliarismus verdiente, wie gesagt, eine eigene Untersuchung. Ein kleiner Ansatz bei BAVAUD, Un thème augustinien repris par le conciliarisme.

[170] Die vom Bericht der deputatio fidei am 10. Juni 1435 (CB III 415 Z.18–416 Z.12) offenbar überforderte Generalkongregation verlangte auf Vorschlag Giovannis de Montenigro O.P. immerhin, daß man selbst noch Einsicht in die Werke Augustins, unter anderem in die ‚Enarrationes in psalmos' nehmen müsse – doch es gab zu wenige Texte in Basel: *et quia pauci libri reperiuntur et non omnes simul possent videre unum librum insimul* (Z.35 f.); dazu ECKERMANN, Opera 13 f. Entweder war der „Büchermarkt" (Lehmann) Basel nicht groß genug, zumal wenn man unterstellte, jedes einzelne Mitglied habe ein Exemplar für sich beansprucht – oder gehörte Augustinus dort zu den nicht so weit verbreiteten Autoren? Immerhin erscheint er unter den von Lehmann zusammengestellten Handschriften, davon zweimal ‚De civitate dei'; LEHMANN, Büchermärkte 274, 276, 278. Interessanter ist die Mitteilung, daß das Konzil selbst am 26. Nov. 1434 von der Abtei Cluny zwei Bände mit Werken Augustins (ebd. 270) erhielt. Wurden sie für den Favaroni-Prozeß gebraucht? – In der Bibliothek des Basler Dominikanerklosters befanden sich 6 Kodizes, die Augustinschriften enthielten, davon nur eine Sammelhs. (SCHMIDT, Bibliothek 215 f., Nr. 223) mit zentralen theologischen Traktaten. Gegenüber der Masse von Gerson-Hss. und immerhin drei Hss. von Ockham (ebd. Nr. 64, 73, 281) ist das verschwindend wenig. Ob Augustin im Dominikanerorden allgemein weniger gelesen wurde, vermag ich nicht zu sagen.

[171] Vgl. MC IV 285 s.v. ‚Roma, Augustinus de'; ZUMKELLER, Augustinereremiten 42, 50 f. Leider keine Hinweise bei ECKERMANN, Opera.

in der deputatio fidei sind wir mangels erhaltener Protokolle genauer unterrichtet[172]. So bleibt man im wesentlichen auf das große Gutachten Torquemadas vom Juli 1435[173] und auf die Traktate Heinrich Kalteisens[174] angewiesen, der selbst Mitglied der Glaubensdeputation war und bekanntlich schon mit den Hussiten in vorderster Front disputiert hatte. Torquemada trat erst auf den Plan, als die Generalkongregation vom 10. Juni 1435 mit den theologischen Schwierigkeiten des Deputationsberichts anscheinend unzufrieden war – oder nicht zurechtkam? – und eine neue Untersuchung verlangte[175]. Wie öfter in den Jahren 1433-1437 ist er es gewesen, den das Konzil dank seiner hervorragenden theologischen Kenntnisse in speziellen, besonders schwierigen Fragen mit einem Gutachten betraut hat, und dies ohne daß er sich je als ‚Konziliarist' empfohlen hätte.

Der Favaroniprozeß bewies wieder einmal, wie sehr die apologetische Auseinandersetzung mit einem theologischen Gegner das eigene Denken vorantrieb. Die Forschung sieht gerade in den Fava-

---

[172] Zu den profilierten Mitgliedern der Deputation gehörten in der Zeit des Prozesse: Kardinal Cervantes, Heinrich Kalteisen, Jean Germain, Louis Aleman, Pierre de Versailles, Nikolaus Amici, kurz auch Johann von Segovia (ECKERMANN, Opera 13 mit Anm. 42). Er war allerdings in der entscheidenden Phase als Gesandter in Italien (Sept. 1434–März 1436); FROMHERZ 26.

[173] ‚Repetitiones quaedam cardinalis de Turrecremata... super quibusdam propositionibus Augustini de Roma'; Mansi XXX 979A–1034C. Wichtige Passagen der ‚Repetitiones' sind in den ‚Tractatus de ecclesia' eingegangen. Dazu mit umfassender Interpretation BINDER, Wesen 15–17, 151–94, v.a. 181–94. Vgl. ECKERMANN, Opera 14 f.

[174] Edition bei ECKERMANN, Opera 84–182; zur Datierung ebd. 14 und 16, allerdings ohne eine Begründung, die ausschließen würde, daß Kalteisens Ausführungen noch aus den Deputationsverhandlungen vor Juni 1435 stammten.

[175] Torquemada adressierte sein Gutachen an die *patres, doctores* und *magistri* der italienischen Nation; Mansi XXX 979A, CD; zit. ECKERMANN, Opera 14 f., vgl. 13 f. Vgl. BINDER, Wesen 15. Möglicherweise stecken hinter dem Engagement der italienischen Nation auch politische Motive. Da Favaroni selbst Italiener und seine Person dort besonders geschätzt, eventuell auch sein Werk am ehesten bekannt waren, stellte sein Fall in erster Linie eine ‚inneritalienische' Angelegenheit dar. Wollte man ein besonders mildes Urteil erreichen (MC II 830; CB V 136 Z.20f.), um möglichst keinen Häretiker in den eigenen Reihen zu haben oder gab es in Italien wirklich eine größere Zahl von Anhängern seiner Lehren, wie COVILLE, Pierre de Versailles 232, annimmt? Bekanntlich hat ihn auch Cesarini verteidigt; CB V 136, 149; MC II 838. Ein aus ganz ähnlichem Anlaß (Prozeß gegen einen prominenten Italiener im Geruch der Heiligkeit) entstandener Konflikt in der italienischen Nation ist beim Verfahren gegen San Bernardino von Siena zu beobachten; s. unten 406.

ronigutachten Torquemadas und am Rande auch Kalteisens[176] wichtige Keimzellen für deren Ekklesiologie. Bedeutsam erscheint mir dabei der Hinweis, daß beide theologisch mehr auf Thomas von Aquin als auf Augustinus fußen[177], ungeachtet der glänzenden Augustinuskenntnisse Torquemadas. Seine subtile Entfaltung der Theologie des ‚corpus Christi mysticum‘ in Abgrenzung zu Favaroni hat nicht nur "erstmals die Lehre vom mystischen Leib Christi in einem amtlichen Gutachten vor einem allgemeinen Konzil behandelt", sondern bildete zugleich den Grundstock für die kirchentheoretischen Erörterungen in den ersten 68 Kapiteln seiner ‚Summa de ecclesia‘[178]. – Kalteisen sieht sich überdies zu grundsätzlichen hermeneutischen Überlegungen angeregt, die Eckermann besonders herausgestellt hat[179], allerdings unter Abdrängung der ekklesiologischen Aspekte. Für die Textauslegung sei zu unterscheiden a) zwischen der Intention des Autors (die man bei Favaroni für rechtgläubig hielt) und dem (verfehlten) Wortlaut; b) dem zeitlichen und sachlichen Kontext einer Schrift[180]. Der hermeneutische Ansatz läßt letztlich den Inhalt hinter dem überragenden Kriterium der Form zurücktreten, ein Gesichtspunkt, der auch für das gerade in Basel wieder aktualisierte Problem, w i e Glaubenswahrheiten zu formulieren seien, wichtig werden wird. Ob Kalteisen in einer noch zu schreibenden ‚Geschichte der Hermeneutik von Tyconius bis Gadamer‘ einen originellen Platz einnehmen würde, sei freilich dahingestellt.

---

[176] Da eine längst notwendige Monographie über Kalteisens Ekklesiologie noch fehlt, ist man vorläufig auf BINDER, Wesen 16 f., 186–89, sowie auf KRÄMER, Relevanz; Konsens 463 s.v.; SIEBEN, Traktate 286 s.v., jeweils unter Ausklammerung des Favaroniprozesses, angewiesen. Weitere Lit. unten 443 Anm. 101.

[177] Für Kalteisen s. ECKERMANN, Hermeneutik 26, 37, 42; Opera 16. Für Torquemada: BINDER, Wesen 215 s.v. ‚Thomas v. Aquin‘ passim. Standen sich im Favaroniprozeß ‚Augustinismus‘ und ‚Thomismus‘ gegenüber? Die Wirkung des Aquinaten auf die Basler Ekklesiologie verdiente, ebenso wie die Augustins, eine eigene Studie! Es mag allein schon zu denken geben, daß im so zentralen Konzilsresponsum ‚Cogitanti‘ vom 3. Sept. 1432 (MC II 234–258) Thomas ebenso oft wie Augustinus zitiert wird. – Vgl. die wertvollen Ansätze bei HAUBST, Rezeption des Thomas von Aquin im 15. Jahrhundert, zum Beispiel 259 (Johann von Ragusa). Zur Thomas-Rezeption bei Segovia s. BLACK, Council 139–43, 152 f., 416 f.

[178] BINDER, Wesen 17.

[179] ECKERMANN, Hermeneutik theologischer Aussagen (1975).

[180] ECKERMANN, Hermeneutik passim. Vgl. ders., Favaroni und Johannes Wiclif passim sowie Opera 16. Zum Thema bei Torquemada: BINDER, Wesen 193.

Das am 15. Oktober 1435 in der 22. Session verabschiedete Verurteilungsdekret ‚Cum inter cetera' fiel, wie man angemerkt hat, dem Fazit der Gutachten entsprechend relativ milde aus[181]. Die Person Favaronis wurde ausdrücklich vom Verdikt ausgenommen[182]; die wörtlich aufgeführten inkriminierten Sätze aus seinen Werken erklärte man nicht einmal expressis verbis als ‚häretisch', sondern nur als *non sana et erronea in fide doctrina*[183]. Die Forschung hat sich noch nicht en detail mit dem Konglomerat der im Dekret aufgeführten Sätze und ihren Auswahlkriterien auseinandergesetzt[184]. Sie lassen die oft abstruse Kompliziertheit der Favaronischen Begriffe freilich nur mehr ahnen. Schon ein flüchtiger Blick macht drei innerlich verbundene thematische Komplexe sichtbar:

1. Ekklesiologie im weiten Sinne[185]: die *unio* Christi mit den Gliedern der Kirche im mystischen Leib geht so weit, daß Favaroni sagen kann: *Christus quotidie peccat* (Z. 15)[186] – nämlich in Gestalt der *membra sua, quae cum Christo capite unum esse Christum asseruit*(Z. 17). Als Kontext dieser die ‚unio' derart überspitzenden Formulierungen ist die Situation des Schismas zur Zeit der Entstehung des Traktats zu berücksichtigen. Mir scheint dieser Teil insofern am relevantesten zu sein, weil er am stärksten ins theologische Klima des Konzils selbst hineinpaßte. Mußten einige Basler Konzilstheologen eventuell in der extrem unitarisch-christologisch geprägten Ekklesiologie des Favaroni ein Zerrbild der eigenen, ebenfalls christozentrischen, um den mystischen Leib Christi kreisenden Identitätsekklesiologie erblicken?[187]

---

[181] COD 492–94; Ciolini, Agostino da Roma 25; Eckermann, Opera 17 f.

[182] COD 494 Z. 8 f.: *Nec per hanc sententiam personae praefati auctoris praeiudicare intendit haec eadem sancta synodus.*

[183] COD 493 Z. 11. Nur diejenigen, die seine Lehren billigen oder verbreiten, werden als *haeretici* (COD 494 Z.3) angesehen. – Vgl. aber spätere Versuche des Konzils, Favaroni „nachträglich als Erzketzer zu brandmarken"; Binder, Wesen 17; CB V 149 Z. 27–39 (1438 III 15).

[184] Vgl. Zumkeller, Augustinereremiten 51 f.

[185] COD 493 Z. 15–18.

[186] Dazu ausführlicher Binder, Wesen 190–93

[187] Nach weiteren eventuellen Parallelen müßte gesucht werden. Ich denke, vielleicht irrig, an Segovias Identitätstheologie, besonders eklatant in ‚De magna auctoritate episcoporum'; zit. Krämer, Konsens 225 Anm. 93, als Inhaltsverzeichnis des (verlorenen?) Traktats ‚De identitate supremae potestatis ecclesiasticae'; s. auch unten 454. – Vgl. aber die subtile Abgrenzung der favaronischen Corpus-Christi-Lehre von der katholischen bei Binder, Wesen 181–99.

2. Gnadenlehre (Prädestination)[188]: unter anderem der Satz *Non omnes fideles iustificati sunt membra Christi, sed soli electi* (Z. 20 f.). Diese am stärksten augustinisch beeinflußten Passagen verurteilte das Konzil unter Berufung auf das Constantiense, also als wiclifitisch, so wie man zwei Jahre vorher den Hussiten in der Prädestinationslehre entgegengetreten war.

3. Christologie – eng mit Ekklesiologie verbunden – der merkwürdigste und längste Teil der verurteilen Sätze[189]: es geht hier um das Verhältnis von göttlicher und menschlicher Natur in Christus, bekanntlich eine der frühesten dogmatischen Fragen der Kirchengeschichte. Offenbar unterstellte man Favaroni hier eine Art semimonophysitischer Sichtweise, die den mystischen Leib Christi vor allem auf die Naturgleichheit des Hauptes und der Glieder gründet. Nur ein Satz sei zitiert: *Natura humana assumpta a Verbo ex unione personali, est veraciter Deus naturalis et proprius* (Z. 31 f.). Wieviele Konzilsmitglieder, möchte man fragen, hätten zu dieser Thematik – ebenso wie zum filioque in der Auseinandersetzung mit den Griechen – wirklich kompetent urteilen können?

So werden wir zu guter letzt die Bedeutung des Favaroniprozesses wohl doch etwas relativieren müssen. Er stand sicherlich nicht im Zentrum der Interessen des Gesamtkonzils. Favaronis Themen kamen zwar nur zu einem Teil der theologischen Empfänglichkeit der Konzilsväter entgegen, doch ist die Fruchtbarkeit für die Entfaltung der Ekklesiologie auch hier sehr deutlich geworden. Der Angeklagte selbst hatte überdies für seine Ansichten nie missionarischen Ehrgeiz besessen, sondern stets als treuer Sohn der Kirche gewirkt, der sich nun zu Unrecht beschuldigt sah. Seine Jugendschriften besaßen, anders als die eines Wiclif, keine ansteckende oder gar revolutionäre Kraft, sondern blieben in ihrer Eigenartigkeit auf die Einzelfigur Favaroni begrenzt. Einen ,Favaronismus' hat es nie gegeben.

Das Basler Konzil aber hatte, so darf man im Anschluß an die jüngere Forschung wohl sagen, wieder einmal Kurs gehalten: Wie zuvor den papalistischen Monarchismus und die hussitische Geistkirche hatte man nun den christologischen Unitarismus und Halb-monophysitismus des Agostino Favaroni in die Schranken gewiesen.

---

[188] COD 493 Z. 18–26.
[189] COD 493 Z. 26–37.

5. Heilige und Ketzer:
Kanonisierung und Inquisition auf dem Basler Konzil

Wir treten hier erneut in einen Themenkreis ein, der das Basler Konzil recht ausgiebig, die Forschung über das Basiliense dagegen fast gar nicht beschäftigt hat. – Die förmliche Kanonisierung von Heiligen gehörte seit Johannes XV. de facto, seit Gregor IX. auch de jure zu den Vorrechten der römischen Kurie[190]. Indem die Basler sich auch damit befaßten – und womit befaßten sie sich nicht? – eröffneten sie automatisch ein neues Kapitel im Kompetenzstreit mit Eugen IV. Konkret ist hier der Prozeß um die Heiligsprechung des *Peter von Luxemburg* (†1387)[191] zu nennen, der das Konzil im Juli 1433 längere Zeit in Beschlag nahm[192]. Dabei ist die Heiligsprechungen häufig innewohnende politische Dimension im Auge zu behalten. In diesem Fall traten maßgebliche Fürsten und Adelskreise aus Burgund, aber auch Frankreich und Aragón sowie der Kardinallegat Pierre de Foix für die Kanonisierung ein, nachdem früher ein ähnlicher Prozeß an der Kurie zu Avignon gescheitert war. Auch die Basler Verhandlungen versandeten ohne Ergebnis. Peter von Luxemburg – ein ‚Adelsheiliger‘ neuen Typs?[193] – wurde erst 1527 seliggesprochen.

Prüfung von Glauben und Häresie gehörte zu den traditionellen Aufgaben eines Generalkonzils, man denke für das Spätmittelalter an die Konzilsprozesse gegen Joachim von Fiore, Petrus Olivi, die Templer und, alles überschattend, Johannes Hus. Wenn auf dem Basiliense, einer Synode, der es ohnehin so existentiell um die ‚veritas fidei‘ ging, ähnliches geschah, so ist dies fast als selbstverständlich anzusehen. Den diffizilen Fall Favaroni haben wir bereits vorgeführt. Den spektakulärsten, nämlich mit der Papstabsetzung endenden ‚Fall Gabriel Condulmer‘ müssen wir hier übergehen, nicht ohne nachdrücklich

---

[190] Dazu allgemein KEMP, Canonisation; zu Basel 130–32.
[191] Charakterisierung dieser bizarren Figur bei HUIZINGA, Herbst des Mittelalters 258–60. S. auch LThK² 8, 369.
[192] CB II 450 Z. 20–31; CB III 410 Z.36–38, 413 Z. 34–36, 471 Z. 27–472 Z. 28 und 35–39, 479 Z. 20–24; CB IV 64 Z. 5 f., 72 Z. 6 f.,75 Z. 14 f.; MC II 407, 808–10. Erwähnt bei PÉROUSE, Aleman 185; KEMP, Canonisation 131 f.; TOUSSAINT, Relations 158 f.; DLO 270.
[193] Ein Paradefall war Bernhard von Baden (†1458),der zwar schon im 15.Jh. im Ruf der Heiligkeit stand, aber erst 1769 seliggesprochen wurde (LThK² 2, 237 f.), ebenso die Kanonisierung Leopolds III. von Österreich (†1136) durch Innozenz VIII. im Jahre 1485 (LThK² 6, 972).

darauf hinzuweisen, daß die Basler ihr Verfahren gegen Eugen IV. als Ketzerprozeß organisierten, was in der Literatur meistens zu kurz kommt.

So wollen wir hier vier kleinere Fälle vorstellen, die bislang nur in entlegenen Forschungen wahrgenommen wurden. Im Bild des Basler Konzils dürfen sie aber nicht fehlen:

Die Konzilsväter waren noch nicht lange versammelt, als man im März 1432 den ‚Fall Josseaume‘ an sie herantrug: Hinter dem Franziskanerobservanten und Volksprediger aus Burgund, *Guillaume Josseaume* (1390-1436)[194] verbarg sich kein Unbekannter, sondern geradezu ein Stammkunde, war er doch schon in Konstanz und Pavia/Siena denunziert und eingekerkert worden.[194a] Wohl eher enfant terrible als Häretiker, pflegten ihm in seinen Volkspredigten öfters in so ‚revolutionärer‘ Richtung die Zügel durchzugehen, daß er bei den Obrigkeiten immer wieder Anstoß erregte. Eine genauere Einordnung seiner Lehren ist zur Zeit nicht möglich, wäre aber wünschenswert, wenn man berücksichtigt, daß sich das Konzil zur gleichen Zeit mit dem als sehr gefährlich angesehenen Wormser Bauernaufstand befaßte[195]. Das Urteil gegen Josseaume vom 1. Januar 1433 (Predigtverbot und Exil in Korsika) wurde am 24. Mai 1436, unter anderem auf Betreiben Alemans, partiell aufgehoben: Er durfte wieder predigen. Sein Fall wurde offenbar doch nicht für allzu gravierend gehalten.

Ungewöhnlich lange und intensiv, von Oktober 1433 bis Mai 1436, prüfte das Konzil die Visionen der *Birgitta von Schweden*[196], die freilich schon 1391 und noch einmal 1415 – von Johannes XXIII. auf dem Konstanzer Konzil (!) – heiliggesprochen worden war. Man sorgte sich

---

[194] Zum Basler Prozess lediglich GRATIEN, Josseaume 429–31; BARTOŠ, Basilejský revolutionář 141 f. – CB II 49 Z. 6 und 25 f. (Eine Konzilspredigt des Josseaume erregt Anstoß, *quia super nonnullis inepte predicavit*) sowie CB II 607 s. v. ‚Guillermus Josseaume‘ passim; CB V 20 Z. 24–21 Z. 3; MC II 214 f., 358. Zur Aufhebung des Urteils: CB II 316 Z. 16–22; CB IV 146 Z. 16–20, 151 Z. 11–19.*

[194a] S. BRANDMÜLLER, Pavia-Siena I, 141–43.

[195] S. oben 201 Anm. 73, mit Literatur.

[196] CB III Z. 21–28, 175 Z. 24–26; CB V 123 Z. 7–15, 149 Z. 34; MC II 708 f. Erwähnt bei HEFELE-LECLERCQ VII 2, 840 f.; KEMP, Canonisation 130 f.; DLO 263, sowie bei CNATTINGIUS, Studies in the Order of St. Bridget 169–75. Vgl. ferner LOSMAN, Norden 244–46, und NYBERG, Dokumente zur inneren Geschichte der drei Birgittenklöster Bayerns 38*–42*, 82–85 (mit Lit.). Vgl. zur Vorgeschichte ULLMANN, Recognition of St. Bridget's Rule by Martin V., mit Analyse eines ‚Consilium‘ des Tudeschi; BRANDMÜLLER, Pavia-Siena I, 8 f., 267–69. – Allgemein s. LexMa II 215-19.

darum, Auswüchse in der Heiligenverehrung zu unterbinden, verfolgte also auch ein pastorales Anliegen. Wieder einmal waren aus dem kleineren Kreis der führenden Köpfe des Konzils kurzfristig Johann von Segovia[197], maßgeblich Johann von Torquemada[198], (letzterer, als birgittenfreundlich bekannt, auf ausdrücklichen Wunsch von Vadstena), aber auch Heymericus de Campo[199] mit Traktaten beteiligt. Soweit man bisher weiß, fiel das Urteil des Konzils (1436 III 1)[200]abgewogen aus und kam sicherlich auch den politischen Interessen Schwedens entgegen: Die Visionen gelten als kirchenkonform, nur vor übersteigerter Verehrung werden die Mönche von Vadstena gewarnt.

Nach Agostino Favaroni traf sogar seinen berühmteren Landsmann *Bernardino von Siena* († 1444) der wachsame Blick des Konzils: Im Oktober 1438 standen seine Praktiken der Herz-Jesu-Verehrung auf dem Prüfstand der Glaubensdeputation[201]. Innerhalb der italienischen Nation kam es darüber zu einer scharfen Auseinandersetzung, sah man doch seitens einiger Italiener den *honor nacionis* durch das Vorgehen gegen den ,Nationalheiligen' Bernardino diffamiert[202]. Das Verfahren vor dem Konzil wurde eingestellt, da Bernardino bereits durch den Kurienprozeß salviert und nicht rückfällig geworden sei. 1450 wurde Bernardino dann in Rom heiliggesprochen[203].

---

[197] FROMHERZ 24.

[198] Text seiner erstaunlich umfangreichen ,Defensiones quorundam articulorum rubrorum revelationum S. Birgittae': Mansi XXX 699–814C. Vgl. BINDER, Wesen 17 f.; CNATTINGIUS, Studies 169–175; NYBERG, Dokumente *39 f.

[199] KALUZA, Heymericus de Campo sur Sainte Birgitte.

[200] Nach Auskunft von NYBERG, Dokumente 38* Anm. 41, wurde das erhaltene Original (NÜRNBERG StA, Urk. des 7farbigen Alphabets Nr. 5084) von der Forschung „nicht voll ausgewertet". Ein abschließendes Bild ist daher noch nicht möglich. In CB und MC übrigens zum Datum keine Hinweise auf das Urteil.

[201] MC III 154 f. – Schon 1426 und 1432 hatte sich Bernardino in einem Kurienprozeß erfolgreich gerechtfertigt (PASTOR I 246 f.). Die Diskussion fixierte sich unumgänglich in der alten Frontstellung ,Franziskaner versus Dominikaner-Augustiner'. Vgl. LONGPRÉ, St. Bernardin, mit Hss. – Allgemein s. LexMa I 1973-75.

[202] MC III 155 Z. 7. – Tudeschi Panormitanus, als italienischer Bischof, wollte dem *denunciator* Bernardinos, einem gewissen Bartholomäus (OESA), in der Debatte den Mund verbieten, was das Plenum mit Hinweis auf die libertas dicendi zurückwies; MC III 155. – Herzog Filippo Maria von Mailand hatte dem Konzil geschrieben: *se admirari, quod in concilio susciperetur denunciacio contra tantum virum*; ebd. 154 f. Parallelen zum Favaroni–Prozeß sind unverkennbar.

[203] PASTOR I 438–41.

Daß auch das Basler Konzil seinen Hus bzw. Hieronymus hatte, blieb in der Konzils-, ja selbst in der florierenden Ketzerforschung lange unbeachtet, bis kürzlich PATSCHOVSKY (1982)[204] die Sache ans Licht hob. Wir werden dabei in die Spätphase des Basiliense versetzt: Am 8. Juli 1446 wurde ein gewisser *Nikolaus von Buldesdorf* vom Konzil als falscher Prophet und hartnäckiger Ketzer verurteilt[205] und alsbald in Basel öffentlich verbrannt. Buldesdorf ist offenbar als ein später Nachfahre der chiliastischen Schwärmer anzusehen. Vor seinen Zeitgenossen war er als *pastor angelicus* aufgetreten. Sicherlich sah das Basler Rumpfkonzil im Fall Buldesdorf auch eine Chance, seine Existenzberechtigung noch einmal unter Beweis zu stellen, indem es „als Hort der Rechtgläubigkeit tätig wurde."[206] Kurz vor dem entscheidenden Frankfurter Reichstag konnte den Baslern Publicity jeglicher Art nur recht sein, wenngleich mir von propagandistischer Nutzung der Ketzerverbrennung nichts bekannt ist. Jedenfalls zeigt das bis heute verschwindend geringe Echo des Ereignisses, wie wenig sich die Öffentlichkeit des Jahres 1446 noch für die Vorgänge in Basel interessierte.

---

[204] PATSCHOVSKY, Chiliasmus 477–80 (Zitat 477), mit Versuch einer ketzergeschichtlichen Einordnung auf den folgenden Seiten. Die ebd. 490 Anm. 30 in ihrer sprechenden Spärlichkeit zusammengestellten Literaturbelege sind zu ergänzen durch WESSENBERG, Kirchenversammlungen II 496–98.

[205] Der lange verschollene Originaltext des Urteils wurde erst in den letzten Jahren in vier Hss. entdeckt, eine davon aus dem Besitz Segovias; s. PATSCHOVSKY, Chiliasmus 490 Anm. 29, wo auch eine Edition angekündigt wird. – Nachzutragen ist: Die Hs. Segovias (SALAMANCA UB Ms. 10) entspricht Nr. 104 des Segovia–Testaments, ed. HERNÁNDEZ MONTES, Biblioteca nr. 104 (vgl. ebd. S. 298). Die dort als Nr. 65 (HERNÁNDEZ MONTES, Biblioteca nr. 65 [vgl. ebd. S. 252-54]) verzeichnete Hs. ('Liber de 'attendite a falsis prophetis, videlicet: Nova exposicio fratris Johannis de Ruppescissa super commento Joachini...', scheint noch nicht wiedergefunden. Das Testament enthält jedoch einen kurzen Kommentar zum Buldesdorf-Prozeß in Basel (HERNÁNDEZ MONTES 99 f. nr. 65), worauf übrigens schon BONMANN, De Testamento 215 f. Anm. 7, hinwies.

[206] PATSCHOVSKY, Chiliasmus 478. – Noch weitere Ketzerprozesse des Basiliense lassen sich finden: Auf einen Prozeß von 1441, gegen einen gewissen *Henricus Barbatus* (*Bohemus*), einen *astronomus*, machte meines Wissens bisher nur BARTOŠ, Basilejský revolutionář 142 f., aufmerksam (in einer Reihe mit dem Verfasser der ,Reformatio Sigismundi' und Guillaume Josseaume); s. CB VII 407 Z. 9, 418 Z. 20 f., 433 Z. 32, 439 Z. 17–21, 454 Z. 15-24. Der Fall wurde – offenbar war man sich unsicher – von Gremium zu Gremium geschoben und blieb schließlich an Tudeschi Panormitanus hängen. Über die Entscheidung ist mir nichts bekannt.

VII. DER ‚BASLER KONZILIARISMUS‘

Mit diesem Kapitel ist der innerste Kreis des Basiliense und seiner Erforschung erreicht. Stärker als zuvor wird es sich beschränken müssen, Wege und Probleme der Forschung aufzuzeigen, die Inhalte des ‚Basler Konziliarismus‘ selbst aber nur in Streiflichtern einzublenden.

1. Zwischenbilanz der Probleme

a) Allgemeine Tendenzen der Forschung

Eine Geschichte des Konziliarismus[1] bzw. der Konzilstheorie oder – um einen Ausdruck zu wählen, der fast zum Epochenbegriff geworden ist – der ‚konziliaren Bewegung‘ des späten Mittelalters zu schreiben, ist zur Zeit nahezu unmöglich. Zu eng scheinen die Verflechtungen mit den verschiedensten geistigen und politischen Strömungen zu sein, zu nuancenreich die Werke der vielen Theoretiker, zu ungleich erschlossen aber auch die handschriftliche Überlieferung vieler Traktate, als daß man ein halbwegs kohärentes und konturscharfes Bild des ‚Konziliarismus‘ zeichnen könnte. Dennoch ist die Zahl der zu diesem Thema erschienenen Arbeiten Legion[2], sind gerade in jün-

---

[1] Der Terminus *conciliarismus* nach ECKERMANN, Studien 7, erstmals 1438 bei Laurentius von Arezzo. Vgl. die Variante *conciliarista* (RTA XVI 550 Z.3.).

[2] Hier nur eine ausgewählte Übersicht über Forschungsberichte, Sammelbände und Gesamtüberblicke: Die wichtigsten Forschungsberichte lieferten ALBERIGO, Movimento conciliare (1978) sowie BÄUMER, Erforschung – als Einleitung des von ihm hrsg. grundlegenden Sammelbandes ‚Die Entwicklung des Konziliarismus‘ (1976); ebenso wichtig BÄUMER (Hg.), Das Konstanzer Konzil (1977), jeweils mit Bibliographie, deren Titel hier nur in besonderen Fällen eigens wieder aufgeführt werden. Die in diesen Bänden abgedruckten Aufsätze werden unten nach der dortigen Paginierung zitiert. Wenn es bisher keinen entsprechenden Sammelband zum Basler Konzil gibt, entspricht das ganz der weniger ausgereiften Forschungslage! Weitere allgemeinere Studien: SCHNEIDER, Konziliarismus, ebenfalls mit umfassender Bibliographie. Überblick bei JACOB, Conciliar movement (1958/59), also noch vor dem großen Forschungsboom verfaßt. Dieser wurde am Vorabend des II. Vatikanums nahezu symbolisch durch den Sammelband ‚Le concile et les conciles‘ (1960) eröffnet, der Vorträge eines Seminars in Chevetogne unter Leitung von Y. CONGAR enthält. Vgl. die umfangreiche Rezension von

gerer Zeit große Fortschritte unverkennbar. Hatte noch ein ohnehin den ‚Theorien' skeptisch gegenüberstehender Gelehrter wie HALLER die umfangreiche konziliare Traktatliteratur in souveräner Ignoranz als ‚ungenießbar' abtun können[3], so sind in den letzten Jahrzehnten gerade zur Theorie (einschließlich der Handschriftenerschließung) bahnbrechende Leistungen zu verzeichnen. Vor allem hat man die traditionelle Verengung auf die Superioritätsfrage (Problem der obersten Kirchengewalt) durchbrochen und erstens den allgemeinen

---

ALBERIGO, Noti di storia conciliare. – Einen frühen, heute überholten Versuch einer Synthese unternahm BARBAINI, Storia integrale delle dottrine conciliari (1961); ähnlich FAVALE, Concili 244–50. – S. auch KÜNG, Strukturen 263–88; FINK, Konziliare Idee im späten Mittelalter (1965), und OBERMAN, Et tibi dabo claves (1971, 1975), besonders 103–109; der angekündigte dritte Teil zum 15. Jahrhundert ist nie erschienen. – Aus der jüngeren Forschung wichtig: HENDRIX, In Quest of Vera Ecclesia 360–74; OZMENT, Age of Reform 135–81; OAKLEY, Natural Law; CONGAR, Handbuch der Dogmengeschichte III 1d, 7–30, zu Basel: 22–30; vgl. jüngst: Handbuch der Dogmengeschichte I, hg. C. ANDRESEN, 738–54. Für die Problemsicht aus ‚konservativer' katholischer Sicht immer noch grundlegend: JEDIN, Bischöfliches Konzil; ders., LThK 6, 532-34. Vgl. jetzt die gut lesbare Übersicht von BRANDMÜLLER, Sacrosancta synodus. Treffende Urteile zu Problemen des Konziliarismus bei HOFMANN, Repräsentation 248–84; MEUTHEN, 15. Jahrhundert 74–78, 154–56; SKINNER, Foundations II 36–47; FRANK, Huntpichler passim. Die pointierteste Einführung in den ‚Basler Konziliarismus' gibt BLACK, What was Conciliarism? (1980). Von den übrigen Arbeiten Blacks fehlen in der Bibliographie von BÄUMER (Hg.), Entwicklung des Konziliarismus 393–402: Council of Basle and Second Vatican Council; Council and Pope. The Modern Relevance of Conciliarism. Weitere Ergänzungen und Nachträge: Kaum bekannt ist der posthum veröffentlichte Aufsatz von Albert HAUCK, Gegensätze im Kirchenbegriff des späteren Mittelalters (1938). Leider ungedruckt blieb die in der angelsächsischen Forschung viel gelobte Diss. von CAMERON, Conciliarism (reicht bis zum Ende des Constantiense; mit Texten). Vgl. ferner, fehlt bei BÄUMER: SKARSTEN, Origin of Conciliarism; OAKLEY, ‚New conciliarism' (zur Diskussion der sechziger Jahre); DENZLER, Zwischen Konziliarismus und Papalismus; SCHWAIGER, Suprema potestas; HAENDLER, Konziliarismus (Sammelrezension).* Die Diss. Los Angeles 1978 von MARTIN, Doctrinal Authority in the Church, behandelt Nikolaus von Kues, Dionys den Kartäuser und Antonin von Florenz (S. Diss. Abstracts int. 39A (1978–79) 37 43A. – Die Hauptwerke zum Basler Konziliarismus von ALBERIGO, BLACK, KRÄMER und SIEBEN werden unten Kap. VII 1g ausführlicher gewürdigt. Spezialliteratur zur ‚Haec-Sancta'-Diskussion s. Kap. VII 2 in Auswahl. – Ältere Dogmengeschichten etc. sind zum Teil noch lesenswert, widmen aber wie SEEBERG, Dogmengeschichte III, 573–601 (§68), dem Basler Konziliarismus nur wenige Zeilen (ebd. 599). Bemerkenswert WERNER, Geschichte der apologetischen Literatur III (1864) 673–723.

[3] HALLER CB I 38, 36 Anm. 1; ebd. 28 meint Haller, „die Traktatliteratur der Zeit ist wesentlich nur reproduktiv". So sei auch in Segovias ‚Decem Avisamenta' „Selbständiges kaum zu erblicken". Ähnlich VOIGT, Enea Silvio I 199 f. – S. aber bereits Dietrich von Niem, De Schismate, ed. G. ERLER, Leipzig 1890, 233 (III 11): *vix centum cameli* könnten die Masse der Traktatschreiber wegtragen. Vgl. auch die barocke Tirade bei CARO, Geschichte Polens IV 325.

Beitrag des Konziliarismus zur europäischen Verfassungsgeschichte
und zur politischen Theorie entdeckt, so vor allem die angelsächsische
Forschung von FIGGIS bis BLACK, sowie zweitens, stärker theologisch
ansetzend, die konziliare Diskussion in ihrer Entfaltung zu einer universalen katholischen Ekklesiologie verfolgt. Die Forschung hatte
sich zunächst stärker der kanonistischen Tradition des Konziliarismus und seiner Entwicklung bis hin zum Konstanzer Konzil, als auch
der sozusagen dialektischen Antithese des ‚Papalismus‘ mit Exponenten wie Augustinus Triumphus oder Aegidius Romanus zugewandt. Gelehrte wie TIERNEY, ULLMANN, BUISSON, MOYNIHAN, WILKS,
WATT, MCCREADY, MACCARRONE und viele andere sind hier würdigend
zu nennen. Die Ergebnisse von BRIAN TIERNEYS ‚Foundations of conciliar theory‘ (1955) – Verwurzelung konziliarer Themen in der kanonistischen Tradition, wobei der Autor seinerseits wichtige Anregungen
vorwiegend deutscher Gelehrter wie SCHOLZ, BLIEMETZRIEDER und
SEIDLMAYER aufgriff –, zählen heute zum Gemeingut der Forschung
und brauchen hier nicht erörtert zu werden[4]. Zwei Defizite jedoch fallen sowohl in diesem Werk als auch in den späteren Veröffentlichungen Tierneys auf: Die Beschränkung auf die Kanonistik und die fast an
Berührungsangst gemahnende Ausblendung des Basler Konziliarismus als „dismal aftermath“.[5] Die Linie von Zabarella – mit ihm enden
die ‚Foundations‘ – zum führenden Basler Kanonisten Tudeschi und
zu anderen Theoretikern des Basiliense wurde bis heute in der Forschung nur ansatzweise gezogen.[5a] Diese Ausblendung des Basler
Konziliarismus, die Beschränkung auf das 14. Jahrhundert und das
Constantiense charakterisieren überhaupt größere Teile der älteren

---

[4] Zu Tierney s. BÄUMER, Erforschung 30–34, und die wichtige Besprechung von M.
SEIDLMAYER, in: ZRG KA 74 (1957) 374–85, wieder in: Die Entwicklung des Konziliarismus 156–73.

[5] TIERNEY, Foundations 246. – Die Bedeutung der Kanonistik resultiert allein schon
daraus, daß die Dekretisten und Dekretalisten als „Steinbruch für Argumentationshil-
fen“ (Miethke) bereit lagen, dessen sich sowohl ‚papalistische‘ wie ‚konziliaristische‘
Publizisten bedienten; TIERNEY, Foundations 13. Denn die Kanonisten selbst entwickelten ja durchaus keine geschlossene Theorie, sondern breitgestreute kasuistische
Fallstudien. Im übrigen löst der Nachweis kanonistischer Wurzeln ja die Zuspitzungen
eines Marsilius oder Ockham nicht auf.

[5a] Das ökumenische Konzil: Seine Bedeutung für die Verfassung der Kirche (= Concilium 19, Heft 8/9 [1983]), u.a. mit Beiträgen von CONGAR, TIERNEY, WOHLMUTH, ALBE-
RIGO usw. Der Band ruft beschwörend die konziliaren Errungenschaften der sechziger
Jahre vor Augen, die man vom neuen ‚Codex Juris Canonici‘ des Jahres 1983 verwässert
und reduziert sieht (s. bes. die Einleitung von P. HUIZING und K. WALF 499–500).

Literatur. Als Beispiel sei der seinerzeit bahnbrechende Aufsatz von
FRIEDRICH MERZBACHER ‚Wandlungen des Kirchenbegriffs‘ (1953)
genannt, in dessen imposanter Phalanx von Theoretikern nicht ein
Basler Konziliarist erscheint – abgesehen von Nikolaus von Kues, der
lange Zeit als nahezu einziger vermeintlicher Repräsentant des ‚Basler
Konziliarismus‘ hat herhalten müssen. Die ‚Haec–Sancta‘–Literatur
der sechziger Jahre, die einen Großteil der Forschung zum Constantiense absorbierte, ergibt ein ähnliches Bild, wie unten noch zu
zeigen ist. Die Basler Theoretiker erscheinen in der Regel entweder
gar nicht oder als epigonale bzw. radikalisierte Nachgeburt der großen
Konstanzer Trias Gerson, d'Ailly und Zabarella. Während aber schon
seit einiger Zeit die Forschung zum Konstanzer Konzil stagniert, hat
das Interesse am ‚Basler Konziliarismus‘, um diesen plakativen Begriff
weiterhin zu verwenden, einen regelrechten Boom erlebt, für den
Namen wie BLACK, KRÄMER und MEUTHEN an erster Stelle zu nennen
sind. Der Zenit ist freilich auch hier deutlich überschritten. Eine
ostentative Summe vatikanischer Konzilstheologie zog für ein breite-
res Publikum die in der Zeitschrift ‚Concilium‘ erschienene Sammlung ‚Das ökumenische Konzil‘ (1983) mit Kurzbeiträgen namhafter
Konzilsforscher.[5a] Von einem Konsens in der Bewertung des Konziliarismus innerhalb der katholischen Theologie kann aber keine Rede
sein[6]. – Ehe wir unten einzelne Theoretiker Revue passieren lassen,
wollen wir einzelnen allgemeineren Fragestellungen aus einem Strauß
von Problemen nachzugehen versuchen:

b) Probleme einer ‚Periodisierung‘ des Konziliarismus

Eine irgendwie verbindliche Zeitgliederung hat sich bisher offenbar
nicht durchgesetzt. Ungeachtet der vielfältigen und nur zum Teil in
ihren Wirkungszusammenhängen erschlossenen Wurzeln und Quellen[7] des sogenannten Konziliarismus hat es sich gleichwohl eingebür-

---

[6] So schon SCHNEIDER, Konziliarismus 338, und MEUTHEN, Basler Konzil aus r. kath.
Sicht 307 f.
[7] Die Quellen, aus denen die konziliare Theorie im Laufe von Jahrzehnten schöpfte und
sich – von Quidort bis Segovia – konstituierte, sind freilich, wie des öfteren gegen TIERNEY
bemerkt wurde, nicht nur kanonistisch. Die Wirkungslinien lassen sich oft nur schwer
exakt rekonstruieren. Zum Beispiel wären zu berücksichtigen: Der Streit zwischen
Bettelorden und Säkularklerus; der franziskanische Armutsstreit. Dazu wichtig:
CONGAR, Aspects ecclésiologiques. Weder die Linien von der Hochscholastik, noch vom
Spiritualismus (Olivi etc.) und von der Mystik her scheinen mir hinreichend verfolgt
zu sein (1961). Hinzuweisen ist hier auf die von TIERNEY, Origins of Papal Infallibility
(1972), ausgelöste Kontroverse.

gert, erst dann von ‚Konziliarismus' zu sprechen, als sich für die Ideen
auch „eine gewisse Praktikabilität abzeichnete"[8], also in der Zeit des
Großen Schismas. Die Generationswechsel (Gelnhausen–Langenstein/d'Ailly–Gerson/Segovia–Ragusa) setzten dann zugleich Zäsuren in der Entwicklung der konziliaren Theorie – und wurden etwa von
ALBERIGO zum Gliederungsgerüst seines Buches ‚Chiesa conciliare'
erhoben. Es gilt freilich nicht nur, diese Entwicklung im Rahmen der
engeren ‚konziliaren Epoche' schärfer zu strukturieren: Den Konziliarismus in die theologisch-philosophische Gesamttradition einzubetten, wäre das Ziel. Hier schlagen die materialreichen Arbeiten von
SIEBEN zur Geschichte der Konzilsidee[9] tragende Brücken. Die Konziliarismusforschung hatte sich zum Teil so punktualisiert, daß Sieben
eine eigentlich selbstverständliche Tatsache gleichsam neu ins Bewußtsein heben mußte: Auch die Alte-, die früh- und die hochmittelalterliche Kirche hatten ihre Konzilstheoretiker und pflegten eine
blühende ‚Konzilsidee'. Es soll nicht verkannt werden, daß die
Traktate der im engeren Sinn konziliaren Epoche etwas in Form und
Thematik Neues darstellten. Denn Kirche und Konzil stehen hier als
solche thematisch im Zentrum, weniger – wie in der Alten Kirche
– die auf den Konzilien verkündeten dogmatischen Lehren[10]. Andererseits stellten die Theoretiker des 15. Jahrhunderts selbst die Kontinuität her, wenn sie sich ganz augenfällig wieder stärker mit den
Konzilien der Alten Kirche beschäftigten.

Fragwürdig und nur in Teilen der Forschung durchgedrungen ist
der Versuch von FRANZEN, eine von Langenstein bis Gerson unter Einschluß von ‚Haec Sancta' reichende Phase der Konzilsidee als „konservativ-konziliar" (und daher für die heutige Theologie kompromißfähig!) von einem marsilianisch „heterodoxen Konziliarismus"
im pejorativen Sinne abzugrenzen, der „erst... in der Ära des Basler
Konzils voll wirksam" geworden sei[11]. Übrigens lehnte KÜNG ganz wie

---

[8] KRÄMER, Repräsentation 215; vgl. MIETHKE, Forum 737–40.

[9] SIEBEN, Konzilsidee in der Alten Kirche (1979); Konzilsidee des lateinischen Mittelalters (1984); sowie, mit dem Großen Schisma beginnend: Traktate (1983). Vorstudien
Siebens in: Theologie und Philosophie 45 (1970) 353–89, 46 (1971) 40–70, 374–86,
496–528.

[10] Vgl. SIEBEN, Traktate 7 f.

[11] FRANZEN, Konstanzer Konzil 183 f., 186 f. Dazu kritisch: HÄNGGI, Geschichte des
Konzils von Konstanz 191 f.; OAKLEY, Council over Pope 82 f., 120; Natural Law 793 f.;
KRÄMER, Konsens 167.

seine Kritiker den „extremen Konziliarismus" Basler Prägung ab und blendete ihn gleichfalls aus.[11a] Eine eigentliche Analyse dieses Basler ‚Konziliarismus' erfolgte damals – ‚Haec Sancta'-befangen – nicht. So haben Kritiker betont, daß einerseits wesentliche Gedanken dieses Konziliarismus schon bei dem ‚konservativen' Gerson auftraten und daß andererseits der Basler Konziliarismus selbst ‚konservativer' gewesen sei als sein unverdient ‚radikaler' Ruf – so die wiederum etwas überspitzte Generalthese von KRÄMER[12]. Ebenso anfechtbar, wenn nicht unsinnig, sind Periodisierungsversuche wie ANDRESENS Dreiphasenmodell: „kurial" (Pisanum) – „ekklesiologisch" (Constantiense) – „demokratisch" (Basiliense), oder WINTERS Trennung des Konziliarismus in eine „feudal-hierarchische" und eine „bürgerlichdemokratische" Richtung[13].

c) Streitfall Ockham. Konziliarismus und Philosophie

Franzens Bemühung galt indirekt auch zwei grundsätzlicheren Problemen: Einmal sollte die Vielfalt des Konziliarismus durch klare Begriffe strukturiert werden, zweitens wollte er zu einer präziseren Sicht über die Wirkungen von Marsilius und Ockham gelangen. Als nämlich die neuere Forschung zur Kanonistik die Ansicht der älteren (HIRSCH, KNEER, ARQUILLIÈRE, WENCK und andere) Forschung, Ockham und Marsilius seien gleichsam die Erfinder des (traditionsfremden) Konziliarismus gewesen, völlig zurecht widerlegte, schoß sie etwas übers Ziel hinaus. Denn mit der suggestiven These, „Ockham (habe) gerade dort den größten Einfluß gehabt, wo er am wenigsten originell war" (Tierney)[14], wurde einerseits der Konzilsgedanke aus der originären Leistung Ockhams, andererseits deren unbestreitbare Nachwirkung aus dem späteren Konziliarismus hinauseskamottiert. Nach dem heutigen Kenntnisstand läßt sich sagen, daß der Einfluß

[11a] KÜNG, Strukturen der Kirche 260: „Der extreme Konziliarismus ohne echte primatiale Leitung führte ... zum Basler Schisma, der extreme Papalismus ohne konziliare Kontrolle (sc. im Sinne von ‚Haec Sancta'; Verf.) führte ... indirekt – zur lutherischen Reformation."
[12] KRÄMER, Konsens. Vgl. auch FINK, HKG III 2, 587: „Man verschließt sich dem zeitgeschichtlichen Verständnis, wenn die konziliare Idee als etwas Falsches angesehen und von Radikalismus der Basler gesprochen wird."
[13] ANDRESEN, Geschichte 149 ff.; WINTER, Frühhumanismus 183.
[14] TIERNEY, Ockham (deutsch in: Die Entwicklung des Konziliarismus) 155; vgl. Foundations 7–10, 40–45. Zum Problem auch HOFMANN, Repräsentation 248–52; BLACK, What was Conciliarism 215 f.

Ockhams auf die konziliare Theorie bis ca. 1408 recht stark gewesen ist, daß er für die späteren konziliaren Theoretiker, darunter die Basler, zumindest noch nicht klar abzuschätzen ist[15]. Die schwebende Unbestimmtheit seines ‚Dialogus', der mehr Fragestellungen als Lösungen vermittelte, erschwert zudem ungemein den Versuch, seine Rezeption zu umreißen. Auf jeden Fall sollte man die Nachwirkung Ockhams nicht unbesehen mit der des Marsilius[16] in einen Topf werfen.

Besonders mit Ockhams Namen verknüpft hat sich in der Forschung die sogenannte ‚Restlehre', jener ekklesiologische Minimalismus (‚remnant ecclesiology'), der besagt, daß die wahre Kirche unter besonderen Umständen in einer einzigen ‚vetula' bestehen könne, so wie einst Maria unter dem Kreuz als einzige nicht vom Glauben abgefallen sei. Die Lehre wurde von CONGAR in ihren Ursprüngen (Cyprian usw.) erforscht, dann vor allem von SCHÜSSLER in verschiedener Gestalt bei einer Reihe von Theoretikern nachgewiesen, unter anderem bei Tudeschi, der ja folgerichtig auch die Inerranz von Konzilien bezweifelte[17].

Zuletzt hat KRÄMER wieder überzeugend belegt, daß die Restlehre von Gerson und maßgebenden Basler Ekklesiologen wie Segovia und Ragusa abgelehnt und stattdessen gerade von einigen Eugenianern

---

[15] Die ständig anwachsende *Ockham*-Literatur ist hier nicht zu berücksichtigen. S. Forschungsbericht von JUNGHANS, Ockham; ALBERIGO, Movimento 920–25. Zur Konzilsidee Ockhams jetzt SIEBEN, Konzilsidee des Mittelalters 410–70. Ockham-Rezeption wurde besonders stark bei Gelnhausen und Langenstein festgestellt, aber auch bei Niem, d'Ailly, Gerson, Courtecuisse, Tudeschi, Torquemada (!): s. BÄUMER, Nachwirkungen 190; RUEGER, Gerson und Ockham (Diss. masch.); POSTHUMUS MEYJES, Gerson 283–87; SIEBEN, Quaestio (Ockhamexzerpte bei Jean Courtecuisse). Zur Wirkung in Basel: KRÄMER, Konsens 166–81. Zur erstaunlich breiten handschriftl. Rezeption im späteren 15. Jh.: MIETHKE, Marsilius und Ockham; vgl. oben 174.

[16] SIGMUND, Influence of *Marsilius* on 15th Century Conciliarism (im wesentlichen zu Nikolaus von Kues und Dietrich von Niem). Zum Einfluß des Marsilius bei Cusanus s. auch ALBERIGO, Chiesa 331 f. mit Literatur; MEUTHEN, Laie 103 f. Vgl. SANTINELLO, Da Marsilio à Nicolò Cusano. Nach POSTHUMUS MEYJES, Gerson 278–83, 291, schroffe Ablehnung des Marsilius bei Gerson. – Zur Konzilsidee des Marsilius jetzt SIEBEN, Konzilsidee des Mittelalters 366–409, mit Literatur zur Rezeption, darunter für die Reformationszeit interessant: PIAIA, Marsilio nella riforma (1977).

[17] CONGAR, Incidents ecclésiologiques 283–90; SCHÜSSLER, Primat 28, 137, 143, 169, 179 f., 199 f., 206–08; SIEBEN, Traktate 151, 164, 180. Wenig bekannt: BINDER, Thesis in passione Domini fidem Ecclesiae in beatissima Virgine sola remansisse, besonders 438–52, unter anderem zu Ragusa, Escobar, Torquemada und Alonso de Madrigal (Tostado).

gegen den Repräsentativitätsanspruch der Basler Rumpfsynode eingesetzt wurde[18]. Dennoch gewinnt man den Eindruck, als ob die
späten Basler – ungeachtet eines die Amtskirche stets einbeziehenden
ekklesiologischen ,Holismus' – in ihrer Einigelung im ,ubi duo vel tres'
und im Beharren auf der Identität von Konzil und Universalkirche
auch dann, als sie schon eine hoffnungslose Minderheit darstellten,
sich selbst der Restlehre empfindlich annäherten[19]. Aus der einstigen
Majorität war der ,Heilige Rest' geworden.

Ziehen wir ein Fazit: Das jüngere (katholische) Bild vom Konzi-
liarismus ist durch dessen schrittweise Heimholung in die katholische
Tradition gekennzeichnet. Zuerst wurde er insgesamt als „absoluter
Traditionsbruch" (Hollnsteiner)[20] gesehen, dann erkannte man die
Phase bis Konstanz einschließlich als ,konservativ' und traditionsge-
bunden an (z. B. Franzen, Jedin) und zuletzt wurde versucht, auch den
Basler Konziliarismus vom Ruch exzentrischer Radikalität zu be-
freien und in die Tradition zu integrieren (Krämer).

Gerade Ockham, der Nominalist, weist nun auf ein weiteres
grundsätzliches Problem, dem sich die Forschung zum Basler Konziliarismus bisher noch nicht kritisch genug gestellt hat: Welche
Zusammenhänge bestehen zwischen philosophischer Schule (Nomi-
nalismus/Realismus) und kirchentheoretischer Lehre?[20a] In der Literatur wurde lange Zeit der (ockhamsche) Nominalismus wegen seiner
individualistisch ,zersetzenden' Vereinzelung von Denkgegenstän-
den für die wesentliche Voraussetzung und Antriebskraft des korporativen Konziliarismus gehalten. Jüngere Analysen der Werke
Gersons (er war im Schulsinn freilich Nominalist wie damals noch die

---

[18] KRÄMER, Konsens 166–81, 231 f. Anm. 60, 315 (Kalteisen), 323. Gegen die von KRÄ-
MER, Konsens 103 f., 176 angenommene Übernahme der Restlehre durch Nikolaus von
Kues: MEUTHEN, Konsens 19 f.; AC I 2 Nr.481 Anm.74. Als Beispiel Johann von Ragusa,
Tractatus de ecclesia III 4 (ed. SANJEK 233): *ecclesiae Christi usque ad finem saeculi sit duratura
non in latibulis ac penetralibus sive in una sola persona, sicut adversarii et haeretici garriunt.* Ebenso
Segovia, MC III 576 Z.34–37: *quod fides catholica in uno solo manere non potest. Quocirca dictum
illud multorum falsissimum censetur esse triduo passionis Christi in sola virgine remansisse catholicam fidem.*
[19] Zum Beispiel deutlich Tudeschi (Mansi XXX 1187C) oder Grünwalder (zit.
MEUTHEN, Grünwalders Rede 425): *Licet LXX discipuli recesserint a Christo solis XII remanenti-
bus, tamen ecclesia representabatur in istis apostolis paucis* (sc. wie in der Situation von 1442 durch
die Basler), *non autem in multitudine recedentium a Christo salvatore nostro.*
[20] HOLLNSTEINER, Kirche 596.
[20a] Auf das Problem machte bereits HEIMPEL, Dietrich von Niem 1, aufmerksam.

ganze Universität Paris) und einiger Basler Theoretiker (Nikolaus von
Kues, Ragusa, Segovia, Heymericus de Campo, aber auch Torquemada) haben aber genau umgekehrt deren platonisierenden „Begriffsrealismus" („organic realism") als prägend für ihre Ekklesiologie
herausgestellt[21].Bei genauerem Hinsehen wird aber zweifelhaft, ob
dieser „Begriffsrealismus" überhaupt als Ausfluß einer ‚realistischen'
Philosophie im Sinne der via antiqua zu verstehen ist. Eher könnte
man von Spiritualismus oder besser noch von Symbolismus sprechen,
dessen Kernstück der Begriff der Identität zu sein scheint. Auf der
anderen Seite bleibt selbstverständlich im Basler Konziliarismus auch
‚nominalistisches' Kirchenverständnis bewahrt, wenn man darunter
jene sozusagen additive Sicht der Kirche versteht: Die Synode ist
umso repräsentativer, je mehr verschiedene Gruppen in ihr vertreten
sind. Darüber ist noch zu sprechen. Eine Tendenz der älteren Forschung, schematisch die konziliare Theorie mit dem Nominalismus
und die papalistische Reaktion mit dem Realismus zu koppeln – siehe
die angebliche „thomistisch-skotistische Reaktionsbewegung" bei
ECKERMANN[22] –, dürfte ohnehin obsolet geworden sein. Es sei hier
daran erinnert, daß sich an den Universitäten via moderna und via
antiqua nicht im geringsten den beiden konträren kirchentheoretischen Lagern zuordnen ließen. ‚Thomistischer' Einfluß wiederum ist
auch bei Segovia und anderen Konziliaristen gefunden worden, was
weiter nicht verwundern kann, reichte doch die Autorität des Aquinaten schon damals weit über eine Schule hinaus. Torquemada wiederum belebte zwar neuplatonische und thomistische Lehren zur
Legitimation von Monarchie und Hierarchie, griff aber zugleich – und
das ist der springende Punkt – den ‚Realismus' der Basler Corpus–
Ekklesiologie (Konzil = Kirche) an[23]! Die Terminologie gerät hier

---

[21] Zentral bei BLACK, Council 82–84 und ebd. 2, 64 ff. (Heymericus), 115, 139 („Segovia
– who was not a philosophical realist, indeed he cannot be said to have adhered to any
particular philosophical school"), 145, 200. Zu Heymericus auch BLACK, Realist Ecclesiology; KRÄMER, Konsens 180 f., 188f., 322; MEUTHEN, Basler Konzil 23.
[22] ECKERMANN, Studien 150, einen Gedanken G. Ritters aufgreifend. ‚Thomismus' und
‚Realismus' sind allerdings wohl auch kaum deckungsgleiche Begriffe.
[23] BLACK, Monarchy 54. Andere Stellen aus der Torquemadaliteratur ließen sich anführen, doch ist die philosophiegeschichtliche Einordnung Torquemadas durchaus nicht
befriedigend geklärt. – Thomas von Aquin bei Segovia: BLACK, Council 139–43, 150, 152 f.,
188, 193 – bisher in der Forschung kaum gesehen. Vgl. auch HAUBST, Nikolaus von Kues
auf den Spuren des Thomas von Aquin (bezieht sich auf das philosophische Werk des
Cusanus). Weiteres zur Thomas-Rezeption s. oben 401 Anm. 177. – Zum Wegestreit an
den Universitäten s. oben 149-51.

vollends ins Schwanken. Was bedeuten in solchen Zusammenhängen überhaupt ‚Realismus' und ‚Nominalismus'?

Unter Philosophiehistorikern wird wohl nicht von ungefähr darüber diskutiert, ob überhaupt Wirkungen von Nominalismus oder Realismus auf Kirchen- und politische Theorie (etwa bei Ockham) angenommen werden dürfen, oder ob jene nicht ganz auf die Erkenntnistheorie im engeren Sinne zu beschränken seien[24]. Ein Blick auf die Forschung vermittelt leider kaum den Eindruck, daß sich Philosophie– und Konzilsgeschichte hier in wünschenswerter Weise befruchteten. Deshalb die abschließende Frage: Gab es überhaupt ein ausschlaggebendes ‚philosophisches' Selbstbewußtsein der Basler Theoretiker neben ihrer Prägung als Theologen und Kanonisten?

d) ‚Theologisierung'. Bibel und Kanonistik

Deutlicher läßt sich als unmittelbar angrenzendes Problem die in der Literatur öfters so genannte ‚Theologisierung' ausmachen: Die ältere Forschung verstand die konziliare Bewegung als Ergebnis einer allgemeinen Verrechtlichung des Denkens und sah in ihr folgerichtig die Kanonistik dominieren[25]. Seitdem man sich aber intensiver dem Denken Gersons und der Basler Theoretiker zugewandt und auf diesem Wege die ‚Geburt der katholischen Ekklesiologie' entdeckt hat, sieht man gerade in einer Gegenreaktion auf die Kanonistik

---

[24] Diese Ansicht vertritt forciert ZUCKERMAN, Relationship of theories of universals to theories of church government, vor allem gegen WILKS, Sovereignty, gerichtet. Es ist zu fragen, ob die fast hymnische Aufwertung des Nominalismus etwa durch OBERMAN und andere für das 15. Jahrhundert so zu halten ist. Für R. HAUBST, Art. ‚Christologie', in: LexMa II, 1930 „spielte der Nominalismus fast nur noch in den erkenntnistheoretisch-didaktischen Reformbestrebungen an den Universitäten (eben dem Forschungsfeld Obermans; Verf.) eine starke Rolle", wogegen schon in der Christologie des Konziliaristen Heinrich von Langenstein der Einfluß des Thomas von Aquin überwogen habe. Vgl. zum Problem COURTENAY, Nominalism and late medieval thought; Nominalism and late medieval religion. – Die eigentümliche Parteienobstinanz des Wegestreits ist ohnehin so nicht zu klären!

[25] Zum Beispiel noch FINK, HKG III 2, 435, sowie als Beispiele für viele: SIEBERG 78, 112; LORTZ, Mißstände 10 f.; LEHMANN 90 f.; OURLIAC: „On sent (sc. bei den Baslern) ici douloureusement l'insuffisance théologique d'une époque trop occupée de droit canonique, plus soucieuse de définir l'Église comme un gouvernement que comme un corps mystique" (DLO IX). Ob ‚die' Kanonisten wirklich in der Regel „plus conservateurs que les théologiens" waren (OURLIAC-GILLES 80, vgl. 55, 140), sei dahingestellt, zumal manche der späten Schulkanonisten nicht hinreichend erforscht sind. – Für MERZBACHER schließlich bestanden die „Wandlungen des Kirchenbegriffs im Mittelalter" gerade im Übergang von der spirituellen zur juridischen Anstalt!

ingestalt eben jener ‚Theologisierung‘ das entscheidende Charakteristikum[26]. In unserem früheren Kapitel über die Universitäten war bereits Gelegenheit, auf die Primatsansprüche der Theologen gegenüber den Kanonisten, etwa bei Gerson, hinzuweisen[27]. Doch müssen wir noch einmal fragen, was unter ‚Theologisierung‘ überhaupt zu verstehen ist: Als Kriterien genannt werden zum Beispiel die gegenüber der ersten Phase des Konziliarismus stärkere Benutzung von Bibel und Kirchenvätern sowie eine neue Blüte der neuplatonisch-spiritualistischen Hierarchielehre des Pseudo-Dionys (vor allem bei Gerson und Nikolaus von Kues)[28] und der Lehre vom mystischen Leib Christi. Diese Schwerpunktverlagerung ist unverkennbar; aber ebensowenig darf man übersehen, daß auch die Kanonistik viel biblisches und altkirchliches Material tradierte und anwendete. Eine scharfe Trennung von theologischer und kanonistischer Argumentation erscheint allein schon daher schwierig. Hinzu kommt, daß man bei Segovia und Kalteisen in „zunehmendem Maß" Zitate aus Dekret, Dekretalen und

---

[26] „Basle conciliarism was characterized by a reaction against the influence of canon law and a reassertion of the primacy of theology in ecclesiology"; BLACK, Council 44, ähnlich ebd. 5 f., 111, 133 Anm. 43; Monarchy 19; Universities (1974) 345–48; Universities (1978) 519 f.; What was Conciliarism 215 ff.; MEUTHEN, Konsens 12 f.; Basler Konzil in r. kath. Sicht 277. Vgl. schon CONGAR, Handbuch der Dogmengeschichte 6. Über die Kanonisten sagt die Responsion ‚Cogitanti‘: *Glose et doctores in hac materia ... sepe vacillabant, modo unum modo aliud dicebant et scholastici disputantes non se firmabant*; MC II 254 Z. 8–10. Vgl. KARPP, Bibellob; MARSCHALL, Cyprianzitat; beide Aufsätze liefern Belege für die Theologisierung ohne selbst diesen Gedanken zu verfolgen.

[27] S. oben 135-37: sowie 154 zu den Inkorporationszahlen von Theologen und Juristen. Vgl. EPINEY-BURGARD, Rôle des théologiens dans les conciles (dünn und fehlerhaft); CONGAR, Histoire sémantique du terme ‚magistère‘; Bref historique.

[28] Der Einfluß des Pseudo-Dionys auf die mittelalterliche Philosophie und Theologie ist hier nicht weiter zu betonen. Es ist fraglich, ob man seine Rezeption etwa bei Gerson und Nikolaus von Kues als Phänomen der ‚Theologisierung‘ bewerten soll. Ebenso könnte man, um an das Realismus-Problem anzuknüpfen, von Scholastik-réveil sprechen, war doch Dionys schon bei Thomas von Aquin (und in der Franziskanertheologie) der meistzitierte Autor. Aus der reichen Literatur hier nur: CONGAR, Aspects ecclésiologiques 114–45; LUSCOMBE, Use of Pseudo-Dionysius; SIGMUND, Nicholas of Cusa 45–51, 57–65 und 333 s.v.; POSTHUMUS MEYJES, Gerson 341 s.v.; ULLMANN, Principles 46 ff. S. auch Verfasserlexikon 2 (1980) 154–66; Lex Ma III, 5. Lief., 1082–87.

Corpus Juris Civilis (!) beobachtet[29]: Hatte die Theologisierung in Basel ihren Wendepunkt erreicht?

Zum Verhältnis von Bibel und Kanonistik: Selbstverständlich wiesen viele Dekretalen des Corpus Juris Canonici Bibelstellen auf. Entscheidend ist, daß die Kanonistik auf diesen Kanon von Zitaten fixiert blieb und dann mit ihnen a l s Dekretalen argumentierte. Bestimmte Fragen wurden schematisch mit bestimmten topisch festliegenden Bibelzitaten bestritten. Die konziliaren Theoretiker aber, beginnend bei Langenstein, evident bei Gerson, kulminierend bei Segovia, übersprangen sozusagen den Filter des Corpus Juris, benutzten die Bibel direkt und suchten frei Zitate aus der Schrift, die bisher noch nicht für Fragen der Kirchentheorie benutzt worden waren. Der direkte Zugriff auf die Bibel – Wiclif und Hus waren darin vorangegangen! – eröffnete ganz neue, frag-würdige Argumentationen. Das eigentlich Innovative der Theologisierung besteht so gesehen darin, daß sie das festgefahrene kanonistische Begründungsgefüge aufsprengte, neue Sichtweisen aus der Bibel gewann, die andererseits, da von den Kanonisten nicht genutzt, auch ursprünglicheren ‚alten‘ Charakter zu tragen schienen. Erst unter dem Druck der Theologen, so ist gerade in Basel zu beobachten, eigneten sich auch die Kanonisten (Tudeschi) neue Bibelstellen an, verließen damit aber das sichere Gefüge ihrer Methode. Am Ende der konziliaren Bewegung hatte sich das Spektrum der Bibelstellen beträchtlich erweitert, mit denen die abendländische Theologie fürderhin umgehen konnte und dies – man braucht nicht erst an Luther zu denken – auch tat. Hier lag ein Vermächtnis der konziliaren Theorie und insbesondere ihrer Basler Phase, das die Forschung bislang wohl zuwenig bemerkt hat.

Die Epoche der Kanonistik ist im Rückblick, ihrer großartigen Leistungen ungeachtet, theologisch als eine Zwischenperiode der Erstarrung anzusehen; denn vor dem 12. Jahrhundert war der freie Umgang mit der Bibel (man denke nur an Bernhard von Clairvaux) durchaus üblich gewesen. Den Theologen bleibt es vorbehalten, die Methode der Bibelbenutzung bei Theoretikern der konziliaren Epoche ge-

---

[29] KRÄMER, Konsens 59. Ähnlich jetzt OAKLEY, Natural Law 796, mit Hinweis auf spätere Kanonisten (Decius, Ugonius), aber auch auf Gerson; OURLIAC-GILLES 55. Für den Spätkonziliarismus um 1500 ist die stärkere juristische Prägung bekannt (s. unten 480). Für Basel müßte die Bemerkung Krämers wohl noch überprüft werden. MIETHKE, Geschichtsprozeß 583 ff., sieht bei Innozenz III. den „Brückenschlag" zwischen Theologie und Kanonistik.

nauer zu erforschen. Wie stand es zum Beispiel um die Lehre vom vierfachen Schriftsinn? Ein gewisses Maß an Reflexion deutet sich darin
an, daß die Heilige Schrift auch im Selbstverständnis der Basler Theologen deutlich an die Spitze gestellt wird: *potestas ecclesiastica...
non ex jure nature civili aut canonico, sed principaliter ex divino jure dependente, hinc precipue
attendendum est, ut disserenda fidei racioni conveniant*[30]. Mit diesen Worten
hat Segovia im Grunde die Aufgabe der Theologie umschrieben. Und
hier zeigt sich eine sehr wichtige, in der Forschung bisher nach Vorar-
beit BÄUMERS wesentlich von SCHÜSSLER erkannte theologische Dimension des Basler Konzils. Sie hatte bereits die Auseinandersetzung
mit den Hussiten latent, die Debatten um die ‚Immaculata' dann entscheidend bestimmt: Die Frage des Schriftprimats und damit die
Diskussion um die Zwei-Quellen-Theorie (Schrift/Tradition) und
das kirchliche Lehramt[31]. Entscheidend ist, daß diese Fragestellung
überhaupt erst im Rahmen der Theologisierung aufkommen k o n n t e.
Für die Kanonisten, die Schrift und Tradition (d. h. vor allem päpstliche Dekretalen) unbesehen identifizierten, gab es dieses Problem
gar nicht.

e) Unfehlbarkeit – die Essenz der Konzilssuperiorität

Die Basler, so dürfen wir, die Literatur verallgemeinernd, sagen,
verteidigten die Autorität des kirchlichen Lehramts gegen das Postulat eines zugespitzten Schriftprimats, etwa das hussitische ‚scriptura
sola'. Das Lehramt sollte durch Ausformung eines Prinzips unangreif-
bar gemacht werden, dessen Bedeutung für das Selbstverständnis des
Basiliense nicht zu überschätzen ist: die (konziliare) Unfehlbarkeit.
Daraus läßt sich nicht zuletzt ersehen, daß die Theologisierung in
Basel nicht bis zur äußersten Konsequenz getrieben wurde, sondern

---

[30] MC III 764 Z.19–22. – MC II 254 Z.16 f. (‚Cogitanti'): *Sacram autem scripturam quis nesciat
preferri omnibus doctoribus, ut plana est XI* di. in decretis? Omnes autem doctores dicta sua ecclesiae
submittunt.*
[31] S. SCHÜSSLER, Primat 159–224. Das Buch verdient gerade wegen seiner vielen Belege
aus Basler Theoretikern weitaus stärkere Beachtung. Vgl. SCHÜSSLER, Scripture and Tradition (nicht gesehen) sowie: Sacred Doctrine; BLACK, Council 61 f.; KRÄMER, Konsens
116–23. Zum Problem s. oben 365 f., 369–71, sowie aus einer Fülle von Literatur: BEUMER,
Schriftprinzip; TIERNEY, ‚Sola scriptura'; BINDER, Schriftbeweis bei Torquemada; CON-
GAR, Tradition, besonders 141–51; LThK 5, 115-19; 6, 887 f. – Die großen Bibelkom-
mentare, die im 15. Jahrhundert eine neue Blüte erlebten, etwa bei Benedikt Hesse,
Jakob von Paradyz oder Alonso de Madrigal (Tostado), wären auf kirchentheoretische
Inhalte durchzusehen. Darauf wies schon RIEDLINGER, Makellosigkeit 403, hin.

daß man sich, wie auch an anderen Punkten beobachtet wurde, systemstabilisierend verhielt.

Schon die wichtige Responsion ‚Cogitanti' (1432 IX 3) verkündete als Kern die Inerranz der kirchlichen (= konziliaren!) Lehrautorität, die Äquivalenz von Schrift und Lehramt, die Widerspruchslosigkeit von Glauben und Amtskirche: *Ipsa* (sc. universalis ecclesia) *enim errare non potest, et quicquit determinat scripto aut consuetudine universali faciat, eiusdem reverencie et auctoritatis est, cuius sacra scriptura*[32]. Und da das Konzil die Gesamtkirche repräsentiert, dieser aber von Christus Beistand und Irrtumslosigkeit zugesichert ist, folgt daraus: *spiritus sanctus infallibiliter regit generale concilium*[33]. Segovia nennt die Unfehlbarkeit des Konzils eine *veritas architectonice catholica*[34]. In der Tat bildet sie einen Eckstein im Basler Selbstverständnis, dem sich Prinzipien wie Konsens, Repräsentation und Rezeption erst supplementär anfügen. Ohne die Lehre von der Inerranz des Konzils als latentem oder offenem Untergrund der ‚Haec-Sancta'-Debatte in Basel sind auch die Dogmen des Jahres 1439 nicht zu verstehen: Denn – hier lag der neuralgische Punkt – aus der Infallibilität folgt natürlich um so mehr die Superiorität des Konzils über den (irrtumsfähigen) Papst.

Es muß daher verwundern, daß die Forschung den Aspekt der konziliaren Unfehlbarkeit bis in allerjüngste Zeit kaum beachtet hatte. Vielmehr kreisten die theologischen Debatten über Infallibilität fast ausschließlich um die päpstliche Unfehlbarkeit, sprich um die Problematik des I. Vatikanums und die „Anfrage" Küngs. Nach Ansätzen von BÄUMER haben jetzt SCHÜSSLER und vor allem SIEBEN diese Lücke mit wichtigen Arbeiten geschlossen[35]. HERMANN SCHÜSSLER (1977)

---

[32] MC II 244 Z.20 ff. Vgl. RTA XV 446 Z.4–19, 448 Z.6–12.

[33] So Carlier MC I 427; s. ebd. 429 – Beispiele unter vielen.

[34] MC III 653 Z.27. Vgl. Ragusa RTA XV 209 Z.18: *articulus fidei*. Was aber ist eine ‚veritas fidei'? Dazu s. 385-87 und 464-67, 473 f..

[35] Übersicht über die Thematik von Gratian bis Suárez bei BÄUMER, Nachwirkungen 163–203; SCHÜSSLER, Primat 87 f., 139–44 (Gerson); 163–72, 155 ff., 195–224 (Tudeschi und andere). Grundlegend SIEBEN, Traktate 149–207, 241 f., 268–71, zu Basel besonders 165–96: Die Darstellung teilt sich in einen chronologischen Durchgang der Theoretiker, kulminierend in einer Analyse Torquemadas und Segovias (187–96), und einen besonders hilfreichen systematischen, die Argumente ordnenden Teil (196–207). S. auch SIEBEN, Konzilsidee des Mittelalters 358–65, 401–06; 427–51 (Ockham), 479 s.v.; ders., Quaestio; MEUTHEN, Dialogus 52 f., 55, 62–64; Konsens 25. Bei KRÄMER, Konsens 476 s.v. ‚Unfehlbarkeit' wohl noch zu wenig akzentuiert; BLACK, Council 247 s.v. ‚Infallibility'; VAGEDES, Konzil I 105–28; IZBICKI, Infallibility. – Zu knappe Quellenbasis, völlige Ausblendung des Basiliense bei BERMEJO, Alledged Infallibility of Councils. Vgl. auch BÄUMER,

hatte in überzeugender Weise die Verschränkung der Probleme
Schriftprimat und Unfehlbarkeit am Beispiel seiner Zentralfigur
Niccolò Tudeschi herausgearbeitet. Ungeachtet seiner bekannten
proteushaften Wandlungen ist dem Panormitanus doch entscheidender Einfluß bei der Transmission des theologischen Materials bis
Luther zuzuschreiben[36]. Wir sehen jetzt deutlicher, wie kontrovers,
aber auch auf welchem Niveau die Unfehlbarkeit seit Ockham
diskutiert wurde: Bei Wiclif-Hus und ihren Gegnern, auf dem Constantiense (hier gehörte Gerson zu den Befürwortern, während etwa
d'Ailly oder Thomas Netter ihre Skepsis begründeten), bei Nicolas de
Clémanges († 1423), – um schließlich wie viele andere theologische
Grundkonflikte auf dem Basiliense zu kulminieren. Einige Kernfragen, wie sie zum Beispiel schon Clémanges mit bemerkenswerter
Nüchternheit durchging[37]: Kann die der Gesamtkirche von Gott
zugesicherte, biblisch belegbare Unfehlbarkeit auch auf ein Konzil
übertragen werden? Wie ist Irrtum auszuschließen? Auf welche
Gebiete erstreckt sich Unfehlbarkeit eines Konzils, nur auf ‚fides'
oder auch auf ‚mores'? Welche Art von Konzilien ist unfehlbar? Steht
die Inspiration der Synodalen mit ihrer inneren moralischen Qualität
in Zusammenhang?

Die Positionen der einzelnen Theoretiker in Basel erweisen sich als
sehr differenziert, laufen quer durch die Gruppierungen hindurch:
Wir sehen zum Beispiel Cesarini, Kalteisen (in der Hussitendebatte),
Ragusa, Ebendorfer, Alonso de Madrigal (Tostado), Courcelles für die
Unfehlbarkeit argumentieren, während etwa Pornaxio, Torquemada
und Tudeschi Einwände vorbringen[38]. Am tiefgründigsten und theo-

---

Luthers Ansichten; zur Entwicklung vom 16. bis zum 19. Jh.: HORST, Unfehlbarkeit und
Geschichte (1982).

[36] Zu Tudeschi: SCHÜSSLER, Primat 172–259 passim; 203–24 über Tudeschi in Basel,
225–59 zur kontroversen Rezeption seiner Ideen bis Luther. Vgl. ECKERMANN, Studien
134, 153 f.; BÄUMER, Nachwirkungen 163 f., 182–84; NÖRR, Kirche 126–33; SIEBEN,
Traktate 178: „Das fehlbare, bzw. unfehlbare Konzil ist eine Art Versatzstück, ist Diskus-
sionsmasse, die bald hier, bald dort mit auf die Waagschale gelegt wird".

[37] SIEBEN, Traktate 160–65.

[38] Zahlreiche Belege bei SCHÜSSLER, Primat 167–70, 176 ff., 197 f. und, die Arbeit von
Schüssler zu wenig würdigend, SIEBEN, Traktate 168–207. – Zum Beispiel: Johann von
Ragusa, Tractatus de ecclesia I 2, ed. SANJEK, 19: ... *quia nec ipsa catholica ecclesia, nec ipsum
concilium generale, legitime congregatum et celebratum, possunt errare in praedictis, nec etiam statuta et
decreta eiusdem possunt in se continere errorem in fide aut in moribus iniquitatem...;* vgl. Ragusa: RTA
XV 208 Z.7–16 und 209. – Courcelles: RTA XIII 805 Z.40–806. Wichtige Passagen in
Ebendorfers Traktat gegen die Bulle ‚Deus novit'; s. JAROSCHKA, Ebendorfers Traktat 31–

logisch originellsten hat einmal mehr Segovia das Problem durch-
dacht, wie SIEBEN eindrücklich vorführt[39]. Hervorzuheben ist zuerst
der hohe Anteil b i b l i s c h e r Kontroversinterpretation, wobei die für
die konziliare Ekklesiologie ohnehin zentralen Stellen wie Dtn 17,
8–13; Mt 18, 20; Mt 28, 20; Lk 22, 32; Apg. 15; Eph 5, 27 im Vordergrund standen[40]. Dem Gedanken des Schriftprimats waren freilich
nach SCHÜSSLER die Ideen der meisten ‚Konziliaristen' abträglich (war
nicht das Lehramt auch Instrument der Selbstdefinition des Konzils?),
während umgekehrt, was nicht gerade selbstverständlich war, bei
‚Papalisten' auch vor 1438 viel eher der „normative Vorrang der
Schrift" vertreten wurde[41]. – Als letztlich irreduzibelste aller Begründungen für konziliare Unfehlbarkeit erscheint immer wieder die Inspiration des Konzils durch den Hl. Geist[42]. Sicherlich ist dies „alte
patristische Lehre" (Sieben)[43]. Aber die Tatsache, daß sie in Basel so
stark aufgegriffen und, wie wir meinen, partiell (etwa bei Segovia) vertieft worden ist, verdient stärker akzentuiert zu werden. Dieser

---

55; SIEBEN, Traktate 167 f., 183; RTA XVII 371 Z.28 f. (1444), von MEUTHEN, Konsens 25,
als Beispiel des wachsenden „Unfehlbarkeitsdogmatismus" der Basler angeführt. Bei
den Skeptikern deutlicher Einfluß Ockhams: SCHÜSSLER, Primat 118–30, 176 f., 180 f.

[39] SIEBEN, Traktate 168 f., 183, 190–96. – Vgl. SCHÜSSLER, Primat 204–07; LADNER, Segovias Stellung 107 (Add. 26); KRÄMER, Konsens 230–32, 234–36. – Die Kernstellen in
Segovias Rede vom März 1441 und ihrer ‚Amplificatio', deren systematische Analyse
immer überfälliger wird: MC III 571 f., 585–88, 603–605, 638 ff., 649 ff., 653, 699. Als
besondere Leistung stellt SIEBEN, Traktate 193–95 die ungewöhnlich fruchtbare Schriftkenntnis auch des AT (z. B. Gegenüberstellung von fehlbarem AT- und unfehlbarem
NT-Lehramt) und die heilsgeschichtliche Perspektive heraus: „Die Unfehlbarkeit der
Konzilien hat ihren letzten theologischen Grund in der Endgültigkeit der Heilsoffenba-
rung in Christus" (194). – Ein origineller Gedanke Segovias ist die Deutung des Konzils
als Synthese der Eigenschaften des alttestamentlichen Sanhedrins und des Propheten-
amts (194 f.). Vgl. SIEBEN, Konzilsidee der Alten Kirche 391–423. Zum theologischen
Problem s. unten Anm. 148.

[40] Belegsammlung zur Interpretation von Mt 18, 20 bei CONGAR, Konzil als Versammlung 157–65 (von Tertullian bis Pius IX.); zu Dtn 17, 8–13: SIEBEN, Traktate 133–41, ebd.
141–47 zu Apg.15. Vgl. BLACK, Council 129–32 (Bibel bei Segovia); Ragusa, Tractatus de
ecclesia, ed. SANJEK, 328 s.v. ‚Scriptura sacra'.

[41] SCHÜSSLER, Primat 160 und 198 Anm. 20 mit Belegen, die den Vorrang des Lehramts
vor der Schrift begründen sollen.

[42] Vgl. nur SIEBEN, Traktate 291 s.v. ‚Inspiration', vor allem 199 (Zitat) und 201. Zentral,
noch uninterpretiert: Segovias Rede vom März 1441 (MC III 603 Z.15–605 Z.18); Kalteisen in der Hussitendebatte (Mansi XXIX 1060B–1063A); dazu SIEBEN, Traktate
173–75.

[43] S. SIEBEN, Konzilsidee der Alten Kirche 521 s.v. Inspiration mit zahlreichen Belegen.

pneumatisch-spiritualistische Zug in Verbindung mit der Gnadenlehre scheint mir in der Basler Ekklesiologie etwas Charakteristisches zu sein. – Demgegenüber ist das ebenso typische Argument ‚ex repraesentatione‘ in der Literatur mittlerweile geläufiger. Es ist die Identitäts-Repräsentation (Konzil = Kirche), mittels derer die der Gesamtkirche unwiderleglich zugesicherte Unfehlbarkeit auch im Konzil konzentriert zu sein vermag, wodurch sie freilich zu einem automatisch sich einstellenden Mechanismus zu werden droht. Gerade diesen Vorwurf erhoben die Eugenianer nach der Spaltung gegen Basel. Unter ihren Argumenten findet sich stets der durchaus traditionelle ‚historische‘ Hinweis auf die Existenz fehlbarer Konzilien in der Geschichte der Kirche.[44]. Nicht zuletzt wohl als Ausdruck ihrer biblischen Begründungsschwierigkeiten bedienten sich die Verteidiger der Unfehlbarkeit des Basiliense schließlich auch eines Arguments, das man ‚ex necessitate‘, aber auch, Sieben variierend, ‚ex providentia divina‘ umschreiben könnte: Es m u ß eine letzte unfehlbare Instanz der christlichen Lehre geben, weil sonst der Glaube selbst unsicher wird (*vacillat*)[45], ein Kriterium , das später auch zur Begründung der päpstlichen Unfehlbarkeit verwendet wurde. Demnach darf auch nicht ei n Konzil (hier war natürlich die Definition entscheidend) geirrt haben, da sonst eine verwirrende Kettenreaktion von Erranz zu befürchten wäre. Im übrigen aber, so ein den Unfehlbarkeitsdogmatismus der Basler in sehr bezeichnender Weise relativierender

---

[44] Z. B. Torquemada: Mansi XXXI 83CD; ähnlich aber schon im Jahre 1433: Mansi XXX 579D. Torquemada (und Nikolaus von Kues) leugnen freilich nicht schlechthin die Unfehlbarkeit des mit dem Papst vereinigten Konzils *(concilium plenarium),* sprechen aber dem Basiliense nach 1437 diese Qualität ab. Bemerkenswert auch die Trennung von Unfehlbarkeit und Superiorität bei Torquemada. Zu ihm jetzt SIEBEN, Traktate 169 f., 179f., 184–87; vgl. PROAÑA GIL, Doctrina 90–94; MASSI, Magistero infallibile; MORRIS, Infallibility. Widerlegung des ‚historischen‘ Arguments der irrenden Konzilien durch die Basler, etwa durch Segovia: MC III 700 Z.9–702 Z.25; vgl. SIEBEN, Traktate 192.
[45] Belege bei SIEBEN, Traktate 166 f., 174 f. (Kalteisen), 179 Anm. 183 (Courcelles), 191 f. (Segovia), 202; SCHÜSSLER, Primat 198 f. – S. zum Beispiel Segovia (MC III 699): Eine wechselseitige Korrektur jeweils fehlbarer Konzilien und Päpste (ein Gedanke, der unter anderem von Pornaxio und Tudeschi vertreten wurde) hätte zur Folge, daß: *infirma dubiaque redditur catholica fides... Christum reliquisse ecclesiam absque firmitate ulla, ut sciri non posset certitudinaliter, que sit veritas catholice fidei et cuius tradicioni credi oportet.* Ähnlich schon die Responsionen ‚Cogitanti‘ (MC II 243, 254) und ‚Speravit‘ (MC II 376 sowie Cesarini (MC II 1169). Vgl. Johann Grünwalder 1442: *Qua enim racione unum generale concilium in fide et necessariis ad salutem vacillaret, eadem racione omnia precedencia titubarent* (zit. MEUTHEN, Grünwalders Rede 423).

Gedanke bei Segovia: „Gehorsamspflicht besteht auch, wenn das Konzil nicht unfehlbar ist"[46].

f) ‚Historische Methode'?

In der Forschung finden sich zunehmend Hinweise auf ein wachsendes historisches Methodenbewußtsein bei Theoretikern der Basler Zeit. Und zwar werden nicht nur Nikolaus von Kues, in dessen Werk man historische Kritik schon früher beobachtet hatte, sondern, vermutlich von Cusanus angeregt, Ragusa und Segovia, aber etwa auch Juan González, Laurentius von Arezzo und Heymericus de Campo genannt[47]. Historische Argumentation begegnete uns schon im Zusammenhang mit den nationalen Rangstreitigkeiten auf dem Konzil. Es ist daher grundsätzlich zu prüfen, was man unter ‚historisch' versteht: Das Sammeln alter ‚auctoritates' gehörte zur traditionellen Methode der Kanonisten und Theologen und ist, mochten die Belege auch noch so vielseitig und entlegen recherchiert sein, nicht mit historischer Kritik im wissenschaftlich-philologischen Sinne gleichzusetzen. Zweifellos aber vertiefte sich jetzt diese antiquarische Argumentationsweise beachtlich, zum Beispiel im Rückgriff auf die Konzilien der Alten Kirche. Auch der systematische Vergleich kon-

---

[46] Zuerst bei SIEBEN, Traktate 191, hervorgehoben.

[47] S. schon BECKMANN, RTA XIII, S. XXXIV f. zu *Ragusa* und *Courcelles* mit Hinweis auf M. RITTER, Die Entwicklung der Geschichtswissenschaft an den führenden Werken betrachtet, 123 f. Ferner zu *Ragusa*: KRÄMER, Konsens 108, 205 f.; BLACK, Council 106–10 (Ragusa nur unter diesem Aspekt!); zu *Segovia*: KRÄMER 218, 223 Anm. 38, 240 Anm. 77. Vgl. grundsätzlich ebd. 35 und BLACK, Council 247 s.v. ‚history used in argument'. Zu *Cesarini*: KRÄMER 147 f.; CHRISTIANSON, Cesarini 187. *Laurentius von Arezzo*: HÖDL, Laurentius von Arezzo 262. – *Juan González*: KRÄMER, Konsens 36, 222 Anm. 38. – *Heymericus de Campo*: KRÄMER, Konsens 35; BLACK, Council 77; Heimericus de Campo passim. Gegenteilige Beobachtung bei LADNER, Konziliarismus des Heymericus 14. Am evidentesten ist ‚historische Methode' bei *Nikolaus von Kues* nachgewiesen worden: GRASS, Cusanus als Rechtshistoriker 116-39; MEUTHEN, Nikolaus von Kues und die Geschichte; Kanonistik und Geschichtsverständnis 147 f., 169 f.; KRÄMER, Konsens 32, 35, 161, 259–64. Nach wie vor etwas mysteriös erscheint in der Forschung der Einfluß des *Michael Pauli de Pelagallo* mit seinem ‚liber dialogorum hierarchiae subcaelestis', von dem Ragusa eine Hs. besaß. Vgl. KRÄMER, Konsens 35, 108, 264, 342; SCHOLZ, Kritik der Kirchenverfassung; MENOZZI, Critica all' autenticità. Zu *Lorenzo Valla* s. oben 244 f. Vgl. allgemein jetzt: KESSLER, Theorie der Geschichtsschreibung im Humanismus, mit Lit. – Die englische Gesandtschaft im Reich erklärte 1442, es habe nach den vier großen Alten Konzilien sechzehn weitere gegeben, *quae nulla veneratione digna fuere, ut communiter noverunt historizantes*; RTA XVI 549 Z. 29. ‚Historizare' ist also nichts Neues!

troverser Zitatreihen kommt vor. Mögliche Einflüsse des Humanismus sind zu prüfen.

Während es zum Beispiel über die Bedeutung der ‚historia‘ in der mittelalterlichen und humanistischen Geschichtsschreibung zahlreiche Studien gibt, könnte eine Untersuchung ihrer Funktion als ‚ancilla theologiae‘ noch neue Perspektiven eröffnen. Generell gilt es zu differenzieren: Der Nominalist, der den Aristoteles wörtlich interpretiert, der Humanist, der einen platonischen Urtext rekonstruiert und der Theologe, der wie Nikolaus von Kues die altkirchlichen *originalia ... longe abusu perdita*[47a] aufspürt, um sie in die aktuelle kirchentheoretische Diskussion einzubringen – sie alle steigen ‚ad fontes‘, aber wie unterschiedlich sind Methode und Intention!

g) Marksteine der jüngeren Forschung

Die vielleicht größte Crux der Konziliarismusforschung besteht schlicht in der so großen Zahl von Theoretikern, die zudem nicht nur eindeutige, sondern meistens „gemischte und vermittelnde Positionen vertraten“[48], aber auch ihre Ansichten im Lauf der Jahre änderten, wenn sie nicht gar regelrechte Frontwechsel vollzogen. Außerdem war kaum jemand ein reiner Diener der Theorie, sondern, man weiß es längst, auch tagespolitischen Zielen unterworfen, vor allem wenn er, wie Tudeschi, Fürstengesandter war. Wer aber ist dann noch repräsentativ für ‚den‘ Basler Konziliarismus? Welcher Schrift kann man „Grundsatzcharakter“ zusprechen[49]?

Die Forschung hat sich zwar häufig an der pauschalen Grobschlächtigkeit der gängigen Polarisierung ‚Konziliaristen‘ – ‚Papalisten‘ gestoßen[50], doch überzeugten weder Versuche, eine verfeinerte Parteien-Skala aufzustellen (BUBENHEIMER)[51], noch mag man ganz

---

[47a] Conc. cath. I, Praefatio Z. 3.

[48] KRÄMER, Konsens 5, auf „alle“ Theoretiker bezogen.

[49] Von ENGELS, Konzilsproblematik 331 Anm. 8, als „die große Unbekannte dieses Forschungskomplexes“ bezeichnet. Vgl. MEUTHEN, Kanonistik 106.

[50] TIERNEY, Foundations 3; FINK, Konziliare Idee 276; MEUTHEN, González 292 f.; MIETHKE, Forum 736–42; KRÄMER, Konsens 1, 5, 166; ALBERIGO, Chiesa 345. – BUBENHEIMER, ZRG KA 59 (1973) 457 ff. (Rezension von BÄUMER, Nachwirkungen); FRANK, Huntpichler 93.

[51] BUBENHEIMER (wie oben) 40. Für die Zeit nach 1437 scheint sich durchzusetzen, nicht von Papalisten, sondern von „Eugenianern“ (Meuthen) oder „eugenistischer Partei“ (Schüssler) zu sprechen – so wie Nikolaus von Kues von den Basler „Amedisten“ sprach –, was die kirchenpolitische Parteiung ausdrückt, aber der großen Heterogenität der darunter subsumierten Theoretiker keinen Abbruch tut.

ohne die alten Begriffe auskommen. Auch unsere Arbeit macht darin keine Ausnahme. Eine konfessionsähnliche Zementierung der kirchentheoretischen Überzeugung hat erst in den späteren Konzilsjahren stattgefunden. Man spürt vielmehr, wie zu Beginn um die Probleme gerungen wurde, stellt geradezu eine große „theoretische Unsicherheit" bei vielen Konzilsvätern fest – wie etwa MEUTHEN am Beispiel des Juan Gonzáles gezeigt hat[52]. Auch sollte man nicht vergessen, daß oft als ‚Papalisten' titulierte Personen wie Torquemada oder Johann de Montenigro jahrelang unangefochtene und respektierte Konzilsmitglieder waren und wertvolle theologische Arbeit leisteten. Für den, der auf höchster Ebene in der Kirche reformerisch und theologisch aktiv sein wollte, gab es vor 1437 zum Basiliense keine Alternative.

Die Schwierigkeiten für den Konzilshistoriker müssen wachsen, wenn er die Werke der einzelnen Theoretiker, ihre Tätigkeit auf dem Konzil und dessen große Sachthemen verknüpfen und womöglich in die neunzehn Jahre dauernde Ereignisgeschichte des Konzils einbetten will. Die Autoren haben bisher keinen anderen Weg gesehen, als den Konziliarismus als „Leitidee einer Gruppe von Theologen des Basler Konzils" zu personalisieren und in Ideographien (Krämer: „Entwicklungsgeschichten")[53] einzelner Theoretiker aufzulösen, um dann einige von ihnen, etwa Segovia und Ragusa, als besonders ‚repräsentativ' herauszustellen, wie dies bei Krämer recht überzeugend geschehen ist. – Ein objektiveres wenn auch nuancenärmeres Bild könnten eher die offiziellen Dekrete und theologischen Responsionen des Konzils vermitteln, doch hat man erkannt, daß auch diese teils ganz von Einzelnen, wie von Cesarini und nach dessen Weggang von Thomas de Courcelles[54], teils unter Beteiligung mehrerer Konzilsväter entworfen worden sind (z. B. Mitarbeit Thomas Ebendorfers an ‚Cogitanti' vom 3. IX. 1432)[55].

Zu den wichtigsten Monographien der letzten Jahre über den Basler Konziliarismus zählen die Bücher von BLACK und KRÄMER sowie mit Einschränkung WOLMUTH, denen mit breiterem Ausgriff ALBERIGOs ‚Chiesa conciliare', die Opera von SIEBEN, eine Reihe wichtiger Auf-

---

[52] MEUTHEN, González 292 f.

[53] KRÄMER, Konsens 5, 11.

[54] MC II 1042. Er konzipierte zum Beispiel das wichtige Konzilsschreiben ‚Grande periculum' (1440 XI 8); Mansi XXIX 355C–368C.

[55] JAROSCHKA, Thomas Ebendorfer 88 Anm. 6 und 90.

sätze von MEUTHEN und die einschlägigen Passagen von CONGAR im
‚Handbuch der Dogmengeschichte‘ an die Seite zu stellen sind. Auch
die Arbeit von ISNARD W. FRANK über den „antikonziliaristischen
Dominikaner Leonhard Huntpichler" (1976)[55a] enthält, sozusagen
gegen den Strich zu lesen, wesentliche Interpretationen des Basler
Konziliarismus, wird aber in der Forschung wegen des engen Titels zu
wenig wahrgenommen.

YVES CONGAR[56] sprach 1971 von der „Geburt" des Traktates ‚De
ecclesia‘ bei Wiclif und Hus. Dieser Sachverhalt erhielt in der Tat uni-
versalkirchliche Bedeutung, da nicht nur die katholischen Hussiten-
gegner, sondern – oft in gleicher Person – auch die ‚konziliar‘ oder
‚papal‘ engagierten Theoretiker den ekklesiologischen Ansatz auf-
griffen und zur ‚Summa de ecclesia‘ weiterführten. Gerade der Rang
Johanns von Ragusa dürfte von Congar hier zum erstenmal in einem
theologischen Handbuch gewürdigt worden sein. Die eigenen theologischen Maßstäbe Congars sind wie die der meisten genannten Autoren entscheidend von den Fragen des II. Vatikanums bestimmt[57] und
gehen von einer „Theologie der Kollegialität der Bischöfe"[58] aus: Ihr
Fehlen habe im 15. Jahrhundert die Spaltung in die konkurrierenden
Kirchengewalten Papst und Konzil bzw. nach der Niederlage des
Konzils die unbeschränkte päpstliche Monarchie überhaupt nur möglich gemacht.

GIUSEPPE ALBERIGO zieht mit seinem Buch ‚Chiesa conciliare‘
(1981)[59] erstmals eine eindrucksvolle Bilanz der konziliaren Bewe-

---

[55a] ISNARD W. FRANK, Der antikonziliaristische Dominikaner Leonhard Huntpichler,
Wien 1976.

[56] YVES CONGAR, Die Lehre von der Kirche. Vom abendländischen Schisma bis zur
Gegenwart (=Handbuch der Dogmengeschichte, Hg. M. Schmaus u. a. III 3 d) Freiburg/Br.
1971, zu Basler Theoretikern, insbesondere Tudeschi, Ragusa und Nikolaus von Kues:
22–30. Vgl. zuvor CONGAR, Jalons 64–71, mit stärkerer Betonung des ‚hierarchologi-
schen Fundaments‘ der ‚de ecclesia‘-Traktate. – Als Theologe versucht CONGAR, gestützt
auf die Kirchenväter, das Konzil aus dem Wesen der Kirche, aus ihrer „grundsätzlichen
Konziliarität", zu verstehen. Zentral: CONGAR, Konzil als Versammlung; komprimiert
zuletzt in: Concilium 19, 8/9 (1983), 501–06.

[57] Zum Beispiel: BLACK, Council of Basle and Second Vatican Council; Council 215–22:
‚The council today‘.

[58] CONGAR, Handbuch 29. – S. zu diesem vatikanischen Zentralthema u.a.: CONGAR –
DUPONT (Hgg.), La collegialité épiscopale; darin CONGAR 99–129. Nicht gesehen habe ich
OLIVÁRES, Conciliarismo y colegialidad episcopal.

[59] GIUSEPPE ALBERIGO, Chiesa conciliare. Identità e significato del conciliarismo,
Brescia 1981, zum Basiliense: 241–354, davon 291–340 über Nikolaus von Kues. – Alberigo darf als der wohl profilierteste Konzilsforscher in Italien gelten. Er leitet das

gung zwischen 1378 bis 1434, dem Ausbruch des Großen Schismas und der ‚Concordantia catholica' des Nikolaus von Kues. Die Theoretiker der ersten Jahrzehnte bis zum Constantiense werden hier endlich einmal in geschlossener Form aufgearbeitet, doch bildet das Konstanzer Dekret ‚Haec Sancta', in einer übrigens sehr differenzierten und unverkrampften Beurteilung, doch den Angelpunkt[60] der Darstellung, deren Interesse sicher auch darin liegt, „das ekklesiologisch Fruchtbare der kirchentheoretischen Diskussion des 14. und 15. Jahrhunderts auch im Hinblick auf Pendelrückschläge in der Zeit nach dem Zweiten Vatikanum, im Bewußtsein zu halten"[61]. Die Beurteilung des Basiliense ist dagegen sehr dem traditionellen katholischen Bild verpflichtet, wenn ihm, angesichts der „elementi ambigui" des Konziliarismus, gegenüber Konstanz „un ruolo negativo" (347) zugeschrieben wird. Ebenso traditionell wie reduktiv muß wirken, daß Alberigo in der ‚Concordantia catholica' des Nikolaus von Kues „sintesi e apice" (291) des Konziliarismus sehen will, demgegenüber so zentrale Theoretiker wie Segovia und Ragusa nur am Rande erscheinen. Wenn der Verfasser sein Buch überraschenderweise im Jahre 1434 enden läßt, als nämlich mit der Eingliederung der päpstlichen Präsidenten nach langer Fundamentaldebatte eine (sehr ephemere) Einigung von Papst und Konzil erreicht schien, muß das Gesamtbild verkürzt geraten. Denn können alle späteren Konzilsarbeiten und Traktate (auch die von 1434-37) wirklich als „epigoni del conciliarismo" (347) infolge von „mancanza di creatività" (292) abgetan werden?

Sicherlich kann man in Basel ein bisweilen fast monomanisches Streiten um Prinzipienfragen beobachten, sind Niveauunterschiede und eine zunehmende Verknöcherung der Argumente unverkennbar. Ohne Zweifel haben die Traktate auch "viel Mittelmäßigkeit angeschwemmt . . ., der argumentativ nichts mehr einfiel", wie zum Beispiel Johannes Grünwalder in seinem Redeentwurf von 1442[62]. Die Prinzipiendiskussionen an sich sind aber vor allem daraus zu erklä-

---

Instituto per le scienze religiose in Bologna, dem unter anderem die Edition der ‚Conciliorum Oecumenicorum Decreta' zu verdanken ist.

[60] ALBERIGO 9–14; 165–214, und danach passim.

[61] Rezension von E. MEUTHEN, in: HZ 236 (1983) 444. Vgl. Rez. von M. PACAUT, in: Revue belge phil. et hist. 62 (1984) 359–62; H. J. SIEBEN, in: AHC 15 (1983) 469–72.

[62] MEUTHEN, Grünwalders Rede, Zitat 427; ähnlich MEUTHEN, Rosellis Gutachten 466–71.

ren, daß die Basler Ekklesiologie von Anfang an unter starkem Rechtfertigungsdruck von außen arbeitete. Sie war – wie die Theologie des
16. Jahrhunderts – stets kontrovers. Gerade Kontroverstheologie
muß aber notwendigerweise auch prinzipiell sein. Nur wird man kaum
sagen können, daß Köpfe wie Ragusa, Segovia oder Tudeschi und
ebenso ihre eugenianischen Gegner von Kalteisen bis Nikolaus von
Kues in 15 Jahren überhaupt nichts Neues mehr gebracht hätten. Die
unübersichtliche Quellenlage mag Alberigos Abstinenz verständlicher machen. Mehr noch dürfte er die betreffenden Basler Schriften
(ohne das so auszusprechen) als nicht mehr akzeptabel für die Gegenwartstheologie ansehen.

Die beiden Bücher des schottischen Politologen ANTONY BLACK[63]
gehören zweifellos zum Wichtigsten, das bisher über Basel geschrieben wurde. Ihm kommt es auf die großen verfassungstheoretischen
Zusammenhänge, auf die Interdependenzen zwischen kirchlicher
Konzilstheorie einerseits und politischer Theorie sowie weltlicher
Gesellschaftsvorstellungen andererseits an. In seinem ersten Werk
‚Monarchy and Community‘ (1970) versuchte er, zwei europäische
„schools of political theory“ (IX) in Gestalt der beiden spanischen
Theologen und Basler Konzilsväter Segovia (als Exponent des ‚community‘-Denkens) und Torquemada (als Vertreter der ‚monarchy‘-
Theorie) polar zu typisieren. Man hat richtig eingewandt, daß eine
derartige Zuspitzung dem Nuancenreichtum der Basler Theorien
nicht gerecht werde[64], doch scheint sie mir als kompositorischer Versuch, der Vielfalt pointierend Herr zu werden, durchaus gelungen.
Ohne daß sich Segovia und Torquemada auf eine Formel reduzieren
ließen, bewies Black mit der Wahl gerade dieser beiden ein gutes Gespür. Es fügt sich sehr gut, daß beide gleichsam oxymorisch als ‚feindliche Dioskuren‘ auch anderweitig in mehreren theologischen Grundsatzdebatten, die aber gerade nicht nur die Kirchenverfassung betrafen, aufeinanderprallten[65].

---

[63] ANTONY BLACK, Monarchy and Community. Political Ideas in the Later Conciliar
Controversy 1430–1450, Cambridge 1970, sowie: Council and Commune, London 1979,
Untertitel des Umschlags: The Conciliar Movement and the Council of Basle, Untertitel
der Titelseite aber: The conciliar movement and the fifteenth-century heritage.

[64] S. Rezension von H. JEDIN, in: ZRG KA 58 (1972) 446–48. – Im Kapitel ‚Doctrine and
diplomacy‘ (85–129) läßt Black durchaus auch eine ganze Reihe anderer Theoretiker zu
Wort kommen.

[65] Wir haben oben mehrere Beispiele geliefert. Die antipodische Gegenüberstellung
zuletzt bei SIEBEN, Traktate 187–96.

Ohne den Gründen selbst weiter nachzugehen, hat BLACK ferner gezeigt, daß eine sich verfestigende ideologische Polarisierung zwischen Gegnern und Anhängern des Basler Konzils, die schließlich zum Ausbau der ‚monarchischen Theorie‘ geführt hat, im wesentlichen erst nach der Spaltung des Konzils ab 1438 zu beobachten ist (85-129), als „doctrine and diplomacy" auf beiden Seiten Hand in Hand gingen. Doch wuchs, wie bereits KARLA ECKERMANN gesehen hatte, die monarchische Antithese gegen den organisch-korporativen Holismus der Basler schon in den ersten Jahren des Konzils in einigen Positionen Torquemadas (1433) und in den ‚Monarchia‘-Traktaten des Piero da Monte und des Antonio Roselli heran; beide sind um 1433 entstanden, also gleichzeitig mit der ‚Concordantia catholica‘ des Nikolaus von Kues[66].

Das zweite Buch von BLACK, ‚Council and Commune‘ (1979), dessen Reichtum die Forschung erst noch ausschöpfen muß, verfolgt den Entwicklungsstrang der ‚community‘ weiter. Doch haben jetzt philosophische und ekklesiologische Aspekte gegenüber den politiktheoretischen an Gewicht gewonnen. Der deutlichste kompositorische Unterschied zum ersten Werk liegt darin, daß Segovia, der Symbolfigur der ‚community‘, jetzt vier weitere Theoretiker vorangestellt sind, Heymericus de Campo, Andreas von Escobar, Tudeschi Panormitanus und, leider nur sehr knapp, Johann von Ragusa. Black versucht dadurch, nicht nur der Differenziertheit des Basler Konziliarismus gerecht zu werden, sondern mit der chronologisch gedachten Reihenfolge auch Ansätze einer Entwicklungsgeschichte zu bieten, die freilich ein wenig forciert wirkt. Die Kulmination sieht Black aber auch hier bei Johann von Segovia [„Chief theoretical exponent of Basle conciliarism" (2)], dem darum fast die Hälfte des Buches eingeräumt wird. Schon sein erster Konzilstraktat (‚Super presidentia‘) sei „wholeheartedly Basilean" und auf Ideen gegründet, die „common property of the Basle majority" (119) gewesen seien; an Segovias ‚Repräsentativität‘ sei mithin nicht zu zweifeln.

Den Arbeiten Blacks an die Seite zu stellen ist WERNER KRÄMERS ‚Konsens und Rezeption. Verfassungsprinzipien der Kirche im Basler

---

[66] ECKERMANN, Studien 43 f., vgl. 45 f., 53 f. Grundlegend mit Quellenbelegen BLACK, Monarchy 53–84. Man sollte allerdings vorsichtig sein, Torquemadas 1449 erschienene ‚Summa de ecclesia‘ als repräsentativ für seine Basler Jahre zu zitieren. Vgl. auch die frühe (1432 VIII 20) Rede des päpstlichen Gesandten Johann Berardi (Mansi XXIX 482–92): Christus hat die monarchische Regierungsform der Kirche eingestiftet.

Konziliarismus' (1980). Seine Bedeutung wurde andernorts[67], aber auch an vielen Stellen dieser Arbeit so eingehend gewürdigt, daß eine breite Auseinandersetzung hier unterbleiben kann: Ganz auf die ekklesiologische Substanz konzentriert, ist es bisherigen Publikationen durch profundere Handschriftenkenntnis (besonders von Ragusa und Segovia) und den Versuch zur Synthese überlegen, neigt aber andererseits zu übergroßer Harmonisierung ‚des' Basler Konziliarismus; zusätzlich gespeist durch gegenwartstheologisches Interesse kann dies leicht zu Verzeichnungen führen. Sein Hauptergebnis: In Basel war „nicht etwa ein radikaler Geist am Werk" (64) – sc. wie die gängige katholische Sicht gewesen war – sondern man wollte „durch reformerischen Konservatismus die überlieferten Strukturen der Kirche gegen heftigere Angriffe absichern" (180)[68]: nämlich in einer Art doppelter „Frontstellung gegen Spiritualisten und Papalisten" (177; vgl. IV, 255, 325), also gegen den institutionsfeindlichen donatistischen Hussitismus wie gegen den autoritär-zentralistischen kurialen Monarchismus, in denen Krämer eine gleichstarke Bedrohung der Kirche erblickt. Eindrucksvoll zeigt er, wie die Basler, in diesem Fall repräsentiert durch Ragusas ‚Tractatus de ecclesia', gegenüber den Hussiten die amtskirchliche Struktur der Kirche und den päpstlichen Jurisdiktionsprimat verteidigten, gleichzeitig aber den „konstitutionellen Organen" der Kirche vom Universalkonzil bis zur Diözesansynode stärkeres Gewicht verleihen wollten – ohne je die Absicht zu haben, sich zum Dauerregiment oder „Kirchenparlament" (Jedin) zu erheben (180, 204, 213 f., 236, 249 f., 363). Aber, so möchte man fragen, war das Konzil nicht faktisch doch dazu geworden – was wiederum nicht ohne Wirkung auf die Selbstauslegung der Basler bleiben konnte? Als konstitutiv für die führenden Theoretiker stellt Krämer die „christozentrische Kirchentheologie" (191), den Kern der Theologie vom ‚corpus Christi mysticum', welcher im Konzil Gegenwart

---

[67] S. die ausführlichen Rezensionen von HELMRATH, Selbstverständnis, und MÜLLER, Verfassungsprinzipien. Ferner: MEUTHEN, Basler Konzil in r. kath. Sicht 304–06; Y. CONGAR, in: Revue des sciences philosophiques et théologiques 64 (1980) 598–600; K. SCHATZ, in: Theologie und Philosophie 56 (1981) 603–05; A. STOECKLIN, in: Theologische Literaturzeitung 107 (1982) 769 ff.; H. J. GILOMEN, in: QFIAB 62 (1982) 407 ff. etc.

[68] Auch MERZBACHER, Wandlungen 328, hatte im Konziliarismus „keinesfalls... eine Revolutionierung, sondern lediglich eine Rückbesinnung und Rücklenkung auf die frühchristliche Ekklesiologie und vormittelalterliche Entwicklung" gesehen, dabei aber noch nicht wie KRÄMER die Basler Konziliaristen im Blick.

wird, aber auch das kanonistisch-korporative „universitas-Mo-
dell"(237 ff.) heraus. Geradezu als Nukleus der Basler „Verfassungsprinzipien" erscheint eine Trias von Begriffen: Repräsentation, Konsens und Rezeption, die allesamt die jüngere Forschung, zum Teil
schon in kritischer Auseinandersetzung mit Krämer, stark beschäftigt
haben. Darauf ist unten noch kurz einzugehen. Die ursprünglich
politische und juristische Dimension der Begriffe blieb in Basel zwar
erhalten, wird aber theologisch eingebettet, etwa in dem Sinne: „Was
im ausdrücklichen Konsens festgestellt wird, ist die Wahrheit Christi"
(339). Wenn Krämer gerade in der Rezeption die offensichtliche Krönung der Basler Konzilstheorie sieht, verwundert es um so mehr, daß
nach seinen eigenen Belegen eben dieses Kriterium für die maßgebenden Basler Theoretiker Ragusa und Segovia „irrelevant" (354)
erschien, ja abgelehnt wurde und ausschließlich bei Nikolaus von
Kues zentral und repräsentativ war, aber eben nicht für ‚den' Basler
Konziliarismus. Krämers Arbeit spiegelt in ihren Stärken und Schwächen die ungeheuren Schwierigkeiten, diesen ‚Basler Konziliarismus'
darzustellen. Auch er kommt nicht an isolierten Beschreibungen der
einzelnen Theoretiker vorbei. An der Spitze stehen Segovia und
Ragusa, etwas zurück tritt Nikolaus von Kues; als umsichtiger Vermittler erscheint Cesarini. Aber auch – darin besteht ein großes Verdienst Krämers – bisher zum Teil weniger erschlossene ‚kleinere'
Theoretiker wie Juan Gonzáles, Heinrich Toke, Heinrich Kalteisen,
Jean Mauroux, werden aufgeführt. Andere, wie Tudeschi Panormitanus, die Personifikation der damaligen Kanonistik, Thomas Ebendorfer und Andreas de Escobar, fehlen oder erscheinen wie Palomar oder
Torquemada nur in unangemessener Kürze. Doch wer vermag einen
Kanon wichtiger und weniger wichtiger Basler Konzilstheoretiker
aufzustellen und in Synthese zu bringen? Die Praxis gegen die Theorie
ausspielen möchte man beinahe im Hinblick auf Krämers idealisiertes
Bild vom Basler Konzil – und damit BARIONs Kritik an LUDWIG BUIS-
SONs ‚Potestas und caritas' (1958) wiederholen, – nämlich das „erstaunliche, fast groteske Mißverhältnis zwischen der theoretischen
Grundlegung des Konzils von Basel ... und seinem tatsächlichen Mißerfolg"[69] hervorkehren. Doch schreibt Krämer eben mehr als Theologe, nicht so sehr als Historiker. Die Politik, an der die Basler eher

---

[69] H. BARION, in: ZRG KA 46 (1960) 514.

gescheitert sind als an irrealen Theorien, spielt bei ihm – verständlicherweise – kaum eine Rolle.

Mit seinem 1983 erschienenen Buch ‚Traktate und Theorien zum Konzil‘ trieb HERMANN-JOSEF SIEBEN[70] seine Studien zur Geschichte der Konzilsidee bis in die eigentlich ‚konziliare Epoche‘ vor. Die große Synthese konnte und wollte auch Sieben nicht leisten; die enormen Schwierigkeiten eines derartigen Unterfangens wurden ja bereits umrissen. So besitzt die Arbeit bezeichnenderweise keinen systematischen oder chronologischen Aufbau, sondern präsentiert sich als unorganisches Konvolut von Einzelstudien, die allerdings sämtlich wichtige Desiderate einlösen: Sie enthält eine detaillierte Übersicht über die Traktate zum Themenkomplex Schisma, Konzil und Papst, allerdings ausschließlich gedrucktes Material[70a], eine Präsentation von Forschungsgeschichte und Inhalt der ‚Concordantia catholica‘ als Exemplum eines überragenden ekklesiologischen Traktats; die systematische Aufarbeitung einiger in der Forschung bisher vernachlässigter Themen der konziliaren Theorie wie etwa der ‚genera conciliorum‘ und, besonders hervorzuheben, der konziliaren Unfehlbarkeit; schließlich mustergültige Analysen zum Werk zweier Gestalten, die gewöhnlich unter der Rubrik ‚Nachleben des konziliaren Gedankens‘ firmieren: Dominicus Jacobazzi und Matthias Ugoni(us). Sieben sichtet, ordnet, bilanziert, all dies wichtige Befestigungen in zusehends wegsamerem Gelände. Nicht zuletzt verbessern seine Arbeiten die Möglichkeiten einer Ortsbestimmung der Basler Theoretiker im Gesamthorizont ‚konziliarer‘ Fragestellungen.

h) Panorama der Basler Theoretiker

Beginnen wir gleich mit einer Unsicherheit: Immer schon haben der Forschung die sogenannten „Frontwechsler“[71] Schwierigkeiten gemacht, in erster Linie solche, die zunächst in Basel ‚konziliare Ideen‘ vertraten, sich aber dann vom Basler Konzil abwandten und Eugen IV. und das Ferrariense verteidigten: Nikolaus von Kues obenan, Cesarini, Palomar, Heymericus de Campo, Kalteisen, später dann Enea Sil-

---

[70] H. J. SIEBEN, Traktate und Theorien zum Konzil. Vom Beginn des Grossen Schismas bis zum Vorabend der Reformation (1378–1521), Frankfurt/M. 1983.

70a Die unsauberen Zitate stimmen daher besonders verdrießlich.

[71] MEUTHEN, Basler Konzil in r.kath. Sicht 306; Basler Konzil 43–46. Ähnlich ALBERIGO, Chiesa 342 f.; Forma ecclesiae 211.

vio Piccolomini. Aber auch der umgekehrte Wechsel kam vor, wenngleich seltener, etwa 1439 bei Lodovico Pontano und, wenigstens gegenüber seiner Position in Konstanz, bei Jean Mauroux. Wurden die Eugenianer, so ist zu fragen, mit ihrem Parteiwechsel auch in Lehre und Überzeugung zu „Monarchieoptanten", um einen Ausdruck von Dempf[72] aufzugreifen, handelten sie gar aus Opportunismus, wie Cusanus und Enea Silvio gerne unterstellt worden ist, oder blieben sie trotz des Frontwechsels ihren zuvor vertretenen Prinzipien treu (was voraussetzt, daß sie dann den Kurs der Basler bloß als Pervertierung richtiger Prinzipien ansahen)? Oder hatte man im Grunde die Prinzipien selbst für falsch gehalten und nur aus Verantwortungsgefühl mitgearbeitet? – eine Haltung, die sich nach jüngsten Ergebnissen Meuthens für Cesarini abzuzeichnen scheint[73].

Wie sind schließlich jene einzuordnen, die wie Torquemada nie ‚konziliaristische' Ideen im eigentlichen Sinn vertraten, durch ihre substantiellen Beiträge die konziliare Diskussion jedoch ungemein befruchtet haben? Gilt das nicht auch von denen, die sich von Anfang an kritisch gegen das Basiliense gewandt hatten, und antithetisch mehr oder weniger unverhüllt einen neuen Monarchismus vertraten: Antonio Roselli[74], Rodrigo Sánchez de Arévalo[75], Pierre de Versailles[76], Antonin von Florenz[77], Piero da Monte, Ludovico da Cividale (=Stras-

---

[72]Dempf, Sacrum Imperium 555.

[73]Meuthen, Cesarini, v.a. 160 f.; vgl. Christianson, Cesarini 185: „No conversion ever took place at Basel, and in all likelihood never at all"; zum Problem der „conversion" ebd. 181–85. Auch Krämer, Konsens 164 f., sieht „keinen Gesinnungswandel" (d. h. jedoch hier: seiner konziliaristischen Einstellung!).
Die Literaturangaben zu einzelnen Theoretikern in den folgenden Anmerkungen verzichten weitgehend auf Lexikonartikel. Die Traktate werden nicht aufgeführt.

[74] Zu Roselli (in Auswahl): Grundlegend immer noch Eckermann, Studien passim, eine bei H. Heimpel 1933 verfaßte Dissertation; dort auch zu weiteren Monarchietheoretikern; Andrae, Kaisertum 88–100; Thomson, Papalism and Conciliarism; Meuthen, Rosellis Gutachten; Sieben, Traktate 37, 170 f., 285 s.v.

[75] Zu Arévalo, ab 1439 scharf antikonziliar: Beltrán de Heredia, Cartulario I 376–409; Repertorio 2 (1971) 303 f.; DHEE IV 2168 f. – Biographien von Toni, Arévalo (1935); Trame, Arévalo (1958), zu Basel 16–24; Laboa, Arévalo (1973). Ferner: Andrae, Kaisertum 110–18; Jedin, Arévalo und die Konzilsfrage unter Paul II.; Trame, Conciliar Agitation, v. a. 90-96.

[76] Die Literatur zum schmalen theoretischen Werk des Pierre de Versailles ist dünn gesät: Vgl. Coville, Pierre de Versailles; Krämer, Konsens 466 s.v.; Black, Monarchy 189 s.v.

[77]Aus der umfangreichen Lit. zu Antonin von Florenz: Horst, Papst, Bischöfe und Konzil; Trexler, Episcopal Constitution; Sieben, Traktate 285 s.v.

soldo) sowie nachfolgend Galgano Borghese oder Domenico de’ Domenichi[78]. Weiter differenzierend hat man im Werke Rosellis sodann das Bemühen erkannt, auch ‚konziliare‘ Gedanken durch Begriffsklärung zu integrieren, ohne daß die monarchische Richtung an Dominanz verloren hätte. Die Studien von ECKERMANN (1933), MACCARRONE (1952), BLACK (1970)[79] und anderen haben hier Grundlagen gelegt, die dazu einladen, den neuen Monarchismus, seinen restaurativen Charakter im Zuge einer Tendenzwende (Ourliac: „solstice“)[80] neu zu beschreiben, aber auch die harmonisierende Aufhebung konziliaristischer Antithesen und die charakteristische Konvergenz von Papst- und Kaiserideologie[81], die jeweils für sich eine ältere Tradition hatten. Lassen wir nun die wichtigsten Theoretiker Revue passieren, freilich nur in schlaglichtartigen Skizzen. Die einzelnen Traktate und Handschriften können selbstverständlich nicht aufgeführt werden. Doch ergreifen wir vorweg die Gelegenheit, ein Handschriften-Corpus der Konzilstraktate als empfindliches Desiderat auszurufen[82].

Nikolaus von Kues (1401-64) ist der einzige ‚Basler‘, dessen Erforschung ihrerseits auf eine über 150-jährige Geschichte und eine riesige Bibliographie blicken kann[83]. Seine 1433 in Basel entstandene

---

[78] *Piero da Monte*: Allgemein HALLER, Monte. Ferner: ECKERMANN, Studien, besonders 108–10; BLACK, Monarchy 185 s.v. Zu seinen diplomatischen Missionen s. oben 213, 230. *Ludovico da Cividale*: ZILIOTTO, Lodovico da Cividale; CAMPANA, Ludovico da Cividale; ECKERMANN, Studien 16 f.; MERCATI, Eugenio IV e Ludovico di Strassoldo. – *Galgano Borghese:* MODIGLIANI, Galgano Borghese; STICKLER, Nome e potere di papa. – *Domenico de’Domenichi:* JEDIN, Domenico de’ Domenichi 214–96 (zu den Traktaten); SMOLINSKI, Domenico de’Domenichi (Edition und Kommentar zu ‚De potestate papae‘).

[79] ECKERMANN, Studien; MACCARRONE, Vicarius Christi 235–90; BLACK, Monarchy 44–49, 53–129. Vgl. SCHÜSSLER, Primat 207 ff.; LECLERCQ, Royauté du Christ 194–211; GUENÉE, L’occident 93–112, 133–59; KRÄMER, Konsens 336 f.; THOMSON, Popes 29–53 (über die weltlichen Monarchien); MIETHKE, Traktate ‚De potestate papae‘ 204–06, 207–11 (Hss.–Liste); Geschichtsprozeß; Rahmenbedingungen 96 f.

[80] OURLIAC, Sources (1965), mit richtiger Erkenntnis der ‚Wende‘, die sich aber nicht exakt ins Jahr 1440 als „solstice“ konzentrieren läßt; s. Kritik bei STIEBER 331–33; ALBERIGO, Movimento 945.

[81] BLACK, Monarchy 124. S. weiterhin oben 97 Anm. 82.

[82] S. unten Anm. 127.

[83] Die uferlose *Cusanus*literatur hier auch nur ansatzweise aufzulisten, wäre vermessen: S. ältere Werke bei VANSTEENBERGHE, Cardinal IX–XVII. Laufende Bibliographie in: MFCG 1 (1961) 95–126; 3 (1963) 223–37; 6 (1967) 178–202; 10 (1973) 207–34; 15 (1982) 121–47. Vgl. TOTOK II, 601–12; Beilagen in AC I 1 und I 2. – Zur ‚Concordantia catholica‘ zuletzt Gliederung und Analyse von SIEBEN, Konzilstraktat; identisch mit SIEBEN, Traktate 59–109; ebd. 59–66 zur Forschungsgeschichte. Von der jüngeren Literatur

‚Concordantia catholica' galt immer schon als das bedeutendste kirchen- und staatstheoretische Werk der Epoche. Sie bildet in gewissem Sinne die Überhöhung Gersons und verbindet damit eine ins Metaphysische gewandte Kanonistik mit einem stark historischen Ansatz. Während man früher dazu neigte, die ‚Concordantia' als das repräsentative, und, weil andere Theoretiker noch unbekannt waren, oft für das einzige große Werk des Basler Konziliarismus zu halten, empfiehlt sich jetzt, nachdem die Forschung das Spektrum der Basler Theoretiker so stark erweitert hat, wichtige Elemente der ‚Concordantia' als Sondergut zu werten, das für die Basler gerade nicht repräsentativ war (Rezeptionslehre, Reichsreform). Auch zu Cusanus' Frontwechsel haben sich die Urteile gewandelt: Während man ihm früher (ALBERT, BIRCK, VANSTEENBERGHE) Opportunismus oder aber einen grundsätzlichen Gesinnungswandel nachweisen wollte, sehen jüngere Cusanusforscher (MEUTHEN, KRÄMER) nun in seinem Wirken gegen die Basler trotz mancher rabulistischen Finessen eher theologische Prinzipientreue[84]. So sind denn auch die ‚eugenianischen' Traktate und Reden des Cusanus erst in jüngerer Zeit erschlossen worden[85].

---

seien besonders genannt: HEINZ-MOHR, Unitas 9–149; SIGMUND, Nicholas of Cusa; WATANABE, Political Ideas; Nikolaus von Kues–Richard Fleming. Die zahlreichen Arbeiten von ERICH MEUTHEN, insbesondere: AC I 1–2; Skizze; Laie; Trierer Schisma; Nikolaus von Kues und das Konzil von Basel (erster Überblick); Dialogus; Kanonistik; Konsens. Ferner D'AGOSTINO, Nicola Cusano, il concilio di Basilea; WALTHER, Imperiales Königtum 130–42; KRÄMER, Beitrag; Konsens 256–92, 355–58 und 465 s. v. passim; ALBERIGO, Chiesa 266–70, 293–340; VAGEDES, Konzil I 68–96, 116–28, 147–75, 257–319 ausführlich; HAUBST, Wort und Leitidee; HOFMANN, Repräsentation 286–316; BLACK behandelt den Cusaner nur am Rande, etwa: Council 51–54.

[84] Vgl. VANSTEENBERGHE, Cardinal (1920), in dessen Werk die Basler Jahre ohnehin nur einen relativ geringen Raum einnehmen (52–65), zum ‚Frontwechsel': „moins un changement de théorie qu'une modification de jugement pratique" (65). Zum gleichen Thema: HEINZ-MOHR, Unitas 74–98; KOCH, Umwelt 20–29; SIGMUND, Nicholas of Cusa 218–43; WATANABE, Political ideas 97–114; MEUTHEN, Nikolaus von Kues in der Entscheidung; BIECHLER, Nicholas of Cusa ... A Humanist Crisis of Identity; OBERMAN, Et tibi dabo claves 49 und 106; KRÄMER, Konsens 258 Anm. 7, 289–92. Die Diskussion gegen Ende des 19. Jahrhunderts ging um die Frage, ob Nikolaus von Kues in seiner Basler Zeit ‚primatsfeindliche Ideen' vertreten, bzw. ob er diese später geändert habe: so ALBERT, Nikolaus von Cues; die Gegenposition (Festhalten an den Ideen auch nach dem ‚Frontwechsel') vertrat BIRCK, Hat Nikolaus von Kues seine Ansichten über den Primat geändert?; ähnlich ders., in: ThQ 73 (1891) 355–70 (zum Trierer Schisma), sowie in: HJb 13 (1892) 770–82.

[85] MEUTHEN, Dialogus und AC I 2 passim.

Nach den entscheidenden Arbeiten von BLACK und KRÄMER darf man wohl berechtigterweise die Werke des Johann von Segovia († 1456) und des Johann von Ragusa († 1443) als die für den Basler Konziliarismus cum grano salis repräsentativsten ansehen. Die handschriftliche Erschließung dieser beiden Autoren in der jüngeren Forschung hat überhaupt erst ein annäherndes Bild des Basler Konziliarismus ermöglicht, wenn auch wichtige Traktate noch immer unediert sind: *Johann (Stojković) von Ragusa* und seinen jetzt durch SANJEK edierten ‚Tractatus de ecclesia' haben wir im Zusammenhang der Hussitendebatte schon ausführlich gewürdigt[86]. Bei ihm, der stark unter dem Einfluß Gersons stand, bedarf unter anderem das Abhängigkeitsverhältnis zu Nikolaus von Kues noch gründlicherer Klärung.

Johann von Segovia[87] war wohl der reinste Idealist unter den Basler Konziliaristen, stets voller Pathos, aber gerecht und ohne Fanatismus.

---

[86] S. oben 365-69, mit der Literatur zur Ekklesiologie. Prosopographisch zu *Ragusa* nachzutragen: PALACKÝ, MC I, S. VIII–XVIII; HALLER, CB I 18–20; BINDER, Slaven 114–37; BRANDMÜLLER, Pavia-Siena I 283 s. v. Die ungedruckte Erlanger Diss. (1914) von MÖLLMER, Leben des Johannes von Ragusa (reicht bis 1431), scheint verloren. Ältere Lit. auch bei SANJEK (Ed.), S. V. Anm. 1. Besonderes handschriftliches Interesse weckte Ragusas Bücherschenkung an die Basler Dominikanerbibliothek, jetzt Univ. Bibl. Basel: SCHMIDT, Bibliothek; ESCHER, Testament; vgl. HERRE RTA X, S.LXXVIII f.; KAEPPELI II 532 f. (Lit.).

[87] Zusammenstellung der gedruckten Traktate bei SIEBEN, Traktate 42 f., 48, 54 f., 56 f., und mit Hss.-Material KRÄMER, Konsens 444 f., 385 (‚Decem Avisamenta'). Zur Datierung: UTZ, Chronologie. Die wichtigsten Interpretationen: BLACK, Monarchy 7–52 und 188 s.v., 141–61 (Teil-Edition), und vor allem BLACK, Council 118–93; KRÄMER, Repräsentation 220–24, 233–37; Konsens 143–56, 166–75, 207–55 und 464 s.v. passim, 384–433 Edition bisher ungedruckter Texte; WOHLMUTH, Verständigung 48–57, 222–56, sicher der gelungenste Teil des Buches; SIEBEN, Traktate 190–96 und 287 s.v. Vgl. auch JACOB, Theory and Facts 129-34; BÄUMER, Stellungnahme 264–72 (zur ‚Responsio' auf Eugens IV. Bulle 'Etsi dubitemus'). Eine der frühesten Darstellungen Segovias: ZIMMERMANN, Verfassungskämpfe (1882) 110–34. Einzige Gesamtdarstellung, mit Schwerpunkt auf dem Geschichtswerk, immer noch FROMHERZ, Segovia (1960), dort ältere Literatur, auf ekklesiologischem Gebiet (131–51) überholt. Zur Biographie ferner: DIENER, Persönlichkeit. Vgl. HALLER, CB I 20–42; Beiträge 9–14; MC IV 7-13; RTA X, S. LXXIX LXXXII; LThK 5, 1081 f.; DHEE IV, 2401–03.

Die spanische Forschung hat sich vornehmlich um die handschriftliche Erschließung Segovias und um seine Beiträge zum Islam (Literatur hier nicht aufgeführt) verdient gemacht. Ein besonderes Problem bildet die Rekonstruktion der der Universität Salamanca von Segovia testamentarisch vermachten Bücherschenkung (95 Hss., von denen erst 17 wieder aufgetaucht sind): BELTRÁN DE HEREDIA, Cartulario I 362–76; Bulario III 522 s.v.; REPERTORIO 2 (1971) 195–98, 264–67; 5 (1976) 153 f.; 6 (1977) 267–347 (HERNÁNDEZ MONTES, s. unten). Zu diesen Segovia-Manuskripten: Zuerst (1919) TÓRRES-LÓPEZ, Juan de Segovia y su donación. Sodann in dichter Fülle: MARCH, Concilio de

Dies ist der Geist, der, fundiert von nüchterner und extensiver Darbietung der Quellen, auch seine grandiose ‚Historia generalis synodi Basiliensis' beseelt, deren zweifellos bedeutenden Ort in der Geschichte der Historiographie die Forschung erst wird bestimmen müssen[88]. Kaum jemand hat sich so wie Segovia mit dem Konzil identifiziert. Während für viele Teilnehmer ihre Basler Zeit eine Episode blieb, fielen bei ihm Leben und Werk geradezu schicksalhaft mit dem Basilense zusammen. Die letzten Jahre in Aiton waren sinnender Epilog. Sein theologisches Denken treibt ein starker Zug zur spekulativen Synthese. Eines der Hauptwerke, die in die Konzilsgeschichte eingefügte ‚‚Amplificatio disputationis' bildet ‚‚gewissermaßen ein Gegenstück zu Torquemadas ‚Summa de ecclesia' "[89]. Besonders hervorgehoben wurden die Bezüge zur politischen Theorie (‚‚civic republicanism"; BLACK[90]), aber auch wichtige Fortentwicklungen im Kirchen- und Repräsentationsbegriff, zum Beispiel in den Differenzierungen ‚distributive-collective' und ‚formaliter-materialiter' sowie der Lehre von der vierfachen Repräsentation[91]. Ein Gesamtbild wird erst möglich sein, wenn sein Spätwerk, das offenbar auf Grund der

---

Basilea; GONZALEZ, Maestro Juan de Segovia y su biblioteca; mit Ed. des Testaments (SALAMANCA UB ms. 211), die nach Mitteilung von E. Meuthen von Lesefehlern wimmelt. Diese Ed. wird jetzt ersetzt durch HERNÁNDEZ MONTES, Biblioteca de Juan de Segovia. Edición y comentario (1984). Vgl. zur Bücherschenkung BONMANN, De testamento, besonders 213–16; FROMHERZ, Segovia 56–59; SANTIAGO–OTERO, Juan de Segovia (1969); Juan de Segovia (1970); HERNÁNDEZ MONTES, Donación de Juan de Segovia; Busca de manuscritos; Obras, in: Repertorio 6 (1977) 267–347 (bisher umfassendstes Hss.-Verzeichnis). – Zur Theorie auch der schwer zugängliche Aufsatz von VERA–FAJARDO, Eclesiologia [Resumée in: Analecta Gregoriana (1968) 278]; GOÑI GAZTAMBIDE, Conciliarismo 898–904.

[88] Zu den Hss.: BEER, Urkundliche Beiträge; HALLER CB I 42–53; BONER, MC IV 13–28. Genauere inhaltliche Analyse bisher nur bei FROMHERZ 67–128. Vgl. jüngst MEUTHEN, Protokollführung 367 f. – Verbreitung erzielte Segovias Werk nur in der Epitome des Augustinus Patricius (Patrizzi): ‚Summa conciliorum Basiliensis, Florentini, Lateranensis, Lausanensis' (1450); Mansi XXXIB 1813C–1940.

[89] SIEBEN, Traktate 190. Wenn Segovia noch bei CONGAR, Handbuch 28, als treuer Anhänger eines ‚‚Konziliarismus im Geiste Ockhams" (vgl. DEMPF, Sacrum imperium 554: ‚‚Ockham redivivus") erscheint, so ist dies heute nach KRÄMER, Konsens 168–77, nicht mehr haltbar.

[90] ‚‚As so often, Segovia refined the ad hoc views of other conciliarists into a more comprehensive statement of political theory"; BLACK, Council 190.

[91] KRÄMER, Konsens 471 s.v. ‚Kirchendefinitionen'; BLACK, Council 148–54; Monarchy 184 s.v. ‚collective'. Die Differenzierung ‚distributive'–,collective' wurde im 13. Jahrhundert von dem Legisten Azo geprägt; zuletzt TIERNEY, Religion, Law 26, 57 f. Die Doppelung ‚corpus mysticum' – ‚corpus politicum' hält BLACK, Monarchy 14, für die ‚‚essence

Basler Erfahrungen stärker episkopalistisch-hierarchisch rückgewendet zu sein scheint, hinreichend erschlossen ist[92].
Niccolò de Tudeschi († 1445), der sog. Panormitanus[93], „the legal case for Basle" (Black), ist zweifellos zu den führenden Köpfen des Konzils zu zählen. Gerade als Kanonist par excellence darf er jedoch nicht unbesehen als Exponent der Basler Ekklesiologie betrachtet werden. Die Brüche in seinem Werk lassen in der Literatur einen anderen Tudeschi erscheinen, je nachdem ob man seine kanonistischen Hauptwerke der zwanziger Jahre, die man kaum als konziliaristisch bezeichnen kann, zugrundelegt (NÖRR, OURLIAC–GILLES), ob man die Reden als Gesandter des Königs von Aragón (1436-39) oder aber die Sermone des engagierten Basler Streiters (1441-43) zum Maßstab macht. Für die Erschließung dieser letzten Phase brachte die Arbeit von VAGEDES (1981) einige Fortschritte, nachdem das Buch von NÖRR (1964) zu statisch und systematisch angelegt war. Freilich ist es gerade im Fall Tudeschis schwierig, die politische mit der intellektuellen Biographie dynamisch zu verbinden.

Juan de' Torquemada[94] († 1468) gehört zwar gerade nicht zum Kreis der ‚Konziliaristen', dennoch darf er nicht fehlen. Galt er in der älteren Literatur (etwa bei ECKERMANN) und in bewußter verfassungstheoretischer Pointierung auch bei BLACK als Vertreter des „monarchischen Gedankens" schlechthin, hat die jüngere theologische Forschung

---

of Baslean Conciliarism"; s. das Krakauer Universitätsgutachten von 1442 (DU BOULAY V 489). – Zum älteren Verständnis der Begriffe s. KANTOROWICZ, The Kings two Bodies 193–206; DE LUBAC, ‚Corpus mysticum' 97–147; OAKLEY, Natural Law 799–805.

[92] Dazu bisher nur KRÄMER, Konsens 248–51; UTZ, Chronologie 206 ff.; BLACK, Council 188–90; MEUTHEN, Basler Konzil in r. kath. Sicht 303, 307.

[93] Vgl. oben 241 f. Grundlegend: NÖRR, Kirche und Konzil (1964), in erster Linie auf die großen kanonistischen Werke gestützt, während die konziliaristischen Reden in Basel und auf den Reichstagen kaum berücksichtigt sind. S. dazu SIEBEN, Traktate 32, 41 f., 49 f., 288 s.v. Unverzichtbar auch: SCHÜSSLER, Primat 172–259; vgl. ders., Scripture and Tradition; BLACK, Council 92–105; VAGEDES, Konzil 5–67, 107–16, 176–228, 320–440; WOLMUTH, Verständigung 200–20. Ferner: SCHWEIZER, Tudeschi (1924); DDC VI (1957) 1195–1215 (Ch. LEFEBVRE); ders., L'Enseignement; FLEURY, Conciliarisme des canonistes; DE VOOGHT, Pouvoirs 179–83; JACOB, Panormitanus and the Council of Basel; BLACK, Panormitanus on the ‚Decretum' (betont den theologischen Einschlag bei Tudeschi); OURLIAC-GILLES 55–59; WATANABE, Authority and Consent 224-28.

[94] Traktate und Hss.: SIEBEN, Traktate 43 f., 57 f. und 287 s.v. passim; KAEPPELI, Scriptores III 24–42; REPERTORIO 1 (1967) 298–301; 2 (1971) 198–205; 3 (1972) 188–202; 5 (1976) 158–60; BELTRÁN DE HEREDIA, Bulario III 541 s.v.; MIETHKE, Petrus de Paludes Traktat. Zur Interpretation grundlegend die beiden Bücher von BINDER, Wesen der Kirche (1955), und Konzilsgedanken (1976), mit Bibliographien. ‚Konzilsgedanken'

(Horst, und, abgeschwächt, Binder in seinem zweiten Buch über Torquemada) das Reaktive, Integrative seines Denkens herausgearbeitet, das bei aller ekklesiologischen *reductio ad unum* (im Papst) doch in einem großen Kompromiß wesentliche „Konzilsgedanken" in seine für die katholische Ekklesiologie wegweisende ‚Summa de ecclesia' (1449) einbezogen hat. Daß Torquemada immerhin fast fünf Jahre konstruktiv auf dem Konzil mitgearbeitet hat, ja, wie wir oben mehrfach verfolgen konnten, offensichtlich dessen anerkannter Spezialist für schwierige dogmatische Fragen gewesen ist[95] (Favaroniprozeß, Immaculata-Problem, theologische Auseinandersetzung mit den Griechen), wird in diesem Zusammenhang zu wenig gesehen. Hier in Basel dürfte er entscheidende Prägungen für seine Ekklesiologie empfangen haben. Der Dominikaner ist zwar überschießenden konziliaren Jurisdiktionsansprüchen (Decretum irritans) entgegengetreten, hat aber nie der kurialen Legatenpartei angehört, sondern sich in den nächsten Jahren eher zurückhaltend seinen Spezialaufgaben gewidmet.

Damit wären die großen Theoretiker vorgestellt. Die folgenden nach Art der Propheten als ‚kleine' Theoretiker zu bezeichnen, wäre sicher etwas übertrieben. Doch zeigen sich im Umfang wie im Niveau oft deutliche Unterschiede.

Heymericus de Campo[96] war lange Zeit nur als der führende Kölner bzw. Löwener Albertist bekannt. Doch hat er während seines Auf-

---

arbeiten ferner heraus: Proaño Gil, Doctrina; Fenton, Theology 150–74; Horst, Grenzen der päpstlichen Autorität; Binder, Kardinal Torquemada (1974); vgl. ders., Schriftbeweis. Im übrigen wichtig zur monarchischen Theorie: Eckermann, Studien; Maccarrone, Vicarius Christi 255–62; Black, Monarchy 53–81, 188 s.v. Die jüngste Monographie von Izbicki, Protector of the Faith (1981) scheint wenig neue Aspekte zu bringen.* Vgl. Izbicki, Infallibility. Der Bibliographie bei Binder nachzutragen: De Vooght, Pouvoirs 137–62; Molina Melia, Torquemada; Tierney, ‚Only the Truth has Authority'.

[95] Überblick über die Tätigkeit in Basel bei Binder, Konzilsgedanken 29–44.

[96] Die zur Zeit umfassendste Bibliographie bei Van Eijl (Hg.), Facultas S. Theologiae Lovaniensis 508–10; vgl. Verfasserlexikon 3 (1981), 1210–13 (P. Ladner). Vollständigstes Hss. verzeichnis bei Burie, Proeve 221–37. Zu den konziliaren Schriften Ladner, Konziliarismus des Heymericus (1985) 9–12, 16, sowie ebd. 18 f. Erstedition der abschließenden ‚Theoremata' der ‚Disputatio de potestate ecclesiastica' (Februar 1434). Weitere Hss.-Studien unter anderem von polnischer Seite: Kaluza, Ecrits sur Sainte Birgitte; Materialy; Trois listes; und Korolek, ‚Compendium divinorum'. Ferner jüngst: Cavigioli, Ecrits de Heymericus (mit Literatur zu Heymericus' Kölner Jahren); Compléments. – Als konziliarer Theoretiker erstmals gewürdigt von Meersseman, Nederlandsch koncilientheoloog (1933); vgl. ders., Schrift des Heymericus. Zu seiner Basler Zeit als

enthalts als Gesandter der Kölner Universität in Basel auch konziliare Traktate verfaßt. Um ihre längst fällige Erschließung haben sich in letzter Zeit vor allem BLACK und LADNER verdient gemacht. Die Erforschung der Heymericus-Handschriften schreitet zügig voran; ein erster Editionsband steht vor dem Erscheinen[97].

Von allen Theoretikern wirkt Heymericus am stärksten philosophisch und zwar wesentlich platonisch geprägt. Vieles erscheint wie eine Weiterführung gersonschen Gedankenguts, wenn er versucht, Ps.-Dionys konziliar fruchtbar zu machen und damit der Konzilsidee eine metaphysische Dimension zu öffnen. Doch ist auch das Bemühen, ekklesiologische Probleme durch philosophische Begrifflichkeit (Materie-Form, Potenz-Akt usw.) zu bewältigen, früh bei ihm hervorzuheben. Die Kompliziertheit seines Stils, der syllogistisch verschachtelte Aufbau seiner Schriften waren ihrer Rezeption kaum förderlich. Wie sehr er damit ein Außenseiter blieb, inwiefern er dennoch auf den Basler Konziliarismus gewirkt hat, bedarf ebenso noch genauerer Analyse wie sein Verhältnis zu Nikolaus von Kues[98]. Ihn mit Black in die Nähe Hegels zu rücken, erscheint so anregend wie fragwürdig. – Auch wenn sich Heymericus nach 1435 vom Basler Konzil abwandte, wird man ihn nicht den demonstrativen ‚Frontwechslern' zuordnen dürfen. Seine Grundpositionen blieben nach Ansicht der Forschung konstant und vermittelnd[98a].

Sein Kollege von der Wiener Universität, *Thomas Ebendorfer*[99], machte bis zuletzt aus seiner konziliaristischen Grundeinstellung

Kölner Universitätsgesandter oben 145, 149. Zur Ekklesiologie: BLACK, Council 58–84, als derzeit wichtigste Studie, sowie BLACK, Heimericus de Campo; Realist ecclesiology. Ferner LADNER, Ablaßtraktat; Konziliarismus des Heymericus 12–17; Heymericus de Campo an Johannes de Rokycana (1985); KRÄMER, Konsens 293–97; SIEBEN, Traktate 39, 52 f. Aus einer Reihe von Studien zum Verhältnis Cusanus-Heymericus: COLOMER, Nikolaus von Kues; IMBACH, Einheit des Glaubens; ‚Centheologicon'.

[97] Freundl. Mitteilung von P. Ladner, der das Editionsprojekt an der Universität Freiburg (Schw.) leitet.

[98] Vgl. BLACK, Realist Ecclesiology 286–89 und Anm. 96.

[98a] Er hat „seine ekklesiologische Grundhaltung nicht gewechselt, er hat sie vielmehr vertieft"; LADNER, Konziliarismus des Heymericus 17.

[99] Grundlegend: LHOTSKY, Thomas *Ebendorfer* (1957), mit älterer Literatur und Schriftenverzeichnis Ebendorfers (69–96), zu Basel: 15–28, 31 ff., 40–44; vgl. ders., Quellenkunde 375–92; REPERTORIUM FONTIUM IV 263–65; Verfasserlexikon 2 (1980) 253–66; Lex Ma III, 7. Lief., 1511. – Zum Konziliarismus bei Ebendorfer: EBERSTALLER (Ed.), Ebendorfers erster Bericht; JAROSCHKA, Thomas Ebendorfer als Theoretiker des Konziliarismus, erschließt Hs. Basis, somit nur Vorstufe einer Interpretation; vgl. die Wiener Diss. von JAROSCHKA, (Ed.), Ebendorfers Traktat über die Bulle ‚Deus novit' (1957);

kein Hehl. Wieweit sein Denken originell und konstant gewesen ist, müßte nach den Vorarbeiten von JAROSCHKA neu überdacht werden. Seine Ideen vom Kaisertum waren folgerichtig nicht – wie bei den klassischen ‚Monarchisten' (Roselli usw.) – mit dem Papalismus zu einer umfassenden monarchischen Theorie verbunden[100].

Heinrich Kalteisen[101], um bei den Deutschen zu bleiben, griff dagegen nach 1437 massiv auf Seiten der Eugenianer in den Traktatenkampf ein. Als Konzilsmitglied zählte auch er, ähnlich wie Torquemada, zu den theologischen Spezialisten, so in der Hussitenfrage und im Favaroniprozeß. Seine Traktate wurden kaum verbreitet und blieben bisher überwiegend unediert; doch hat KRÄMER als wohl bester Kenner Kalteisens Ansätze geliefert, die wenigstens zu einer Profilbestimmung hinreichen.

Heinrich To(c)ke[102] war bislang nur durch seine Reformtraktate bekannt; erst jüngst hat man auch seine Beiträge zur Konzilsdiskussion gewürdigt. Dagegen fand der konziliaristische Franziskanerkonventuale *Matthias Döring*[103] schon lange keinen Bearbeiter mehr. Auch wenn nicht zu erwarten steht, in ihm einen besonders originellen Kopf zu entdecken, wäre es sinnvoll, seine, übrigens recht kurz gefaßten, Traktate neu zu sichten.

SCHMIDINGER, Begegnungen (prosopographisch); FRANK, Huntpichler 131–81; Ebendorfers Obödienzansprache; ENGELS, Konzilsproblematik 337–43 (‚Haec Sancta' in Ebendorfers Geschichtswerken). – Große Aufmerksamkeit hat die Forschung dem (österreichischen) Geschichtsschreiber Ebendorfer geschenkt; s. beispielsweise neben LHOTSKY und ENGELS (wie oben): H. ZIMMERMANN, Schismentraktat; Romkritik und Reform; Canzer Cusa.

[100] Vgl. BLACK, Monarchy 122–24.

[101] Zu *Kalteisen* s. oben 361 (Hussiten) und 401 f. (Favaroni). Ferner: Verfasserlexikon 4 (1983) 966–80 (B. D. HAGGE); KAEPPELI, Scriptores II 199–208; SIEBEN, Traktate 46, 173–75 und 286 s.v. – BUGGE (Ed.), Henrik Kalteisens kopibog (1899), enthält ein Konvolut von Disziplinar- und Prozeßakten aus Kalteisens Zeit als Erzbischof von Drontheim, mit einigen Reminiszenzen an Basel; LÖHR (Ed.), Documenta 92–96; CREYTENS, L'opuscule de Henri Kalteisen. – Wichtig besonders BINDER, Wesen 14, 16 f., 186–89 und s.v.; W. ECKERMANN, Hermeneutik; KRÄMER, Relevanz; Repräsentation 211–13, 232–34; Konsens 311–17, 434–37 (Edition) und 463 s.v.

[102] Zu *To(c)ke* vgl. oben 281; LOEBEL, Reformtraktate; CLAUSEN, Heinrich Toke; BOOCKMANN, Wilsnacker Blut 393–96; KLEINEIDAM, Universitas Studii I 125–30, 132 f., 276–78 (Hss. und Literatur). Zur Ekklesiologie bisher nur: KRÄMER, Konsens 76–80 (Hussitenverhandlungen), 297–99, 364 f. (Edition), 463 s.v.; SIEBEN, Traktate 35, 50 f. und 286 s.v.

[103] Zu *Doering*: s. oben 124; STIEBER 109–11, 385 (zur ‚Confutatio primatus papae').

Ein Beispiel, wie schnell ein Konzilsvater von der Forschung auch als ‚Theoretiker‘ entdeckt werden kann, liefert der Spanier *Juan González*[104], Bischof von Cádiz, dem in kürzester Folge MEUTHEN, MIETHKE und KRÄMER eine Studie gewidmet haben. Der Portugiese *André Dias (Didaci) de Escobar*[105] mit seinem Werk ‚Gubernaculum conciliorum‘ (1434/35), das er, ohne selbst je dort gewesen zu sein, an Cesarini in Basel schickte, ist nach einer veralteten Studie von WALTERS (1901) erst wieder von BLACK in den Kreis der Baseler Theoretiker gestellt worden. Er, Typ des unzufriedenen Kurialen, gehörte noch der älteren Generation konziliarer Autoren an und war Mitglied des Constantiense gewesen. – Wäre Escobar noch besser in die Konzilsthematik zu integrieren, so klafft für Leben und Werk des Spaniers *Juan de Palomar* die auf unserem Gebiet derzeit wohl empfindlichste Forschungslücke[106] – und das, obwohl er bis zu seinem Frontwechsel im Januar 1438 eines der profiliertesten Konzilsmitglieder war und eine beträchtliche Zahl von Traktaten hinterlassen hat.

---

[104] BELTRÁN DE HEREDIA, Cartulário I, 286–99; MEUTHEN, *González*, 257–61 zu den Hss., 266–90 ausführliche Zitate aus Hss. der ‚Allegationes‘ vom Sept. 1432 und den beiden Traktaten zum ‚Decretum irritans‘ (1433). Ergänzend zur Hss.lage: MIETHKE, Handschriftliche Überlieferung. – Zu den Konzilstraktaten ferner: KRÄMER, Konsens 33 f., 41–59 (Auseinandersetzung mit Jean Mauroux), 299–303 und 464 s.v. – DHEE II, 1031.

[105] WALTERS, Andreas de *Escobar* (veraltet), dort 27–34 Widerlegung von SÄGMÜLLER, Verfasser, der den Traktat ‚De modis uniendi et reformandi Ecclesiam in concilio universali‘ (1410) Escobar zugeschrieben hatte; später von HEIMPEL, Dietrich von Niem (1932), als Werk Dietrichs identifiziert. – BLACK, Council 85–91 (wichtig), doch fehlt dort die grundlegende, wenn auch schwer zugängliche Biographie von SOUSA COSTA, Mestre André Dias de Escobar (1967). S. ferner: CF ser. B, IV 1, S. XVIII–LXXVII; HOFMANN, Papato, conciliarismo 31–37; DE VOOGHT, Pouvoirs 174–79; REPERTORIO 5 (1976), 356–59; SIEBEN, Traktate 40 f. und 185 s.v. Zur Tätigkeit in Konstanz: BOOCKMANN, Falkenberg 237 f. und 366 s.v. Zur kanonistischen Bedeutung: SOUSA COSTA, Posizione di Giovanni di Dio 433–45. – Dringend aufzuhellen ist die zur Zeit undurchsichtige Hss.-lage. Zur Überlieferung des ‚Gubernaculum conciliorum‘ (ed. VON DER HARDT VI, 139–334) s. beispielsweise: C. FASOLT, in: AHC 10 (1978) 303; ZESCHIK, Augustinerchorherrenstift Rohr XIV (clm 7747); Verfasserlexikon 1 (1977) 339.

[106] Zu *Palomar*: LThK V, 1067; DHEE III, 1872. ECKERMANN, Studien 135–38; DE VOOGHT, Pouvoirs 131–34; GOÑI GAZTAMBIDE, Conciliarismo 916–19; KRÄMER, Konsens 306–09; SIEBEN, Traktate 33, 46 und 287 s.v.; BLACK übergeht Palomar völlig. Predigten bei VIDAL, Sermons 496, 500; SCHNEYER, Konzilspredigten 143. Drei Reden der zwanziger Jahre bei FITA Y COLOMER, Tres discursos. Die weitverbreitete ‚Quaestio, cui parendum est‘, ed. bei DÖLLINGER, Beiträge II 414–41, und ZENO, Niccolò Tudischo 350–73, hier fälschlich als Werk Tudeschis bezeichnet, worauf schon VALOIS II 283 Anm. 2 hinwies. Die Hss.lage ist noch nicht erforscht; s. lediglich für Staatsbibl. München: SANTIAGO OTERO, Juan de Palomar.

Ähnlich dürftig ist die Forschungslage im Fall des italienischen Kanonisten *Lodovico Pontano*[107] und – ausnahmslos – der französischen Theoretiker. Die Franzosen erreichten in Basel offensichtlich nicht mehr das überragende Format eines Gerson oder d'Ailly. Aber sie waren hochgeachtet, ihre Schriften zum Teil weit verbreitet[108], oft im umgekehrten Verhältnis zu deren Niveau. Ihre treibene Rolle als Konzilspolitiker wurde bereits gewürdigt. Zu nennen sind: *Jean Mauroux*[109], Titularpatriarch von Antiochia, auch er noch der älteren Generation entstammend und jetzt erstmals bei KRÄMER als (nicht sonderlich origineller) Theoretiker kurz vorgestellt; *Thomas de Courcelles*[110] von der Universität Paris, eine der versatilsten Figuren ihrer Zeit, agierte bis weit in die vierziger Jahre als einer der chargés d'affaires des Konzils; *Jean Beaupère* und die übrigen Pariser Gesandten, insbesondere *Nikolaus Lamy* (Amici) und *Denis Sabrevois*[111]; *Geoffroy Montélu de St. Honorat*, Abt von Lérins, bisher als Theoretiker kaum erforscht,

---

[107] Zu *Pontano* einzig (und unzureichend): FALCONE, Pontano (1934). Vgl. SCHULTE II 305; HAUBST, Studien 37 f.; KISCH, Enea Silvio 77–79; OURLIAC-GILLES 89; SIEBEN 44, 287 s.v. Zur Tätigkeit als aragonesischer Gesandter, s. oben 242. – Andrea de Santa Croce, päpstlicher Konsistorialadvokat, läßt ihn im ersten Teil seines ca. 1439 auf dem Florentinum verfaßten ,Dialogus de primatu' (ed. G. HOFMANN, in: CF VI, 2–24) als Diskussionspartner auftreten.

[108] MÜLLER, Verfassungsprinzipien 417–19, 423 f.; Prosopographie passim. *Pro clipeo eciam nobis sunt argumenta Gallorum...ecce ibi phy (losophi) acutissimi, theologi conscientiosi et canoniste non ignobiles* rühmt Thomas Ebendorfer; WIEN CVP 4954 f. 148[r], zit. nach JAROSCHKA, Thomas Ebendorfer 97 Anm. 50.

[109] KRÄMER, Konsens 47–55, 304–06; SIEBEN, Traktate 39 f.; Hss.-spektrum bei VALOIS I 315 f. Anm. 6, erweitert bei KRÄMER, Konsens 305 Anm. 26, auf 11 Hss., nach MIETHKE, Forum 755 Anm. 62, eine „ganz zufällige Auswahl". Vgl. ergänzend ders., Handschriftliche Überlieferung 313 Nr. 24; MÜLLER, Verfassungsprinzipien 424 Anm. 28. Mit weiteren Nachträgen demnächst ders., Franzosen. Direkt mit Mauroux' Basler ,Tractatus de superioritate' (1434) setzte sich März 1438 im Umfeld des Ferrariense der Dominikaner Johannes Leonis auseinander; MEERSSEMAN, Oeuvres de Jean Ley 77–79. – Als Persönlichkeit erscheint Mauroux einigermaßen umstritten: FINKE, Johannes Maurosii 172: „von Charakter keine Spur". Vgl. ALLMAND, Beaupère 151: „ses propres opinions ...ne sont pas toujours facile à juger." Der Teildruck der Diss. von HASENOHR, Johannes von Maurosii (1909), umfaßt nicht mehr die Zeit des Basler Konzils.

[110] Zu *Courcelles* existiert keine Literatur; demnächst MÜLLER, Franzosen. Eigene Traktate sind bisher nicht bekannt; zu sichten sind die Hss. seiner Reden, etwa der zu Bourges 1440. Farbige Charakteristik seiner persönlichen Erscheinung bei Enea Silvio, De gestis, ed. HAY-SMITH, 30.

[111] Außer ALLMAND, Beaupère, und MÜLLER, Prosopographie 159 f., keine Spezialliteratur; vgl. ROSSMANN, Sprenger 388 f. Anm. 95. Zu Sabrevois s. KRÄMER, Konsens 462 s.v. Vgl. oben 142, 151 zur Universität Paris. – Man könnte hier noch den Zisterzienser-Abt von St-Benigne (Dijon) hinzufügen; ALBERIGO, Chiesa 282 f.

war in den Hussitenverhandlungen des Konzils aktiv[112]; ferner *Gilles Carlier*[113], der uns ebenfalls aus der Hussitendebatte bekannt ist, aber in seinen Theorien (Gewaltenteilung!) eher noch unterschätzt wird; schließlich *Mathieu Ménage* von Angers[114], auch er, wie viele andere, in der Konzilsforschung noch eine „obscure figure" (Black).

Auch *Enea Silvio Piccolomini*[115], der Humanist als Konzilsvater, kann als Theoretiker nicht außer acht gelassen werden. Seine Briefe und die verschiedenen Schriften zur Geschichte des Basiliense haben das Bild der Nachwelt wesentlich beeinflußt. Meistens dienen sie bloß als Steinbruch für originelle Zitate. Damit tut man Enea jedoch Unrecht, auch wenn man ihm, wie oft genug geschehen, mangelnde Objektivität vorwerfen mag. Als ‚Theoretiker' wird er aber gerade durch diese subjektiven Urteile interessant. Seine Konzilsschriften stellen ein ganz eigenes Genre dar, eine Mischung aus theologischem Traktat, polemischem Geschichtswerk und humanistischem Rhetorik-Exempel. Umso fataler, daß sie einer uferlosen Piccolomini-Literatur zum Trotz nicht systematisch untersucht und großenteils nur in sehr alten Ausgaben zugänglich sind. In der älteren deutschen Geschichtsschreibung, beherrscht durch die bis heute unersetzte Biographie von GEORG VOIGT (1856-63), hatte Enea Silvio ein notorisch schlechtes Image als Opportunist und, wegen seiner politischen Aktivitäten 1445/46 im Reich, als ‚Verräter'. Dagegen suchten die Studien von THEA BUYKEN (1931) und die subtile Analyse seines Konziliarismus

---

[112] MÜLLER, Verfassungsprinzipien 417; Prosopographie 166 f. Sein Böhmentraktat bei NEUMANN (Ed.), Franzouzska Hussitica (1925) 61–99; vgl. PESCE, Barbo II, 106–08.

[113] Literatur zu *Carlier* bei MÜLLER, Prosopographie 162. Vgl. KRÄMER, Konsens 212–14. S. schon SCHULTE II 363 f.; BIRK, MC I XXI ff. – KAĽUZA, Matériaux (zur Werkliste); Nouvelles remarques; VIDAL, Sermons 496; s. oben 36 f., 396 f.

[114] BLACK, Council 57 Anm. 8. Weiteres bei MÜLLER, Prosopographie 166–80; DLO 320. Ein Reformlibell von Menage (1433): CB VIII 61–80 (Nr. 8).

[115] Die Literaturmasse zu *Enea Silvio* ist hier auf einige Titel zu seiner Basler Zeit reduziert: Nach VOIGT, Enea Silvio I 22–430 (!) (zu den theoretischen Schriften nur 228–35); s. HALLER, Rede des Enea Silvio; CB I 12–18; BIRCK, Enea Silvio als Geschichtsschreiber des Basler Konzils; BUYKEN, Enea Silvio 16–41, und WIDMER, Enea Silvio, besonders 103–67: „Eneas kirchenpolitische Schwenkung" gegen das kritische Urteil bei VOIGT; TROST, Wandlungen des Fürstenbildes 64–95; KISCH, Enea Silvio und die Jurisprudenz; VEIT, Pensiero e vita 107–47, 181–86; DIENER, Enea Silvios Weg; WATANABE, Authority and Consent 219-21, 228-34; BROSIUS, Pfründen; ZIPPEL, Enea Silvio e il mondo germanico 267–95; SIEBEN, Traktate 44 f. und 285 s.v. Eine systematische Interpretation der von Enea in Basel gehaltenen Reden wäre erforderlich, ebenso des ‚Libellus dialogorum', den er 1440 an die Universität Köln schickte; s. KEUSSEN, Regesten Nr. 677 und 854d. Zum ‚Libellus': VOIGT, Enea Silvio I 238–44; WIDMER, Enea Silvio 132–35; MEUTHEN, Dialogus 71–77; AC I 2 Nr. 445.

durch BERTHE WIDMER (1963) dieses Bild gegen VOIGT aufzuhellen. Doch hat man dabei wiederum den Theologen gegenüber dem Literaten überschätzt.

Fügen wir noch den schottischen Zisterzienserabt *Thomas Livingston*[116] hinzu – das Haupt einer Gruppe konziliaristischer Schotten an der Universität Köln und bis zuletzt getreuer Streiter des Basler Konzils – und erinnern an die eindrucksvolle Mannschaft der Krakauer Theoretiker um *Paulus Vladimiri* und *Jakob von Paradyz*. Die Polen spielten für die Fixierung der Konzilstheorie eine bedeutende Rolle, man denke an das weitverbreitete Krakauer Universitätsgutachten von 1442. Eine Zusammenschau des polnischen Konziliarismus, die auch prosopographisch untermauert sein müßte, ist dringend zu wünschen[117].

In unsere Reihe gehört *Dionysius von Rijkel*[118] (‚der Kartäuser‘), wenngleich die konzilstheoretischen Schriften nur einen unbedeutenden Teil seines riesigen Oeuvres ausmachen. Nach EWIG (1936), der ihn unter diesem Aspekt als letzter untersuchte, vertrat er eine ausgleichende Position zwischen konziliaren und päpstlichen Ansprüchen. Er war noch wesentlich von der Konstanzer Ekklesiologie geprägt, und erhoffte im Konzil vor allem ein Reformorgan. Sozusagen als regionale Gegenfigur zu Dionysius kann man seinen Ordensbruder *Bartholomäus von Maastricht* plazieren, dessen Traktate nach MEIJKNECHT eindeutig konziliar engagiert waren[119].

Etwas inselhaft am Rande der Forschung begegnen zur Zeit noch *Laurentius von Arezzo*[120] mit seiner riesigen, auf Vermittlung abzielenden Materialsammlung. Die Arbeit von HÖDL (1957) scheint aber bisher ohne Nachfolge geblieben zu sein. Ähnlich steht es um den,

[116] Literatur s. oben 233 Anm. 196.

[117] Literatur s. oben 142 f. und 267 f. Zum Krakauer Gutachten zuletzt KNOLL, University of Cracow 201–04.

[118] Zur konziliaren Theorie bei *Dionysius* schon früh MULDER, Dionysius de Karthuizer (1901). Ferner die Bonner Diss. von EWIG, Anschauungen 61–67; SIEBEN, Traktate 52 und 286 s.v. Vgl. auch Verfasserlexikon 4 (1983) 166–78 (M. A. SCHMITT). Zum geistigen Klima an der Kölner Universität: TEEUWEN, Dionysius de Karthuizer.

[119] HAUBST, Studien 41 f., und jetzt umfassend MEIJKNECHT, *Bartholomäus von Maastricht* (1982) 19–24, 53–60. Er gehörte in seiner konziliaren Phase (1440–46) der Universität Köln, nicht mehr der Universität Heidelberg an; KEUSSEN, Regesten 191 Nr. 927. Unklar bei RITTER, Heidelberg 315 Anm. 2.*

[120] HÖDL, Kirchengewalt, vor allem 270–75. Editionen des Prologs zum ‚Liber de ecclesiastica potestate‘ (entstanden Ende der 1430er Jahre) bei GRABMANN, Studien 334–44; ECKERMANN, Studien 161–68, und CHROUST-CORBETT, Laurentius of Arezzo 64–76.

soweit bisher auszumachen ist, in vieler Hinsicht originellen *Raphael de Pornaxio* (CREYTENS; HORST)[121]. Er war freilich kein ‚Konziliarist‘. *Alonso de Mádrigal (el Tostado)*[122] schließlich spielt in der spanischen Kirchen- und Geistesgeschichte eine wichtige Rolle; seine kirchentheoretischen Ansichten sind aber noch kaum erschlossen und müßten erst aus den großen Evangelienkommentaren herausgefiltert werden.

Viele Persönlichkeiten könnte man noch nennen, darunter so wichtige wie die Erzbischöfe *Talaru* und *Coëtquis,* die Bischöfe *Philibert de Montjeu* oder *Alonso Garcia de Santa Maria*[123], die im Zusammenhang mit der Politik ihrer Fürsten schon zur Sprache kamen. Doch wird man sich hier überlegen, ob man diese Leute nicht eher als Politiker und Praktiker einstuft. Dem engeren Kreis der Theoretiker gehören sie jedenfalls nicht an. Die gleiche Frage mag man sich zu den Kardinälen *Casanova, Cesarini* und *Aleman* stellen. Cesarini wurde immer schon wegen seiner überragenden Leistung als Moderator des Konzils gewürdigt, in jüngster Zeit widmet man freilich auch seinem Beitrag zur Theorie erhöhte Aufmerksamkeit[124]. Sogar von Aleman wurde kürzlich durch MEUTHEN erstmals ein eigener, wenn auch an Substanz recht bescheidener Traktat entdeckt[125]. Das macht ihn noch nicht zum Theoretiker. Da es andererseits ein müßiges Unterfangen ist, exakte Trennungslinien zwischen ‚Theoretikern‘ und ‚Praktikern‘ zu ziehen, ist einfach von dem Faktum auszugehen, daß jemand ein oder mehrere Schriften kirchentheoretischen Inhalts produziert hat[126].

---

[121] Bisher grundlegend: HORST, Papst und Konzil nach Raphael de Pornaxio. Vgl. SCHÜSSLER, Primat 207–10, und CREYTENS, Raphael de Pornassio (1979), sowie SIEBEN, Traktate 40, 171 f., 197–200 und 288 s.v. Um die Zuschreibung von Traktaten geht es bei CREYTENS, Raphael de Pornaxio (1943), und PERARNAU, Raphael de Pornaxio.

[122] CONGAR, Handbuch 28; SCHÜSSLER, Primat 148–50; BINDER, Thesis 448–52, 482–84; KOHUT, Beitrag 186, 188 (Literatur); GOÑI GAZTAMBIDE, Conciliarismo 905–09; MARCOS RODRÍGUEZ, Manuscritos de Alfonso de Mádrigal; BELTRÁN DE HEREDIA, Cartulario I 474–99; REPERTORIO 1 (1967) 286 f.; 5 (1976) 148–53, 352–56.

[123] Zu ihm s. oben 247.

[124] Die Theorie bei *Cesarini* beachten jetzt KRÄMER, Konsens 139–44; MEUTHEN, Cesarini, und im Grundsatz CHRISTIANSON, Cesarini. Zu den Motiven seines ‚Frontwechsels‘: KRÄMER 164 f.; CHRISTIANSON 181–91; MEUTHEN, Cesarini 164–66. Weiteres zu Cesarini, Casanova und Aleman s. oben 435 Anm. 73, sowie 120 Anm. 162.

[125] MEUTHEN, Zwei neue Handschriften (1986); die Hs. GIESSEN zusammen mit dem ‚Dialogus‘ des Nikolaus von Kues überliefert.

[126] Hier könnte man zum Beispiel einige Ordensleute nachtragen: Die Zisterzienser *Hermann Zoest*, ein aktives Konzilsmitglied, dessen Traktate unediert scheinen (TÖNSMEYER, Zoestius; vgl. oben 64, 337), und *Koloman Knapp* (KOLLER, Knapp) sowie die Benediktiner *Johannes Keck;* (ROSSMANN, Keck; s. oben 160) und *Marquard Sprenger* (ROSSMANN,

Das Ensemble der Personen, die auf diese Weise hervorgetreten und überliefert sind, dürfte hiermit einigermaßen komplett sein. Der Kreis wurde bewußt sehr weit gezogen und Autoren eingeschlossen, die keineswegs als stramm ‚konziliaristisch' zu klassifizieren sind, und die auch nicht alle am Konzil teilgenommen haben. Obwohl Differenzen und Nuancen einzelner Personen und Werke in unserer Skizze kaum Kontur erhielten, dürfte klar geworden sein, daß man von ‚dem' Basler Konziliarismus nur sehr vage sprechen kann.

i) Verbreitung und Rezeption von Basler Traktaten

Die Forschung hat sich auf diesem Gebiet bisher etwas schwer getan. Die folgenden Angaben resümieren – geringfügig ergänzt – einige der jüngsten Ergebnisse und verweisen im übrigen auf unser Schlußkapitel ‚Fortleben des Konzilsgedankens'. Sichere Kriterien für eine Rezeption der Theoretiker erhält man bekanntlich erstens durch Sichtung von Anzahl und Streuung der erhaltenen Handschriften und Drucke, zweitens, indem man nachweist, daß spätere Autoren konkret Basler Traktate benutzt haben. Handschriftenströme sind Ideenströme! Hier sind durch KRÄMER, MEUTHEN, MIETHKE und (für die Drucke) SIEBEN wesentliche Vorarbeiten geleistet worden, doch ist die Forschung noch ganz im Fluß[127].

KRÄMER eröffnet sein Buch mit einer entscheidenden Prämisse: Das in der Kirchengeschichtsschreibung vorherrschende Negativbild des angeblich radikalen Basler Konzils konnte sich nur durchsetzen, weil

---

Sprenger 371-89, mit Vermerk unedierter Konzilstraktate des süddt. Raums). Auf eugenianischer Seite den Dominikaner *Leonhard Huntpichler* (FRANK, Huntpichler, und oben 148) sowie *Johann Kapistran*, von dem ebenfalls ein kleiner Traktat zum Konzilsthema (1440) bekannt ist; HOFER, Kapistran I 237–41; SIEBEN, Traktate 45. – Drei kleine Traktate ‚Contra conciliabolum Basiliense' (1440–44) Ottos III., Bischofs von Konstanz, ed. WERMINGHOFF, Otto III. von Konstanz 13–33. – Zu wünschen ist eine Studie über *Heinrich von Werl* OFM; s. LThK 5, 203.

[127] S. vorerst die Traktatlisten bei KRÄMER, Konsens 440–47, mit Handschriftenverzeichnis ebd. 458–60; MIETHKE, Forum 753–67 (weitere Hss.studien in den anderen Aufsätzen von Miethke); Auswahl von Theoretikern bei OAKLEY, Natural Law 795 f. Anm. 32; CHROUST–CORBETT (Ed.), Laurentius of Arezzo 64–76 (nicht ohne Fehler). Soweit sie gedruckt sind, beste Traktateübersicht bei SIEBEN, Traktate 11–58. Zahlreiche Autoren des 15. Jahrhunderts bei GRABMANN, Studien (1934), allerdings nach heutigem Kenntnisstand überholt. Eine reiche Sammlung von vatikanischen Traktathss. bei HAUBST, Studien. Für die spanischen Hss. sei grundsätzlich auf das REPERTORIO de las ciencias ecclesiásticas en España, 1–6, hingewiesen. S. jetzt für die Basler Handschriften: STEINMANN, Handschriften der Univ. Bibl. Basel. Register zu den Abt. AI-AXI, 366–73: Hss. zum Basler Konzil. Vgl. SCHMIDT, Bibliothek.

seine Theoretiker – Schicksal der Verlierer – im Gegensatz zu den sieg-
reichen kurialen Autoren mit Ausnahme der ‚Concordantia catholica‘
„nie publiziert“ worden seien[128]. Dies ist zu prüfen. Es scheint in der
Tat so zu sein, daß die Basler Theoretiker in ihrer Mehrzahl spärlich
tradiert wurden und natürlich nicht die Frequenz des vielgestaltigen
Oeuvres eines Gerson, des im 15. Jahrhundert „am stärksten vertretenen Autors überhaupt“[129], erreichten. Aber Gerson ist eine Ausnah-
meerscheinung. Immerhin scheint es Krämers These zu bestätigen,
daß der große ‚Tractatus de ecclesia‘ des Johann von Ragusa, ein
Hauptwerk des Basler Konziliarismus, nur in einer einzigen Handschrift, dem Handexemplar des Autors, überlebt hatte, bis es 1719–21
einmal von Iselin abgeschrieben und erst 1983 gedruckt wurde. Das
bedeutet ja nichts anderes, als daß schon auf dem Konzil selbst niemand das Werk abschrieb[130]. Indes sind auch zahlreiche Werke des
Heymericus de Campo nur im Autograph überliefert – und zwar nicht
nur seine Konzilstraktate. Das gleiche widerfuhr auch vielen Traktaten Heinrich Kalteisens, und dies, obwohl die nach 1437
entstandenen ‚eugenianisch‘ gegen die Basler gerichtet waren, mithin,
nimmt man Krämer beim Wort, eigentlich die Bedingung zur Weiter-
verbreitung erfüllt hätten. Segovias ‚Relatio de praesidentia‘ mit ihren
bisher 18 bekannten Handschriften nennt Krämer wiederum selbst
einen „Bestseller“ und für die ‚Decem Avisamenta‘ ermittelt er
immerhin 17 Handschriften[131]. Die Böhmenreden der vier Basler Dis-
putanten des Jahres 1433 vollends gehören mit bisher 63 für Ragusa
und immerhin 44 für Kalteisen ermittelten Handschriften [132] zu den
verbreitetsten Traktaten eines Konzils überhaupt.

Was die Drucke betrifft, so wurde darauf hingewiesen, daß keineswegs nur die ‚Concordantia catholica‘ des Kusaners, sondern auch

---

[128] KRÄMER, Konsens 6–9 (Zitat 6). Gegenbeispiele bei MEUTHEN, Basler Konzil in r.
kath. Sicht 300–03; HELMRATH, Selbstverständnis 217.
[129] STEINMANN, Ältere theologische Literatur 473, – nach Beständen der Basler Bibliotheken des 15. Jahrhunderts; P. GLORIEUX (Ed.), Gerson, Oeuvres complètes I, Paris
1960, 71 f., nennt zwischen 1483 und 1521 allein 20 Gesamtausgaben!
[130] MEUTHEN, Basler Konzil in r. kath. Sicht 302 f.
[131] KRÄMER, Konsens 209 Anm. 6 und 385. – Gedruckt wurden von Segovia bezeichnenderweise – so könnte man im Sinne Krämers ergänzen – nicht die konziliaren
Schriften, wohl aber sein ‚De processu spiritus Sancti‘ und seine praktische ‚Concordantia bibliae vocum indeclinabilium‘, – beide Basel 1476.
[132] Laut MEUTHEN, Basler Konzil 16 Anm. 35. Es existieren auch Drucke der Böhmentraktate, zum Beispiel von J. HOMMEY, Paris 1686 und 1696; s. REPERTORIUM FONTIUM
III 550.

Konziliaristen wie Jean Mauroux, Heinrich Toke (1470; 1521 durch Hutten) und Niccolò Tudeschi gedruckt wurden, letzterer zwar vor allem mit seinen weithin berühmten (auch bei Luther genannten!), großenteils vor seiner konziliaristischen Phase verfaßten kanonistischen Handbüchern, jedoch auch mit seiner großen Frankfurter Rede von 1442. Hinzuzufügen wären auch die ziemlich verbreiteten 'Consilia' des Lodovico Pontano, die auch Material der Basler Zeit enthielten[133]. Hier ist weiter zu recherchieren. Zum Beispiel ist es sehr aufschlußreich, die Bibliothekskataloge des 15. und 16. Jahrhunderts auf Basler Traktate und Dekrete durchzusehen[134].

In der Rezeption durch zeitgenössische Autoren, die wie Laurentius von Arezzo nicht in Basel beteiligt waren, oder bei späteren Theoretikern wie Jacobazzi kommen die Basler Traktate zum Teil in großer Bandbreite vor. Die noch in die dreißiger Jahre datierte Literaturliste in Laurentius' 'Liber de ecclesiastica potestate' nennt unter anderen Segovia, Ragusa, Mauroux, González und Pontano[135]; Jacobazzis „Bibliothek" (Sieben) enthält Autoren wie Nikolaus von Kues' 'Concordantia', Segovias 'De praesidentia', Enea Silvios 'Libellus dialogorum' (1440), das Krakauer Universitätsgutachten (1442) sowie Traktate von Pontano und Tudeschi[136].

Kriterium zur Verbreitung von Traktaten war im übrigen nicht nur die ideologische Position einer Schrift, sondern auch deren praktische

---

[133] MEUTHEN, Basler Konzil in r. kath. Sicht 301 f.; vorher bereits STOECKLIN, Ende 18–20. Der 'Tractatus de superioritate inter concilium et papam', (1434) des *Jean Mauroux* erschien um 1511/12 im Umfeld des Pisanums in Paris (bei Grarion). *Tudeschi*-Drucke: Venedig 1479 (!) und Lyon 1536, MEUTHEN 301, nennt nur einen Druck Paris 1666. Vgl. Ed. in: MC III 1022–1125; RTA XVI 438–538 nr. 212. Zur Tudeschi-Rezeption vgl. SCHÜSSLER, Primat 225–29; NÖRR, Kirche 177 f. Die 'Consilia' des *Pontano* erschienen zum Beispiel 1518, 1568 und 1577. – Alle diese Angaben verstehen sich nur als erste Anregungen, die ein Weitersuchen sinnvoll erscheinen lassen.

[134] Beispiele für die Zeit des Basiliense bei MIETHKE, Forum 758–67. – Das in der von B. BISCHOFF hg. Reihe 'Mittelalterliche Bibliothekskataloge Deutschlands und der Schweiz' veröffentlichte Material ist meines Wissens unter diesem Aspekt noch nicht ausgewertet worden.

[135] CHROUST-CORBETT (Ed.), Laurentius of Arezzo 64–76. Vgl. SIEBEN, Traktate 13 f. und oben 169 Anm. 369.

[136] SIEBEN, Traktate 221–26; 222 und 224 ebenso wichtiger Hinweis auf 'fehlende' Theoretiker. Bei Ugoni(us) ist das Spektrum konziliarer Traktate deutlich kleiner; SIEBEN 248–51. Einen besonderen Zweig von Rezeption bildet der liturgische Sektor. So haben nach SCHIMMELPFENNIG, Zeremoniell 276 f., die Sessionsordines von Konstanz und Basel auf das kuriale 'Caeremoniale' des Agostino Patrizzi (unter Sixtus IV. entstanden; Druck Venedig 1516) eingewirkt.

Verwendbarkeit, Klarheit im Aufbau und Präzision. Diese Kriterien dürften nicht zuletzt der ‚Summa' Torquemadas gegenüber den originelleren, aber auch diffuseren Werken eines Segovia zusätzliche Wirkung gesichert haben.

Als vorläufiges Zwischenergebnis ist also festzuhalten, daß die Basler Theoretiker weiter verbreitet waren als vielfach angenommen, daß der Grad der Rezeption aber im einzelnen sehr unterschiedlich ausfiel.

Eindeutiger – und eindrucksvoller – sieht das Bild bei den Konzilsdekreten aus. Handschriftlich sind bisher nicht weniger als siebzig Sammlungen bekannt, die teils vom Basler Konzil selbst zusammengestellt und verbreitet, teils von interessierten Einzelnen kompiliert worden waren[137]. Geradezu frappierend wirken Dichte und Anzahl der Drucke, eine Tatsache, die eigentlich schon immer zu Tage lag, aber erst neulich von MEUTHEN gegen KRÄMERS These bewußt gemacht wurde: Die Basler Dekrete wurden von 1511 (Ferrerius in Mailand, mit den Dekreten bis zur 16. Sessio) und 1524 (Merlin in Paris; erste vollständige Edition) bis 1788 (Mansi) nicht weniger als siebzehnmal in katholischen Konzilssammlungen gedruckt – freilich nicht in den römischen[138]! An den Anfang der Serie ist ein noch älterer, bisher kaum beachteter Basler Druck aus dem Jahre 1499 zu stellen, den immerhin Sebastian Brant besorgte.[138a] Spielten die Basler Dekrete in den Reformgedanken der deutschen Humanisten eine Rolle[138b]?

j) Drei Grundbegriffe: Repräsentation – Konsens – Rezeption

Die Forschung hat sich von den „Verfassungsprinzipien", die sie im Basler Konziliarismus für essentiell hielt, zuerst der ‚Repräsenta-

---

[137] Nach MEUTHEN, Protokollführung 133 Anm. 70. Vgl. HERRE, RTA X, S. LII–LV.

[138] MEUTHEN, Basler Konzil in r. kath. Sicht 300 f. Vgl. die Übersicht bei HERRE, RTA X, S. XCVI–CIX.

138a S(ebastian) BRANT, Decreta Concilij Basiliensis, Basel 1499; erwähnt REPERTORIUM FONTIUM III 549 f. Ich konnte bisher ein Exemplar in der Univ. Bibl. Bonn verifizieren. Vgl. HALPORN, Sebastian Brant as an Editor of Juristic Texts (1984) 44–46. Auf ein anderes Werk von Brant dürfte sich die Notiz bei ZEDLER, Universal-Lexicon IV, Halle-Leipzig 1733, 1026 (Art. ‚S. Brand') beziehen: „...eine kurtze Lateinische Beschreibung des Baßler Concilii, so aber fast gantz aus einem schon zur Zeit des Concilii aufgesetzten Verzeichniß, welches noch auf der Bibliothec zu Basel anzutreffen, abgeschrieben ist." (Freundl. Hinweis von U. Neddermeyer, Köln).

138b Der von dem Kölner Professor und Humanisten Ortwinus Gratius (†1542) kompilierte ‚Fasciculus rerum expetendarum et fugiendarum. In quo primum continetur concilium Basiliense' ... (Köln 1535; erweiterte Ed. von J. BROWN, London 1690) ist eine

tion'[139], danach dem ‚Konsens'[140] und der ‚Rezeption'[141] zugewandt, wobei die Begriffsinhalte natürlich wesenhaft miteinander verknüpft sind. Der Begriff ‚repraesentatio' bot sich zum Nachzeichnen der Ent-

---

Sammlung von Exzerpten diverser konziliarer und reformerischer Schriften und Dokumente. Er enthält unter anderem das Einladungsschreiben des Basler Konzils an die Böhmen, Briefe Cesarinis und Enea Silvios, von den Theoretikern jedoch nur ein kurzes Stück der ‚Concordantia catholica'. Dafür erscheinen ausführlich (f. 197–208) Reformschriften des Nikolas de Clémanges. Die ältere Forschung glaubte, der ‚Fasciculus' sei dem ‚Dunkelmann' Gratius nur unterschoben. Die Basler Kirchenreform trat hier in den Dienst der beginnenden katholischen Reform. Vorstufe war der Appendix der Ausgabe der ‚Commentarii Aeneae Silvii Piccolominei Senensis de Concilio Basileae celebrato libri duo' [Basel 1522]. Vgl. POLMAN, Elément historique 183 f.; MEHL, Ortwin Gratius 203-06, 229-50; KEUTE, Hedio 128–31; CHAIX, Le 'Fasciculus rerum expetendarum' (1985). – Dies nur einige Beispiele, die die Fruchtbarkeit der Rezeptionsfrage andeuten mögen. Vgl. oben Kap. II 7 und Kap. V 5: Basler Konzil – Reform – Reformation; besonders Anm. 89 (Flacius Illyricus).

[139] Überblick über neuere Literatur: ALBERIGO, Movimento 933–37. Zur kanonistischen Basis TIERNEY, Foundations 132–48 usw. Die Theoretiker des 14. Jahrhunderts bei SIEBEN, Konzilsidee des Mittelalters 477 s.v. mit Literatur; ULLMANN, De Bartoli sententia. Das Hauptwerk ohne Zweifel jetzt: HOFMANN, Repräsentation, vor allem 191–328 (286–316 zu Nikolaus von Kues). Ferner der Sammelband ‚Der Begriff der Repraesentatio im Mittelalter' (1971), darin MIETHKE (163–85) über Ockham, sowie für das Basiliense zentral: KRÄMER, Repräsentation (202–37); und über Cusanus: HAUBST, Wort und Leitidee (139–62); s. dasselbe mit geringfügig verändertem Text, in: MFCG 9 (1971) 140–59. Zu Nikolaus von Kues ferner: KOCH, Umwelt 24 f. Anm. 5 (mit Kritik an G. Kallen); SIGMUND, Nicholas of Cusa 335 s.v.; PERNTHALER, Repraesentationslehre; ALBERIGO, Chiesa 315–17. Allgemeiner Überblick: LAGARDE, Théories représentatives; TIERNEY, Idee der Repräsentation auf den Konzilien, in: Concilium 19, 8–9 (1983). Zur Begriffsproblematik: LUMPE, ‚Repraesentare' und ‚praesentare'. Zu Basel nachzutragen: BRANDMÜLLER, Sacrosancta 107–11; BLACK, Monarchy 15–22 und 187 s.v.; Council 184–87, 200 f., und 248 s.v; FRANK, Huntpichler 273–96; KRÄMER, Konsens 326–37 und 475 s.v.; SIEBEN, Traktate 183–86; PODLECH, Art. ‚Repräsentation' 510–14; zuletzt besonders MEUTHEN, Basler Konzil 20–25, mit weiterführenden Reflexionen. Auf extensive Quellenbelege muß hier und in den folgenden Anmerkungen verzichtet werden.

[140] KRÄMER, Konsens 472 s.v., besonders 338–48; MEUTHEN, Konsens; WOLMUTH, Verständigung passim. Vgl. (vornehmlich zu Nikolaus von Kues) SIGMUND, Hierarchy, Equality and Consent 142–50; GANZER, Päpstliche Gesetzgebung; WATANABE, Authority and Consent; MAY, Konsenstheorie; HOFMANN, Repräsentation 286–321; SWIDLER, Demokratia; SIEBEN, Traktate 91–94, 103–09 (Nikolaus von Kues) und 259–61 (Ugonius); G. SAUTER, Art. ‚Consensus', in: TRE 8 (1981) 182–89, ohne nähere Hinweise. Vgl. oben 29-34.

[141] Neben KRÄMER, Konsens 349–61, und der oben 212 f. und 302-06, 433, erörterten Problematik seines Bildes von der ‚Rezeption' vgl.: CONGAR, La ‚Réception' comme réalité ecclésiologique, deutsche Kurzfassung, in: Concilium 8 (1972) 500–14, nach Quellen von Zabarella, Nikolaus von Kues, Domenico von San Gimigniano (†1436); CONGAR, Quod omnes tangit; DE LUCA, L'accettazione popolare. Vgl. GRILLMEIER, Konzil und Rezeption; KÜPPERS, Rezeption; G. DENZLER, in: Concilium 19, 8–9 (1983) 507–11; letztere Arbeiten zeigen die damalige theologische Aktualität des Themas.

wicklung von den Korporationslehren des 14. Jahrhunderts (Bartolus, Ockham, Marsilius) zum spezifischen Repräsentationsdenken des Basiliense geradezu an. Nach Umfang und Reflexionsniveau ragt hier die eindrucksvolle Studie von HASSO HOFMANN (1974) heraus. Ungeachtet ihrer vornehmlich verfassungsrechtlichen Ausrichtung, könnte sie auch von Theologen und Kirchenhistorikern stärker als bisher genutzt werden. Für das Basiliense sind ferner die Arbeiten von KRÄMER, HAUBST und BLACK einschlägig[142]. Der Kern des Problems einer ‚repraesentatio‘ der Kirche, sei es durch ein Kollektiv (Konzil), sei es durch den Monarchen (Papst), liegt in einer doppelten Bedeutung dieses Begriffs: a) als juristische Stellvertretung eines Corpus durch Delegation von Personen, welche die Gruppierungen des Corpus proportional vertreten, b) als ‚figuratio‘, das heißt Vergegenwärtigung des Repräsentierten bis hin zur Identität[143]. Bei den Basler Theoretikern, vor allem bei Segovia und Ragusa wird das Konzil in eben dieser zwiefachen Wertigkeit definiert, wobei Segovias Lehre von der vierfachen Repräsentation: *similitudinis, naturae, potestatis* und entscheidend *identitatis* (wie das Konzil die Kirche) als die philosophisch sublimste Leistung anzusehen ist[144]. Das Konzil ist *distributive* eine Versammlung von delegierten Repräsentanten, die die verschiedenen ‚status, gradus und dignitates‘ der Kirche wie eine Art „Großsenat“[145] vertreten. Der zweite Aspekt der ‚repraesentatio‘, Vergegenwärtigung, erhält aber seinerseits in genuin theologischer Spannung eine weitere Doppelung[146]: Das Konzil vergegenwärtigt die Universalkirche *collective* nicht nur in ihren Gliedern, sondern auch in ihrem Haupte, Christus, versichtbart also auf einer höheren Seinsebene den unsichtbaren mystischen Leib Christi – so wie der Bischof sowohl Mandatsträger seiner Gemeinde als auch charismatischer ‚Vicarius Christi‘ ist.

---

[142] S. Anm. 139.

[143] S. schon TIERNEY, Foundations 34–36; WIDMER, Enea Silvio 118 f.; HAUBST, Wort und Leitidee 145 f., 151; KRÄMER, Repräsentation 224 f., 234; Konsens 330; CONGAR, Quod omnes tangit 248–50; und besonders HOFMANN, Repräsentation 116–67.

[144] Dazu HOFMANN, Repräsentation 211–14, vgl. ebd. 214–19; KRÄMER, Repräsentation 234 Anm. 104. Segovia RTA XV 681 Z.17–31 nr. 349 – ein Schlüsseltext. S. oben 402.

[145] KRÄMER, Repräsentation 237.

[146] S. HAUBST, Wort und Leitidee 147–49; vgl. HOFMANN, Repräsentation 307 f., 310 (Cusanus), dem aber der platonisierende Begriffsrealismus der anderen Basler Repräsentationstheoretiker zu wenig klar geworden ist. Zum II. Vatikanum: PETERS, Doppelte Repräsentation.

Das Selbstverständnis des Konzils umreißt Segovia lapidar: *Generalis synodus repraesentat ecclesiam catholicam per modum identitatis, quia est idem cum ea retinetque nomen ipsius eiusdemque est potestatis.*[147] Kriterium dieses Einklangs, Gradmesser der Wahrheit ist der Konsens. Dieses tautologische Identitätsbewußtsein wurde nicht zuletzt als Frucht des übersteigerten „Begriffsrealismus" der Basler schon angesprochen. BLACK bezeichnet es sogar als „most serious weakness in conciliar theory" und als „politische Mythologie"[148]. Den Gegnern der Basler war es relativ leicht, dieses absorptive Repräsentationsbewußtsein zu bekämpfen, indem sie, um einen komplementären Ausdruck Gierkes aufzugreifen, eine prinzipiell nur „relative Repräsentierbarkeit" der Gesamtkirche postulierten[149]. Außerdem versuchte man, den Selbstanspruch der Basler, gebündelter Inbegriff des Gesamtkonsenses der

---

[147] Segovia, De magna auctoritate episcoporum c.10; BASEL UB Cod. B V 15 f.11^v–12^r (zit. KRÄMER, Repräsentation 235 Anm. 104). – Zum distributiven Repräsentationsverständnis s. Ragusa, Tractatus de auctoritate conciliorum, BASEL UB Cod. A IV f. 257^v (zit. KRÄMER, ebd. 237): *Generale concilium est universalis ecclesiae catholicae conventus et includens virtualiter et auctoritative singulos gradus ecclesiae, tam papatum quam ceteros sicut membra ipsius ecclesiae universalis, quam propterea ipsum concilium dicitur repraesentare.* Geradezu klassisch die Worte des Krakauer Universitätsgutachtens von 1442: *Unde considerandum est, quod ecclesia universalis consideratur dupliciter. Uno modo, ut est corpus mysticum, isto modo consideratur prout a Christo regitur donis et charismatibus gratiarum... Aliomodo consideratur ecclesia, ut est corpus politicum, secundum quod consideratur sicut alia communitas aut societas publica ...isto modo posset dici, quod papae competit dici caput ecclesiae;* DU BOULAY V, 489. Laut BLACK, Monarchy 14, enthält der Satz „the essence of Baslean Conciliarism"; vgl. bereits oben 439 f. Anm. 91

[148] BLACK, Grundgedanken 300 (Zit.); vgl. Monarchy 20, 56; Council 185 (Zit.), zum Problem ebd. 148–54. Vgl. KRÄMER, Konsens 330: Er stellt zwar auch die Identitätsdoktrin heraus, sieht aber „nicht eine simple Gleichsetzung von Kirche und allgemeinem Konzil" in der Basler Ekklesiologie. – Das Problem kehrte natürlich auch im Umfeld des II. Vatikanums wieder, zugespitzt in der Frage: Ist das Konzil nur ‚synhédrion' (Ratsversammlung) oder selbst ‚ekklesía' (Kirche). S. dazu etwa CONGAR, Konzil als Versammlung und grundsätzliche Konziliarität der Kirche; und, mit gegensätzlicher Position: RATZINGER, Theologie des Konzils, v.a. 155–61, ebd. 159: „Das Konzil ist ‚synhédrion', nicht ‚ekklesia' ".

[149] Gerade die Identitätsrepräsentation wird zum Beispiel bei Kalteisen angegriffen: *ecclesia repraesentatur in concilio quasi totum in sua notabili parte, nec est ipsum totum, quia concilium, licet repraesentat universalem ecclesiam, non tamen est universalis ecclesia;* Tractatus, sen consilium super auctoritate papae et concilii generalis... (1441); zit. KRÄMER, Relevanz 132. Ähnliche Zitate bei Raphael de Pornaxio, ed. J. FRIEDRICH unter den ‚Opera' Torquemadas, Innsbruck 1871, 93. Vgl. Nikolaus von Kues, ‚Dialogus', ed. MEUTHEN, c. 10, c. 13 besonders Z.13–17 und c. 18. Ähnlich die ‚Summa dictorum' vom 24./28. Juni 1442; AC I2 Nr. 520 Z.616–19 (= RTA XVI 425 Z.19 f.) und öfter. Vgl. KRÄMER, Repräsentation 227, 235 f. Besonders energisch gegen den Identitätsanspruch äußerte sich die englische Denkschrift von 1442 (RTA XVI 548 Z.37–39, 549 Z.31–550 Z.9). Weitere Beispiele bei SIEBEN, Traktate 184–87, 200.

Kirche zu sein, mit dem Hinweis auf den gravierenden ‚dissensus' des
Schismas und die schwindende Anhängerschaft des Basler Rumpfkonzils zu erschüttern: *Dissentientes non faciunt concilium*[150]. Das Konzil
repräsentiere eben auch faktisch nicht mehr die Kirche und werde von
ihr nicht mehr akzeptiert. Freilich war es einfacher, Basel zu kritisie-
ren als Ferrara-Florenz überzeugend zu verteidigen.

Festzuhalten bleibt, daß es zu einer verbindlichen praktischen Anwendung der Basler Repräsentationstheorien (etwa in Rekrutierung
und Auswahl der Konzilsmitglieder), geschweige denn zu einem den
heutigen Wahlkreisen vergleichbaren Delegationssystem nie gekommen ist. Ja, letzteres ist nach Ansicht der Forschung außer bei Nikolaus von Kues nicht einmal theoretisch erwogen worden[151]. In der Tat
findet sich weder in der Theorie noch in der Praxis des Basiliense zu
diesem interessanten Punkt eine Systematik. Aber es gab einen von
der Forschung übersehenen Ansatz im Synodaldekret: Die Provinzialsynoden sollten *personas deputatas* für das Generalkonzil auswäh-
len![152] – Den latenten Widerspruch zwischen Repräsentation und
Hierarchie hat die konziliare Theorie allerdings nie völlig gelöst.

Versucht man, das Problemfeld ein wenig zu strukturieren, begegnet einem das Konsensthema in drei vielfach verschlungenen Bezugs-
kreisen: einmal innerkonziliar als der für die Wahrheit geistgeleiteter
Entscheidungen des Konzils unabdingbare Konsens der Konzilsväter
untereinander. Dieser Aspekt interessierte die jüngere Theologie
(Krämer, Wolmuth) ganz besonders. Wir sind im Zusammenhang mit

---

[150] Nikolaus von Kues, ‚Dialogus', ed. MEUTHEN, c. 4 Z. 4. Weitere Belege des nach D. 15
C. 1. 7 geprägten Satzes s. AC I2 Nr. 468 Anm. 33. – Überzogene, von den Eugenianern
an Basel gerichtete Konsensansprüche wurden dort ihrerseits zurückgewiesen. So sagte
etwa Courcelles, nicht einmal das I. Nicaenum habe einstimmig das Glaubensbekenntnis
gebilligt: *Unde...si opporteret, quod omnes essent semper concordes ad hoc, quod diffinicio esset a spiritu
sancto, diffinicio illius articuli... non fuisset editum a spiritu sancto, quod dicere manifeste repugnat fidei
katholice*; RTA XIII 806 Z.21–31. – Ähnlich Basler Gesandte 1441 in Mainz; RTA XV 787
Z.39–788 Z.14, zit. SIEBEN, Traktate 205 Anm. 369. Vgl. oben 32-34; ROSSMANN, Sprenger 380-82.

[151] BLACK, Monarchy 19 f.; MEUTHEN, Konsens 21; Basler Konzil 24; HOFMANN,
Repräsentation 274: „Von einer demokratischen ‚Mandatstheorie' der Konziliaristen
kann nach alledem im Ernst noch nicht die Rede sein." KRÄMER, Konsens 336 nennt nur
Cusanus – die Ausnahme –, ohne das Mandatsproblem zu formulieren.

[152] COD 475 Z.32–40: *Cogitentur insuper in provinciali synodo, quae immediate generale concilium subsequens antecedit, omnia quae in eodem generali concilio visa fuerint prosequenda... Idemque
e l i g a n t u r in numero competenti qui ad proximum generale concilium v i c e totius provinciae debeant
proficisci... ita tamen quod illi qui ultra p e r s o n a s, ut praedictum est, d e p u t a t a s ad ipsum concilium
generale accedere voluerint, aut eorum clerus, nullatenus propterea graventur.*

der Basler Geschäftsordnung darauf eingegangen. Zweitens im Verhältnis der kirchlichen Leitungsorgane Konzil und Papst – das heißt: die Superioritätsfrage konzentriert sich hier im Konsensproblem. Drittens im Verhältnis von Konzil und Gesamtkirche – hier entwickelte die Konsensfrage in engster Verbindung mit dem Rezeptionsproblem für das Basiliense entscheidende politische Brisanz.

Es mag verwundern, ja paradox erscheinen, wenn gerade das Basler Konzil als die vielleicht konfliktreichste Synode der Kirchengeschichte bei einer Reihe von modernen Theologen zum vorbildhaften Modell für innerkirchlichen Konsens und eine Sprache der Verständigung stilisiert wird. Und dennoch ist dieser Widerspruch weniger paradox als es zunächst aussieht, liegt er doch geradezu im Wesen des Basler Konziliarismus und seiner tragischen Geschichte selbst begründet. Der Konsens, das hatten wir ausgeführt, ist nach dem Basler Selbstverständnis sowohl Bedingung wie auch Ausdruck dafür, daß das Konzil als Repräsentation der Gesamtkirche unter der Inspiration des Geistes handelt. Es wird oft verkannt, daß die Basler nicht nur in der Theorie, sondern auch in ihrer Konzilspraxis immer wieder um Konsens gerungen haben, wenn auch dem Anschein nach der Dissens viel bestimmender war. So gesehen ist es geradehin erstaunlich, daß das Konzil, ungeachtet der strukturellen Dynamisierung durch Stimmrecht, Redefreiheit, Teilnehmerspektrum, der eminent kontroversen Themen und seiner quasi automatisch den Dissens bergenden Funktion als europäisches Forum, trotzdem sechs Jahre lang (bis 1437) immer wieder Kompromisse, also wenigstens formalen Konsens, zustandebrachte.

In diesem Sinne nahezu ausschließlich auf den Konsens als Quintessenz der Basler Konzilstheologie fixiert zeigt sich die Bonner theologische Habilitationsschrift von JOSEF WOLMUTH. Der Titel „Verständigung in der Kirche"[153] ist durchaus als Programm zu werten, erscheinen doch dem engagierten Verfasser die „Kommunikationsprozesse des Basler Konzils... noch heute wie ein Nachhilfeunterricht in Sachen ‚ekklesialer Konsens‘ " (82). Erreicht werden soll das aktuelle theologische Ziel mit Hilfe einer fachfremden ‚Methode‘, in diesem Fall der Textlinguistik und Kommunikationstheorie. Unwillkürliche Skepsis mag man zunächst in Erinnerung an die verbreitete Theoriebesessen-

---

[153] J. WOLMUTH, Verständigung in der Kirche untersucht an der Sprache des Konzils von Basel, Mainz 1983.

heit der sechziger und siebziger Jahre zugunsten eines erwartungsvollen ‚Warum nicht?' zurückstellen. In der Tat ist der Ansatz Wolmuths auf den ersten Blick sinnvoll: Am Ariadnefaden der Konzilsgeschichte Segovias wird versucht, die schwierigen „kommunikativen Konsensprozesse" auf dem Basiliense während der Entstehung seiner „Textproduktion" (lies: seiner Dekrete) chronologisch nachzuzeichnen (57–125) und die zugrundeliegenden Theorien der Basler „Verständigungssprache" zu eruieren. Dabei gelingen eine Reihe interessanter Beobachtungen, vor allem zur Basler Geschäftsordnung (34–56) und zu Segovia (222–54), wenn man – zu recht – davon ausgeht, daß Segovia für den Basler Konziliarismus repräsentativ ist, eine Frage, die sich dem Autor aber nicht zu stellen scheint. Schließlich kann Wolmuth in beachtlicher Fülle und Vielfalt ‚konsensuale' Phraseologie zusammentragen und linguistisch sortieren (126–199). Allein diese Quantität manifestiert schon in gewisser Weise die Bedeutung des Konsensdenkens auf dem Basler Konzil. Insofern hat das Buch ein richtiges Ergebnis.

Ernste Bedenken steigen freilich auf, ob die angewandte linguistische Text- und Sprechaktanalyse die Ergiebigkeit der Arbeit gefördert oder nicht vielmehr in fast marottenhafter Verselbständigung behindert hat. Zwar schreibt Wolmuth ausdrücklich für Theologen; womöglich haben seine Analysen für Fachtheologen und Linguisten ihren Wert. Fest dürfte jedoch stehen: Konzilsdekrete, der hauptsächliche Textgegenstand der Analyse, sind in so hohem Maße durch traditionsgebundenes, zum Beispiel der kurialen Diplomatik entstammendes, jedenfalls historisch bedingtes Formelmaterial geprägt, daß sie mit einer dezidiert unhistorisch arbeitenden Methode nur begrenzt interpretierbar sein können. Selbstverständlich bietet gerade das Basiliense eine Reihe Beispiele, von welch konstitutiver (auch theologischer) Bedeutung eine ganz bestimmte Sprachformel sein konnte (Streit um das *diffinimus et declaramus* Eugens IV. im Jahre 1433 und, wichtiger, die Formulierung der Dogmen von 1439). Nur hat das alles nichts mit der „Regulierung von Konflikten durch eine Verständigungssprache" zu tun. In den Schriften Segovias wiederum scheint mir das Konsensvokabular nicht den vom Autor postulierten Formalisierungsgrad zu besitzen.

Aus der Sicht des Historikers muß Wolmuths Experiment einer Allianz aus Gegenwartstheologie und Textlinguistik als gescheitert bezeichnet werden. Die Methode konnte das fehlende historische

Rüstzeug ebensowenig kompensieren wie die Beredsamkeit den Verzicht, sich mit Forschung auseinanderzusetzen.

Kommen wir zum dritten Grundbegriff des Kapitels: Das Kriterium der Rezeption von Konzilsentscheidungen begegnete schon mehrfach. Dabei wurde auch die Aufwertung dieses Prinzips durch KRÄMER kritisch bedacht:[154] Dieser hatte ja in seinem Buch ‚Konsens und Rezeption‘ selber gezeigt – und wurde darin von MEUTHEN ergänzt –, daß ein konstitutiver *consensus subsequens* (Ragusa) der Kirchenglieder nach dem Selbstverständnis der Basler als konsensgeleitetes, unfehlbares, die Kirche per se schon repräsentierendes Organ „irrelevant" war, mithin für Konzilsbeschlüsse nur noch Gehorsam gefordert zu werden brauchte. So sagt Ragusa: Konzilsentscheidungen *secum apportant et acceptationem et conformationem* und zwar mit „sofortige(r) Rechtskraft", „unabhängig von dem nachträglichen Assens aller Gläubigen"[155]. Im Konzilskonsens koinzidieren gleichsam ‚Konstitution‘ und ‚Akzeptation‘ von Gesetzen. Nur die Entscheidungen eines Einzelnen, zum Beispiel des Papstes, erfordern nach Ragusa den *consensus subsequens*; das Konzil aber versammelt den *consensus praecedens* der Kirche in sich[156], bildet also fast eine Art kirchlicher ‚volonté générale‘ – aber in Basel eben: ohne jede „Rückbeziehung auf die angeblichen Mandanten"[157]. Dieses und ähnliche Postulate der Basler (Unfehlbarkeit, Jurisdiktionsprimat etc.) suggerieren beinahe die Vermutung, daß sie wesentliche Ansprüche des absoluten Papalismus ins Selbstverständnis ihres Konzils übernahmen[158]. – Als Problem bleibt die Rezeption kirchlicher Entscheidungen durch die Gläubigen freilich bis heute bestehen.

Der faszinierende Gehalt des ‚Basler Konziliarismus‘ konnte in unserer forschungsgeschichtlich orientierten Darstellung nur dann und wann aufblitzen. Einige Wesenszüge sind vielleicht dennoch

---

[154] S. oben 212 f., 302-06, 433, 453 (Lit).

[155] KRÄMER, Konsens 346 f., dort Anm. 57 das Zitat aus Johanns von Ragusa, ‚Tractatus de auctoritate conciliorum‘; BASEL UB, Cod. A IV 17 f. 175ʳ, sowie Verweis auf das identische (!) Zitat bei Nikolaus von Kues, Conc. cath. II 11 Nr. 106 Z.4 f.

[156] Belege bei KRÄMER, Konsens 346.

[157] HOFMANN, Repräsentation 273.

[158] Vgl. etwa MEUTHEN, Basler Konzil in r. kath. Sicht 305: Er setzt die oben skizzierte Rezeptionslehre der Basler mit dem *ex sese non ex consensu* des Dekrets ‚Pastor aeternus‘ (Vaticanum I, Sessio IV, caput IV; COD 816 Z.36) in Beziehung. Vgl. HÜRTEN, Ekklesiologie 220 f.

deutlich geworden. Das folgende Kapitel trägt weitere Aspekte hinzu. Eine Gesamtdarstellung ist Aufgabe der Zukunft.

2. ‚Haec Sancta‘ in Basel und die ‚Tres veritates‘

Ein Blick auf die Konzilsforschung der letzten 25 Jahre läßt den Versuch gerechtfertigt erscheinen, das Konstanzer Dekret ‚Haec Sancta‘ als Paradigma sowohl für die Entwicklung des Konziliarismus in Konstanz und Basel als auch der heutigen Diskussion zu benutzen.

Man gewinnt dabei schnell den Eindruck, daß ‚Haec Sancta‘ (1415 IV 6)[159], wenn auch und gerade nicht das „revolutionärste Dokument der Weltgeschichte" (Figgis), so doch eines der umstrittensten gewesen ist und daß es die konziliare Diskussion bis in jüngste Zeit in erstaunlicher Weise beherrscht hat. Die von DeVooght und Küng (1960/62) ausgelöste innerkatholische Debatte um die Frage, ob dem Dekret ‚Haec Sancta‘ dogmatische Verbindlichkeit zuzusprechen sei oder nicht, nahm ungeachtet mancher Nuancierungen indirekt den Charakter eines theologischen Stellvertreterkriegs um ekklesiologische Grundfragen des I. und II. Vatikanums an[160]. Letztlich scheint aber beide Seiten mehr der Wunsch zu leiten, ‚Haec Sancta‘ und die (dann nur scheinbar konträre) Bulle ‚Pastor aeternus‘ von 1870 auf verschiedenem Wege zu harmonisieren. Zwar schärfte sich im Laufe der Debatte „der Blick für die Geschichtlichkeit und Perspektivität

---

[159] COD 409 Z.12–410 Z.27. – Meistens wurden nur das Proömium und die beiden ersten Bestimmungen des Dekrets (409 Z.15–34) diskutiert, die drei folgenden, auf die konkrete Situation in Konstanz bezogenen, dagegen oft übergangen. Nützliche Konkordanzen der Vorstufen bei Schneider, Konziliarismus, Beilage 1; Alberigo, Chiesa 168–73.

[160] Die Literatur zur ‚Haec Sancta‘-Kontroverse, die wesentliche Teile neuerer Arbeiten zum Constantiense bestimmt, ist hier nicht noch einmal aufzuführen. Verwiesen sei auf die grundlegende Darstellung bei Schneider, Konziliarismus 239–307, zur Diskussion in der Ära des II. Vaticanums, mit dem derzeit vollständigsten Literaturverzeichnis (340–71); sowie ferner auf die Sammelbände ‚Die Entwicklung des Konziliarismus‘ und ‚Das Konstanzer Konzil‘, in denen wesentliche Beiträge wieder abgedruckt sind, jeweils mit Bibliographie; Bäumer, Erforschung 38–55 passim; Reformkonzilien 159–62; Congar, Handbuch 18–21 (mit eigener Interpretation). In den genannten Bänden nicht zur Kenntnis genommen wurden die Beiträge von Mario Fois, Concili 174–76, 181–91, und ders.; in: La civiltà cattolica 126, 2 (1975) 11–27, 138–52; zuletzt Fois, L'ecclesiologia di emergenza. Weitere Nachträge: Giner Guerri, Definido el conciliarismo en Constanza? (in der deutschen Forschung kaum bekannt); Morrissey, ‚Haec Sancta‘ and Cardinal Zabarella. Als die derzeit tiefgründigste Analyse ist jetzt Alberigo, Chiesa 10–18, 165–205, 348–53 zu konsultieren.

lehramtlicher Entscheidungen"[161], doch hat dies theologische Ver-
krampfungen (etwa in der gegen Küng verfochtenen Notstandstheorie) nicht verhindert. Statt dessen ist die Debatte selbst schon wieder
als wissenschaftsgeschichtlich signifikantes Phänomen gewürdigt
worden: Denn es zeigte sich, daß die gleichen Kontroversen um ‚Haec
Sancta' und um die konziliare Ekklesiologie wiederkehrten, die
bereits auf dem Basler Konzil, in der Kontroverstheologie des 16.
Jahrhunderts, im späteren Streit von Gallikanern und Episkopalisten
mit den Kurialisten und auf den Debatten um das I. Vatikanum (zum
Beispiel DÖLLINGER und MARET gegen HERGENRÖTHER und SCHEEBEN)
aufgebrochen waren. Ihre Geschichte vom 18. Jh. an ist in der vorbildlichen Forschungsgeschichte von HANS SCHNEIDER (1976)[162] so detailliert aufgearbeitet worden, daß Einzelheiten hier nicht zu wiederholen sind. Die Debatte selbst, die, um mit Haller zu sprechen, „mehr
den Dogmatiker als den Historiker" anging, ist jetzt abgeklungen,
nachdem sie den Fragehorizont der Forschung allzulange korsettiert
hatte. Aber wie nicht selten in der Wissenschaft fördert eine
zugespitzte Ausgangsfrage schließlich doch den weiteren Ausgriff,
nachdem man ihrer Enge bewußt bzw. überdrüssig geworden ist. So
mündete die ‚Haec-Sancta'-Debatte à la longue in eine breite Beschäftigung mit der gesamten spätmittelalterlichen Ekklesiologie. Als
begrenzteres Ergebnis darf die Erkenntnis gelten, daß Begriffe wie
‚Notstandsdekret', ‚Kirchengesetz', ‚Dogma' – um drei in der jüngeren Literatur vertretene Charakterisierungen von ‚Haec Sancta' zu
nennen – unter den Theologen und Kanonisten in Konstanz und, wie
zu zeigen sein wird, in Basel, selbst ungesichert und in ihrer Definier-
barkeit umstritten waren. Was verstand man damals und was versteht
die Theologie heute unter ‚Glaubenswahrheit' (veritas fidei)?
     Trotz des großen Engagements der Beteiligten hatte die ‚Haec
Sancta'-Literatur auch intern manche Aufgabe unerfüllt gelassen,
vor allem eine Einbettung des Dekrets in die kanonistische und theo-

---

[161] RIEDLINGER, Hermeneutische Überlegungen 214. Zum Problem s. auch die treffende Darlegung bei SCHNEIDER, Konziliarismus 299–307.
[162] H. SCHNEIDER, Der Konziliarismus als Problem der neueren katholischen Theologie. Die Geschichte der Auslegung der Konstanzer Dekrete von Febronius bis zur
Gegenwart, Berlin-New York 1976. – Als evangelischem Theologen fiel Schneider zu
diesem Thema, das in der evangelischen Theologie selbst kaum eine Rolle spielt, ein
sachliches Urteil leichter als seinen katholischen Kollegen.

logische Tradition. Die Arbeiten von Tierney und Alberigo[163] brachten hier allerdings beachtliche Fortschritte. Schneiders Forderung nach einer „historisch-kritischen Exegese des (Konstanzer) Superioritätsdekrets"[164] kann man nur unterstreichen und auch für die entsprechenden Basler Dekrete anregen. Versuche einer textuellen Wort-für-Wort-Analyse stehen freilich immer vor dem Grundproblem, ob Worten und Satzteilen theologische Sonderwertigkeit oder ‚nur' Formelcharakter zuzumessen ist, was sich aber oft nicht ausschließt. Das zeigt sich zum Beispiel an der Diskussion um den Konditionalsatz *etiam si papalis existat* in ‚Haec Sancta'. Ein Blick auf den Wortlaut der Basler Dekrete, wo der Satz ständig auftaucht, würde hier wohl die Formelhaftigkeit im Sinne Brandmüllers bestätigen.[165]

---

[163] Tierney, Hermeneutics and History, geht vornehmlich auf Riedlinger, Hermeneutische Überlegungen ein, (s. dazu auch Schneider, Konziliarismus 293–97). Tierney, Divided Sovereignty, versucht ‚Haec Sancta' in die Tradition kanonistischer Souveränitätslehren (Huguccio, Baysio etc.) zu stellen und hebt die „ambiguity" des Dekrets hervor. – Vgl. Alberigo, Chiesa 165–205; seine harmonisierende Schlußbilanz: „Le affirmazioni portanti del decreto toccano il nucleo dello ‚status ecclesiae' e come tali hanno un valore e un vigore permanente." (353) Den ‚vigore permanente' einer bestimmten Phase des Konziliarismus auch und gerade für die heutige Kirche zu bewahren, ist genau die Intention von Alberigos Buch. Ehe ‚Haec Sancta' als „Endstufe einer vierhundert Jahre alten Tradition" (Krämer, Repräsentation 215) genetisch erklärt werden kann, bedarf es noch weiterer Studien, die dann als Synthese von kanonistischen, theologischen und philosophischen Strömen in eine ‚Geschichte des Konziliarismus' münden müßten. In den letzten Jahren hat sich das Interesse der Forschung allerdings total von ‚Haec Sancta' abgewandt.

[164] Schneider, Konziliarismus 321. Der Verfasser liefert ebd. 322–26 selbst einen wertvollen Ansatz zu einer derartigen Analyse.

[165] Brandmüller, Besitzt das Konstanzer Dekret dogmatische Verbindlichkeit 255–58, hatte anhand von späteren Belegen nachweisen wollen, daß die Passage *etiam si papalis existat* als vielbenutzte Formel lediglich für „die ausnahmslose Geltung einer Verfügung" das dogmatische Gewicht der Superioritätserklärung mindere. Schneider 291, 323 f. Anm. 74 wendet richtig ein, daß auch eine Formel in bestimmtem sachlichen und historischen Kontext wie dem von ‚Haec Sancta' „ein Gewicht erhält, das über das Formelhafte hinausgeht". Allein in den im COD abgedruckten Basler Dekreten findet sich die ‚etiamsi' Poen-Klausel neunmal in verschiedenen Verbindungen: *etiamsi papalis, imperialis vel regalis existant* (465 Z.14 f.) oder (im Konkubinarierdekret) *etiamsi pontificalis vel alterius praeeminentiae existat* (COD 486 Z.9 f.) und zwar jeweils mit der wie in ‚Haec Sancta' voraufgehenden Inklusivformel *cuiuscumque status aut dignitatis, etiamsi...* S. ferner COD 457 Z.23; 462 Z.14; 467 Z.22; 485 Z.23 f. (Neophytendekret); 507 Z.37–39; 512 Z.1–3, sowie MC III 326 Z.35–37; CB VI 529 Z.18 f. (Absetzungsdekret ‚Prospexit'). – Man wird zu dem Schluß kommen, daß die ‚etiamsi'-Formel in den Basler Dekreten eindeutig als keine Ausnahme zulassende juristische Salvationsformel verwendet wird. Zu fragen bleibt, ob

Auch das zweite berühmte Konstanzer Dekret ,Frequens' (1417 X 9)[166] über die periodische Abhaltung von Konzilien, dem schließlich das Basiliense seine Existenz verdankte, „harrt noch einer genauen Kommentierung"[167], vor allem vor dem Horizont der Reformdiskussion. ,Frequens' wird oft mit ,Haec Sancta' in einem Atemzuge genannt, doch hatte schon JEDIN beide Dekrete getrennt behandelt[168], ein Verfahren, das allein schon angesichts der jeweils unterschiedlichen Rezeption angeraten scheint.

Es muß einer Arbeit über das Basler Konzil durchaus fernliegen, die ,Haec Sancta'-Diskussion in ihrer prinzipiellen Bedeutung abzuwerten, wie es hier vielleicht scheinen könnte, denn das Konstanzer Dekret erweist sich auch als Schlüsseldokument für das Selbstverständnis des Basiliense. Dieser wichtige Tatbestand läßt umgekehrt wiederum neue Aufschlüsse für die Deutung des Dekrets selbst erhoffen.

Die Literatur allerdings beachtete das Basler Konzil in diesem Zusammenhang nur am Rande[169]. Nach Ansätzen bei DE VOOGHT haben sich KRÄMER und ALBERIGO ausführlicher dazu geäußert[170], ja

---

dies als inzwischen gängig gewordene Verallgemeinerung einer in ,Haec Sancta' noch ekklesiologisch aufgeladenen Aussage zu sehen ist, oder ob bereits vor ,Haec Sancta' – Belege aus offiziellen Dekreten und Bullen, nicht wie bei SCHNEIDER 324 Anm. 74 aus Theoretikern, wären zu suchen – eine ältere Tradition als Formel aufzuweisen ist. Man sollte in diesem Zusammenhang nicht vergessen, daß ,Haec Sancta' nicht explizit die Konzilssuperiorität definiert, sondern gegen jedermann *cuiuscumque status* Gehorsam in allen Konzilsentscheidungen und Strafe gegen Zuwiderhandelnde vindiziert. Wie hoch die Bedeutung von Formeln in der zeitgenössischen Kanonistik – eigentlich aber in jeglichem juristischen Text – einzuschätzen ist, zeigt der Streit um das *decernimus et declaramus* statt *volumus et consentimus* für die in Basel geforderte Approbationsbulle Eugens IV. im Jahre 1433. Gleiches gilt für die noch zu erörternden dispositiven Verben (*definit* etc.) in den ,Tres veritates'. Zum Problem der sprachlichen Formelhaftigkeit s. auch oben 457-59, meine Beurteilung von WOLMUTH, Verständigung.

[166] COD 438–42. S. zu ,Frequens': JEDIN, Bischöfliches Konzil 218–24; VAGEDES, Konzil I 97–104; BRANDMÜLLER, Causa reformationis 56–58, und zuletzt ders., Das Konzil, Demokratisches Kontrollorgan über den Papst? (1984), mit anfechtbarer Interpretation.

[167] SCHNEIDER, Konziliarismus 318; s. aber BRANDMÜLLER (wie Anm. 166).

[168] JEDIN, Bischöfliches Konzil 203–18, 218–24.

[169] So schon MEUTHEN, Dialogus 46 Anm. 12; SCHNEIDER, Konziliarismus 318.

[170] KRÄMER, Konsens 1 f., 6–9, 29 f., 133–36, 202 f., 244–46, 314 f., 442 s.v. ,Konstanzer Dekrete'; ALBERIGO, Chiesa 241–89, 340–54, 362 s.v. ,Haec Sancta', geht auch auf Pavia-Siena ein; MEUTHEN, Basler Konzil in r. kath. Sicht 291–93. Von der älteren Literatur s.: DE VOOGHT, Konziliarismus auf den Konzilien von Konstanz und Basel, zu

Alberigos Darstellung läßt sich in gewisser Hinsicht als Analyse eines theologisch immer unaufhaltsameren Weges von dem – seiner Ansicht nach – traditionsgebundenen Konstanzer Dekret zum (revolutionären) Basler Superioritätsdogma von 1439 verstehen: Die Debatten der ersten Basler Jahre hätten so gesehen das Material für die spätere Dogmatisierung schon bereitgelegt.

Für die Selbstfindung des jungen Konzils spielten naturgemäß das Dekret ‚Frequens'[171], überdeutlich aber auch ‚Haec Sancta' die Rolle von Angelpunkten: Das wird durch ihre Inserierung in die Dekrete der 3. (‚Consideransque', 1432 IV 29) und 18. Sessio (‚Ad magnam', 1434 VI 26)[172] bekräftigt, wobei die zweite bereits jene höchst bezeichnende „Retouchierung" der situativen Begriffe aufweist[173], die in den ‚Tres veritates' wiederkehren wird. Die jüngere Literatur hat überzeugende Hinweise geliefert, daß zumindest eine tonangebende Mehrheit in Basel bereits von Anfang an ‚Haec Sancta' als glaubensverbindliche Wahrheit verstanden hat[174]. Entscheidende Passagen finden sich in

---

Basel: 187–210; leider wurde dieser zweite Teil von den Herausgebern des Sammelbandes ‚Die Entwicklung des Konziliarismus' nicht mitabgedruckt; s. etwa den zugespitzten, aber nicht unzutreffenden Satz de Vooghts: „Seine (sc. des Basler Konzils) Geschichte ist im wesentlichen die des Kampfes zweier entgegengesetzter Auffassungsarten der konziliaristischen Dekrete des Konzils von Konstanz" (187). Die Ausführungen von DE VOOGHT, Pouvoirs 81–183 (!), zur Haltung verschiedener Basler Theoretiker wurden, auch wenn manches darin anfechtbar ist, zu wenig berücksichtigt. Vgl. JEDIN, Bischöfliches Konzil 211–14, mit dem Versuch, die ‚Tres veritates' des Basiliense deutlich von ‚Haec Sancta' abzugrenzen; HÜRTEN, Ekklesiologie 223–27; Konstanzer Dekrete. In den Arbeiten von BLACK spielt die ‚Haec-Sancta'-Frage ohnehin nur eine tertiäre Rolle.

[171] Liste der Zitate in Basler Dekreten: STIEBER 406 f. ‚Frequens' diente besonders ab der 29. Sessio (1437 X 12; Mansi XXIX 151–55) als Dauerargument gegen die Translation nach Ferrara. Vgl. Tudeschi: *Capitulum ‚frequens' quod ita est in dei ecclesia necessarium, sicut oculus in capite*; MC II 1169. – Dagegen hielt der eugenianische Gesandte Traversari ‚Frequens' für *scandalorum omnium fomitem*: der Papst solle es schleunig für ungültig erklären (Epistolae, ed. CANNETI III 39, S. 152).

[172] Nützliche Liste bei STIEBER 405 f. und KRÄMER, Konsens 9 f. Anm. 17. Das Konzil ist sich dieser Abhängigkeit von Konstanz völlig bewußt, ja schöpfte aus diesem Traditionsgefühl auch einen Teil seines Selbstbewußtseins; s. MC II 376 Z.29–31 (‚Speravit', 1433 VI 16). Vgl. oben 3 f.

[173] MEUTHEN, Basler Konzil in r.-kath. Sicht 293.

[174] S. KRÄMER, Konsens 8–10 mit Belegen; MEUTHEN (wie oben) 292. HÄNGGI, Geschichte des Konzils von Konstanz 191 f., hatte auf ähnliche Äußerungen Gersons in Konstanz aufmerksam gemacht. Zur Diskussion darüber: SCHNEIDER, Konziliarismus 328–30, mit entsprechenden Belegen zur Stützung Hänggis. Wesentlich, wenngleich ohne Bezug auf die Vorgenannten: ALBERIGO, Chiesa 214–18, der dem Sermo ‚Nuptiae' (GLORIEUX VI, 190–210, Nr. 281) – auf ihn hatte HÄNGGI sich vornehmlich berufen – das

der Responsion ‚Cogitanti' (1432 IX 3), deren Bedeutung jetzt – endlich – ALBERIGO herausgearbeitet hat[175]: Sie ist der Nukleus der konziliaren Ekklesiologie in Basel, ein wie wenige Dokumente repräsentativer kleinster gemeinsamer Nenner, der später im Grunde nur akzidentell weitergeformt wurde. ‚Cogitanti' begründet die Lehre, daß die der Gesamtkirche zugesicherte Unfehlbarkeit sich im Konzil konkretisiert und somit beide identisch sind. Hauptstützen der Lehre bilden wenigstens sechs Zitate aus ‚Haec Sancta'. Hier offenbart sich ein auch für die weitere Diskussion prekäres Problem dogmatischer Logik: Man beruft sich auf das Dekret ‚Haec Sancta' zur Begründung der Unfehlbarkeit, setzt letztere aber gleichzeitig für die Glaubensvalidität eben dieses Dekrets voraus.

---

spätere (1417) Werk ‚De potestate ecclesiastica' (GLORIEUX VI 210–50, Nr. 282) gegenübergestellt. Im übrigen weist ALBERIGO 194–205, 207 ff. darauf hin, wie bedeutungslos ‚Haec Sancta' und seine ekklesiologische Dimension in den Konstanzer Konzilspredigten gewesen sei. Bei POSTHUMUS MEYJES, Gerson, spielt ‚Haec Sancta' zum Beispiel kaum eine Rolle.

[175] ALBERIGO, Chiesa 257–62. [Text: MC II 234–58; Mansi XXIX 239–67.] Er sieht in ‚Cogitanti' die „funzione esplorativa" (260) auf dem Weg zum Dogma der ‚Tres veritates'. Vgl. BLACK, Council 49–51; SIEBEN, Traktate 34; KRÄMER, Konsens 468 s.v. ‚Cogitanti'. Auf die Bedeutung von ‚Cogitanti' hatte bereits CONGAR, Handbuch 12, hingewiesen. Thomas Ebendorfer, der übrigens selbst an der Abfassung beteiligt war, nannte es *aureis digne karactheribus annotanda*; JAROSCHKA, Thomas Ebendorfer 90. – Noch der Gallikaner Simon Vigor († 1624) schrieb einen Kommentar zu ‚Cogitanti' (Opera II, Paris 1863); vgl. HKG V 68 f.

Das Dekret enthält mindestens sechs Hinweise auf ‚Haec Sancta', fast immer unter Verwendung des Verbs *diffinire*: MC II 241 Z.31–33; 244 Z.15; 251 Z.31 f.; 252 Z.3 f.; 254 Z.12 f. ‚Frequens' erscheint fünfmal, darunter 237 Z.6 als *diffinitum est*. Unter den von KRÄMER, Konsens 9 f. Anm. 17, genannten Zitaten scheint besonders überzeugend: *Probat eciam hec* (sc. das Korrektionsrecht der Kirche am Papst) *auctoritas universalis ecclesie, que non potest errare, ita diffinientis in concilio Constanciensi, quod peccata pontificum circa fidem, vel scisma, vel mores, possunt dici ecclesiae, cuius preceptis et ordinacionibus tenentur obedire... et per consequens possunt* (sc. pontifices) *excommunicari...* (dann die entscheidende Häresieklausel, die in den ‚Tres veritates' wiederkehren wird): *Sic et hereticum est, si quis illi decreto* (sc. concilii Constanciensis!) *contumaciter contradicat*; MC II 244 Z.14 ff. Noch deutlicher aber die bisher nicht beachtete Stelle MC II 254 Z.8–12: *Glose et doctores* (sie wurden zuvor zitiert) *in hac materia* (sc. der Korrigierbarkeit des Papstes) *ante concilium Constanciense sepe vacillabant, modo unum, modo aliud dicebant, et scholastici disputantes non se firmabant... Propterea ad amputandum curiosas et contenciosas verborum concertaciones, ecclesia universalis magistra omnium Constancie (!) congregata diffinivit hunc passum.* Autorität und Pathos des kirchlichen (= konziliaren) Lehramts, der eigentliche Kern von ‚Cogitanti', werden hier recht deutlich schon dem Constantiense und ‚Haec Sancta' zugesprochen; denn nur dieses Dekret kann hier gemeint sein. Neben den bei KRÄMER 9 f. und ALBERIGO, Chiesa 273, genannten Stellen der ebenfalls wichtigen Responsion ‚Speravit' von 1433 VI 4 (MC II 373–77; Mansi XXIX 267–73): *Hic articulus...* (sc. das ‚Decretum irritans') *fidem concernit, que sine interitu salutis neg-*

Die in der jüngeren Forschung mit gutem Grund zu ekklesiologischen Schlüsseldebatten aufgewerteten Kontroversen um ein ‚Decretum irritans‘ und die sogenannte Präsidentenfrage erweisen sich auch in unserem Zusammenhang als sehr wichtig[176]. Während spätere Jahre die Basler mehr im Selbstgespräch oder in polemischer Apologetik befangen sehen, sammelte sich in diesen Debatten schon von den beteiligten Personen her – viele später papale Theoretiker waren hier noch nicht abgewandert – eine facettenreiche und fruchtbar kontroverse Vielseitigkeit. Sie schlägt sich auch in der ‚Haec Sancta‘-Frage nieder. So hatte bereits HÜRTEN im Ansatz erkannt, daß darüber in Basel vor der Dogmatisierung der ‚Tres veritates‘ durchaus gegensätzliche Auffassungen und Unsicherheiten bestanden[177]. Als die päpstlichen Legaten unter Führung Albergatis gegenüber der Rechtmäßigkeit von ‚Haec Sancta‘ Bedenken anmeldeten, stellte Cesarini die Gretchenfrage: *Utrum ipse crederet decretum illud iustum et catholicum vel non*[178]. Die Argumente der einzelnen Redner wären speziell darauf zu

---

ligi non potest (MC II 377 Z.14 f.), ist aus diesem Dekret das wörtliche Zitat aus ‚Haec Sancta‘ (376 Z.11–15) hervorzuheben. Es wird eingeleitet (Z.9 f.): *Delusorium esset ergo et falsum decretum illud, tanta maturitate a sanctis patribus in concilio Constanciensi digestum, in quo cavetur, quod...* (folgt Zitat) – woraus man schließt: *Secundum hoc non solum presidentes, sed et papa obnoxius est decretis et preceptis concilii* (Z.15 f.). Eine ausdrückliche Bezeichnung des Dekrets als ‚veritas fidei‘ wird indes vermieden. Viel deutlicher die bisher nicht berücksichtigte Äußerung der Basler in einem Brief an Johann II. von Kastilien (1437 VIII 26): *...prout veritas catholica per decretum Concilii Constanciensis quod et dudum in hoc Basiliensi Concilio renovatum fuit solempniter approbata, que universi fideliter credere tenentur;* SUÁREZ FERNÁNDEZ, Castilla 383 (Nr. 141). Hier sind die ‚Tres veritates‘ vorweggenommen!

[176] Lit. zum ‚Decretum irritans‘ s. oben 340 Anm. 51. Im hiesigen Zusammenhang besonders KRÄMER, Konsens 24–61; MEUTHEN, González 270–84, sowie Torquemadas Gutachten: Mansi XXX 550C–590D. Zur Debatte in der *Präsidentenfrage*: LAZARUS 93–95; GOTTSCHALK, Kaiser Sigmund 162–86; LADNER, Segovias Stellung besonders § 127–39; MEUTHEN, González 285–90; CHRISTIANSON, Cesarini 114–17; KRÄMER, Konsens 145–53 (Cesarini), 188–93 (Ragusa), 209–19 (Segovia), 409 Anm. 27 (weitere Traktate); DECKER, Kardinäle 274–87 (für den Argumentationsgang der Debatte besonders aufschlußreich); BLACK, Council 54–57; ALBERIGO, Chiesa 274–89; WOLMUTH, Verständigung 75–82. Texte: MC II 605–650. Vgl. AC I 1 Nr. 203–204a.

[177] HÜRTEN, Ekklesiologie 224. – Den Widerstand einiger Konzilsväter gegen ‚Haec Sancta‘ hatte 1439 vor allem Torquemada hochstilisiert; CF IV 2, 75D–76C.

[178] MC II 638. Zur Auseinandersetzung: MC II 636–41. S. DECKER, Kardinäle 378–83; ALBERIGO, Chiesa 288 f. Anm. 148; WOLMUTH, Verständigung 78–82. S. auch die Äußerungen des Kardinals Cervantes, die Cesarini gegen Torquemada zu stützen suchten (MC II 638 f., zit. DECKER 380 Anm. 64). – Die Rede Cesarinis vom 16. X 1433 (MC II 475–87) basiert ebenfalls wesentlich auf ‚Haec Sancta‘. In dem endlich erzielten Kompromiß der 18. Sessio (1434 VI 26; COD 477 Z.24–35) war es zwar „gelungen, die Präsidenten auf die Konstanzer Dekrete selbst zu verpflichten, nicht aber auf ihre Auslegung, ihr Verständ-

untersuchen, ob und auf welche Art sie sich auf ‚Haec Sancta' berufen. Segovias Präsidentschaftstraktat enthält geradezu eine Exegese des Dekrets[179], wie die ganze Präsidentschaftsdebatte überhaupt als ein zäher Kampf um die Anerkennung von ‚Haec Sancta' und damit der Konzilssuperiorität verstanden werden kann. Ein entscheidendes Problem liegt darin, daß oft nicht zu erkennen ist, ob von ‚Haec Sancta' als Rechtsdokument oder von seinem theologischen Inhalt (Superiorität, Gehorsamspflicht gegen das Konzil) die Rede ist, wenn von der Glaubensrelevanz (*fidem concernit*) gesprochen wird. Mit anderen Worten: ‚Haec Sancta' berührt zwar ‚Glaubensfragen', ist aber als Dekret kein ‚Dogma'. Es ging ja konkret um die Rechtfertigung einer den Papst in jeder Hinsicht bindenden Jurisdiktion des Konzils und um die Frage, ob eine solche den ‚status generalis' bzw. die ‚reformatio generalis' der Kirche, mithin die in ‚Haec Sancta' umschriebene Kompetenz des Konzils überhaupt betreffe[180]. Halten wir fest: ‚Haec

---

nis im konziliaren Sinne" (DECKER 384). Zur Haltung Cesarinis wichtig: DE VOOGHT, Pouvoirs 105–36.

[179] S. LADNER (Ed.), Segovias Stellung 80–85 (§ 127–37), 112 f.; vgl. KRÄMER, Konsens 209–19, 231, 409; ALBERIGO, Chiesa 285. Wichtig auch der Beitrag des Konziliaristen Jean Mauroux: KRÄMER, Konsens 50–53, 305 zur ‚Haec-Sancta'-Exegese. – Zur Haltung Tudeschis vor 1439 s. VAGEDES, Konzil I 10–19. – 1435 versuchte Traversari auf seinem Baselbesuch den von ihm umworbenen Cesarini in dessen konziliaren Ansichten in die Enge zu treiben: *sed dum teneri putatur, elabitur, solaque Concilii Constantiensis auctoritate nobiscum agit*; Traversari, Epistolae, ed. CANNETI, III 42, S. 158.

[180] Dazu besonders aufschlußreich die Ausführungen des Juan González gegen Jean Mauroux, wo deutlich von einer weiteren (*largissima*) und einer engeren (*restrictiva*) Interpretation von ‚Haec Sancta' die Rede ist; KRÄMER, Konsens 56 f. mit Zitat Anm. 102. Es geht hier im Grunde um die hochinteressante Frage nach der Veränderbarkeit von kirchlichem Recht, die schon oben im Zusammenhang mit der Basler Kirchenreform angesprochen wurde. Hier stellt nun Mauroux ‚Haec Sancta' als neues Recht über die älteren Dekrete, während González die traditionellere Sicht vertritt, daß bestehende Gesetze und die ‚aequitas legis' neue Kanones (wie ‚Haec Sancta'!) beschränken. Offenbar verstand man das Konstanzer Dekret keineswegs so traditionsgebunden wie das heutige harmonisierungswillige Theologen (Alberigo) und Kanonisten (Tierney) tun. Zum Problem der Veränderbarkeit des Rechts wären die originellen, aber wohl nicht sehr verbreiteten Ansichten des Raphael de Pornaxio einzubeziehen (s. HORST, Pornaxio 401); der stellt freilich implizite die Konstanzer Dekrete in Frage, gesetzt den Fall, sie stehen im Gegensatz zur Tradition: *Et ideo si concilium Constantiense vel quodlibet aliud aliquod statuat, quod illis 12 et subsequentibus* (sc. conciliis) *dissonet, non est pro lege habendum, sed penitus respuendum et tamquam erroneum reputandum*; ‚Liber de potestate concilii', ed. J. FRIEDRICH (unter dem Namen Torquemadas), Innsbruck 1871, 93. In diese Richtung gingen auch die Argumente Eugens IV. in der Bulle ‚Etsi dubitemus'; CF I 3, 33 Z. 6. Vgl. umgekehrt die Basler Responsion: *Manifeste in hoc loquitur* (sc. Eugenius) *contra omnem racionis evidenciam* (!), *vide-*

Sancta‘ war schon in der ersten Phase des Konzils nicht unumstritten; der Inhalt des Dekrets wurde immer wieder für die glaubensverbindliche Begründung der Konzilsautorität herangezogen, ohne daß man dem Dekret selbst ausdrücklich Dogmencharakter beilegte. Es fehlen aber gleichfalls explizite Belege für die ‚Notstandsthese‘ im Sinne Jedins[181]. Begrifflich herrschte eben in diesen frühen Jahren durchaus noch keine Klarheit – ein Dilemma, dem offenbar die ‚Tres veritates‘ in dann nicht mehr mißverstehbarer Deutlichkeit abzuhelfen suchten.

KRÄMER hat die für die ‚Haec Sancta‘-Forschung einprägsame These aufgestellt, daß bis etwa 1438 „alle“ (!), selbst die „Papalisten“, ‚Haec Sancta‘ für einen Glaubenssatz hielten[182] und erst dann der systematische Angriff der Eugenianer einsetzte, und zwar mit den aus der heutigen Debatte wohlbekannten Argumenten: Notstandsthese (nach Krämer 1438 erstmalig bei Palomar)[183]; Vorwurf der mangeln-

---

licet ut scripta posteriora, que fulcita sunt equali vel etiam maiori auctoritate, interpretari aut corrigi debeant per scripta precedentia; MC III 1177, Z.4-7.

[181] MEUTHEN, Dialogus 46 Anm. 12.

[182] KRÄMER, Konsens 9.

[183] KRÄMER, Konsens 307 f., sieht in Juan de Palomars ‚Quaestio cui parendum est‘ (DÖLLINGER, Beiträge II 416 f., 424) die „offensichtliche Geburt der berühmten Notstandstheorie“. Um 1438 verfaßt, stützt sie sich nach Krämer auf Argumente, die Palomar schon 1435 vertreten habe. Zum Hinweis von K. SCHATZ, in: Theologie und Philosophie 56 (1981) 605, Torquemada habe bereits 1433 in seiner ‚Quaestio de decreto irritanti‘ (Mansi XXX 550–590), die überdies von Krämer selbst (310) erwähnt werde, die Notstandsthese vertreten, vgl. schon DE VOOGHT, Pouvoirs 138 f. Nach KRÄMER, Konsens 310, hat Torquemada sich gerade hier (Mansi XXX 563) zu ‚Haec Sancta‘ in der weiteren Auslegung bekannt. Bei BINDER, Konzilsgedanken 41–43, 50 f. bezeichnenderweise kein Hinweis. Krämer hat in Torquemadas ‚Votum super avisamenta quod papa debeat iurare servare decreta de conciliis generalibus‘ (Mansi XXX 599–606) zwar die Ansätze einer „absolutistischen Position“ (310) beobachtet, nicht aber den Zusammenhang mit Torquemadas ‚Haec Sancta‘-Interpretation (Mansi XXX 600). Die letztlich ausweichende Haltung Torquemadas bemerkt auch ALBERIGO, Chiesa 272. Zum Hinweis bei MEUTHEN, Basler Konzil in r. kath. Sicht 293 (nach BINDER, Konzilsgedanken 170, 206 Anm. 169), Torquemada habe die Textretouchen in den Basler ‚Haec Sancta‘-Erneuerungen erkannt, ist zu ergänzen, daß Torquemada (Mansi XXX 600A) selbst ‚Haec Sancta‘ ohne die situativen Attribute praesentis und dicti, sondern allgemein ad exstirpationem scismatis et generalem reformationem ecclesiae zitiert. Auf eine restriktive Auslegung von ‚Haec Sancta‘ zielen Äußerungen aus Cesarinis letzten Basler Jahren, auf die erstmals MEUTHEN, Cesarini 153, 161, 174 f. (Ed. § 22) hinwies: Die Kirche dürfe nur im Notfall, nicht aber prinzipiell in die päpstliche Regierung eingreifen; dies sei der Sinn der Konstanzer Dekrete. – Die ‚Notstandsthese‘ im engsten Sinne (‚Haec Sancta‘ gilt nur für den Notstand im April 1415), erscheint 1442 (!) en passant bei Nikolaus von Kues: Das Dekret müsse secundum tunc currentem casum verstanden werden; RTA XVI 424 Z.11 f. nr.

den Ökumenizität der Konstanzer 5. Sessio (Eugen IV. in ‚Moyses‘ 1439 IX 4, Torquemada etc.)[184]; Vorwurf fehlender päpstlicher Approbation (nach Krämer erst 1440/41 durch Kalteisen aufgebracht)[185]. Die Gesamttendenz sieht Krämer zweifellos richtig. Der schon früher von HÜRTEN (1964) untersuchte Wandel der ‚Haec Sancta‘-Beurteilung bei Nikolaus von Kues vermag dafür zusätzliche Argumente zu liefern[186]. Auf der anderen Seite hat Krämer selbst genügend Belege

---

210; AC I 2 Nr. 520 Z.566 f.; HÜRTEN, Ekklesiologie 222. S. zuvor aber schon den ‚Dialogus‘, ed. MEUTHEN, 82 Nr. 7 Z.5: *pro tunc*, von MEUTHEN, Dialogus 46, damals noch für die „frühestbekannte Formulierung“ der Notstandsthese gehalten. – Die Möglichkeit der situativen Auslegung war neben den oben Genannten auch Segovia schon früher geläufig: *quoniam supradicta* (sc. decreta) *specialiter que de processu contra dictum Iohannem papam, propter hoc, quod communiter de hiis non tam omnibus constat et quoniam non generaliter determinata sive declarata, sed in certo processu* (!), *quia ex diversis circumstanciis pro tempore occurentibus* (!) *non reputantur tante auctoritatis ad arguendum huiusmodi superioritatem…*; ‚Tractatus de praesidentia‘ § 131, ed. LADNER, Segovias Stellung 82. Im Folgenden (§ 132–138) stützt sich Segovia vornehmlich auf ‚Frequens‘.

[184] Eugen IV. ‚Moyses‘; COD 531 Z.41–43. Danach etwa bei Nikolaus von Kues, Dialogus, ed. MEUTHEN, 81 Nr. 5 und bei Heinrich Kalteisen (KRÄMER, Konsens 314 f.) sowie in Torquemadas ‚Oratio synodalis de primatu‘; CF IV 2, 3–87, vor allem 71B–76B. Vgl. BINDER, Konzilsgedanken 50 f., zu ‚Haec Sancta‘ ebd. 169–76. Viele weitere Belege bei den Eugenianern ließen sich anführen: Etwa Rodrigo Sánchez de Arévalo ‚Dialogus de remediis schismatis‘ (1440); TRAME, Arévalo 37–49.

[185] KRÄMER, Konsens 8 f., 308, 314 mit Anm. 54, vgl. 359 f. Es erscheint mir allerdings fraglich, ob man Kalteisen als Erfinder der „Theorie von der expliziten Approbationspflichtigkeit aller Konzilsdekrete (für die Basler Periode)…“ (308) bezeichnen kann, da das Problem schon lange grundsätzlicher Natur war. Vgl. Eugen IV. in ‚Etsi dubitemus‘; CF I 3, 25–35. Die drei grundlegenden Einwände gegen ‚Haec Sancta‘ werden bei den Eugenianern dann in verschiedenen Bündelungen verwendet. Auf deren Tendenz, ‚Haec Sancta‘ – im Gegensatz zu den ‚Tres veritates‘! – dann doch als traditionell kanonistisch eingebunden zu interpretieren, wies schon ECKERMANN, Studien 136–39, gestützt auf Roselli, Palomar und Torquemada hin!

[186] HÜRTEN, Konstanzer Dekrete, rekonstruiert drei Phasen in der Haltung des Kusaners: a) ‚Concordantia catholica‘ (etwa II 17 Nr. 155): ‚Haec Sancta‘ wird als „fortlaufende und generelle Regelung des Verhältnisses von Papst und Konzil“ (Hürten 382) anerkannt, ohne daß seine Rechtsnatur als Problem erörtert würde; b) ab Oktober 1438: ‚Haec Sancta‘ wird nicht angezweifelt, wohl aber die Berechtigung der Basler, sich bei ihrer mangelnden Repräsentativität für die Kirche weiter darauf zu berufen; c) ab 1439: Kritik bzw. restriktive Interpretation von ‚Haec Sancta‘ selbst. Die Basler legen ‚Haec Sancta‘, das gar keine allgemeine Konzilssuperiorität begründe, demnach falsch aus. Zu ergänzen MEUTHEN, Dialogus 42–47, 52 und 55 (fast der ganze ‚Dialogus‘ ist ja eine Auseinandersetzung mit ‚Haec Sancta‘) sowie, jetzt in der revidierten Edition der AC die ‚Summa dictorum‘ vom Juni 1442, besonders AC I 2 Nr. 520, Z.563–84, 596–627, 741 f., 868–72 und Anm. 331 mit weiteren Belegen: *ad solum Constanciense concilium refugium habuerunt, et tamen non intellexerunt id, quod allegarunt* (Z.741 f.) und: *Hoc non est honorare, sed blasphemare pocius sacrum Constanciense concilium* (Z.871 f.). Beide Stellen schon bei HÜRTEN,

geliefert, die durchaus seine eigenen Thesen relativieren: In diesem Fall Beispiele von Kritik und Kontroverse um ‚Haec Sancta' in den Konzilsdebatten lange vor 1438/39[187]. Über die Reaktion Martins V. und Eugens IV. auf die Konstanzer Dekrete ist reichlich disputiert worden: In welchen Dekreten lassen sich Approbation oder Reprobation erkennen bzw. waren diese überhaupt dogmatisch notwendig und verbindlich? Die Versuche, Eugen IV. eine trotz aller taktischen Rücksichtnahmen kohärente Politik zu attestieren (FOIS, BÄUMER), vermag angesichts der großen Unbestimmtheit der Formulierungen nicht ganz zu überzeugen[188]. Sollte er in der Bulle ‚Etsi dubitemus' (1441) tatsächlich nicht nur die ‚Tres veritates', wie JEDIN meinte[189], sondern auch ‚Haec Sancta' verurteilt haben – so ohne letzte Überzeugungskraft BÄUMER[190] –, wäre dies als einmaliges, durch eine momentane Position der Stärke motiviertes Vorpreschen anzusehen. Die Bulle ‚Moyses' (1439 IX 4) erklärte nämlich ebenso wie später Nikolaus von Kues die ‚Tres veritates' ausdrücklich als Fehlinterpretation von ‚Haec Sancta'[191], was

---

Konstanzer Dekrete 393 ff. Man beachte die sich gerade in diesen Passagen häufenden eigenhändigen Korrekturen des Nikolaus von Kues in der Würzburger Handschrift. – Vgl. ferner: KRÄMER, Konsens 262 f.; ALBERIGO, Chiesa 314 f., 318 f.; VAGEDES I 69–94; DE VOOGHT, Pouvoirs 163–74.

[187] S. die Beispiele oben Anm. 183. Nach Kalteisens ‚Consilium' behauptete der Papalist Pierre de Versailles schon zu Beginn des Basler Konzils, Johannes XXIII. habe die Konstanzer Dekrete öffentlich als *erronea* bezeichnet; BONN UB Cod. S 327 f.5ʳ, 21ᵛ, nach KRÄMER, Konsens 281. Im Mai 1438 zog in Wien der päpstliche Gesandte, Bischof Johann von Zengg, ‚Haec Sancta' in Zweifel und erregte Anstoß; RTA XIII 337 Z.14–20 nr. 168. Vgl. Segovias Apologie des Dekrets RTA XIII 262–68 nr. 161.

[188] Zur Frage der „Kohärenz" in Eugens Konzilspolitik jetzt MEUTHEN, Basler Konzil in r. kath. Sicht 284–87, gegen Bäumer. – FOIS, Concili 199–212, betrachtet die Geschichte des Basiliense insgesamt unter dem Aspekt der seiner Ansicht nach gegebenen „coerenza lineare" in Eugens Politik. Vgl. aber DE VOOGHT, Pouvoirs 81–103: „Les voltes-face d'Eugène IV".

[189] JEDIN, Bischöfliches Konzil 222. – Vgl. ganz in diesem Sinne die beschwichtigenden Erklärungen in der ‚Summa dictorum' des Nikolaus von Kues vom Juni 1442; AC I 2 Nr. 520 passim. Vgl. MEUTHEN, Dialogus 44 f.

[190] BÄUMER, Stellungnahme 272; BRANDMÜLLER, Besitzt das Dekret 260. Bäumer bemüht sich, durch den Aufweis mangelnder päpstlicher Approbation der Dekrete de Vooght und Küng zu widerlegen. Wertvoll die zahlreichen Belege zur Wirkung der Bulle in der Diskussion der vierziger Jahre, zum Beispiel bei Segovia MC III 1153–1195 (Bäumer 267–72), doch sieht Bäumer selbst, daß sie in den folgenden Jahrhunderten „kaum Beachtung gefunden hat" (272 f.). Sie wurde im Grunde erst von VALOIS (II 208–11) wiederentdeckt.

[191] *Constanciense concilium in malum ac reprobum sensum et a sua doctrina penitus alienum pertrahunt;* COD 532 Z.13–15; ähnlich 533 Z.35 f.

voraussetzt, daß man das Dekret mindestens für gültig ansah. Die Bullen des Februar 1447 wiederum klammerten ‚Haec Sancta' aus. Dies sind Belege für eine, wenigstens nach außen hin, fortdauernd schwankende Beurteilung des Konstanzer Dekrets auch auf eugenianischer Seite.

Die wohl entscheidende Frage haben Krämer und andere weder gestellt noch beantwortet: Warum hielten es die Basler für nötig, am 16. Mai 1439 die ‚Tres veritates', unter gleichzeitiger Generalisierung von ‚Haec Sancta', zum Dogma zu erheben[192], wenn ‚Haec Sancta' als Glaubenssatz schon anerkannt wurde? Leider scheint die Forschung generell um die ‚Tres veritates' bis heute einen Bogen zu machen, obwohl die Debatten des Jahres 1439, mit Aleman, Tudeschi und Segovia im Zentrum, zu den brisantesten der Basler Konzilsgeschichte gehören[193]. Vermutlich schreckten sie früher durch ihre Radikalität ab, fügen sich aber auch heute nicht so flexibel in ein von Radikalismen geglättetes Konzilsbild (Krämer) oder in eine aktualisierende ekklesiologische Integration des ‚gemäßigten' Konziliarismus (Alberigo). Erstaunlich bleibt ebenso das Fehlen einer jüngeren,

---

[192] Text: Mansi XXIX 178B–79B; MC III 278; CB VI 398 Z.14–399 Z.18. Als wichtige Vorstufe sind die ‚Octo conclusiones' vom 15. März 1439 (MC III 240) anzusehen. Die drei ersten wurden als ‚Tres veritates' dogmatisiert, die übrigen fünf wurden am 23. Juni (MC III 321) und 2. Juli (MC III 331 ff.) angenommen. – Zu den Ereignissen: HEFELE-LECLERCQ VII 2, 1068–71; PÉROUSE, 267–86; SCHWEIZER, Tudeschi 112–25; STIEBER 181 f.; DLO 273 f.; KRÄMER 203 f., 244; VAGEDES, Konzil I 207–17 (Tudeschi). Die Erlanger Dissertation von J. FROBÖSS, Das Konstanzer Dekret von der Superiorität des allgemeinen Konzils über den Papst und seine Erhebung zum Dogma am 16. Mai 1439 (1914), wird in der Literatur immer wieder genannt, gilt aber im Leihverkehr als verloren. – Zur Reaktion in Florenz vgl. den spektakulären Schaukampf, in dem Cesarini, kaum ganz freiwillig (?), die Basler, Torquemada die päpstliche Seite in seiner sog. ‚Oratio synodalis' verteidigte; s. BINDER, Konzilsgedanken 48–52 mit weiteren Belegen, CANDAL, in: CF IV 2, S. XXXII–XL.

[193] Die Quellen wären neu zu sichten. Besonders aufschlußreich Enea Silvio, De gestis, ed. HAY-SMITH, etwa 20–30 (Auseinandersetzung zwischen Segovia und Tudeschi über die ‚Tres veritates'). Ferner Segovias unedierte ‚Explanatio de tribus veritatibus fidei', von der bisher drei Hss. bekannt sind; KRÄMER, Konsens 244 Anm. 87; ebd. 244–46 die einzige Interpretation. Zur Debatte: MC III 257–78, 637–58. Vgl. auch Segovias große Rede auf dem Mainzer Reichstag 1441: RTA XV 648–759 nr. 349 (= MC III 568–687, darin 647–58 über ‚Haec Sancta' als ‚veritas fidei') und deren spätere ‚Amplificatio'(MC III 695–941) die noch intensiver auszuschöpfen sind, wie auch MC III 270–80; RTA XIV 159–63 nr. 81–83; CB VI 420 Z.19–426 Z.31. Ebenso Ragusas ‚Tractatus de auctoritate conciliorum' (1438–40); BASEL UB Cod. A IV 17 f.134ʳ–297ʳ, in den nach KRÄMER 203 eine Abhandlung ‚De processu contra Eugenium papam IV(BASEL UB Cod. E I k f.172ʳ–173ᵛ) eingegangen ist. Vgl. AMMON, Schele 72–78.

auch theologisch urteilenden Darstellung des Papstprozesses von 1439, mit dem die ‚Tres veritates' untrennbar verbunden sind[194]. Dieser Zusammenhang wurde in der älteren Literatur allerdings gesehen. Die ‚Tres veritates' wurden aus einem juristischen Sachzwang der Basler erklärt: Um das entscheidende Absetzungskriterium ‚Häresie' anwenden zu können, hätten sie zuerst das Gesetz schaffen müssen, mit dessen Hilfe sie Eugen IV. dann gleichsam rückwirkend wegen wiederholten Verstoßes dagegen (nämlich 1431 und 1437) als ‚relapsus' absetzen konnten[195]. Man hat hierzu die treffenden Einwände des Kanonisten Tudeschi zitiert, die genau dieses Dilemma der Basler bloßlegten: Man könne Eugen IV. nicht wegen der Konzilsauflösungen von 1431 und 1437 absetzen, weil damals noch keine allgemeinverbindliche *determinatio ecclesiae* vorlag, an die auch der Papst glaubend gebunden gewesen wäre[196].

---

[194] Zu Prozeß und Absetzung Eugens IV.: MC III 324–33 (Dekret ‚Prospexit' der 34. Sessio 1439 VI 25: MC III 325–27).– PÉROUSE 286–91; VALOIS II 158–72; PREISWERK, Einfluß Aragons 70–81; STIEBER 44–57; BLACK, Monarchy 40 f., 90–93; KRÄMER, Konsens 199–204, 242–46, und VAGEDES, Konzil I 229–440, mit ausführlicher Materialsammlung aus den Werken Tudeschis und Nikolaus' von Kues. ZIMMERMANN, Papstabsetzungen, reicht nur bis Konstanz; vgl. MARSCHALL, Cyprianzitat: Die Basler rechtfertigten ihr Vorgehen gegen Eugen IV. vor allem mit einem Wort Cyprians (Ep. 55, 24) gegen den Gegenbischof Novatian – Zeichen intensiver Auseinandersetzung mit den Kirchenvätern? Zum Problem der Häresie des Papstes s. in Auswahl: TIERNEY, Foundations 60–67; WILKS, Sovereignty 455–78; BUISSON, Potestas 165–215, zu 1439: 210–15; es ist allerdings zu fragen, ob das bei Buisson ohnehin etwas überdehnte Begriffspaar ‚potestas' und ‚caritas' den Basler Depositionsprozeß hinreichend erfaßt.– Ferner FRANK, Huntpichler 342–61; BÄUMER, Nachwirkungen 84–120; MIRUS, Deposition of the Pope (1975), von Pornaxio bis Cajetan ausführliche Belege, aber ohne einen einzigen Basler Theoretiker! Zu Cajetan s. HORST, Zwischen Konziliarismus und Reformation 31–54.

[195] JEDIN, Bischöfliches Konzil 213; HÜRTEN, Ekklesiologie 223: „Diese Definition war aber notwendig, weil das Konzil erst eine dogmatische Grundlage schaffen mußte, um den gegen ‚Haec Sancta' verstoßenden Papst der Häresie anzuklagen.". Man wiederholte damit (unbewußt?) zeitgenössische Argumente wie zum Beispiel die pointierte Polemik des Nikolaus von Kues: *Et quia non repererunt d.n. citatum super heresi neque causam ipsum hereticandi, novos quosdam articulos quos ‚veritates' vocant, more suo fantastico ‚veritates fidei', tunc primo decreverunt pro medio hereticandi principem fidei Romanum pontificem, quasi dicerent: Si necessarium est ad hoc ut ipse abiciatur, quod sit hereticus, eum faciemus hereticum, sive velit sive nolit.*; AC I 2 Nr. 520 Z. 804–808; vgl. Nr. 599 Z. 355–360. Über die Verwendung der ‚Tres veritates' im Traktatenkampf der vierziger Jahre und ggf. spätere Rezeption wären genauere Untersuchungen anzustellen; s. etwa RTA XVII 369 Z. 10–14 nr. 369.

[196] MC III 257–64. Erwähnt bei HÜRTEN, Ekklesiologie 223; BRANDMÜLLER, Besitzt das Dekret 260 f.; MEUTHEN, Basler Konzil in r.-kath. Sicht 292. JEDIN, Bischöfliches Konzil 213 f., hatte auf eine andere Tudeschistelle aufmerksam gemacht: *Non videtur sibi, quod debeat derogari aut detrahi sedi apostolice aut hereticari papa eo non audito*; CB VI 421 Z. 12 f. Gele-

Die Argumentation der Basler, allen voran Segovias, tendierte jedoch dahin, die dogmatische Neuartigkeit der ‚Tres veritates' abzuschwächen, und mehr denn je ‚Haec Sancta' bereits als jenen Glaubenssatz zu deklarieren, gegen den Eugen IV. in häretischer Weise verstoßen habe[197]. Krämers grundsätzliche Kritik lenkt zwar zu Recht auf den früheren Papstprozeß der Basler in den Jahren 1432/33 zurück, wo zum Teil schon mit ähnlichen Argumenten wie 1439 eine Papstabsetzung wegen Häresie anvisiert worden war – aber die ‚Tres veritates' kann er nicht hinreichend begründen. So sehr die Basler bemüht waren, ihren Ketzerprozeß – denn um einen solchen handelt es sich – in traditionell geregelten Verfahrensbahnen zu halten, behält er durch die Verknüpfung eines normalen Inquisitionsverfahrens mit einem n e u verkündeten Dogma etwas Ekzeptionelles.

Die Diskussion um die Papstabsetzung setzte eine Fülle juristischer und theologischer Probleme frei, zum Beispiel das Problem der Deliktsfähigkeit: Ist die Nichtbeachtung von ‚statuta' gleichzusetzen mit Häresie im Glauben?[198] Vor allem zeichnete sich in intensiven Diskussionen eine Klärung der theologischen Fundamentalfrage ab, was ein ‚Dogma' (*veritas fidei*) wesensmäßig sei. Segovia entwickelte dazu eine beeindruckende Theologie der fides, die in der Forschung noch keineswegs ausgeschöpft ist[199]. Die Interpretation müßte auch

---

genheit, gehört zu werden, hätte Eugen IV. freilich nach mehrmaliger Zitation gehabt. Zum Widerstand Tudeschis gegen die ‚Tres veritates': VAGEDES, Konzil I 207–17. Ob Tudeschi seine kanonistische Meisterschaft nur in den Dienst seines Herrn, des Königs von Aragón stellte, der gegen eine Absetzung war, bleibt Ermessensfrage. Vgl. den Protest der aragonesischen Gesandtschaft; MC III 270–77. Wie VAGEDES 208, 421, 423 beobachtet, ging Tudeschi in späteren Jahren, als er ganz auf Basler Kurs segelte, nicht auf die heiklen ‚Tres veritates' ein, sondern legitimierte die Absetzung mit anderen Argumenten, unter anderem ganz massiv mit ‚Haec Sancta'; s. VAGEDES 320–440. Statt dessen berief sich Nikolaus von Kues, sicher nicht ohne Häme, in seiner Kritik an den ‚Tres veritates' auf den Tudeschi des Frühjahres 1439; AC I 2 Nr. 520 Z.810; Nr. 599 Z.370– 416. S. auch VAGEDES 214–17.

[197] Z. B. Segovia (KRÄMER, Konsens 242–46); Ragusa (ebd. 203).

[198] Etwa Nikolaus von Kues AC I 2 Nr. 482 Z.75–78; *dixi* (sc. NvK), *quomodo, eciamsi ille veritates Segobianae essent ‚veritates fidei', quod tamen non sequeretur conclusio d.n. in fide peccasse, si illas ordinaciones non servasset, declarans* (sc. NvK), *quomodo heresis non potest convinci, si quis statuta non servat.* Ungeachtet des einleitenden Konditionalsatzes wird hier, wie MEUTHEN, ebd. Anm. 45, nahelegt, doch zwischen *statuta* (sc. ohne dogmatische Verbindlichkeit) und *veritates fidei* unterschieden. Vgl. VAGEDES, Konzil I 401–04.

[199] Ganz zentral dazu MC III 637–58 (= RTA XV 713–32). Ansätze einer Interpretation bei WOLMUTH, Verständigung 222–33, leider mit mehreren falschen Belegen. – Hier müßte die theologische Forschung anknüpfen.

folgende Komponenten berücksichtigen: Das Konzil sah sich der wachsenden Notwendigkeit ausgesetzt, als lehramtliche Glaubensinstanz aufzutreten, wie es seinem Selbstverständnis der Unfehlbarkeit entsprach. Symptomatisch und wesentlich dafür ist die Einrichtung eines für die Konzilsgeschichte gänzlich neuartigen ‚consistorium fidei‘ im Februar 1436[200]. Dieses Bedürfnis nach spektakulärer Ausübung des Lehramts geht über die Sachzwänge des Papstprozesses hinaus, man denke an das Dogma der ‚Immaculata Conceptio‘ aus dem selben Jahr (1439 IX 17). Die Erfüllung lehramtlicher Pflichten in Gestalt zweier bisher nie dagewesener Dogmatisierungen fiel aber nicht von ungefähr mit dem vorläufigen Ende eines in beiden Fällen schon lange gewachsenen theologischen „Klärungs- und Erklärungsprozesses“[201] zusammen. Die ‚Tres veritates‘ markieren die größte Aufgipfelung, gleichzeitig die Peripetie des Konziliarismus. Anders als das mariologische Dogma, das nach langer Wartezeit 1854 immerhin vom Papst wiederholt wurde, blieben sie ein Scheitelpunkt ohne Nachfolge.

Resümieren wir: Die ‚Tres veritates‘ wurden durchgesetzt a) als Reaktion auf die von Ferrara und Florenz ausgehende Demontage der ekklesiologischen Grundpfeiler des Konzils; b) um bestehende Zweifel an der Glaubensrelevanz von ‚Haec Sancta‘ endgültig zu beseitigen[202]; c) um sich als höchste Lehrinstanz der Kirche auszuweisen und d) um die unanfechtbare Handhabe für eine juristisch korrekte Papstabsetzung in die Hand zu bekommen. Ihre Inhalte (Superiorität des Konzils über dem Papst, Verbot der Konzilsauflösung und Häresieerklärung bei Verstoß gegen die beiden ersten Sätze) sind keine Erfindung des Jahres 1439, sondern in ‚Haec Sancta‘ und der vorausgegangenen konziliaren Diskussion sowie in gewissen Basler Dekreten vorgebildet: Verbot der Konzilsauflösung im Dekret der 3. Sessio ‚Consideransque‘ (1432 IV 29) und im Dekret der 11. Sessio (1433 IV 27)[203]; die Häresieklausel in der Responsio ‚Cogitanti‘ (1432

---

[200] Sie wird folgendermaßen begründet: *Quia materiae fidei sunt singulariter tractandae et concludendae in conciliis generalibus, ad ipsa pertinet maxime diffinicio earum et propter eas hactenus precipue congregabantur generales synodi..., concilii, cuius est fidei questiones terminare*; CB IV 55 Z.5–11. Vgl. LAZARUS 283; BLACK, Universities (1978) 519.

[201] MEUTHEN, Basler Konzil in r. kath. Sicht 293.

[202] Insofern ist die leidige Frage nach der ‚dogmatischen Verbindlichkeit‘ von ‚Haec Sancta‘ tatsächlich „vom Basler Konzil aus e negativo“ zu klären; MEUTHEN, 15. Jahrhundert 153.

[203] COD 457–60; 467 Z.20–32.

IX 3)[204]. Der qualitativ herausragende dogmatische Charakter, der die Singularität der ,Tres veritates' in der Kirchengeschichte ausmacht, sollte offensichtlich von der zweifachen Wendung *est veritas fidei catholicae* abgestützt werden. Eher von sekundär–konstitutiver Bedeutung und, wie der Vergleich mit anderen Konzilsdekreten leicht zeigt, keineswegs einmalig ist die Dispositio *diffinit et declarat*[205]. Immerhin unterbrach aber der sehr formaljuristisch argumentierende Tudeschi einmal die Verlesung eines Entwurfs der ,Tres veritates' mit dem Protest, durch die Worte *diffinit et declarat* sei der Entwurf bereits Konzilsbeschluß[206].

Unsere Darlegungen hoffen indirekt auch ein Negativergebnis zu erzielen: Daß es nämlich wenig sinnvoll ist, die ,Haec Sancta'-Frage im hergebrachten Sinne isoliert zu verfolgen. Als Indikator viel weiterreichender theologischer Probleme hat sie sich in Basel erwiesen und wird vor diesem Horizont auch zukünftig von Interesse sein.

Auch hier zuletzt ein kurzes Wort zur Rezeption: Unsere Kenntnisse über die Rezeption der Dekrete ,Haec Sancta' und ,Frequens' haben sich dank der Studien von ENGELS, BÄUMER und SCHNEIDER[207] beträchtlich vermehrt. Leider überspringen die beiden letztgenannten Autoren das Basler Konzil ebenso wie das gesamte 15. Jahrhundert, und auch ENGELS (1972) richtet seine Forschungen ausdrücklich auf die „Konstanzer Konzilsproblematik". Sein Ansatz wurde allerdings bislang methodisch wie inhaltlich zu wenig gewürdigt, zumal er auch für das Bild des Basiliense in der zeitgenössischen weltlichen Historiographie wichtige Anhaltspunkte bietet. Die ,Kon-

---

[204] MC II 244.

[205] Der Häufung derartiger Verben zufolge besäße freilich ,Haec Sancta' *(ordinat, diffinit, statuit, decernit et declarat)* das größere Gewicht gegenüber ,Sacrosancta' (= ,Tres veritates'): *diffinit et declarat.* Wo bei ,Haec Sancta' noch Unsicherheit in der Wortwahl vorliegt, scheint 1439 eine auch verbale Sicherheit eingezogen zu sein. Vgl. ,Frequens': *sancimus, decernimus et ordinamus* und, prägnanter, das Immaculata-Dogma von 1439: *diffinimus et declaramus* – mit der ,klassischen' Dispositio-formel. S. ähnliche Vergleiche bei FOIS, Concili 187–89; BRANDMÜLLER, Besitzt das Dekret 252 f.; ALBERIGO, Chiesa 164 Anm. 82, aber ebd. 175 Skepsis, ob aus den dispositiven Verben immerwährende Gültigkeit abzuleiten ist. Zum Problem s. oben Anm. 165.

[206] MC III 273. Zum *declarat* ähnliche Überlegungen bei Segovia; KRÄMER, Konsens 245.

[207] Zur Rezeption im 15. und 16. Jahrhundert, die bei SCHNEIDER, Konziliarismus, eher kursorisch (27–68) überflogen wird, s. ENGELS, Konzilsproblematik; BÄUMER, Nachwirkungen 204–30; Konstanzer Dekrete im Urteil katholischer Kontroverstheologen (1972); RAAB, Concordata 25–30 und öfter; FRANK, Huntpichler 318–45.

stanzer Konzilsproblematik‘ (das ist in nuce ‚Haec Sancta‘!), so zeigt
sich, ist zwar gleichsam hindurchgegangen durch ihre Rezeption in
Basel und dadurch auch zu einer Basler Konzilsproblematik geworden, andererseits wird man gewahr, daß das Basler Konzil die Mehrzahl der bei Engels untersuchten Chronisten weniger zu interessieren
schien. Eine gewisse Ausnahme bildet vielleicht Hermann Korner, der
unter dem Eindruck der Basler Ereignisse „zu einem Konziliaristen
ohne Einschränkung“[208] geworden zu sein scheint, aber auch kaum
verhehlt, daß primär die Kirchenreform, nicht konziliare Theorien
sein Anliegen sind. Ähnliches läßt sich beim ehemaligen Konzilsmitglied Thomas Ebendorfer beobachten, in dessen späteren Schriften
„das ganze Problem der Konzilssuperiorität ... aufgesogen erscheint
von einem Reformanliegen extremen Ausmaßes“[209]. Hinsichtlich des
Dekrets ‚Haec Sancta‘ überwiegt bei den Autoren – falls sie sich
überhaupt dazu äußern – die Ansicht, es sei nur auf die konkrete
Situation in Konstanz bezogen, nicht aber prinzipiell gültig.

Viele Anzeichen deuteten darauf hin, daß das Dekret ‚Frequens‘, da
offensichtlich weniger umstritten, häufiger rezipiert wurde als ‚Haec
Sancta‘. In der Mainzer Akzeptation (1439) wie in der päpstlichen
Bulle ‚Ad ea ex debito‘ (1447 II 5) erschien zwar ‚Frequens‘, nicht aber
‚Haec Sancta‘. Oder, um ein Personen-Beispiel zu nennen: Der
‚antikonziliare‘ Wiener Franziskaner Huntpichler diskutierte in einer
Schrift des Jahres 1451 ausführlich ‚Frequens‘, wogegen ‚Haec Sancta‘
bei ihm nicht vorkommt[210] – Zeichen dafür, daß es keine Rolle mehr
spielte? Ein Gregor Heimburg sollte in den sechziger Jahren vor allem
auf ‚Frequens‘ pochen, bildete es doch nach wie vor das juristische
Argument zur Stützung diverser Konzilsappellationen des 15. und 16.
Jahrhunderts, unter anderem des Pisanums von 1511. Bei Nikolaus
von Kues und Torquemada wurden dagegen (noch) beide Dekrete
diskutiert[211]. Die Kontroverstheologie des 16. Jahrhunderts scheint
der Diskussion zunächst neuen Auftrieb gegeben zu haben. BÄUMER
kommt allerdings zu dem Ergebnis, daß „die überwiegende Zahl der
katholischen Theologen die Verbindlichkeit der Konstanzer Dekre-

---

[208] ENGELS, Konzilsproblematik 357.

[209] Ebd. 343. – Kaspar Hedio (†1552) bemerkt die Probleme um ‚Haec Sancta‘ nicht;
KEUTE, Hedio 75, 89–91.

[210] FRANK, Huntpichler 340. Später sagte Jacobazzi über ‚Frequens: *Sic videtur, quod dicta
constitutio non fuerit usu recepta;* Mansi O 135bE.

[211] S. MEUTHEN, Dialogus 42–47; HÜRTEN, Konstanzer Dekrete. – Beispiele weiterer
Autoren lassen sich finden.

te bestritt"[212]. Doch sollte das Problem der Konstanzer Dekrete auch auf dem Tridentinum wieder zur Sprache kommen.

3: ‚Silver-age conciliarism‘, Geistiges und politisches Fortleben des Konzilsgedankens

a) Fortleben in Theologie und Kanonistik

Noch im Jahre 1939 hielt HUBERT JEDIN die Behauptung „für nicht zu gewagt: über die Verbreitung des Konziliarismus und seines Gegenpartes, der Papaltheorie, um die Wende des 15. Jahrhunderts wissen wir so gut wie nichts"[213]. Heute ist die Forschungslage nicht zuletzt dank Jedin selbst um einiges besser, aber immer noch bleibt viel zu tun, ehe eine umfassende Darstellung des Konzilsgedankens nach 1449 möglich wird. Allein – auch das bisher Erreichte in extenso zu referieren, würde den Rahmen dieser Arbeit sprengen.

Schon die ältere Forschung hatte erkannt, daß ‚der Konzilsgedanke‘ nach dem Scheitern des Basler Konzils zwar geschwächt (*nec habent homines ad concilia illam devocionem et affectum, quem aliqui arbitrantur*[214]), aber keineswegs tot war[215], sondern teils als geradezu metastasenhaft, teils als herbstlich ausklingend verstanden, fortlebte. Es blieb dann oft bei der Nennung einiger reformerisch–konziliar gesinnter Persönlichkeiten der Basler Generation wie des Kartäusers Vinzenz von Aggsbach und Jakobs ‚von Jüterbog‘ (=von Paradyz), des Franziskaners Matthias Döring, des Gregor Heimburg bis zu Savonarola, sowie konziliaristischer Residuen an einigen Universitäten. Den End- und gleichzeitigen Wendepunkt dieser älteren Linie setzten ein wichtiger Aufsatz von STOECKLIN (1943), vor allem aber JEDIN

---

[212] BÄUMER, Konstanzer Dekrete im Urteil katholischer Kontroverstheologen 391. Vgl. ders., Nachwirkungen 204–30; SCHNEIDER, Konziliarismus 52–56. Im übrigen sei auf Kap. VII 3 verwiesen.

[213] JEDIN, Gozzadini 18.

[214] Rodrigo Sánchez Arévalo, ‚De remediis afflictae ecclesiae‘; zit. nach PASTOR I 405 f. Anm. 6.

[215] So PASTOR I 405–10, der aber im Ganzen die Diskreditierung der Konzilsidee akzentuiert, während, als Beispiel der Gegenposition, HASHAGEN, Staat und Kirche 98, sie für „völlig ungeschwächt" hält. DE VOOGHT, Konziliarismus (1962) 195, erklärt sie schon für 1438, OURLIAC, Sources, für 1440 als ‚tot‘. Vgl. JEDIN, Trient I 34; OURLIAC, Sociologie 32; TOEWS, Formative Forces 283; FRANK, Huntpichler 85; STIEBER, 338 f. – Sehr plastisch äußert sich Enea Silvio (1448 XI 25): *Nondum sedati sunt Basiliensesfluctus, sub aqua luctantur ventuli... adhuc concilium pectoribus insidet... indutias belli, non pacem habemus;* Briefwechsel, ed. WOLKAN II, 72.

mit dem ersten Band seiner ‚Geschichte des Konzils von Trient‘ (1950), der auch heute noch die Basis weiterer Forschungen darstellt. Die meisten Autoren [zu nennen sind insbesondere BÄUMER (1971), HORST (1978, 1982, 1985), DE LA BROSSE (1965), und OAKLEY[216] schöpften dabei aus der fruchtbaren Theologie und Kanonistik des 16. und 17. Jahrhunderts. Zwar lebten auch nach Basel wieder Kontroversen um ‚Haec Sancta‘ auf, die daher als Indikator für ‚Konzilsgedanken‘ dienen können[217]. Insgesamt aber trat die Konzilsfrage, nachdem sie mit Luthers Forderung nach einem Allgemeinen Konzil noch einmal kurz aufgeflammt war[218], in der katholischen Kontroverstheologie der Reformations- und Gegenreformationszeit zurück. Immerhin – sie behielt ihren festen Platz in den ekklesiologischen Summenkommentaren „von Cajetan bis Billuart“ (Horst).

So bleiben die beiden Theoretikergenerationen nach 1449 für das Fortleben des Konzilsgedankens am interessantesten. Die Forschung begnügte sich nicht mehr mit dem Aufspüren konzilsnostalgischer Rinnsale, sondern stellte fast auf Schritt und Tritt theologisch-ekklesiologische Kontinuitäten der Konzilsepoche fest. Als deren entscheidendes historisches Ergebnis hat zu gelten, daß „die ekklesiologische Dimension... der Theologie nicht mehr verloren ging“[219].

Scharfe Trennungen zwischen ‚monarchistischen Papalisten‘ und ‚konstitutionalistischen Konziliaristen‘ erwiesen sich mehr denn je als

---

[216] Forschungsüberblick bei SIEBEN, Traktate 109–15. – STOECKLIN, Ende der mittelalterlichen Konzilsbewegung; JEDIN, Trient I 1–132, speziell 24–48, 80–92. Vgl. den konzisen Überblick von JEDIN, Entwicklung des Kirchenbegriffs im 16. Jahrhundert. – BÄUMER, Nachwirkungen des konziliaren Gedankens in der Theologie und Kanonistik des frühen 16. Jahrhunderts (1971), ist thematisch aufgebaut, führt die Beispiele vom 14. Jahrhundert bis zu seinen zentralen Figuren: Ugonius, Decius, Almain, Gozzadini etc.; s. die Rezension von BUBENHEIMER, in: ZRG KA 90 (1973) 455–65. – HORST, Papst-Konzil-Unfehlbarkeit. Die Ekklesiologie der Summenkommentare von Cajetan bis Billuart (1978); HORST, Zwischen Konziliarismus und Reformation. Studien zur Ekklesiologie im Dominikanerorden (1985), zum Umfeld des V. Lateranums und der ersten Kontroverstheologen, alle Bände mit ausführlicher Bibliographie. DE LA BROSSE, Le pape et le concile (1965); LANDI, L‘ ‚eresia‘ conciliarista e la sua persistenza (1979). Ferner wichtig: CONGAR, Handbuch 35–37; LECLER, Pape 149–71; SCHNEIDER, Konziliarismus 38–68 (für die Zeit von 1449 bis zum 18. Jh.); BLACK, Council 210–15; MERTENS, Jacobus Carthusiensis (zur Rezeption von Traktaten). Die Arbeiten von OAKLEY s. unten Anm. 237 ff. – Überblick bei THOMSON, Popes 12–28.

[217] Beispiele bei BÄUMER, Nachwirkungen 204–30, und oben 475-77.

[218] Vgl. oben Kap. V 4.: Basler Konzil und Reformation.

[219] MEUTHEN, 15. Jahrhundert 78; BÄUMER, Bedeutung des Konstanzer Konzils, meldet allerdings, damit seine eigenen Ergebnisse relativierend, Skepsis an, die ekklesiologische Fruchtbarkeit des Konziliarismus überzubetonen.

obsolet. Denn man beobachtete an diesem „silve-age conciliarism"
(Oakley), daß extremes Gedankengut abgestoßen worden war, alte
Gegensätze sich abgeflacht hatten, so daß in einem Prozeß der Inte-
gration auf den ersten Blick ‚konziliaristisch' wirkende Gedanken
„fast Allgemeingut der Theologen und Kanonisten"[220] geworden
waren: So hatten schon die frühen monarchischen Theoretiker
Roselli und Torquemada wesentliche konziliare Rechte, freilich
sorgsam abgezirkelt und für bestimmte Fälle genau definiert, in ihre
Systeme einbezogen. Das Gleiche beobachtete man bei Jakobazzi und
Cajetan, während Gozzadini und Ugoni(us) sogar ausdrücklich die
Konzilssuperiorität vertraten[221]. Die katholische Forschung ist hier
unverkennbar von einer Tendenz zur Harmonisierung bestimmt und
hatte mit der Entdeckung dieses merkwürdigen ‚konziliaren Papalismus' den Ausbau der monarchischen Theorie nach Torquemada im
Gesamtbild etwas zurücktreten lassen. Nun hat allerdings MIETHKE
mehrfach demonstriert, daß in der zweiten Hälfte des 15. Jahrhunderts der im 14. Jahrhundert verbreitete Traktattyp ‚De potestate
papae' wieder aufkam, zum Beispiel beim Sieneser Juristen Galgano
Borghese (†1468). Schon die ‚monarchistischen' Zeitgenossen des
Basiliense wie Roselli, Piero da Monte, Sánchez de Arévalo usw. lagen auf
dieser Linie[222]. Diese Schriften wurden als „Dokumente einer Spät-
blüte mit epigonalen Zügen"[223] und Zeichen einer monarchischen
Reaktion bewertet. Zugleich ist bei ihnen, ebenso wie bei den zeitgenössischen Vertretern konziliarer Ideen, eine thematische Reduktion
im Vergleich zur Ekklesiologie des Basler Konzils, aber auch zur
großen Synthese eines Torquemada festzustellen. Eine „nennenswerte
Weiterentwicklung der die Kirchenverfassung betreffenden Fragen"
ist nach HORST seit dem Basiliense nicht mehr zu beobachten.[223a]
    In den Forschungen seit Jedin tauchen für die Zeit um 1500 als Ver-
treter konziliarer Ideen ungewohnterweise fast nur Italiener auf. Das
mag unter anderem daran liegen, daß die meisten Arbeiten sich

---

[220] BÄUMER, Nachwirkungen 16, ähnlich 264.
[221] JEDIN, Gozzadini; BÄUMER, Nachwirkungen 267 s.v. Zu *Cajetan*: DE LA BROSSE, Le
pape et le concile 147–60, 185–330 (in Auseinandersetzung mit Jacques Almain); HORST,
Zwischen Konziliarismus und Reformation 27–38, 187 s.v. Zu *Jacobazzis* Konzilstraktat
jetzt grundlegend: SIEBEN Traktate 213–43; desgleichen zu *Ugoni(us)* ebd. 245–80.
[222] Literatur s. oben 435 f. Anm. 74–79.
[223] MIETHKE, Rahmenbedingungen 96.
[223a] HORST, Zwischen Konziliarismus und Reformation 177.

auf das Umfeld der römischen Kurie richteten. Doch kann man in dem Phänomen auch objektiv das Zeichen einer geistigen Wiedererstarkung (‚Renaissance‘) Italiens und der Kurie sehen[224], in deren Verlauf auch ein milder Konziliarismus adaptiert wurde. Man mag auf diese Weise ein ideologisch entkrampftes, ‚aufgeklärtes‘ Klima an der Kurie beschwören, ja geradezu einen konziliaren ‚harvest‘ des späten Mittelalters versammelt sehen: Leute wie Ugoni oder Gozzadini und sein „Kassandraruf an das Papsttum der Renaissance“ (Jedin) waren eben doch die Ausnahme! Die Chance des V. Lateranums wurde verspielt. Die Auseinandersetzung mit der Reformation erforderte dann ganz andere, zunächst kaum erkannte theologische Grundlagen.

Ein weiteres Charakteristikum ist im neuerlichen Hervortreten der Kanonisten wie etwa Accolti, Ugoni, Decio, Ferreri, Felinus Sandaeus zu sehen, wärend in der Basler Konzilstheorie nach herrschender Ansicht die Theologen dominierten. Eine abschließende Bewertung der Kanonistik des späten 15. und frühen 16. Jahrhunderts ist zur Zeit noch nicht möglich, wäre aber notwendig. Dem Urteil OURLIACs, eines der besten Kenner der diese etwas pauschal als „penchant vers l‘absolutisme“ klassifiziert und die konziliaren Komponenten als „velléités et archaismes“ ansieht[225], wird man mit Blick auf die übrige Forschung eher mit Vorsicht begegnen.

Über die deutschen Theoretiker der Zeit ist noch kein ausgewogenes Gesamturteil möglich. Zur Mittlerfigur des Gabriel Biel ist auch nach den Studien von OBERMAN[226] noch nicht das letzte gesagt. Eine Sonderrolle nehmen in der Forschung zwei gallikanische Mitglieder des Pariser Navarrakollegs, der Schotte John Major und der Franzose Jacques Almain ein, die vor allem OAKLEY als konziliares Paar untersucht hat[227].

b) Konzilsappellationen und Konzilsversuche

Als spezielle Form von ‚Fortleben‘ des Konzilsgedankens hat man in der Forschung die zahlreichen politisch motivierten Konzilsappel-

---

[224] Auf nähere Lit.-angaben muß verzichtet werden. Jüngst anregend: O'MALLEY, Praise and Blame in Renaissance Rome; D'AMICO, Humanism in Papal Rome; STINGER, The Renaissance in Rome (1985).

[225] OURLIAC, Souveraineté 28–33; OURLIAC-GILLES 52 (Zit.).

[226] OBERMAN usw. (Ed.), Biel ‚Defensorium‘; ders., Herbst 385-89 und passim.

[227] Literatur zu *Major* und *Almain* s. unten 489 Anm. 257.

lationen der Fürsten angesehen[228]. Ursprünglich wirkte wohl noch die offiziell nie begrabene Idee eines ‚Dritten' bzw. nach dem Ende des Schismas, eines neuen Konzils befruchtend (1452 Bourges); dann aber sank das Konzil, wie JEDIN nicht ohne Unwillen formuliert hat, „zum Mittel nackter und unverfrorener Erpressung herab"[229]. Erstaunlicherweise bot die Konzilsappellation immer wieder von neuem eine Chance, die offenbar vom ‚horror concilii' traumatisierte Kurie unter Druck zu setzen. Die in der Literatur eher überschätzte Bulle ‚Execrabilis' Pius II. (1460 I 18) änderte daran nichts.[229a] So finden sich Konzilsappellationen in bunter Folge bei verschiedenen deutschen Fürsten, bei einigen italienischen Stadtstaaten, in Spanien und, im Poker um eine Aufhebung der ‚Pragmatique', beim französischen König[230].

Die beiden einzigen wirklich gegen die Kurie zustandegekommenen Konzilsversuche in Basel (1482) und Pisa (1511/12) scheiterten: Als am 25. März 1482 Andreas Jamometič, Titular-Erzbischof von Granea, auf traditionsreichem Basler Boden ein Konzil verkündete, war dies, so die allgemeine Ansicht, das leidenschaftliche Werk eines Einzelnen. Die Impulse des bizarren Schauspiels, dem immerhin JAKOB BURCKHARDT eine seiner frühen Schriften (1854) widmete[231], sieht man in einem Syndrom aus verletztem Ehrgeiz, echtem Reformwillen und offenbar auch pathologischen Momenten. Jamometičs ‚Handstreich' blieb ohne die erhoffte Unterstützung der europäischen Fürsten, versetzte aber die Kurie unter Sixtus IV. in beträcht-

[228] PASTOR II 103–64; JEDIN, Trient I 36–48; BÄUMER, Nachwirkungen 121–61 (Zusammenstellung aller Konzilsappellationen vom 5. Jh. bis 1870); H. J. BECKER, Art. ‚Konzilsappellation', in: HRG 2, (1978) 1139–42; GAZZANIGA, L'appel au concile (1984).

[229] JEDIN, Trient I 38.

[229a] Zu ‚Execrabilis': BÄUMER, Nachwirkungen 136–42, 152 f.; HELMRATH, Art. ‚Execrabilis', in: LexMa IV, Lief. 1 (1987).

[230] JEDIN, Trient I 36–48. 1461 trug sich sogar Nikolaus von Kues mit Konzilsplänen unter französischem Vorsitz (allerdings mit dem Ziel, dadurch der gegen das Papsttum gerichteten Drohung Herr zu werden–die Taktik Julius II.); s. MEUTHEN, Letzte Jahre 84–86, 336 s.v. ‚Mantua, Konzil'. – Zur Mainzer Stiftsfehde und Gregor Heimburg s. oben 322 Anm. 560. Zu den Konzilsplänen Georg Podiebrads: PASTOR II 165–83; MAČEK, Mouvement conciliaire; Konziliarismus in der böhmischen Reformation.

[231] J. BURCKHARDT, Erzbischof Andreas von Krain und der letzte Konzilsversuch von Basel; dazu KAEGI, Jacob Burckhardt III, 350–56. – Ferner: SCHLECHT, Andrea Zamometič I (1903), wurde nie fortgesetzt; PASTOR II 579–86; STOECKLIN, Basler Konzilsversuch (1938); JEDIN, Trient I 80–84. – Grundlegend Neues jetzt bei PETERSOHN, Geraldini (1985) 152–231 (152 Anm. 73 f. Literatur); nach den Legationsprotokollen des päpstlichen Legaten Angelo Geraldini.

liche Nervosität. Er zeigte überdies, daß in der Stadt Basel, die Jamometič bis Dezember halten konnte, eine gewisse Konzilsromantik überlebt hatte. Möglicherweise regte das Unternehmen indirekt zu neuer Beschäftigung mit konziliaren Gedanken an, vor allem an der Kurie selbst, was im einzelnen zu prüfen wäre.

Dreißig Jahre später war die Atmosphäre in jedem Fall stärker konziliar aufgeladen. Das zeigt allein schon die Tatsache, daß Julius II. auf den Spuren Eugens IV. dem französisch gelenkten ‚conciliabulum' von Pisa seinerseits durch ein Konzil, das V. Lateranum (Eröffnung 1512 X 2), den Wind aus den Segeln nahm[232]. Ekklesiologische Themen drangen nun wieder vor, auch bei den papalen Verteidigern (Pasquali, Trombetta usw.). Die in jüngster Zeit nach längerer Stagnation deutlich anwachsende Forschung zum V. Lateranum hat gezeigt, daß nicht nur im Pisanum unter Rückgriff auf die Reformkonzilien konziliare Ideen vertreten wurden, sondern eben auch von namhaften Vätern des kurialen Gegenkonzils wie Gozzadini oder Aegidius von Viterbo. Das Reforminteresse dominierte nur in Ausnahmen. Die Denkschrift der beiden Kamaldulenser Giustiniani und Quirini nannte schon Jedin „das großzügigste und zugleich das radikalste aller Reformprogramme seit der Konzilsära"[233]. Die papalen Theoretiker konzentrierten sich wie in den vergangenen Jahrzehnten darauf, den päpstlichen Jurisdiktionsprimat möglichst wasserdicht abzuschotten. Die im Umkreis des Pisanums entstandenen Schriften sind stark kanonistisch geprägt, zum Beispiel die ‚Apologiae' der beiden italienischen Kanonisten Decio und Ferreri. In ihren Fragestellungen (Konzilsberufungsrecht der Kardinäle im Notstand usw.) bedeuten sie gegenüber der hochentwickelten Ekklesiologie des Basler Konzils eher einen Rückfall in die Themen des Großen Schismas. Die große Synthese und quasi dialektische ‚Aufhebung' der Gegensätze im Papalsystem sieht der überwiegende Teil der Forschung jedoch im Oeuvre einiger Theologen: So in der ‚Comparatio

---

[232] HEFELE-LECLERCQ VIII 297–558. Im HKG III 2, 674 f., von FINK ganz unzureichend behandelt. Vgl. DE LA BROSSE, Lateran V und Trient 37–126, 524–26; JEDIN, Trient I 84–92 (Pisa), 93–110 (Lateranum V). Die folgenden Angaben beschränken sich auf neueste Literatur in Auswahl: OAKLEY, Conciliarism in the Fifth Lateran Council; SCHOECK, Fifth Lateran Council; MINNICH, Paride de Grassi's Diary (1982) mit Literatur; vgl. die Edition des Tagebuchs ebenfalls in AHC 14 (1982) von E. DYKMANS (271–369); HORST, Zwischen Konziliarismus und Reformation (1985) 55–126.

[233] JEDIN, Trient I 103.

auctoritatis papae et concilii' (1511) und dem Summenkomentar des Kardinals Thomas de Vio (Cajetan), Werken, die mit den Leistungen des älteren Torquemada im 15. Jahrhundert und des jüngeren Bellarmin in nachtridentinischer Zeit in eine Reihe gestellt werden.

Der Forschung steht mit den „Nachwirkungen des konziliaren Gedankens" sowohl in der innerkurial katholischen Theologie (Tridentinum, spanische Theoretiker etc.), im Gallikanismus, im Calvinismus, im Jansenismus und in der politischen Theorie der Neuzeit ein weites Feld offen[234]. Dem letztgenannten Thema wollen wir eine abschließende Betrachtung widmen.

c) Konziliarismus und Konstitutionalismus:
   Basler Konzil und politische Theorie

Es gehört in heutiger Sicht wohl zu den Grundtatsachen der europäischen Geistesgeschichte, daß kirchliche und weltlich-staatliche Verfassungstheorie und Verfassungspraxis stets in einem „incessant interplay" gestanden haben, wie BRIAN TIERNEY einmal in einem geistvollen Vortrag formulierte[235]. In der Forschung ist ein großes Oeuvre zur Erhellung dieses Beziehungsgeflechts entstanden, das hier nicht eigens kommentiert zu werden braucht. Ich nenne nur Namen wie FIGGIS, TIERNEY, WILKS, ULLMANN, POST; GIERKE, KANTOROWICZ, BUISSON, KÖLMEL, HOFMANN, WALTHER; MOCHI ONORY usw.[235a]

Im Zentrum des Interesses stand der Einfluß der Kanonisten und Legisten auf die Ausbildung einer monarchischen Souveränitätslehre – sowohl für die Kirche (Papsttum) als auch für den weltlichen Staat (Königtum) – und parallel auf die Entfaltung konstitutioneller Ideen ebenfalls in Kirche (Konziliarismus) und Staat (Stände, Parlamentarismus). Das vielleicht meistdiskutierte Beispiel einer derart vielfältigen Wirkung von Rechtssätzen dürfte der dem Corpus Juris Civilis entstammende Satz sein: *quod omnes tangit, ab omnibus tractari et approbari debet*[236].

---

[234] Neben der oben genannten Literatur hier nur eine kleine Auswahl jüngerer Arbeiten: HORST, Papst und Konzil nach Antonin von Cordoba; BÄUMER, Silvester Prieras; Konziliarismus auf dem Tridentinum?; PATTERSON, Girolamo Aleanders's Conciliar Thought; HUDSON, Jansenism and Conciliarism; VISSER, Jansenismus und Konziliarismus (1983).

[235] TIERNEY, Medieval Canon Law and Western Constitutional Thought 15; vgl. ders., Roots of Western Constitutionalism (1968); Religion, Law (1982).

[235a] S. Althusius-Bibliographie I, 2181b-2770b; WYDUCKEL, Princeps (1979).

[236] Aus der großen Zahl von Arbeiten immer noch am wichtigsten: CONGAR, Quod omnes tangit (1958); MARONGIU, Principo della democrazia (1962).

Obwohl die Mehrzahl der Arbeiten sich auf das 12.–14. Jahrhundert beschränkte, wurde doch immer wieder versucht, die großen Mittelalter und Neuzeit verbindenden Verfassungslinien sozusagen als alteuropäische Konstanten zu sehen. Dabei hat man etwa den päpstlichen Monarchismus mit dem neuzeitlichen Absolutismus, den Konziliarismus mit den konstitutionalistischen Verfassungslehren und dem Parlamentarismus (besonders in England) in Beziehung gesetzt. Als Nestor dieser Forschungsrichtung wird immer wieder der Engländer JOHN NEVILLE FIGGIS mit seinen schon im Titel bezeichnenden ‚Studies of Political Thought from Gerson to Grotius 1414 – 1625' (1. Aufl. 1900) zitiert[237]. Figgis, der seinerseits durch den deutschen Rechtshistoriker OTTO GIERKE angeregt war, sah in den Konzilien von Konstanz und Basel die unmittelbaren Vorläufer eines John Locke und der Widerstandstheorien der Glorious Revolution von 1688, in Papst Eugen IV. umgekehrt einen „forerunner" Ludwigs XIV.[238] Viele sind Figgis gefolgt, zum Beispiel LASKI, OAKLEY und, für uns besonders wichtig, BLACK; doch wurde die simplifizierende Einsträngigkeit seiner Rezeptionsthese mannigfach relativiert. Vor allem hat man sie gleichsam nach rückwärts verlängert. Nicht erst von Gerson sei auszugehen: Sondern „From Gratian to Grotius" (Tierney) spannt sich längst der Bogen der Verfassungstheorie[239]. Besonders in der deutschen Forschung fällt jedoch nach wie vor eine gewisse Zweigleisigkeit von politischer – und Verfassungstheorie einerseits, sowie Theologie und Kirchentheorie andererseits auf. Jüngere Sammelbände sind dafür ein lebendiger Beweis[240]. Auch die auf OTTO HINTZE aufbauende verfassungstypologische Richtung hat die Leistungen der

---

[237] FIGGIS, Studies of Political Thought from Gerson to Grotius 1414–1625, Cambridge (²1916) (¹ 1900; ND 1956 u. öfter). Zu Figgis: OAKLEY, Figgis, mit instruktiver Stützung von dessen Thesen; Council over Pope 97 ff.; JACOB, Conciliar Thought 1 ff.; TIERNEY, Medieval Canon Law 2–7; BLACK, Monarchy 8. Die differenzierteste Darstellung über Wirkungen des Konziliarismus bei englischen Theoretikern des 16. und 17. Jahrhunderts mit Literatur findet sich bei OAKLEY, On the Road from Constance to 1688, sowie: From Constance to 1688 Revisited.

[238] FIGGIS, Studies 31. Vgl. 34, 42, 47.

[239] TIERNEY, Divided Sovereignty 256; der Basler Konziliarismus, dies kann nicht oft genug festgestellt werden, fehlt jedoch im Werk Tierneys fast vollkommen. Vgl. auch den Sammeltitel von ERCOLE, Da Bartolo all' Althusio (1932) – im wesentlichen über Bartolus und Coluccio Salutati.

[240] Man vergleiche etwa die Bände ‚Die geschichtlichen Grundlagen der modernen Volksvertretung', hg. H. RAUSCH, I–II (1980 und 1974) sowie ‚Zur Geschichte der Repräsentation und der Repräsentativverfassung', hg. H. RAUSCH (1968); Der moderne

spätmittelalterlichen Kirchentheorie kaum berücksichtigt und ihren Blick auf die Kontinuität von den mittelalterlichen zu den frühneuzeitlichen Ständen und Parlamenten begrenzt. Dies gilt auch für die fruchtbaren Arbeiten, die von der 1937 gegründeten ‚International Commission für the History of Representative und Parliamentary Institutions' angeregt wurden (H. M. CAM, E. LOUSSE, J. MCILWAIN, A. MARONGIU u. a.)[241] und für die Reihe ‚Standen en landen'. Parlamentarische Institutionen waren im weltlichen Bereich zwar schon vor der Zeit der Reformkonzilien längst eine „concrete reality"[242], wechselseitige Einflüsse sind aber nicht auszuschließen; wenigstens reicht der bisherige Kenntnisstand keineswegs aus, um ein negatives Urteil zu fällen. Hier könnte auch die Reichstags-Forschung anknüpfen. FRIEDRICH WILHELM SCHUBERTs große Studie zur Reichstagspublizistik (1966), die auf die „Wechselseitigkeit" von Reichstags- und Konzilsbeschreibungen bei Nikolaus von Kues und Enea Silvio Piccolomini hingewiesen hatte, blieb soweit ich sehe ohne Nachfolge.[242a]

Die große Fruchtbarkeit gerade der Basler Erfahrungen für die politische Theorie, und zwar sowohl für die Entfaltung des Konstitutionalismus wie für den Monarchismus hat in entscheidendem Maße ANTONY BLACK erkannt[243]: Die dualistische Systematik seiner ersten Arbeiten (hier Konziliarismus-Konstitutionalismus/dort Papalismus-Monarchismus) wurde, wie überhaupt der politisch-theoretische Aspekt, im späteren Werk abgeschwächt[244]. Besonders in den Schriften Segovias und Tudeschis sah Black wesentliche Beiträge zu

Parlamentarismus und seine Grundlagen in der ständischen Repräsentation, hg. K. BOSL, (1977), mit dem Band: ‚Die Entwicklung des Konziliarismus' (1976). Lediglich CONGAR und BLACK könnte man als Bindeglieder ansehen.

[241] Von den zahlreichen Veröffentlichungen der Kommission s.: Medieval Representation in Theory and Practice (1954). Die Literatur zum Thema ist abundant. S. hier lediglich: C. H. MCILWAIN, in: CMH VIII 664–715; MARONGIU, Medieval Parliaments. Zur Typologie BLOCKMANS, Typology of Representative Institutions.

[242] MARONGIU, Medieval Parliaments 38. Die Frage der Priorität von weltlichem und kirchlichem ‚Parlament' dürfte schwer zu beantworten sein, da sich für beide Bereiche ältere Vorformen anführen lassen.

[242a] F. W. SCHUBERT, Die deutschen Reichstage in der Staatslehre der frühen Neuzeit 90–98, 105–15, besonders 97 f., 112–15.

[243] BLACK, Grundgedanken; Monarchy passim; Council 193–209; Einfluß der Idee der absoluten Monarchie; zuletzt MEUTHEN, Basler Konzil 18 f. Bei KRÄMER, Konsens, tritt dieser Aspekt ganz zurück; vgl. ebd. 219 Anm. 29 das Fehlurteil: „Ekklesiologie und Staatstheorie wußte er (nämlich Segovia) nicht zu verbinden". Richtig wäre: ‚Ekklesiologie und staatliche Praxis der Fürsten'.

[244] S. oben 430 f.

einer politischen Theorie. Er stellte dabei Einflüsse des ‚civic republicanism' Bartolos von Sassoferrato fest und machte wahrscheinlich,
daß Segovia wie Tudeschi konkrete Kenntnisse über die Verfassun-
gen italienischer Stadtstaaten mitbrachten[245], was übrigens schon bei
Marsilius beobachtet wurde. So findet man in Basler Texten allgemeine oder spezielle (Venedig!) Analogisierungen staatlicher und
kirchlicher Verfassungsverhältnisse von geradezu frappierender Art.
Besonders häufig begegnet man traditionell der Analogie von ‚ecclesia' und ‚regnum': *Est enim papa in ecclesia tamquam in regno rex. Regem
autem plus posse quam totum regnum, absurdum est. Ergo nec papa plus posse debet
quam ecclesia...* (sc. und kann daher abgesetzt werden)[246]. Auch die Kon-
zilsdefinition des Andreas von Escobar: *Concilium est societas multorum
fidelium in unum propositum et propter unam communem intentionem congre-
gatorum* könnte, „eher an Ockham als am geltenden Kirchenrecht
orientiert"[247], ebenso auf weltliche Versammlungen angewendet werden. Genau das sollte ihr später Torquemada zum Vorwurf machen[248].
Es verspricht interessant zu sein, einmal systematisch die Vergleiche
zwischen Konzil und parlamentsähnlichen Korporationen[248a] sowie
die Verwendung der antiken Verfassungstypologie, insbesondere der

---

[245] Zu *Bartolus*: BLACK, Grundgedanken 302, 305 Anm. 40; Monarchy 184 s.v. ‚City-
state'; Council 99–103, 158, 180 und 249 s.v.; ULLMANN, De Bartoli sententia: Concilium
repraesentat mentem populi. Zu kommunalem Einfluß bei Basler Theoretikern: BLACK,
Grundgedanken 302, 307; Monarchy 15–21, 184 s.v. ‚City-state'; Council 88 f., 99–103,
134, 172 f. und 247 s.v. ‚City-states'. Von den zahlreichen Belegen, die Black zusammen-
stellt, besonders deutlich Tudeschi: *Simile est videre in regimine Veneciarum, nam dux eorum est
primus et in consiliis et inter membra civium; si tamen errat, sibi resistitur per civitatem et, si opus est,
deponitur, quia fundamentum jurisdiccionis est in corpore civitatis et in duce tamquam in principali mini-
stro;* RTA XVI 521 Z.24–27 nr. 210; BLACK, Monarchy 11, 114. Vgl. Segovia MC III 713,
736, 802 f. (= BLACK (Ed.), Monarchy 150–53).

[246] Thomas de Courcelles, zitiert bei BLACK, Grundgedanken 307, allerdings nach Enea
Silvio; der Beleg „Commentarii 8" ist allzu unpräzis.

[247] Andreas von Escobar, ‚Gubernaculum conciliorum', ed. VON DER HARDT VI, 163;
Zitat SIEBEN, Traktate 121. Vgl. Enea Silvio Piccolomini, Briefwechsel, ed. WOLKAN I 1,
319: *si res Frisingensis apud vestram democratiam* (sc in Basel) *bene transirent.*

[248] *Quia ista definitio non plus convenit congregacioni fidelium ecclesiasticorum quam congregacioni
fidelium laicorum, qui etiam in unum propositum et propter unam communem intentionem possunt congre-
gari sicut sunt parlamenta dominorum;* Commentarium super toto decreto I, Venedig
1578, f.147a, ad D. 17 c. 1.

[248a] So sagt die englische Reichstagsgesandtschaft 1442, freilich in monarchischem
Sinne: *tantum dependet concilium a summo pontifice, quantum parlamentum a rege;* RTA XVI 555
Z.36. – Zum Wort *parlamentum* vgl. oben 178 Anm. 404.

Mischverfassung bei den Konzilstheoretikern zu sichten[249]. Die korporationstheoretische Analogisierung von Staat und Kirche, nach Black „einer der gewaltigsten Mißerfolge des späten Mittelalters"[250], wurde also einerseits auf die Spitze getrieben – ganz im Sinne älterer aristotelisch geprägter Staatsauffassungen des Mittelalters, die die Kirche geradezu „als Staat katexochen" stilisierten[251]. Und doch scheint es, als habe diese Tendenz spätestens in Basel ihren Höhepunkt überschritten. Es häufen sich die Gegenstimmen: Die Kirche wird als göttliche Stiftung sui generis deutlich von weltlichen Kommunitäten abgegrenzt, von denen sie sich qualitativ unterscheide: So heißt es schon 1432 in der Responsion ‚Cogitanti': *Unitas ecclesiae multo maior et perfectior est quam unitas regis aut imperatoris terreni* oder, besonders deutlich: *Nec comparandum est corpus ecclesiae aliis politicis corporibus civitatum et universitatum ... quia in medio huius corporis est Christus,qui ipsum regit, ne erret.* Später schreibt das Konzil an die Kurfürsten: *Ecclesia dei in spiritu sancto congregata non habet existimari sicut una prophana communitas, cui ipse papa velut princeps secularis dominetur*[252]

Diese Äußerungen enthüllen nicht nur das christologische Kirchenverständnis der Basler, sondern erscheinen auch als Zeichen der

---

[249] Zur ‚Verfassungslehre' bei Segovia grundsätzlich: MC III 707–15 (Teildruck bei BLACK, Monarchy 144–48). Zur Interpretation BLACK ebd. 44–49, 109–12; Council 172–75. Ein weiteres Beispiel, die ‚Demokratie-Kritik' des späten Segovia, haben wir oben 91 Anm. 65 gegeben. Die ganze Passage ‚De magna auctoritate episcoporum', BASEL Univ.-bibl. B V 15 f.174ʳ ff., wäre genauer zu untersuchen. Einige Zitate jetzt bei MEUTHEN, Basler Konzil 26 Anm. 69 und 38 Anm. 108. – Die Theorie der Mischverfassung begegnet zum Beispiel bei Dionys dem Kartäuser: *Regimen ...ecclesiae, quamvis sit monarchicum quantum ad hoc, quod unus Pontifex summus toti praeest ecclesiae, aliquid tamen habet adiunctum de aristocratia et democratia: quia non solum sacrum collegium dominorum Cardinalium tamquam senatus, sed et synodus generalis praesidio est Domino Papae in gubernatione ecclesiae;* Boethiuskommentar I, Prosa 5, Art. 23, in: Opera XXVI, Montreuil-Tournai 1906, 134.

[250] BLACK, Grundgedanken 310.

[251] MERZBACHER, Wandlungen 302; ebd. 303 Zitat Jakobs von Viterbo (†1308): *Nulla communitas dicitur vere respublica nisi ecclesiastica.* Die Kirche ist die oberste aller (korporativ) geordneten Gesellschaften.

[252] S. BLACK, Council 11, 50, 129 f., 151. Zitate: MC II 244 f.; RTA XVII 105 Z.38-46. – Vgl. MC III 328 ff., 708 (= BLACK, Monarchy 144; s. dazu ebd. 109-11), 934, 937 f.; HOFMANN, Repräsentation 274. Vgl. später Bellarmin *Ecclesia est coetus hominum ita visibilis et palpabilis ut est coetus populi Romani vel regnum Galliae aut respublica Venetorum;* ‚Disputationes de controversiis christianae fidei' I, c. II, Ingolstadt 1580.

schon besprochenen Defensive der Kirche gegenüber der Vereinnahmung durch die Macht des weltlichen Staates; hierhin gehört auch das
neue Pathos der ‚libertas ecclesiae‘. Blacks Ansicht, daß gerade in der
späteren Phase des Basler Konzils das „civic republican element" an
Einfluß gewonnen habe[253], wird dadurch relativiert. Die konziliaren
Theoretiker hatten zwar den Korporationsgedanken von Anfang an
zu einer tragenden Säule des konziliaren Systems gemacht, dabei aber
weltlichen Analogien unumgänglich so sehr Tür und Tor geöffnet,
daß man sich nun, fürstlicher- und päpstlicherseits quasi beim Wort
genommen, zu gleichzeitiger Distanzierung genötigt sah[254].

Während der von GIERKE begründete ältere Forschungszweig versucht hatte, den Konziliarismus in die Reihe der naturrechtlich
geprägten Staatstheorien einzubetten, ist heute nach OAKLEY eher das
Gegenteil anzunehmen: Außer bei Jean Quidort und Nikolaus von
Kues spielte naturrechtliches Denken im Konziliarismus keine oder
nur eine geringe Rolle[255]. Das wäre jedoch noch genauer zu prüfen.

Wie steht es mit der von FIGGIS aufgestellten These über die
Wirkungen des Konziliarismus auf die politische Theorie der Neuzeit? Man sollte zunächst nicht übersehen, daß Figgis und seine Nachfolger deutlich nicht das Basler, sondern das Konstanzer Konzil als
„last (!) effort of medieval constitutionalism" und sein Scheitern als
die „Wasserscheide zwischen mittelalterlicher und moderner Welt"
gesehen haben, bzw. um eine weitere oft zitierte Sentenz von LASKI zu
wiederholen: „The road from Constance (!) to 1688 is a direct one" –
ungeachtet einer monarchischen Zwischenphase[256]. Als wichtige Vermittler konstitutionellen Gedankenguts, wiederum vornehmlich
Konstanzer Herkunft, hat die Forschung, insbesondere OAKLEY,
den Schotten John Major (†1550) und den Franzosen Jacques Almain
(†1515) genannt. Beide waren wohl nicht ganz zufällig Mitglieder des

---

[253] BLACK, Council 11.
[254] S. oben 100 Anm. 91 unten.
[255] So OAKLEY, Natural Law 797–99, auch eigene frühere Ansichten revidierend. Vgl.
KÖLMEL, Von Ockham zu Gabriel Biel. S. aber Segovia, ‚De Sanctitate ecclesiae‘, Avisamentum 10; zit. KRÄMER, Konsens 344 Anm. 55: Widerstand gegen Konzilsdekrete
...contra ius naturae esse videtur; s. ebd. 473 s. v. ‚Naturrecht‘.
[256] Zitate: FIGGIS, Studies 33; LASKI, in: CMH VIII 638. – In diesem Zusammenhang
wäre die von POLLARD, MOUSNIER und anderen vertretene ‚New Monarchy‘-These einzu-
fügen: Dem Niedergang von Repräsentativgremien korrespondiert im 15. Jh. ein
Aufschwung des monarchischen Absolutismus. S. SLAVIN (Hg.), ‚New Monarchies‘ and
Representative Assemblies (Wiederabdruck von Aufsätzen).

auch hinsichtlich des Basler Konziliarismus traditionsreichen Navarra-Kollegs[257].

Die Basler Theoretiker sind mit der bezeichnenden Ausnahme des Nikolaus von Kues, so wie in der gesamten älteren Forschung auch in der Figgis-Schule fast ganz ausgefallen und erst von BLACK auf die betreffende ‚road‘ geholt worden. Folgt man den von OAKLEY vermittelten Beispielen, dann waren den älteren englischen Theoretikern zwar die Ereignisse und Praktiken des Basiliense, nicht aber seine charakteristischen Theoretiker bekannt[258] –, eine in der Wirkungsgeschichte des Konzils typische Konstellation. BLACK sah nun aber „Basel als Vorläufer der um zwei Jahrhunderte späteren Versammlungen von Westminster“ an, wo der Sieg des englischen Parlaments mit ideologischen Waffen errungen wurde, „die den in Basel gebrauchten … sehr ähnelten“[259], und stellte ferner erstaunliche Parallelen Segovias zu Locke und Rousseau fest[260]. OURLIAC hielt sogar für wahrscheinlich, daß auch Jean Bodin Segovia benutzt habe[261], – indes: Belege für eine unmittelbare Rezeption fehlen[262]. Häufiger treten in den klassischen englischen ‚Histories of Political Thought‘ die Namen Ockham, Gerson, d'Ailly, Nikolaus von Kues und auch Torquemada (!) auf[263].

[257] OAKLEY, On the Road 12–19 (Major); Almain and Major; Conciliarism in the Sixteenth Century: Jacques Almain again; BURNS, Conciliar Tradition 100–104; BÄUMER, Nachwirkungen 267 und 271 s.v.; MERZBACHER, Kirchen- und Staatsgewalt bei Jacques Almain; GANOCZY, Jean Major, exégète gallican.

[258] OAKLEY, On the Road 5, 7, 10.

[259] BLACK, Grundgedanken 311 f.

[260] BLACK, Monarchy 28 f.; Council of Basle and Second Vatican Council 230; Council 145 und 251 f. s.v. ‚Locke‘ und ‚Rousseau‘.

[261] OURLIAC, Souveraineté 31. Tatsächlich bezieht sich Bodin bezeichnenderweise in ‚De re publica libri VI‘, I, 8, für seine Souveränitätslehre nicht auf Eugen IV., sondern auf den Kanonisten Innozenz IV. Nach FRANKLIN, Jean Bodin 111–13, gibt es keine Anzeichen, daß Bodin die konziliaristische Literatur oder auch Torquemada kannte; dort sei vielmehr eine „anticipation“ von Gedanken – ohne unmittelbare Rezeption – erfolgt.

[262] So BLACK, Grundgedanken 311 und 327, selbst; ähnlich TIERNEY, Divided Sovereignty 253.

[263] Einige Stichproben der zahlreichen englischen Politikgeschichten: CARLYLE, History of Medieval Political Thought VI (1936), hier zu Nikolaus von Kues 136 f. 169-71, 215 f.; zu Torquemada 153, 167-69; SABINE, History of Political Theory (1913; ³1952), zum Konziliarismus, vor allem Nikolaus von Kues: 271–83; CHRIMES, English Constitutional Ideas (1936) – ohne Hinweise. Auch die einschlägigen Bücher zur englischen Verfassungs-Revolution im 17. Jahrhundert ergeben hinsichtlich der Wirkung des Konziliarismus Fehlanzeige. S. stattdessen OAKLEY, Jacobean Political Theory; sowie dessen oben (Anm. 237, 255, 257) genannte Arbeiten. Jüngere Studien zur politischen Theorie räumen dem Thema jedoch, dem besseren Forschungsstand entsprechend, breiteren

Bei der heterogenen Vielzahl der in der Forschung diskutierten Ver-
fassungstheoretiker (z. B. Richard Fortescue, Monarchomachen wie
Theodor Beza, Jean Bodin, John Ponet, George Buchanan im 16.
Jahrhundert, über William Prynne, George Lawson, William Hooker
zu Hobbes, Althusius, Grotius, Locke und schließlich Rousseau)
kommen genuin ‚Basler Theoretiker‘ – verläßt man sich auf eine kurze
Sichtung der Sekundärliteratur – nur sehr selten vor[264].

Selbst was die Rezeption Torquemadas (für die monarchische
Theorie) und Nikolaus von Kues‘ betrifft, ist die Forschung oft eher
geneigt, „Ähnlichkeiten“ für Analogien oder besser „Antizipationen“
von Gedanken zu halten, die entweder über jüngere Dritte wie Almain
und Major bzw. gemeinsame ältere kanonistische Wurzeln vermittelt
wurden, oder aber in verwandten verfassu: gspolitischen Aggregatzu-
ständen aus der unterschwelligen konstitutionalistischen Strömung
Europas neu kreiert wurden. Der Forschung bleibt für die Rezeption
noch reichlich Arbeit aufgegeben, doch seien Zweifel angemeldet, ob
sich an dem skizzierten Negativbefund außer interessanten Modifikationen Wesentliches ändern wird. Wirklich benutzt wurden in
jedem Fall die großen kanonistischen und ekklesiologischen Sum-

---

Raum ein; so vor allem SKINNER, Foundations of Modern Political Theory II, 36–47,
227 f., 321, und, um eine der raren deutschen Arbeiten zu nennen: FENSKE usw. (Hg.),
. Geschichte der politischen Ideen (1981) 190–200, zu Basel 191–94.
    [264] Spezialstudien zur Wirkung einzelner Theoretiker sind selten. Zu *Gerson:* RUEGER,
Gerson... and the Right of Resistance; OAKLEY, Figgis 375 f., und passim. Für die Gerson-
rezeption waren vor allem die Editionen (1606) und Schriften (1611 und ff.) des
Gallikaners EDMONDE RICHER wichtig; s. HKG V, 67–69. – Zu *Nikolaus von Kues* s. etwa:
SIGMUND, Fortleben; WATANABE, Political Ideas 193; MEUTHEN, Nikolaus von Kues und
das Konzil von Trient 700 f., sowie die in Anm. 263 genannten Werke. Einige Rezeptions-
beispiele: *William Prynne* beruft sich auf die Absetzung Eugens IV. durch das Basler Konzil, wenn er den Monarchen ‚singulis maior, universis minor‘ bezeichnet, aber er zitiert
keinen Theoretiker; s. OAKLEY, On the Road 5 und 8; BLACK, Council 196. Einen Zufall
der Rezeptionsgeschichte berichtet TIERNEY, Religion, Law 60: Ausgerechnet Alfonso
García de Santa Maria wurde in der englischen politischen Theorie (z. b. bei William
Prynne) rezipiert – nicht etwa Segovia. Als Vermittler fungierte offenbar hier und öfter
Enea Silvio [De gestis, ed. HAY-SMITH, 29–35]. – Frappierende, bisher nicht beachtete
Parallelen zwischen Basler Konzilsdiskussion und parlamentarischer Theorie und Praxis
am Vorabend und am Beginn der Französischen Revolution fallen auf bei Lektüre von
SCHMITT, Repraesentatio in toto. Die Literatur zu einzelnen englischen, französischen,
deutschen und spanischen Theoretikern müßte noch genauer gesichtet werden. Substantielle Hinweise bei: HOFMANN, Repräsentation 321–405; OAKLEY, On the Road 1–11;
Pierre d'Ailly 211–32; TIERNEY, Religion, Law 97–108 (zum Beispiel 97–102: Rezeption
von Gerson, d'Ailly und Nikolaus von Kues bei George Lawson).

men; dazu gehörten neben Butrio und Baldus allerdings auch Akteure der Reformkonzilien wie Zabarella, Tudeschi und Torquemada! Das im Spätmittelalter erarbeitete Arsenal verfassungstheoretischer Argumentationsfiguren ging im kirchlichen und, begrifflich säkularisiert, im weltlichen Verfassungsraum nicht mehr unter. So dürfen wir schließlich doch BLACK zustimmen: „Konziliarismus und Papalismus haben... vieles zur Formung der Grundelemente konstitutioneller, resp. absoluter Monarchie beigetragen ... In der Kontroverse zwischen dem Papst Eugen IV. und dem Konzil von Basel begann man die ideologischen Waffen des Absolutismus und des Konstitutionalismus zu schmieden"[265].

Als Vermächtnis des Konziliarismus an die Neuzeit dürfen wir, damit am Ende unserer Studien angelangt, zweierlei festhalten: Die Ekklesiologie als zentralen Bestandteil der Theologie und die konziliare Verfassungstheorie als Impulse für den konstitutionellen Parlamentarismus.

---

[265] BLACK, Grundgedanken 327 f.

VIII. BILANZ UND AUSBLICK

Eine weite Tour d'horizon schließt hier ihren Kreis. Das Basler Konzil begegnete auf diesem Wege in immer neuen Bezügen. Am Ende hat sich ein Spektrum kristallisiert, dessen Vielgestaltigkeit zu überraschen vermag. Das gilt zunächst für die Forschungsliteratur selbst. Sie kritisch zu sichten war das eher bescheidene Ausgangsziel dieser Arbeit gewesen. Wir dürfen jetzt als erstes Ergebnis festhalten: Die Forschung zum Basler Konzil ist breiter und nuancenreicher, als bisher allgemein bewußt war. So wurden einerseits viele kaum oder nicht bekannte Spezialstudien aus ihrer oft kryptischen Abgeschiedenheit herausgehoben und erstmals dem größeren Zusammenhang eingefügt. Andererseits wurden die übergreifenden Werke in ihrer spezifischen Bedeutung für die Geschichte des Basler Konzils gewichtet. Eine vorläufige Synthese konnte entstehen. Sie zeigt zugleich, in wie verschieden begrenzten Blickwinkeln man traditionell das Basiliense gesehen hat.

Die Geschichte bloß aus der Forschung zu rekonstruieren, wäre selbstverständlich ein ebenso paradoxes wie vermessenes Unterfangen. Und dennoch: Dem historischen Gegenstand gehört auch die Geschichte seiner Erforschung wesentlich an, so wie Nachruhm und Wirklichkeit eines vergangenen Lebens nie mehr streng und gänzlich zu trennen sind. Eben diese enge Verwobenheit war es, die unsere Studie fast zwangsläufig zwischen Forschungsbericht und historischer Darstellung changieren ließ. Forschungsbild und ,Geschichtsbild' verbanden sich im stetigen Austausch zu einer querschnittartigen Gesamtschau. Das Ganze aber wurde überhaupt nur in gleichsam kinematographischer Zerlegung faßbar, wie sie, zunächst durch die disparate Literatur vorgegeben, gerade dem Gegenstand ,Basler Konzil' angemessen erscheint. Wir hoffen, daß die Summe mehr geworden ist als kleinmeisterliche Addition.

Zeichnen wir kursorisch noch einmal die Hauptkonturen der Untersuchung nach und halten dabei einige der Ergebnisse fest, die einer Gesamtbeurteilung des Basiliense Anhaltspunkte geben könnten. Es bestand von Anfang an nicht die Absicht, das Basler Konzil im Stile der speziellen Konziliengeschichtsschreibung als Glied einer Kette der großen Konzile zu sehen, sondern es davon abgehoben in weiterem Rahmen als politisches und kulturelles Ereignis des 15. Jahrhunderts zu präsentieren. – Zunächst wurde versucht (Abschnitt II, S. 18-70), den Ort des Basler Konzils in der Geschichte der gesamtkirchlichen Verfassung und Verwaltung zu umreißen. Seine Bedeutung als organisierte Korporation und zur Dauer tendierende Großbehörde, die konstitutive Funktion von Redefreiheit und Konsens, die Ausbildung eines eigenen Gesandtschaftswesens und die damit verbundene Intensivierung der europäischen Diplomatie waren hier besonders zu würdigen. Wirtschaftliche Faktoren (Konzilsfinanzen, Florentiner Banken) traten am Rande ebenso hervor wie literarische Aspekte (,Echo' des Konzils). Mehrfach konnten Tendenzen freigelegt werden, die parallel oder zumindest phasenverschoben auch im weltlichen Bereich vordringen sollten. Innerhalb der Konziliengeschichte setzte Basel in macher Hinsicht (z. B. Teilnehmerspektrum, Stimmrecht) die äußersten Grenzen, die überhaupt je erreicht wurden.

Des weiteren wurde deutlich (Abschnitt III, S. 71-178), wie das Konzil als Versammlung des europäischen Klerus zugleich nahezu alle kirchlichen und zahlreiche weltliche Stände, Gruppen und Korporationen – von Bischöfen und Orden bis zu Universitäten, Fürsten und Städten – in irgendeiner Weise berührt hat, freilich mit beträchtlichen regionalen Unterschieden. Jede dieser Personen und Institutionen wurde von spezifischen Motiven, Traditionen und Konflikten bestimmt, die folgerichtig auf dem offenen Forum des Konzils zusammenkamen bzw. aneinander gerieten; einem Forum, das man sich dann ohne übermäßige Phantasie auch umgekehrt als „champ clos" (Ourliac) vorstellen mag. Das Basler Konzil bietet daher ein ausgezeichnetes Feld für eine Querschnittsanalyse der kirchlichen Gesellschaft im zweiten Viertel des 15. Jahrhunderts sowie für prosopographische Detailstudien aller Art. Es bildete ja selbst einen Knotenpunkt, in dem sich zahlreiche Personalnetze überschneiden mußten, die jeweils auch in die andere Richtung, sprich: ihre Herkunftsregionen, verfolgt werden können (II 8).

Ferner ging es darum, die politische Bedeutung des Konzils für die europäische Fürsten- und Staatenwelt zu beleuchten (Abschnitt IV, S. 179-326), eine Fragestellung, der auch Teile der älteren diplomatiegeschichtlich orientierten Forschung nachgegangen waren: Konzilspolitik erwies sich als untrennbarer Teil der Gesamtpolitik und ohne Kenntnis dieser als unverständlich. Mindestens bis 1443, für Frankreich und das Reich bis zu seinem Ende, stellte das Konzil einen nicht

zu unterschätzenden Faktor in der europäischen Politik dar. Die Vorzeichen und das Gewicht der Konzilspolitik lagen allerdings von Land
zu Land sehr unterschiedlich. Jenes schematische, vermeintlich alter-
nativlose Entweder-Oder zwischen ‚Papst‘ und ‚Konzil‘, wie es die
Nachwelt leicht auf die gesamte Geschichte des Basiliense zu projizie-
ren neigte, ist für die Jahre vor 1438 unrealistisch und zwar sowohl im
theologischen wie noch mehr im politischen Bereich.

In seinen Glanzjahren spielte das Basiliense die Rolle eines europäischen Gesandtenkongresses. Insgesamt ist seine völkerrechtliche und
diplomatiehistorische Wirkung wohl mehr als intensivierend denn als
innovativ zu bewerten. Bedeutsam erscheinen aber die Ansätze zu
einer zentralen Friedensinstanz qua Universalkonzil (IV 1). Doch
erwies sich diese Aufgabe unter den gegebenen Bedingungen als
Überforderung. – Die Rangstreitigkeiten der Fürsten spiegelten geradezu modellhaft die identitätsstiftende Kraft nationaler und dynasti-
scher Mythen für die Herausbildung der souveränen Einzelstaaten, die
sich als Ensemble auf dem Weg zum ‚Mächte-Europa‘ befanden.

Besondere Aufmerksamkeit richteten wir auf Motivation und
Taktik der fürstlichen Konzils-Politik einerseits, auf theoretische
oder ‚realpolitische‘ Reaktionen der Basler Synode andererseits.
Dabei rückte das bisher unterschätzte Thema der Laien – deren Spitze
eben die Fürsten bilden – in den Vordergrund (III 2 und IV 2). Die
kirchlicherseits dem Verhältnis zum Staat seit jeher immanente Forderung nach ‚libertas ecclesiae‘ erlebte in der Politik der Basler
zugleich ihre Peripetie. Als ‚Sieger‘ des Geschehens im kirchlichen
und weltlichen Bereich ging auf längere Sicht die Monarchie hervor –
im Papsttum und in den Fürsten. Das Ergebnis der universalen, Gehorsam heischenden Synode beförderte wie durch eine List der
Vernunft den partikularen, emanzipierten Fürstenstaat und zugleich
seine Herrschaft in der Kirche als Konstituens seiner Souveränität.
Die Kurie war dabei, sich dieser Entwicklung unter taktischem Verzicht auf ihren Universalanspruch anzupassen – als Konkordatspart-
ner der Fürstenstaaten.

Die Kirchenreform (Abschnitt V, S. 327-52) hat das Bild vom
Basler ‚Reformkonzil‘ wesentlich geprägt. In der Tat bündelten sich
auch in Basel wieder die spätmittelalterlichen Reformforderungen,
bot sich im Umfeld des Konzils die ganze Palette der kirchlichen ‚Mißstände‘ dar. Die eigentliche konziliare Reformarbeit vollzog sich aber
in weitgehend traditionellen Bahnen. Das wirklich Singuläre, die drast-
ische Beschneidung des päpstlichen Fiskalismus, blieb Episode.

Allerdings war die synodale Rezeption einzelner Reformdekrete – ein Indikator für die Wirkung des Konzils – breiter als bisher angenommen (V 3). Unser Versuch, das Basiliense in den großen geschichtlichen Zusammenhang von ,Vorreformation', Reformation und Gegenreformation einzuordnen (V 4) konnte sich nur als Einstieg in eine Zukunftsaufgabe verstehen: die umfassende Analyse der Kirche vor der Reformation.

Die Forschungslage zu theologischen Sonderproblemen des Basler Konzils kam hier wohl zum ersten Mal zusammenfassend zur Sprache (Abschnitt VI, S 353-407). Dabei wurde klar, daß der Reichtum der in Basel betriebenen Theologie sich in der Ekklesiologie, der berechtigterweise das Hauptinteresse der jüngeren Forschung gilt, keineswegs erschöpfte. Eucharistielehre (Hussiten), Christologie (Favaroni), Mariologie (Immaculata Conceptio), das Problem der Dogmenbildung und die Fundamentalfrage nach dem Verhältnis von Schriftprimat und Lehramt bildeten ebenfalls wichtige Themen – und dazu zukunftsträchtige. Ekklesiologisch angetönt waren freilich auch sie.

Zweimal verkündete das Konzil ein Dogma und entschied damit, sich als unfehlbare Lehrinstanz beweisend, zweimal die Fundamentalfrage. Das Religionsgespräch mit den Hussiten, das mit der ersten Anerkennung einer ,Konfession' in der Geschichte des Christentums endete, erscheint vor diesem Hintergrund nur noch einzigartiger.

Als schöpferischste und dauerhafteste Leistung des Basiliense, der es seinen derzeitigen Rang in der Forschung nicht unwesentlich verdankt, ist zweifellos die Ekklesiologie anzusehen (VII. Abschnitt, S. 408-491). Die Superioritätsfrage bildet lediglich eine ihrer Keimzellen. Stark biblisch und christologisch fundiert, in der Auseinandersetzung mit Hussitismus und Papalismus geschärft, wurde die katholische Ekklesiologie (,De ecclesia') in Basel eigentlich geboren. Wir konnten freilich nicht viel mehr versuchen, als ein Spektrum aktueller Fragestellungen und eine Revue der Basler Theoretiker zu präsentieren (VII 1). Selbstverständlich gehörten die nicht zuletzt wegen ihrer verfassungsgeschichtlichen Relevanz besser erforschten Kernbegriffe wie ,Konsens' und ,Repräsentation' zu den Hauptthemen; aber auch weniger beachtete Probleme wie die ockhamsche Rest-Lehre, die konziliare Unfehlbarkeit oder die Beziehung von kirchentheoretischer Position und philosophischer Via kamen zur Sprache. Theologisch gescheitert ist das Konzil nicht zuletzt am ungelösten Problem der Repräsentation der Gesamtkirche, da die von den Baslern für sich bis zum Ende reklamierte Identitätsrepräsentation (Konzil = Kirche) nicht mehr akzeptiert wurde. Die ebenso alte wie leidige Diskussion um das Konstanzer Dekret ‚Haec Sancta‘ und seine ‚dogmatische Verbindlichkeit‘ sollte mit der Untersuchung der Rezeption des Dekrets in Basel auf eine breitere Grundlage gestellt werden (VII 2): Die Mehrheit der Basler Konzilsväter verstand ‚Haec Sancta‘ zwar von Anfang an als ‚veritas fidei‘ und Magna Charta ihrer Synode – hielt dann aber doch, wegen vieler auch in Basel weiterschwelender Unsicherheiten, die ausdrückliche Dogmatisierung in Gestalt der ‚Tres veritates‘ von 1439 für notwendig.

Ein Überblick über das vielfältige Weiterleben konziliar-konstitutioneller Verfassungsideen, namentlich in der politischen Theorie Westeuropas, beschloß die Studie mit einem eher skeptischen ‚non liquet‘ hinsichtlich einer Rezeption von genuin Basler Theoretikern (VII 3c). Statt von gegenseitiger Beeinflussung, scheint es vorläufig angemessener, von Parallelität oder Analogie kirchlicher und weltlicher Verfassungsproblematik zu sprechen.

Daß das Thema ‚Basler Konzil‘ noch mit vielen Desideraten durchsetzt ist, darf seinerseits als ein Ergebnis gelten, wenn auch nicht als überraschendes. Aber auch die Lücke gehört zum Bild. Unsere Versuche, einige dieser Leerstellen auszufüllen (etwa in den Kapiteln über die Laien, die Humanisten, die Politik der italienischen Staaten, das Dekret ‚Haec Sancta‘) tragen freilich noch skizzenhaften Charakter. Für viele Fragen mußten knappere Worte genügen und Schlaglichter tieferes Eindringen ersetzen. Doch hoffen wir, wenigstens einige neue Ausgangspunkte für eine künftige Geschichte des Basler Konzils zu geben. Daß diese Geschichte auf ungleich intensiverer Erschließung der vielfach unedierten Quellen fußen muß, versteht sich von selbst.

Am Schluß stehe die grundsätzliche Frage nach der historischen Bedeutung: In der Epochendiskussion Mittelalter – Neuzeit spielte das Basler Konzil zunächst eine nur periphere Rolle. JOSEF ENGEL war es, der pointiert das Ende der Synode zu einem wesentlichen Kriterium der von ihm postulierten Epochenzäsur um 1450 erhob[1]: Im Basler Konzil manifestierte sich zum letzten Mal der universale Anspruch, alle wesentlichen Fragen der Zeit zu lösen. Seine Niederlage markierte erstens sinnfällig jenen entscheidenden Prozeß einer „Umwandlung der spätmittelalterlichen respublica christiana zu dem

---

[1] ENGEL, in: Handbuch der europäischen Geschichte III 28–37, 269 f.

Mächte-Europa der Neuzeit" partikularer Staaten. Zweitens habe das „endgültige Scheitern der Gesamtreform" die analoge „Parzellierung innerhalb der Christenheit" irreversibel gemacht, so daß – bereits unter dominierendem Einfluß weltlicher Gewalten – nur mehr Teilreformen möglich waren, zu denen Engel auch die deutsche Reformation zählt. Man kann hier weiter gehen und fragen, ob das Scheitern des Konzils auch psychologische Folgen gehabt hat, die sich entweder in kollektiver Enttäuschung, in einem neuen Quietismus, bis hin zur Überzeugung von der Ineffizienz korporativer Gremien, äußerten, also in Stimmungen, die der Erstarkung der Monarchie latent oder offen förderlich waren, oder aber ob das Konzil eine Stärkung des ständisch-korporativen Bewußtseins bewirkte. Engels Ansatz bleibt jedenfalls insofern traditionell, als die Staaten-Entwicklung den alles entscheidenden Maßstab seiner Epochendeutungen bildet. Die Epochendiskussion ist hier nicht neu zu führen, auch wenn wir den prinzipiellen Einwänden gegen ihre Willkürlichkeit keineswegs zustimmen. Daher seien nur kurz einige Kriterien aufgereiht, die eine Epochenmarkierung um 1450 nahelegen und als solche auch öfter in der Forschung genannt wurden: Im politischen Bereich der Fall Konstantinopels, mit dem bereits Cellarius die ‚media aetas' enden ließ; das Ende des Hundertjährigen Krieges mit den konträren Konsequenzen für England und Frankreich; der Friede von Lodi (1454) als Zeichen der Konsolidierung der italienischen Staatenwelt. Im Reich der fünfziger Jahre verebbte die erste Welle der Reichsreform. Mit der Legation des Nikolaus von Kues (1451/52) begann der langsame Wiedereinzug des Papsttums in Deutschland – ohne je wieder die Unangefochtenheit der Jahrhunderte vor dem Schisma zu erreichen. Das Geistesleben überhaupt wandelte sich mit der Entdeckung des Buchdrucks in eben dieser Zeit gründlich und rasant.

Dies sind segmentartige Einzelphänomene – wie alle rückwirkend präparierten Epochenkriterien. In anderen Bereichen, zum Beispiel in Wirtschaft und Gesellschaft finden sie keine Entsprechung. Und auch vom rein dynastischen Blickwinkel aus gesehen begann erst mit dem Untergang des burgundischen Staates und dem Aufstieg Habsburgs eine neue, zäsursetzende Dynamik – also Ende der siebziger Jahre und nicht um 1450. So bleibt das Ende des Basler Konzils selbst der wohl symbolträchtigste Einschnitt, auch wenn die europäische Bedeutung der Rumpfsynode zu diesem Zeitpunkt längst geschwunden war. Die Auflösung würde im Sinne Engels nichts geringeres anzeigen, als das Ende des mittelalterlichen Universalismus. Skepsis bleibt geboten, zumal die Diagnose des neuzeitlichen Partikularismus seit Novalis allzu oft die Mythisierung der ‚mittelalterlichen Einheit' nach sich zog. Im traditionellen Epochenschema entsteht also unweigerlich eine Zwischenepoche 1450–1517. Sie wird oft global, wenig reflektiert und latent teleologisch mit dem Begriff ‚Vorreformation' signiert. Diese Epoche neu zu bewerten, wird Aufgabe der Zukunft sein.

Das Bild vom Basler Konzil aber bleibt janusköpfig. Mit den Zügen vielfältiger Integration kontrastieren die einer geradezu wesenhaften Dichotomie. Das Konstanzer Konzil hatte mit der Beendigung des Schismas, der die sukzessive Eingliederung der europäischen Nationen in die Synode vorausgegangen war, eine große Integrationsleistung vollbracht. Das Basler Konzil beschwor ebenso unbestreitbar ein neues Schisma und damit einen überwunden geglaubten krisenhaften Zustand herauf. Dies blieb die bekannteste Tatsache seiner langen Geschichte. Das Schisma des Jahres 1439, die Kreation eines eigenen Papstes als letzte Konsequenz der 1437 erfolgten Spaltung in zwei Konzilien, erscheint als spektakulärer Gipfel unter anderen konzilsimmanenten Dichotomien: Man bedenke die räumliche Trennung von Papst und Konzil seit dessen Beginn, die – unter anderem – deshalb entstandenen konziliaren Konkurrenzbehörden in Basel, sowie die zunächst latente, dann offen aufbrechende ideologische Polarisierung. Aber erst 1439 wurde das Konzil vollständig zum Gesinnungsverein. Die geschichtliche Wirklichkeit stand hier im Widerstreit zur Idee. Denn das theologische Selbstverständnis des Konzils war bekanntlich von den Idealen der ‚unio' des ‚consensus' und der ‚unanimitas' durchdrungen. Ein wahrhaft tragischer Widerspruch. Er gehört zum Wesen dieses Konzils. Seine ungewöhnlich lange Dauer vermochte ihn nicht zu kompensieren. Die behördlichen Anforderungen und der Wille zur Selbstbehauptung potenzierten sich zu einem Zwang zur Fortexistenz, der eigentlich Ausdruck des Scheiterns ist. Eine nur für spätere Betrachter zum Greifen nahe liegende verfassungsgemäße Konstitution und damit fundamentale Umfunktionierung des klassischen Generalkonzils zum ‚Immerwährenden Kirchentag' wurde in Basel gerade nicht vollzogen.

Dichotomie – das ist die eine, bekanntere Seite. Unsere Studien haben jedoch eher das Gegengesicht schärfer gezeichnet: Die Universalität des Konzils, zunächst nur Hypothese der Einleitung, hat sich, wie wir meinen, in ungeahnter Weise bestätigt. Universalität impliziert Integration, ein Begriff, der sich gerade für die Analyse eines

Konzils als geeignetes Instrument erweist. Das kann nicht verwundern, da ein ‚concilium generale‘, noch dazu eines, das wie das Basler explizit die umfassende ‚repraesentatio‘ aller Gläubigen zu sein beanspruchte, per definitionem ‚integrativ‘ wirken mußte, – vorausgesetzt, sein Anspruch wurde in der Christenheit akzeptiert. Und Basel wurde wenigstens für einige Jahre allgemein akzeptiert, auch vom Papst, ja in seinen universalen Arbeitszielen hoffnungsvoll begrüßt. – Wenn auf dem Konzil die Kirche als ‚congregatio fidelium‘ im Hl. Geist zusammenkommt, so ist dies an sich schon ein Akt der Integration. Sämtliche Ziele (‚intentiones‘) des Konzils, ‚fides‘, ‚pax‘ und ‚reformatio‘ zielten in eigener Weise auf Integration. In der Hussitenfrage, in einigen Friedensmissionen und Reformen gelangen auch entsprechende Erfolge. Die Konsenstheologie, wenngleich von der Wirklichkeit überwältigt, spricht ohnehin für sich. Die durch das Basiliense in Gang gesetzten theologischen Klärungsprozesse sind trotz konträrer Zuspitzungen in der Kirchentheorie im Allgemeingut der Kirche aufgehoben.

Bedeutendere formale Integrationen bewirkten indessen weniger die eigentlichen Ziele, Theorien und Handlungen des Konzils als vielmehr seine äußerlichen Sekundärfunktionen, sozusagen seine bloße Existenz: als Kongreß der europäischen Politik und Forum der öffentlichen Meinung, als Knotenpunkt von Personenbeziehungen, als Prozeßinstanz, kurz – als politisch und geistig intensivierendes Zentrum.

Betrachten wir Basel um noch eine Stufe formaler und allgemeiner: Die Aufdeckung der historischen Multivalenz des Konzils dürfte vielleicht eines der wesentlichsten Ergebnisse der Arbeit sein. Der Gefahr, im Banne Basels gleichsam ‚Helenen in jedem Weibe‘ zu sehen, waren wir uns ebenso bewußt wie der Tatsache, daß ohne eine leitende Präformierung viele Bezüge schlechthin verborgen geblieben wären. So aber erscheint das Basler Konzil wie ein Fokus seines Jahrhunderts. In ihm kommen komprimiert oder peripher fast alle Wesenselemente und Konflikte der Zeit in irgendeiner Weise zur Erscheinung. Es dürfte sich nur schwer ein Ereignis des Spätmittelalters finden lassen, in dem – übrigens ganz nach ‚mittelalterlicher‘ Weise – noch einmal alle Lebensbereiche tatsächlich zusammenwirkten. Den Historiker reizt es zu beobachten, wie sich hier, im ‚universale concilium‘, der Universalismus zwiefach ausprägt: Einmal im Selbstverständnis und Handeln des Konzils, das sich geradezu als Supra-Universalmacht über Papst und Kaiser stilisierte, zum anderen aber in seiner Wirklichkeit als universales Spiegelbild seiner Zeit. Das Basiliense erhält dabei, in unserer Darstellung zunächst ungewollt, die Funktion eines geschichtlichen Modells. Sicherlich könnten auch andere kollektive Ereignisse, ein anderes Universalkonzil, ein Reichstag, ebenso aber, gleichsam mikrokosmisch, eine Stadt oder eine Person von der Geschichtsschreibung zum zeitspiegelnden Modell erhoben werden. Das Basler Konzil eignet sich dazu jedoch in ganz besonderem Maße.

Die Synthesis einer ‚histoire totale' im vollen Sinn des Wortes ist hybrid. Auch die größtmögliche Totalität der Historia könnte nicht die Totalität der Geschichte selbst, das heißt ihre Wahrheit, umfassen. Sie erhebt auch nicht diesen Anspruch, bleibt Annäherung, so weit sich der Fächer ihrer Methoden auch breitet; eine Annäherung, die zugleich die Vergangenheit erkennend und strukturierend zu ‚übertreffen' vermag. Einer so verstandenen „Gesamtgeschichte" (Lutz)[2] bietet sich das Basler Konzil als exemplarischer und faszinierender Gegenstand dar.

---

[2] Im Sinne von Lutz, Kulturgeschichte und ‚Gesamtgeschichte' (1981).

NACHTRÄGE*

Seite 8 Anm. 11: Ebensowenig untersucht ist Bd. XVI (1747) der 18-bändigen 'Histoire del'Eglisegallicane'vonLONGUEVAL-BRUMOY-FONTENAY–Guillaume-FrançoisBERTHIER, Paris 1730-49, der dem Basler Konzil gewidmet ist. Eine Geschichte des Gallikanismus unter Einschluß seiner Rezeption des Basiliense ist noch zu schreiben. Vgl. LThK IV, 499-503; HKG V, 68-80 (Lit.); SCHNEIDER, Konziliarismus 56-62, 89-103. Beispiele bei BLACK, Council 212-14. – Die katholisch ultramontane Gegenposition des 19. Jahrhunderts, vor dem durch VALOIS bewirkten Sprung nach vorn in der Quellenerschließung, wird durch die gleichfalls vergessene 'Histoire de l'Eglise catholique en France', Bd. XIII (1866), des Mgr. JAGER (Kirchenhistoriker an der Sorbonne) repräsentiert; ebd. über Basel: 320-482.

Seite 11 Anm. 20: Zuletzt SIEBEN, Robert Bellarmin und die Zahl der ökumenischen Konzilien (1986).

Seite 12 f. Anm. 27: Zu ergänzen sind das Werk des evangelischen Göttinger Professors GIESELER, Lehrbuch der Kirchengeschichte II 4 (1835) 52-107; JUNGMANN, Dissertationes selectae VI (1886) 345-75 (dogmatischer Abriß des Löwener Theologen); Karl MÜLLER, Kirchengeschichte II (1902) 93-106, 115-17; HAUCK, Kirchengeschichte Deutschlands V, 1112-36; FLICK, Decline II 139-206; SCHNÜRER, Kirche und Kultur III, 288-306; PEUCKERT, Die Grosse Wende 501-07, 739 s.v.; HASSINGER, Europa 1-11 (Epochenüberblick). Aus jüngster Zeit: HOLMES, Europe 1320-1450 (1975) 190-95, 309 f.; CHELINI, L'Eglise aux temps des schismes 1294-1449 (1982) 77-83 (recht dünn); MORAW, Propyläen Geschichte Deutschlands III (1985) 368-72; RIEMECK, Glaube-Dogma-Macht. Geschichte der Konzilien (1985) 226-45 (anthroposophisch, ohne neue Ergebnisse); Encyklopedia Katolicka II (Lublin 1985) 129-32.

Seite 14 Anm. 33: Bei CHMEL 6 (1851) Verzeichnung der reichen Quellensammlung zum Basler Konzil aus dem Nachlaß des Constantiense-Forschers HERMANN VON DER HARDT (1660-1746); STUTTGART, Württemberg. Landesbibl., Ms. theol. et phil., f. 76.

Seite 30 Anm. 43: RUFFINI, Ragione dei piu (ND älterer Aufsätze); AIMONE-BRAIDA, Principio maggioritario nel pensiero dei glossatori (1985). Zum Prinzip der 'sanior pars' s. LUPPI, Secolarizzazioni del principio sanioritario (1979). Vgl. auch GAUDEMET, Unanimité.

Seite 50 Anm. 121: Zur Entstehung des Begriffs der 'deutschen Nation' jetzt THOMAS, Die Deutsche Nation und Luther (1985) 433 f.; ebd. 429-34 wichtige Differenzierung von umfassender (Konzils-)natio und partikularer (Sprach-)natio.

* In den Anmerkungen durch * angekündigt. Die neuen Titel sind in der Bibliographie mitenthalten.

Seite 58 Anm. 149: Nachdrücklich aufmerksam zu machen ist auf die Biographie des Kuriendiplomaten Bischof Angelo Geraldini (1422-86) von J. PETERSOHN (1985), die zahlreiche neue Erkenntnisse zur Diplomatiegeschichte des 15. Jh. ermöglicht.

Seite 61 Anm. 164: Zur modernen prosopographischen Methode s. den instruktiven Sammelband: N. BULST, J. Ph. GENET (Hgg.), Medieval Lives and the Historian. Studies in Medieval Prosopography, Kalamazoo 1986.

Seite 68: S. jetzt MATTHIESSEN, Ulrich Richenthals Chronik des Konstanzer Konzils; (1985; ersch. 1986).

Seite 69 Anm. 182: Der nur begrenzt überzeugende Versuch einer "Deutschen Literatur im europäischen Kontext" von BURGER, Renaissance, Humanismus, Reformation (1969), wählt ein Kapitel "Epoche der Konzile in Basel und Ferrara" (75-118) als verbindendes Element für die Literatur. Von den "Basler Konziliaren" kommen nur Nikolaus von Kues und Enea Silvio Piccolomini zur Sprache.

Seite 94 Anm. 75: Zu ergänzen PASCOE, Law and Evangelical Liberty in the Thought of Jean Gerson (1985) 358-60.

Seite 116 Anm. 142: Zu *Cesarini* nachzutragen VOIGT, Enea Silvio 49-51, 212-17, 222-24; RUSSO, Cesarini (1972; Kompilation); sowie zwei Aufsätze von CHRISTIANSON: Cardinal Cesarini and Cusa's Concordantia (1985); Wyclif's Ghost (1985; ersch. 1986).

Seite 118 Anm. 152: Zum Konzilsaufenthalt *Capranicas* s. auch MORPURGO-CASTELNUOVO 25-47. Der Kardinal legte zum Basler Konzil ein privates Kopialbuch an; HALLER CB IV 4f.; ANTONOVICS, Library of Capranica 154 Anm. 90.

Seite 119 Anm. 157: Zu *Branda* neu: FOFFANO, Un carteggio del Cardinale Branda Castiglioni con Cosimo de'Medici (1984), zu humanistischen Beziehungen Brandas.

Seite 124 Anm. 178: Zu *Döring* zu ergänzen WOLF, Quellenkunde 106 f.; HOFER, Capistran I, 188 f., 272; A. B. EMDEN, A Biographical Register of the University of Oxford I, Oxford 1957, 581 f.; LThK 7, 180 f.

Seite 132 Anm. 218: Um die Relationen richtig zu sehen, ist allerdings die Masse päpstlicher Mendikantenprivilegien im Auge zu halten, z. B. im BULLARIUM FRANCISCANUM N. S I. (1929) 1-527 allein 1046 Privilegien Eugens IV.! Nachzutragen: NEIDIGER, Die Martinianischen Konstitutionen (1984).

Seite 136 Anm. 229: Zu Gerson zu ergänzen PASCOE, Law and Evangelical Liberty (1985).

Seite 137 Anm. 231: WATANABE, The Lawyer in an Age of confusion; R. J. WERNER, Art. 'Noblesse de robe', in: HRG III, 1019-23; J. VERGER, Art. 'Doctor', in: LexMa III, 6. Lief., 1155 f.; BAUMGÄRTNER, De privilegiis doctorum. Über Gelehrtenstand und Doktorwürde im späten Mittelalter (1986).

Seite 150 Anm. 286: GABRIEL, 'Via antiqua' 446-50; ca. 1405-37 Verschwinden des Nominalismus in Paris.

Seite 166 Anm. 360: Der Legat Angelo Geraldini sah in einer Denkschrift zum Konzils-versuch Jamometićs (1483 VII 18) die Stadt Basel als gefährliche *conciliorum alumpna*; zit. PETERSOHN, Geraldini (1985) 221.

Seite 166 Anm. 361: Zu spät bekannt wurde mir die Laurea von D. BOTTONI, Umanisti e prelati lombardi tra i concili di Costanza e di Basilea (1958/59). S. demnächst HELMRATH, Die italienischen Humanisten und das Basler Konzil (1987).

Seite 174 Anm. 388: Auch die älteste Handschrift der berühmten Vinland-Karte ist sehr wahrscheinlich in Basel während des Konzils entstanden; SKELTON, Vinland Map 16, 178, 230.

Seite 175 Anm. 392a: S. etwa WATANABE, Gregor Heimburg and Early Humanism (1976).

Seite 182 Anm. 8: S. jetzt auch den Sammelband: Krieg und Frieden im Horizont des Renaissance-Humanismus, Hg. F. J. WORSTBROCK (1986). – Das Friedensthema im Denken des Cusanus müssen wir hier ausklammern.

Seite 199 Anm. 65: Vgl. R. Van UYTVEN, in: Tijdschrift voor Geschiedenis 98 (1985) 89; die Fürsten lasen vermutlich selbst keine Traktate.

Seite 226 Anm. 163: Neu über Henry Beaufort: HART, The Rich Cardinal (1986) 93-120 zur Kirchenpolitik, 101-09 zur Konzilspolitik.

Seite 231: Über Schottland ergänzend jetzt der von R. B. DOBSON hrsg. Sammelband: The Church, Politics and Patronage in the Fifteenth Century (Gloucester-New York 1984), mit den Beiträgen von D. E. R. WATT, The Papacy and Scotland in the Fifteenth Century (115-32), und J. A. WATT, The Papacy and Ireland (133-45).

Seite 233 Anm. 199: Zur kirchlichen Geschichte Savoyens im 15. Jh. jetzt: R. BRONDY usw., La Savoie de l'an mil à la Reforme (Histoire de Savoie 2) (1984) 374-402; zu Felix V. 309-11, 449 s.v. Vgl. bereits FIALA, Hemmerlin 363-487.

Seite 253 Anm. 280: S. jetzt B. SCHIMMELPFENNIG, Der Papst als Territorialherr im 15. Jahrhundert, in: Europa 1500, hg. von F. SEIBT/W. EBERHARD (Stuttgart 1987) 84-95.

Seite 265 Anm. 333: Die bei VALOIS II 260 Anm. 7, ohne Daten genannte Arbeit von S. F. FABISZ, Quidnam Poloni gesserint adversus schisma occidentale synodosque Constan-tiensem et Basiliensem, ist bibliographisch nicht nachweisbar. Zu ergänzen: Storia del Cristianesimo in Polonia, a cura di J. KLOCZOWSKI, Rom 1980, zur Konzilszeit 135-50.

Seite 269 Anm. 351: Vgl. jetzt BURLEIGH, Prussian Society (1984), mit Lit.-*Anm. 347:* MASCHKE, Heimburg 269-72.

Seite 281 Anm. 405: Die 'Reformatio Friderici' jetzt in Auszügen ediert und übersetzt in: Quellen zur Verfassungsgeschichte, ed. L. WEINRICH (1985) 491-97.

Seite 307 Anm. 505: Vgl. jüngst KRAMML, Kaiser Friedrich III. und die Reichsstadt Konstanz (1985).

Seite 311: Zum Nürnberger Reichstag 1444 s. jetzt J. VENNEBUSCH, Bartholomäus von Maastricht gegen Eugen IV. Stellungnahmen eines Konziliaristen (1985; ersch. 1986).

Seite 330 Anm. 10: Über den Zustand der Kirche vor der Reformation jetzt methodisch avanciert und weiterführend die Trienter Aufsatzsammlung: P. PRODI – P. JOHANEK (Hgg.), Strutture ecclesiastiche in Italia e in Germania prima della riforma, Bologna 1984.

Seite 331 Anm. 11: Die jüngste Auseinandersetzung mit Moellers These bei G. ZIMMERMANN, Spätmittelalterliche Frömmigkeit in Deutschland (1986). – Vgl. HAMM (1977).

Seite 354 Anm. 6: Vgl. PRINZ, Mediävistische Probleme im deutsch-tschechischen Dialog 261-65.

Seite 355 Anm. 9: Zum Hussitismus zu ergänzen: KEJŘ, Husité (1984); dazu der Forschungsbericht von E. WERNER, Hussiten (1985); F. ŠMAHEL, La révolution hussite, une anomalie historique, Paris 1985, war mir noch nicht zugänglich. Zuletzt: BARTOŠ, The Hussite Revolution (1986); HOLETON, Communion of Infants (1984).

Seite 359 Anm. 22: Zu Cesarinis Begrüßungs-Reden s. jetzt CHRISTIANSON, Wyclifs Ghost (1985; ersch. 1986).

Seite 362 Anm. 35: LADNER, Heymericus (1986), mit Edition der 'Epistula de communione sub utraque specie' (304-08) des Heymericus, nach der Hs. FRANKFURT/M., Stadt- und Univ. bibl., Mss. Praed. f. 119^r-121^v.

Seite 366 Anm. 49: Zu *Johann von Ragusa* ist nachzutragen: MOLNÁR, La pensée hussite dans l'interpretation de Jean de Raguse (1983); ders., Na rozhrvani veku (1985) 113-40, 404-07, und TUILIER, Dubročanin Ivan Stojković i Parisko sceučilište (1984), über Ragusas Jahre an der Universität Paris (1417-22).

Seite 405 Anm. 194: Vgl. jüngst H. MARTIN, Les prédications déviants (1985) 262.

Seite 409 Anm. 2: S. auch die regelmäßigen Rezensionen von Y. CONGAR in RSPhTh, etwa: 60 (1976) 695-97; 64 (1980) 598-600; BACHT, Konzilarismus (1979). – Größere Gesamtdarstellung der Konzilsidee im Großen Schisma bis zum Pisanum von A. LANDI, Il Papa Deposto, Pisa 1409 (1985), mit Literatur, jedoch ohne wesentliche Weiterführung der Forschung.

Seite 447 Anm. 119: Zu *Bartholomäus von Maastricht* jetzt der Aufsatz von J. VENNEBUSCH, Bartholomäus von Maastricht gegen Eugen IV. (1985; ersch. 1986).

Seite 460 Anm. 160: Zuletzt IZBICKI, Papalist Reaction to the Council of Constance (1986), ein Überblick über die 'Haec-Sancta'-Kontroverse seit Torquemada.

Seite 481 Anm. 231: Zu *Jamometić* s. jüngst die prosopographische Zusammenstellung von PETERSOHN, Zum Personalakt eines Kirchenrebellen (1986), mit entlegener Literatur.

SIGLEN

AC   =   Acta Cusana. Quellen zur Lebensgeschichte des Nikolaus von
                   Kues. Im Auftrag der Heidelberger Akademie der Wissen-
                   schaften hg. von Erich MEUTHEN und Hermann HALLAUER,
                   Band I, Lieferung 1-2 (1401 bis 1450 Dezember 31), Hamburg
                   1976-83.

ADB   =   Allgemeine deutsche Biographie, hg. durch die historische
                   Kommission bei der Königl. Akademie der Wissenschaften,
                   Band 1-56, Leipzig 1875-1912 (ND Berlin 1972).

AFH   =   Archivum Franciscanum Historicum

AFP   =   Archivum Fratrum Praedicatorum

AHC   =   Annuarium Historiae Conciliorum

AHDL   =   Archives d'histoire doctrinale et littéraire du moyen âge

AHR   =   American Historical Review

AHP   =   Archivum Historiae Pontificiae

AHVN   =   Annalen des Historischen Vereins für den Niederrhein

AKG   =   Archiv für Kulturgeschichte

AKKR   =   Archiv für Katholisches Kirchenrecht

AÖG   =   Archiv für Österreichische Geschichte

ARG   =   Archiv für Reformationsgeschichte

ASI   =   Archivio storico italiano

ASRSP   =   Archivio della (Reale) Società Romana di storia patria

AUF   =   Archiv für Urkundenforschung

BDLG   =   Blätter für deutsche Landesgeschichte

BECh   =   Bibliothèque de l'Ecole des Chartes

BGPhThM   =   Beiträge zur Geschichte der Philosophie und Theologie des
                   Mittelalters, Münster

BZGA	=	Basler Zeitschrift für Geschichte und Altertumskunde
CB	=	Concilium Basiliense. Studien und Quellen zur Geschichte des Concils von Basel, hg. mit Unterstützung der Historischen und Antiquarischen Gesellschaft von Basel, I-VIII, Basel 1896-1936 (ND Nendeln 1971).
ChH	=	Church History
CF	=	Concilium Florentinum. Documenta et Scriptores. Editum consilio et impensis Pontificii Instituti Orientalium Studiorum, Series A: I-XI; Series B: I-IX, Rom 1940-77.
CMH	=	The Cambridge Medieval History, VIII: The Close of the Middle Ages, Cambridge 1936.
COD	=	Conciliorum Oecumenicorum Decreta. Edidit Istituto per le Scienze Religiose Bologna, Bologna ³1973.
DA	=	Deutsches Archiv für Erforschung des Mittelalters
DBI	=	Dizionario biografico degli Italiani, 1 ff., Rom 1960 ff.
DDC	=	Dictionnaire du Droit Canonique, Hg. R. Naz, I ff., Rom 1960 ff.
DHEE	=	Diccionario de Historia Eclesiástica de España, dir. por Q. A. Vaquero, T. M. Martinez, J. V. Gatell, I-IV, Madrid 1972-1975.
DHGE	=	Dictionnaire d'histoire et de géographie ecclésiastiques, Hg. A. Baudrillart usw., 1 ff., Paris 1909 ff.
DLO	=	E. Delaruelle, E. R. Labande, P. Ourliac, L'Église au temps du Grand Schisme et de la crise conciliaire 1378-1449 (= Histoire de l'Église depuis les origines jusqu'à nos jours, fondée par A. Fliche et V. Martin 14) [Paris] 1962/64.
DThC	=	Dictionnaire de théologie catholique, Hg. A. Vacant et E. Mangenot, fortges. von E. Amann, I ff., Paris 1930 ff.
DW	=	Dahlmann-Waitz. Quellenkunde der deutschen Geschichte. Bibliographie der Quellen und der Literatur zur deutschen Geschichte, hg. von H. Heimpel und H. Geuss, 10. Aufl., I ff., Stuttgart 1969 ff.
EHR	=	English Historical Review
FRA	=	Fontes rerum austriacarum. Österreichische Geschichtsquellen, hg. von der Historischen Kommission der Österreichi-

schen (früher: Kaiserlichen) Akademie der Wissenschaften in
Wien, Abt. 1-3, Wien 1849 ff. (ND Graz 1964 ff.).

FZThPh   =   Freiburger Zeitschrift für Theologie und Philosophie

GWU   =   Geschichte in Wissenschaft und Unterricht

HJb   =   Historisches Jahrbuch der Görres-Gesellschaft

HKG/
Handbuch   =   Handbuch der Kirchengeschichte, Hg. Hubert JEDIN, I-VII,
                       Freiburg usw. 1962-79 (ND als Taschenbuch 1985).

HRG   =   Handwörterbuch zur deutschen Rechtsgeschichte, hg. von A.
                       ERLER und E. KAUFMANN, I-(III), Berlin 1971-(84).

HZ   =   Historische Zeitschrift

JEcH   =   The Journal of Ecclesiastical History

JHI   =   Journal of the History of Ideas

JMH   =   Journal of Medieval History

LexMa   =   Lexikon des Mittelalters, I-(III), München-Zürich 1980-(86).

LThK²   =   Lexikon für Theologie und Kirche, 2. völlig neubearbeitete
                       Auflage, hg. von J. HÖFER und K. RAHNER, I-X, Freiburg 1957-
                       65.

Mansi   =   Joannes Dominicus MANSI, Sacrorum conciliorum nova et
                       amplissima collectio, I-XXXI, Florenz-Venedig 1759-98; 2.
                       Aufl. und Forts. ab Bd. XXXVIA hg. von J. B. MARTIN und L.
                       PETIT, Paris-Leipzig 1901-27 (ND Graz 1960-61).

MC   =   Monumenta Conciliorum Generalium seculi decimi quinti,
                       ed. Caesareae Academiae Scientiarum socii delegati, I-II,
                       Wien 1857-73; Tomus ... a sodalitate Basiliensi quae vocatur
                       Historische und Antiquarische Gesellschaft confectus III,
                       Wien und Basel 1886-1932; IV, Basel 1935.

MFCG   =   Mitteilungen und Forschungsbeiträge der Cusanusgesell-
                       schaft

MGH   =   Monumenta Germaniae Historica [inde ab anno Christi quin-
                       gentesimo usque ad annum millesimum et quingentesimum,
                       auapiciis Societatis aperiendis fontibus rerum Germanicarum
                       medii aevi, Hannover-Berlin usw. 1824 ff.]

MIÖG	=	Mitteilungen des Instituts für Österreichische Geschichtsforschung
NA	=	Neues Archiv der Gesellschaft für Ältere deutsche Geschichtskunde
ND	=	Nachdruck
NDB	=	Neue deutsche Biographie, hg. von der Historischen Kommission bei der Bayerischen Akademie der Wissenschaften, 1 ff., Berlin 1953 ff.
NF	=	Neue Folge
QFBG	=	Quellen und Forschungen zur Basler Geschichte
QFIAB	=	Quellen und Forschungen aus italienischen Archiven und Bibliotheken
RET	=	Revista española de teología
RH	=	Revue historique
RHDFE	=	Revue historique du droit français et étranger
RHE	=	Revue d'histoire ecclésiastique
RHEF	=	Revue d'histoire de l'Eglise de France
RHM	=	Römische Historische Mitteilungen
RIS	=	Rerum italicarum Scriptores
RQ	=	Römische Quartalsschrift für christliche Altertumskunde und Kirchengeschichte
RQH	=	Revue des questions historiques
RGST	=	Reformationsgeschichtliche Studien und Texte
RSCI	=	Rivista di storia della chiesa in Italia
RSI	=	Rivista storica italiana
RSPhTh	=	Revue des sciences philosophiques et théologiques
RTA	=	Deutsche Reichstagsakten. Ältere Reihe, hg. durch die Historische Kommission bei der Bayerischen Akademie der Wissenschaften, I ff., München-Stuttgart usw. 1867 ff.

RThAM	=	Recherches de théologie ancienne et médiévale
RhVjBll	=	Rheinische Vierteljahrsblätter
SB	=	Sitzungsberichte
SVRG	=	Schriften des Vereins für Reformationsgeschichte
SchwZG	=	Schweizerische Zeitschrift für Geschichte (ab 1950)
SHR	=	Scottish Historical Review
StM	=	Studi medievali
SMBO	=	Studien und Mitteilungen zur Geschichte des Benediktiner-ordens und seiner Zweige
ThQ	=	Theologische Quartalsschrift
ThRev	=	Theologische Revue
TRE	=	Theologische Realenzykopädie, hg. von G. KRAUSE und G. MÜLLER, 1 ff., Berlin 1974 ff.
UMI	=	University Microfilm Incorporation, Ann Arbor
VF	=	Vorträge und Forschungen, hg. vom Konstanzer Arbeitskreis für mittelalterliche Geschichte
VMPIG	=	Veröffentlichungen des Max-Planck-Instituts für Geschichte Göttingen
VRF	=	Vorreformationsgeschichtliche Forschungen
VSWG	=	Vierteljahrsschrift für Sozial- und Wirtschaftsgeschichte
WdF	=	Wege der Forschung, hg. von der Wissenschaftlichen Buchgesellschaft Darmstadt
ZfG	=	Zeitschrift für Geschichtswissenschaft
ZfO	=	Zeitschrift für Ostforschung
ZGO	=	Zeitschrift für die Geschichte des Oberrheins
ZHF	=	Zeitschrift für Historische Forschung
ZKG	=	Zeitschrift für Kirchengeschichte

ZRG KA	=	Zeitschrift der Savigny-Stiftung für Rechtsgeschichte. Kanonistische Abteilung
ZRG GA	=	Zeitschrift der Savigny-Stiftung für Rechtsgeschichte. Germanistische Abteilung
ZSchwKG	=	Zeitschrift für Schweizerische Kirchengeschichte

QUELLEN UND LITERATUR

Die Bibliographie enthält sämtliche in Text, Anmerkungen und Nachträgen durchweg abgekürzt zitierte Titel. Bei häufig zitierten Arbeiten von Verfassern, die mit mehreren Titeln erscheinen, ist das entsprechende Zitierwort kursiv gesetzt, also: Black, *Monarchy*.

Abert, Friedrich Philipp: Papst Eugen der Vierte. Ein Lebensbild aus der Kirchengeschichte des 15. Jahrhunderts, Mainz 1884.

Absil, J.: L'absentéisme du clergé paroissial du diocèse de Liège au XVe siècle et dans la première moitié du XVIe, in: RHE 58 (1962) 5-44.

Acta Cusana (AC), s. Siglen-Verzeichnis.

Acta Concilii Constanciensis, I-IV, Hg. Heinrich Finke, Münster 1896-1928.

Acta Nicolai Gramis. Urkunden und Aktenstücke betreffend die Beziehungen Schlesiens zum Baseler Konzile, Hg. Wilhelm Altmann (Codex Diplomaticus Silesiae 15) Breslau 1890.

Agostino Favaroni da Roma, De sacramento unitatis, s. A. Piolanti (Ed.).

Aimone-Braida, Pier V.: Il principio maggioritario nel pensiero di Glossatori e Decretisti, in: Apollinaris 58 (1985) 209-85.

Alberigo, Giuseppe: Noti di storia e teologia conciliare, in: Ephemerides theologicae Lovanienses 40 (1964) 81-103.

– Cardinalato e collegialità. Studi sull' ecclesiologia tra l'XI e il XIV secolo (Testi e ricerche di scienze religiose pubbl. a cura dell'Istituto per le Scienze religiose di Bologna 5) Florenz 1969.

– Die 'forma ecclesiae' im christlichen Humanismus unter besonderer Berücksichtigung des Nikolaus Cusanus, in: FZThPh 21 (1974) 209-35.

– Il *Movimento* conciliare (XIV-XV sec.) nella ricerca storica recente, in: StM 19 (1978) 913-50.

– *Chiesa* Conciliare. Identità e significato del conciliarismo (Testi e ricerche di Scienze religiose pubbl. a cura dell' Istituto per le Scienze religiose di Bologna 19) Brescia 1981.

Albert, Peter Paul: Matthias Döring, ein deutscher Minorit des 15. Jahrhunderts, Stuttgart 1892.

– Nikolaus von Kues und seine Stellung zu der Lehre vom päpstlichen Primat, in: Festgabe für H. Grauert, Freiburg/Br. 1910, 116-31.

Alcántara, Pedro de: La Redención y el Débito de Maria según Juan de Segovia y Juan de Torquemada (Concilio di Basilea), in: RET 16 (1956) 3-51.

Aldásy, Antal: Máriaünnepek kérdése a baseli zsinaton, in: Katholicus Szemle 44 (1930) 653-68 [Die Frage der Marienfeste auf dem Basler Konzil].

Aldenhoven, Herwig: Das Konzil von Basel in altkatholischer Sicht, in: Theologische Zeitschrift, Basel, 38 (1982) 359-66.

Algemene Geschiedenis der Nederlanden, IV, Haarlem 1980. – [Ältere Auflage], red. von J. A. van Houtte, J. F. Niermeyer usw. III: De late middeleeuwen, Utrecht-Antwerpen 1951.

Allmand, C. T.: L'évêché de Séez sous la domination anglaise au XVe siècle, in: Annales de Normandie 11 (1961) 301-7.

– Un conciliariste nivernais du XVe siècle, Jean Beaupère, in: Annales de Bourgogne 35 (1963) 145-54.

– *Normandy* and the Council of Basel, in: Speculum 40 (1965) 1-18.

– Lancastrian Normandy 1415-1450. The History of a Medieval Occupation, Oxford 1983.

Almeida, Fortunato de: História da Igreja em Portugal, nov. ed. por Damião Peres, I, (^{1}Coimbra 1922) Porto 1967.

Alonso Garcia de Santa Maria, s. M. Penna (Ed.), 215-33.

Altaner, Bernhard: Zur Geschichte der Handschriftensammlung des Kardinals Johannes von Ragusa, in: HJb 47 (1927) 730-32.

Altmann, Wilhelm, s. Acta Nicolai Gramis. – Vgl. Glatzer Vjschr. 8 (1888/89) 207–17.

– Zur Geschichte der *Erhebung* des Peterspfennigs im Königreich Polen durch Beauftragte des Baseler Konzils, in: Zeitschrift der Histor. Gesellschaft der Provinz Posen 5 (1890) 26-34.

– Die Stellung der deutschen Nation des Baseler Konzils zu der Ausschreibung eines Zehnten für die Griechenunion, in: ZKG 10 (1890) 268-73.

Altmann, Wolfgang: Die Wahl Albrechts II. zum römischen Könige, Phil. Diss. Berlin 1886.

Althusius-Bibliographie. Bibliographie zur politischen Ideengeschichte und Staatslehre... des 16.–18. Jahrhunderts, Hg. H. U. Scupin und U. Scheuner, bearb. von Dieter Wyduckel, I-II, Berlin 1973.

Alvárez Palenzuela, Vicente A.: Extinción del cisma del occidente. La legación del cardenal Pedro de Foix en Aragón (1425-1430), Madrid 1977.

(Ambrogio Traversari) Ambrosii Traversarii Generalis Camaldulensium... Latinae Epistolae a domno Petro Canneto ... in libros XXV tributae. Adcedit eiusdem Ambrosii Vita, in qua historia litteraria Florentina... deducta est a Laurentio Mehus, Florenz 1759 (ND Bologna 1968).

Amelung, Peter: Das Bild des Deutschen in der Literatur der italienischen Renaissance (1400-1559) (Münchener Romanistische Arbeiten 20) München 1964.

Ameri, Hyacinthus: Doctrina theologorum de Immaculata B. V. Mariae Conceptione tempore Concilii Basiliensis (Bibliotheca Immaculatae Conceptionis. Textus et disquisitiones 4) Rom 1954. [Zitiert: Ameri].

– De debito peccati originalis B. V. Mariae deque eius redemptione apud theologos Concilii Basiliensis, in: Virgo Immaculata XI (Acta congressus internationalis mariologici-mariani Romae anno MCMLIV celebrati, Bd. XI), Rom 1957, 189-95.

Amettler y Vinyas, José: Alfonso V de Aragón en Italia y la crisis religiosa del siglo XV, I-II, rev. por J. Collell, Gerona 1903; III, rev. por J. Mª Roca Heras, San Feliú de Guixols 1928.

Ammon, Hans: Johannes *Schele*, Bischof von Lübeck auf dem Basler Konzil (Veröffentlichungen zur Gesch. der Freien- und Hansestadt Lübeck 10) Lübeck 1931 (Phil. Diss. Erlangen 1931).

Amon, Karl: Ein österreichischer Prozeß vor dem Konzil zu Basel. Der Opfergeldstreit der Hallinger zu Aussee gegen Johann von Eberstorf 1433-1436 vor den Instanzen Passau, Wien und Basel, in: Zs. des Histor. Vereins für die Steiermark 54 (1963) 221-40.

Andrae, Friedrich: Das Kaisertum in der juristischen Staatslehre des 15. Jahrhunderts. Ein Beitrag zur Gesch. der 'Kaiseridee' im späteren Mittelalter, Phil. Diss. (masch.) Göttingen 1951.

Andreas de Escobar, Tractatus copiosus contra quinquaginta errores Graecorum... ed. E. Candal, in: CF, B IV 1, Madrid-Rom 1952, 5-89 (mit Einleitung: LXXVIII-CXXVI).

Andresen, Carl: *Geschichte* der abendländischen Konzile des Mittelalters, in: H. J. Margull (Hg.), Die ökumenischen Konzile der Christenheit, Stuttgart 1961, 75-200.

– s. Handbuch der Theologie- und Dogmengeschichte.

Andrian-Werburg, Klaus Frh. von: Urkundenwesen, Kanzlei, Rat und Regierungssystem der Herzöge Johann II., Ernst und Wilhelm III. von Bayern-München (1392-1438) (Münchener Histor. Studien. Abt. Geschichtliche Hilfswissenschaften 10) Kallmünz 1971.

Angermeier, Heinz: Begriff und Inhalt der Reichsreform, in: ZRG GA 75 (1958) 181-205.

– Das *Reich* und der Konziliarismus, in: HZ 191 (1961) 529-83.

– Königtum und Landfriede im deutschen Spätmittelalter, München 1966.

– Die *Reichsreform* 1410-1555. Die Staatsproblematik in Deutschland zwischen Mittelalter und Gegenwart, München 1984.

Anker, Karl: Bann und Interdikt im 14. und 15. Jahrhundert als Voraussetzung der Reformation, Phil. Diss. Tübingen 1919.

Antiqui und moderni. Traditionsbewußtsein und Fortschrittsbewußtsein im späteren Mittelalter, Hg. Albert Zimmermann (Miscellanea Mediaevalia 9) Berlin-New York 1974.

Antonovics, A. V.: The Library of Cardinal Domenico Capranica, in: Cultural Aspects of the Italian Renaissance. Essays in Honour of Paul Oskar Kristeller, Hg. C. H. Clough, Manchester-New York 1976, 141-59.

Arbusow, Leonid: Die Beziehungen des Deutschen Ordens zum Ablaßhandel seit dem 15. Jahrhundert, in: Mitteilungen aus dem Gebiet der Geschichte Liv-, Est- und Kurlands 20 (Riga 1910) 367-478.

Arendt, Paul: Die Predigten des Konstanzer Konzils, Freiburg 1933.

Arle, Bernhard: Beiträge zur Geschichte des Kardinalskollegiums in der Zeit vom Konstanzer bis zum Trienter Konzil, 1. Hälfte, Phil. Diss. Bonn 1914.

Arnold, Klaus: Freiheit im Mittelalter, in: HJb 104 (1984) 1-21.

Artonne, André, Louis Guizard, Odette Pontal: Répertoire des statuts synodaux des diocèses de l'ancienne France du XIIIe à la fin du XVIIIe siècle (Documents, études et répertoires publ. par l'Institut de recherche et d'histoire des textes 8) Paris ²1969.

Aschbach, Josef von: Geschichte Kaiser Sigmunds, I-IV, Hamburg 1838-45 (ND 1964).

– Geschichte der Wiener Universität im ersten Jahrhundert ihres Bestehens, I-III, Wien 1865-89 (ND Farnborough 1967).

Aubenas, Roger – Ricard, Robert: L'Eglise et la Renaissance (1449-1517) (Histoire de l'Eglise, publiée sous la direction de Augustin Fliche et Victor Martin, 15) [Paris] 1951.

Auctarium Chartularii Universitatis Parisiensis, Ed. Henricus Denifle et Aemilius Châtelain, II: Liber procuratorum nationis Anglicanae (Alemanniae) in universitate Parisiensi ab anno 1406 usque ad annum 1466, Paris 1897 (ND 1937).

Augustinus Patricius (Agostino Patrizzi): Summa conciliorum Basiliensis, Florentini, Lateranensis, Lausanensis, in: Mansi XXXIB 1813C-1940.

Augustinus (Agostino) Favaroni, s. W. Eckermann, Opera; s. Piolanti.

Bachmann, Adolf: Die deutschen Könige und die kurfürstliche Neutralität 1438-1447. Ein Beitrag zur Rechts- und Kulturgeschichte Deutschlands. Mit urkundlichen Beilagen, in: AÖG 75 (1889) 1-236; separat Wien 1889.

Bacht, Heinrich: Die historische Entwicklung des Konziliarismus in der westlichen Kirche, in: Pro Oriente. Ökumene-Konzil-Unfehlbarkeit I, Innsbruck 1979, 57-69.

Baethgen, Friedrich: Schisma und Konzilszeit, Reichsreform und Habsburgs Aufstieg, in: Gebhardt Handbuch der deutschen Geschichte 9. Aufl. Hg. H. Grundmann, I: Frühzeit und Mittelalter, Teil 6, Stuttgart ⁹1970, 631-92; zit. nach der Taschenbuchausgabe, Bd. 6 (dtv 4206) München 1973.

Bäumer, Remigius: Die *Stellungnahme* Eugens IV. zum Konstanzer Superioritätsdekret in der Bulle 'Etsi non dubitemus', in: Das Konzil von Konstanz, Hg. Franzen-Müller, 337-56; wieder in: Das Konstanzer Konzil (WdF 415) 248-74.

– Eugen IV. und der Plan eines 'Dritten Konzils' zur Beilegung des Basler Schismas, in: Reformata Reformanda. Festgabe für H. Jedin, Hg. Erwin Iserloh und K. Repgen (RGST Suppl. Bd. I, 1-2) Münster 1965, 87-128.

– Luthers Ansichten über die Irrtumsfähigkeit des Konzils und ihre theologiegeschichtlichen Grundlagen, in: Wahrheit und Verkündigung. Festschrift M. Schmaus, II, Paderborn 1967, 987-1003.

– Die *Reformkonzilien* des 15. Jahrhunderts in der neueren Forschung, in: AHC 1 (1969) 153-64.

– Die Zahl der allgemeinen Konzilien in der Sicht der Theologie des 15. und 16. Jahrhunderts, in: AHC 1 (1969) 288-313.

– *Nachwirkungen* des konziliaren Gedankens in der Theologie und Kanonistik des frühen 16. Jahrhunderts (RGST 100) Münster 1971.

– Die Konstanzer Dekrete 'Haec Sancta' und 'Frequens' im Urteil katholischer Kontroverstheologen des 16. Jahrhunderts, in: Von Konstanz nach Trient 547-74.

– Paderborner Theologen und Kanonisten auf den Reformkonzilien des 15. Jahrhunderts, in: Paderbornensis Ecclesia. Festschrift für Lorenz Kardinal Jäger, Hg. Paul-Werner Scheele, München-Paderborn-Wien 1972, 151-79.

– (Hg.): Von Konstanz nach Trient. Festschrift August Franzen, München usw. 1972.

– Die Bedeutung des Konstanzer Konzils für die Geschichte der Kirche, in: AHC 4 (1972) 26-45.

– Silvester Prierias und seine Ansichten über das ökumenische Konzil, in: Konzil und Papst. Festgabe für Hermann Tüchle, Hg. Georg Schwaiger, München-Paderborn-Wien 1975, 277-301.

– Konziliarismus auf dem Tridentinum? Die Hintergründe der Trienter Konzilskrise, in: ThRev 72 (1976) 351-62.

– (Hg.): Die Entwicklung des Konziliarismus (WdF 279) Darmstadt 1976.

– (Hg.): Das Konzil von Konstanz (WdF 415) Darmstadt 1977.

Baglione, G.: La singolare figura di un vescovo intraprendente a Novara: Bartolomeo Visconti (1402-1457), in: Bollettino storico per la provincia di Novara 63 (1972) 3-27.

Bansa, Helmut: Konrad von Weinsberg als Protektor des Konzils von Basel 1438-1440, in: AHC 4 (1972) 46-82.

Barbaini, Piero: Per una storia integrale delle dottrine conciliari, in: La scuola cattolica 89 (Mailand 1961) 186-204, 243-66.

Barion, Hans: [Rezension von L. Buisson, Potestas und caritas (1958)], in: ZRG KA 46 (1960) 506-16.

Baron, François: Le cardinal Pierre de Foix le Vieux et ses légations (1386-1464), in: La France Franciscaine 3 (1914-20) 286-334; 4 (1921) 1-40, 245-87; 5 (1922) 1-70; separat Amiens 1920.

Baron, Hans: The Crisis of the Early Italian Renaissance: Civic Humanism and Republican Liberty in an Age of Classicism and Tyranny, Princeton [2]1966.

– From Petrarch to Leonardo Bruni. Studies in Humanistic and Political Literature, Chicago 1968.

(Baronius-Theiner) Caesaris S. R. E. Cardinalis Baronii, Od. Raynaldi et Jac. Laderchii Annales Ecclesiastici, denuo excusi et ad nostra usque tempora perducti ab Augustino Theiner, t. XXVIII: 1424-1453, Bar-le-Duc 1874 ([2]1887).

Bartlmäs, H. (Ed.): Thomas Ebendorfers Kreuzzugstraktat, Phil. Diss. (masch.) Wien 1953.

Bartoš, František Michalek: Husitství a Cizina [Hussiten in der Fremde], Prag 1931.

– (Ed.): Orationes, quibus Nicolaus de Pelhrimov, Taboritarum episcopus, et Ulricus de Znojmo, orphanorum sacerdos, articulos … in concilio Basiliensi anno 1433 ineunte defenderunt, Tábor 1935.

– (Ed.): Petri Payne Anglici Positio, replica et propositio in concilio Basiliensi anno 1433 atque oratio ad Sigismundum regem anno 1429 Bratislaviae pronunciatae, Tábor 1949.

– Z publicistiky velikého schismatu a koncilu Basilejského [Aus der Publizistik des großen Schismas und des Basler Konzils], in: Vestnik České Akademie ved a umeni 53 (1944) 11-20.

– Ještě něco o Dr Jindřichu Tokovi [Noch etwas zu Dr. Heinrich Toke], in: Jihočeský Sborník historický 16 (1946) 29 f.

– Basilejský revolutionář a husitské ohlasy v jeho díle [Ein Basler Revolutionär und das hussitsche Echo in seinem Werk], in: Sborník historický 3 (Prag 1955) 111-43, 193 f.

– M. Petr Payne, diplomat husitské revoluce [Peter Payne, Diplomat der hussitischen Revolution)] Prag 1956.

– Sborník přednašek věnovaných životu a dílu anglického Husity Petra Payna Engliše (1456-1956) [Sammelband von Vorträgen, gewidmet dem Werk des englischen Hussiten Peter Payne], Prag 1957.

– *Husitská Revoluce* [Die hussitische Revolution] I-II, Prag 1965-66.

– The Hussite Revolution 1424-37 (East European Monographs 203), New York 1986.

Basler, Otto: Das Konstanzer Konzil im Spiegel deutscher Ereignislieder, in: Das Konzil von Konstanz, 429-46.

Basler Bibliographie (Beilage zur BZGA): 1944-45 (1949) – 1977-80 (1984).

Basler Chroniken, Hg. von der Historischen und Antiquarischen Gesellschaft in Basel, I-VII [diverse Bearbeiter], Leipzig 1872-1915.

Bauch, Gustav: Schlesien und die Universität Krakau im XV. und XVI. Jahrhundert, in: Zs. des Vereins für die Geschichte Schlesiens 11 (1907) 99-180.

Baud, Henri: Amédée VIII et la guerre de Cent Ans, in: Revue Savoisienne 109 (1969) 17-75; separat Annecy 1971.

Baudrillart, A.: Art 'Bâle, concile de', in: DThC 2 (1905) 113-29.

Bauer, Clemens: Studien zur spanischen Konkordatsgeschichte des späten Mittelalters. Das spanische Konkordat von 1482, in: Spanische Forschungen der Görresgesellschaft I. Reihe 11, Münster 1955, 43-97; wieder in: derselbe: Gesammelte Aufsätze, Freiburg 1965, 186-232.

Bauerreiss, Romuald: Kirchengeschichte Bayerns, V: Das XV. Jahrhundert, St. Ottilien 1955.

Baumgärtner, Ingrid: 'De privilegiis doctorum'. Über Gelehrtenstand und Doktorwürde im späten Mittelalter, in: HJb 106 (1986) 298-332.

Baumgarten, Paul Maria: Die beiden ersten Kardinalskonsistorien des Gegenpapstes Felix V., in: RQ 22 (1908) 153-57.

Bavaud, G.: Un thème augustinien repris par le conciliarisme, in: Revue des Etudes Augustiniennes 10 (1964) 45-49.

Beck, Hans-Georg: Byzanz und der Westen im Zeitalter des Konziliarismus, in: Die Welt zur Zeit des Konstanzer Konzils, 135-48.

Beck, Jonathan: Le concil de Basle (1934). Les origines du théâtre réformiste et partisan en France (Studies in the History of Christian Thought 18) Leiden 1979.

Becker, Hans Jürgen: Die Appellation vom Papst an ein allgemeines Konzil und ihre Beurteilung durch die Kanonisten im späten Mittelalter und in der frühen Neuzeit, Köln [im Erscheinen].

Becker, Paul: Giuliano Cesarini, Phil. Diss. Münster 1935 (Kallmünz 1935).

Becker, Petrus OSB: Fragen um den Verfasser einer benediktinischen Reformdenkschrift am Basler Konzil. Studie über die Wirksamkeit des Abtes Johannes Rode von St. Matthias in Trier, in: SMBO 74 (1964) 293-301.

– Das monastische Reformprogramm des Johannes Rode von St. Matthias in Trier (Beitr. zur Geschichte des alten Mönchtums und des Benediktinerordens 30) Münster 1970.

– Ein Hersfelder Protest gegen Reformbestrebungen im späten Mittelalter (1400-1431), in: Würzburger Diözesangeschichtsblätter 34 (1972) 29-58.
– Die Visitationstätigkeit des Abtes Johannes Rode in St. Gallen und auf der Reichenau, in: ZSchwKG 68 (1974) 193-239.
– Benediktinische Reformbewegungen im Spätmittelalter, in: Untersuchungen zu Kloster und Stift (VMPIG 68. Studien zur Germania Sacra 14), Göttingen 1980, 167-87.

Beckmann, Gustav: Der Kampf Kaiser Sigmunds gegen die werdende Macht der Osmanen, 1392-1437, Gotha 1902.
– s. RTA (Siglen).

Beer, Karl: Der Plan eines deutschen Nationalkonzils von 1431, in: MÖIG Erg. Bd. 11 (1929) 432-42.
– Der gegenwärtige Stand der Forschung über die Reformatio Sigismundi, in: MIÖG 59 (1951) 55-94.

Beer, Rudolf: Die Quellen für den 'Liber Diurnus Concilii Basiliensis' des Petrus Bruneti, in: SB der kaiserl. Akademie der Wissenschaften, phil.-hist. Kl. 124 (1891) 1-16.
– Urkundliche Beiträge zu Johannes de Segovias Geschichte des Basler Conzils auf Grund der Forschungen in den Archiven und Bibliotheken von Basel, Genf, Lausanne und Avignon (SB der kaiserl. Akademie der Wissenschaften, phil.-hist. Kl. 135) Wien 1896.

Belch, Stanislaus F.: Paulus Vladimiri and his Doctrine Concerning International Law and Politics, I-II, London-Den Haag 1965.

Bellesheim, Alphons: Geschichte der katholischen Kirche in Schottland, I: 400-1560, Mainz 1883 [engl. Edinburgh 1887].

Bellet, Charles (Ed.): Documents relatifs au concile de Bâle, in: Bulletin d'histoire ecclésiastique et d'archéologie religieuse des diocèses de Valence, Gap et Viviers 2 (1882) 280 f.

Bellone, Ernesto: La cultura e l'organizzazione degli studi nei decreti dei concili e sinodi celebrati tra il concordato di Worms (1122) ed il concilio di Pisa (1409) (Memorie dell'Accademia delle Scienze di Torino. Classe di Scienze morali, storiche e filologiche, ser. IVa, nr. 32) Turin 1975.

Beltrán de Heredia, Vicente (Ed.): Bulario de la Universidad de Salamanca (1219-1549), Bd. III (Acta Salmanticensia 14) Salamanca 1967.
– Cartulario de la Universidad de Salamanca (1218-1600), I, Salamanca 1970.
– La embajada de Castilla en el concilio de Basilea y su discusión con los Ingleses acerca de la precedencia, in: Hispania Sacra 10 (1957) 5-27; wieder in: Miscelánea Beltrán de Heredia 1 (Biblioteca de Teólogos Españoles 25, B5) Salamanca 1972, 257-81.

Benrath, Gustav Adolf: Traditionsbewußtsein, Schriftverständnis und Schriftprinzip bei Wyclif, in: Antiqui und moderni 359-82.

Berger, Hans: Der Alte Zürichkrieg im Rahmen der europäischen Politik. Ein Beitrag zur 'Außenpolitik' Zürichs in der ersten Hälfte des 15. Jahrhunderts, Zürich 1978.

Berkhout, C. T. und J. B. Russel: Medieval Heresies. A Bibliography 1960-1979 (Subsidia Mediaevalia 11) Toronto 1981.

Berlière, Ursmer: Les origines de la Congrégation de Bursfeld, in: Revue Bénédictine 16 (1899) 360-69, 385-413, 481-502, 550-62.

Bermejo, L. M.: The Alleged Infallibility of Councils, in: Bijdragen. Tijdschrift voor filosofie en teologie 38 (1977) 128-62.

Berschin, Walter: Griechisch-lateinisches Mittelalter. Von Hieronymus zu Nikolaus von Kues, Bern-München 1980.

Berthold, Brigitte: Städte und Reichsreform in der ersten Hälfte des 15. Jahrhunderts, in: Städte und Ständestaat, Hg. B. Töpfer (Forschungen zur mittelalterlichen Geschichte 26) Berlin (Ost) 1980, 59-111.

Bertrams, Wilhelm: Der neuzeitliche Staatsgedanke und die Konkordate des ausgehenden Mittelalters (Analecta Gregoriana 30. Series facultatis juris canonici, sect. B, IV) Rom ²1950.

Betts, R. R.: Essays in Czech History, London 1969.

Beumer, Johannes: Das katholische Schriftprinzip in der theologischen Literatur der Scholastik bis zur Reformation, in: Scholastik 16 (1941) 24-52.

– Die Geschäftsordnung des Trienter Konzils, in: Franziskanische Studien 53 (1971) 289-306.

Beyssac, Jean: Le bienheureux Louis Allemand, in: Revue du Lyonnais 5ᵉsér. 28 (1899) 305-25, 422-40; separat Lyon 1899.

– Notes pour servir à l'histoire de l'Eglise de Lyon: Jean de Rochetaillée, Lyon 1907; auch in: Rochetaillée en Franc-Lyonnais. Notes et documents, Lyon 1907, 221-73.

Bezold, Friedrich von: König Sigmund und die Reichskriege gegen die Husiten bis zum Ausgang des dritten Kreuzzugs, I-III, München 1872-77.

– Der rheinische Bauernaufstand vom Jahr 1431, in: ZGO 27 (1875) 129-49.

Bianco, Franz Joseph von: Die alte Universität Köln und die späteren Gelehrten-Schulen dieser Stadt nach archivalischen und anderen zuverlässigen Quellen, I 1: Die alte Universität, Köln 1855 (ND Aalen 1974).

Bickell, G[ustav] (Ed.): Synodi Brixinenses saeculi XV, Saarbrücken 1880.

Biechler, J.: Nicholas of Cusa and the End of the Conciliar Movement. A Humanist Crisis of Identity, in: ChH 44 (1975) 5-21.

(Bihlmeyer-Tüchle) Bihlmeyer, Karl: Kirchengeschichte. Neu besorgt von Hermann Tüchle, I-III, Paderborn ¹⁸ 1966-69.

Bilderback, [Dean] Loy: The Membership of the Council of Basle. Phil. Diss. Washington 1966 (UMI 66-7868, Ann Arbor 1982).

– Eugene IV and the First Dissolution of the Council of Basle, in: ChH 36 (1967) 243-61.

– Proctorial Representation and Conciliar Support at the Council of Basle, in: AHC 1 (1969) 140-52.

Billanovich, Giuseppe: Leonardo Teronda umanista e curiale, in: Italia medioevale e umanistica 1 (1958) 379-83.

Binder, Karl: Der 'Tractatus de Ecclesia' Johanns von Ragusa und die Verhandlungen des Konzils von Basel mit den Hussiten, in: Angelicum 28 (1951) 30-54.

– Kardinal Juan de Torquemada und die feierliche Verkündigung der Lehre von der Unbefleckten Empfängnis auf dem Konzil von Basel, in: Virgo Immaculata VI (Acta congressus mariologici-mariani Rom 1954, Bd. VI), Rom 1955, 146-53.

– *Wesen* und Eigenschaften der Kirche bei Kardinal Juan de Torquemada OP, Innsbruck 1955.

– Thesis in passione Domini fidem Ecclesiae in beatissima Virgine sola remansisse iuxta doctrinam medii aevi et recentioris aetatis, in: Maria et ecclesia (Acta congressus mariologici-mariani Lourdes 1958, Bd. III), Rom 1959, 389-488.

– *Slaven* auf dem Konzil von Basel, in: Geschichte der Ost- und Westkirche in ihren wechselseitigen Beziehungen (Annales Instituti Slavici I 3) Wiesbaden 1967, 113-37.

– Zum Schriftbeweis in der Kirchentheologie des Kardinals Juan de Torquemada OP, in: Wahrheit und Verkündigung, Festschrift Michael Schmaus, Hg. Leo Scheffczyk u. a., I, Paderborn 1967, 511-50.

– Die Lehre des Nikolaus von Dinkelsbühl über die Unbefleckte Empfängnis im Licht der Kontroverse (Wiener Beiträge zur Theologie 31) Wien 1970.

– *Konzilsgedanken* bei Kardinal Juan de Torquemada (ebd. 49) Wien 1976.

Binnebesel, Bruno: Die Stellung der Theologen des Dominikanerordens zur Frage nach der Unbefleckten Empfängnis Marias bis zum Konzil von Basel, Theol. Diss. Breslau 1934 (Teildruck Kallmünz 1934).

Binterim, Anton Joseph: Pragmatische Geschichte der deutschen National-, Provinzial- und vorzüglichsten Diöcesanconcilien vom vierten Jahrhundert bis auf das Concilium zu Trient, VII: Geschichte der Concilien des 15. Jahrhunderts, Mainz 1848.

Binz, Louis: Vie religieuse et réforme ecclésiastique dans le diocèse de *Genève* pendant le Grand Schisme et de la crise conciliaire (1378-1450), Bd. I, (Mémoires et documents publ. par la Société d'histoire et d'archéologie de Genève 46) Genf 1973.

Birck, Ernst: Enea Silvio de' Piccolomini als Geschichtsschreiber, in: ThQ 76 (1894) 577-97.

Bir(c)k, Martin: Zu Nikolaus von Cues' Auftreten auf dem Basler Konzil, in: ThQ 73 (1891) 355-70.

– Nikolaus von Cusa auf dem Konzil zu Basel, in: HJb 13 (1892) 770-82.

– Hat Nikolaus von Cusa seine Ansicht über den Primat geändert?, in: ThQ 74 (1892) 632-80.

Birck, Max: Der Kölner Erzbischof Dietrich Graf von Moers und Papst Eugen IV. (Aus der rheinischen Geschichte 12) Bonn 1899.

Birkenmajer, Alexander: Der Streit des Alonso von Cartagena mit Leonardo Bruni Aretino, in: ders., Vermischte Untersuchungen zur Geschichte der mittelalterlichen Philosophie (BGPhThM XX, 5) Münster 1922, 129-210, 226-30.

Bittner, L.: Die 'Protokolle' des Konzils zu Basel und ihre jüngste Ausgabe, in: Zs. für österreichische Gymnasien 49 (1898) 577-84.

Black, Antony J.: *Grundgedanken* des Konziliarismus und des Papalismus zwischen 1430 und 1450, in: Die Entwicklung des Konziliarismus (WdF 279) 295-328 [Zuerst engl. in: JEcH 20 (1969) 45-65].

– *Monarchy* and Community. Political Ideas in the Later Conciliar Controversy 1430-1450 (Cambridge Studies in Medieval Life and Thought ser. III, 2) Cambridge 1970.

– Heimericus de Campo: The Council and History, in: AHC 2 (1970) 78-86.
– Panormitanus on the 'Decretum', in: Traditio 26 (1970) 440-44.
– The Council of Basle and the Second Vatican Council, in: Councils and Assemblies, 229-34.
– Der Einfluß der Idee der absoluten Monarchie auf Verständnis und praktische Handhabung der päpstlichen Autorität, in: Concilium 8 (1972) 532-37.
– The *Universities* on the Council of Basle. Ecclesiology and Tactics, in: AHC 6 (1974) 341-51 [Zitiert: Universities I].
– Council and Pope: The Modern Relevance of Conciliarism, in: New Blackfriars 56 (1975) 82-88.
– The Realist Ecclesiology of Heimerich van de Velde, in: Facultas S. Theologiae Lovaniensis, Hg. J. Van Eijl, 573-91.
– The *Universities* and the Council of Basle: Collegium and Concilium, in: Ijsewijn-Paquet, The Universities..., 511-23 [Zitiert: Universities II].
– *Council* and Commune. The conciliar movement and the fifteenth century heritage (Untertitel des Buchumschlags: The Conciliar Movement and the Council of Basle), London 1979.
– What was Conciliarism? Conciliar Theory in Historical Perspective, in: Authority and Power. Studies in Medieval Law and Government presented to W. Ullmann, Hg. B. Tierney und P. Linehan, Cambridge 1980, 213-24.
Blattau, J.J.: Statuta synodalia, ordinationes et mandata archidiocesis Trevirensis, I-II, Trier 1844.
Blet, Pierre: Histoire de la représentation diplomatique du Saint-Siège des origines à l'aube du XIXe siècle (Collectanea Archivi Vaticani 9) Vatikan 1982.
Bligny, Bernard: La Grande Chartreuse au temps du Grand Schisme et de la crise conciliaire (1378-1449), in: Historia et spiritualitas Cartusiensis. Colloquii IV Internationalis Acta Gent-Antwerpen-Brügge 1982, Hg. Jan de Grauwe, Destelbergen 1983, 35-58; sowie in: Bull. de l'Academie Delphinoise 4 (Grenoble 1983) 1-16.
Blockmans, Willem P.: A Typology of Representative Institutions in Late Medieval Europe, in: JMH 4 (1978) 184-215.
Bloesch, Paul (Ed.): Das Anniversarbuch des Basler Domstifts (Liber Vitae Ecclesiae Basiliensis 1334/38-1610), Kommentar und Text (QFBG 7/I-II) Basel 1975.
Blust, Mary Smoley: The English Clerical Diplomats 1327-1461, Phil. Diss. Loyola University of Chicago 1977.
Boehm, Laetitia: Libertas scholastica und Negotium scholare. Entstehung und Sozialprestige des akademischen Standes im Mittelalter, in: Universität und Gelehrtenstand 1400-1800, Hg. Helmut Rössler und Georg Franz (Deutsche Führungsschichten in der Neuzeit 4) Limburg/Lahn 1970, 15-61.
Boelens, Martin: Die Klerikerehe in der kirchlichen Gesetzgebung vom II. Laterankonzil bis zum Konzil von Basel, in: Ius Sacrum, Festschrift Klaus Mörsdorf, Paderborn 1969, 600-14.
– Die Klerikerehe in der kirchlichen Gesetzgebung zwischen den Konzilien von Basel und Trient, in: AKKR 138 (1969) 62-81.
Bonicelli, Silvio Cesare: I concili particolari da Graziano al concilio di Trento (Pubblicazioni del Pontificio Seminario Lombardo in Roma. Ricerche di Scienze Theologiche 8) Brescia 1971.

Bonjour, Edgar: Zur Gründungsgeschichte der Universität Basel, in: BZGA 54 (1955) 27-50; wieder in: ders., Die Schweiz und Europa I, Basel 1958, 397-417.

– Die Universität Basel von den Anfängen bis zur Gegenwart, 1460-1960, Basel ²1971.

Bonmann, Ottokar OFM: De testamento librorum Joannis de Segovia. Num Segoviensis ex Ordine Minorum fuerit?, in: Antonianum 29 (1954) 209-16.

Boockmann, Hartmut: Laurentius Blumenau. Fürstlicher Rat-Jurist-Humanist (ca. 1415-1484) (Göttinger Bausteine zur Geschichtswiss. 38) Göttingen 1965.

– Die Rechtsstudenten des Deutschen Ordens, in: Festschrift Hermann Heimpel II, 313-75.

– Johannes *Falkenberg* (O.P.). Der Deutsche Orden und die polnische Politik. Untersuchungen zur politischen Theorie des späteren Mittelalters. Mit einem Anhang: Die 'Satira' des Johannes Falkenberg (VMPIG 45) Göttingen 1975.

– Zu den Wirkungen der Reformation Kaiser Siegmunds, in: DA 35 (1979) 514-71; wieder in: Studien zum städtischen Bildungswesen des späten Mittelalters und der frühen Neuzeit, Hg. B. Moeller u. a. (Abh. der Ak. Wiss. Göttingen, philolog.-hist. Kl., 3. Folge, 137) Göttingen 1983, 112-35.

– Zur *Mentalität* spätmittelalterlicher Gelehrter Räte, in: HZ 233 (1981) 295-316.

– Der Streit um das Wilsnacker Blut. Zur Situation des deutschen Klerus in der Mitte des 15. Jahrhunderts, in: ZHF 9 (1982) 385-408.

Bordeaux, Michèle: Aspects économiques de la vie de l'Eglise aux XIVe et XVe siècles (Bibl. de l'Histoire du Droit et Droit Romain 16) Paris 1969.

Borsa, Mario: Pier Candido Decembri e l'umanesimo in Lombardia, in: Archivio storico lombardo, ser. II, 30 (1893) 5-75, 338-441.

Borst, Arno: Der Turmbau zu Babel. Geschichte der Meinungen über Ursprung und Vielfalt der Sprachen und Völker, III 1, Stuttgart 1960.

Bosl, Karl (Hg.): Der moderne Parlamentarismus und seine Grundlagen in der ständischen Repräsentation, Berlin 1977.

Bossuat, André: Le Parlement de Paris pendant l'occupation anglaise, in: RH 229 (1963) 19-40.

Bottoni, Diego: Umanisti e prelati lombardi tra i concili di Costanza (1414-17) e di Basilea (1432-39), Tesi di Laurea, Università cattolica del Sacro Cuore, Mailand 1958/59.

Boularand, E.: La primauté du Pape au concile de Florence, in: Bulletin de littérature ecclésiastique 61 (1960) 161-203.

Brandenstein, Christoph Frh. von: Urkundenwesen und Kanzlei, Rat und Regierungssystem des Pfälzer Kurfürsten Ludwig III. (1410-1436) (VMPIG 71), Göttingen 1983.

Brandmüller, Walter: Der Übergang vom Pontifikat Martins V. zu Eugen IV., in: QFIAB 47 (1967) 596-629.

– Das Konzil von *Pavia-Siena*, 1423-1424, I-II, (VRF 16, I-II) Münster 1968–74.

– Besitzt das Konstanzer Dekret 'Haec Sancta' dogmatische Verbindlichkeit?, in: AHC 1 (1969) 96-113 (zuerst in: RQ 62 (1967) 1-17; erweitert in: Die Entwicklung des Konziliarismus, 247-71.

522 Quellen und Literatur

– Kirchenfreiheit und Kirchenreform. Die Instruktionen für die Gesandten der Kathedralkapitel der Kirchenprovinz Reims zum Konzil von Pavia-Siena, in: Von Konstanz nach Trient, 57-85.
– Die Aktualität der Konzilienforschung oder Historia ancilla theologiae, in: Theologie und Glaube 65 (1975) 203-20.
– *Sacrosancta* Synodus universalem ecclesiam repraesentans. Das Konzil als Repräsentation der Kirche, in: Synodale Strukturen der Kirche (Theologie Interdisziplinär 3) Donauwörth 1977, 93-112.
– Die Kirche in der Predigt des Hl. Bernhardin von Siena (+1444), in: Münchener Theologische Zs. 31 (1980) 284-95.
– Simon de Lellis de Teramo. Ein Konsistorialadvokat auf den Konzilien von Konstanz und Basel, in: AHC 12 (1980) 229-68.
– Causa Reformationis. Ergebnisse und Probleme der Reformen des Konstanzer Konzils, in: AHC 13 (1981) 49-66.
– Das Konzil, demokratisches Kontrollorgan über den Papst? Zum Verständnis des Konstanzer Dekrets 'Frequens' vom 9. Oktober 1417, in: AHC 16 (1985) 328-47.
Brandt, H.J.: Klevisch-märkische Kirchenpolitik im Bündnis mit Burgund in der 1. Hälfte des 15. Jahrhunderts. Magister Dietrich Stock (+1470), Rat der Herzöge von Kleve-Mark, Burgund-Brabant und Geldern, in: AHVN 178 (1976) 42-76.
– Excepta facultate theologica. Zum Ringen um die Einheit von 'imperium', 'sacerdotium' und 'studium' im Spätmittelalter, in: Reformatio Ecclesiae, 201-14.
Braun, Albert: Der Klerus des Bistums Konstanz im Ausgang des Mittelalters (VRF 14) Münster 1938.
Bressler, Hermann: Die Stellung der deutschen Universitäten zum Baseler Konzil und ihr Anteil an der Reformbewegung in Deutschland während des fünfzehnten Jahrhunderts, Leipzig 1885 (ND Ann Arbor 1982).
Bretholz, Berthold: Bischof Paul von Olmütz über den Abschluß der Basler Compactaten, in: MIÖG 21 (1900) 674-78.
Brieger, Th.: Ein Leipziger Professor im Dienste des Baseler Konzils, in: Beiträge zur sächsischen Kirchengesch. 16 (1903) 1-70, 236-46.
Brondy, Réjane, Bernard Demotz, Jean-Pierre Leguay: La Savoie de l'an mil à la Réforme (Histoire de la Savoie 2) [Rennes] 1984.
Brosius, Dieter: Die Pfründen des Enea Silvio Piccolomini, in: QFIAB 54 (1974) 271-327.
– Zum Mainzer Bistumsstreit 1459-1463, in: Archiv für hessische Geschichte und Altertumskunde NF 33 (1975) 111-36.
– Päpstlicher Einfluß auf die Besetzung von Bistümern um die Mitte des 15. Jahrhunderts, in: QFIAB 55-56 (1976) 200-28.
Brown, Elisabeth A. R.: Representation and Agency Law in the Late Middle Ages. The Theoretical Foundations and the Evolution of Practice in the Thirteenth- and Fourteenth Century Midi, in: Viator 3 (1972) 329-64.
Bruchet, Max: Le Château de Ripaille, Paris 1907.
Bubenheimer, Ulrich: [Rezension von R. Bäumer, Nachwirkungen des konziliaren Gedankens, Münster 1971] in: ZRG KA 59 (1973) 455-65.

Buess, Heinrich: Die Pest in Basel im 14. und 15. Jahrhundert, in: Basler Jahrbuch 1956, 45-70.

Bugge, Alexander (Ed.): Erkebiskop Henrik Kalteisens Kopibog, Christiania 1899.

Bughetti, B.: Statutum Concordiae Inter Quatuor Ordines Mendicantes Annis 1435, 1458 et 1475 Concitum, in: AFH 25 (1932) 241-56.

Buisson, Ludwig: Potestas und Caritas. Die päpstliche Gewalt im Spätmittelalter. 2. Aufl. mit einem bibliographischen Nachtrag (Forschungen zur kirchlichen Rechtsgesch. und zum Kirchenrecht 2) Köln ²1982 (¹1958).

Bullarium Franciscanum, Nova Series I (1431-1455), Hg. U. Hüntemann, Quaracchi 1929.

(Bullarium Romanum) Bullarium diplomatum et privilegiorum sanctorum Romanorum pontificum Taurinensis editio, V: Ab Eugenio IV ad Leonem X, Turin 1860.

Bulst, Neithard – Jean Philippe Genet (Hgg.): Medieval Lives and the Historian. Studies in Medieval Prosopography (Proceedings of the First Internat. Interdisciplinary Conference in Medieval Prosopography, Univ. of Bielefeld 3-5 Dec. 1982) Kalamazoo 1986.

Burckhardt, Jacob: Erzbischof Andreas von Krain und der letzte Conzilsversuch in Basel, in: Mitteilungen der Histor. Gesellschaft Basel NF 1. Heft, Basel 1852; wieder in: J. B., Gesamtausgabe I, Berlin-Leipzig 1930, 337-408.

– Die Kultur der Renaissance in Italien. Ein Versuch. Durchgesehen von W. Goetz, (Kröners Taschenausgabe 53) Stuttgart ¹⁰1976.

Burger, Heinz Otto: Renaissance, Humanismus, Reformation. Deutsche Literatur im europäischen Kontext (Frankfurter Beiträge zur Germanistik 7) Berlin-Zürich 1969.

Burie, Luc: Proeve tot inventarisatie van de in handschrift of in druk bewaarde werken van de Leuvense theologieprofessoren uit de XVᵉ eeuw, in: Facultas S. Theologiae Lovaniensis, Hg. J. van Eijl, 215-72.

Burleigh, Michael: Prussian Society and the German Order. An Aristocratic Corporation in Crisis c. 1410-1466, Cambridge 1984.

Burns, Charles: New Light on the 'Bulla' of the Council of Basle, in: The Innes Review 15 (1964) 92-95; sowie ebd. 8 (1956) 91.

Burns, James Henderson: Scottish Churchmen and the Council of Basle, Glasgow 1962.

– The Conciliarist Tradition in Scotland, in: SHR 42 (1963) 89-104.

Bursche, Edmund: Die Reformarbeiten des Basler Konzils, Theol. Diss. Basel 1921 (Lodz 1921).

Buyken, Thea: Enea Silvio Piccolomini. Sein Leben und Werden bis zum Episkopat, Bonn-Köln 1931.

Bylina, Stanislaw: Krisen-Reformen-Entwicklungen. Kirche und Geistesleben im 14.-15. Jahrhundert in den neueren tschechischen und polnischen Forschungen, in: Europa 1400, 82-94.

Calisse, C.: I concordati del secolo XV, in: Chiesa e stato. Studi storici e giuridici per il decennale della conciliazione tra la S. Sede e l'Italia I (Pubblicazioni dell'Università Cattolica del S. Cuore, ser. II, 65/66) Mailand 1939, 115 ff.

Cam, Helen Maud, A. Marongiu, G. Stökl (Hgg.): Recent Works and Present Views on the Origins and Development of Representative Assemblies, in: Relazioni del X Congresso internazionale di Scienze storiche Roma 1955, I, Florenz 1955, 1-101.

The Cambridge History of Poland I, Hg. W. F. Reddaway usw., Cambridge 1950.

The Cambridge Medieval History (CMH), s. Siglen.

Cameron, James Kerr: Conciliarism in Theory and Practice from the Outbreak of the Schism till the End of the Council of Constance, I-II, Phil. Diss. Hartford 1952 (masch.).

Campana, A.: Un nuovo dialogo di Ludovico di Strassoldo OFM (1434) ed il 'Tractatus de potestate regia et papali' di Giovanni di Parigi, in: Miscellanea Pio Paschini II (Lateranum, NS 15, 1-4) Rom 1949, 127-56.

Canneti, Pietro (Ed.), s. Ambrogio Traversari.

Cant, R. G.: The University of St. Andrews, Edinburgh ²1970.

Cantera Burgos, F.: Alvaro García de Santa Maria. Historia de la Judería de Burgos y de sus conversos más egregios (Consejo Superior de Investigaciones Cientificas) Madrid 1952.

Čapek, B.J.: Duch o odkaz československé reformace [Geist und Vermächtnis der tschechoslovakischen Reformation], Prag 1951.

Caravale, Maria–Alberto Caracciolo: Lo stato pontificio da Martino V a Pio IX (Storia d'Italia, dir. da Giuseppe Galasso, 14) Turin 1978.

Carlé, Theodor: Das Konzil von Basel und die Stadt Recklinghausen, in: Vestische Zeitschrift 33 (1926) 94-97.

Carlyle, R[obert] W[arrand] und A[lexander] J[ames]: A History of Medieval Political Theory in the West, VI: 1300-1600, Edinburgh-London 1936 (ND 1960).

Caro, Jacob: Geschichte Polens, IV: 1430-1455, Gotha 1875.

–(Ed.): Liber Cancellariae Stanislai Ciolek, in: AÖG 45 (1871) 319-545; 52 (1875) 1-273.

Caron, Pier Giovanni: Corso di storia dei rapporti fra stato e Chiesa I, Mailand 1981.

Catalogus testium veritatis, qui ante nostram aetatem reclamarunt Papae. Cum praefatione Mathiae Flacii Illyrici, qua Operis huius et ratio et usus exponitur, Basel (Johannes Oporinus) 1556 (¹²1562/ND 1986).

Cavigioli, Jean Daniel: Les écrits d'Heymericus de Campo (1395-1460) sur les oeuvres d'Aristote, in: FZThPh 28 (1981) 293-371.

– und R. Imbach: Quelques compléments aux catalogues des oeuvres d'Heymericus de Campo, in: Codices Manuscripti 7 (1981) 1-3.

Cecconi, E.: Studi Storici sul Concilio di Firenze, I: Antecedenti del Concilio, documenti e illustrazioni, Florenz 1869.

Cegna, Romolo: L'ussitismo piemontese nel '400. Appunti ed ippotesi per uno studio organico, in: Rivista di storia e letteratura religiosa 7 (1971) 3-69.

Celier, Léonce: L'idée de réforme à la cour pontificale du concile de Bâle au concile de Latran, in: RQH 86 (1909) 418-35.

Cellarius, Helmut: Die Reichsstadt Frankfurt und die Gravamina der deutschen Nation (SVRG 163) Leipzig 1938.

Chachuat, Germaine: Jean Germain, évêque de Chalon-s.-Saône, in: Annales de l'Académie de Mâcon 49 (1968) 35-44.

Chaix, Gérald: Le 'Fasciculus rerum expetendarum ac fugiendarum' d'Ortvin Gratius et l'ésprit réformateur à Cologne en 1535, in: Les Réformes. Enracinement socioculturel. XXVᵉ colloque international d'études humanistes Tours 1-13 Juillet 1982, Hg. B. Chevalier et R. Sauzet, Paris 1985, 387-92.

Chartularium Universitatis Parisiensis, Collegit notisque illustravit Henricus Denifle auxiliante Aemilius Châtelain, IV: 1394-1452, Paris 1897.

Chaunu, Pierre: Le temps des Réformes. Histoire religieuse et système de civilisation. La Crise de la chrétienté. L'Eclatement (1250-1550), Paris 1975.

Chélini, Jean: L'Eglise au temps des schismes 1294-1449 (Collection U), Paris 1982.

Chmel, Joseph: Materialien zur österreichischen Geschichte, I-II, Wien 1837-40 (ND Graz 1971).

– Regesta chronologico-diplomatica Friderici IV Romanorum regis (imperatoris III) 1440-1493, Wien 1838-40 (ND Hildesheim 1962).

– Geschichte Kaiser Friedrichs IV. (i. e. III.) und seines Sohnes Maximilian I., Bd. I-II, Hamburg 1840-43.

– (Reisebericht I-III) in: SB der kaiserl. Akademie der Wiss., phil.-hist. Kl. 5 (Wien 1850) 361-450, 591-728; 6 (1851) 44-100.

Chrimes, S. B.: English Constitutional Ideas in the Fifteenth Century, Cambridge 1936.

Christianson, Gerald: Cesarini: The Conciliar Cardinal. The Basel Years, 1431-1438 (Kirchengeschichtl. Quellen und Studien 10) St. Ottilien 1979 [Phil. Diss. Chicago 1972].

– Cardinal Cesarini and Cusa's 'Concordantia', in: ChH 59 (1985) 7-19.

– Wyclif's Ghost: The Politics of Reunion at the Council of Basel, in: AHC 17 (1985) 193-208.

Chroust, A. H. und J. A. Corbett: The Fifteenth Century Review of Politics of Laurentius of Arezzo, in: Medieval Studies 11 (1949) 62-76.

Ciolini, Gino OSA: Agostino di Roma e la sua cristologia, Florenz 1944.

Clasen, Sophronius: Heinrich von Werl O. Min., ein deutscher Scotist, in: Wissenschaft und Weisheit 10 (1943) 61-72; 11 (1949) 54-58, 67-71.

– s. Heinrich von Werl.

– Walram von Siegburg OFM und seine Doktorpromotion an der Kölner Universität (1430-1435), in: AFH 44 (1951) 257-317; 45 (1952) 72-126 (Text), 323-96.

Classen, Peter: Libertas scolastica – Scholarenprivilegien – Akademische Freiheit im Mittelalter, in: HZ 232 (1981) 529-53; wieder in: ders., Studium und Gesellschaft im Mittelalter, Hg. J. Fried (MGH Schriften 29) Stuttgart 1983, 238-84.

Clausen, Peter: Heinrich Toke. Ein Beitrag zur Geschichte der Reichs- und Kirchenreform in der Zeit des Baseler Konzils, Phil. Diss. Jena 1937 (Würzburg 1939).

Cnattingius, Hans: Studies in the Order of St. Bridget of Sweden, Stockholm 1963.

Cobban, Alan B.: The Medieval Universities: Their Development and Organisation, London 1975.

Codex diplomaticus Universitatis Studii Generalis Cracoviensis, Ed. Z. Pauli und Fr. Piekosiński, I-II, Krakau 1870-73.

Codex epistularis saeculi XV, s. Monumenta medii aevi res gestas Polonias illustrantia.

Cognasso, Francesco: Amedeo VIII (1883-1451), I-II, Turin 1930.

– Il Ducato Visconteo e la Repùbblica Ambrosiana, 1392-1450 (Storia di Milano VI) Mailand 1955.

Cohn, Willy: Die Basler Konzilsflotte des Jahres 1437, in: BZGA 12 (1913) 16-52; wieder in: ders., Die Geschichte der sizilischen Flotte usw. [ND von drei Aufsätzen] Aalen 1978, Anhang 9-45.

Coissac, J. B.: Les universités d'Ecosse depuis la fondation de l'université de St. Andrews jusqu'au triomphe de la Réforme, 1410-1560, Paris 1915.

Colberg, Katharina: Kaiser Siegmund und das Schwurverbot, in: Staat und Gesellschaft in Mittelalter und früher Neuzeit, Festschrift Hermann Leuschner Göttingen 1983, 92-118.

Colomer, Eugenio: Nikolaus von Kues und Heimeric van den Velde, in: MFCG 4 (1964) 168-213.

Combes, André: La doctrine mariale du chancelier Jean Gerson, in: Maria. Etudes sur la Sainte Vierge sous la dir. de Hubert du Manoir, II, Paris 1952, 865-82.

Le concile et les conciles, Hg. Y. Congar, Paris-Chevetogne 1960 (dt. Das Konzil und die Konzile, Stuttgart 1962).

Conciliorum Oecumenicorum Decreta (COD), s. Siglen.

Concilium Basiliense (CB), s. Siglen.

Concilium. Internationale Zs. für Theologie 19, Heft 8/9 (1983), s. Das Ökumenische Konzil.

Concilium Florentinum (CF), s. Siglen.

Congar, Yves (Marie Joseph): Incidents ecclésiologiques d'un thème de la dévotion mariale, in: Mélanges de Science religieuse 7 (1950) 277-92; wieder in: ders., Études d'ecclésiologie médiévale, Nr. X.

– Jalons pour une théologie du laicat (Unam Sanctam 23) Paris 1953 (dt.: Der Laie, Entwurf einer Theologie des Laientums, Stuttgart 1964).

– Quod omnes tangit ab omnibus tractari et appobari debet, in: RHDFE 36 (1958) 210-59; wieder in: Grundlagen der modernen Volksvertretung, I, Hg. H. Rausch (WdF 196) Darmstadt 1980, 115-82; sowie in: ders., Droit ancien et structures ecclésiales, Nr. III.

– La tradition et les traditions. Essai historique, Paris 1960 (dt.: Die Tradition und die Traditionen I, Mainz 1965).

– Aspects ecclésiologiques dans la querelle entre mendiants et séculiers dans la seconde moitié du XIIIe et le début du XVe siècle, in: AHDL 36 (1961) 35-151.

– Konzil als Versammlung und grundsätzliche Konziliarität der Kirche, in: Gott in Welt, Festgabe für Karl Rahner, Hg. J. B. Metz usw., II, Freiburg/Br. 1964, 135-65.

– Die Lehre von der Kirche. Vom Abendländischen Schisma bis zur Gegenwart (Handbuch der Dogmengeschichte, Hg. Michael Schmaus usw. III, 3 d), Freiburg/Br. 1971.

– La collegialité épiscopale. Histoire et théologie, Paris 1965.
– La 'reception' comme réalité ecclésiologiqie, in: RSPhTh 56 (1972) 364-403; dt. Kurzfassung: Die Rezeption als ekklesiologische Realität, in: Concilium 8 (1972) 500-14; wieder in: ders., Droit ancien, Nr. XI.
– 1274-1974. Structures ecclésiales et conciles dans les relations entre Orient et Occident, in: RSPhTh 58 (1974) 355-90; wieder in: ders., Droit ancien, Nr. IX.
– Pour une histoire sémantique du terme 'magistère'; Bref historique des formes du 'magistère' et des ses relations avec les docteurs, in: RSPhTh 60 (1976) 85-98; 99-112; wieder in: ders., Droit ancien, Nr. VII.
– Clercs et laics au point de vue de la culture au moyen âge: 'Laicus' = sans lettres, in: ders., Etudes d'ecclésiologie médiévale, Nr. V.
– Droit ancien et structures ecclésiales, London (Variorum) 1982.
– Etudes d'ecclésiologie médiévale, London (Variorum) 1983.
Contamine, Philippe: Notes sur la paix en France pendant la guerre de cent ans, in: ders., La France au XIVᵉ et XVᵉ siècles. Hommes, mentalités, guerre et paix, London (Variorum) 1981, Nr. XIV.
Cook, William Robert: Peter Payne. Theologian and Diplomat of the Hussite Revolution, Phil. Diss. Cornell University 1971 (UMI Ann Arbor 1972).
– John Wyclif and Hussite Theology, 1415-1436, in: ChH 42 (1973) 335-49.
– The Eucharist in Hussite Theology, in: ARG 66 (1975) 23-35.
– Negotiations between the Hussites, the Holy Roman Emperor, and the Roman Church, 1427-1436, in: East Central Europe 5 (1978) 90-104.
Cornaggia-Medici, G.: Il vicariato visconteo su concili generali riformatori. Contributo alla storia giuridica dell'episcopalismo lombardo nel secolo XV, in: Studi in onore di Francesco Scaduto, Florenz 1936, 89-128.
Cornaz, Ernest: Le mariage Palatin de Marguerite de Savoie (1445-1449) (Mémoires et documents publ. par la Société d'histoire de la Suisse Romande, II. sér. 15) Lausanne usw. 1932.
Corpus iuris Canonici. Editio Lipsiensis secunda post Aem. L. Richteri curas... instruxit Aem. Friedberg, I-II, Lipsiae 1879 (ND Graz 1955).
Cosneau, E.: Le Connétable de Richemont (Artur de Bretagne) 1393-1458, Paris 1886.
Costa, s. Sousa Costa.
Coulet, Noël: Les visites pastorales (Typologie des Sources du Moyen Age occidental, dir. par L. Genicot, fasc. 23), Turnhout 1977.
Courtenay, W. J.: Nominalism and Late Medieval Thought. A Bibliographical Essay, in: Theological Studies 33 (1972) 716-34.
– Nominalism and Late Medieval Religion, in: The Pursuit of Holiness, 26-59.
Coville, A.: Pierre de Versailles (1380?-1446), in: BECh 93 (1932) 208-66.
Creighton, Mandell: A History of the Papacy During the Period of the Reformation II: The Council of Basel – The Papal Restauration 1418-1464, London 1882.
Cren, P. R.: Concilium episcoporum est. Note sur l'histoire d'une citation des actes du concile de Chalcédoine, in: RSPhTh 46 (1962) 45-62.
Crévier, Jean Baptiste: Histoire de l'Université de Paris. Depuis son origine jusqu'à l'année 1600, I-VII, Paris 1761.

Creytens, Raymond: Raphael Pornaxio O. P., auteur du 'De potestate papae et concilii generalis' faussement attribué à Jean de Torquemada O. P., in: AFP 13 (1943) 108-37.

– L'opuscule de Henri Kalteisen O. P. sur l'obligation de la règle de Sainte Claire, in: AFP 38 (1968) 47-69.

– Raphael de Pornassio O. P. (+ 1467). Vie et oeuvres, in: AFP 49 (1979) 145-92.

Crompton, James: Fasciculi Zizaniorum, in: JEcH 12 (1961) 35-45, 155-66.

Crowder, C. M. D.: Politics and the Councils of the Fifteenth Century, in: The Canadian Catholic Historical Association (Studia minora, Engl. section) 36 (1969) 41-55.

– Unity, Heresy and Reform 1378-1460. The Conciliar Response to the Great Schism (Documents of Medieval History 3) London 1977.

Councils and Assemblies, Hg. G. J. Cuming und D. Baker (Studies in Church History 7) Cambridge 1971.

De Cultu Mariano Saeculis XII-XV. Acta Congressus Mariologici-Mariani internationalis Romae anno 1975 celebrati, V: De cultu Mariano apud scriptores ecclesiasticos saec. XIV-XV, Rom 1981.

Cusanus Gedächtnisschrift, Hg. Nikolaus Grass (Forschungen zur Rechts- und Kulturgeschichte 3) Innsbruck-München 1970.

Cutolo, Alessandro: Giovanna II. La tempestuosa vita di una regina di Napoli (Collana storica) Novara 1968.

D'Agostino, Francesco: La tradizione dell'Epieikeia nel medioevo latino (Pubblicazioni dell'Instituto di Filosofia del Diritto dell'Università di Roma, ser. III, 15) Mailand 1976.

Dahyot Dolivet, Jehan: Le concordat de Redon (14 Août 1441), in: Comptes rendus de l'Association bretonne et d'Union régionaliste bretonne. Bulletin archéologique et agricole de l'Association bretonne 79 (1952) 86-112.

Dalham, Florian: Concilia Salisburgensia provincialia et dioecesana, Augsburg 1788.

Dallemagne, A.: Un Bugiste faiseur d'antipape: Louis Aleman, in: Le Bugey 68 (1981) 153-71.

D'Amico, John F.: Renaissance Humanism in Papal Rome: Humanists and Churchmen on the Eve of the Reformation, Baltimore-London 1983.

Dannenbauer, Heinrich: Ein deutscher Reformantrag vom Konzil zu Ferrara 1438, in: HJb 70 (1951) 106-14.

– s. Concilium Basiliense VIII.

Daris, Joseph: Histoire du diocèse et de la principauté de Liège pendant le quinzième siècle, Lüttich 1887 (ND Brüssel 1974).

Dax, Lorenz: Die Universitäten und die Konzilien von Pisa und Konstanz, Phil. Diss. Freiburg/Br. 1910.

Décarreaux, Jean: Un moine helléniste et diplomate: Ambroise Traversari, in: Revue des Etudes italiennes NS 4 (1957) 101-43.

Decker, Wolfgang: Die Politik der Kardinäle auf dem Basler Konzil (bis zum Herbst 1934), in: AHC 9 (1977) 112-53, 315-400.

– Über drei prominente Studenten des kanonischen Rechts in Bologna gegen Ende des 14. Jahrhunderts, in: ZRG KA 66 (1980) 336-53.

Degler-Spengler, Brigitte: Das Klarissenkloster Gnadenthal bei Basel 1289-1529 (QFBG 3) Basel 1969.

De la Brosse, Olivier: Le pape et le concile. La comparaison de leurs pouvoirs à la veille de la Réforme (Unam Sanctam 58) Paris 1965.

– Lateran V und Trient (Geschichte der ökumenischen Konzilien, Hg. G. Dumeige – H. Bacht, X) Mainz 1978.

Delaruelle, E., s. DLO (Siglen).

Della Torre, Arnaldo: Storia dell' Accademia Platonica di Firenze (Pubblicazione del Reale Istituto di studi superiori... in Firenze. Sezione di filosofia e filologia) Florenz 1902 (ND Turin 1960).

Dell'Osta, Rodolfo: Un teologo del potere papale e suoi rapporti col cardinalato nel secolo XV, ossia Teodoro de' Lelli, vescovo di Feltre e Treviso (1427-1466), Belluno 1948.

De Luca, Luigi: L'accettazione popolare della legge canonica nel pensiero di Graziano e dei suoi interpreti, in: Studia Gratiana 3 (1955) 193-276.

Demotz, Bernard: La politique internationale du comté de Savoie, XIIIᵉ-XVᵉ siècles, in: Cahiers d'Histoire 19 (1974) 29-69.

Dempf, Alois: Sacrum Imperium. Geschichts- und Staatsphilosophie des Mittelalters und der politischen Renaissance, Darmstadt ²1954 (¹1929).

Denifle, Henri – Emil Châtelain: Le procès de Jeanne d'Arc et l'Université de Paris, in: Mémoires de la Société de l'histoire de Paris et de l'Ile de France 24 (1897) 1-32.

– s. Auctarium; s. Chartularium Universitatis Parisiensis.

Denzinger, Heinrich und H. Schönmetzer: Enchiridion Symbolorum et Definitionum et Declamationum de rebus fidei et morum, Freiburg/Br. ³³1965 (¹⁷1928).

Denzler, Georg: Grundlinien der Zölibatsgeschichte vom Constantiense bis zum Tridentinum (1414-1545), in: Von Konstanz nach Trient, 343-62.

– Das Papsttum und der Amtszölibat, I-II (Päpste und Papsttum 5, 1-2) Stuttgart 1973-76.

– Zwischen Konziliarismus und Papalismus. Die Stellung des Papstes im Verständnis der Konzilien von Konstanz (1414-1418) und Basel (1431-1437), in: ders. (Hg.), Das Papsttum in der Diskussion, Regensburg 1974, 53-72.

Dephoff, Joseph: Zum Urkunden- und Kanzleiwesen des Konzils von Basel (Geschichtliche Darstellungen und Quellen 12) Hildesheim 1930.

De Rinaldis, Girolamo: Memorie storiche dei tre ultimi secoli del patriarcato d'Aquileia (1411-1751), Udine 1887.

Dessart, Henri: Les indults accordés aux évêques de Liège, in: Bulletin de l'Institut historique Belge de Rome 24 (1947/48) 49-121.

– L'alternative accordée aux collateurs liègeois le 31 Octobre 1441, in: RHDFE 4ᵉ sér. 28 (1950) 486-520.

– L'attitude du diocèse de Liège pendant le concile de Bâle, in: RHE 46 (1951) 688-712.

Deus, Wolf Herbert: Die Soester Fehde (Soester Wissenschaftl. Beiträge 2), Soest 1949.

Deutsche Reichstagsakten (RTA), s. Siglen.

Deutsche Verwaltungsgeschichte, Hg. Kurt G. A. Jeserich, H. Pohl, G. Chr. v. Unruh, I: Vom Spätmittelalter bis zum Ende des Reiches, Stuttgart 1983.

De Witte, Charles-Martial: Les bulles pontificales et l'expansion portugaise au XVᵉ siècle, in: RHE 48 (1953) 683-718; 49 (1954) 438-61; 51 (1955) 413-53; 809-36; 53 (1958) 5-46, 443-71.

Diario de jornada que fez o Conde de Ourem ao Concilio de Basilea, in: D. António Caetano de Sousa: Provas da História Genealogica da Casa Real Portuguesa, Nova Ed. rev. por. M. Lopes de Almeida e César Pegado V/2 (1746), ND Coimbra 1952, 237-306.

Díaz, Gonzalo: De peccati originalis Essentia in schola Augustiniana praetridentina (Biblioteca 'La Ciudad de Dios' I/7) El Escorial 1961.

– Un tratado inédito sobre el sacerdocio de Agustín Favaroni, in: La Ciudad de Dios 173 (1960) 584-637.

– Un tratado inédito sobre la santidad de la Iglesia, in: ebd. 187 (1974) 258-313.

Di Camillo, Ottavio: El Humanismo Castellano del Siglo XV, Valencia 1976.

Dickinson, J[oycelyne] G[ledhill]: The Congress of Arras 1435. A Study in Medieval Diplomacy, Oxford 1955.

– The Later Middle Ages. From the Norman Conquest to the Eve of the Reformation. An Ecclesiastical History of England, London 1979.

Dickinson, W. Croft: Scotland from the Earliest Times to 1603, 3. Ed., rev. from Archibald A. M. Duncan, Oxford 1977.

Dictionnaire des auteurs cisterciens, Rochefort 1975.

Diemar, Hermann: Johann Vrunt von Köln als Protonotar (1442-1448), in: Beiträge zur Geschichte vornehmlich Kölns und der Rheinlande. Zum 80. Geburtstag Gustav von Mevissens dargebracht von dem Archiv der Stadt Köln, Köln 1895, 71-106.

Diener, Hermann: Zur Persönlichkeit des Johannes von Segovia; ein Beitrag zur Methode der Auswertung päpstlicher Register des späten Mittelalters, in: QFIAB 44 (1964) 289-365.

– Enea Silvio Piccolominis Weg von Basel nach Rom. Aus päpstlichen Registern der Jahre 1442-47, in: Adel und Kirche. Gerd Tellenbach zum 65. Geburtstag dargebracht, Hg. Josef Fleckenstein und Karl Schmid, Freiburg/Br. usw. 1968, 516-33.

Dieterle, Karl: Die Stellung Neapels und der großen italienischen Kommunen zum Konstanzer Konzil, in: RQ 29 (1915) 3-21, 45-72.

Dietrich von Niem. Dialog über Union und Reform der Kirche 1410 (De modis uniendi et reformandi ecclesiam in concilio universali). Mit einer zweiten Fassung aus dem Jahre 1415, hg. von Hermann Heimpel (Quellen zur Geistesgesch. des Mittelalters und der Neuzeit 3) Leipzig-Berlin 1933 (ND Wiesbaden 1969).

– De schismate, ed. G. Erler, Leipzig 1890.

Dietze, Ursula von: Luxemburg zwischen Deutschland und Burgund (1383-1443), Phil. Diss. (masch.) Göttingen 1955.

Dini Traversari, Alessandro: Ambrogio Traversari e i suoi tempi, Florenz 1912.

Ditsche, M.: Die ecclesia primitiva im Kirchenbild des hohen und späten Mittelaltes, Phil. Diss. (masch.) Bonn 1958.

Dobson, Richard Barrie (Hg.): The Church, Politics and Patronage in the Fifteenth Century, Gloucester-New York 1984.

Döllinger, Johann Josef Ignaz (von): Lehrbuch der Kirchengeschichte II 1. Abt., Regensburg 1838.

– *Beiträge* zur politischen kirchlichen und Cultur-Geschichte der sechs letzten Jahrhunderte, II: Materialien zur Geschichte des fünfzehnten und sechszehnten Jahrhunderts, Regensburg 1863.

– Das Papsttum [Neubearbeitung von: 'Janus, Der Papst und das Concil' (1869), von J. Friedrich] München 1892 (ND Darmstadt 1969).

Dölger, Franz: Ein byzantinisches Staatsdokument in der Universitätsbibliothek Basel, in: HJb 72 (1953) 205-21; 75 (1956) 245-61.

Dohna, Lothar Graf zu: Reformatio Sigismundi. Beiträge zum Verständnis einer Reformschrift des 15. Jahrhunderts (VMPIG 4) Göttingen 1960.

Dombrowski, Ludwig: Die Beziehungen des Deutschen Ordens zum Baseler Konzil bis zur Neutralitätserklärung der deutschen Kurfürsten (März 1938), Phil. Diss. Berlin 1913 (Bamberg 1913).

Dondaine, Antoine: Le frère prêcheur Jean Dupuy évêque de Cahors et son témoignage sur Jeanne d'Arc, in: AFP 12 (1942) 118-84; Note additionelle, in: AFP 38 (1968) 31-41.

Dopsch, Heinz: Friedrich III., das Wiener Konkordat und die Salzburger Hoheitsrechte über Gurk, in: Mitteilungen aus dem österreichischen Staatsarchiv 34 (1981) 45-88.

Doren, Alfred: Zur Reformatio Sigismundi, in: Historische Vierteljahrsschrift 21 (1922/23) 1-59.

Doucet, Victorinus: Magister Aegidius Carlerii (+1472) eiusque quaestio de Immaculata Conceptione B. M. V., in: Antonianum 5 (1930) 405-42.

Drabina, Jan: Stosunek biskupów wroclawskich do koncyliaryzmu w dobie soboru bazylejskiego (1431-1449) [Stellungnahme der Bischöfe von Breslau zum Konziliarismus in der Zeit des Basler Konzils], in: Colloquium Salutis 9 (Breslau 1977) 105-20 (mit frz. Resümee).

Droege, Georg: Verfassung und Wirtschaft in Kurköln unter Dietrich von Moers (1414-1463) (Rheinisches Archiv 50) Bonn 1957.

– Dietrich von Moers, Erzbischof und Kurfürst von Köln (etwa 1385-1463), in: Rheinische Lebensbilder 1, Düsseldorf 1961, 49-65.

Drouot, H.: Une question débrouillée: Philippe le Bon et le concile de Bâle 16 (1944) 51-55 [Rezension von Toussaint, Relations (1942)].

Droysen, Johann Gustav: Geschichte der preußischen Politik, 2. Aufl., I-II/1, Berlin 1868 (^{1}1855).

Du Boulay, César Egasse (Caesar Egassius Boulaeus): Historia Universitatis Parisiensis, IV: 1300-1400, V: 1400-1500, Paris 1668-70 (ND Frankfurt 1966).

Duda, Bonaventura: Johannis Stojkovic de Ragusio O.P. (+1443) Doctrina de Cognoscibilitate Ecclesiae (Studia Antoniana 9) Rom 1958.

Dühren, Herbert van: Das allgemeine Reformproblem in der Traktatliteratur des Konstanzer Konzils, Phil. Diss. (masch.) Göttingen 1967.

Du Fresne de Beaucourt, Gaston L. E.: Histoire de Charles VII, I-VI, Paris 1881-91.

– Charles VII et la pacification de l'Eglise, in: RQH 43 (1888) 390-419.

Duggan, L. G.: The Unresponsiveness of the Late Medieval Church. A Reconsideration, in: The Sixteenth-Century-Journal 9 (1978) 3-26.

Dunlop, Anne Isabelle: The Life and Times of James Kennedy, Bishop of St. Andrews (+1465) (St. Andrews University Publications 46) Edinburgh-London 1950.

Dupré Theseider, Eugenio: La politica italiana di Alfonso d'Aragona, Bologna 1956.

Dykmans, Marc: Le cinquième Concile de Latran d'après le Diaire de Paris de Grassi, in: AHC 14 (1982) 271-369.

Eberstaller, Herta: Die Vertretung der Wiener Universität auf dem Konzil von Basel, (Hausarbeit [masch.] am Inst. für österreichische Gesch.-forschung Wien) 1956.

– Thomas Ebendorfers erster Bericht vom Baseler Konzil an die Wiener Universität, in: MIÖG 64 (1956) 313-17.

Eckermann, Karla: Studien zur Geschichte des monarchischen Gedankens im 15. Jahrhundert (Abhandlungen zur mittleren und neueren Gesch. 73) Berlin 1933.

Eckermann, Willigis: Augustinus Favaroni von Rom und Johannes Wyclif. Der Ansatz ihrer Lehre über die Kirche, in: Scientia Augustiniana, Festschrift A. Zumkeller, 323-48.

– Zur Hermeneutik theologischer Aussagen. Überlegungen Heinrich Kalteisens O. P. auf dem Basler Konzil zu Propositionen des Augustinus Favaroni von Rom OESA, in: Augustiniana 25 (1975) 24-42.

– (Ed.): Opera inedita historiam XXII Sessionis Concilii Basiliensis respicientia (Corpus Scriptorum Augustinianorum VI) Rom 1978.

Eckert, W. P., s. Rengstorf-Kortzfleisch.

Eckhardt, A.: Die Bechtheimer Dorfordnung aus dem Jahre 1432 und der Bauernaufstand in Worms 1431/32, in: Archiv für Hessische Gesch. und Altertumskunde 33 (1975) 55-85.

Eckstein, Alexander: Zur Finanzlage Felix' V. und des Basler Konzils (Neue Studien zur Gesch. der Theologie und der Kirche 14) Berlin 1912 (ND Aalen 1973).

Eder, Karl: Deutsche Geistesgeschichte zwischen Mittelalter und Neuzeit (Bücherei der Salzburger Hochschulwochen 8) Salzburg-Leipzig 1937.

Ehrensperger, Franz: Basels Stellung im internationalen Handelsverkehr des Spätmittelalters, Phil. Diss. Basel 1970 (Zürich 1972).

Ehrle, Franz: Der Cardinal Peter de Foix der Aeltere, die Acten seiner Legation in Aragonien und sein Testament, in: Archiv für Literatur und Kirchengesch. des Mittelalters 7 (1900) 421-514.

– Der Sentenzenkommentar Peters von Candia, des Pisaner Papstes Alexander V. Ein Beitrag zur Scheidung der Schulen in der Scholastik des 14. Jahrhunderts und zur Geschichte des Wegestreites (Franziskanische Studien Beiheft 9) Münster 1925.

Ehses, (St.): Von Konstanz und Basel nach Trient, in: Sechs Vorträge von der Hildesheimer Generalversammlung (3. Vereinsschrift der Görresgesellschaft) Köln 1911, 3-17.

Elm, Kaspar: Verfall und Erneuerung des Ordenswesens im Spätmittelalter. Forschungen und Forschungsaufgaben, in: Untersuchungen zu Kloster und Stift (VMPIG 68; Studien zur Germania Sacra 14) Göttingen 1980, 188-238.

Elsener, Ferdinand: Zur Geschichte des Majoritätsprinzips (Pars maior und pars sanior) insbesondere nach schweizerischen Quellen, in: ZRG KA 42 (1956) 73-116, 560-70.

– Justizreform in den Constituciones et Statuta des Genfer Offizialats von 1450. Aus dem Alltag eines geistlichen Gerichtshofs um die Mitte des 15. Jahrhunderts, in: ZRG KA 61 (1975) 63-83.

Emmen, Aquilin (Ed.): 'Mutter der Schönen Liebe'. Ein unveröffentlichter 'Sermo de Immaculata Conceptione', gehalten auf dem Baseler Konzil um 1436, in: Wissenschaft und Weisheit 19 (1956) 81-99.

– Ioannes de Romiroy sollicitator causae Immaculatae Conceptionis in Concilio Basiliensi, in: Antonianum 32 (1957) 335-68.

(Enea Silvio Piccolomini) Pii II P. M. olim Aeneae Sylvii Piccolominei Senensis Orationes politicae et ecclesiasticae, I-III in II, Ed. G. Domenico Mansi, Lucca 1755-59 (ND 1986).

– Libellus dialogorum de auctoritate concilii generalis ac de gestis Basiliensium et Eugenii papae contradictione, in: A. F. Kollarius, Analecta monumentorum omnis aevi Vindobonensia II, Wien 1762, 691-790.

– Der Briefwechsel des Eneas Silvius Piccolomini, Ed. Rudolf Wolkan, I 1-2: Briefe aus der Laienzeit (1431-1447), II: Briefe als Priester und Bischof von Triest (1447-1450), III: Briefe als Bischof von Siena (1450-1454) (FRA 2. Abt. Diplomataria et Acta 61-62, 67, 68) Wien 1909/1912/1918.

– Enea Silvio Piccolomini Papst Pius II. Ausgewählte Texte aus seinen Schriften, hg., übersetzt und biographisch eingeleitet von Berthe Widmer, Basel-Stuttgart 1960.

– 'Germania' und Jakob Wimpfeling 'Responsa et replicae ad Eneam Silvium', Hg. von Adolf Schmidt, Köln-Graz 1962.

– De Gestis Concilii Basiliensis Commentariorum Libri II, Ed. and transl. by Denis Hay und W. K. Smith (Oxford Medieval Texts 25) Oxford 1967.

– Commentarii rerum memorabilium, Ed. Adriano Van Heck I (Studi e testi 312), Vatikan 1984.

Engel, Josef: Zum Problem der Schlichtung von Streitigkeiten im Mittelalter, in: XIIe Congres International des Sciences Historiques Vienne 1965, Rapports 4: Methodologie, Horn-Wien 1965, 11-30.

– s. Handbuch der Europäischen Geschichte III.

Engelbert, Pius: Die Bursfelder Benediktinerkongregation und die spätmittelalterlichen Reformbewegungen, in: HJb 103 (1983) 35-55.

Engels, Odilo: Der Reichsgedanke auf dem Konstanzer Konzil, in: HJb 86 (1966) 80-106; wieder in: Das Konstanzer Konzil (WdF 415) 369-403.

– Zur Konstanzer Konzilsproblematik in der nachkonziliaren Historiographie des 15. Jahrhunderts, in: Von Konstanz nach Trient, 233-59; wieder in: Die Entwicklung des Konziliarismus (WdF 279) 329-59.

Die Entwicklung des Konziliarismus. Werden und Nachwirken der konziliaren Idee, Hg. Remigius Bäumer (WdF 279) Darmstadt 1976.

Epiney-Burgard, G.: Le rôle des théologiens dans les conciles de la fin du moyen âge (1378-1449), in: Les théologiens et l'Eglise (Les Quatre Fleuves. Cahier de recherche et de reflexion religieuses 12) Paris 1980, 69-76.

Ercole, Francesco: Impero e papato nella tradizione giuridica Bolognese e nel diritto pubblico italiano del rinascimento (secolo XIV-XV), in: Atti e memorie della Regia Deputazione di Storia Patria per le Provincie di Romagna, ser. IV, 1) Bologna 1911, 1-223.

– Da Bartolo all' Althusio. Saggi sulla storia del pensiero pubblicistico del rinascimento italiano (Collana storica 44) Florenz 1932.

Erler, Adalbert (Ed.): Mittelalterliche Rechtsgutachten zur Mainzer Stiftsfehde 1459-1463 (Schriften der Wissenschaftl. Gesellschaft an der J. W. Goethe-Universität Frankfurt/Main, Geisteswiss. Reihe 4) Wiesbaden 1964.

– Neue Funde zur Mainzer Stiftsfehde, in: ZRG KA 53 (1972) 370-86.

Ernst, Fritz: Über Gesandtschaftswesen und Diplomatie an der Wende vom Mittelalter zur Neuzeit, in: AKG 33 (1951) 64-95.

Esch, Arnold: Das Papsttum unter der Herrschaft der Neapolitaner, in: Festschrift Hermann Heimpel (VMPIG 36/II) Göttingen 1972, 713-800.

– Bankiers der Kirche im Großen Schisma, in: QFIAB 46 (1966) 277-398.

Escher, Konrad (Ed.): Das Testament des Kardinals Johannes de Ragusio, in: BZGA 16 (1917) 208-12.

Eubel, Conrad(us): Hierarchia Catholica Medii Aevi sive Summorum pontificum, S. R. E. cardinalium, ecclesiarum antistitum series, I²: 1198-1431; II²: 1431-1503, Münster 1913-14.

– Die Besetzung deutscher Abteien mittelst päpstlicher Provision von 1431 bis 1503, in: SMBO 20 (1899) 234-46.

– Die durch das Basler Konzil geschaffene *Hierarchie*, in: RQ 16 (1902) 269-86.

Europa 1400. Die Krise des Spätmittelalters, Hg. Ferdinand Seibt und Winfried Eberhard, Stuttgart 1984.

Ewig, Eugen: Die Anschauungen des Kartäusers Dionysius von Roermond über den christlichen Ordo in Staat und Kirche, Phil. Diss. Bonn 1936.

Facultas S. Theologiae Lovaniensis 1432-1797, Hg. E. J. M. van Eijl (Bibliotheca Ephemeridum Theologicarum Lovaniensium 45) Löwen 1977.

Falcone, Pompeo: Lodovico Pontano e la sua attività al Concilio di Basilea, 1436-1439, Spoleto 1934.

Falk, Franz: Zur Biographie des Johannes von Lysura, in: Der Katholik 76, 2 (1896) 437-54.

Faraglia, Nunzio Federigo: Storia della regina Giovanna II d'Angiò, Lanciano 1904.

– Storia della lotta tra Alfonso V d'Aragona e Renato d'Angiò, Lanciano 1908.

Faust, Wilhelm: Der Streit des Erzbischofs Günther II. mit der Stadt Magdeburg 1429-1435, Phil. Diss. Halle 1900.

Favale, Agostino: I Concili ecumenici nella storia della chiesa, Turin 1962.

Fédou, René: Une révolte populaire à Lyon au XVᵉ siècle. La Rebeyne de 1436, in: Cahiers d'histoire 3 (1958) 129-49; engl. in: P. S. Lewis (Hg.): The Recovery of France, London 1976, 242-64.

Feine, Hans Erich: Papst, Erste Bitten und Regierungsantritt des Kaisers seit dem Ausgang des Mittelalters, in: ZRG KA 20 (1931) 1-101; wieder in: ders., Reich und Kirche. Ausgewählte Abhandlungen, Aalen 1966, 1-76.
– Kirchliche Rechtsgeschichte. Die katholische Kirche, Köln-Wien ⁵1972 [zit.: Feine].

Fenske, Hans, Dieter Mertens, Wolfgang Reinhard, Klaus Rosen: Geschichte der politischen Ideen. Von Homer bis zur Gegenwart, Königstein/ Ts. 1981.

Fenton, Joseph: The Theology of the General Council, in: The General Council, Hg. William J. Mc Donald, Washington 1962 (ND Westpoint 1979) 149-82.

Ferguson, John: English Diplomacy 1422-1461, Oxford 1972.

Fernández Ponsa, R.: La preeminencia de España sobre Inglaterra en Basilea, in: Anuario de Historia del Derecho Español 13 (1936) 406-08.

Festschrift Hermann Heimpel (VMPIG 35/I-III) Göttingen 1972.

Fiala, F.: Dr. Felix Hemmerlin. Probst des St. Ursenstiftes in Solothurn, Solothurn 1860.

Figgis, John Neville: Studies in Political Thought from Gerson to Grotius, 1414-1625, Cambridge ²1916 (¹1900; diverse ND, zuletzt u. d. T.: Political Thought from Gerson to Grotius 1414-1625. Seven Studies (Harper Torchbook) New York 1960).

Fijalek, J.: Mistrz Jakób z Paradyza i Uniwersytet Krakowski w okresie soburu bazylejskiego [Magister Jakob von Paradies und die Krakauer Universität in der Zeit des Basler Konzils], I-II, Krakau 1900.

Fink, Karl August: Martin V. und Aragon (Historische Studien 340) Berlin 1938.
– König Sigismund und Aragon. Die Bündnisverhandlungen vor der Romfahrt, in: DA 2 (1938) 149-71.
– Papsttum und Kirchenreform nach dem Großen Schisma, in: ThQ 126 (1946) 110-22.
– Die konziliare Idee im späten Mittelalter, in: Die Welt zur Zeit des Konstanzer Konzils, 119-34.
– Zum Streit zwischen dem Deutschen Orden und Polen auf den Konzilien von Konstanz und Basel, in: Reformata Reformanda I, 74-86.
– Konziliengeschichtsschreibung im Wandel? in: Theologie im Wandel. Festschrift zum 150jährigen Bestehen der Katholisch-Theol. Fakultät an der Universität Tübingen 1817-1967, München-Freiburg 1967, 179-89.
– Eugen IV., Konzil von Basel-Ferrara-Florenz, in: HKG, Hg. H. Jedin, III 2, Freiburg 1968, 572-88.
– Das Scheitern der Kirchenreform im 15. Jahrhundert, in: Mediaevalia Bohemica 3 (1970) 237-44.
– Zum Finanzwesen des Konstanzer Konzils, in: Festschrift Heimpel II, 627-51.

Finke, Heinrich: Zur Charakteristik des Patriarchen Johannes Maurosii von Antiochien, in: RQ 2 (1888) 165-74.
– Die Nation in den spätmittelalterlichen allgemeinen Konzilien, in: HJb 57 (1937) 323-38; wieder in: Die Entwicklung des Konziliarismus (WdF 279) 347-68.

Fita y Colomer, Fidel: Tres discursos históricos. Panegírico de la Immaculada Concepción (Collección diplomática) Barcelona 1875 (Madrid ²1909).

Flacius Illyricus, s. Catalogus Testium Veritatis.

Flathe, Theodor: Wilhelm III. Markgraf zu Meissen und Herzog von Sachsen, in: ADB 43 (1898) 124-27.

Fleury, J.: Le conciliarisme des canonistes au Concile de Bâle d'après le Panormitain, in: Mélanges Roger Sécrétan, Lausanne 1964, 47-66.

Flick, Alexander Clarence: The Decline of the Medieval Church, I-II, London 1930.

Foffano, Tino: Umanisti italiani in Normandia nel secolo XV, in: Rinascimento ser. II, 4 (1964) 3-34.

– Tra Costanza e Basilea. Rapporti col mondo d'oltralpe del Cardinale Branda Castiglioni, legato pontificio e mecenade della cultura, in: The Late Middle Ages and the Dawn of Humanism Outside Italy, Hg. G. Verbeke und J. Ijsewijn (Mediaevalia Lovaniensia, ser. I, Studia 1) Löwen 1972, 19-30.

– Un carteggio del Cardinale Branda Castiglioni con Cosimo de' Medici, in: Vestigia. Studi in onore di Giuseppe Billanovich, I (Storia e letteratura 162) Rom 1984, 297-314.

Fois, Mario: Il pensiero cristiano di Lorenzo Valla nel quadro storico-culturale del suo ambiente (Analecta Gregoriana 174) Rom 1969.

– Il concilio di Constanza nella storiografia recente, in: La Civiltà Cattolica 126, 2; nr. 2295 (1975) 11-27.

– Il valore ecclesiologico del decreto 'Haec Sancta' del concilio di Constanza, in: ebd. nr. 2296 (1975) 138-52.

– I concili del secolo XV, in: Problemi di storia della chiesa. Il medioevo dei secoli XII-XV (Cultura e storia 16) Mailand 1976, 162-214.

– L'ecclesiologia di emergenza stimulata dallo Scisma, in: Genèse et début du Grand Schisme 623-35.

Folz, Robert: Le concordat germanique et l'élection des évêques de Metz, 1450-1668, in: Annuaire de la Société d'histoire et d'archéologie de Lorraine 40 (1931) 157-305.

Forstreuter, Kurt: Preußen und Rußland von den Anfängen des Deutschen Ordens bis zu Peter dem Großen (Göttinger Bausteine zur Gesch.wiss. 23) Göttingen 1955.

– Der Deutsche Orden und die Kirchenunion während des Basler Konzils, in: AHC 1 (1969) 114-39.

– Eine polnische Denkschrift auf dem Konzil von Basel, in: ZfO 21 (1972) 684-96.

– Unter Mitwirkung von Hans Koeppen (Hgg.): Die Berichte der Generalprokuratoren des Deutschen Ordens an der Kurie, IV 1-2: 1429-1436. Kaspar Wandofen (Veröffentlichungen der niedersächsischen Archivverwaltung 32 und 37) Göttingen 1973-76.

Fowler, Kenneth (Hg.): The Hundred Years War, London 1971.

Frank, Barbara: Das Erfurter Peterskloster im 15. Jahrhundert. Studien zur Geschichte der Klosterreform und der Bursfelder Union (VMPIG 34. Studien zur Germania Sacra 11) Göttingen 1973.

Frank, Isnard W.: Leonhard Huntpichler O. P. (+1478). Theologieprofessor und Ordensreformer in Wien, in: AFP 36 (1966) 313-88.

– Hausstudium und Universitätsstudium der Wiener Dominikaner bis 1500 (AÖG 127) Wien 1968.

– Ein antikonziliarer Traktat des Wiener Dominikaners Leonhard Huntpichler von 1447/48, in: FZThPh 18 (1971) 36-71.

– Thomas Ebendorfers Obödienzansprache am 11. September 1447 in der Wiener Stephanskirche. Ein Beitrag zum 'Konziliarismus' des Wiener Theologen, in: AHC 7 (1975) 314-53.

– Der antikonziliaristische Dominikaner Leonhard *Huntpichler*. Ein Beitrag zum Konziliarismus der Wiener Universität im 15. Jahrhundert (AÖG 131) Wien 1976.

– Wiener Konzilsappellationen in der zweiten Hälfte des 15. Jahrhunderts. Ein Beitrag zum 'Wiener Konziliarismus', in: Loidl, F. (Hg.), Aspekte und Kontakte eines Kirchenhistorikers (Wiener Beiträge zur Theologie 52) Wien 1976, 103-19.

Frank, Karl Suso: Das Klarissenkloster Söflingen. Ein Beitrag zur Ordensgeschichte Süddeutschlands und zur Ulmer Kirchengeschichte (Forschungen zur Gesch. der Stadt Ulm 20) Stuttgart 1980.

Franklin, Julian Hope: Jean Bodin and the Rise of Absolutist Theory, Cambridge 1973.

Franz, Günther: Neue Akten zur Geschichte des Wormser Bauernaufstands, in: ZGO NF 44 (1931) 47-54.

Franzen, August: Das Konstanzer Konzil. Probleme, Aufgaben und Stand der Konzilsforschung, in: Concilium 1 (1965) 555-74; wieder in: Das Konstanzer Konzil (WdF 415) 165-207.

Franzen-Müller (Hgg.), s. Das Konzil von Konstanz.

Friebe, Mauritius: Quomodo universitates Germaniae literariae adversus Concilium Basiliense se gesserint, Diss. Viadrina 1869 (Bratislava 1869).

Friemel, S.: Die theologische Prinzipienlehre des Augustinus Favaroni von Rom OESA (+1443) (Cassiciacum 12), Würzburg 1950.

Frind, Anton: Die Kirchengeschichte Böhmens im Allgemeinen und in ihrer besonderen Beziehung auf die jetzige Leitmeritzer Diöcese, III-IV, Prag 1872-78.

Froböß, Johannes: Das Konstanzer Dekret von der Superiorität des allgemeinen Konzils über den Papst und seine Erhebung zum Dogma am 16. Mai 1439, Diss. Erlangen 1914 (ungedruckt; unzugänglich).

Fromherz, Ursula: Johannes von Segovia als Geschichtsschreiber des Konzils von Basel (Basler Beiträge zur Gesch.wiss. 81) Basel 1960.

Fubini, Riccardo: Un' orazione di Poggio Bracciolini sui vizi del clero, scritta al tempo del Concilio di Costanza, in: Giornale storico di letteratura italiana 142 (1965) 24-33.

– Tra umanesimo e concili. Note e giunte a una pubblicazione recente su Francesco Pizolpasso (1370c.-1443), in: StM 7.ser III, 1 (1966) 323-70. [Rez. von Paredi, Biblioteca].

– Papato e storiografia nel Quattrocento. Storia, biografia e propaganda in un recente studio, in: StM 3.ser 18 (1977) 321-51. [Rez. von Miglio, Storiografia].

– Il teatro del mondo nelle prospettive morali e storico-politiche di Poggio Braccio-lini, in: Poggio Bracciolini 1380-1980 (Istituto Nazionale di Studi sul Rinascimento. Studi e Testi VIII) Florenz 1982, 1-135.

Gabriel, Astrik L.: 'Via antiqua' and 'via moderna' and the Migration of Paris Students and Masters to the German Universities in the Fifteenth Century, in: Antiqui und Moderni, 439-83.
– Intellectual Relations between the University of Paris and the University of Cracow in the Fifteenth Century, in: Studia Zrodłoznawcze 25 (Warschau 1980) 37-63.

Gadave, René: Les documents sur l'histoire de l'Université de Toulouse et specialement de sa faculté de droit civil et économique (1229-1789), Toulouse 1910.

Gamberoni, Paul: Cusanus und der italienische Humanismus, in: Bijdragen. Tijdschrift voor filosofie en theologie 25 (1964) 398-417.

Gams, Pius Bonifatius: Die Kirchengeschichte von Spanien, III 1, Regensburg 1876 (ND Graz 1956).

Ganoczy, A.: Jean Major, exégète gallican, in: Revue des sciences religieuses 56 (1968) 457-95.

Ganshof, François Louis: Le Moyen Age. (Histoire des relations internationales publiée sous la dir. de P. Renouvin, I) Paris ⁴1968.

Ganzer, Klaus: Das Mehrheitsprinzip bei den kirchlichen Wahlen des Mittelalters, in: ThQ 47 (1967) 60-87.
– Päpstliche Gesetzgebung und kirchlicher Konsens. Zur Verwendung eines Dictum Gratians in der Concordantia Catholica des Nikolaus von Kues, in: Von Konstanz nach Trient, 171-88.
– Zur Teilnahme der Äbte an den Allgemeinen Konzilien in der Neuzeit, in: Consuetudines Monasticae. Festgabe für Kassius Hallinger (Studia Anselmiana 85) Rom 1982, 355-72.

Garcia-Villoslada, R. (Hg.): Historia de la Iglesia en España, III 1, Madrid 1980.

Garcia Miralles, Manuel: El cardinalato de institutione divina y el episcopado en el problema de la successión apostólica segun Juan de Torquemada, in: XVI Semaña Española de Teologia, Madrid 1957, 249-74.

Garin, Eugenio (Ed.): Prosatori latini del Quattrocento (La letteratura Italiana. Storia e testi 13) Mailand-Neapel 1952.
– La cultura milanese nella prima metà del XV secolo, in: Storia di Milano VI, Mailand 1955, 545-608.

Gasquet, [F. A.] Cardinal: The Religious Life of King Henry VI, London 1923.

Gaudemet, Jean: Unanimité et majorité. Observations sur quelques études récentes, in: Etudes historiques à la mémoire de Noël Didier, Paris 1960, 149-62; wieder in: ders., La société ecclésiastique dans l'Occident médiéval, London (Variorum) 1980, Nr. II.

Gaullieur, E. H. (Ed.): Correspondance du Pape Felix V et de son fils Louis duc de Savoie au sujet de la ligue de Milan et de l'acquisition du Milanais 1446-1449, in: Archiv für Schweizerische Geschichte 8 (1851) 269-364.

Gaussin, Pierre Roger: Les conseillers de Charles VII (1418-1461). Essai de politologie historique, in: Francia 10 (1982) 67-130.

Gauthier, Léon: Jean de Fruyn, archévêque de Besançon, in: Mémoires de la Société d'émulation du Doubs, 1901, 263-72.

Gazzaniga, Jean Louis: L'Eglise du Midi à la fin du règne de Charles VII (1444-1461), d'après la jurisprudence du Parlement de Toulouse, Paris 1976.

– L'appel au concile dans la politique gallicane de la monarchie de Charles VII à Louis XII, in: Bulletin de littérature ecclésiastique 85 (1984) 111-29.

Geanakoplos, Deno J.: Die Konzile von Basel (1431-49) und Florenz (1438-39) als Paradigma für das Studium moderner ökumenischer Konzile aus orthodoxer Perspektive, in: Theologische Zs., Basel, 38 (1982) 330-59.

Gebhardt, Bruno: Die gravamina der deutschen Nation gegen den römischen Hof. Ein Beitrag zur Vorgeschichte der Reformation, Breslau ²1895.

Gebhardt Handbuch der deutschen Geschichte, I: Frühzeit und Mittelalter, 9. Aufl. Hg. v. H. Grundmann, Stuttgart 1970 (als Taschenbuch [dtv 4201-07] München 1973); s. Baethgen.

Geering, Traugott: Handel und Industrie der Stadt Basel. Zunftwesen und Wirtschaftsgeschichte bis zum Ende des 17. Jahrhunderts, Basel 1896.

Geiger, Gottfried: Die Reichsstadt Ulm vor der Reformation. Städtisches und kirchliches Leben am Ausgang des Mittelalters (Forschungen zur Gesch. der Stadt Ulm 11) Ulm 1971.

Genèse et débuts du Grand Schisme d'Occident (1362-1394) (Colloques internationaux du centre nationale de la recherche scientifique 586) Paris 1980.

Gerber, Harry: Drei Jahre reichsstädtischer, hauptsächlich Frankfurter Politik im Rahmen der Reichsgeschichte unter Sigismund und Albrecht II. 1437-1439, Phil. Diss. Marburg 1914.

– Frankfurt am Main und der Reichskrieg gegen die Armagnaken, in: Archiv für Frankfurts Geschichte und Kunst 4 (1933) 1-33.

Gerest, R. C.: Concile et réforme de l'Eglise. De la fin du XIIIᵉ siècle au concile de Trente, in: Lumière et Vie II no. 59 (1962) 21-56.

Germain, A. (Ed.): Deux lettres du concile de Bâle aux consuls de Montpellier, in: Mémoires de la Société archéologique de Montpellier 6 (1870-76) 165-70.

Gerson, s. Johannes Gerson.

Gerz von Büren, Veronika: Geschichte des Klarissenklosters St. Clara in Klein-Basel 1266-1529 (QFBG 2) Basel 1969.

Geschichte der Kirche, Hg. L. R. Rogier usw., II: Früh- und Hochmittelalter, Hg. M. D. Knowles, Einsiedeln usw. 1971.

Gierke, Otto von: Das deutsche Genossenschaftsrecht, I-III, Berlin 1868-1913 (ND Graz 1954).

Gieseler, Johann Carl Ludwig: Lehrbuch der Kirchengeschichte, II 4, Bonn 1835 (²1845).

Gill, Joseph: The Cost of the Council of Florence, in: Orientalia Christiana Periodica 22 (1956) 299-318.

– The Council of Florence, Cambridge (Mass.) 1959 (ND New York 1979).

– The Definition of the Primacy on the Council of Florence, in: Heythrop Journal 2 (1961) 14-29; wieder in: ders., Personalities of the Council of Florence 264-86; sowie in: ders., Church Union.

– *Eugenius IV,* Pope of Christian Union (The Popes Through History 1) London 1961.

– Personalities of the Council of Florence and Other Essays, Oxford 1964.

– Konstanz und Basel-Florenz (Geschichte der ökumenischen Konzilien, Hg. G. Dumeige und H. Bacht, IX), Mainz 1967 [zitiert: Gill].

– The *Representation* of the 'Universitas Fidelium' in the Councils of the Conciliar Period, in: Councils and Assemblies, Hg. G. J. Cuming – D. Baker (Studies in Church History 7) Cambridge 1971, 177-95.

– Church Union. Rome and Byzantium (1204-1453), London 1979.

Gilomen, Hans-Jörg: Die Grundherrschaft des Basler Cluniazenserpriorats St. Alban im Mittelalter. Ein Beitrag zur Wirtschaftsgeschichte am Oberrhein (QFBG 9) Basel 1977.

– Die städtische Schuld Berns und der Basler Rentenmarkt im 15. Jahrhundert, in: BZGA 82 (1982) 5-64.

– Zum Lebenslauf des Heinricus Arnoldi von Alfeld, Priors der Basler Kartause, in: ZSchwKG 76 (1982) 63-70.

– s. Repertorium Concilii Basiliensis.

Gilomen-Schenkel, Elsanne: Henmann Offenburg (1379-1459). Ein Basler Diplomat im Dienste der Stadt, des Konzils und des Reiches (QFBG 6) Basel 1975.

Gindele, Emil: Bibliographie zur Geschichte und Theologie des Augustiner-Eremitenordens bis zum Beginn der Reformation (Spätmittelalter und Reformation. Texte und Untersuchungen 1) Berlin-New York 1977.

Giner Guerri, S.: Definido el conciliarismo en Constanza?, in: Analecta Calasauctiana 19 (Salamanca 1977) 374-437.

Girgensohn, Dieter: Die Universität Wien und das Konstanzer Konzil, in: Das Konzil von Konstanz, 252-81.

– Wie wird man Kardinal? Kuriale und außerkuriale Karrieren an der Wende des 14. zum 15. Jahrhundert, in: QFIAB 57 (1977) 138-62.

Glorieux, Palemon (Ed.): Jean Gerson. Oeuvres Complètes, Introduction, texte et notes par Msgr. P. Glorieux, I-X, Paris-Tournai 1959-73.

Görres, Joseph von: Guter Rath in alter Zeit, in: Rheinischer Merkur Nr. 200 (27. Feb. 1815) und Nr. 201 (1. März 1815); Faksimileausgabe in: ders., Gesammelte Schriften 9-11 (Rhein. Merkur 2. Band) Köln 1928.

Gössmann, Elisabeth: Antiqui und Moderni im Mittelalter. Eine geschichtliche Standortbestimmung (Veröff. des Grabmann-Instituts 23) München usw. 1974.

Göth, Ignaz und Emanuel Schwob: Iglau. Im Auftrage des Deutschen Stadt-Bildungsausschusses hg. von Hans Kral. Aus Anlaß der 500. Jahrfeier der Baseler Kompaktaten 1436-1936, Iglau 1936.

Goldast, Melchior von Haiminsfeld (Ed.): Monarchia S. Romani Imperii, sive tractatus de jurisdictione imperiali seu regia et pontificia..., I-III, Hannover-Frankfurt 1611-14 (ND Graz 1960).

Goldbrunner, Hermann: Laudatio Urbis. Zu neueren Untersuchungen über das humanistische Städtelob, in: QFIAB 63 (1983) 313-28.

Gómez-Canedo, Lino: Un diplomático español al servicio de la Santa Sede. D. Card. de Carvajal y el Cisma de Basilea (1434-1447), in: Archivo Ibero-Americano. Segunda época 1 (1941) 29-55, 209-28, 369-420.

– Don Juan Carvajal. Un español al servicio de la Santa Sede, Madrid 1947.

Goñi Gaztambide, José: Los españoles en el Concilio de Constanza, notas biográficas, in: Hispania Sacra 15 (1963) 153-386.

– Los obispos de Pamplona del siglo XV y los Navarros en los Concilios de Constanza y Basilea, in: Estudios de edad media de la Corona de Aragón 7 (1962) 358-547; 8 (1967) 265-413 (Consejo superior de investigaciones científicas. Escuela de estudios medievales 36 und 39).

– El conciliarismo en España, in: Scripta Theologica 10 (Pamplona 1978) 893-927.

– Historia de los obispos de Pamplona, II: Siglos XIV-XV, Pamplona 1979.

– s. Historia de la Iglesia en España III 1, Hg. R. Garcia-Villoslada.

Gonthier, Jean François: Les évêques de Genève au temps du Grand Schisme, 1378-1449, in: Mémoires et documents publiés par l'Académie Salésienne 12 (1889) 329-68; 15 (1892) 213-30, 239-61; wieder in: ders., Oeuvres historiques III, Thonon-les Bains 1903.

González, Julio: El maestro Juan de Segovia y su biblioteca (Consejo superior de investigaciones científicas. Instituto 'Nicolás Antonio', Collección Bibliográfica 6) Madrid 1944.

Gottschalk, August: Kaiser Sigmund als Vermittler zwischen Papst und Konzil (1431-1434), Phil. Diss. Erlangen 1910 (Borna-Leipzig 1911).

Gotwald, William Kurtz: Ecclesiastical Censure at the End of the Fifteenth Century (John Hopkins University Studies in Historical and Political Science, ser. 45 No. 3) Baltimore 1927.

Grabmann, Martin: Studien über den Einfluß der aristotelischen Philosophie auf die mittelalterlichen Theorien über das Verhältnis von Kirche und Staat (SB der Bayer. Ak. Wiss. phil. hist. Kl. 1934, H. 2), München 1934; wieder in: ders., Gesammelte Akademie-Abhandlungen, I, Paderborn usw. 1979, 942-52.

Grabski, Andrzej Feliks: Polska w opiniach Europy zachodniej XIV-XV w. [Polen in der Meinung Westeuropas im 14.-15. Jahrhundert], Warschau 1968.

Graf, Gerhard: Albert Hauck über Jan Hus: zur Selbstkritik der Reformationshistoriographie, in: ZKG 83 (1972) 34-51.

Grailly, F. de: Révolte des Avignonais et des Comtadins contre le Pape Eugène IV et leur soumission par le légat Pierre de Foix (1433), Avignon 1898.

Grant, Alexander: Independence and Nationhood. Scotland 1306-1469 (The New History of Scotland 3) London 1984.

Grass, Nikolaus: Cusanus als Rechtshistoriker und Jurist, in: Cusanus Gedächtnisschrift 101-210.

Gratien, F.: Les débuts de la réforme des Cordeliers en France et Guillaume Josseaume (1390-1436), in: Etudes franciscaines 31 (1914) 415-39.

Graus, František: Das Spätmittelalter als Krisenzeit. Ein Literaturbericht als Zwischenbilanz (Mediaevalia Bohemica. Suppl. 1) Prag 1969.

– The Crisis of the Middle Ages and the Hussites, in: St. E. Ozment (Hg.), The Reformation in Medieval Perspective. Modern Scholarship on European History, Chicago 1971, 77-103 [zuerst tschech. in: Československý časopis historický 17 (1969) 507-26].

– Vom 'Schwarzen Tod' zur Reformation. Der krisenhafte Charakter des europäischen Spätmittelalters, in: P. Blickle (Hg.), Revolte und Revolution in Europa (HZ Beiheft 4) München 1975, 10-30.

–Lebendige Vergangenheit. Überlieferungen im Mittelalter und in den Vorstellungen vom Mittelalter, Köln-Wien 1975.

Grayzel, Solomon: Jews and the Ecumenical Councils, in: A. A. Neumann – S. Zeitlin (Hg.), The Seventy-fifth Anniversary Volume of Jewish Quarterly Review, Philadelphia 1967, 287-311.

Gregel, Johann Philipp: De Juribus nationi Germanicae ex acceptatione Decretorum Basileensium quaesitis, per Concordata Aschaffenburgiensia modificatis stabilitis, Mainz 1787.

Gregorovius, Ferdinand: Geschichte der Stadt Rom im Mittelalter, I-VIII, Stuttgart ⁴1886-1896 (ND 1953-57).

Grévy-Pons, Nicole: Propagande et sentiment national pendant le règne de Charles VI: L'exemple de Jean de Montreuil, in: Francia 8 (1980) 127-46.

Griffiths, Ralph A.: The Reign of King Henry VI. The Exercise of Royal Authority 1422-1461, London 1981.

Grillmeier, Alois: Konzil und Rezeption. Methodische Bemerkungen zu einem Thema in der ökumenischen Diskussion der Gegenwart, in: Theologie und Philosophie 45 (1970) 321-52.

Groshaeny, J. P.: L'état de l'Eglise de Strasbourg au debut du XVᵉ siècle et les circonstances du choix de l'évêque Robert de Bavière d'après une bulle inédite de l'antipape Felix V du 18 août 1440, in: Archives de l'Eglise d'Alsace 19 (1949/50) 387-93.

Grossé, L.: Stosunki Polski z soborem Bazylejskim [Beziehungen Polens zum Basler Konzil], Warschau 1885.

Grüneisen, Henny: Die westlichen Reichsstände in der Auseinandersetzung zwischen Reich, Burgund und Frankreich, in: RhVjBll 26 (1961) 22-77.

Grundmann, Herbert: Freiheit als religiöses, politisches und persönliches Postulat des Mittelalters, in: HZ 183 (1957) 23-53.

Guelluy, R.: La place des théologiens dans l'Eglise et la société médiévale, in: Miscellanea historica in honorem Alberti de Meyer, I (Recueil de travaux d'histoire et de philologie, ser. 3, 23) Löwen 1946, 571-89.

Guenée, Bernard: Etat et nation en France au Moyen Age, in: RH 237 (1967) 17-30; wieder in: ders., Politique et histoire au moyen-âge, Paris 1981, 151-64.

–Les tendances actuelles de l'histoire politique du moyen-âge français, in: Actes du 100ᵉ Congrès national des sociétés savantes, Paris 1975, Section de philologie et d'histoire I, 45-70; wieder in: ders., Politique et histoire au moyen-âge, Paris 1981, 177-202.

Guenée, Simonne: Bibliographie de l'histoire des universités françaises des origines à la révolution, I: Généralités. Université de Paris, Paris 1981; II: d'Aix-en-Provence à Valence et Académies Protestantes, Paris 1978 (Commission Internationale pour l'histoire des universités).

Günther, Otto: Zwei Breslauer Handschriften vom Basler Konzil und ihre Schreiber, in: Schlesische Jahrbücher für Geistes- und Naturwissenschaften 3 (1924) 10-20.

Guillemain, Bernard: Une carrière: Pierre Cauchon, in: Jeanne d'Arc. Une époque, un rayonnement (Colloque d'histoire médiévale, Orléans Octobre 1979) Paris 1982, 217-25.

Guiraud, Jean: L'Etat pontifical après le grand schisme (Bibliothèque des Ecoles françaises d'Athènes et de Rome 73) Paris 1896.

Gutiérrez, David: Geschichte des Augustinerordens I 2: Die Augustiner im Spätmittelalter 1357-1517, Würzburg 1981.

Gutiérrez, L. A.: Crisis en la vida religiosa a finales de la Edad Media, in: Revista Agustiniana da Espiritualidad 15 (1974) 37-82.

Haas, Paul: Das Salvatorium Papst Eugens IV. (1431-1447) vom 5. Februar 1447, in: ZRG KA 6 (1916) 293-330.

Haendler, Gert: Konziliarismus, römischer Primat und Unfehlbarkeit, in: Theologische Literaturzeitung 105 (1980) 865-76.

Hänggi, Erwin: Zur Geschichte des Konzils von Konstanz, in: ZSchwKG 60 (1966) 187-94.

Hagenbach, Karl Rudolf: Kirchengeschichte von der ältesten Zeit bis zum 19. Jahrhundert. In Vorlesungen, III: Kirchengeschichte des Mittelalters, Leipzig ³1886 (¹1869).

Hagiografia Polska. Słownik bio-bibliograficzny, red. O. Romuald Gustaw, I-II, Posen-Warschau-Lublin 1971-72.

Hain, Stefan: Wincenty Kot. Prymas Polski 1436-1448 (Poznánske towarzystwo przyjaciół nauk. Prace komisji teologicznej, III, zeszyt 2) Posen 1948.

Halkin, Léon E.: Le procès du cardinal Louis Lapalud, in: RHE 27 (1931) 312-18.

Hallauer, Hermann: Das Glaubensgespräch mit den Hussiten, in: MFCG 9 (1971) 53-75.

– Zur Mainzer Provinzialsynode von 1451, in: MFCG 13 (1978) 253-63.

Haller, Brigitte: Kaiser Friedrich III. im Urteil der Zeitgenossen (Wiener Dissertationen aus dem Gebiet der Gesch. 5) Wien 1965.

Haller, Johannes: Die *Protokolle* des Konzils von Basel, in: HZ 74 (1895) 385-406.

– (Ed.), s. Concilium Basiliense I-IV.

– (Ed.): Eine Rede des Enea Silvio vor dem Concil zu Basel, in: QFIAB 3 (1900) 82-102.

– *Beiträge* zur Geschichte des Basler Konzils, in: ZGO 55, NF 16 (1901) 9-27, 207-45.

– Die Belehnung Renés von Anjou mit dem Königreich Neapel, in: QFIAB 4 (1902) 184-207; wieder in: ders., Abhandlungen zur Geschichte des Mittelalters, Stuttgart 1944 (ND 1984) 369-92.

– Papsttum und Kirchenreform. Vier Kapitel zur Geschichte des ausgehenden Mittelalters, Erster Band [mehr nicht erschienen], Berlin 1903 (ND Berlin 1966).

– Der Ursprung der gallikanischen Freiheiten, in: HZ 91 (1903) 193-214.

– England und Rom unter Martin V., in: QFIAB 8 (1905) 249-304.

– Die Pragmatische Sanktion von Bourges, in: HZ 103 (1909) 1-51; wieder in: ders., Abhandlungen zur Geschichte des Mittelalters, Stuttgart 1944 (ND 1984) 393-438.

– Die *Kirchenreform* auf dem Konzil von Basel, in: Korrespondenzblatt des Gesamtvereins der deutschen Geschichte 58 (1910) 9-26.

– [Rezension von: N. Valois, Le pape et le concile, Paris 1909], in: HZ 110 (1913) 338-52.

– Überlieferung und Entstehung der sog. Reformatio Sigismundi, in: Festschrift Karl Müller, Tübingen 1922, 103-17.

– (Ed.): Piero da Monte. Ein gelehrter und päpstlicher Beamter des 15. Jahrhunderts. Seine Briefsammlung (Bibliothek des Deutschen Historischen Instituts in Rom 19) Rom 1941 (ND Turin 1971).

Halporn, Barbara: Sebastian Brant as an Editor of Juristic Texts, in: Gutenberg-Jahrbuch 59 (1984) 36-51.

Hamm, B.: Frömmigkeit als Gegenstand theologiegeschichtlicher Forschung. Methodisch-historische Überlegungen am Beispiel von Spätmittelalter und Reformation, in: Zs. für Theologie und Kirche 74 (1977) 464-97.

Handbuch der Bayerischen Geschichte, Hg. Max Spindler, II, München 1969.

Handbuch der deutschen Geschichte, begründet von O. Brandt, A. O. Meyer, fortgeführt von L. Just, I: Deutsche Geschichte bis zum Ausgang des Mittelalters, Konstanz 1957.

Handbuch der Dogmengeschichte, Hg. M. Schmaus und andere; s. Congar, Die Lehre von der Kirche; s. Söll, Mariologie.

Handbuch der Dogmen- und Theologiegeschichte, Hg. C. Andresen, I: Die Lehrentwicklung im Rahmen der Katholizität, Göttingen 1982.

Handbuch der europäischen Geschichte, Hg. Th. Schieder, III: Die Entstehung des neuzeitlichen Europa, Hg. J. Engel, Stuttgart 1971.

Handbuch der Kirchengeschichte, Hg. H. Jedin, I-VII, Freiburg usw. 1962-79 (ND als Taschenbuch, Freiburg 1985); III 2: Vom kirchlichen Hochmittelalter bis zum Vorabend der Reformation (1968, ²1974).

Handbuch der Kirchengeschichte für Studierende, Hg. K. Krüger, I: Das Mittelalter, bearb. von G. Ficker und H. Hermelink, Tübingen 1912.

Handbuch der Schweizer Geschichte, I, Zürich 1972.

Hanna, Conrad: Die südwestdeutschen Diözesen und das Baseler Konzil in den Jahren 1431 bis 1441, Phil. Diss. Erlangen 1929 (Borna-Leipzig 1929).

Hannay, R. K.: James I., Bishop Cameron, and the Papacy, in: SHR 15 (1918) 190-200.

– A Letter to Scotland from the Council of Basel, in: SHR 20 (1923) 49-57.

Hansen, Joseph: Zur Vorgeschichte der Soester Fehde, in: Westdeutsche Zs. für Gesch. und Kunstgesch., Erg. Heft 3 (1886) 5-100.

– Westfalen und Rheinland im 15. Jahrhundert, I: Die Soester Fehde, II: Die Münsterische Stiftsfehde (Publicationen aus den kgl. preußischen Staatsarchiven 34 und 42) Leipzig 1888-90 (ND Osnabrück 1965).

Hardt, Helene: Leonardo Brunis Selbstverständnis als Übersetzer, in: AKG 50 (1968) 41-63.

Hardt, Hermann von der (Ed.): Magnum Oecumenicum Constantiense Concilium, I-VI, Frankfurt-Leipzig 1696-1700 (Index-Bd. 1742).

Hart, A. Tindal: The Rich Cardinal. The Life and Times of Henry Beaufort Cardinal of England 1375/76 to 1447, o.O., o.J. [1986].

Harvey, Margaret: Solutions to the Schism. A Study of Some English Attitudes 1378 to 1409 (Kirchengeschichtl. Quellen und Studien 12) St. Ottilien 1983.

– John Whethamstede, The Pope and the General Council, in: The Church in Pre-Reformation Society. Essays in Honour of F. R. H. Du Boulay, Hg. Caroline M. Barron – Christopher Harper-Bill, Woodbridge (Suff.) 1985, 108-22.

Hasenohr, Wilhelm: Patriarch Johannes von Maurosii von Antiochien. Eine Charakteristik aus der Zeit der Reformkonzilien, Phil. Diss. Freiburg/Br. 1909 (Teildruck Berlin-Leipzig 1909).

Hashagen, Justus: Papsttum und Laiengewalten im Verhältnis zu Schisma und Reformkonzilien, in: Historische Vierteljahrsschrift 23 (1926) 325-37.

– Staat und Kirche vor der Reformation. Eine Untersuchung der vorreformatorischen Bedeutung des Laieneinflusses in der Kirche, Essen 1931.

Hassinger, Erich: Das Werden des neuzeitlichen Europa 1300-1600 (Geschichte der Neuzeit, Hg. G. Ritter), Braunschweig ²1964.

Haubst, Rudolf: Der Reformentwurf Pius' des Zweiten, in: RQ 49 (1954) 188-242.

– *Studien* zu Nikolaus von Kues und Johannes Wenck aus Handschriften der Vatikanischen Bibliothek (BGPhThM 38/1) Münster 1955.

– Nikolaus von Kues auf den Spuren des Thomas von Aquin, in: MFCG 5 (1965) 15-62.

– Der Leitgedanke der Repraesentatio in der cusanischen Ekklesiologie, in: MFCG 9 (1971) 140-59.

– Wort und Leitidee der 'Repraesentatio' bei Nikolaus von Kues, in: Der Begriff der Repraesenatio im Mittelalter 139-62.

– Die Rezeption und Wirkungsgeschichte des Thomas von Aquin im 15. Jahrhundert, in: Theologie und Philosophie 49 (1974) 252-73.

– Nikolaus von Kues in der Geschichte der Marienverehrung, in: De cultu mariano saeculis XII-XV. Acta congressus mariologici-mariani internationalis Romae anno 1975 celebrati, V: De cultu mariano apud scriptores ecclesiasticos saec. XIV-XV, Rom 1981, 267-300.

Hauck, Albert: Kirchengeschichte Deutschlands, I-V, Leipzig 1897-1920 (ND Berlin-Leipzig ⁸1954).

– Die Reception und Umbildung der allgemeinen Synode im Mittelalter, in: Historische Vierteljahrsschrift 10 (1907) 465-82.

– Gegensätze im Kirchenbegriff des späteren Mittelalters, in: Luthertum NF 49 (1938) 225-40.

Hay, Denis: The Church in Italy in the Fifteenth Century, Cambridge 1977.

Head, Constance: Aeneas Silvius Piccolomini's Reflections on England, 1436-1458, in: The Catholic Historical Review 59 (1973) 16-38.

Heck, Roman: Die fortschrittliche Ideologie in Polen im 15. Jahrhundert, in: Reform, Reformation, Revolution, Hg. S. Hoyer, Leipzig 1980, 63-75.

Heers, Jacques: Fêtes des fous et Carnavals, Paris 1983 (dt. Frankfurt 1986).

Hefele, Joseph: Blicke ins fünfzehnte Jahrhundert und seine Konzilien mit besonderer Berücksichtigung der Basler Synode, in: Jahrbücher für Theologie und praktische Philosophie 4 (1835) 49-108.

– Ansichten über Kirche, Papst, Conzilium aus dem 15. Jahrhundert, in: ebd. 6 (1836) 359-74.

– Karl Joseph von: Conciliengeschichte. Nach den Quellen bearbeitet, I-IX, Freiburg/Br. 1869-90 (VII: 1874).

(Hefele-Leclercq) Charles Josephe Hefele: Histoire des conciles d'après les documents originaux. Nouvelle traduction française fondée sur la 2ᵉᵐᵉ ed. allemande, corrigée et augmentée par Dom H. Leclercq, VII 1-2 (1409-1464), Paris 1916 (ND 1973).

Heimann, Heinz-Dieter: Zwischen Böhmen und Burgund. Zum Ost-Westverhältnis innerhalb des Territorialsystems des Deutschen Reiches im 15. Jahrhundert (Dissertationen zur mittelalterlichen Gesch. 2) Köln-Wien 1982.

– Akzente und Aspekte in der deutschen Forschungsdiskussion zu spätmittelalterlichen Krisenerscheinungen im Bereich des geistigen Lebens, in: Europa 1400, 53-64.

Heimpel, Hermann: Zur Handelspolitik Kaiser Sigismunds, in: VSWG 23 (1930) 145-56.

– Aus der Kanzlei Kaiser Sigismunds, in: AUF 12 (1931) 111-30.

– Dietrich von Niem (c. 1340-1418) (Veröff. der Histor. Kommission des Provinzialinstituts für Westfälische Landes- und Volkskunde. Westfälische Biographien 2) Münster 1932.

– Das deutsche Spätmittelalter. Charakter einer Zeit, in: HZ 158 (1938) 229-48; wieder in: ders., Deutsches Mittelalter, Leipzig 1941, 105-26; modifiziert in: AKG 35 (1953) 29-51.

– Das deutsche fünfzehnte Jahrhundert in Krise und Beharrung, in: Die Welt zur Zeit des Konstanzer Konzils, 9-29.

– Deutschland im späteren Mittelalter, in: Handbuch der Deutschen Geschichte, begr. von O. Brandt u. A. O. Meyer, fortgeführt von L. Just, I, 5. Abschnitt, Konstanz 1957.

– Reformatio Sigismundi, Priesterehe und Bernhard von Chartres, in: DA 17 (1961) 526-37.

– Studien zur Kirchen- und Reichsreform des 15. Jahrhunderts, II: Zu zwei Kirchenreform-Traktaten des beginnenden 15. Jahrhunderts (SB der Heidelberger Ak. Wiss. 1974, 1. Abh.) Heidelberg 1974.

– s. Schmidt, A. (1977).

– Die Vener von Gmünd und Straßburg 1162-1447. Studien und Texte zur Geschichte einer Familie sowie des gelehrten Beamtentums und der Konzilien von Pisa, Konstanz und Basel, I-III (VMPIG 52) Göttingen 1982.

– Königlicher Weihnachtsdienst auf den Konzilien von Konstanz und Basel, in: Tradition als historische Kraft, Hg. N. Kamp und J. Wollasch, Berlin-New York 1982, 388-411 [zitiert: Weihnachtsdienst I].

– Königlicher Weihnachtsdienst im späteren Mittelalter, in: DA 39 (1983) 131-206 [zitiert: Weihnachtsdienst II].

– Eine unbekannte Schrift über die Kurfürsten auf dem Basler Konzil, in: Institutionen, Kultur und Gesellschaft im Mittelalter, Festschrift Josef Fleckenstein, Sigmaringen 1984, 469-82.

Heinrich Rotstock, s. Löhr, Documenta.

(Heinrich von Werl) Henricus de Werla OFM, Tractatus de Immaculata Conceptione B.M.V., ed. Sophronius Clasen (Opera omnia I. Franciscan Institute Publications, Text series 10) New York-Löwen 1955.

Heinz-Mohr, Gerd: Unitas Christiana. Studien zur Gesellschaftsidee des Nikolaus von Kues, Hg. J. Lenz, Trier 1958.

– Nikolaus von Kues und der Laie in der Kirche, in: MFCG 4 (1964) 296-322.

Helmrath, Johannes: Selbstverständnis und Interpretation des Basler Konzils [Rezension von Krämer, Konsens und Rezeption (1980)], in: AKG 66 (1984) 215-29.

Helvetia Sacra. Begründet von P. Rudolf Henggeler, hg. von Albert Bruckner, I 1: Schweizer Kardinäle, das Apostolische Gesandtschaftswesen in der Schweiz und Bistümer I, red. A. Bruckner, Bern 1972; I 3: Archidiocèses et diocèses III (Genève, Vienne), red. J. P. Renard, Bern 1980; II 2: Die weltlichen Kollegiatstifte, red. J. P. Marchal, Bern 1977.

Hendrix, Scott H.: We Are All Hussites? Hus and Luther Revisited, in: ARG 65 (1974) 134-61.

– In Quest of the 'vera ecclesia'. The Crisis of Late Medieval Ecclesiology, in: Viator 7 (1976) 347-78.

Hennig, Bruno: Die Kirchenpolitik der älteren Hohenzollern in der Mark Brandenburg und die päpstlichen Privilegien des Jahres 1447 (Veröff. des Vereins für die Gesch. der Mark Brandenburg 6) Leipzig 1906.

Henze, Anton: Das Große Konzilienbuch. Ein Kapitel Weltgeschichte aus Bildern, Bauten, Dokumenten, Stuttgart usw. 1962.

– Ein Konzil im Meisterwerk des Filarete, in: Hochland 55 (1962/63) 93-95.

Joseph Kardinal Hergenröthers Handbuch der Allgemeinen Kirchengeschichte, neu bearb. von J. P. Kirsch, 5. verb. Aufl. III, Freiburg/Br. 1915 ([1]1880).

Hermelink, Heinrich: Die religiösen Reformbestrebungen des deutschen Humanismus, Tübingen 1907.

Hernández Montes, Benigno: Donación de Juan de Segovia al Arca de la Universidad de Salamanca. Dos valiosos restos del Archivo del Concilio de Basilea en la Universidad salmantina, in: RET 31 (1971) 167-88.

– En busca de manuscritos de la donación de Juan de Segovia: Tres manuscritos segovianos en El Escorial, in: RET 34 (1974) 35-68.

– Obras de Juan de Segovia, in: Repertorio de Historia de las Ciencias eclesiásticas en España VI, 267-347.

– Biblioteca de Juan de Segovia. Edición y comentario de su escritura de donación (Biblioteca Theologica Hispana, ser. 2ª: Textos, 3) Madrid 1984.

Herre, Hermann, s. RTA und CB (Siglen).

Heyck, E. (Ed.): Ein Schreiben Eugens IV. an die Stadt Konstanz, in: ZGO 39 (1885) 431-32.

Heymann, Frederick G.: John Rokyzana-Church Reformer between Hus and Luther, in: ChH 28 (1959) 240-80.

– George of Bohemia, King of Heretics, Princeton 1965.

– The Crusades against the Hussites, in: K. M. Setton (Hg.), A History of the Crusades III, Madison 1975, 586-646.

Heymericus de Campo, Ablaßtraktat, s. P. Ladner, Ablaßtraktat (1977).

Hieronimus, Konrad W. (Ed.): Das Hochstift Basel im ausgehenden Mittelalter, Quellen und Forschungen, Basel 1938.

Hiersemann, Michael: Der Konflikt Papst-Konzil und die Reformatio Sigismundi im Spiegel ihrer Überlieferung, in: ZHF 9 (1982) 1-13.

Hiksch, Josef: Gregor Heimburg (um 1400 bis 1472), Politiker zwischen Mittelalter und Neuzeit. Ein Beitrag zur Geschichte des antipäpstlichen Kampfes und zur Herausbildung des weltlichen Denkens um die Mitte des 15. Jahrhunderts in Deutschland, Phil. Diss. (masch.) Pädagog. Hochschule Potsdam 1978.

Hilderscheid, Heinz: Die päpstlichen Reservatrechte auf die Besetzung der niederen Kirchenämter im Gebiete des Deutschen Reichs, Jurist. Diss. Köln 1934.

Hildesheimer, E.: Le Pape du concile, Amédée VIII de Savoie, in: Annales de la Société des Lettres des Alpes-Maritimes 61 (1969/70) 41-48.

Hill, George: A History of Cyprus, I-III, Cambridge 1948.

Hillgarth, Joscelyn N.: The Spanish Kingdoms 1250-1516, II: 1410-1516. Castilian Hegemony, Oxford 1978.

Hinschius, Paul: Das Kirchenrecht der Katholiken und Protestanten in Deutschland. System des katholischen Kirchenrechts mit besonderer Rücksicht auf Deutschland, I-VI 1, Berlin 1869-97 (ND Graz 1959).

Histoire de l'Eglise des origines jusqu'à nos jours, fondée par A. Fliche–V. Martin XIV, s. DLO (Siglen-Verzeichnis).

Historia de España, Hg. Ramón Menéndez-Pidal, XV: Los Trastámaras de Castilla y Aragón, Madrid 1964.

Hoberg, Hermann (Ed.): Taxae pro communibus servitiis ex libris obligationum (Camerae Apostolicae) ab anno 1295 usque ad annum 1455 confectis (Studi e testi 144), Vatikan 1949 (ND 1974).

– Die Amtsdaten der Rotarichter in den Protokollbüchern der Rotanotare von 1464-1566, in: RQ 48 (1953) 43-78.

– Die 'Admissiones' des Archivs der Rota (1417-1756), in: Archivalische Zs. 50/51 (1955) 391-408.

– Der Anteil Deutschlands an den Servitienzahlungen am Vorabend der Glaubensspaltung, in: RQ 74 (1979) 178-85.

Hödl, Günther: Zur Reichspolitik des Basler Konzils. Bischof Johannes Schele (1420-1439), in: MIÖG 75 (1967) 46-65.

– Reichsregierung und Reichsreform unter König Albrecht II. Eine Bestandsaufnahme in: ZHF 1 (1974) 129-45.

– Albrecht II. Königtum, Reichsregierung und Reichsreform 1438-1439 (Forschungen zur Kaiser- und Papstgesch. des Mittelalters. Beihefte zu J. F. Böhmers Regesta Imperii 3) Wien-Köln 1978.

Hödl, Ludwig: Kirchengewalt und Kirchenverfassung nach dem 'liber de ecclesiastica potestate' des Laurentius von Arezzo. Eine Studie zur Ekklesiologie des Basler Konzils, in: Theologie in Geschichte und Gegenwart, Festschrift M. Schmaus, München 1957, 255-78.

Höflechner, Walter: Anmerkungen zu Diplomatie und Gesandtschaftswesen am Ende des 15. Jahrhunderts, in: Mitteilungen des österreich. Staatsarchivs 32 (1979) 1-23.

Hofer, Johannes: Johannes Kapistran. Ein Leben im Kampf um die Reform der Kirche. Neue bearb. Ausg., I-II (Biblioteca Franciscana 1-2), Heidelberg 1964-65.

Hofmann, Giorgio: Eine Denkschrift des Kardinals Cesarini über das Symbolum, in: Orientalia Christiana 22 (1931) 5-63.

– Briefe eines päpstlichen Nuntius in London über das Konzil von Florenz, in: Orientalia Christiana Periodica 5 (1939) 407-33.

– Papato, conciliarismo, patriarcato (1438-1439). Teologi e deliberazioni del concilio di Firenze (Miscellanea Historiae Pontificiae II 2) Rom 1940.

– Humanismus in concilio Florentino, in: Acta Academiae Velehradensis 15 (1939) 193-211.

– Päpstliche Gesandtschaften für den Nahosten, 1418-1453, in: Studia Missionalia 5 (1949) 45-71.

H o f m a n n, Hasso: *Repräsentation.* Studien zur Wort- und Begriffsgeschichte von der Antike bis ins 19. Jahrhundert (Schriften zur Verfassungsgesch. 22) Berlin 1974.

H o f m a n n, L.: Husité a koncilium Basilejské v letach 1431-1432, in: Český časopis historický 7 (1901) 1-13, 142-62, 293-309, 408-15; wieder in: ders., Sebané Spisy I, Prag 1904, 175-272 [dt. Übersetzung von J. Michalko als Ms. (1936) in UB Basel].

H o f m a n n, W [alther A. C.] von: Forschungen zur Geschichte der kurialen Behörden vom Schisma bis zur Reformation, I-II (Bibliothek des kgl. preußischen Instituts in Rom 12-13) Rom 1914 (ND Turin 1971).

H o l e t o n, Davis R.: The Communion of Infants and Hussitism, in: Communio Viatorum 27 (1984) 207-25.

H o l l n s t e i n e r, Johannes: Studien zur Geschäftsordnung am Konstanzer Konzil. Ein Beitrag zur Geschichte des Parlamentarismus und der Demokratie, in: Abhandlungen aus dem Gebiet der mittleren und neueren Geschichte. Festgabe H. Finke (VRF, Suppl. Bd.) Münster 1925, 240-56; wieder in: Das Konstanzer Konzil (WdF 415) 121-42.

– Die *Kirche* im Ringen um die christliche Gemeinschaft, vom Anfang des 13. Jahrhunderts bis zur Mitte des 15. Jahrhunderts (Kirchengeschichte, Hg. J. P. K i r s c h, II 2) Freiburg/Br. 1940 [S. 396-408 wieder in: Die Entwicklung des Konziliarismus (WdF 279) 59-74].

H o l m e s, George A.: How the Medici Became the Pope's Bankers, in: Florentine Studies, Hg. Nicolai R u b i n s t e i n, London 1969, 356-80.

– Cardinal Beaufort and the Crusade against the Hussites, in: EHR 88 (1973) 721-50.

– Europe: Hierarchy and Revolt, 1320-1450 (Fontana History of Europe) London 1975.

H o n e c k e r, Martin: Die Entwicklung der Kalenderreformschrift des Nikolaus von Cues, in: HJb 60 (1940) 581-92.

H o ó r - T e m p i s, Istvan: Zsigmond Kiraly és csázár a baseli zsinaton, 1433-1434, [König Sigmund als Kaiser auf dem Basler Konzil], Budapest 1929.

H o p f n e r, M.: Synodale Vorgänge im Bistum Regensburg und in der Kirchenprovinz Salzburg unter besonderer Berücksichtigung der Reformationszeit, in: Beiträge zur Gesch. des Bistums Regensburg 13, Regensburg 1979, 235-388.

H o p p e l e r, Guido (Ed.): Bündnisvertrag zwischen den Mendikantenorden auf dem Basler Konzil (2. April 1435), in: ZSchwKG 15 (1921) 310-14.

H o r i x, Johann Baptist: Concordata nationis Germanicae integra, o.O., o.J. [1762/63]; 2. Aufl., I-III, Frankfurt-Leipzig 1771-1773.

– Ad Concordata Nationis Germanicae integra Documentorum Fasciculi, I-IV, Frankfurt-Leipzig 1775-77.

H o r s t, Ulrich: Papst, Bischöfe und Konzil nach Antonin von Florenz, in: RThAM 32 (1965) 76-116.

– Papst und Konzil nach Raphael de Pornaxio O.P., in: FZThPh 15 (1968) 367-402.

– Grenzen der päpstlichen Autorität. Konziliare Elemente in der Ekklesiologie des Johannes Torquemada, in: FZThPh 19 (1972) 361-88.

– Konzil und Papst nach Antonin von Córdoba (1485-1578), in: AHC 7 (1975) 354-76.

– Papst-Konzil-Unfehlbarkeit. Die Ekklesiologie der Summenkommentare von Cajetan bis Billuart (Walberberger Studien der Albertus Magnus Akademie. Theolog. Reihe 10) Mainz 1978.

– Unfehlbarkeit und Geschichte. Studien zur Unfehlbarkeitsdiskussion von Melchior Cano bis zum I. Vatikanischen Konzil (Walberberger Studien der Albertus Magnus Akadmie. Theol. Reihe 12) Mainz 1982.

– Zwischen Konziliarismus und Reformation. Studien zur Ekklesiologie im Dominikanerorden (Institutum Historicum FF. Praedicatorum Romae ad S. Sabina. Dissertationes Historicae, Fasc. XXII) Rom 1985.

Hotz, Robert: Das Basler Konzil: Kampfansage an die päpstliche Macht, in: Klerus-Blatt 61 (München 1981) 248 f.

Hoyer, Sigfried: Jan Hus und der Hussitismus in den Flugschriften der ersten Jahrzehnte der Reformation, in: H. J. Köhler (Hg.), Flugschriften als Massenmedium in der Reformationszeit (Spätmittelalter und Frühe Neuzeit 13) Stuttgart 1981, 291-308.

Hubalek, Franz: Aus dem Briefwechsel des Johannes Schlitpacher von Weilheim (Der Kodex 1767 der Stiftsbibliothek Melk), Phil. Diss. (masch.) Wien 1963.

Hudson, David: The 'Nouvelles Ecclesiastiques', Jansenism and Conciliarism 1717-1735, in: The Catholic Historical Review 70 (1984) 384-406.

Hübler, Bernhard: Die Constanzer Reformation und die Concordate von 1418, Leipzig 1867 (ND Ann Arbor 1980); s. dazu A. Chroust, in: Deutsche Zs. für Gesch. wiss. 4 (1890) 1-13.

Hühns, Erik: Theorie und Praxis der Reichsreformbestrebungen des 15. Jahrhunderts. Nikolaus von Cues, die Reformatio Sigismundi und Berthold von Henneberg, in: Wiss. Zs. der Humboldt-Univ. Berlin, gesellschafts- und sprachwiss. Reihe 1 (1951/52) 17-34.

Hürten, Heinz: Die Mainzer Akzeptation, Phil. Diss. (masch.) Münster 1955.

– Die Mainzer Akzeptation von 1439. Ein Beitrag zur Reform- und Vermittlungspolitik der Kurfürsten zur Zeit des Basler Konzils, in: Archiv für mittelrheinische Kirchengesch. 11 (1959) 42-75.

– Zur Ekklesiologie der Konzilien von Konstanz und Basel, in: ThRev 59 (1963) 361-72; wieder in: Das Konstanzer Konzil (WdF 415) 211-28.

– Die Konstanzer Dekrete 'Haec Sancta' und 'Frequens' in ihrer Bedeutung für die Ekklesiologie und Kirchenpolitik des Nikolaus von Kues, in: Das Konzil von Konstanz, Hg. Franzen-Müller, 381-96.

– Die Verbindung von geistlicher und weltlicher Gewalt als Problem in der Amtsführung des mittelalterlichen deutschen Bischofs, in: ZKG 82 (1971) 16-28.

Hufnagel, Otto: Kaspar Schlicks letztes Hervortreten in der Politik nebst einem kritischen Beitrag zu dem Fälschungsproblem, Leipzig 1910.

– Caspar Schlick als Kanzler Friedrichs III., in: MIÖG Erg.-bd. 8 (1911) 253-460.

Hugelmann, Karl Gottfried: Stämme, Nation und Nationalstaat im deutschen Mittelalter, Würzburg 1955.

Huizinga, Johan: Herbst des Mittelalters. Studien über Lebens- und Geistesformen des 14. und 15. Jahrhunderts in Frankreich und in den Niederlanden (Kröners Taschenausgabe 204) Stuttgart [10]1969.

Hullu, J. de: Bijdragen tot de geschiedenis van het Utrechtsche Schisma (1423-1450), Den Haag 1892.

Hunt, R. W.: Greek Manuscripts in the Bodleian Library from the Collection of John Stojković of Ragusa, in: Studia Patristica 7 (1966) 75-82.

Ijsewijn, Josef–Jacques Paquet (Hgg.): The Universities in the Late Middle Ages (Mediaevalia Lovanensia, ser. I, Studia 6) Löwen 1978.

Imbach, R.: Einheit des Glaubens. Spuren des Cusanischen Dialogs 'De pace fidei' bei Heymericus de Campo, in: FZThPh 27 (1980) 1-23.

– Das Centheologicon des Heymericus de Campo und die darin enthaltenen Cusanus-Reminiszenzen, in: Traditio 39 (1983) 466-77.

Imbart de la Tour, Pierre: Les Origines de la Réforme, I-III (in IV), Paris [1]1905-1935; II: L'Eglise catholique, 2. éd. par Yvonne Lanhers, Melun 1946.

Irsigler, Franz: Die 'Kleinen' in der sogenannten 'Reformatio Sigismundi', in: Saeculum 27 (1976) 248-55.

– Konrad von Weinsberg (etwa 1370-1448). Adeliger-Diplomat-Kaufmann, in: Württembergisch Franken 66 (1982) 59-80.

Isenmann, Eberhard: Reichsstadt und Reich an der Wende vom späten Mittelalter zur frühen Neuzeit, in: Mittel und Wege früher Verfassungspolitik. Kleine Schriften 1, Hg. Josef Engel (Spätmittelalter und Frühe Neuzeit 9) Stuttgart 1979, 9-223.

Izbicki, Thomas M.: Infallibility and the Erring Pope: Guido Terreni and Johannes de Turrecremata, in: Law, Church and Society, Festschrift Stephan Kuttner, Hg. K. Pennington, Philadelphia 1977, 97-111.

– The Canonists and the Treaty of Troyes, in: Proceedings of the 5th Internat. Congress of Medieval Canon Law, Salamanca 1976 (Monumenta Iuris Canonici, Ser. C.: Subsidia 6), Vatikan 1980, 425-34.

– Protector of the Faith. Cardinal Johannes de Turrecremata and the Defense of the Institutional Church, Washington 1981 (Phil. Diss. Cornell-Univ. New York 1973).

– Papalist Reaction to the Council of Constance: From Juan de Torquemada to the Present, in: ChH 55 (1986) 7-20.

– A new copy of Rodrigo Sanchez de Arévalo's Commentary on the Bull 'Ezechielis' of Pope Pius II, in: RET 41 (1981) 465-69.

Jacob, E[rnest] F[razer] (Ed.): The Register of Henry Chichele Archbishop of Canterbury (1414-1443), I-IV, Oxford 1938-47.

– The English Concordat with the Papacy in 1418, in: Bulletin of the Internat. Commitee of Historical Sciences 10 (1938); modifiziert in: Medieval Studies presented to A. Gwynn, Hg. J. H. Watt usw., Dublin 1961, 349-58.

– The *Bohemians* at the Council of Basel 1433, in: Prague Essays. Hg. R. Seton-Watson, Oxfort 1949, 81-123 (ND Freeport 1969).
– Henry Chichele and the Ecclesiastical Politics of His Age, London 1952.
– The Conciliar Movement in Recent Study, in: Bulletin of the John Rylands Library 41 (1958/59) 26-53; wieder in: ders., Essays in Later Medieval History, New York 1968, 98-123.
– Giuliano Cesarini, in: Bulletin of the John Rylands Library 51 (1968/69) 104-21.
– The Fifteenth Century 1399-1485 (The Oxford History of England 6) Oxford 1961.
– Englishmen and the General Councils of the Fifteenth Century, in: ders., Essays in the Conciliar Epoch, 44-57.
– Conciliar Thought, in: ders., Essays in the Conciliar Epoch, 1-23.
– Essays in the Conciliar Epoch, Manchester ³1963.
– Reflections upon the Study of the General Councils in the Fifteenth Century, in: Studies in Church History I, 1964, 80-97; unter verändertem Titel: *Theory and Fact* in the General Councils of the Fifteenth Century, in: ders., Essays in Later Medieval History, New York 1968, 124-40.
– Archbishop Henry Chichele (Leaders of Religion) London 1967.
– Panormitanus and the Council of Basel, in: Proceedings of the 3ʳᵈ Internat. Congress of Medieval Canon Law, Strasbourg 1968 (Monumenta Iuris Canonici, Ser. C: Subsidia 4), Vatikan 1971, 205-15.

Jähnig, Bernhart: Andreas Pfaffendorf O. T. Pfarrer der Altstadt Thorn (1425-1433), in: Thorn-Königin der Weichsel 1231-1981 (Beiträge zur Gesch. Westpreußens 7) Göttingen 1981, 161-87.

Jager, [Mgr.]: Histoire de l'Eglise catholique en France d'après les documents les plus authentiques depuis son origine jusqu'au concordat de Pie VII, Bd. XIII, Paris 1866.

Janson, Udo: Otto von Hachberg (1388-1451), Bischof von Konstanz, und sein Traktat 'De conceptione Beatae Virginis', Diss. Theol. (masch.) Freiburg/Br. 1966; gedruckt in: Freiburger Diözesanarchiv 88 (1968) 207-359.

Janssen, Johannes (Ed.): Frankfurts Reichscorrespondenz nebst anderen verwandten Aktenstücken von 1376 bis 1519, I-II 1, Freiburg/Br. 1863-66.

Jaroschka, Walter (Ed.): Thomas Ebendorfers Traktat über die Bulle 'Deus novit' (Basel 1433), Phil. Diss. (masch.) Wien 1957.
– Thomas Ebendorfer als Theoretiker des Konziliarismus, in: MIÖG 71 (1963) 87-98.

Jedin, Hubert: Vorschläge und Entwürfe zur Kardinalsreform, in: RQ 42 (1934) 305-32; wieder in: ders., Kirche des Glaubens II, 118-38.
– Girolamo Seripando. Sein Leben und Denken im Geisteskampf des 16. Jahrhunderts, I-II (Cassiciacum 2-3) Würzburg 1937 (ND 1984).
– Giovanni Gozzadini, ein Konziliarist am Hofe Julius II., in: RQ 47 (1939) 193-267; wieder in: ders., Kirche des Glaubens II, 17-74.

– Das Bischofs-Ideal der Katholischen Reformation. Eine Studie über die Bischofsspiegel vornehmlich des 16. Jahrhunderts, in: Sacramentum ordinis, Hg. O. Kuss und E. Puzik, Breslau 1942, 200-256; wieder in: Kirche des Glaubens II, 75-117. (Ital. Übers. Brescia 1950; frz., bearb. von P. Broutin, Mecheln-Paris 1953.)

– (Ed.): Juan de Torquemada und das Imperium Romanum, in: AFP 12 (1942) 247-78.

– Geschichte des Konzils von *Trient*, I: Der Kampf um das Konzil, Freiburg/Br. ³1977 (¹1949) [versch. Übersetzungen].

– Sánchez de Arévalo und die Konzilsfrage unter Paul II, in: HJb 73 (1954) 95-119.

– Studien über Domenico de' Domenichi (1416-1478) (Abhandl. der Ak. Wiss. und Literatur Mainz, Geistes- und sozialwiss. Kl. 1957, 5) Wiesbaden 1958.

– (Hg.) s. Handbuch der Kirchengeschichte I-VII.

– *Bischöfliches Konzil* oder Kirchenparlament? Ein Beitrag zur Ekklesiologie der Konzilien von Konstanz und Basel (Vorträge der Aeneas Silvius Stiftung an der Univ. Basel 2) Basel-Stuttgart 1963 (²1965); wieder in: Die Entwicklung des Konziliarismus (WdF 279) 198-228.

– Strukturprobleme der ökumenischen Konzilien (Arbeitsgemeinschaft für Forschung des Landes Nordrhein-Westfalen. Geisteswissenschaften 115) Köln-Opladen 1963.

– Kirche des Glaubens-Kirche der Geschichte. Ausgewählte Aufsätze und Vorträge, I-II, Freiburg usw. 1966.

– Der Kampf um die bischöfliche Residenzpflicht 1562/63, in: ders., Kirche des Glaubens II, 398-413; wieder in: Concilium Tridentinum, Hg. R. Bäumer (WdF 313) Darmstadt 1979, 408-34.

– Kleine Konziliengeschichte, Freiburg usw. ⁸1978 (¹1959).

– und Remigius Bäumer: Die Erforschung der kirchlichen Reformationsgeschichte seit 1876 [Jedin 1931; Bäumer 1975] (Erträge der Forschung 34) Darmstadt 1975.

Jiménez, Alberto: Historia de la Universidad Española (El Libro de Bolsillo. Sección Humanidades 335) Madrid 1971.

Joachimsohn, Paul: Gregor Heimburg (Historische Abhandl. aus dem Münchener Seminar I 1) Bamberg 1891.

Johanek, Peter: Synodalia. Untersuchungen zur Statutengesetzgebung in den Kirchenprovinzen Mainz und Salzburg während des Spätmittelalters, Habil. schrift (masch.) Würzburg 1978.

– Die 'Karolina de ecclesiastica libertate'. Zur Wirkungsgeschichte eines spätmittelalterlichen Gesetzes, in: BDLG 114 (1978) 797-831.

– Methodisches zur Verbreitung und Bekanntmachung von Gesetzen im Spätmittelalter, in: Histoire comparée de l'administration. Actes du XIVᵉ Colloque historique franco-allemand, Hg. Werner Paravicini und Karl Ferdinand Werner (Francia Beiheft 9) Zürich-München 1980, 89-101.

(Johannes) Johannes Gerson: Jean Gerson. Oeuvres complètes. Introduction, texte et notes par Msgr. P[alemon] Glorieux, I-X, Paris-Tournai 1959-73.

Johannes Nider (Nyder), Formicarius. Vollständige Ausgabe der Inkunabel Köln [1480], vermehrt um eine Einführung von Hans Biedermann, Graz 1971.

(Johannes von Ragusa) Magistri Johannis (Stojković) de Ragusio OP Tractatus de ecclesia. Editionem principem curavit Franjo Sanjek. Textum recensuerunt et notis instruxerunt A. Krchňák, Franjo Sanjek, Marian Biskup (Croatica christiana. Fontes I) Zagreb 1983.

(Johannes von Segovia) Historia gestorum generalis synodi Basiliensis, in: MCII-IV, Wien 1873-96, Basel 1932-35.

– Tractatus super praesidencia, s. P. Ladner, Segovias Stellung (1969).

– Septem Allegationes et totidem avisamenta pro informatione Patrum Concilii Basiliensis circa... Immaculatam conceptionem..., ed. P. de Alva Y Astorga, Brüssel 1664 (ND 1965).

(Johannes von Torquemada [Turrecremata]) Tractatus de veritate Conceptionis Beatissimae Virginis pro facienda relatione coram patribus Concilii Basileae a.D. MCCCCXXXVII mense Julio..., ed. Edward Bouverie Pusey, Brüssel 1966 (ND der Ausgabe Rom 1547 / London 1869).

– Summa de Ecclesia et ejus auctoritate, Venedig 1561 (zahlreiche frühere Ausgaben; wieder ed. in: J. Th. Rocaberti, Biblioteca Maxima Pontificia XIII, Rom 1698 (ND Graz 1969), 282-574.

– Joannis de Turrecremata [tatsächlich: Raphael de Pornaxio] de potestate Papae et concilii generalis tractatus notabilis, ed. J. Friedrich, Innsbruck 1871; s. dazu R. Creytens, in: AFP 13 (1943) 108-37.

Johnson, James Turner: Ideology, Reason and the Limitation of War. Religious and Secular Concepts 1200-1700, Princeton 1975.

Jones, Ph. J.: The Malatesta of Rimini and the Papal State. A Political History, Cambridge 1974 (Diss. Oxford 1950).

Jongkees, A. G.: Staat en Kerk in Holland en Zeeland onder de Bourgondische Hertogen (1425-1477) (Bijdragen van het Institut voor middeleeuwsche geschiedenis der Rijks-Universiteit te Utrecht 21) Groningen 1942.

– Philips de Goede, het concilie van Basel en de Heilige stoel, in: Tijdschrift voor geschiedenis 58 (1943) 198-215 [Rez. von Toussaint, Philippe le Bon].

– De Pragmatieke Sanctie van Bourges in de Bourgondische landen. Het geval van de Sint-Baafsabdij bij Gent, in: Postillen over kerk en maatschappij... aangeboden R. R. Post, Nimwegen 1964, 139-53.

– Philippe le Bon et la Pragmatique Sanction de Bourges, in: Annales de Bourgogne 37 (1966) 161-71.

(Julianus Cesarini), s. E. Meuthen, Stellungnahme Cesarinis (1982).

Jullien de Pommerol, Marie-Henriette: Sources de l'histoire des universités françaises au moyen âge. Université d'Orléans (Ed. Institut national de recherche pédagogique) Paris 1978.

Junghans, Helmar: Ockham im Lichte der neueren Forschung (Arbeiten zur Gesch. und Theologie des Luthertums 21) Berlin (Ost) 1968.

Jungmann, Bernhard: Dissertationes selectae VI, Regensburg-New York 1886.

Kaegi, Werner: Jacob Burckhardt. Eine Biographie, III und VI 1, Basel-Stuttgart 1956-77.

Kaeppeli, Thomas: Bartolomeo Lapacci de' Rimbertini OP (1402-1466), vescovo, legato pontificio, scrittore, in: AFP 9 (1939) 86-127.

– Scriptores Ordinis Praedicatorum medii aevi I-III, Rom 1970-80.

Kagelmacher, Ernst: Filippo Maria Visconti und König Sigismund (1413-1431). Ein Beitrag zur Geschichte des 15. Jahrhunderts, Phil. Diss. Greifswald 1885 (Berlin 1885).

Kaiser, A. (Ed.): Lateinische Dichtungen zur deutschen Geschichte des Mittelalters (Dreiturmbücherei 30) München 1927.

Kaiser, Hans: Die Annahme des Wiener Konkordats durch Bischof Ruprecht von Straßburg, in: ZGO NF 29 (1914) 604-11.

Kalivoda, Robert: Revolution und Ideologie. Der Hussitismus, Köln-Wien ²1976 (1. Aufl. tschechisch, 1961).

Kallen, Gerhard: Aeneas Silvius Piccolomini als Publizist in der Epistola de ortu et auctoritate imperii Romani (Veröff. des Petrarca-Hauses I, 4) Köln 1939.

– s. Nikolaus von Kues.

Kalogeras, Nikephoros: Die Verhandlungen zwischen der orthodoxen katholischen Kirche und dem Konzil von Basel über die Wiedervereinigung der Kirchen, in: Revue internat. de théologie 1 (1893) 39-57.

Kaluza, Zenon: Les écrits de Heimeric de Campo sur Sainte Birgitte de Suède, in: RThAM 36 (1969) 213-21.

– Matériaux et remarques sur le catalogue des oeuvres de Gilles Charlier, in: AHDL 36 (1969) 169-87.

– Nouvelles remarques sur les oeuvres de Gilles Charlier, in: AHDL 38 (1971) 149-91.

– Materiały do Katalogu dzieł Heymerika de Campo [Materialien zu einem Werkkatalog des Heymericus de Campo], in: Studia Mediewistyczne 12 (1970) 3-28.

– Dialogus Heimerici de Campo cum Godefrido de Campo, in: RThAM 38 (1971) 273-89.

– Trois listes des oeuvres de Heimeric de Campo dans le 'Catalogue du Couvent Rouge', in: Medievalia philosophica Polonorum 17 (1973) 3-20.

Kaminsky, Howard: The University of Prague in the Hussite Revolution: The Role of the Masters, in: Universities in Politics, Hg. J. Baldwin – R. Goldthwaite, Baltimore 1972, 79-106.

– Simon de Cramaud and the Great Schism, New Brunswick 1983.

Kantorowicz, Ernst H.: The King's Two Bodies. A Study in Medieval Political Theology, Princeton 1957 (ND 1981).

Landesherrliche Kanzleien im Spätmittelalter. Referate zum VI. Internat. Kongreß für Diplomatik München 1983, Hg. G. Silagi, I-II (Münchener Beiträge zur Mediävistik und Renaissance-Forschung 35, 1-2) München 1984.

Karajan, Theodor Georg von: Bericht der Commission für die Herausgabe der Acta conciliorum saec. XV, in: SB Ak. Wiss. Wien, philos.-hist. Cl. 7 (1851) 259-92; 16 (1855) 306 f.; 20 (1856) 459 f.; 23 (1857) 593 f.; 27 (1858) 336 f.; 31 (1859) 242 f.

Karasek, Dieter: Konrad von Weinsberg. Studien zur Reichspolitik im Zeitalter Sigismunds, Phil. Diss. Erlangen 1967.

Karnbaum, Anton: Die Kirchenfrage auf den Reichsversammlungen des Jahres 1438, Phil. Diss. Erlangen 1915 (ungedruckt).

Karpp, Heinrich: Ein Bibellob aus der Basler Konzilsuniversität, in: Studien zur Geschichte und Theologie der Reformation, Festschrift E. Bizer, Hg. L. Abramowski und J. F. G. Goeters, Neukirchen-Vluyn 1969, 79-96.

Kaufmann, G.: Geschichte der deutschen Universitäten, I-II, Stuttgart 1888-96 (ND Graz 1958).

Kay, R.: The Conciliar Ordo of Eugenius IV, in: Orientalia Christiana Periodica 31 (1965) 295-304.

Kehrberger, E. Otto: Provinzial- und Synodalstatuten des Spätmittelalters. Eine quellenkritische Untersuchung der Mainzer Provinzialgesetze des 14. und 15. Jahrhunderts und der Synodalstatuten der Diözesen Bamberg, Eichstätt und Konstanz, Phil. Diss. Tübingen 1938 (Stuttgart 1938).

Kejř, Jiři: Das Hussitentum und das Kanonische Recht, in: Proceedings of the 3rd Internat. Congress of Medieval Canon Law, Strasbourg 1968 (Monumenta Iuris Canonici, Ser. C: Subsidia 4) Vatikan 1971, 191-204.

– Mistři pražké university a kněži táboršti [Professoren der Prager Universität und die Taboritenpriester] Prag 1981.

– Husité, Prag 1984.

Kellner, K. A. Heinrich: Heortologie oder die geschichtliche Entwicklung des Kirchenjahres und der Heiligenfeste von den ältesten Zeiten bis zur Gegenwart, Freiburg/Br. [3]1911.

Kemp, E. W.: Canonisation and Authority in the Western Church, London 1948.

– Counsel and Consent. Aspects of the Government of the Church as Exemplified in the History of English Provincial Synods, London 1961.

Kéry, Bertalan: Kaiser Sigmund. Ikonographie, Wien-München 1972.

Kessler, Eckhard: Die Ausbildung der Theorie der Geschichtsschreibung im Humanismus während der Renaissance, in: Die Antike-Rezeption in den Wissenschaften, Hg. A. Buck und K. Heitmann (Mitt. der Kommission für Humanismusforschung der DFG X) Weinheim 1983, 29-50.

– Humanistische Denkelemente in der Politik der italienischen Renaissance, in: Wolfenbütteler Renaissance-Mitt. 7 (1983) 34-43, 85-92.

Keussen, Hermann: Regesten und Auszüge zur Geschichte der Universität Köln 1388 bis 1559, in: Mitt. aus dem Stadtarchiv von Köln 15, Heft 36/37 (1918) 1-546.

– (Ed.): Ein Kölner Traktat von c. 1440-49 über das Verhalten der Gläubigen zur Zeit des Schismas, in: ZKG 40 (1922) 138-41.

– (Ed.): Die Matrikel der Universität Köln, I: 1389-1559, Bonn [2]1928.

– Die Stellung der Universität Köln im großen Schisma und zu den Reformkonzilien des XV. Jahrhunderts, in: AHVN 115 (1929) 225-59.

– (Ed.): Ungedruckte Quellen zur Geschichte der Universität Köln aus der Zeit des großen Schismas und der Reformkonzilien, 1395-1448, in: AHVN 116 (1930) 67-86.

– Die alte Universität Köln. Grundzüge ihrer Verfassung und Geschichte (Veröff. des Kölnischen Gesch.vereins 10) Köln 1934.

Keute, Ludwig: Reformation und Geschichte. Kaspar Hedio als Historiograph (Göttinger theologische Arbeiten 19) Göttingen 1980.

Kibre, Pearl: The Nations in the Medieval Universities (Mediaeval Academy of America Publications 49) Cambridge (Mass.) ²1965 (¹1948).
- Academic Oaths at the University of Paris in the Middle Ages, in: Essays in Medieval Life and Thought presented in Honour of A. P. Evans, Hg. J. H. Mundy usw., New York 1955, 123-37.
- Scholarly Privileges in the Middle Ages (Mediaeval Academy of America Publications 72) Cambridge (Mass.) 1962.

Kiessling, Rolf: Bürgerliche Gesellschaft und Kirche in Augsburg im Spätmittelalter. Ein Beitrag zur Strukturanalyse der oberdeutschen Reichsstadt (Abhandl. zur Gesch. der Stadt Augsburg. Schriften des Stadtarchivs Augsburg 19) Augsburg 1971.

Kirchgässner, Franz: Walter von Schwarzenberg, ein Frankfurter Gesandter des 15. Jahrhunderts, Phil. Diss. Marburg 1910.

Kirshner, Julius: Papa Eugenio IV e il Monte Commune. Documenti su investimento e speculazione nel debito pubblico di Firenze, in: Archivio storico italiano 127 (1969) 339-82.

Kisch, Giudo: Die Anfänge der Juristischen Fakultät der Universität Basel 1459-1529 (Studien zur Gesch. der Wissenschaft in Basel 15) Basel 1962.
- Enea Silvio Piccolomini und die Jurisprudenz, Basel 1967 [dazu A. Strnad, in: RHM 12 (1970) 293-97].

Klapper, Joseph: Der Erfurter Kartäuser Johannes Hagen. Ein Reformtheologe des 15. Jahrhunderts, I-II (Erfurter theolog. Studien 9-10) Leipzig 1960-61.

Kleber, Hugo: Der Reichsgerichtsprozeß gegen Herzog Ludwig den Gebarteten von Ingolstadt und die Bedeutung des gleichzeitigen Basler Weistums über Vorladung eines Fürsten für die Geschichte des Prozeßverfahrens am Reichsgericht, Phil. Diss. (masch.) Erlangen 1922.

Klein, Constantin: Die Chronica Martiniana des Kölner Notars Albert Stuten, Phil. Diss. Berlin 1914 (Köln 1914).

Klein, Herbert: Kaiser Sigismunds Handelssperre gegen Venedig und die Salzburger Alpenstrasse, in: Aus Verfassungs- und Landesgeschichte, Festschrift Th. Mayer, II: Geschichtl. Landesforschung, Sigmaringen ²1973, 317-28.

Kleineidam, Erich: Universitas Studii Erffordensis. Überblick über die Geschichte der Universität Erfurt im Mittelalter, 1392-1521, I-II (Erfurter theolog. Studien 14 und 22) Leipzig 1964-69. [Neue, erweiterte Ausgabe 1985].

Kłoczowski, Jerzy: Le conciliarisme à l'université de Cracovie au XVe siècle et ses prolongements au XVIe siècle, in: Kyrkohistorisk Årsskrift 77 (1977) 223-26.
- (Hg.): Storia del Cristianesimo in Polonia, Rom 1980.

Kluckhohn, August: Herzog Wilhelm III. von Bayern, der Protector des Baseler Concils und Statthalter des Kaiser Sigmund, in: Forschungen zur deutschen Geschichte 2 (1862) 519-615.

Knecht, R. J.: The Concordat of 1516: A Reassessment, in: Birmingham University Historical Journal 9 (1963) 16-32.

Knoll, Paul W.: The University of Cracow in the conciliar Movement, in: Rebirth, Reform and Resilience. Universities in Transition 1300-1700, Hg. James W. Kittelson – Pamela J. Transue, Columbus 1984, 190-212.

Knowles, M.D., s. Geschichte der Kirche.

Knowlson, G[eorge] A[kenhead]: Jean V, duc de Bretagne et l'Angleterre (1399-1442) (Archives historiques de Bretagne 2) Cambridge-Rennes 1964.

Koch, Christoph Wilhelm: Sanctio Pragmatica Germanorum illustrata, Straßburg 1789.

Koch, Josef: Nikolaus von Kues und seine Umwelt. Untersuchungen zu Cusanus-Texte IV. Briefe, Erste Sammlung (SB Heidelberger Ak. Wiss., phil.-hist. Kl. 1944/48, 2. Abh.) Heidelberg 1948.

Koch, Max: Die Kirchenpolitik König Sigmunds während seines Romzuges (1431-1433), Phil. Diss. Leipzig 1906.

Kochan, Brigitte: Kirchliche Reformbestrebungen der Erzbischöfe von Mainz im 14. und 15. Jahrhundert, Phil. Diss. (masch.) Göttingen 1965.

Koczerska, M.: Pietnastowieczne biografie Zbigniewa Oleśnickiego [mit frz. Resümee], in: Studia Zródłoznawcze 24 (1979) 5-83.

Köhle, K.: 'Demokratisierungstendenzen' auf dem Konzil von Konstanz, in: GWU 24 (1973) 294-304.

Köhler, Jochen: Nikolaus von Kues in der Tübinger Schule. Ein Bericht aus dem Nachlaß von Prof. Stefan Lösch (1881-1966), in: MFCG 10 (1973) 191-206.

Köhler, Walther E.: Die Quellen zu Luthers Schrift 'An den christlichen Adel deutscher Nation'. Ein Beitrag zum Verständnis dieser Schrift Luthers, Phil. Diss. Heidelberg (Halle 1895).

– Luther und die Kirchengeschichte nach seinen Schriften, zunächst bis 1521, I 1 [mehr nicht erschienen] (Beiträge zu den Anfängen protestantischer Gesch. schreibung) Erlangen 1900.

Kölmel, Wilhelm: Von Ockham zu Gabriel Biel. Zur Naturrechtslehre des 14. und 15. Jahrhunderts, in: Franziskanische Studien 37 (1955) 218-59.

König, Erich: Kardinal Giordano Orsini (+1438). Ein Lebensbild aus der Zeit der großen Konzilien und des Humanismus (Studien und Darstellungen aus dem Gebiete der Gesch. V, 1. Heft) Freiburg/Br. 1906.

Königer, August: Johann III. Grünwalder, Bischof von Freising (Programm des K. Wittelsbacher-Gymnasiums in München für das Schuljahr 1913/14), München 1914, 1-79.

Koep, Leo: Die Liturgie der Sessiones Generales auf dem Konstanzer Konzil, in: Das Konzil von Konstanz, 241-51.

Koeppen, Hans: Das Kardinalprotektorat des Deutschen Ordens zur Zeit des Baseler Konzils, in: AHC 7 (1975) 257-71.

Kohut, Karl: Der Beitrag der Theologie zum Literaturbegriff in der Zeit Juans II. von Kastilien. Alonso de Cartagena (1384-1456) und Alonso de Madrigal, genannt El Tostado (1400?-1455), in: Romanische Forschungen 89 (1977) 183-226.

Koller, Gerda: Koloman Knapp (O.C.R.) – ein Leben im Schatten des Konzils, in: Jahrbuch des Stiftes Klosterneuburg N.S. 3 (1963) 109-36.

– Princeps in Ecclesia. Untersuchungen zur Kirchenpolitik Herzog Albrechts V. von Österreich (AÖG 124) Wien 1964.

Koller, Heinrich: Untersuchungen zur Reformatio Sigismundi, I-III, in: DA 13 (1957) 482-524; 14 (1958) 418-68; 15 (1959) 137-62.

– (Ed.): Reformation Kaiser Sigmunds (MGH Staatsschriften des späteren Mittelalters 6) Stuttgart 1964.

– Kaiserliche Politik und Reformpläne des 15. Jahrhunderts, in: Festschrift Hermann Heimpel, II, 61-79.

– Die Aufgaben der Städte in der 'Reformatio Friderici' (1442), in: HJb 100 (1980) 198-216.

– (Hg.): Regesten Kaiser Friedrichs III. (1440-1493) nach Archiven und Bibliotheken geordnet, Heft I-IV, Wien-Köln-Graz 1982-86.

– Die Reformen im Reich und ihre Bedeutung für die Erfindung des Buchdrucks, in: Gutenberg-Jahrbuch 59 (1984) 117-27.

– Dietrich Ebbracht. Kanoniker und Scholaster zu Aschaffenburg. Ein vergessener führender Politiker des 15. Jahrhunderts, in: Aschaffenburger Jb. für Geschichte und Altertumskunde 8 (1984) 145-256.

Komarek, Heinz Peter: Das Große Abendländische Schisma in der Sicht der öffentlichen Meinung und der Universitäten des deutschen Reichs, 1378-1400, Phil. Diss. (masch.) Salzburg 1970.

Von Konstanz nach Trient. Beiträge zur Geschichte der Kirche von den Reformkonzilien bis zum Tridentinum, Festgabe für August Franzen, Hg. Remigius Bäumer, München-Paderborn-Wien 1972.

Das ökumenische Konzil: Seine Bedeutung für die Verfassung der Kirche [Concilium. Internat. Zs. für Theologie 19, Heft 8/9 (1983)].

Das Konzil von Konstanz. Beiträge zu seiner Geschichte und Theologie, Hg. von August Franzen und Wolfgang Müller, Freiburg/Br.-Basel-Wien 1964.

Das Konzil und die Konzile. Ein Beitrag zur Geschichte des Konzilslebens der Kirche, Stuttgart 1962 (Dt. Übers. aus dem Frz. 'Le concile et les conciles', Hg. Y. Congar, Chevetogne 1960).

Kopelke, Otto: Beiträge zur Geschichte der öffentlichen Meinung über die Kirche in den deutschen Städten von 1420-1460, Phil. Diss. Halle 1910.

Korolek, J. B.: 'Compendium divinorum' Heimeryka de Campo (W RKP BJ 695), in: Studia Mediewistyczne 8 (1967) 19-75; 9 (1968) 3-90.

Koselleck, Reinhart: Kritik und Krise. Eine Studie zur Pathogenese der bürgerlichen Welt, Freiburg-München 1959 (²1969; suhrkamp taschenbuch wissenschaft 36, Frankfurt 1973).

Kot, Stanislaw: Basel und Polen (XV.-XVII. Jh.), in: ZSchwG 30 (1950) 71-91.

Kottje, Raymund: Das Stift St. Quirin zu Neuss. Von seiner Gründung bis zum Jahre 1485 (Veröff. des Histor. Vereins für den Niederrhein 7) Düsseldorf 1952.

– und Bernd Moeller (Hgg.): Ökumenische Kirchengeschichte II: Mittelalter und Reformation, Mainz-München ²1979.

Kozicka, J.: Mikolaj Lasocki, in: Materiały do Historii Filozofii Sredniowiecznej, Ser. 1, 4 (1971) 41-71.

Krabbe, Otto: Die Universität Rostock im 15. und 16. Jahrhundert, Rostock 1854 (ND Aalen 1970).

Krämer, Werner: Die Relevanz des kirchenpolitischen Schrifttums Heinrich Kalteisens für die Cusanus-Forschung, in: MFCG 8 (1970) 115-46.

– Der Beitrag des Nikolaus von Kues zum Unionskonzil mit der Ostkirche, in: MFCG 9 (1971) 34-52.

– Die ekklesiologische Auseinandersetzung um die wahre *Repräsentation* auf dem Basler Konzil, in: Der Begriff der Repraesentatio im Mittelalter, 202-37.

– *Konsens* und Rezeption. Verfassungsprinzipien der Kirche im Basler Konziliarismus (BGPhThM NF 19) Münster 1980 (ursprünglich Theol. Diss. Mainz 1974).

Kraft, Erich: Reformschrift und Reichsreform. Studien zum Wirklichkeitsverhältnis der deutschen Reformschriften im Spätmittelalter insbesondere des sogenannten 'Oberrheinischen Revolutionärs', Phil. Diss. (masch.) Darmstadt 1982.

Kramml, Peter F.: Kaiser Friedrich III. und die Reichsstadt Konstanz (1440-1493) (Konstanzer Geschichts- und Rechtsquellen XXIX) Sigmaringen 1985.

Kraus, Josef: Die Stadt Nürnberg in ihren Beziehungen zur Kurie während des Mittelalters, in: Mitt. des Vereins für Gesch. der Stadt Nürnberg 41 (1950) 1-154.

Kraus, Viktor von: Deutsche Geschichte zur Zeit Albrechts II. und Friedrichs III., 1438-1486 (Bibliothek Deutscher Geschichte) Stuttgart-Berlin 1905.

Krchňák, Aloysius: Introductio ad 'Tractatum de Ecclesia' Joannis Stojković de Ragusio (Thesis ad Lauream in S. Theologiae apud Pontificale Atheneum Lateranense obtinendum) Rom 1958 (masch.).

– De vita et operibus Joannis de Ragusio (Lateranum N.S. 26, 3-4) Rom 1960.

– Cechové na basilejském sněmu [Tschechen auf dem Basler Konzil] (Krestanská Akademia) Rom 1967.

Kretschmayr, Heinrich: Geschichte von Venedig, I-III, (Allgemeine Staatengeschichte I 35) Gotha 1905-20; Stuttgart 1934 (ND Aalen 1964).

Krieg und Frieden im Horizont des Renaissancehumanismus, Hg. F. J. Worstbrock (Mitt. der Kommission für Humanismusforschung der DFG XIII) Weinheim 1986.

Kristeller, Paul Oskar: Contributions of Religious Orders to Renaissance Thought and Learning, in: American Benedictine Review 21 (1970) 1-55; überarbeitete Fassung in: Medieval Aspects of Renaissance Learning, Hg. E. P. Mahoney (Duke Monographs in Medieval and Renaissance Studies 1) Durham (N.C.) 1974, 95-120, 123-58.

– Humanismus und Renaissance I-II (Humanistische Bibliothek I, 21-22) München 1973-75 (auch: Uni-Taschenbücher 914/ 15).

Krofta, Kamil: Francie a ceské hnutí náboženské, Prag 1936; frz. u.d.T.: La France et le mouvement religieux Tchèque, in: Le monde slave 12/III (1935) 161-85, 321-60.

Krynen, Jacques: Idéal du prince et pouvoir royal en France à la fin du Moyen Age (1380-1440). Etude de la littérature politique du temps, Paris 1981.

Kubalik, Josef: Jean de Raguse. Son importance pour l'ecclésiologie du XVe siècle, in: Revue des sciences religieuses 41 (1967) 150-67.

– Johannes von Ragusa und die hussitische Ekklesiologie, in: ThQ 125 (1977) 290-95.

Küchler, Winfried: Alfons V. von Aragon und das Basler Konzil, in: Spanische Forschungen der Görresgesellschaft I. Reihe: Gesammelte Aufsätze zur Kulturgeschichte Spaniens 23, Münster 1967, 131-46.

– Die Finanzen der Krone Aragón während des 15. Jahrhundert (Alfons V. und Johann II.) (Spanische Forschungen der Görresgesellschaft, II. Reihe: Monographien 22) Münster 1983.

Kühn, Dieter: Ich Wolkenstein. Eine Biographie, neue, erw. Ausgabe (Insel Taschenbücher 497) Frankfurt/M. 1980.

Küng, Hans: Strukturen der Kirche (Quaestiones disputatae 17) Freiburg/Br. 1962.

Küppers, W.: Rezeption. Prolegomena zu einer systematischen Überlegung, in: Konzile und die ökumenische Bewegung (Studien des ökumenischen Rates 5) Genf 1968, 81-104.

Kuksewicz, Z.: La philosophie au XVᵉ siècle à l'université de Cracovie. Tendances principales et lignes de developpement, in: The Late Middle Ages and the Dawn of Humanism outside Italy, Hg. G. Verbeke, J. Ijsewijn (Mediaevalia Lovaniensia I) Löwen-Den Haag 1972, 231-36.

Kunzelmann, Adalbero: Geschichte der deutschen Augustiner-Eremiten, II-V (Cassiciacum XXVI 2-5) Würzburg 1970-74.

Kurze, Dietrich: Der niedere Klerus in der sozialen Welt des späteren Mittelalters, in: Beiträge zur Wirtschafts- und Sozialgeschichte des Mittelalters. Festschrift H. Helbing, Köln-Wien 1976, 273-305.

Labande, E. R., s. DLO (Siglen).

Labande, L. H.: Projet de Translation du concile de Bâle à Avignon pour la réunion des Eglises grecque et latine. Documents inédits sur la subvention payée au Concile par les Avignonais, in: Annuaire de la Soc. d'études provençales 1 (1904) 10-24, 39-54, 133-43, 189-200.

Laboa, Juan Maria: Rodrigo Sánchez de Arévalo, alcaide de Sant'Angelo (Publicaciones de la Fundación Univ. Español Seminario Nebrija 8) Madrid 1973.

Lacaze, Yvon: Les débuts de Jean Germain, évêque de Chalons de 1436-1461, in: Mémoires de la Soc. d'histoire et d'archéologie de Chalon-sur Saône 39 (1969) 1-24, 63-86.

– Philippe le Bon et le problème hussite: Un projet de croisade bourguignon en 1428-1429, in: RH 241 (1969) 69-98.

– Le rôle des traditions dans la genèse d'un sentiment national au XVᵉ siècle: La Bourgogne de Philippe le Bon, in: BECh 129 (1971) 303-85.

– Aux origines de la paix d'Arras (1435). Amédée VIII de Savoie, médiateur entre France et Bourgogne, in: Revue d'histoire diplomatique 87 (1973) 232-76.

– Philippe le Bon et l'Empire: Bilan d'un règne, in: Francia 9 (1981) 133-75; 10 (1982) 167-227.

Ladner, Gerhart B.: Die mittelalterliche Reform-Idee und ihr Verhältnis zur Idee der Renaissance, in: MIÖG 60 (1952) 31-59.

Ladner, Pascal: Johannes von *Segovias Stellung* zur Präsidentenfrage auf dem Basler Konzil, in: ZSchwKG 62 (1968) 1-113.

– Der *Ablaß-Traktat* des Heymericus de Campo. Ein Beitrag zur Geschichte des Basler Konzils, in: ZSchwKG 71 (1977) 93-140.

– Kardinal Cesarinis Reformstatuten für das Leonhardstift in Basel, in: ZSchwKG 74 (1980) 125-60.

– Revolutionäre Kirchenkritik am Basler Konzil? Zum Konziliarismus des Heymericus de Campo (Vorträge der Aeneas-Silvius-Stiftung an der Universität
Basel XIX) Basel-Frankfurt 1985.

– Heymericus de Campo an Johannes de Rokycana. Zur Laienkelchdiskussion am
Basler Konzil, in: Variorum munera florum, Festschrift F. Haefele, Hg. A.
Reinle u.a., Sigmaringen 1985, 301-08.

Laehr, Gerhard: Die Konstantinische Schenkung in der abendländischen Literatur des ausgehenden Mittelalters, in: QFIAB 23 (1932) 120-81.

Lagarde, Georges de: Les théories représentatives des XIVᵉ-XVᵉ siècles et
l'Eglise, in: Etudes présentées à la Commission internat. pour l'histoire des
assemblées d'états 18, Löwen 1958, 63-76.

– La naissance de l'esprit laïque au déclin du moyen-âge, I-VI (Nouvelle édition
refondue et complétée, in V) Paris 1956-70.

Lampe, Karl Heinrich: Die Reise Konrads von Weinsberg im Auftrag des Baseler
Konzils im Jahre 1441, in: Studien zur Gesch. des Preußenlandes. Festschrift E.
Keyser, Marburg 1963, 58-65.

Lamprecht, Karl: Deutsche Geschichte IV, Berlin ⁵1921.

Landi, Aldo: L'‹eresia› conciliarista e la sua persistenza negli ambienti ecclesiastici
del Quattro-Cinquecento, in: Tra Spiritualismo e Riforma, a cura di D. Maselli,
Florenz 1979, 111-41.

– Il Papa Deposto (Pisa 1409). L'idea conciliare nel Grande Schisma, Turin
1985.

Lang, Albert: Die conclusio theologica in der Problemstellung der Spätscholastik,
in: Divus Thomas 22 (1944) 259-90.

– Der Bedeutungswandel der Begriffe 'fides' und 'haeresis' und die dogmatische
Wertung der Konzilsentscheidungen von Vienne und Trient, in: Studien zur
historischen Theologie, Festgabe für F.X. Seppelt, München 1953, 133-46.

Lange, Augusta: Martin le Franc recteur de Saint-Gervais à Genève et les fresques
de cette église, in: Publications du Centre européen d'études burgundo-
médianes 9 (1967) 98-102.

Lange, Hermann: Vom Adel des doctor, in: Das Profil des Juristen in der
europäischen Tradition, Hg. K. Luig und D. Liebs, Ebelsbach 1980, 279-94.

Laslowski, Ernst: Beiträge zur Geschichte des spätmittelalterlichen Ablaßwe-
sens. Nach schlesischen Quellen mit neun urkundlichen Beilagen (Breslauer
Studien zur historischen Theologie 11) Breslau 1929.

Lasocki, Sigismond: Un diplomate polonais au congrès d'Arras: Nicolas Lasocki,
Paris 1928.

Laufs, Adolf: Reichsstädte und Reichsreform, in: ZRG GA 84 (1967) 172-201.

Laurent, V.: Les ambassadeurs du roi de Castille au concile de Bâle et le patriarche
Joseph II (Fevrier 1438), in: Revue des Etudes Byzantines 18 (1960) 136-44.

(Lorenzo Valla) Laurentii Valle, Epistolae, Edd. Ottavio Besomi, Mariangela
Regoliosi (Thesaurus mundi. Bibliotheca scriptorum latinorum mediae et
recentioris aetatis 24) Padua 1984.

Lawrence, Clifford Hugh (Hg.): The English Church and the Papacy in the Middle
Ages, London 1965, darin: F. R. H. Du Boulay, The Fifteenth Century (195-
242).

Lazarus, Paul: Das Basler Konzil. Seine Berufung und Leitung, seine Gliederung und Behördenorganisation (Historische Studien 100) Berlin 1912 (ND Vaduz 1965).

Le Bachelet, X. M.: Art. 'Immaculée Conception', in: DThCVII (1922), 845-1218.

Le Bras, Gabriel (Hg.): Histoire du droit et des institutions de l'Eglise en Occident, XIII: La periode post-classique, Hg. P. Ourliac - H. Gilles, Paris 1971.

– Velut Splendor Firmamenti. Le docteur dans le droit de l'Eglise médiévale, in: Mélanges offerts à Etienne Gilson, Toronto-Paris 1959, 373-88.

Lechleitner, Oskar: Der Kampf um die Rechtskraft der deutschen Konkordate im Bistum Trient, in: Zs. des Ferdinandeums für Tirol und Voralberg, 3. Folge 77 (1913) 1-132.

Lecler, Joseph: Pars corporis papae. Le Sacré Collège dans l'ecclésiologie médiévale, in: L'homme devant Dieu. Mélanges offerts au Père Henri de Lubac II (Théologie 57) Paris 1964, 183-98.

– Le pape ou le concile? Une interrogation de l'Eglise médiévale, Lyon 1973.

Leclercq, Jean: Cluny et le Concile de Bâle, in: RHEF 28 (1942) 181-95.

– L'idée de royauté du Christ pendant le grand schisme et la crise conciliaire, in: AHDL 19 (1949) 249-65; wieder als Teilkapitel in: ders., L'idée de royauté du Christ (Unam Sanctam 32) Paris 1959.

–, F. Vandenbroucke, L. Bouyer: La spiritualité du Moyen Age (Histoire de la spiritualité chrétienne 1-2) Paris 1961.

Lecoy de la Marche, Albert: Le roi René. Sa vie, son administration, ses travaux artistiques et littéraires, d'après les documents inédits des Archives de France et d'Italie, I-II, Paris 1875 (ND 1969).

Lefebvre, Charles: L'enseignement de Nicolas de Tudeschis et l'autorité pontificale, in: Ephemerides juris canonici 14 (1958) 312-39.

Leff, Gordon: Heresy in the Later Middle Ages. The Relation of Heterodoxy to Dissent c.1250-c.1450, I-II, Manchester 1967.

Le Goff, Jacques: Les intellectuels au moyen-âge (Le temps qui court 3) Paris 1962 [deutsch 1986].

Leguai, André: Les ducs de Boubon pendant la crise monarchique du XVᵉ siècle. Contribution à l'étude des apanages (Publications de l'Univ. de Dijon 26) Paris 1962.

Lehmann, Michael: Die Mitglieder des Basler Konzils von seinem Anfang bis August 1442, Theol. Diss. (masch.) Wien 1945, [zitiert: Lehmann].

Lehmann, Paul: Konstanz und Basel als *Büchermärkte* während der großen Kirchenversammlungen, in: Zs. des deutschen Vereins für Bücherwesen und Schrifttum 4 (1921) 6-11, 17-27; wieder in: ders., Erforschung des Mittelalters 1, Stuttgart 1941 (ND 1959) 253-80.

– Aus dem Rapularius des Hinricus Token, in: ders., Mitteilungen aus Handschriften 1 (1929) 29-53; wieder in: ders., Erforschung des Mittelalters 4, Stuttgart 1961, 189-205.

Leidl, August: Die *Einheit* der Kirchen auf den spätmittelalterlichen Konzilien von Konstanz bis Florenz (Konfessionskundliche und kontroverstheolog. Studien XVII) Paderborn 1966.

– Die *Verhandlungen* über die Struktur eines Unionskonzils im 15. Jahrhundert, in: Konzil und Papst. Festgabe für Hermann Tüchle, Hg. Georg Schwaiger, München usw. 1975, 247-76.

– Die Primatsverhandlungen auf dem Konzil von Florenz als Antwort auf den westlichen Konziliarismus und die östliche Pentarchietheorie, in: AHC 7 (1975) 272-89.

Leinweber, Jürgen: Die Synoden in Italien, Deutschland und Frankreich von 1215 bis zum Tridentinum, Habil.schrift (masch.) Augsburg 1975.

– *Provinzialsynode* und Reform im Spätmittelalter, in: Reformatio Ecclesiae, Festgabe Iserloh, 113-28.

– Zur spätmittelalterlichen Klosterreform in Fulda – eine Fuldaer Reformgruppe? in: Consuetudines Monasticae. Festgabe für Kassius Hallinger (Studia Anselmiana 85) Rom 1982, 303-32.

Lenfant, Jacques: Histoire de la guerre des Hussites et du concile de Basle, I-II, Amsterdam 1731 [deutsch von Chr. Hirsch, Wien 1783/84].

Léonard, Emile G.: Les Angevins de Naples, Paris 1954.

Leonardi Bruni Arrettini Epistolarum libri VIII... recensente Laurentio Mehus, I-II, Florenz 1741.

Lepszy, Kazimierz (Hg.): Dzieje Uniwersytu Jagiellónskiego w latach 1364-1764 [Geschichte der Jagiellonen-Universität in den Jahren 1364-1764], Bd. I, (Uniwersytet Jagiellónski Wydawnictwa Jubileuszowe, XXI) Krakau 1964.

Leuschner, Joachim: Der Streit um Kursachsen in der Zeit Kaiser Sigmunds, in: Festschrift Karl Gottfried Hugelmann, Hg. W. Wegener, I, Aalen 1959, 315-44.

Lewis, P. S.: The Failure of the French Medieval Estates, in: Past and Present 23 (1962) 3-24; wieder in: ders. (Hg.): The Recovery of France 294-311, 410-18.

– Later Medieval France. The Polity, London-New York 1968.

– (Hg.) The Recovery of France in the Fifteenth Century, London 1976.

Lhotsky, Alphons: Thomas Ebendorfer. Ein österreichischer Geschichtsschreiber, Theologe und Diplomat des 15. Jahrhunderts (Schriften der MGH 15) Stuttgart 1957.

– Zur Königswahl des Jahres 1440. Ein Nachtrag zu den Deutschen Reichstagsakten, in: DA 15 (1959) 163-76.

– *Quellenkunde* zur mittelalterlichen Geschichte Österreichs (MIÖG Erg.bd. XIX) Graz-Köln 1963.

– Kaiser Friedrich III., in: ders., Aufsätze und Vorträge II, München 1971, 119-63.

Lickteig, Franz-Bernard: The German Carmelites at the Medieval Universities, Phil. Diss. The Catholic Univ. of America, Washington 1977.

Liebenau, Th. v.: Das Ende des Conzils von Basel, in: Anzeiger für Schweizer. Gesch. 4 (1882-85) 459-61.

Lieberich, H.: Klerus und Laienwelt in der Kanzlei der baierischen Herzöge des 15. Jahrhunderts, in: Zs. für bayerische Landesgesch. 29 (1966) 239-58.

Lilienkron, Rochus von (Ed.): Die historischen Volkslieder der Deutschen vom 13. bis 16. Jahrhundert, Hg. durch die Histor. Commission bei der Kgl. Ak. Wiss., I, Leipzig 1865 (ND Hildesheim 1966).

Lindhardt, P. G.: Danmark og Reformkoncilierne. Studier over den danske kirkes forhold til de konciliare reformbestrebelser 1414-1443 (Teologiske Studier 2, II. afd.) Kopenhagen 1942.

Lindner, Theodor: Deutsche Geschichte unter den Habsburgern und Luxemburgern (1278-1437), II: Von Karl IV. bis zu Sigmund (Bibliothek deutscher Geschichte) Stuttgart 1893.

Lipburger, Peter Michael: Beiträge zur Geschichte der Epoche Kaiser Friedrichs III. (1440-1493) und der Reichsstadt Augsburg in der zweiten Hälfte des 15. Jahrhunderts, Phil. Diss. (masch.) Salzburg 1980.

– Über Kaiser Friedrich III. (1440-1493) und die 'Regesta Friderici III.', in: Jahrb. der Universität Salzburg 1979-81 (1982) 127-51.

Lippens, Hugolin: Saint Jean Capistran en mission aux Etats bourguignons (1442-1443), in: AFH 33 (1940) 113-32, 254-92.

– Le droit nouveau des mendiants en conflit avec le droit coutumier du clergé séculier du concile de Vienne à celui de Trente, in: AFH 47 (1954) 242-92.

Loebel, Hansgeorg (Ed.): Die Reformtraktate des Magdeburger Domherrn Heinrich Toke. Ein Beitrag zur Geschichte der Reichs- und Kirchenreform im 15. Jahrhundert, Phil. Diss. (masch.) Göttingen 1949.

Löhr, Gabriel (Ed.): Documenta ad historiam ordinis saeculi XV spectantia, in: Analecta Sacri Ordinis Fratrum Praedicatorum 19 (1929/30) 39-46, 86-97; darin: Epistolae magistri Henrici Rotstock OP missae ex concilio Basiliensi anno dom. 1439 ad facultatem theologicam universitatis Viennensis (86-91).

Longpré, Ephrem: St. Bernardin de Sienne e le nom de Jesus, in: AFH 28 (1935) 443-76; 29 (1936) 142-68; 30 (1937) 443-77 (ed. B. Bughetti).

Loomis, Louise Ropes: Nationality at the Council of Constance: An Anglo-French Dispute, in: AHR 44 (1938/39) 508-27; wieder in: S. L. Thrupp (Hg.), Change in Medieval society, New York 1964, 279-96.

Lortz, Joseph: Die Reformation in Deutschland, I-II, Freiburg 1939-40 (⁶ 1982).

– Zur Problematik der kirchlichen Mißstände im Spät-Mittelalter, in: Trierer Theologische Zs. (Pastor Bonus) 58 (1949) 1-26, 212-27, 257-79, 347-57.

Loserth, Johann: Geschichte des späteren Mittelalters von 1197-1492 (G. v. Below – F. Meinecke, Handbuch der mittelalterlichen und neueren Gesch., Abt. II: Politische Gesch.) München-Berlin 1903.

Losi, L.: Rapporti dei Medici con il concilio di Basilea-Ferrara-Firenze attraverso una corrispondenza medicea 1433-39, Diss. (masch.) Florenz 1969.

Losman, Beata: Nikolaus Ragvaldis Gotiska Tal, in: Lychnos 8 (1967/68) 215-21.

– Norden och Reformkonsilierna 1408-1449 (Studia Historica Gothoburgensia 11) Göteborg 1970.

Lubac, Henri de: 'Corpus Mysticum'. L'eucharistie et l'Eglise au Moyen Age, Paris ² 1949.

Lückerath, Carl August: Paul von Rusdorf, Hochmeister des Deutschen Ordens 1422-1441 (Quellen und Studien zur Gesch. des Deutschen Ordens 15) Bad Godesberg 1969.

Lulvès, Jean: Päpstliche Wahlkapitulationen. Ein Beitrag zur Entwicklungsgeschichte des Kardinalats, in: QFIAB 12 (1909) 212-35.

– Die Machtbestrebungen des Kardinalkollegiums gegenüber dem Papsttum, in: MÖIG 35 (1914) 455-83.

Lumpe, Adolf: Zu repraesentare und praesentare im Sinne von ‚rechtsgültig vertreten', in: AHC 6 (1974) 272-90.

Luppi, S.: Secolarizzazione del principio sanioritario. Sanior pars, sovranità e limiti del potere fra cristianesimo e secolarizzazione, in: Cristianesimo, secolarizzazione e diritto moderno, a cura di L. Lombardi Vallauri e G. Dilcher, I, (Per la storia del pensiero giuridico moderno 11) Mailand-Baden Baden 1981, 627-700.

Luscombe, D.: Some Examples of the Use of the Works of the Pseudo-Dionysius by University Teachers in the Later Middle Ages, in: Ijsewijn-Paquet, The Universities, 228-41.

Lutz, Heinrich: Kultur, Kulturgeschichte und 'Gesamtgeschichte', in: Spezialforschung und Gesamtgeschichte, Hg. G. Klingenstein und H. Lutz (Wiener Beiträge zur Gesch. der Neuzeit 8) Wien 1981, 279 ff.; wieder in: ders., Politik, Kultur und Religion im Werdeprozeß der frühen Neuzeit. Aufsätze und Vorträge, Klagenfurt 1982, 261-76.

Lytle, Guy Finch: Universities as Religious Authorities in the Later Middle Ages and Reformation, in: Reform and Authority in the Medieval and Reformation Church, Hg. G. F. Lytle, Washington 1981, 69-98.

Maccarrone, Michele: 'Vicarius Christi'. Storia del titolo papale (Lateranum N. S. 18, 1-4) Rom 1952.
– Dante e i teologi del XIV-XV secolo, in: Studi Romani 5 (1957) 20-28.
Maček, Josef: Le mouvement conciliaire, Louis XI et Georges de Poděbrady, in: Historica 15 (1967) 5-63.
– Der Konziliarismus in der böhmischen Reformation, besonders in der Politik Georgs von Podiebrad, in: ZKG 80 (1969) 312-30.
– Jean Hus et les traditions hussites (XVe-XIXe siècles), Paris 1973.
Machilek, Franz: Johannes Hoffmann aus Schweidnitz und die Hussiten, in: Archiv für schlesische Kirchengesch. 26 (1968) 91-123.
– Die Frömmigkeit und die Krise des 14. und 15. Jahrhunderts, in: Medievalia Bohemica 4 (1971) 209-27.
– Ergebnisse und Aufgaben moderner Hus-Forschung, in: ZfO 22 (1973) 302-30.
Madre, Alois: Nikolaus von Dinkelsbühl, Leben und Schriften. Ein Beitrag zur theologischen Liturgiegeschichte (BGPHThM 40, 4) Münster 1965.
Maffei, Domenico: La donazione di Constantino nei giuristi medievali, Mailand 1964 (²1969).
Mahieu, Bernard: Etude sur les évêques et le diocèse de Bayeux au milieu du XVe siècle (1431-1479), in: Ecole Nationale des Chartes. Positions des thèses (1943) 143-53.
Mahr, Michael: Beziehungen des Bamberger Rats zur Reichskanzlei. Anmerkungen zu einem Schreiben Kaspar Schlicks während des Immunitätenstreits, in: Berichte des Histor. Vereins für die Pflege der Gesch. des ehem. Fürstbistums Bamberg 120 (1984) 171-82.
Maier, Anneliese: Internationale Beziehungen an spätmittelalterlichen Universitäten, in: Festschrift Carl Billinger (Beitr. des MPI für ausländisches öffentliches Recht und Völkerrecht Heidelberg. Beitr. zum ausländ. öff. Recht und Völkerrecht 29) Köln-Berlin 1954, 205-21; wieder in: dies., Ausgehendes Mittelalter 2 (Studi e Testi 105) Vatikan 1967, 317-34.
Maigret, Michel: Guillaume Huin, le Cardinal d'Etain, in: Bull. des Soc. d'histoire et d'archéologie de la Meuse 9 (1972) 81-101.

Maillet-Guy, Luc: Saint-Antoine et Montmajour au concile de Bâle (1434-1438), in: Bull. de la Soc. d'archéologie et de statistique de la Drôme 61 (1927/28) 113-87; separat: Valence 1928.

Maleczek, Werner: Die diplomatischen Beziehungen zwischen Österreich und Frankreich in der Zeit von 1430 bis 1474, Phil. Diss. (masch.) Innsbruck 1968.

– Österreich-Frankreich-Burgund; zur Westpolitik Herzog Friedrichs IV. in der Zeit von 1430-1439, in: MIÖG 79 (1971) 109-55.

Mallet, Edouard: Mémoire historique sur l'élection des évêques de Genève, II: Concile de Bâle, Amédée de Savoie et ses trois petits-fils, in: Mémoires et documents publiées par la Soc. d'histoire et d'archéologie de Genève 5 (Paris 1847) 127-354.

Malyusz, Elemér: Zsigmond király uralma Magyarorszógon, 1387-1437 [Kaiser Sigmunds Herrschaft in Ungarn], Budapest 1984.

Manger, Hugo: Die Wahl Amadeo's von Savoyen zum Papste durch das Basler Konzil, Phil. Diss. Marburg 1901.

Manns, Rudolf: König Albrecht II. und die Kirchenpolitik des Römischen Reiches 1438 und 1439, Phil. Diss. Marburg 1911.

Mansi, s. Siglen.

March, José M.: Sobre el concilio de Basilea y Juan de Segovia, in: Estudios eclesiásticos 7 (1938) 114-19.

Marchal, Guy Peter: Die Statuten des weltlichen Kollegiatstifts St. Peter in Basel (QFBG 4) Basel 1972.

– Supplikenregister als kodikologisches Problem. Die Supplikenregister des Basler Konzils (Genf Ms. lat 61/Lausanne G 803), in: BZGA 74 (1974) 201-35.

– Die frommen Schweden in Schwyz. Das 'Herkommen der Schwyzer und Oberbasler' als Quelle zum schwyzerischen Selbstverständnis im 15. und 16. Jahrhundert (Basler Beitr. zur Gesch. wiss. 138) Basel-Stuttgart 1976.

Marcocchi, Massimo: La Riforma Cattolica. Documenti e testimonianze. Figure ed istituzioni dal secolo XV alla metà del secolo XVII, I-II, Brescia 1967-71.

Marcos Rodríguez, F.: Los manuscritos de Alfonso de Mádrigal conservados en la Biblioteca Universitaria de Salamanca, in: Salmanticensis 4 (1957) 3-50.

– Los manuscritos pretridentinos hispanos de ciencias sagradas en la Biblioteca Universitaria de Salamanca, in: Repertorio 2, Salamanca 1971, 261-501.

Maresch, Ludwig: Hussitismus, ein Versuch der begrifflichen Erläuterung, in: Translatio studii. Manuscript and Library Studies honoring O. L. Kapsner O. S. B., Hg. J. G. Plante, Collegeville (Minnessota) 1973, 260-69.

Maret, Henri-Louis-Charles: Du concile général et de la paix religieux, I-II, Paris 1869.

Margull, Hans-Jochen (Hg.): Die ökumenischen Konzile der Christenheit, Stuttgart 1961.

Marie José (Reine d'Italie): La Maison de Savoie. Amédée VIII - Le Duc qui devint Pape, I-III, Paris 1956-62.

Marino, Eugenio: Eugenio IV e la storiografia di Flavio Biondo, in: Umanesimo e teologia tra '400 e '500, in: Memorie domenicane N.S. 4 (1973) 241-87.

Marongiu, Antonio: Medieval Parliaments. A Comparative Study, London 1968 [zuerst italienisch 1949].

– Das Prinzip der Demokratie und der Zustimmung (Quod omnes tangit, ab omnibus approbari debet) im 14. Jahrhundert, in: H. Rausch (Hg.), Die geschichtlichen Grundlagen der modernen Volksvertretung (WdF 196), 183-211; zuerst ital. in: Studia Gratiana 8 (1962) 553-75.

Marot, Pierre: L'expédition de Charles VII à Metz (1444-1445), documents inédits, in: BECh 102 (1941) 109-55.

Marschall, Werner: Ein Cyprianzitat im Schreiben des Konzils von Basel vom 20. Februar 1439 an die europäischen Gesandten, in: Von Konstanz nach Trient, 189-97.

– *Schlesier* auf dem Konzil von Basel, in: AHC 8 (1976) 294-325.

– Der Breslauer Domdekan Nikolaus Stock auf der Diözesansynode von 1446, in: Archiv für schlesische Kirchengesch. 35 (1975) 51-63.

Marsilio ieri e oggi. Simposio su Marsilio da Padova nel VII Centenario della nascità (Studia Patavina 27, 2) Padua 1980.

Martène, Edmundi et Durand, Ursini (Edd.): Veterum scriptorum et monumentorum historicorum, dogmaticorum, moralium amplissima collectio, VIII, Paris 1724 (ND New York 1968).

Martin, H.: Les prédications déviantes du début du XVe siècle au début du XVIe siècle dans les provinces septentrionales de la France, in: Les Réformes, Hg. B. Chevalier et R. Sauzet, Paris 1985, 251-66.

Martin, John Joseph: Doctrinal Authority in the Church on the Eve of the Reformation, Phil. Diss. Univ. of California, Los Angeles 1978.

Martin, Victor: Les origines du gallicanisme, I-II, Paris 1939 (ND 1978).

Martinez Burgos, M. (Ed.): Don Alonso de Cartagena, obispo de Burgos. Su testamento, in: Revista de archivos, bibliotecas y museos 63 (1957) 81-110.

Marx, H. J.: Filioque und Verbot eines anderen Glaubens auf dem Florentinum (Veröff. des Missionspriesterseminars St. Augustin bei Bonn 26) Steyl 1977.

Maschke, Erich: Gregor von Heimburg und der deutsche Orden, in: Prussia 29 (1931) 269-78.

Masius, Alfred: Über die Stellung des Kamaldulensers Ambrogio Traversari zum Papst Eugen IV. und zum Basler Konzil, Programm Döbeln 1888.

Masolivier, Alexandre: El Papa i la inmaculada conscepsió en la lletra d'un monjo de Poblet ambaixador d'Alfonso el Magnánim al Concili di Basilea, in: Homenaja a Fray Justo Pérez de Urbel OSB, II (Studia Silensia 4) Burgos 1977, 205-19.

Massi, Pacifico: Magistero infallibile del papa nella teologia di Giovanni da Torquemada (Scrinium Theologicum 8) Turin 1957.

Mastroiani, F. F.: Il problema pastorale al Concilio di Constanza (1414-18), in: Rivista delle letterature di scienze ecclesiologiche 3 (1971) 128-48.

Mastropierro, Franca: Influenza dell'Umanesimo sulla pittura tedesca ispirata al concetto de pace: Concilio di Constanza e Basilea, in: Interrogativi dell'umanesimo 3, Hg. G. Tarugi, Montepulciano 1974, 133-42.

Mathies, Christiane: Kurfürstenbund und Königtum in der Zeit der Hussitenkriege. Die kurfürstliche Reichspolitik gegen Sigmund im Kraftzentrum Mittelrhein (Quellen und Abhandlungen zur mittelrheinischen Kirchengesch. 32) Mainz 1978.

Matthiessen, Wilhelm: Ulrich Richenthals Chronik des Konstanzer Konzils. Studien zur Behandlung eines universalen Großereignisses durch die bürgerliche Chronistik, I, in: AHC 17 (1985; ersch. 1986) 71-192.

Mattingly, Garret: Renaissance Diplomacy, London ²1973.

Maurer, Ernst: Das Weltkonzil von Konstanz und die auf ihm erhobenen Forderungen der deutschen Nation in der causa reformationis und das Ergebnis dieser Forderungen in Konstanz und der Folgezeit für die deutschen kirchlichen Belange, Jur. Diss. (masch.) München 1943.

Mauricio, D.: Os embargos de Espanha no Concilio de Basilea, in: Broteria 12 (1931) 291-302.

May, John: Vorbereitende Überlegungen zu einer Konsenstheorie der Konziliarität, in: Una Sancta 32 (1977) 94-104.

Mc Dougall, Norman (Hg.): Church, Politics and Society: Scotland 1408-1929, Edinburgh 1983.

– Bishop James Kennedy of St. Andrews, in: ebd. 1-22.

Mc Farlane, K. B.: England in the Fifteenth Century. Collected Essays, London 1981.

Mc Grath, A. E.: 'Augustinism?' A Critical Assessment of the so-called 'Medieval Augustinian Tradition' on Justification, in: Augustiniana 31 (1981) 247-67.

Mc Keon, P.: 'Concilium generale' and 'studium generale': The Transformation of Doctrinal Regulation in the Middle Ages, in: ChH 35 (1966) 24-34.

Mc Laughlin, Mary Martin: Intellectual Freedom and Its Limitations in the University of Paris in the Thirteenth and Fourteenth Centuries, New York 1977 (zuerst Phil. Diss. 1952).

Meersseman, Gilles: Een Nederlandsch koncilientheoloog: Emeric van de Velde (+ 1460), in: Thomistisch Tijdschrift 4 (1933) 675-87.

– Geschichte des Albertismus, I-II (Institutum historicum FF Praedicatorum Romae ad S. Sabinae. Dissertationes historicae, fasc. 3, 5) Rom 1933-35.

– Concordia inter quattuor Ordines Mendicantes, in: AFP 4 (1934) 75-98.

– Eine Schrift des Kölner Universitätsprofessors Heymericus de Campo oder des Pariser Professors Johannes de Nova Domo, in: Jahrb. des Kölnischen Gesch.-vereins 18 (1936) 144-68.

– Giovanni di *Montenero*, O. P., difensore dei Mendicanti. Studi e documenti sui concili di Basilea e di Firenze (Institutum historicum FF Praedicatorum Romae ad S. Sabinae. Dissertationes historicae, fasc. 10) Rom 1938.

– Les Dominicains présents au concile de Ferrare-Florence jusqu'au décret d'union pour les Grecs (6 juillet 1439), in: AFP 9 (1939) 62-75.

– Les oeuvres de Jean Ley O. P. se rapportant au concile de Ferrare-Florence, in: AFP 9 (1939) 76-85.

Mehl, James V.: Ortwin Gratius: Cologne Humanist, Phil. Diss. Univ. of Missouri, Columbia 1975.

Meier, Ludger: Joannis Bremer O.F.M. Quaestio inedita de Ecclesia, in: Antonianum 10 (1935) 261-300.

– Die Werke der Erfurter Kartäusers Jakob von Jüterbog in ihrer handschriftlichen Überlieferung (BGPhThM 38, 5) Münster 1955.

– Die Barfüßerschule zu Erfurt (BGPhThM 38, 2) Münster 1958.

Meijknecht, A. P. J.: Le concile de Bâle, aperçu général sur ses sources, in: RHE 65 (1970) 465-73.

Meijknecht, T.: Bartholomeus von Maastricht (+ 1446) monnik en conciliarist (Maaslands Monografieen 35) Assen 1982.

Melville, Gerd: Vorfahren und Vorgänger. Spätmittelalterliche Genealogien als dynastische Legitimation zur Herrschaft, in: Die Familie als sozialer und historischer Verband, Hg. P. J. Schuler, (Vorträge und Forschungen) Sigmaringen [im Druck].

Menéndez Pidal, Ramón (Hg.): Historia de España, XV: Los Trastámaras de Castilla y Aragón en el siglo XV, Madrid 1964.

Menozzi, D.: La critica all' autenticità della Donazione di Costantino in un manuscritto della fine del XIV secolo, in: Cristianesimo nella storia 1 (1980) 123-54.

Meo, S.: Maria Immaculata e Vergine nei Concili Lateranense del 649, Toledano XI e XVI, di Basilea e Trento, Rom ²1961.

Mercati, Angelo (Ed.): Raccolta di *Concordati* su materie ecclesiastiche tra la Santa Sede e le autorità civili, I, Rom 1919 (ND Vatikan 1954).

Mercati, Giovanni: Da incunaboli a codici I: Di due o tre rari codici greci del cardinale Giovanni da Ragusa (+1443), in: Miscellanea bibliografica in memoria di Don Tommaso Accurti, Rom 1947, 3-26; wieder in: ders., Opere minori VI (Studi e testi 296) Vatikan 1984, 202-20.

– Intorno a Eugenio IV, Lorenzo Valla e fra Ludovico da Strassoldo, in: RSCI 5 (1951) 43-52.

Merkle, Sebastian: Konzilsprotokolle oder Konzilstagebücher? Erörterungen zu den Geschichtsquellen des Basler und Trienter Konzils, in: HJb 25 (1904) 88-98, 485-506.

Mertens, Dieter: *Jacobus Carthusiensis*. Untersuchungen zur Rezeption der Werke des Kartäusers Jakob von Paradies (1381-1465) (VMPIG 50) Göttingen 1976.

– Jakob von Paradies (1381-1465) über die mystische Theologie, in: Kartäusermystik und -mystiker 5 (Analecta Cartusiana 55) Salzburg 1982, 31-46.

Merzbacher, Friedrich: *Wandlungen* des Kirchenbegriffs im Spätmittelalter. Grundzüge der Ekklesiologie des ausgehenden 13., des 14. und 15. Jahrhunderts, in: ZRG KA 39 (1953) 274-361.

– Die Kirchen- und Staatsgewalt bei Jacques Almain (+ 1515), in: Speculum Iuris et Ecclesiarum, Festschrift W. M. Plöchl, Wien 1967, 301-12.

– Zur Rechtsgeschichte der 'lex irritans', in: Ius Sacrum. Festschrift Klaus Mörsdorf, München usw. 1969, 101-10.

Meuthen, Erich: Die letzten Jahre des Nikolaus von Kues. Biographische Untersuchungen nach neuen Quellen (Wiss. Abhandlungen der Arbeitsgemeinschaft für Forschung des Landes Nordrhein-Westfalen 3) Köln-Opladen 1958.

– Obödienz- und Absolutionslisten aus dem Trierer Bistumsstreit (1430-1435), in: QFIAB 40 (1960) 43-64.

– Nikolaus von Kues und der *Laie* in der Kirche. Biographische Ausgangspunkte, in: HJb 81 (1962) 101-22.

– Das *Trierer Schisma* von 1430 auf dem Basler Konzil. Zur Lebensgeschichte des Nikolaus von Kues (Buchreihe der Cusanus-Gesellschaft 1) Münster 1964.

– Nikolaus von Kues und das Konzil von Basel, in: Schweizer Rundschau 68 (1964) 377-86.

– (Ed.), Nikolaus von Kues: '*Dialogus* concludens Amedistarum errorem ex gestis et doctrina concilii Basiliensis', in: MFCG 8 (1970) 11-114.

– Nikolaus von Kues in der Entscheidung zwischen Konzil und Papst, in: MFCG 9 (1971) 19-33.

– Kanonistik und Geschichtsverständnis. Über ein neuentdecktes Werk des Nikolaus von Kues: De maioritate auctoritatis sacrorum conciliorum supra auctoritatem papae, in: Von Konstanz nach Trient, 147-70.

– Juan *González,* Bischof von Cádiz, auf dem Basler Konzil, in: AHC 8 (1976) 250-93.

– Nikolaus von Kues. *Skizze* einer Biographie, Münster ³1977 (⁶1985).

– Nikolaus von Kues und die Geschichte, in: MFCG 13 (1978) 234-52.

– *Rota* und Rotamanuale des Basler Konzils. Mit Notizen über den Rotanotar Johannes Wydenroyd aus Köln, in: Römische Kurie. Kirchliche Finanzen. Vatikanisches Archiv. Studien zu Ehren von Hermann Hoberg, Hg. Erwin Gatz, II (Miscellanea historiae pontificiae 6) Rom 1979, 473-518.

– Nikolaus von Kues und das Konzil von Trient, in: Reformatio Ecclesiae, Festgabe Iserloh, 699-711.

– *Art. 'Basel, Konzil v.',* in: LexMa I (1980) 1517-21.

– Das *15. Jahrhundert* (Oldenbourg Grundriß der Geschichte 9) München-Wien 1980 (²1984).

– Das *Basler Konzil in römisch-katholischer Sicht,* in: Theologische Zs., hg. von der theolog. Fakultät der Univ. Basel 38 (1982) 274-308.

– Eine bisher unerkannte Stellungnahme *Cesarinis* (Anfang November 1436) zur Papstgewalt, in: QFIAB 62 (1982) 143-77.

– Nikolaus von Kues und die Wittelsbacher, in: Festschrift Andreas Kraus (Münchener historische Studien. Abt. Bayerische Gesch. 10) Kallmünz 1982, 95-113.

– *Konsens* bei Nikolaus von Kues und im Kirchenverständnis des 15. Jahrhunderts, in: Politik und Konfession, Festschrift Konrad Repgen, Hg. D. Albrecht, Berlin 1983, 11-29.

– Antonio *Rosellis Gutachten* für Heinrich Schlick im Freisinger Bistumsstreit (1444), in: Aus Kirche und Reich, Festschrift Friedrich Kempf, Hg. H. Mordek, Sigmaringen 1983, 461-72.

– Fürst und Kirche am Vorabend der Reformation, in: Jahrb. der Thomas-Morus-Gesellschaft 1982, Düsseldorf 1983, 33-42.

– Johannes *Grünwalders Rede* für den Frankfurter Reichstag 1442, in: Land und Reich, Stamm und Nation, Festgabe Max Spindler, Hg. Andreas Kraus, I, München 1984, 415-27.

– Das *Basler Konzil* als Forschungsproblem der europäischen Geschichte (Rheinisch-Westfälische Ak. Wiss./Geisteswiss. Vorträge G 272) Opladen 1985.

– Zur *Protokollführung* auf dem Basler Konzil (mit besonderer Berücksichtigung der Handschrift Ny kgl. S. 1842 fol. in Kopenhagen aus dem Nachlaß des Johann von Segovia), in: AHC 16 (1984) 348-68.

– Zwei neue Handschriften des 'Dialogus concludens Amedistarum errorem ex gestis et doctrina concilii Basiliensis': Gießen, Univ. Bibl. 796 und: Würzburg, Univ.-Bibl. M.ch.f. 245 (mit einem gleichzeitigen Traktat des Louis Aleman), in: MFCG 17 (1986) 142-52.

– (Ed.), Acta Cusana I 1-2 (AC), s. Siglen.

Michel, Wilhelm: Das Wiener Konkordat v.J. 1448 und die nachfolgenden Gravamina des Primarklerus der Mainzer Kirchenprovinz. Ein Beitrag zur Geschichte der Reformbewegung im 15. Jahrhundert, Phil. Diss. Heidelberg 1929 (Bensheim 1929).

Miethke, Jürgen: Die Kirche und die Universitäten im Spätmittelalter und in der Zeit der Reformation, in: Kyrkohistorisk Årsskrift 77 (1977) 240-44.

– Geschichtsprozeß und zeitgenössisches Bewußtsein – die Theorie des monarchischen Papats im hohen und späteren Mittelalter, in: HZ 226 (1978) 564-99.

– Eine unbekannte Handschrift von Petrus de Paludes Traktat 'de potestate papae' aus dem Besitz Juan de Torquemadas in der Vatikanischen Bibliothek, in: QFIAB 59 (1979) 468-75.

– Marsilius und Ockham – Publikum und Leser ihrer politischen Schriften im späteren Mittelalter, in: Medioevo. Rivista di Storia della Filosofia Medioevale 5/6 (1979/80; ersch. 1983) 543-64.

– Die handschriftliche Überlieferung der Schriften des Juan González, Bischofs von Cádiz (+1440). Zur Bedeutung der Bibliothek des Domenico Capranica für die Verbreitung ekklesiologischer Traktate des 15. Jahrhunderts, in: QFIAB 60 (1980) 275-324.

– Zur Bedeutung der Ekklesiologie für die politische Theorie im späteren Mittelalter, in: Soziale Ordnungen im Selbstverständnis des Mittelalters (Miscellanea Mediaevalia 12, 2) Berlin-New York 1980, 369-88.

– Die Konzilien als Forum der öffentlichen Meinung im 15. Jahrhundert, in: DA 34 (1981) 736-73.

– Die Rolle der Bettelorden im Umbruch der politischen Theorie an der Wende zum 15. Jahrhundert, in: Stellung und Wirksamkeit der Bettelorden in der Städtischen Gesellschaft (Berliner Histor. Studien 3. Ordensstudien II) Berlin 1981, 119-53.

– Die Traktate 'de potestate papae'. Ein Typus politiktheoretischer Literatur im späten Mittelalter, in: Les genres littéraires dans les sources théologiques et philosophiques médiévales (Université Catholique de Louvain. Publications de l'Institut d'Etudes Médiévales; 2ᵉ ser.: Textes, Etudes, Congrès 5) Löwen 1982, 193-211.

– Rahmenbedingungen der politischen Philosophie im Italien der Renaissance, in: QFIAB 63 (1983) 93-124.

Miglio, Massimo: Storiografia pontificia del Quattrocento, Bologna 1975.

Mikat, Paul: Bemerkungen zum Verhältnis von Kirchengut und Staatsgewalt am Vorabend der Reformation, in: ZRG KA 98 (1981) 264-309.

Miller, Ignaz: Jakob von Sierck 1398/99-1456 (Quellen und Abhandlungen zur mittelrheinischen Kirchengesch. 45) Mainz 1983.

– Der Trierer Erzbischof Jakob von Sierck und seine Reichspolitik, in: RhVjBll 48 (1984) 86-101.

– Kurtrier und die Übernahme des Herzogtums Luxemburg durch Herzog Philipp den Guten von Burgund im Jahre 1443, in: Hémecht 36 (1984) 489-514.

Miller, Maureen C.: Participation at the Council of Pavia-Siena 1423-1424, in: AHP 22 (1984) 389-406.

Millet, Hélène: Les Pères du concile de Pise (1409): Edition d'une nouvelle liste, in: Mélanges de l'Ecole Française de Rome, Ser. Moyen Age-Temps modernes 93 (1981) 713-790.

Minguella y Arnedo, Toribio: Historia de la diócesis de Sigüenza y de sus obispos, II, Madrid 1912.

Minnich, Nelson H.: Paride de Grassi's Diary of the Fifth Lateran Council, in: AHC 14 (1982) 370-460.

Mirbt, Carl (Ed.): Quellen zur Geschichte des Papsttums und des römischen Katholizismus, Tübingen ⁴1924.

Mirus, Jeffrey A.: On the Deposition of the Pope for Heresy, in: AHP 13 (1975) 31-248.

Mischlewski, Adalbert: Johann von Lorch und der Streit um die Präzeptorei Roßdorf (1434-1437), in: Archiv für mittelrhein. Kirchengesch. 14 (1962) 443-53.

– Grundzüge der Geschichte des Antoniterordens bis zum Ausgang des 15. Jahrhunderts (Unter besonderer Berücksichtigung von Leben und Wirken des Petrus Mitte de Caprariis) (Bonner Beiträge zur Kirchengesch. 8) Köln-Wien 1976.

– Antoniter zwischen Konzil und Papst. Ein Beitrag zur Geschichte des Konzils von Basel, in: Reformatio Ecclesiae, 155-168.

Miskimin, Harry A.: Money and Power in Fifteenth-Century France (Yale Series in Economic History) New Haven-London 1984.

Mochi Onory, Sergio: Ecclesiastica libertas e concordati medioevali (da Worms a Costanza 1122-1418), in: Chiesa e stato I (Pubblicazioni dell'Università cattolica del S. Cuore, ser. II: Scienze giuristiche 65) Mailand 1939, 95-113.

– Fonti canonistiche dell'idea moderna dello stato (Pubblicazioni dell'Università cattolica del S. Cuore, N. S. 38) Mailand 1951.

Modigliani, Anna: Il 'De potestate summi pontificis' di Galgano Borghese (+ 1468), in: Apollinaris 50 (1977) 449-83.

Moeller, Bernd: Frömmigkeit in Deutschland um 1500, in: ARG 56 (1965) 5-31.

– Spätmittelalter (Die Kirche in ihrer Geschichte. Ein Handbuch, Hg. K. D. Schmidlin und E. Wolf, II, Lief. H 1) Göttingen 1966.

– Probleme des kirchlichen Lebens in Deutschland vor der Reformation, in: Probleme der Kirchenspaltung im 16. Jahrhundert, Hg. R. Kottje und J. Staber, Regensburg 1970, 11-32.

Möllmer, Karl: Das Leben des Johannes von Ragusa bis zum Beginn des Baseler Konzils, Phil. Diss. (ungedr.) Erlangen 1914.

Mösl, Stephan: Das theologische Problem des 17. ökumenischen Konzils von Ferrara-Florenz-Rom (1438-1445) (Veröff. der Universität Innsbruck 89) Innsbruck 1974 (Theol. Diss. 1965).

Mohler, Ludwig: Kardinal Bessarion als Theologe, Humanist und Staatsmann. Funde und Forschungen, I-III, Paderborn 1923-42 (ND Aalen 1967).

Molina Meliá, A.: Juan de Torquemada y la teoria de la potestad indirecta de la Iglesia en asuntos temporales, in: Anales Valentinos 2 (1976) 45-78.

Molitor, Erich: Die Reichsreformbestrebungen des 15. Jahrhunderts bis zum Tode Kaiser Friedrichs III. (Untersuchungen der deutschen Staats- und Rechtsgeschichte 132) Breslau 1921 (ND Aalen 1969).

Molitor, Hansgeorg: Frömmigkeit in Spätmittelalter und früher Neuzeit als historisch-methodisches Problem, in: Festgabe für E. W. Zeeden, Münster 1976, 1-20.

Mollat, Guillaume: Contributions à l'histoire du Sacré Collège de Clément V à Eugène IV, in: RHE 46 (1951) 22-112, 566-94.

– La légation d'Amédée VIII de Savoie (1449-1451), in: Revue des sciences religieuses 22 (1948) 74-80.

Molnár, Amedeo: L'évolution de la théologie hussite, in: Revue d'histoire et de littérature religieuses 43 (1963) 133-71.

– Réformation et révolution: le cas du senior taborite Nicolas Biskupec de Pelhřimov, in: Communio Viatorum 13 (1970) 137-53.

– Nicolaus Biskupec de Pelhřimov: De divisione Scripturae sacre multiplici, in: ebd. 154-70.

– und F. M. Dobiaš (Edd.): Mikuslás z Pelhřimova, Vyznání a obrana táborů [Nikolaus von P. Glaubensbekenntnis und Verteidigung der Taboriten] Prag 1972.

– La pensée hussite dans l'interpretation de Jean de Raguse, in: Communio Viatorum 26 (1983) 143-52.

– Na rozhrvani věku. Cesty reformace [An der Zeitwende. Die Wege der Reformation] Prag 1985.

Mommsen, Karl: Die 'Reformatio Sigismundi', Basel und die Schweiz, in: SchwZG 20 (1970) 71-91.

Mongiano, Elisa: Privilegi concessi all'antipapa Felice V (Amadeo VIII di Savoia) in materia di benefici, in: Rivista di storia del diritto italiano 52 (1979) 174-87.

Monumenta conciliorum Generalium (MC), s. Siglen.

Monumenta medii aevi res gestas Polonias illustrantia, II, XII, XIV: Codex epistularis saeculi XV, t. I-III, ed. A. Sokolowski (I), Anatoli Lewicki (II-III), Krakau 1874-1891-1894 (ND 1965).

Moorman, John R. H.: A History of the Franciscan Order from Its Origins to the Year 1517, Oxford 1968.

Moraw, Peter: Beamtentum und Rat König Ruprechts, in: ZGO 116 (1970) 59-126.

– Zur Sozialgeschichte der deutschen Universität im späten Mittelalter, in: Gießener Universitätsblätter 8 (1975) 44-60.

– Wesenszüge der 'Regierung' und 'Verwaltung' des deutschen Königs im Reich (ca. 1350-1450), in: Histoire comparée d'administration, Hg. Werner Paravicini und Karl Ferdinand Werner (Francia-Sonderband 9) Zürich-München 1980, 149-67.

– Versuch über die Entstehung des Reichstags, in: H. Weber (Hg.): Politische Ordnungen und soziale Kräfte im Alten Reich (Veröff. des Instituts für Europäische Gesch. Mainz, Abt. Universalgesch. Beiheft 8) Wiesbaden 1980, 1-36.

– Heidelberg. Universität, Hof und Stadt im ausgehenden Mittelalter, in: Studien zum städtischen Bildungswesen des späten Mittelalters und der frühen Neuzeit, Hg. B. Moeller, H. Patze, K. Stackmann (Abhandl. der Ak. Wiss. Göttingen philolog.-hist. Kl., 3. Folge, 137.) Göttingen 1983, 524-52.

– Art. 'Reich' in: Geschichtliche Grundbegriffe 5, Stuttgart 1984, 423-56.

– Von offener Verfassung zu gestalteter Verdichtung 1250-1490 (*Propyläen Geschichte Deutschlands* 3) Berlin 1985.

Morawski, Casimir: Histoire de l'Université de Cracovie. Moyen Age et Renaissance (Traduction de P. Rongier), I-III, Paris-Krakau 1900-1905.

Moreau, Edouard de: Histoire de l'Eglise en Belgique IV (Museum Lessianum, Section historique 12) Brüssel 1949.

Morpurgo-Castelnuovo, M.: Il cardinale Domenico Capranica, in: ASRSP 52 (1929) 1-148.

Morris, Eugene S.: The Infallibility of the Apostolic See in Juan de Torquemada, O. P., in: The Thomist 46 (1982) 242-66.

Morrissey, Thomas E.: The Decree 'Haec Sancta' und Cardinal Zabarella. His Role in its Foundations and Interpretation, in: AHC 10 (1978) 145-76.

Mortier, Antonin: Histoire des Maîtres généraux de l'Ordre des Frères Prêcheurs, I-VIII, Paris 1903-1926.

Moulin, Leo: Les origines religieuses des techniques électorales et délibératives modernes, in: Revue internationale d'histoire politique et constitutionelle 3 (1953) 106-48.

– Aux sources des libertés européennes. Reflexions sur quinze siècles de gouvernement des religieux, in: Cahiers de Bruges I 6 (1956) 97-140.

Mückshoff, Meinolf: Die mariologische Prädestination im Denken der franziskanischen Theologie, in: Franziskanische Studien 39 (1957) 288-502.

Mühll, Theodora von der: Vorspiel zur Zeitenwende. Das Basler Konzil 1431-1448, München 1959.

Müller, Alfons Victor: Agostino Favaroni (+ 1443), Generale O.E.S.A. Arcivescovo di Nazareth e la teologia di Lutero, in: Bilychnis. Rivista mensile di studi religiosi 3 (1914) 273-87.

Müller, Ewald: Das Konzil von Vienne 1311-1312. Seine Quellen und seine Geschichte (VRF 12) Münster 1934.

Müller, Heribert. L'érudition gallicane et le concile de Bâle (Baluze, Mabillon, Daguesseau, Iselin, Bignon), in: Francia 9 (1981) 531-55.

– Verfassungsprinzipien der Kirche im Basler Konziliarismus. Bemerkungen zu einer Neuerscheinung [Rez. von Krämer, Konsens und Rezeption], in: AHC 12 (1980) 412-26.

– Zur *Prosopographie* des Basler Konzils: Französische Beispiele, in: AHC 14 (1982) 140-70.

– Die Kirche des Spätmittelalters in der Krise: Konziliarismus, Großes Schisma und Basler Konzil, in: Geschichte in Köln 11 (1982) 20-57.

– Königtum und Nationalgefühl in Frankreich um 1400 [Rez. von Krynen, Idéal du prince] in: HJb 103 (1983) 131-45.

– *Lyon* et le concile de Bâle (1431-1449), in: Cahiers d'histoire 28 (1983) 33-57.

– Die *Franzosen* und das Basler Konzil, Habil.schrift (masch.) Köln 1986.

576   Quellen und Literatur

Müller, Karl: Kirchengeschichte II (Grundriß der theologischen Wissenschaften. Vierter Teil, 2. Band, Kirchengesch. II) Tübingen-Leipzig 1902.

Müller, Winfried: Die Anfänge der Humanismusrezeption im Kloster Tegernsee, in: SMBO 92 (1981) 28-90.

Müller, Wolfgang: Der Widerschein des Konstanzer Konzils in den deutschen Städtechroniken, in: Das Konzil von Konstanz, 447-56.

Mugnier, F.: L'expédition du concile de Bâle à Constantinople pour l'Union de l'Eglise grècque à l'Eglise latine (1437-1438), in: Bulletin historique et philologique, Paris 1892, 335-50.

– Nicod de Menthon et l'expédition envoyée par le concile de Bâle à Constantinople, in: Mémoires et documents publiées par la Soc. Savoisienne d'histoire et d'archéologie 32 (1893) 25-79.

Mulder, W.: Dionysius de Karthuizer en de conciliare theorie, in: De Katholiek 161 (1912) 253-81.

Muldoon, James: A Fifteenth-Century Application of the Canonistic Theory of the Just War, in: Proceedings of the 4th Int. Congress of Medieval Canon Law, Toronto 1972 (Monumenta iuris canonici, ser. C: Subsidia 6) Vatikan 1976, 467-80.

Muralt, E. von: Urkunden der Kirchenversammlungen von Konstanz und Basel, in: Anzeiger für Schweizerische Gesch. N.S. III (1878-1881) 326-30.

Neal, F. William: The Papacy and the Nations. A Study of Concordats (1418-1516) Phil. Diss. (masch.) Univ. of Chicago (Illinois) 1944. [Paris, Bibl. Nat. Mikrofilm m.214].

Neidiger, Bernhard: Mendikanten zwischen Ordensideal und städtischer Realität. Untersuchungen zum wirtschaftlichen Verhalten der Bettelorden in Basel (Berliner Historische Studien 5. Ordensstudien III) Berlin 1981.

– Die Martinianischen Konstitutionen von 1430 als Reformprogramm der Franziskanerkonventualen. Ein Beitrag zur Gesch. des Kölner Minoritenklosters und der Kölner Ordensprovinz im 15. Jahrhundert, in: ZKG 95 (1984) 337-81.

Neitzert, Dieter: Wilhelm Kircher aus Konstanz. Ein Jurist auf dem Basler Konzil, in: Staat und Gesellschaft in Mittelalter und früher Neuzeit. Gedenkschrift für Joachim Leuschner, Göttingen 1983, 119-34.

Neumann, Augustin (Ed.): Francouzská Hussitica. Rada první: Akta a listy z let 1383-1435 [Französische Hussitica. 1. Reihe: Akten und Briefe zu den Jahren 1383-1435] (Studie a texty k náboženským dějinám českým III, 2) Olmütz 1923.

– Francouzská Hussitika. Rada druhá: Akta z doby poděbradské, theologická literatura francouzská a vyprávěcí prameny [Französische Hussitika. 2. Reihe: Akten zur Zeit Podiebrads, theolog. französ. Literatur und erzählende Quellen], (Studie a texty... IV, 3-4) Olmütz 1925.

Nickles, Christophe: La Chartreuse du Val Ste-Marguerite à Bâle, Porrentruy 1903.

Nicholson, R.: Scotland. The Later Middle Ages (The Edinburgh History of Scotland II) Edinburgh 1974.

Niero, Antonio: L'azione veneziana al Concilio di Basilea (1431-1436), in: Venezia e i concili, Venedig 1962, 3-46.

Nikolaus von Kues: Die Kalenderverbesserung. De correctione kalendarii, deutsch von V. Stegemann unter Mitwirkung von B. Bischoff (Schriften des Nikolaus von Kues im Auftrag der Heidelberger Ak. Wiss. hg. von E. Hoffmann) Heidelberg 1955.

– De concordantia catholica, Ed. Gerhard Kallen, I-IV (Nicolai de Cusa Opera omnia, iussu et auctoritate Academiae Litterarum Heidelbergensis XIV, 1-4) Hamburg 1963-68.

– Nicolaus de Cusa: De auctoritate presidendi in concilio generali, Lat. und deutsch, ed. Gerhard Kallen (Cusanus-Texte II, Traktate 1; SB Heidelberger Ak. Wiss. phil. hist. Kl., Jg. 1935/36, 3. Abh.) Heidelberg 1935.

– S. auch Acta Cusana (AC); s. Meuthen, Dialogus.

Nikolaus Glassberger: Chronica. Edita a patribus Collegii S. Bonaventurae (Analecta Franciscana... 2) Quaracchi 1887.

Nikolaus Gramis, s. Acta Nicolais Gramis, Ed. W. Altmann.

Nodari, A.: Pietro del Monte, collettore e nunzio papale in Inghilterra 1435-1440, in: Memorie storiche della diocesi di Brescia 28 (1961) 2-34.

Nöldeke, Erdmann Johannes: Der Kampf Papst Eugens IV. gegen das Basler Konzil. Seine Bemühungen um Gewinnung Frankreichs in den Jahren 1438-1444 (mit einem Urkundenanhang), Phil. Diss. (masch.) Tübingen 1957.

Nörr, Knut Wolfgang: Kirche und Konzil bei Nicolaus de Tudeschis (Panormitanus) (Forsch. zur kirchl. Rechtsgesch. und zum Kirchenrecht 4) Köln-Graz 1964.

Nonn, Ulrich: Heiliges Römisches Reich Deutscher Nation. Zum Nationenbegriff im 15. Jahrhundert, in: ZHF 9 (1982) 129-42.

Nořížowa, Blanka: Přehled utrakvistických synod v Čechách do roku 1440 [Übersicht über die utraquistischen Synoden in Böhmen bis 1440], in: Jihočeský Sborník historický 47 (1978) 160-82.

– Rozbor pramenu k historii husitských synod [Analyse von Quellen zur Geschichte der hussitischen Synoden], in: ebd. 48 (1979) 211-33.

Nyberg, Tore: Dokumente und Untersuchungen zur inneren Geschichte der drei Birgittenklöster Bayerns 1420-1570 (Quellen und Erörterungen zur bayerischen Gesch. NF 26, 1) München 1972.

Oakley, Francis: On the Road from Constance to 1688: The Political Thought of John Major and George Buchanan, in: Journal of British Studies 1 (1962) 1-31; wieder in: ders., Natural Law, Nr. IX.

– The Political Thought of Pierre d'Ailly: The Voluntarist Tradition (Yale Historical Publications 81) New Haven-London 1964.

– Almain and Major. Conciliar Theory on the Eve of the Reformation, in: AHR 70 (1965) 673-90; wieder in: ders., Natural Law, Nr. X.

– From Constance to 1688 Revisited, in: JHI 29 (1966) 429-32.

– Figgis, Constance and the Divines de Paris, in: AHR 75 (1969) 368-86; wieder in: ders., Natural Law, Nr. XIII.

– Council Over Pope? Towards a Provisional Ecclesiology, New York 1969.

– The 'New Conciliarism' and its Implications. A Problem in History and Hermeneutics, in: Journal of Ecumenical Studies 8 (1971) 815-40; wieder in: ders., Natural Law, Nr. VIII.
– Conciliarism at the Fifth Lateran Council, in: ChH 41 (1972) 452-63.
– Conciliarism in the Sixteenth Century: Jacques Almain Again, in: ARG 68 (1977) 111-32; wieder in: ders., Natural Law, Nr. XII.
– The Western Church in the Later Middle Ages, Ithaca-London 1979 (als Taschenbuch 1985).
– *Natural Law*, the 'Corpus mysticum' and Consent in Conciliar Thought from John of Paris to Matthias Ugonius, in: Speculum 56 (1981) 786-810; wieder in: ders., Natural Law, Nr. XIV.
– Natural Law, Conciliarism and Consent in the Late Middle Ages. Studies in Ecclesiastical and Intellectual History, London (Variorum) 1984.
Oberman, Heiko Augustinus: Der *Herbst* der mittelalterlichen Theologie. Gabriel Biel und der spätmittelalterliche Nominalismus (Spätscholastik und Reformation 1) Zürich 1965 (engl. Cambridge/Mass. 1963).
– Werden und Wertung der Reformation. Vom Wegestreit zum Glaubenskampf (Spätscholastik und Reformation 2) Tübingen ²1979.
– Forerunners of the Reformation. The Shape of Late Medieval Thought Illustrated by Key-Dokuments, New York-Chicago 1966.
– D. E. Zerfoss – W. J. Courtenay (Edd.): Gabriel Biel, Defensorium obedientiae apostolicae et alia documenta, Cambridge (Mass.) 1968 (darin Oberman: The Twilight of the Conciliar Era, 1-51).
– 'Et tibi dabo claves regni coelorum'. Kirche und Konzil von Augustin bis Luther. Tendenzen und Ergebnisse, in: Nederlands Theologisch Tijdschrift 25 (1971) 261-82; 29 (1975) 97-118.
– The *Shape* of Late Medieval Thought. The Birthpang of the Modern Era, in: ARG 64 (1973) 13-33; wieder in: The Pursuit of Holiness, Hg. Ch. Trinkaus – H. A. Oberman, Leiden 1974, 3-25.
– 'Tuus sum, salvum me fac': Augustinusréveil zwischen Renaissance und Reformation, in: Scientia Augustiniana. Festschrift Adolar Zumkeller, Hg. C. P. Mayer und W. Eckermann, Würzburg 1975, 349-94.
– (Hg.): Gregor von Rimini. Werk und Wirkung bis zur Reformation (Spätmittelalter und Reformation 20), Berlin 1981.
Obertynsky, Z.: Jeszcze źródło pierwszej bazylejskiej ... Elgota [Noch eine Quelle zum 1. Basler Aufenthalt des Elgot], in: Collectanea Theologica 17 (1936) 286 f.
O'Connor, Edward (Hg.): The Dogma of the Immaculate Conception. History and Significance, Notre-Dame (Indiana) 1958.
Odložilik, Otakar: The Hussite King. Bohemia in European Affairs 1440-1471, New Brunswick 1965.
Oediger, Friedrich Wilhelm: Um die *Klerusbildung* im Spätmittelalter, in: HJb 50 (1930) 145-88 (Phil. Diss. Tübingen 1930).
– Über die Bildung der Geistlichen im späten Mittelalter (Studien und Texte zur Geistesgesch. des Mittelalters 2) Leiden-Köln 1953.
– Der 'Liber quondam notarii' (Wilhelmi Ysbrandi de Clivis), [1362]-1446 (Schriftenreihe des Kreises Kleve 1) Köln 1978.

Olesen, Jens E.: Rigsråd, Kongemagt, Union. Studier over det danske rigsråd og den nordiske kongemagts politik 1434-1449 (Skrifter Indgivet af Jysk Selskab for Historie 36) Aarhus 1980.

Olivárez, E.: Conciliarismo y colegialidad episcopal, in: J. López Ortiz – J. Blásquez (Hgg.), El colegio episcopal 1, Madrid 1964, 349-58.

O'Malley, John W.: Praise and Blame in Renaissance Rome. Rhetoric, Doctrine and Reform in the Sacred Orators of the Papal Court, c.1450-1521 (Duke Monographs in Medieval and Renaissance Studies 3) Durham 1979.

Onofri, Laura: A proposito di un recente studio su Eugenio IV e Flavio Biondo [Marino, Eugenio IV e Flavio Biondo] in: ASRSP 99 (1976) 349-56.

Oppel, John W.: Peace versus Liberty in the Quattrocento. Poggio, Guarino and the Scipio-Caesar Controversy, in: The Journal of Medieval and Renaissance Studies 4 (1977) 221-65.

Ordonnances des Roys de France de la troisième race, XIII, Paris 1772.

Ortuinus Gratius, Fasciculus rerum expetendarum et fugiendarum in quo primum continetur concilium Basiliense..., Köln 1535 (ed. J. Brown, London 1690; ed. G. Vallese, Neapel 1946).

Osio, Luigi: Documenti diplomatici tratti dagli Archivi Milanesi, III: 1431-1448, Mailand 1877.

Ottenthal, Emil v. (Ed.): Regulae cancellariae apostolicae. Die päpstlichen Kanzleiregeln von Johann XII. bis Nikolaus V., Innsbruck 1888 (ND Aalen 1968).

Ourliac, Paul: La Pragmatique Sanction et la légation en France du Cardinal Estouteville (1451-1453), in: Mélanges d'archéologie et d'histoire de l'Ecole Française de Rome 55 (1938) 403-32; wieder in: ders., Etudes I, 375-98.

– L'opinion publique du XIII⁵ au XVIII⁵ siècle, in: L'opinion publique (Bibliothèque des centres d'études superieures spécialisés 2) Paris 1957, 25-44.

– La sociologie du Concile de Bâle, in: RHE 56 (1961) 5-32; wieder in: ders., Etudes I, 331-56.

– Histoire de l'Eglise (Fliche-Martin) Bd. 14, s. DLO (Siglen).

– Les sources du droit canonique au XV⁵ siècle: le solstice de 1440, in: Etudes d'histoire du droit canonique dediées à Gabriel Le Bras I, Paris 1965, 293-305; wieder in: ders., Etudes I, 361-74.

– Eugène IV 1383-1447, in: Les hommes d'état célèbres III, Paris 1970, 93-97; wieder in: ders., Etudes I, 367-370.

– L'Eglise et les laiques à la fin du Moyen Age: Etude du droit canonique, in: Mélanges Louis Falletti, 1971, 473-85; wieder in: ders., Etudes I, 607-20.

– Le Parlement de Toulouse et les affaires de l'Eglise au milieu du XV⁵ siècle, in: Mélanges Pierre Tisset, Montpellier 1971, 339-53; wieder in: ders., Etudes I, 507-28.

– La résidence des évêques dans le droit canonique du XV⁵ siècle, in: Mélanges offerts à Mgr. Pierre Andrieu-Guitrancourt (L'Année Canonique 17) Paris 1973, 707-15; wieder in: ders., Etudes I, 579-87.

– Souveraineté et lois fondamentales dans le droit canonique du XV⁵ siècle, in: Herrschaftsverträge, Wahlkapitulationen, Fundamentalgesetze, Hg. R. Vierhaus (VMPIG 56) Göttingen 1977, 22-33; wieder in. ders., Etudes I, 553-66.

– Etudes d'histoire du droit médiéval, I-II, Paris 1979-81.

– und Henri Gilles: La période post-classique (1378-1500), I: La problematique de l'époque, les sources (Histoire du Droit et des Institutions de l'Eglise en Occident, Hg. Gabriel Le Bras, XIII) Paris 1971.

Ouy, Gilbert: La recherche sur l'humanisme français du XIVe et XVe siècles, in: Francia 5 (1977) 693-707.

– L'humanisme du jeune Gerson, in: Genèse et débuts du Grand Schisme, 553-68.

Ozment, Stephen: E.: The University and the Church Reform. Patterns of Reform in Jean Gerson, in: Medievalia et Humanistica N.S. 1 (Cambridge 1971) 111-26.

– The Age of Reform (1250-1550). An Intellectual and Religious History of Late Medieval and Reformation Europe, New Haven 1980.

Palacký, František (Franz): Geschichte von Böhmen, I-V, Prag 1844-67 (III 1-3: 1419-1439, Prag 1851-54) (ND 1968).

– Bericht an die akademische Commission zur Herausgabe der Acta Conciliorum, über die in der Pariser Bibliothek vorhandenen Handschriften zur Geschichte des Basler Concils, in: SB der Kaiserl. Ak. Wiss. Wien, phil. hist. Cl. 11 (1854) 277-307.

– (Ed.): Urkundliche Beiträge zur Geschichte des Hussitenkrieges vom Jahre 1419 an, I-II, Prag 1872-73 (ND Osnabrück 1966).

Palacz, Ryszard (Hg.): Filozofia polska XV wieku, Warschau 1972.

Palazzini, R. (Hg.): Dizionario dei Concili I-VI, Rom 1963-68.

Palma, José Martin: Maria y la Iglesia segun Juan de Segovia y Juan de Torquemada, in: Estudios marianos 18 (1957) 207-30.

Paravicini, Werner: Zur Königswahl von 1438, in: RhVjBll 39 (1975) 99-114.

Paredi, Angelo: La biblioteca del Pizolpasso (Istituto nazionale di studi sul Rinascimento. Sezione lombarda) Mailand 1961.

Partner, Peter D.: The Papal State under Martin V. The Administration and Government of the Temporal Power in the Early Fifteenth Century, London 1958.

– Florence and the Papacy in the Earlier Fifteenth Century, in: Florentine Studies. Politics and Society in Renaissance Florence, Hg. Nicolai Rubinstein, London 1968, 381-402.

– The Lands of St. Peter. The Papal State in the Middle Ages and the Early Renaissance, Berkeley 1972.

Paschini, Pio: Roma nel Rinascimento (Storia di Roma, Ed. Istituto di studi Romani, XII) Bologna 1940.

Pascoe, Louis B.: Jean *Gerson*. Principles of Church Reform (Studies in Medieval and Reformation Thought VII) Leiden 1973.

– Jean Gerson: The 'Ecclesia primitiva' and Reform, in: Traditio 30 (1974) 379-409.

– Law and Evangelical Liberty in the Thought of Jean Gerson, in: Proceedings of the 7th Congress of Medieval Canon Law, Berkeley 1980 (Monumenta iuris Canonici, ser.C: Subsidia 7) Vatikan 1985, 351-61.

Pastor, Ludwig von: Geschichte der Päpste seit dem Ausgang des Mittelalters, I: Geschichte der Päpste im Zeitalter der Renaissance bis zur Wahl Pius II.:

Martin V., Eugen IV., Nikolaus V., Kalixtus III (1417-1458), Freiburg/Br. [8-9]1926 ([12]1955); II: [8-9]1924; III 1-2: [5-7]1924.

Pater, Januarius: Die bischöfliche Visitatio liminum SS. Apostolorum (Görres-Gesellschaft. Veröffentlichungen der Sektion für Rechts- und Sozialwiss. 19) Paderborn 1914.

Patschovsky, Alexander, s. Quellen zur böhmischen Inquisition.

– Chiliasmus und Reformation im ausgehenden Mittelalter, in: Ideologie und Herrschaft im Mittelalter, Hg. Max Kerner, (WdF 252) Darmstadt 1982, 475- 96.

Patterson, W. B.: The Idea of Renewal in Girolamo Aleander's Conciliar Thought, in: Renaissance and Renewal in Christian History, Hg. Derek Baker, Oxford 1977, 175-86.

Paul, Ulrich: Studien zur Geschichte des deutschen Nationalbewußtseins im Zeitalter des Humanismus und der Reformation (Historische Studien 298) Berlin 1936.

Paulhart, Herbert: Die Kartause Gaming zur Zeit des Schismas und der Reformkonzilien (Analecta Cartusiana 5) Salzburg 1972.

Paulová, M.: L'Empire byzantin et les Tchèques, in: Byzantinoslavica 14 (1953) 158-225.

Paulus, Nikolaus: Geschichte des Ablasses im Mittelalter, III: Geschichte des Ablasses am Ausgang des Mittelalters, Paderborn 1923.

Penna, M. (Ed.): Prosistas castellanas del siglo XV, Bd. I, Madrid 1959.

La Pensée et l'oeuvre de Jean de Raguse (Ivan Stojkovic) [Akten des Kongresses Dubrovnik 26.-28. Mai 1983] Zagreb 1984; s. RHE 78 (1983) 1016 ff.

Perarnau, Josep: Raphael de Pornaxio, Joan de Casanova o Julià Tallada? Noves dades sobre l'autor del 'de potestate papae et concilii generalis' (i obres complementários, publicat a nom de Torquemada), in: Spanische Forschungen der Görres-Gesellschaft, I. Reihe: Gesammelte Aufsätze zur Kulturgesch. Spaniens 29, Münster 1978, 457-81.

Pereira de Figueiredo, Antonio: Portuguezes nos concilios geraes, Lissabon 1776 ([2]1787).

Peri, Vittorio: I concili e le chiese. Ricerca storica sulla tradizione d'universalità dei sinodi ecumenici (Cultura XXIX) Rom 1965.

Pernthaler, Peter: Die Repräsentationslehre im Staatsdenken der Concordantia Catholica, in: Cusanus-Gedächtnisschrift, 45-99.

Pérouse, Gabriel: Le Cardinal Louis Aleman et la Fin du grand Schisme, Lyon 1904 [zitiert: Pérouse].

– Documents inédits relatifs au concile de Bâle 1437-1449, in: Bull. historique et philologique du Comité des travaux historiques et scientifiques, Paris 1905, 364-99.

Pesce, Luigi: Ludovico Barbo (1437-1443), vescovo di Treviso. Cura pastorale, riforma della chiesa, spiritualità, I-II (Italia Sacra 9-10) Padua 1969.

– Cristoforo Garatone trevigiano, nunzio di Eugenio IV, in: RSCI 28 (1974) 23-93; sep. Rom 1975 (Quaderni della RSCI 3).

Pesch, Otto Hermann: Luther und die Kirche, in: Lutherjahrbuch 52 (1985) 113-39.

Peters, Klaus: Die doppelte Repräsentation als verfassungsrechtliches Strukturelement der Kirche. Rechtstheologische Überlegungen zum II. Vatikanischen Konzil, in: Trierer Theolog. Zs. 86 (1977) 228-34.

Petersohn, Jürgen: Ein Diplomat des Quattrocento Angelo Geraldini (1422-1486) (Bibliothek des Deutschen Hist. Inst. in Rom 62) Tübingen 1985.
– Zum Personalakt eines Kirchenrebellen. Name, Herkunft und Amtssprengel des Basler Konzilsinitiators Andreas Jamometić (+ 1484), in: ZHF 13 (1986) 1-14.
Petraglione, Giuseppe (Ed.): Il 'de laudibus Mediolanensium urbis panegyricus' di P.C. Decembrio, in: Archivio storico Lombardo ser. IV, 8 (1907) 4-45.
Petri, Franz: Nordwestdeutschland in der Politik der Burgunderherzöge, in: Westfälische Forschungen 7 (1953-54) 80-100; wieder in: Bijdragen van het Instituut voor middeleeuwsche geschiedenis der Rijksuniversiteit te Utrecht 32 (1962) 92-126.
Petrin, Silvia: Der österreichische Hussitenkrieg 1420-1434 (Militärhistorische Schriftenreihe, hg. vom Heeresgeschichtlichen Museum 44) Wien 1982.
(Pier Candido Decembrio) Petri Candidi Decembrii Opuscula historica, a cura di Attilio Butti, Felice Fossati, Giuseppe Petraglione (RIS. Racolta degli storici Italiani XX 1) Bologna 1925-58.
(Peter Payne) Petri Payne Anglici Positio, replica et propositio in concilio Basiliensi, s. Bartoš (Ed.).
Petry, Ludwig: Rudolf von Rüdesheim, Bischof von Lavant und Breslau. Ein Forschungsanliegen der vergleichenden Landesgeschichte, in: MIÖG 78 (1970) 347-57.
Peuckert, Will-Erich: Die Große Wende. Das apokalyptische Saeculum und Luther, Hamburg 1948 (ND in 2 Bd. Darmstadt 1966).
Peuples et civilisations. Histoire générale, publ. sous la dir. de Louis Halphen, VII 1: La fin du moyen âge, publ. par Henri Pirenne usw., Paris 1931.
Pfändtner, Bernhard: Die Belagerung Bambergs im Jahre 1435. Ein zeitgenössisches Gedicht, eingeleitet und kommentiert, in: Berichte des Histor. Vereins für die Pflege der Gesch. des ehem. Fürstbistums Bamberg 118 (1982) 83-99.
Piaget, Arthur: Martin le Franc, prévôt de Lausanne, Phil. Diss. Lausanne 1888.
Piaia, Gregorio: Marsilio di Padova nella riforma e nella controriforma. Fortuna ed interpretazione (Università di Padova. Publ. dell' Istituto di storia della filosofia del Centro per ricerche di filosofia medioevale N. S. 24) Padua 1977.
Piana, C.: Nuove ricerche su le università di Bologna e di Parma (Spicilegium Bonaventurianum VI) Quaracchi 1966.
Piccolomini, s. Enea Silvio Piccolomini.
Pichler, Isfried H.: Die Verbindlichkeit der Konstanzer Dekrete. Untersuchungen zur Frage der Interpretation und Verbindlichkeit der Superioritätsdekrete ‚Haec Sancta' und ‚Frequens' (Wiener Beiträge zur Theologie 16) Wien 1967.
Pieradzka, Krystina: Uniwersytet Krakowski w służbie państwa i wobec soborów w Konstancij i Bazylei [Die Krakauer Universität im Dienste des Staates und ihr Aufenthalt auf dem Basler Konzil], in: Dzieje Uniwersytu Jagiellónskiego w latach 1364-1764, cur. A. Lepszy, I (Uniwersytet Jagiellónski Wydawnictwa Jubileuszowe XXI) Krakau 1964.
Pilati, Giovanni: Chiesa e stato nei primi quindici secoli. Profilo dello sviluppo della teorie attraverso le fonti e la bibliografia, Rom usw. 1961.
Piolanti, Agostino (Ed.): Agostino Favaroni da Roma O.S.A., Arcivescovo di Nazaret (+ 1443): De sacramento integro unitatis Christi et ecclesiae sive de Christo integro. Testo inedito con introduzione e note (Textus breviores theologiam et historiam spectantes 2. Collezione della Pontificia Accademia Teologica Romana) Vatikan 1971.

– (Ed.), Il 'de sacramento integro unitatis Christi . . .' [wie oben], in: Divinitas 15 (1971) 299-369.

Pispisa, E.: Il 'de principatu papae' di Agostino Favaroni, in: Dante nel pensiero e nella exegesi dei secoli XIV e XV. Atti del convegno di Studi . . . Melfi 27 sett.-2 Ott. 1970, Florenz 1975, 375-84.

Pleyer, Kleo: Die Politik Nikolaus V., Stuttgart 1927.

Pocquet Du Haut Jussé, B. A.: Les papes et les ducs de Bretagne. Essai sur les rapports du Saint Siège avec un Etat, I-II (Bibliothèque des Ecoles françaises d'Athènes et de Rome 133) Paris 1928.

Podlech, Adalbert: Art. ‚Repräsentation', in: Geschichtliche Grundbegriffe 5, Stuttgart 1984, 509-47.

Pölnitz, Sigmund Frh. von: Die bischöfliche Reformarbeit im Hochstift Würzburg während des 15. Jahrhunderts. Unter besonderer Berücksichtigung der übrigen fränkischen Diözesen (Würzburger Diözesangesch.blätter 8-9) Würzburg 1941 (Diss. Freiburg/Br. 1941).

Poensgen, Georg: Berühmte Lehrer der Heidelberger Universität aus den ersten Jahrzehnten ihres Bestehens II, in: Ruperto-Carola Mitteilungen 8 (1956) 18-28.

Poggio Bracciolini, Gian Francesco: Lettere, ed. Helene Harth, I: Lettere a Nicolò Niccoli; II: Epistolarum familiarum libri (Istituto nazionale di studi del rinascimento) Florenz 1984.

– Poggi Florentini philosophie Opera omnia, Basel 1538 (ND: Poggius Bracciolini, Opera omnia, a cura di Riccardo Fubini, I, Turin 1964).

– Poggi Florentini oratoris clarissimi invectivarum liber et Prima in Felicem Antipapam, in: ebd. 155-64.

Pollard, A. J.: John Talbot and the War in France 1427-1453 (Royal Historical Soc. Studies in History Series 35) London-New Jersey 1983.

Polišensky, J. V. (Hg.): Addresses and Essays in Commemoration of the Life and Works of the English Hussite Peter Payne-Engliš 1456-1956 (Universitas Carolina, Historica 3, 1) Prag 1957.

Polman, Pontien: L'élément historique dans la controverse religieuse du XVIe siècle (Universitas Catholica Lovaniensis... Dissertationes... in Facultate Theologica ser. II, 23) Gembloux 1932.

Pontal, Odette: Les statuts synodaux (Typologie des sources du moyen âge occidental, dir. par. L. Genicot, A III 1, fasc. 11) Turnhout 1975.

Pontieri, Ernesto: Alfonso V d'Aragona nel quadro della politica italiana del suo tempo, in: Estudios sobre Alfonso el Magnánimo con motivo del quinto centenario de su morte. Curso de conferencias (mayo de 1959), Barcelona 1960, 245-307).

– Alfonso il Magnanimo re di Napoli, [Neapel] 1975.

Post, R. R.: Geschiedenis der Utrechtsche bisschopsverkiezingen tot 1535 (Bijdragen van het Instituut voor middeleeuwsche geschiedenis der Rijksuniversiteit te Utrecht 19) Utrecht 1933.

– Kerkgeschiedenis van Nederland in de Middeleeuwen II, Utrecht-Antwerpen 1957.

– Nederlanders op de Algemene concilies, in: Vriendengave Bernhard Kardinal Alfrink aangeboden bij gelegenheit van de veertigste verjaardag von zijn priesterwijding, Utrecht-Antwerpen 1964, 153-73.

Posthumus Meyjes, G. H. M.: Jean Gerson. Zijn kerkpolitiek en ecclesiologie (Kerkhistorische Studien X) 's-Gravenhage 1963.

– Het gezaag van de theologische doctor in de Kerk der middeleeuwen. Gratianus, Augustinus Triumphus, Ockham en Gerson, in: Nederlands Archiev voor Kerkgeschiedenis 53 (1983) 105-28.

Poudret, Jean François: Un concordat entre Amédée VIII et le clergé de Savoie au sujet des compétences des cours d'Église et des censures ecclésiastiques, in: Mélanges offerts a Jean Dauvillier, Toulouse (Centre d'histoire juridique méridionale) 1979, 655-75.

– La succession des usuriers selon le Concordat de 1430 entre le duc Amédée VIII et le clergé de Savoie, in: Mémoires de la Soc. pour l'Histoire du Droit 36 (Dijon 1979) 39-49.

Preiswerk, Eduard: Der Einfluß Aragons auf den Prozeß des Basler Konzils gegen Papst Eugen IV., Phil. Diss. Basel 1902.

Prinz, Friedrich: Mediävistische Probleme im deutsch-tschechischen Dialog. Aspekte und Forschungsfortschritte der letzten 30 Jahre. Zum 100. Todestag von František Palacký (26. Mai 1976), in: ZfO 25 (1976) 248-75.

Proaño Gil, Vicente: Doctrina de Juan de Torquemada sobre el concilio, in: Burgense 1 (1960) 73-96.

Prodi, Paolo - Peter Johanek (Hg.): Strutture ecclesiastiche in Italia e in Germania prima della riforma (Annali dell'Istituto storico Italo-Germanico, Trento. Quaderno 16) Bologna 1984.

Prokeš, Jaroslav: M. Prokop z Plzné, Přispěvek k výroji konservativní strany husitské [Prokop von Pilsen. Ein Beitrag zum konservativen hussitischen Flügel] (Husitský Archiv sv. III) Prag 1927.

Prosdocimi, Luigi: Il diritto ecclesiastico dello stato di Milano dall' inizio della signoria viscontea al periodo tridentino, sec. XIII-XVI (Centro nazionale di studi sul rinascimento, sezione lombarda) Mailand 1941.

Pückert, Wilhelm: Die kurfürstliche Neutralität während des Basler Concils. Ein Beitrag zur deutschen Geschichte von 1438-1448, Leipzig 1858.

Puig y Puig, D. Sebastián: Pedro de Luna último papa de Aviñon (1387-1430), Barcelona 1920.

The Pursuit of Holiness in Late Medieval and Renaissance Religion, Hg. Charles Trinkaus - Heiko Augustinus Oberman (Studies in Medieval and Renaissance Thought 10) Leiden 1974.

Quaritsch, Helmut: Staat und Souveränität, I: Die Grundlagen, Frankfurt/M. 1970.

Quellen zur böhmischen Inquisition im 15. Jahrhundert, ed. Alexander Patschovsky (MGH Quellen zur Geistesgesch. des Mittelalters 11) Weimar 1979.

Quellen zur Verfassungsgeschichte des römisch-deutschen Reiches im Spätmittelalter (1250-1500), ausgewählt und übersetzt von Lorenz Weinreich (Freiherr-vom-Stein-Gedächtnisausgabe XXXIII) Darmstadt 1983.

Queller, Donald E.: The Office of Ambassador in the Middle Ages, Princeton 1967.

Quétif, Jacques et Jacques Échard: Scriptores Ordinis Praedicatorum recensiti notisque historicis et criticis illustrati, I-II, Paris 1719-1721; 3 Suppl. Bde. 1721-23 (ND New York 1959 in 4 Teilbänden).

Quicke, F.: Les relations diplomatiques entre le roi des Romains, Sigismond, et la maison de Bourgogne, in: Bull. de la Commission Royale d'histoire 90 (Brüssel 1926) 193-241.

Quirin, Heinz: Studien zur Reichspolitik König Friedrichs III. von den Trierer Verträgen bis zum Beginn des süddeutschen Städtekrieges (1445-1448), Habil. schrift (masch.) Phil. Fak. der FU Berlin, o. J.

– Markgraf Albrecht Achilles von Brandenburg-Ansbach als Politiker, in: Jahrb. für fränkische Landesgesch. 31 (1971) 262-308.

Raab, Heribert: Die Concordata Nationis Germanicae in der kanonistischen Diskussion des 17. bis 19. Jahrhunderts. Ein Beitrag zur Geschichte der episkopalistischen Theorie in Deutschland (Beiträge zur Gesch. der Reichskirche in der Neuzeit 1) Wiesbaden 1956.

– Aschaffenburg und das Wiener Konkordat, in: Aschaffenburger Jahrb. für Gesch., Landeskunde und Kunst des Untermaingebietes 4/1 (1957) 463-70.

Rabut, François: Protestations faites par Nicod de Menthon, gouverneur de Nice et capitaine des galères du duc de Savoie, contre le podestat et la ville de Chio qui retenait par force les galères sur lesquelles il ramenait les ambassadeurs du Concile de Bâle, 10, 11 et 12 nov. 1437, in: Mémoires et documents publ. par la Soc. Savoisienne d'histoire et d'archéologie 3 (1859) [1-31].

Radford, Lewis Bostock: Henry Beaufort, Bishop, Chancellor, Cardinal, London 1908.

Ranke, Leopold von: Weltgeschichte IX 1, Hg. A. Dove und G. Winter, Leipzig 1888.

Rankl, Helmut: Das vorreformatorische landesherrliche Kirchenregiment in Bayern, 1378-1526 (Miscellanea Bavarica Monacensia 34) München 1971.

(Raphael de Pornaxio), s. Johannes de Torquemada, ed. J. Friedrich.

Rapp, Francis: L'Église et la vie religieuse en occident à la fin du Moyen Age (Nouvelle Clio 25) Paris ³1983.

Rashdall, Hastings: The Universities of Europe in the Middle Ages, New edition by F. Powicke and A. B. Emden, I-III, Oxford 1936 (ND 1969).

Ratzinger, Joseph: Zur Theologie des Konzils, in: ders., Das neue Volk Gottes. Entwürfe zur Ekklesiologie, Düsseldorf ²1970, 147-70 [zuerst 1961-63 an versch. Orten].

Raumer, Friedrich von: Die Kirchenversammlungen von Pisa, Kostnitz und Basel, in: Histor. Taschenbuch, Hg. F. v. Raumer, N. F. 10, Leipzig 1849, 1-164; wieder in: ders., Vermischte Schriften II, Leipzig 1853, 197-293.

Rausch, Heinz (Hg.): Zur Theorie und Geschichte der Repräsentation und Repräsentativverfassung (WdF 184) Darmstadt 1968.

– (Hg.): Die geschichtlichen Grundlagen der modernen Volksvertretung. Die Entwicklung von den mittelalterlichen Korporationen zu den modernen Parlamenten, I-II, (WdF 196 und 469) Darmstadt 1980 und 1974.

Raynaldus, Odericus, s. Baronius-Theiner.

Rechowicz, Marian: St. Jean Kanty a-t-il-été l'auteur du commentaire conciliariste sur l'Evangile de St. Mathieu, in: Collectanea Theologica 26 (1955) 13-45.

– S W. Jan Kanty i Benedykt Hesse w swietle krakowskiej kompilacji teologicznej z XV w. [J. Kanty und B. Hesse im Lichte der Krakauer theologischen Kompilationen] (Towarzystwo naukowe katolickiego Uniwersytetu Lubelskiego. Rozprawy wydziału theologiczno-kanonicznego 17) Lublin 1958.

– Po zaloźeniu Wydzialy Teologiczego w Krakowie (wiek XV) [Nach der Gründung der theologischen Abteilung der Universität Krakau], in: Dzieje teologii katolickiej w Polsce, Hg. M. Rechowitz, I (Towarzystwo naukowe katolickiego Uniwersytetu Lubelskiego . . . 95) Lublin 1974, 95-146.

Redlich, Virgil: Eine *Universität* auf dem Konzil von Basel, in: HJb 49 (1929) 92-101.

– Tegernsee und die deutsche Geistesgeschichte im 15. Jahrhundert (Schriftenreihe zur bayerischen Landesgesch. 9) München 1931 (ND Aalen 1974).

– Die Basler Konzilsuniversität, in: Glaube und Geschichte, Festgabe Joseph Lortz, Hg. E. Iserloh und P. Mann, II, Baden-Baden 1958, 355-61.

Reeves, A.: The Congress of Arras, 1435, in: History Today 22 (1972) 724-32.

Reformata Reformanda. Festgabe für Hubert Jedin, Hg. E. Iserloh und K. Repgen (Reformationsgeschichtl. Studien und Texte. Suppl. Bd. I, 1-2) Münster 1965.

Reformatio Ecclesiae, Festgabe Erwin Iserloh, Hg. R. Bäumer, Paderborn 1980.

Reformation Kaiser Sigmunds, s. Koller, H. (Ed.).

Regesta Imperii XI. Die Urkunden Kaiser Sigmunds, verzeichnet von Wilhelm Altmann, Innsbruck 1896-1900 (ND Hildesheim 1967).

Regesta Imperii XII. Albrecht II. 1438-1439, bearbeitet von Günther Hödl, Wien-Köln-Graz 1975.

Regesten Kaiser Friedrichs III., s. Koller, H. (Hg.).

Reid, W. Stanford: Scotland and the Church Councils of the XVth Century, in: The Catholic Historical Review 29 (1943) 1-24.

Reinhard, Wolfgang: Die Reform in der Diözese Carpentras unter den Bischöfen Jacopo Sadoleto, Jacopo Sacrati und Francesco Sadoleto 1517-1596 (Reformationsgeschichtl. Studien und Texte 94) Münster 1966.

Reinhardt, Rudolf: Martin V. und Eugen IV., in: Das Papsttum II, Hg. M. Greschat (Gestalten der Kirchengesch. 12) Stuttgart usw. 1985, 27-38.

Reiter, Ernst: Rezeption und Beachtung von Basler Dekreten in der Diözese Eichstätt unter Bischof Johann von Eych (1445-1464), in: Von Konstanz nach Trient, 215-32.

Renaudet, Augustin: La révolution religieuse en Bohème et le schisme de Bâle (1418-1453), in: Peuples et civilisations VII 1: La fin du moyen âge (1285-1453), par H. Pirenne usw., Paris 1931, 351-84.

Rengstorf, Karl Heinz und S. von Kortzfleisch (Hg.): Kirche und Synagoge. Handbuch zur Geschichte von Christen und Juden, I, Stuttgart 1968; darin W. P. Eckert: Hoch- und Spätmittelalter, Katholischer Humanismus, 210-306.

Repertorio de Historia de las Ciencias Eclesiasticas en España (Istituto de historia de la Teologia Española. Corpus Scriptorum sacrorum Hispaniae. Estudios 1-6) Salamanca 1967-77 [zitiert: *Repertorio*].

Repertorium Concilii Basiliensis. Die Basler Rotamanualien, bearbeitet von Hans-Jörg Gilomen (Repertorium Germanicum, Sonderband).

Repertorium Fontium Historiae Medii Aevi, I: Series Collectionum; II-IV: Fontes, Rom 1962-76.

Repertorium Germanicum. Regesten aus den päpstlichen Archiven zur Geschichte des Deutschen Reiches und seiner Territorien im XIV. und XV. Jahrhundert. Pontificat Eugens IV., 1. Band [1431], bearbeitet von Robert Arnold, Berlin 1897.

Repertorium Germanicum. Verzeichnis der in den päpstlichen Archiven und Kameralakten vorkommenden Personen, Kirchen und Orte des Deutschen Reiches... vom Beginn des Schismas bis zur Reformation, hg. vom Deutschen Historischen Institut in Rom, I-IV, VI [Clemens VII. – Martin V., Nikolaus V.; diverse Bearbeiter] Berlin 1916-58; Tübingen 1979-85.

Der Begriff der Repraesentatio im Mittelalter. Stellvertretung, Symbol, Zeichen, Bild, Hg. Albert Zimmermann (Miscellanea Mediaevalia 8) Berlin-New York 1971.

Medieval Representation in Theory and Practice (Studies presented to the International Commission for the History of Representative Institutions 17), in: Speculum 29 (1954) 347-478.

Reuter, H.: Balduin von Wenden und Dahlum., Abt zu St. Michaelis in Lüneburg und Erzbischof von Bremen (+ 1441), in: Zs. der Gesellschaft für niedersächsische Kirchengesch. 14 (1909) 1-106.

Richter, Gregor: Die ernestinischen Landesordnungen und ihre Vorläufer von 1446 und 1482 (Mitteldeutsche Forschungen 34) Köln 1964.

Richter, Otto: Die Organisation und Geschäftsordnung des Basler Concils, Phil. Diss. Leipzig 1877.

Riedinger, Rudolf: Griechische Konzilsakten auf dem Weg ins lateinische Mittelalter, in: AHC 9 (1977) 228-301.

Riedlinger, Helmut: Die Makellosigkeit der Kirche in den Hoheliedkommentaren des Mittelalters (BGPhThM 38/2) Münster 1958.

Riegel, Joseph: Die Teilnehmerliste des Konstanzer Konzils, ein Beitrag zur mittelalterlichen Statistik, Phil. Diss. Freiburg 1916.

Riemeck, Renate: Glaube-Dogma-Macht. Geschichte der Konzilien, Stuttgart 1985.

Riesco Terrero, Angel: Una intervención conciliarista de Juan II de Castilla, en favor de las Clarisas de Salamanca, in: Archivo Ibero Americano 36 (1976) 475-93.

Ringel, Ingrid Heike: Studien zum Personal der Kanzlei des Mainzer Erzbischofs Dietrich von Erbach (1434-1454) (Quellen und Abhandlungen zur mittelrheinischen Kirchengesch. 34) Mainz 1980.

Ritter, Gerhard: Marsilius von Inghen und die ockhamistische Schule in Deutschland. Studien zur Spätscholastik 1 (SB Heidelberger Ak. Wiss., phil-hist.-Kl. 1921, H. 4) Münster 1921.

– Via antiqua und via moderna auf den deutschen Universitäten des 15. Jahrhunderts. Studien zur Spätscholastik 2, Heidelberg 1922 (ND Darmstadt 1975).

– Die Heidelberger Universität. Ein Stück deutscher Geschichte. I: Das Mittelalter 1386-1508 [mehr nicht erschienen], Heidelberg 1936 (ND Heidelberg 1985).

Ritter, Moritz: Die Entwicklung der Geschichtswissenschaft an den führenden Werken betrachtet, München-Berlin 1919.

Robinson, Rodney P.: The Inventory of Niccolò Niccoli, in: Classical Philology 16 (1921) 251-55.

Robles, L.: El Catalan Juan de Casanova, autor de una obra atribuada a Juan de Torquemada (tractatus de potestate Papae), in: Studium 6 (Avila 1966) 309-21; sowie in: Ligarzas 1 (1968) 231-46.

Rocquain, Felix: La cour de Rome et l'esprit de réforme avant Luther, III: Le Grand Schisme. Les approches de la Réforme, Paris 1897.

Rodes, Robert E.: Ecclesiastical Administration in Medieval England. The Anglo-Saxons. To the Reformation, London 1977.

Ronsin, Albert: Au cour du XVe siècle. L'Eglise de Saint-Dié entre les papes et les conciles, in: Bull. de la Soc. philomatique vosgienne 75 (1973) 35-55.

Roover, Raymond de: The Rise and Decline of the Medici Bank, 1397-1494 (Harvard Studies in Business History 21) Cambridge (Mass.) 1963.

Rossmann, Heribert: Der Magister Marquard Sprenger in München und seine Kontroversschriften zum Konzil von Basel und zur mystischen Theologie, in: Mysterium der Gnade, Festschrift Johann Auer, Regensburg 1975, 350-411.

– Der Tegernseer Benediktiner Johannes Keck über die mystische Theologie, in: MFCG 13 (1978) 330-52.

– Die Stellungnahme des Kartäusers Vinzenz von Aggsbach zur mystischen Theologie des Johannes Gerson, in: Kartäusermystik und -mystiker 5 (Analecta Cartusiana 55) Salzburg 1982, 5-30.

Roth, Paul: Das Basler Konzil 1431-1448, Bern 1931.

Rousseau, O. u. a. (Hg.): L'infallibilité de l'Église (Journées œcuméniques de Chevetogne) Chevetogne 1962.

Rubi, B. de: La escuela franciscana de Barcelona y su intervención en los decretos inmaculistas de la corona de Aragón, in: Estudios Franciscanos 57 (1956) 362-405.

Rudt de Collenberg, Wipertus H.: Les cardinaux de Chypre Hugues et Lancelot de Lusignan, in: AHP 20 (1982) 83-128.

Rücker, Norbert: Die Rechtsnatur der Mainzer Akzeptation, Jur. Diss., Frankfurt 1965.

Rueger, Zofia: Gerson and Ockham, Phil. Diss. (masch.) Univ. of London 1956.

– Gerson, the Conciliar Movement and the Right of Resistance (1642-44), in: JHI 25 (1964) 467-80.

Rüegg, M. A.: Ein undatierter Münzstempel des Gegenpapstes Felix V., in: Revue Suisse Numismatique 13 (1905) 337-39.

Ruffini, Edoardo: La ragione dei più. Ricerche sulla storia del principio maggioritario (Saggi 171) Bologna 1977.

Russo, A.: L'attività del cardinale Giuliano Cesarini nel concilio di Basilea, in: Rivista di letteratura e di storia ecclesiastica 4 (1972) 260-79.

Ryder, Alan F. C.: La politica italiana di Alfonso d'Aragona (1442-1458), in: Archivio storico per le provincie Neapolitane 77 (1958) 43-106; 78 (1959) 235-94.

– The Kingdom of Naples under Alfonso the Magnanimous. The Making of a Modern State, Oxford 1976.

Sabbadini, Remigio: Le *scoperte* dei codici latini e greci ne' secoli XIV e XV (Biblioteca storica del rinascimento, dir. da F. P. Luiso) Florenz 1905; ND, con nuove aggiunte e correzioni (Biblioteca storica del rinascimento N. S. dir. da E. Garin IV 1) Florenz 1967.

– Nuove ricerche col riassunto filologico dei due volumi, Florenz 1914; ND, ... (Biblioteca storica ... IV 2) Florenz 1967.

– Niccolò da Cusa e i conciliari di Basilea alla scoperta dei codici, in: Rendiconti della Reale Accademia dei Lincei, Classe di scienze morali, storiche e filologiche, ser. V., vol. XX, Rom 1911, 3-40; verkürzt wieder in: ders., Nuove ricerche, 16-27.

– Storia e critica di testi latini (Cicerone, Donato, Tacito ...) (Biblioteca di filologia classica dir. da C. Pascal) Catania 1914; Seconda ed. ... a cura di Eugenio e Myriam Billanovich (Medioevo e umanesimo 11) Padua 1971.

Sabine, George H.: A History of Political Theory, London ³1952 (¹1937).

Sach (Dr.): Die Ablaßbulle des Baseler Konzils zum Besten des abgebrannten Schleswiger Domes vom 19. Juni 1441, in: Schriften des Vereins für Schleswig-Holsteinische Kirchengesch. 2. Reihe, 6 (1914-17) 450-54.

Sägmüller, Johann-Baptist: Der Verfasser des Traktates 'de modis uniendi ac reformandi Ecclesiam in Concilio universali' vom J. 1410, in: HJb 14 (1893) 562-82.

– (Ed.): Ein Traktat des Bischofs von Feltre und Treviso, Teodoro de' Lelli, über das Verhältnis von Papst und Kardinalat, in: RQ-Suppl. Bd. II, Rom 1893, 6-182.

Sagües, P.: El obispo franciscano Martin de Guetaria (+ 1449), in: RET 29 (1969) 263-303.

Salmon, Pierre: L'office divin. Histoire de la formation du breviaire (Lux Orandi. Coll. du Centre pastoral liturgique 27) Paris 1959.

Salvini, Joseph: L'application de la Pragmatique Sanction sous Charles VII et Louis XI au chapitre cathédral de Paris, in: RHEF 3 (1912) 121-48, 276-96, 421-31, 550-61; separat 1912.

Samaran, Charles: La Maison d'Armagnac au XVᵉ siècle et les derniers luttes de la féodalité dans le Midi de la France (Soc. de l'Ecole des Chartes. Mémoires et documents 7) Paris 1907 (ND Genf 1975).

Sammut, Alfonso: Unfredo di Gloucester e gli umanisti italiani (Medioevo e umanesimo 41) Padua 1980.

Sanjek, F., s. Johannes von Ragusa.

Santiago-Otero, Horacio: Juan de Segovia. Manuscritos de sus obras en la Biblioteca Nacional de Viena y en la Staatsbibliothek de Munich, in: RET 29 (1969) 167-79.

– Juan de Segovia. Manuscritos de sus obras en la Biblioteca Vaticana, in: RET 30 (1970) 93-106.

– Juan de Palomar. Manuscritos de sus obras en la Staatsbibliothek de Munich, in: RET 33 (1973) 47-57.

Santinello, G.: Da Marsilio à Niccolò Cusano: inseguamenti da un trapasso storico, in: Marsilio, ieri e oggi (Studia Patavina 27, 2) Padua 1980, 296-99.

Santoni, Pierre: Gérard Machet, confesseur de Charles VII et ses lettres, in: Ecole Nationale des Chartes. Positions des thèses 1968, Paris [1968], 175-82.

– Jean de Rouvroy, traducteur de Frontin et théologien de l'Immaculée Conception, in: BECh 137 (1979) 20-58.

Savio, C. F.: Il cardinale d'Arles, beato Ludovico Alemandi (1382-1450), Alba 1935.

Sawicki, J. Th.: Bibliographia synodorum particularium (Monumenta Iuris canonici ser. C: Subsidia 2) Vatikan 1967; Nachträge in: Traditio 24 (1968) 508-11; 26 (1970) 470-78; Bulletin of Medieval Canon Law N. S. 2 (1972) 91-100; 4 (1974) 87-92; 6 (1976) 95-100.

Sbriziolo, L.: Per la storia delle università d'Italia, in: Lettere Italiane 25 (1973) 394-424.

Scarpatetti, Beat Matthias von: Die Kirche und das Augustiner-Chorherrenstift St. Leonhard in Basel (11. Jh.-1525). Ein Beitrag zur Geschichte der Stadt Basel und der späten Devotio moderna (Basler Beiträge zur Gesch.wiss. 131) Basel-Stuttgart 1974.

Schäfer, Carl: Die Staatslehre des Johannes Gerson, Phil. Diss. Köln 1935 (Bielefeld 1935).

Schannat, Johann Friedrich - Joseph Hartzheim (Edd.): Concilia Germaniae, V: 1403-1500, Köln 1763 (ND Aalen 1973).

Scharla, Konrad: Rudolf von Rüdesheim. Sein Leben und Wirken bis zur Anknüpfung der ersten Beziehungen zu Breslau (1402-1444), Phil. Diss. Breslau 1910 (Kattowitz 1910).

Scheffels, G.: Peter von Andlau. Studien zur Reichs- und Kirchenreform im Spätmittelalter, Phil. Diss. Berlin 1955.

Scherbaum, Emma: Das hussitische Böhmen bei Thomas Ebendorfer, Phil. Diss. Wien 1972.

– Das hussitische Böhmen bei Thomas Ebendorfer, in: Österreich in Gesch. und Literatur 17 (1973) 141–53.

Scheurkogel, J.: Nieuwe universiteitsgeschiedenis en late middeleeuwen, in: Tijdschrift voor geschiedenis 94 (1981) 194-204.

Schiff, O.: Sigismunds italienische Politik bis zur Romfahrt (1410-1431) (Frankfurter historische Forschungen 1) Frankfurt/M. 1909.

Schimmelpfennig, Bernhard: Zum Zeremoniell auf den Konzilien von Konstanz und Basel, in: QFIAB 49 (1969) 272-92.

– Zölibat und Lage der ‚Priestersöhne' vom 11. bis zum 14. Jahrhundert, in: HZ 227 (1978) 1-44.

Schlecht, Joseph: Andrea Zamometić und der Basler Konzilsversuch vom Jahre 1482, I. Band [mehr nicht erschienen] (Quellen und Forsch. aus dem Gebiet der Gesch., hg. von der Görresges. 8) Paderborn 1903.

Schlosser, Friedrich Christof: Weltgeschichte für das deutsche Volk, Bd. IX, Frankfurt/M. 1849.

Schmidinger, Heinrich: Begegnungen Thomas Ebendorfers auf dem Konzil von Basel, in: Festschrift Oskar Vasella, Freiburg/Schw. 1964, 171-97.

– Romana regia potestas. Staats- und Reichsdenken bei Engelbert von Admont und Enea Silvio Piccolomini (Vorträge der Aeneas-Silvius-Stiftung an der Univ. Basel 13) Basel-Stuttgart 1978.

Schmidlin, J.: Die letzte Sessio des Basler Konzils, in: Straßburger Diözesanblatt 20 (1901) 445-52; 21 (1902) 24-30.

Schmidt, Adolf (Ed.), s. Enea Silvio Piccolomini.

Schmidt, Aloys und Hermann Heimpel: Winand von Steeg (1371-1453) (Bayerische Ak. Wiss., phil.-hist. Kl., Abhandl. N. F., Heft 31) München 1977.

Schmidt, Heinrich: Die deutschen Städtechroniken als Spiegel des bürgerlichen Selbstverständnisses im Spätmittelalter (Schriftenreihe der Histor. Kommission bei der Bayerischen Ak. Wiss. 3) Göttingen 1958.

Schmidt, Martin Anton: The Problem of Papal Primacy at the Council of Florence, in: ChH 30 (1961) 35-49.

Schmidt, Philipp: Die Bibliothek des ehemaligen Dominikanerklosters in Basel, in: BZGA 18 (1919) 160-254.

Schmidt, Valentin: Abt Sigismund von Pirchan (+1472) aus Hohenfurt, Bischof von Salona. Ein Beitrag zur Geschichte des Basler Konzils, in: SMBO 33 (1912) 643-52.

Schmitdinger, Johannes: Vier ehemalige Paderborner Scholaren als Bischöfe beim Baseler Konzil, in: Paderbornensis Ecclesia. Festschrift Lorenz Kardinal Jäger, Hg. P. W. Scheele, München usw. 1972, 181-95.

Schmitt, Eberhard: Repraesentatio in toto und Repraesentatio singulariter. Zur Frage nach dem Zusammenbruch des französischen Ancien régime und der Durchsetzung moderner parlamentarischer Theorie und Praxis im Jahr 1789, in: HZ 213 (1971) 529-76.

Schmugge, Ludwig: Über ‚nationale' Vorurteile im Mittelalter, in: DA 38 (1982) 439-59.

Schneider, Friedrich: Der europäische Friedenskongreß von Arras und die Friedenspolitik Papst Eugens IV. und des Basler Konzils, Greiz 1919.

Schneider, Hans: Der Konziliarismus als Problem der neueren katholischen Theologie. Die Geschichte der Auslegung der Konstanzer Dekrete von Febronius bis zur Gegenwart (Arbeiten zur Kirchengesch. 47) Berlin 1976.

– Das Basler Konzil in der deutschsprachigen evangelischen Geschichtsschreibung, in: Theologische Zeitschrift Basel, 38 (1982) 308-30.

Schneider, Jacob P.: Ein unbekanntes Kölner Provinzialconzil des XV. Jahrhunderts, in: RQ 1 (1887) 370-78.

Schneyer, Johann Baptist: Baseler Konzilspredigten aus dem Jahre 1432, in: Von Konstanz nach Trient, 139-45.

Schnith, Karl: Gedanken zu den Königsabsetzungen im Spätmittelalter, in: HJb 91 (1971) 309-26.

– Kardinal Heinrich Beaufort und der Hussitenkrieg, in: Von Konstanz nach Trient, 119-38.

Schnürer, Gustav: Kirche und Kultur im Mittelalter, III. Band, Paderborn 1929.

Schochow, Lilly: König Albrecht II. in seinem Verhältnis zu Papst Eugen IV. und zum Basler Konzil, Phil. Diss. Berlin 1922 (Kurzfassung in: Jahrb. der Diss. der Phil. Fak. der Friedrich-Wilhelms-Univ. zu Berlin 1922/23, Berlin 1925, 72-75).

Schoeck: Richard: The Fifth Lateran Council. Its Partial Successes and Its Larger Failure, in: Reform and Authority in the Medieval and Reformation Church, Hg. G. F. Lytle, Washington 1981, 99-126.

Schönbauer, M. Ernst: Sanctiones pragmaticae in alter und neuer Zeit, in: Anzeiger der phil.-hist. Kl. der Österreich. Ak. Wiss. 90 (1953) 246-74.

Schönenberger, Karl: Zum Basler Konzil [Rezension von CB VI], in: ZSchwKG 23 (1929) 65-72.

Schofield, A.N.E.D.: The First English Delegation to the Council of Basel, in: JEcH 12 (1961) 167-96.

– An English Version of Some Events in Bohemia During 1434, in: Slavonic and East European Review 42 (1964) 312-31.

– England, the Pope and the Council of Basle 1435-1449, in: ChH 33 (1964) 248-78.

– The Second English Delegation to the Council of Basle, in: JEcH 17 (1966) 29-64.

– Ireland and the Council of Basle, in: Irish Ecclesiastical Records 107 (1967) 374-87.

– Some Aspects of English Representation at the Council of Basle, in: Councils and Assemblies, Hg. G. J. Cuming and D. Baker (Studies in Church History 7) Cambridge 1971, 219-27.

– *England* and the Council of Basle, in: AHC 5 (1973) 1-117.

– Art. ‚Basel-Ferrara-Florenz', in: TRE 5 (1980) 284-96.

Scholten, R.: Papst Eugen IV. und das Clevische Landesbistum. Ein Beitrag zum Clevisch-Märkischen Kirchenstreit, Kleve 1884.

Scholz, Richard: Eine ungedruckte Schilderung der Kurie aus dem Jahre 1438, in: AKG 10 (1913) 399-413.

– Eine humanistische Schilderung der Kurie aus dem Jahre 1438. Herausgegeben aus einer vatikanischen Handschrift, in: QFIAB 16 (1914) 108-53.

– Eine Geschichte und Kritik der Kirchenverfassung vom Jahre 1406, in: Papsttum und Kaisertum, Paul Kehr zum 65. Geb., Hg. A. Brackmann, München 1926, 595-621.

Schott, Clausdieter: Per epikeiam virtutem. Zur Rechtsbefugnis des Kaisers bei Nikolaus von Kues, in: ZRG KA 63 (1977) 47-72.

Schreiner, Klaus: Laienbildung als Herausforderung für Kirche und Gesellschaft. Religiöse Vorbehalte und soziale Widerstände gegen die Verbreitung von Wissen im späten Mittelalter und in der Reformation, in: ZHF 11 (1984) 257-354.

Schröcker, Alfred: Die deutsche Nation. Beobachtungen zur politischen Propaganda des ausgehenden 15. Jahrhunderts (Historische Studien 426) Lübeck 1974.

Schubert, Ernst: König und Reich. Studien zur spätmittelalterlichen deutschen Verfassungsgeschichte (VMPIG 63) Göttingen 1979.

Schubert, Friedrich Hermann: Die deutschen Reichstage in der Staatslehre der frühen Neuzeit (Schriftenreihe der Histor. Kommission bei der Bayerischen Ak. Wiss. 7) Göttingen 1966.

Schüssler, Hermann: Scripture and Tradition in the Late Middle-Ages: The Canonist Panormitanus and the Problem of Scriptural Authority, in: Concordia Theological Monthly 38 (1967) 234-41.

– Der *Primat* der Hl. Schrift als theologisches und kanonistisches Problem im Spätmittelalter (Veröff. des Inst. für Europäische Gesch. Mainz; Abt. für Abendländische Religionsgesch. 86) Wiesbaden 1977.

– Sacred Doctrine and the Authority of Scripture in Canonist Thought on the Eve of the Reformation, in: Reform and Authority in the Medieval and Reformation Church, Hg. G. F. Lytle, Washington 1981, 55-68.

Schuler, Manfred: Die Musik in Konstanz während des Konzils 1414-1418, in: Acta Musicologica 38 (1966) 150-68.

Schulte, Johann Friedrich: Die Stellung der Concilien, Päpste und Bischöfe vom historischen und canonistischen Standpunkte und die päpstliche Constitution vom 18. Juli 1870 mit den Quellenbelegen, Prag 1871.

– Die Geschichte der *Quellen* und der Literatur des canonischen Rechts von Gratian bis auf die Gegenwart, I-III, Stuttgart 1875-80 (ND in 2 Bänden Graz 1956).

Schulte, Lambert: Bischof Konrad von Breslau und sein Verhältnis zum römischen Stuhle und zu dem Baseler Konzile, in: Kirchengeschichtl. Festgabe Anton de Waal 1912 dargebracht, Hg. F. X. Seppelt (RQ Suppl. Bd. 20) Freiburg/Br. 1913, 403-60.

Schumann, Sabine: Die ‚nationes' an den Universitäten Prag, Leipzig und Wien. Ein Beitrag zur älteren Universitätsgeschichte, Phil. Diss. FU Berlin 1974.

Schwaiger, Georg: Die Konzilien von Konstanz und Basel im Rahmen der Reformbemühungen des Spätmittelalters, in: Klerusblatt. Organ des Klerusverbandes der Diözesen und Priestervereine in Bayern 42 (1962) 397-404.

– ‚Suprema potestas'. Päpstlicher Primat und Autorität der Allgemeinen Konzilien im Spiegel der Geschichte, in: Konzil und Papst. Festgabe für Hermann Tüchle, Hg. G. Schwaiger, München usw. 1975, 611-78.

– Freisinger Diözesansynoden im ausgehenden Mittelalter, in: Reformatio Ecclesiae, 259-70.

Schwarz, Brigide: Die *Abbreviatoren* unter Eugen IV. Päpstliches Reservationsrecht, Konkordatspolitik und kuriale Ämterorganisation (mit zwei Anhängen: Konkordate Eugens IV.; Aufstellung der Bewerber), in: QFIAB 60 (1980) 200-74.

Schwarz, J.: De legato Academiae Lipsiensis ad concilium Basileense, Leipzig 1786.

Schweizer, Julius: Nicolaus de' *Tudeschi,* Archiepiscopus Panormitanus et S. R. E. Cardinalis. Seine Tätigkeit am Basler Konzil, Phil. Diss. Basel 1924 (Straßburg 1924).

– Le cardinal Louis de Lapalud et son procès pour la possession du siège épiscopal de Lausanne (Etudes d'Histoire et de Philosophie religieuses publ. par la Faculté de Théologie protestante de l'Univ. de Strasbourg 20) Paris 1929.

– Zur Vorgeschichte der Basler Universität (1432-1448), in: Aus fünf Jahrhunderten schweizerischer Kirchengesch. Zum sechzigsten Geb. von Paul Wernle, Basel 1932, 1-21.

Schwob, Anton: Oswald von Wolkenstein. Eine Biographie (Schriftenreihe des Südtiroler Kulturinstituts 4) Bozen [2]1977 (ND 1982).

Scientia Augustiniana. Festschrift Adolar Zumkeller, Hg. C. P. Mayer und W. Eckermann (Cassiciacum 30) Würzburg 1975.

Sebastian, Wenceslaus: The Controversy over the Immaculate Conception from after Duns Scotus to the End of the Eighteenth Century, in: O'Connor, Dogma, 213-70.

Seeberg, Reinhold: Lehrbuch der Dogmengeschichte, III: Die Dogmenbildung des Mittelalters, Leipzig [4]1930 (ND Darmstadt 1974).

Segre, Arturo: Documenti inediti sul concilio di Basilea 1432-37, in: Miscellanea di studi storici in onore di Giovanni Sforza, Lucca 1920, 70-81.

Sehi, Meinrad: Die Bettelorden in der Seelsorgsgeschichte der Stadt und des Bistums Würzburg bis zum Konzil von Trient (Forschungen zur fränkischen Kirchen- und Theologiegesch.) Würzburg 1981.

Seibel, Franz Xaver: Die Kirche als Lehrautorität nach dem ‚Docrinale antiquitatum fidei catholicae ecclesiae' des Thomas Waldensis (um 1372-1431), in: Carmelus 16 (1969) 3-69.

Seibt, Ferdinand: Hus und die Hussiten in der tschechischen wissenschaftlichen Literatur seit 1945, in: ZfO 7 (1958) 566-90.

– Geistige Reformbewegungen zur Zeit des Konstanzer Konzils, in: Die Welt zur Zeit des Konstanzer Konzils, 31-46; wieder in: Das Konstanzer Konzil (WdF 415) 323-44.

– Die Zeit der Luxemburger und der hussitischen Revolution, in: Handbuch der Geschichte der böhmischen Länder I, Hg. K. Bosl, Stuttgart 1967, 349-568.
– Bohemica. Probleme und Literatur seit 1945 (HZ-Sonderheft 4, Hg. W. Kienast) München 1970.
– Die Krise der Frömmigkeit - die Frömmigkeit aus der Krise. Zur Religiosität im späten Mittelalter, in: 500 Jahre Rosenkranz 1475 Köln 1975, Köln 1975, 11-29.
– (Hg.), s. Europa 1400.
Seidlmayer, Michael: Besprechung von Brian Tierneys ,Foundations of the Conciliar Theory', in: ZRG KA 74 (1957) 374-85; wieder in: Die Entwicklung des Konziliarismus (WdF 279) 156-73.
– Nikolaus von Cues und der Humanismus, in: ders., Wege und Wandlungen des Humanismus, Göttingen 1965, 74-106.
Seńko, Władysław: Les conceptions de l'Etat en Pologne dans la periode des conciles de Constance et de Bâle, in: Movimenti ereticali in Italia e in Polonia nei secoli XV-XVII. Atti del convegno italo-polacco Firenze 1971, Florenz 1974, 43-59.
Seppelt, Franz Xaver: Die Breslauer Diözesansynode vom Jahre 1446, Breslau 1912.
– Geschichte der Päpste von den Anfängen bis zur Mitte des zwanzigsten Jahrhunderts, IV: Das Papsttum im Spätmittelalter und in der Renaissance. Neu bearbeitet von Georg Schwaiger, München ²1957.
Sericoli, C.: Immaculata B. M. Virginis Conceptio iuxta Xysti IV constitutiones (Bibliotheca Mariana Medii Aevi 5) Sibenic-Rom 1945.
Serrano, L.: Los Conversos D. Pablo de Santa Maria y D. Alfonso de Cartagena, Madrid 1941.
Setton, Kenneth M. (Hg.): A History of the Crusades, III: The Fourteenth and Fifteenth Centuries, Hg. H. W. Hazard, Madison-London 1975.
– The Papacy and the Levant (1204-1571), III: The Fifteenth Century, Philadelphia 1978.
Setz, Wolfram: Lorenzo Vallas Schrift gegen die Konstantinische Schenkung ,De falso credita et ementita Constantini donatione'. Zur Interpretation und Wirkungsgeschichte (Bibliothek des Deutschen Hist. Inst. in Rom 44) Tübingen 1975.
Shaw, Duncan: Thomas Livingston, a Conciliarist, in: Records of the Scottish Church History Society 12 (1958) 120-55.
Sieben, Hermann Josef: Die Entwicklung der Konzilsidee, in: Theologie und Philosophie 45 (1970) 353-89; 46 (1971) 40-70, 374-86, 496-528.
– Die ,quaestio de infallibilitate concilii generalis' (Ockhamexzerpte) des Pariser Theologen Jean Courtecuisse (+1423), in: AHC 8 (1976) 176-99.
– Die Konzilsidee der Alten Kirche (Konziliengesch. Reihe B, 1) Paderborn usw. 1979.
– Traktate und Theorien zum Konzil. Vom Beginn des Großen Schismas bis zum Vorabend der Reformation (1378-1521) (Frankfurter Theolog. Studien 30) Frankfurt 1983.
– Die Konzilsidee des lateinischen Mittelalters (847-1378) (Konziliengesch. Reihe B, 2) Paderborn usw. 1984.
– Der Konzilstraktat des Nikolaus von Kues: De concordantia catholica, in: AHC 14 (1982) 171-226; wieder in: ders., Traktate und Theorien zum Konzil, 59-109.

– Robert Bellarmin und die Zahl der ökumenischen Konzilien, in: Theologie und Philosophie 61 (1986) 29-59.

Sieberg, Werner: Studien zur Diplomatie des Basler Konzils, Phil. Diss. (masch.) Heidelberg 1952.

Sigmund, Paul E.: The Influence of Marsilius of Padua on XVth Century Conciliarism in: JHI 23 (1962) 392-402.

– *Nicholas of Cusa* and Medieval Political Thought, Cambridge (Mass.) 1963.

– Hierarchy, Equality and Consent in Medieval Christian Thought, in: Equality, Hg. James Roland Pennoch and John W. Chapman (American Soc. for Political and Legal Philosophy and the American Soc. of International Law; = Nomos 9) New York 1967, 134-53.

– Das Fortleben des Nikolaus von Kues in der Geschichte des politischen Denkens, in: MFCG 7 (1969) 120-29.

Simeoni, Luigi: Le Signorie I-II (Storia politica d'Italia dalle origini ai giorni nostri) Mailand 1950.

Simonsohn, Max: Die kirchliche Judengesetzgebung im Zeitalter der Reformkonzilien von Konstanz und Basel, Phil. Diss. Freiburg/Br. 1911 (Breslau 1912).

Simson, P.: Danzig und das Ablaßgeld für das Basler Konzil, in: Mitt. des Westpreußischen Gesch.vereins 8 (1909) 35-38.

Skalweit, Stephan: Der Beginn der Neuzeit. Epochengrenzen und Epochenbegriff (Erträge der Forschung 178) Darmstadt 1982.

Skarsten, Trygve R.: The Origin of Conciliarism as Reflected in Modern Historiography, in: Lutheran Quarterly 19 (1967) 296-311.

Skelton, R. A.-Th. E. Marsten and George D. Painter: The Vinland Map and the Tartar relation, New Haven-London 1965.

Skinner, Quentin: The Foundations of Modern Political Thought, I-II, Cambridge 1978.

Slavin, Arthur J. (Hg.): The ,New Monarchies' and Representative Assemblies. Medieval Constitutionalism or Modern Absolutism (Problems in European Civilisation), Lexington (Mass.)-Boston 1964.

Šmahel, František: La révolution hussite, une anomalie historique (Collège de France. Essais et Conférences) Paris 1985.

Smend, Rudolf: Ein Reichsreformprojekt aus dem Schriftenkreise des Basler Konzils, in: NA 32 (1907) 746-49.

Smet, Joachim und Ulrich Dobhan: Die Karmeliten. Von den Anfängen (ca. 1200) bis zum Konzil von Trient, Freiburg/Br. 1981.

Smirin, M.M.: Deutschland vor der Reformation. Abriß der Geschichte des politischen Kampfes in Deutschland vor der Reformation, Berlin (Ost) 1955 [russ. Moskau 1952].

Smith, Cyril Eugene: The University of Toulouse in the Middle Ages. Its Origins and Growth to 1500, Milwaukee 1958.

Smith, Molly Teasdale: Conrad Witz's Miraculous Draught of Fishes and the Council of Basel, in: The Art Bulletin 52 (1970) 148-56.

Smolinsky, Heribert (Ed.): Domenico de' Domenichi und seine Schrift ,De potestate papae et termino eius'. Edition und Kommentar (VRF 17) Münster 1976.

Söderberg, V.: Nicolaus Ragvaldi och Baselkonciliet (Bidrag Till Sveriges Medeltidshistoria … af Historiska Seminariet Vid Upsala Universitet 15) Upsala 1902.

Söll, Georg: Dogma und Dogmenentwicklung (Handbuch der Dogmengesch., Hg. M. Schmaus, A. Grillmeier und L. Scheffczyk I, fasc. 5) Freiburg/Br. usw. 1971.

– Mariologie (ebd. III, fasc. 4) Freiburg/Br. usw. 1978.

Soldi Rondinini, Gigliola: Per la storia del Cardinalato del secolo XV, in: Istituto Lombardo. Memorie letterarie 32 (1973) 5-91.

Sorbelli, A.: La ‚nazione' nelle antiche università italiane e straniere, in: Studi e Memorie . . . per la storia dell'Università di Bologna 16 (1943) 92-232.

Sottili, Agostino: Ambrogio Traversari, Francesco Pizzolpasso, Giovanni Aurispa. Traduzioni e letture, in: Romanische Forschungen 78 (1966) 42-63.

– La ‚natio germanica' dell'Università di Pavia nella storia dell' umanesimo, in: Ijsewijn-Paquet, The Universities . . ., 347-64.

Sousa Costa, Antonio Dominguez de: Mestre André Dias de Escobar, figura ecuménica do século XV (Estudios e textos da Idade Média e Renascimento II) Rom-Porto 1967.

– Posizione de Giovanni di Dio, Andreas Dias de Escobar e altri canonisti sulla funzione sociale delle decime, in: Proceedings of the 4th International Congress of Medieval Canon Law, Toronto 1972 (Monumenta Iuris Canonici, Ser. C: Subsidia 5) Vatikan 1976, 411-66.

– Leis atentátorias de Liberdades eclesiásticas e o Papa Martinho V contrário aos Concilios gerais, in: Studia historico-ecclesiastica. Festgabe für Luchesius G. Spätling OFM (Bibliotheca Pontificii Athenaei Antoniani 19) Rom 1977, 505-92.

– Bispos de Camego e de Viseu no século XV (Revisão crítica dos autores), in: Itinerarium. Revista quadrimestral de cultura publicada pelos Franciscanos de Portugal 26 (1980) 54-105, 189-216, 317-72; 27 (1981) 20-62.

Spätling, Luchesius G.: Der Anteil der Franziskaner an den Generalkonzilien des Spätmittelalters, in: Antonianum 36 (1961) 300-340.

Spahr, Gebhard: Die Reform im Kloster St. Gallen 1417-1442, in: Schriften des Vereins für die Gesch. des Bodensees 75 (1957) 13-80.

– Die Reform im Kloster St. Gallen 1442-1457, in: ebd. 76 (1958) 1-62.

Spencer, E. M.: The English Church and the Councils 1409-1435, Phil. Diss. (masch.) St. Andrews 1977.

Speroni, Maria: Il testamento di Bartolomeo della Capra e la sua biblioteca, in: Italia medioevale e umanistica 19 (1976) 209-17.

Spinka, Matthew: John Hus' Concept of the Church, Princeton 1966.

Spors, Bruno: Die Beziehungen Kaiser Sigmunds zu Venedig in den Jahren 1433-1437, Phil. Diss. Kiel 1905.

Stakemeier, Eduard: Der Kampf um Augustin. Augustinus und die Augustiner auf dem Tridentinum, Paderborn 1937.

Steiger, Reinhard: Art. ‚Neutralität', in: Geschichtliche Grundbegriffe 4, Stuttgart 1978, 337-42.

Steinmann, Martin: Die humanistische Schrift und die Anfänge des Humanismus in Basel, in: Archiv für Diplomatik 22 (1976) 376-437.

– Ältere theologische Literatur am Basler Konzil, in: Xenia Medii Aevi historiam illustrantia oblata Thomae Kaeppeli OP, Hg. R. Creytens und P. Künzle (Storia e letteratura. Raccolti di Studi e Testi 141/42) Rom 1978, 471-82.

– (Hg.): Die Handschriften der Universitäts-Bibliothek Basel. Register zu den Abteilungen A I-A XI und O, Basel 1982.

Steinmetz, David C.: Luther and the Late Medieval Augustinians: Another Look, in: Concordia Theological Monthly 44 (1973) 245-50.

Stentrup, Franz: Erzbischof Dietrich II. von Köln und sein Versuch der Inkorporation Paderborns, in: Westfälische Zs. 62 (1904) 1-97.

Steuart, A. Francis: Scotland and the Papacy During the Great Schism, in: SHR 4 (1907) 144-58.

Stickler, Alfons M.: L'évolution de la discipline du célibat dans l'Eglise en Occident de la fin de l'âge patristique au Concile de Trente, in: Sacerdoce et célibat. Etudes historiques et théologiques, Hg. J. Coppens, Gembloux 1971, 373-443.

– Nome e potere del papa eletto in una trattato di Galgano Borghese (Ms. Vat. lat. 4129), in: Miscellanea in onore di Msgr. Martino Giusti (Collectanea Archivi Vaticani 5-6) Vatikan 1978, 367-80.

Stieber, Joachim W.: Pope Eugenius IV, the Council of Basel and the Secular and Ecclesiastical Authorities in the Empire. The Conflict over Supreme Authority and Power in the Church (Studies in the History of Christian Thought 13) Leiden 1978.

Stinger, Charles, L.: Humanism and the Church Fathers. Ambrogio Traversari (1386-1439) and Christian Antiquity in the Italian Renaissance, Albany 1977.

– The Renaissance in Rome, Bloomington 1985.

Stockmeier, Peter: Causa Reformationis und Alte Kirche. Zum Geschichtsverständnis der Reformbewegungen, in: Von Konstanz nach Trient, 1-13.

Stoecklin, Alfred: Der Basler Konzilsversuch des Andreas Zamometić vom Jahre 1482. Genesis und Wende, Basel 1938; zuerst u. d. T.: Der politisch entscheidende Wendepunkt im Basler Konzilsversuch des A. Z., in: ZSchwKG 30 (1936) 161-200, 249-92; 31 (1937) 59-85, 123-69, 242-82, 321-52.

– Das Ende der mittelalterlichen Konzilsbewegung, in: ZSchwKG 37 (1943) 8-30.

Störmann, Anton: Die städtischen Gravamina gegen den Klerus (RGST 24-26) Münster 1916.

Storey, Robin L.: Recruitment of English Clergy in the Period of the Conciliar Movement, in: AHC 7 (1975) 290-313.

Storia della cultura Veneta, III: Dal primo quattrocento al concilio di Trento, a cura di Girolamo Arnaldi e Manlio Pastore Stocchi, 1-3, Venedig 1980-81.

Storia di Milano VI: Il Ducato visconteo (1392-1450), Mailand 1955; s. Cognasso.

Stouff, L.: Contribution à l'histoire de la Bourgogne au concile de Bâle. Textes inédits extraits des Archives de la Chambre de Compte de Dijon, 1433, in: Publications de l'Université de Dijon I, Mélanges, Dijon 1928, 83-133.

Straube, Manfred: Die Reichsreformbestrebungen in den Jahren 1437 bis 1439 und die Forderungen der sog. Reformatio Sigismundi zur Umgestaltung des Reichs. Ein Beispiel zur Vorgeschichte der frühbürgerlichen Revolution, Phil. Diss. (masch.) Greifswald 1962.

Strnad, Alfred A.: Konstanz und der Plan eines deutschen ‚Nationalkardinals'. Neue Dokumente zur Kirchenpolitik König Sigmunds von Luxemburg, in: Das Konzil von Konstanz, 397-428.

– Aus der Frühzeit des nationalen Protektorates der Kardinäle, in: ZRG KA 50 (1964) 264-71.

– Francesco Todeschini-Piccolomini. Politik und Mäzenatentum im Quattrocento, in: RHM 8/9 (1964/65) 101-425.

– Woher stammte Bischof Ulrich III. Sonnenberger von Gurk?, in: Mitt. des Gesch.-vereins für Kärnten 156 (1966) 634-79.

– Zum Studiengang des Dekretisten Johannes Schallermann (+1465), in: MIÖG 74 (1966) 108-17.

– Die Protektoren des Deutschen Ordens im Kardinalskollegium, in: Acht Jahrhunderte Deutscher Orden. Festschrift M. Tumler (Quellen und Studien zur Gesch. des Deutschen Ordens 1) Bad Godesberg 1967, 269-330.

– Neue Quellen zur Mainzer Stiftsfehde (1459-1463), in: RHM 11 (1969) 222-35.

– Papsttum, Kirchenstaat und Europa in der Renaissance, in: Rom in der Neuzeit, Hg. R. Elze, H. Schmidinger und H. S. Nordholt, Wien-Rom 1976, 19-52.

Stromer, Wolfgang von: Die Kontinentalsperre Kaiser Sigismunds gegen Venedig (1412-1433) in: Pubblicazioni di V settimana di studio dell' Istituto internazionale di storia economica F. Datini, Prato 1973, ser 2: Atti delle Settimane di studio e altri convegni 1, Prato 1974.

Struve, Tilman: Reform oder Revolution? Das Ringen um eine Neuordnung in Reich und Kirche im Lichte der ,Reformatio Sigismundi' und ihrer Überlieferung, in: ZGO 126, NF 87 (1978) 73-130.

Strzewitzek, H.: Die Sippenbeziehungen der Freisinger Bischöfe im Mittelalter, München 1938.

Stuart, D. M.: The Peace of Arras (1435), in: History Today 7 (1957) 28-36.

Stückelberg, E. A.: Une monnaie de l'antipape Felix V, in: Revue numismatique 4, ser. 11 (1907) 106.

– Un coin monétaire inédit de l'antipape Felix V, in: Rivista del Collegio araldico 5, fasc. 3 (1907) 129 f.

– Il punzone del papa Felice V a Basilea, in: Rivista italiana di numismatica e scienze affini 21 (1908) 271-76.

Stürmer, Karl: Konzilien und ökumenische Kirchenversammlungen. Abriß ihrer Geschichte (Kirche und Konfession 3) Göttingen ²1968.

Stütz, Michael: Die Neutralitätserklärung der deutschen Kurfürsten von 1438, Theol. Diss. (masch.) Mainz 1976.

Stutt, Heinrich: Die nordwestdeutschen Diözesen und das Baseler Konzil in den Jahren 1431-1441, in: Niedersächsisches Jahrb. 5 (1928) 1-97; Phil. Diss. Erlangen 1928.

Stutz, Josef: Felix V., in: ZschwKG 24 (1930) 1-22, 105-120, 189-204, 278-99 [hiernach zitiert]; dasselbe u. d. T.: Felix V. und die Schweiz 1439-1449, Phil. Diss. Freiburg/Schw. 1930.

Suárez Fernández, Luis: Castilla, el cisma y la crisis conciliar (1378-1440) (Consejo superior de Investigaciones cientificas. Estudios 33) Madrid 1960.

– Relaciones entre Portugal y Castilla en la época del Infante D. Enrique, 1393-1460, Madrid 1960.

– La cuestión de las Canarias ante el concilio de Basilea, in: Congresso Internacional de Historia dos Descobrimentos. Actas 4, Lissabon 1961, 405-11.

– La cuestión de derechos castellanos a la conquista de Canarias y el Concilio de Basilea, in: Anuario de Estudios Atlánticos 9 (1963) 11-21.

Sury von Roten, M. von: Die Marienverehrung am Oberrhein zur Zeit des Basler Konzils, in: ZSchwKG 48 (1954) 170-78.

Svennung, Joseph: Zur Geschichte des Goticismus (Skrifter utgivna av K. Humanistiska Vetenskapssamfundet i Uppsala 44, 2B) Uppsala 1967.
– Fran senantik och medeltid 1-2, Lund 1963, 174-80, 110-15.
Swanson, R. N.: The University of Cologne and the Great Schism, in: JEcH 28 (1977) 1-15.
– Universities, Academics and the Great Schism (Cambridge Studies in Medieval Life and Thought ser. III, 12) Cambridge 1979.
Swidler, Leonard: Demo-Kratia, the Rule of the People of God, or ‚consensus fidelium‘, in: Authority in the Church, Hg. Piet F. Fransen (Annua Nuntia Lovanensia XXVI) Löwen 1983, 226-43.
Sydow, Jürgen (Hg.): Bürgschaft und Kirche (= Stadt in der Geschichte; Veröff. des Südwestdeutschen Arbeitskreises für Stadtgeschichtsforschung 7) Sigmaringen 1980 (Einführung v. Sydow: 9-25)
Synodicon Hispanum, dir por A. García y García, I-III, Madrid 1981-84.

Tassi, Ildefonso: Ludovico Barbo (1381-1443) (Uomini e Dottrine 1) Rom 1952.
Tate, R. B.: The ‚Anacephalosis‘ of Alfonso García de Santa María, Bishop of Burgos, 1435-1456, in: Hispanic Studies in Honour of González Llubera, Hg. Francis William Pierce, Oxford 1959, 386-406.
Tecklenburg-John, Christa: Luthers Konzilsidee in ihrer historischen Bedingtheit und ihrem reformatorischen Neuansatz (Theolog. Bibliothek Töpelmann 10) Berlin 1966.
Teeuwen, P.: Dionysius de Kartuizer en de philosophisch-theologische stroomingen aan de Keulsche Universiteit (Historische bibliotheek van godsdienstwetenschapen) Nimwegen 1938.
Tegen, Martin: Baselkonciliet och Kyrkomusiken omkr. 1440, in: Svensk Tidskrift för Musikforskning 39 (1957) 126-32.
Telesca, W. J.: The Order of Cîteaux during the Council of Basel, 1431-1449, in: Cîteaux 32 (1981) 17-36.
Tenenti, Alberto: La politica veneziana e l'Ungheria all' epoca di Sigismondo, in: Rapporti Veneto-Ungheresi all' Epoca del Rinascimento, a cura di Tibor Klaniczay (Studia Humanitatis. Pubblicazioni del Centro di Ricerche del Rinascimento 2) Budapest 1975, 219-29.
Thelliez, Cyrille: Une bulle du Concile de Bâle, du 17 septembre 1439, sur la fête de la Conception de la Vièrge Marie à Cambrai, in: Quinzaine religieuse diocésaine de Cambrai 1963, 14 f., 43 f., 98-100.
Théremin, Wilhelm: Beiträge zur öffentlichen Meinung über Kirche und Staat in der städtischen Geschichtsschreibung Deutschlands von 1349-1415 (Historische Studien 68) Berlin 1909.
Thils, G.: Le ‚Tractatus de ecclesia‘ de Jean de Raguse, in: Angelicum 17 (1940) 219-44; wieder in: ThQ 126 (1946) 110-22.
Thoma, Franz-Xaver: Petrus von Rosenheim O.S.B. Ein Beitrag zur Melker Reformbewegung, in: SMBO 45 (1927) 94-222.
– Petrus von Rosenheim O.S.B. 1380 c.-1433. Eine Zusammenfassung der bisherigen Ergebnisse (Das bayerische Inn-Oberland 32) Rosenheim 1962.
Thomas, Heinz: Deutsche Geschichte des Spätmittelalters 1250-1500, Stuttgart 1983.

– Jeanne la Pucelle, das Basler Konzil und die ‚Kleinen' der Reformatio Sigismundi in: Francia 11 (1983; ersch. 1985) 319-39.
– Die Deutsche Nation und Martin Luther, in: HJb 105 (1985) 426-54.
Thomas, Jules: Le concordat de 1516, ses origines, son histoire au XVIᵉ siècle, I-III, Paris 1910.
Thommen, Rudolf: Zur Geschichte des Basler Konzils, in: Anzeiger für Schweizerische Gesch. NF 7 (1884) 213-23.
– Basel und das Baseler Konzil, in: Basler Jahrb. für Gesch. und Altertumskunde 1895, 188-225.
Thomson, John A. F.: Papalism and Conciliarism in Antonio Roselli's Monarchia, in: Medieval Studies 37 (1975) 445-58.
– *Popes* and Princes, 1417-1517. Politics and Polity in the Late Medieval Church, London 1980.
– The Transformation of Medieval England 1370-1529, London 1984.
Thudichum, F.: Papsttum und Reformation im Mittelalter, Leipzig 1903.
Tierney, Brian: *Ockham,* the Conciliar Theory and the Canonists, in: JHI 15 (1954) 40-70; Neuausgabe separat, Philadelphia 1971 (Facet Books. Historical Series 19); wieder in: ders., Church Law . . ., Nr. XI; deutsch in: Die Entwicklung des Konziliarismus (WdF 279) 113-55.
– *Foundations* of the Conciliar Theory. The Contribution of the Medieval Canonists from Gratian to the Great Schism (Cambridge Studies in Medieval Life and Thought, NS IV) Cambridge 1955 (³1968).
– Medieval Canon Law and Western Constitutionalism, in: The Catholic Historical Review 52 (1966) 1-17; wieder in: ders., Church Law . . ., Nr. XV.
– ‚Sola scriptura' and the Canonists, in: Studia Gratiana 11 (1967) 345-65.
– Hermeneutics and History. The Problem of ‚Haec Sancta', in: Essays in Medieval History Presented to Bertie Wilkinson, Hg. T. A. Sandquist - F. M. Powicke, Toronto 1968, 354-70: wieder in: ders., Church Law . . ., Nr. XII.
– Roots of Western Constitutionalism in the Church's Own Tradition: The Significance of the Council of Constance, in: We, the People of God, Hg. J. A. Coriden, Huntington 1968, 113-28.
– Origins of Papal Infallibility 1150-1350. A Study of the Concepts of Infallibility, Sovereignty and Tradition in the Middle Ages (Studies in the History of Christian Thought 6) Leiden 1972. – S. dazu die Kontroversen zwischen Tierney und R. Bäumer, in: ThRev 69 (1973) 441-50 (Bäumer); 70 (1974) 185-94 (Tierney); ebd. 193-94 (Bäumer); sowie zwischen Tierney und A. M. Stickler, in: RSCI 28 (1974) 583-94 (Stickler); 29 (1975) 221-34 (Tierney).
– ‚Divided Sovereignty' at Constance. A Problem of Medieval and Early Modern Political Theory, in: AHC 7 (1975) 228-56; wieder in: ders., Church Law . . ., Nr. XIII.
– ‚Only the Truth Has Authority': The Problem of ‚Reception' in the Decretists and Johannis de Turrecremata, in: Law, Church and Society. Essays in Honor of Stephan Kuttner, Hg. K. Pennington – R. Somerville, Philadelphia 1977, 69-96; wieder in: ders., Church Law . . ., Nr. XIV.
– Church Law and Constitutional Thought in the Middle Ages, London (Variorum) 1979.
– *Religion, Law* and the Growth of Constitutional Thought, 1150-1650, Cambridge 1982.

- Die Idee der Repräsentation auf den mittelalterlichen Konzilien des Westens, in: Concilium 19, 8 (1983) 516-21.
Tillinghast, Pardon E.: An Aborted Reformation: Germans and Papacy in the Mid-Fifteenth Century, in: JMH 2 (1976) 57-79.
Tönsmeyer, Josef: Hermann Zoestius von Marienfeld, ein Vertreter der konziliaren Theorie am Konzil zu Basel, in: Westfälische Zs. 87 (1930) 114-91.
Töpfer, Bernhard: Die Reichsreformvorschläge des Nikolaus von Kues, in: ZfG 13 (1965) 617-37.
Tóth, Paolo de: Il beato cardinale Niccolò Albergati e i suoi tempi (1375-1444), I-II, Acquapendente 1934.
Toews, John B.: Emperor *Frederick III* and His Relations with the Papacy from 1440 to 1493, Phil. Diss. Univ. of Colorado 1962 (UMI Ann Arbor 1962).
- Pope Eugenius IV and the Concordat of Vienna (1448) – an Interpretation, in: ChH 34 (1965) 178-94.
- Formative Forces in the Pontificate of Nicholas V, 1447-1455, in: Catholic Historical Review 55 (1968) 261-84.
- The View of the Empire in Aeneas Silvius Piccolomini (Pope Pius II.), in: Traditio 24 (1968) 471-87.
Tomek, Václav Vladivoj: Dějepis města Prahy [Geschichte der Stadt Prag], IV und VI, Prag 1899 und 1906.
Tomljenović, Ivica: Dubrovčanin Ivan Stojković (1390/95-1443) borac za jedinstvo Zapada i zbližavnje a Istokom [I. Stojkovic aus Dubrownik, Kämpfer für die Einheit des Westens und die Aussöhnung mit dem Osten] in: Croatica christiana periodica 6 (1982) H. 9, 1-12.
Toner, Nicolaus: The Doctrine of Original Sin and of Justification according to Augustine of Rome (Favaroni) + 1443, Löwen 1958; zuerst in: Augustiniana 15 (1957) 110-17, 349-66, 515-30; 16 (1958) 164-89, 298-327, 497-515.
Toni, Teodoro: Don Rodrigo Sánchez de Arévalo (1404-1470). Su personalidad y actividades. El tratado ‚de pace et bello', Madrid 1941; zuerst in: Anuario de Historia del Derecho Español 12, 97-360.
Torres Lopez, Manuel: Juan de Segovia y su donación de manuscritos a la Universidad de Salamanca, in: Anales de la Asociación para el Progreso de las Ciencias 4 (1939) 947-64.
Totok, Wilhelm: Handbuch der Geschichte der Philosphie, II: Mittelalter, Frankfurt 1973.
Toussaint, Joseph: Les *relations* diplomatiques de Philippe le Bon avec le Concile de Bâle (1431-1449) (Univ. de Louvain. Recueil de travaux d'histoire et de philologie, ser. 3, fasc. 9) Löwen 1942.
- *Philippe le Bon* et le Concile de Bâle (1431-1449), in: Académie Royale de Belgique Bruxelles. Commission Royale d'Histoire, Bulletin 107 (1942) 1-126.
Trame, Richard H.: Rodrigo Sánchez de Arévalo (1404-1470), Spanish Diplomat and Champion of the Papacy (The Catholic Univ. of America. Studies in Medieval History NS 15) Washington 1958.
- Conciliar Agitation and Rodrigo Sánchez de Arévalo, in: Studies in Medievalia and Americana. Essays in Honour of William Lyle Davis S. J., Hg. G. G. Steckler – L. D. Davis, Washington 1973, 89-112.
Tramontin, Silvio: Un programma di riforma della Chiesa per il Concilio Lateranense V: il ‚Libellus ad Leonem X' dei veneziani Paolo Giustiniani e Pietro Quirini, in: Venezia e i concili, Venedig 1962, 67-93.

Trautz, Fritz: Die Reichsgewalt in Italien im Spätmittelalter, in: Heidelberger Jahrbücher 7 (1963) 45-81.

Trexler, R. C.: The Episcopal Constitution of Antoninus of Florence, in: QFIAB 59 (1979) 244-72.

Trost, Margarete: Die Wandlung des Fürstenbildes in der humanistischen Literatur des Quattrocento, Phil. Diss. Köln 1958.

Trouillat, J. und L. Vautrey (Edd.): Monuments de l'histoire de l'ancien évêché de Bâle, IV: 1400-1500, Porrentruy 1867.

Tüchle, Hermann: Die Stadt des Konzils und ihr Bischof, in: Das Konzil von Konstanz, 55-66.

– Das Mainzer Reformdekret des Kardinals Branda, in: Von Konstanz nach Trient, 101-17.

Tuetey, A[lexandre]: Les Ecorcheurs sous Charles VII. Episodes de l'histoire de la France au XVᵉ siècle (Soc. d'Emulation de Montbéliard, Mémoires IIᵉ ser., 6-7) I-II, Montbéliard 1874.

Tuilier, André: La mission à Byzance de Jean de Raguse docteur de Sorbonne et le rôle des Grecs dans la solution de la crise conciliaire, in: Bull. philologique et historique du Comité des travaux historiques et scientifiques 1979, Paris 1981, 137-52.

– Dubročanin Ivan Stojković i Pariško sveučiliste [Johann Stojkovic von Ragusa und die Universität Paris], in: Croatica christiana periodica 14 (1984) 36-43.

Überwasser, Walter: Konrad Witz und sein Konzilsaltar in Basel zur Versöhnung von Ost und West des Abendlandes, in: SB der Kunstgeschichtl. Gesellschaft III, Berlin 1954-55, 25-27.

Uhl, Anton: *Peter von Schaumberg,* Kardinal und Bischof von Augsburg (1424-1469). Ein Beitrag zur Gesch. des Reiches, Schwabens und Augsburgs im 15. Jahrhundert, Phil. Diss. München 1940.

– Kardinal Peter von Schaumberg, in: Lebensbilder aus dem Bayerischen Schwaben III, Hg. G. v. Pölnitz, München 1954, 37-80.

Uiblein, Paul: Zu den Beziehungen der Wiener Universität zu anderen Universitäten im Mittelalter, in: Ijsewijn-Paquet, The Universities . . ., 168-89.

Ullmann, Walter: The Growth of Papal Government in the Middle Ages. A Study in the Ideological Relation of Clerical to Lay Power, London 1955 (⁴1974); deutsch u. d. T.: Die Machtstellung des Papsttums im Mittelalter. Idee und Geschichte, Köln-Graz 1960 (²1969).

– The Recognition of St. Bridget's Rule by Martin V., in: Revue Bénedictine 67 (1957) 190-201.

– The University of Cambridge and the Great Schism, in: Journal of Theological Studies NS 9 (1958) 53-77; wieder in: ders., The Papacy and Political Ideas . . ., Nr. XI.

– De Bartoli sententia: Concilium repraesentat mentem populi, in: Bartolo da Sassoferrato. Studi e documenti per il VI centenario, Bd. II, Perugia 1961, 703-33; wieder in: ders., The Papacy and Political Ideas . . ., Nr. X.

– Eugenius IV, Cardinal Kemp and Archbishop Chichele, in: Medieval Studies Presented to A. Gwynn, Hg. J. Watt usw., Dublin 1961, 359-83; wieder in: ders., The Papacy and Political Ideas . . ., Nr. XIII.

- The Papacy and the Faithful, in: Gouvernés et gouvernants, Quatrième partie: Bas moyen âge et temps modernes, II, (Recueils de la Soc. Jean Bodin XXV) Brüssel 1965, 7-45.
- Principles of Government and Politics in the Middle Ages, London [2]1966.
- The Papacy and Political Ideas in the Middle Ages, London (Variorum) 1976.
- Medieval Political Thought, Harmondsworth [2]1979 (Peregrine Books/Penguin Books [versch. ältere Fassungen].
- Kurze Geschichte des Papsttums im Mittelalter (Sammlung Göschen 2211) Berlin-New York 1978 (engl. London 1972).

Urbánek, Rudolf: Věk Poděbradský I-IV (České Dějiny, begr. v. V. Novotný, III 1-4) Prag 1915-62; III 1 (Laichterův výbor nejlepších spisu poučných XLII) Prag 1915.

Urkundenbuch-der Stadt Basel, im Auftrag der Basler Antiquarischen Gesellschaft, VI (1409-1440), bearb. durch August Huber, Basel 1902; VII (1441-1454), bearb. durch Johannes Haller, Basel 1899.

Urkundenbuch der Abtei Sanct Gallen, Teil V, Lief. IV (1430-1436), Lief. V (1437-41), bearb. von P. Bütler und Traugott Schiess, St. Gallen 1909-11; Teil VI (1442-1463), unter Mitwirkung von Joseph Müller bearb. von Traugott Schiess und Paul Staerkle, St. Gallen 1955.

Utz, Kathrin: Zur Chronologie der kirchenpolitischen Traktate des Johannes von Segovia, in: AHC 9 (1977) 302-14.

Vaesen, J.: Un projet de translation du concile de Bâle à Lyon, in: RQH 30 (1881) 561-68.

Vagedes, Arnulf: Das Konzil über dem Papst? Die Stellungnahme des Nikolaus von Kues und des Panormitanus zum Streit zwischen dem Konzil von Basel und Eugen IV., I-II, (Paderborner Theol. Studien 11) Paderborn 1981.

Vale, Malcolm G. A.: Charles VII, London 1974.

Valla, s. Laurentius Valla

Vallone, Aldo: Favarone de' Favaroni e il suo inedito trattato ,De principatu papae', in: Studi storici in onore di Gabriele Pepe, Bari 1969, 499-507.

Valois, Noël: La France et le Grand Schisme d'Occident, I-IV, Paris 1896-1902 (ND 1967).
- Le schisme de Bâle au XVe siècle [Rez. von G. Perouse, Aleman], in: Journal des Savants NS III (1905) 345-52.
- Histoire de la Pragmatique Sanction de Bourges sous Charles VII (Archives de l'histoire religieuse de la France 4) Paris 1906.
- La crise religieuse du XVe siècle. Le Pape et le concile (1418-1450), Paris 1909 [zitiert: Valois]

Valvekens, J. B.: De habitudine nonnullorum Praemonstratensium ad concilium Basileense (a. 1431 ss.), notae quaedam, in: Analecta Praemonstratensia 55 (1979) 116-22.

Vaněček, V. (Hg.): Cultus pacis. Etudes et documents du Symposium Pragense Cultus Pacis 1464-1964. Commemoratio pacis generalis ante quingentos annos a Georgio Bohemiae rege propositae, Prag 1966.

Van Eijl, E.J.M., s. Facultas S. Theologiae Lovaniensis.

Van Leeuwen, C. G.: De praktijk van het vredeswerk. Het Concilie van Bazel en zijn bemoeinissen ten behoeve van de vrede (1431-1437), in: Kerk en vrede in oudheid en middeleeuwen. Studies ... van de Vrije Universiteit van Amsterdam, Hg. L. de Blois und A. H. Bredero, Kampen 1980, 162-85.

Vansteenberghe, Edmond: Le Cardinal Nicolas de Cues (1401-1464). L'action-la pensée (Bibliothèque du XVᵉ siècle XXIV) Paris 1920 (ND Frankfurt 1963; Genf 1974).

Vasella, Oskar: Über das Konkubinat des Klerus im Spätmittelalter, in: Mélanges d'histoire religieuse et de littérature offerts à Charles Gilliard, Lausanne 1944, 269-83.

Vasek, E.: Die Besetzung der deutschen Bischofsstühle unter dem restaurierten Papsttum des 15. Jahrhunderts, Phil. Diss. (masch.) München 1924.

Vasoli, Cesare: Profilo di un papa umanista: Tommaso Parentucelli, in: ders., Studi sulla cultura di Rinascimento, Lacaita 1968, 69-121.

Vaucelle, E.: La Bretagne et le concile de Bâle, in: Annales de Saint-Louis des Français 10 (1906) 485-552.

Vauchez, André: La sainteté en Occident aux derniers siècles du Moyen Age, d'après les procès de canonisation et les documents hagiographiques (Bibliothèque des Écoles Françaises d'Athènes et de Rome 241) Rom 1981.

Vaughan, Richard: Philip the Good, the Apogee of Burgundy, London 1970.

Vautrey, Joseph Louis: Histoire des évêques de Bâle, I-II, Einsiedeln 1884-86.

Veit, Laeto Maria: Pensiero e vita religiosa di Enea Silvio Piccolomini prima della sua consecrazione episcopale (Analecta Gregoriana 139) Rom 1964.

Vennebusch, Joachim: Bartholomäus von Maastricht gegen Eugen IV. Stellungnahmen eines Konziliaristen während des Nürnberger Reichstags 1444, in: AHC 17 (1985), 209-30.

Vera Fajardo, G.: La eclesiologia de Juan de Segovia en la crisis conciliar (1435-1447), in: Boletin del Inst. Sancho el Sabio 11 (Vitoria 1967) 53-86.

(Verfasserlexikon) Die Deutsche Literatur des Mittelalters. Verfasserlexikon, Hg. W. Stammler, K. Langosch usw.; 2. völlig neu bearbeitete Ausgabe, Hg. K. Ruh, W. Schröder usw., I-(V), Berlin-New York 1977 ff.

Verger, Jacques: Le rôle social de l'Université d'Avignon au XVᵉ siècle, in: Bibliothèque de l'Humanisme et de Renaissance 33 (1971) 489-504.

– The University of Paris at the End of the Hundred Years War, in: Universities in Politics. Case Studies from the Late Middle Ages und Early Modern Period, Hg. J. W. Baldwin - R. A. Goldthwaite, Baltimore-London 1972, 47-79.

– Les universités au moyen âge (Coll. Sup. L'historien 14) Paris 1973.

– Les universités françaises au XVᵉ siècle: crise et tentation de réforme, in: Cahiers d'histoire 21 (1976) 43-66.

Vernet, Jacques: Les manuscrits grecs de Jean de Raguse (+ 1443), in: BZGA 61 (1961) 75-108; wieder in: ders., Etudes médiévales, Paris 1981, 531-54.

Vickers, K. H.: Humphrey Duke of Gloucester. A Biography, London 1907.

Vidal, J. M.: Un recueil manuscrit de *sermons* prononcés aux Conciles de Constance et de Bâle, in: RHE 10 (1909) 492-520.

Viller, M.: La question de l'union des Eglises entre les Grecs et Latins depuis le concile de Lyon jusqu' à celui de Florence (1274-1438), in: RHE 17 (1921) 260-305, 515-32; 18 (1922) 20-60; separat: Löwen 1922.

Villiger, J. B.: Art. ‚Baseler Konzil', in: LThK 2 (1958) 23-25.

Vischer, Lukas: Das Basler Konzil. Eine noch nicht erledigte Angelegenheit, in: Reformatio 29 (1980) 496-510.

Visser, J.: Jansenismus und Konziliarismus: ekklesiologische Anschauungen des Nicola le Gros (1675-1751), in: Internationale Kirchliche Zs. 73 (1983) 212-34.

Viti, Paolo: L'orazione di Ugolino Pisani per Felice V, in: Esperienze letterarie 6 (Neapel 1981) 78-108.

Völker, Karl: Kirchengeschichte Polens (Grundriß der slavischen Philologie und Kulturgesch.) Berlin-Leipzig 1930.

Voigt, Georg: Enea Silvio de' Piccolomini als Papst Pius der Zweite und sein Zeitalter, I-III, Berlin 1856-63 (ND Berlin 1967).

– Die Wiederbelebung des classischen Altertums oder das erste Jahrhundert des Humanismus, I-II, 3. Aufl. besorgt von M. Lehnerdt, Berlin 1893 ([1]1859); ND [4]1960.

Voigt, Klaus: Italienische Berichte aus dem spätmittelalterlichen Deutschland. Von Francesco Petrarca zu Andrea de' Franceschi (1333-1492) (Kieler Historische Studien 17) Stuttgart 1973.

Volk, Paulus (Ed.): Urkunden zur Geschichte der Bursfelder Kongregation (Kanonistische Studien und Texte 20) Bonn 1951.

Vones, Ludwig: Schwerpunkte historischer Forschung in den ‚Gesammelten Aufsätzen zur Kulturgeschichte Spaniens' (Spanische Forschungen der Görresgesellschaft. Erste Reihe) während der vergangenen 15 Jahre, in: HJb 104 (1984) 130-48.

Von der Hardt, Hermann (Ed.): Magnum Oecumenicum Constantiense Concilium, I-IV, Frankfurt-Leipzig 1696-1700 (Index-Bd. 1742).

Vooght, Paul de: Der Konziliarismus bei den Konzilien von Konstanz und Basel, in: Das Konzil und die Konzile, Stuttgart 1962, 165-210 (zuerst frz. in: Le Concile et les conciles, 143-81); Teilabdruck in: Die Entwicklung des Konziliarismus (WdF 279) 177-97.

– Les pouvoirs du Concile et l'autorité du Pape au Concile de Constance. Le décret ‚Haec syncta synodus' du 6 Avril 1415 (Unam Sanctam 56) Paris 1965.

– La confrontation des thèses hussites et romains au concile de Bâle, in: RThAM 36 (1969) 97-137, 254-91.

– La notion d' „Eglise - assemblée des prédestinés" dans la théologie hussite primitive, in: Communio Viatorum 13 (1970) 119-36.

– Jean Huss, aujourd' hui, in: Bohemia-Jahrbuch 12 (1971) 34-52.

– Les Hussites et la ‚Reformatio Sigismundi', in: Von Konstanz nach Trient, 199-214.

– Nicholas Biskupec de Pelhřimov et son apport à l'évolution de la methodologie théologique hussite, in: RThAM 40 (1973) 175-207.

– L'hérésie de Jean Huss (Bibliothèque de la RHE 34bis – 35bis) Löwen [2]1975.

Wackernagel, Rudolf (Ed.): Andrea Gattaro von Padua. Tagebuch der Venetianischen Gesandten beim Concil zu Basel (1433-1435), übersetzt von H. Zehntner, in: Basler Jahrbuch für Gesch. und Altertumskunde 1885, 1-58.

– Geschichte des Barfüsserklosters zu Basel, in: Festbuch zur Eröffnung des Historischen Museums, Basel 1894, 159-211.

– Geschichte der Stadt Basel, I-II 1-2, Basel 1907-16 (ND 1968).

Wackernagel, Wolfgang D.: Heinrich von Beinheim, an Ecclesiastical Judge of the 15th century, in: Essays in Legal History in Honour of Felix Frankfurter, Indianapolis 1966, 275-88.

Waeber, L.: Georges de Saluces, évêque de Lausanne, envoyé en ambassade auprès du Roi Alphonse V d'Aragon par Felix V et le concile de Bâle, in: ZSchwKG 47 (1953) 291-304.

Walch, Christian Wilhelm Franz: Entwurf zu einer vollständigen Historie der Kirchenversammlungen, Leipzig 1759.

Walf, Knut: Die Entwicklung des päpstlichen Gesandtschaftswesens in dem Zeitabschnitt zwischen Dekretalenrecht und Wiener Kongreß (1159-1815) (Münchener Theologische Studien III. Kanonistische Abt. 24) München 1966.

Walliser, Peter: Der Solothurner Stiftsprobst Jakob Hüglin, in: Jahrb. für Solothurnische Gesch. 32 (1959) 128-55; separat: Solothurn 1958.

Walser, Ernst: Poggius Florentinus. Leben und Werke (Beiträge zur Kulturgesch. des Mittelalters und der Renaissance 14) Leipzig-Berlin 1914.

– Die Konzilien von Konstanz und Basel. Zwei Etappen der Kirchenreform und des Humanismus, in: Wissen und Leben 9 (1913) 424-43; wieder in: ders., Gesammelte Studien zur Geistesgesch. der Renaissance, Basel 1932, 1-21.

Walsh, Katherine: Ein Schlesier an der Universität Krakau im 15. Jahrhundert. Zu Biographie, wissenschaftlichen Interessen und Handschriftenbesitz des Laurentius von Ratibor, in: Archiv für Schlesische Kirchengesch. 40 (1982) 191-206.

Walther, Helmut G.: Imperiales Königtum, Konziliarismus und Volkssouveränität. Studien zu den Grenzen des mittelalterlichen Souveränitätsgedankens, München 1976.

Walter, Leodegar: Johann von Geilnhausen, Mönch und Abt von Maulbronn, auf dem Konzil von Basel, 1431-34, in: Festgabe zum diamantenen Priesterjubiläum 1866-1926 P. Gregor Müller, Bregenz 1926, 121-26.

Walters, Ludwig: Andreas von Escobar, ein Vertreter der konziliaren Theorie am Anfange des 15. Jahrhunderts, Phil. Diss. Münster 1901.

Walz, A.: Giovanni Stojković, O. P., ecclesiologo, in: Unitas 21 (1966) 167-81.

Watanabe, Morimichi: The *Political Ideas* of Nicholas of Cusa with special Reference to his ‚De concordantia catholica' (Travaux d'Humanisme et Renaissance 58) Genf 1963.

– Nikolaus von Kues - Richard Fleming - Thomas Livingston, in: MFCG 6 (1967) 167-77.

– The Episcopal Election of 1430 in Trier and Nicholas of Cusa, in: ChH 39 (1970) 299-316.

– Authority and Consent in Church Government. Panormitanus, Aeneas Sylvius, Cusanus, in: JHI 33 (1972) 217-36.

– The Lawyer in an Age of Political and Religious Confusion: Some Fifteenth Century Conciliarists [Vortrag], Long Island University 1975.

– Gregor Heimburg and Early Humanism in Germany, in: Philosophy and Humanism. Renaissance Essays in Honour of Paul Oskar Kristeller, Hg. E. P. Mahoney, Leiden 1976, 406-22.

– Imperial Reform in the Mid- XVth Century: Gregor Heimburg and Martin Mair, in: Journal of Medieval and Renaissance Studies 9 (1979) 209-35.

Watt, D. E. R.: The Papacy and Scotland in the Fifteenth Century, in: Dobson (Hg.), The Church, 115-32.

Watt, John A.: The Constitutional Law of the College of Cardinals: Hostiensis to Johannes Andreae, in: Medieval Studies 33 (1971) 127-57.

Watt, J. A.: The Papacy and Ireland in the Fifteenth Century, in: Dobson (Hg.), The Church, 133-45.

Weber, Georg: Allgemeine Weltgeschichte mit besonderer Berücksichtigung des Geistes- und Culturlebens der Völker..., VIII: Geschichte des Mittelalters 4, Leipzig 1870.

Weber, Gertrud: Die selbständige Vermittlungspolitik der Kurfürsten im Konflikt zwischen Papst und Konzil 1437-38 (Historische Studien 127) Berlin 1915 (ND Vaduz 1965).

Weigel, Helmut: Kaiser, Kurfürst und Jurist. Friedrich III., Erzbischof Jakob von Trier und Dr. Johannes Lysura im Vorspiel zum Regensburger Reichstag vom April 1454, in: Aus Reichstagen des 15. und 16. Jahrhunderts (Schriftenreihe der Histor. Kommission bei der Bayerischen Ak. Wiss. 5) Göttingen 1958, 80-115.

Weigel, Martin: Dr. Conrad Konhofer (+ 1452). Ein Beitrag zur Kirchengeschichte Nürnbergs, in: Mitt. des Vereins für Gesch. der Stadt Nürnberg 29 (1928) 169-297.

Weiler, Anton G.: Les relations entre l'université de Louvain et l'université de Cologne au XVe siècle, in: Ijsewijn-Paquet, The Universities..., 49-81.

– Heinrich von Gorkum, Hilversum-Köln 1962.

Weinzierl-Fischer, Erika: Der Gurker Bistumsstreit 1432-1436 im Lichte neuer Quellen, in: Mitt. des österreichischen Staatsarchivs 3 (1950) 306-37.

Weis-Müller, Renée: Die Reform des Klosters Klingenthal und ihr Personenkreis (Basler Beiträge zur Gesch.wiss. 59) Basel 1956.

Weise, Erich: Internationale Schiedsgerichte zur Zeit des Konstanzer Konzils. Ein Beitrag zur Gesch. des Völkerrechts, in: ZfO 16 (1967) 482-90.

Weiss, Roberto: Humanism in England During the Fifteenth Century, Oxford ²1957.

Welck, Helmut: Konrad von Weinsberg als Protektor des Baslers Konzils (Forsch. aus Württembergisch-Franken 7) Schwäbisch Hall 1973.

Die Welt zur Zeit des Konstanzer Konzils (VF 9) Konstanz-Stuttgart 1965.

Wendehorst, Albert: Gregor Heimburg, in: Fränkische Lebensbilder, NF 4, Würzburg 1971, 112-29.

Wendehorst, Wiltrud: Das Reichsvikariat nach der Goldenen Bulle. Reichsverweser und Reichsstatthalter in Deutschland von König Wenzel bis zu Kaiser Karl V., Phil. Diss. (masch.) Göttingen 1951.

Wenninger, Markus J.: Man bedarf keiner Juden mehr. Ursachen und Hintergründe ihrer Vertreibung aus den deutschen Reichsstädten im 15. Jahrhundert (Beihefte zum AKG 14) Köln-Wien 1981.

Werfel, Franz: Gesammelte Werke. Die Dramen II, Frankfurt 1959.

Werminghoff, Albert: Die schriftstellerische Tätigkeit des Bischofs Otto III. von Konstanz, in: ZGO 51, NF 12 (1897) 1-40.

– Nationalkirchliche Bestrebungen im deutschen Mittelalter (Kirchenrechtliche Abhandlungen, Hg. U. Stutz 61) Stuttgart 1910 (ND Amsterdam 1965).

– Verfassungsgeschichte der deutschen Kirche im Mittelalter (Grundriß der Geschichtswissenschaft, Hg. Aloys Meister, II, Abt. 6) Leipzig-Berlin ²1913.

– Exkurs: Der Begriff 'Deutsche Nation' in Urkunden des 15. Jahrhunderts, in: Histor. Vierteljahrsschrift 11 (1908) 184-92.

Werner, Ernst: Der Kirchenbegriff bei Jan Hus, Jakoubek von Mies, Jan Želivský und den linken Taboriten (SB der Deutschen Ak.Wiss. Berlin, Kl. für Philosophie, Geschichte . . . 1967, 10) Berlin 1967.

– Die Hussiten im Lichte einer neuen Synthese, in: ZfG 33 (1985) 984-98.

Werner, Heinrich: Der kirchliche Verfassungskonflikt vom Jahre 1438/39 und die sog. Reformation des Kaisers Sigmund, in: NA 32 (1907) 728-45.

– (Hg.): Die Reformation des Kaisers Sigmund. Die erste deutsche Reformschrift eines Laien vor Luther (AKG, Erg.heft III) Berlin 1908.

Werner, Karl: Geschichte der apologetischen und polemischen Literatur der christlichen Theologie, I-V, Schaffhausen 1861-67 (III: 1864).

Wessenberg, Ignaz Heinrich von: Die großen Kirchenversammlungen des 15. und 16. Jahrhunderts in Beziehung auf Kirchenverbesserung geschichtlich und kritisch dargestellt, Bd. II, Konstanz 1840.

Widmer, Berthe: Enea Silvios Lob der Stadt Basel und seine Vorlagen, in: BZGA 58/59 (1959) 111-38.

– Enea Silvio Piccolomini in der sittlichen und politischen Entscheidung (Basler Beiträge zur Gesch.wiss. 88) Basel 1963.

(William Ockham) Dialogus de imperio et pontificia potestate, in: M. Goldast, Monarchia II, Hannover-Frankfurt 1612, 393-957.

Wilks, Michel J.: The Problem of Sovereignty in the Later Middle Ages. The Papal Monarchy with Augustinus Triumphus and the Publicists (Cambridge Studies in Medieval Life and Thought NS 9) Cambridge 1963.

Williams, Ethel Carleton: My Lord of Bedford 1389-1435. Being a Life of John of Lancaster First Duke of Bedford, Brother of Henry V and Regent of France, London 1963.

Wingenroth, M. und Dr. Gröber: Die Grabkapelle Ottos III. von Hachberg, Bischofs von Konstanz und die Malerei während des Konstanzer Konzils, in: Schauinsland 35 (1908) 69-103; 36 (1909) 17-48.

Winter, Eduard: Frühhumanismus. Seine Entwicklung in Böhmen und deren europäische Bedeutung für die Kirchenreformbestrebungen des 14. Jahrhunderts (Beiträge zur Gesch. des religiösen und wissenschaftl. Denkens 3) Berlin (Ost) 1964.

Wittram, Reinhard: Die französische Politik auf dem Basler Konzil während der Zeit seiner Blüte (Abhandl. des Herder-Instituts zu Riga 2, Nr. 5) Riga 1927.

Włodek, Zofia: L'Université de Cracovie, centre intellectuel international au XVe siècle, in: Virgilio Levi (Hg.): The Common Christian Roots of European Nations, II, Florenz 1983, 593-98.

Wolf, Gustav: Quellenkunde der deutschen Reformationsgeschichte, I: Vorreformation und allgemeine Reformationsgeschichte, Gotha 1915.

Wolffe, Bertram: Henry VI, London 1981.

Wolgast, Eike: Art. ‚Reform, Reformation', in: Geschichtliche Grundbegriffe 5, Stuttgart 1982, 313-60.

Wolkan, R. (Ed.), s. Enea Silvio Piccolomini.

Wolmuth, Josef: Basel - das vergessene Konzil, in: Orientierung 45 (1981) 201-04.

– Verständigung in der Kirche untersucht an der Sprache des Konzils von Basel (Tübinger Theolog. Studien 19) Mainz 1983.

Worstbrock, Franz Josef (Hg.): Krieg und Frieden im Horizont des Renaissance-Humanismus (Mitt. der DFG Kommission für Humanismusforschung XIII) Weinheim 1986.

W oś, Jan Władysław: Paulus Wladimiri aus Brudzeń - Vorläufer oder Fortsetzer? in: ZfO 25 (1976) 438-61.

W ostry, Wilhelm: König Albrecht II. 1437-1439, I-II, (Prager Studien aus dem Gebiete der Gesch.wiss. 12/13) Prag 1906/07.

W retschko, Alfred von: Zur Frage der Besetzung des erzbischöflichen Stuhles Salzburg im Mittelalter, in: Mitt. der Gesellschaft für Salzburger Landeskunde 47 (1907) 189-302.

W riedt, Klaus: Die deutschen Universitäten in den Auseinandersetzungen des Schismas und der Reformkonzile (1379-1449). Kirchenpolitische Ziele und korporative Interessen, Habil.schrift Kiel (ungedruckt) 1972.

– Die ‚Epistola in causa schismatis' des Johannes Wenck, in: MFCG 10 (1973) 125-29.

– Kurie, Konzil und Landeskirche als Problem der deutschen Universitäten im Spätmittelalter, in: Kyrkohistorisk Årsskrift 77 (1977) 203-07.

W ürdtwein, Stephan Alexander: Subsidia diplomatica ad selecta Iuris Ecclesiastici Germaniae et Historiarum Capita Elucidanda ex originalibus... congesta, I-XIII, Heidelberg-Frankfurt-Leipzig 1772-80 (ND Frankfurt 1969); VIII und IX: Heidelberg 1776.

W underlich, Paul: Die Beurteilung der Vorreformation in der deutschen Geschichtsschreibung seit Ranke (Erlanger Abhandl. zur mittleren und neueren Gesch. 5) Erlangen 1930.

W urstisen, Christian: Epitome Historiae Basiliensis... Basel 1577; deutsch: Basler Chronick. Darin alles, was sich in den oberen teutschen Landen nicht nur in Statt und Bisthumbe Basel... zugetragen, Basel 1580; 3. Aufl. 1883.

W yduckel, Dieter: Princeps Legibus Solutus. Eine Untersuchung zur frühmodernen Rechts- und Staatslehre (Schriften zur Verfassungsgesch. 30) Berlin 1979.

W yss, Bernhard: Ein Ineditum Graecum Giovanni Aurispas, in: Museum Helveticum 22 (1965) 1-37.

Y ates, Frances A.: Lodovico da Pirano's Memory Treatise, in: Cultural Aspects of the Italian Renaissance. Essays in Honour of P. O. Kristeller, Hg. C. H. Clough, Manchester-New York 1976, 111-22.

Y oung, Francis Albert: Fundamental Changes in the Nature of the Cardinalate in the Fifteenth Century and their Reflection in the Election of Pope Alexander VI, Phil. Diss. Univ. of Maryland 1978 (UMI Ann Arbor 1983).

Z accaria, Vittorio (Ed.): Pier Candido Decembrio e Leonardo Bruni (Notizie dall' epistolario del Decembrio), in: StM ser. III 8, 1 (1967) 504-54.

– Pier Candido Decembrio, Michele Pizolpasso e Ugolino Pisani (Nuove notizie dall' epistolario di P. C. Decembrio, con appendice di lettere e testi inediti), in: Atti del Istituto Veneto di scienze, lettere ed arti. Classe di scienze morali, lettere ed arti 133 (1974/75) 187-212.

Z achorowski, S.: Polityka kościelna Polski w okresie wielkich soborów [Die polnische Politik zur Zeit der großen Konzilien], in: Themis Polska, ser. II, 4 (1914) 13-19.

Z ähringer, K.: Das Kardinalskollegium auf dem Konstanzer Konzil bis zur Absetzung Papst Johannes' XXIII. (Münstersche Beitr. zur Gesch.forschung 8) Münster 1935.

Z ander, Siegfried: Die Beziehungen Albrecht Achilles' von Brandenburg (1440-1486) zu den Päpsten seiner Zeit, Phil.Diss. (masch.) Halle 1921.

Z anelli, Agostino: Pietro da Monte, in: Archivio storico lombardo ser. IV, 7 (1907) 317-78; 8 (1908) 46-115.

Zaoral, Prokop: Příspěvek ke knihovně a skriptoriu kláštera ve Žďáře v 15. století [Bibliothek und Skriptorium des Klosters Saar (Mähren) im 15. Jahrhundert], in: Studie o ruskopisech 9 (1970) 79-100.

Zarebski, Ignacy: [Zur Bedeutung des Aufenthalts von Krakauer Universitätsprofessoren auf dem Basler Konzil für die Geistesgeschichte Polens], in: Kwartalnik historii nauki i techniki V, Sonderheft 2, Warschau 1960, 7-23.

– (Hg.): Historia Biblioteki Jagiellónskiej, I: 1364-1775, Krakau 1966.

Zaun, Rudolf: Rudolf von Rüdesheim, Fürstbischof von Lavant und Breslau. Ein Lebensbildnis aus dem 15. Jahrhundert, Frankfurt/M. 1881.

Zechel, Artur: Studien über Kaspar Schlick. Anfänge, erstes Kanzleramt, Fälschungsfrage. Ein Beitrag zur Geschichte und Diplomatik des 15. Jahrhunderts (Quellen und Forschungen aus dem Gebiet der Gesch. 15) Prag 1939.

Zegarski, Teofil: Polen und das Basler Konzil, Phil.Diss. Freiburg/Br. 1910 (Posen 1910).

Zeibig, H. J.: Die Quellen zur Geschichte der großen Kirchenversammlungen des XV. Jahrhunderts in den Handschriften der Klosterneuburger Stiftsbibliothek, in: Notizenblatt. Beilage zum Archiv für Kunde österreich. Geschichtsquellen 2 (1851) 298-304, 350-52.

– Zur Geschichte der *Wirksamkeit* des Basler Concils in Österreich, in: SB Ak. Wiss. Wien, phil.-hist. Cl. 8 (1852) 515-616.

Zeissberg, Heinrich: Die polnische Geschichtsschreibung des Mittelalters (Preisschriften gekrönt und hg. von der Fürstlich Jablonowski'schen Gesellschaft zu Leipzig XVII) Leipzig 1873 (ND 1968).

Zeller, J.: Das Provinzialkapitel im Stifte Petershausen im Jahre 1417, in: SMBO 41 (1921/22) 1-73.

Zellfelder, August: England und das Basler Konzil. Mit einem Urkundenanhang (Historische Studien 113) Berlin 1913 (ND Vaduz 1965).

Zeman, Jarold Knox: Restitution and Dissent in the Late Medieval Renewal Movements: The Waldensians, the Hussites and the Bohemian Brethren, in: Journal of the American Academy of Religion 44 (1976) 7-27.

– The Hussite Movement and the Reformation in Bohemia, Moravia and Slovakia (1350-1650). A Bibliographical Study Guide, Ann Arbor 1977.

Zeno, Riniero: Niccolò Tudisco ed un nuovo contributo alla storia del Concilio di Basilea, in: Archivio storico per la Sicilia orientale 5 (1908) 258-67, 350-74; auch sep. Catania 1908.

Zeschik, Johannes: Das Augustinerchorherrenstift Rohr und die Reformen in bairischen Stiften vom 15. bis zum 17. Jahrhundert (Neue Veröff. des Instituts für Ostbaierische Heimatforschung 21) Passau 1969.

Zeumer, Kurt: Quellensammlung zur Geschichte der deutschen Reichsverfassung in Mittelalter und Neuzeit, Tübingen ²1913.

Zhisman, Josef: Die Unionsverhandlungen zwischen der orientalischen und römischen Kirche seit dem Anfang des 15. Jahrhunderts bis zum Konzil von Ferrara, Wien 1858.

Ziehen, Eduard: Mittelrhein und Reich im Zeitalter der Reichsreform, 1356-1504, I-II, Frankfurt/M. 1934-37.

Zientara, Benedykt: Nationale Strukturen des Mittelalters, in: Saeculum 32 (1981) 301-16.

Ziliotto, Baccio: Frate Lodovico da Cividale e il suo ‚Dialogus de papali potestate', in: Memorie storiche forogiuliesi 33/34 (1937/38) 151-91; 35/36 (1939/40) 219-21 (P. Paschini).

Zimmermann, Alfred: Die kirchlichen *Verfassungskämpfe* im 15. Jahrhundert. Eine Studie, Breslau 1882.

Zimmermann, Gunter: Spätmittelalterliche Frömmigkeit in Deutschland. Eine sozialgeschichtliche Nachbetrachtung, in: ZHF 13 (1986) 65-81.

Zimmermann, Harald: Thomas Ebendorfers Schismentraktat, in: AÖG 120, 2 (1954) 47-147.

– Papstabsetzungen des Mittelalters, Graz-Wien-Köln 1968.

– Die Herkunft Johann Scheles, Bischofs von Lübeck, in: Hannoversche Gesch.-blätter NF 23 (1969) 79-84.

– Das *Mittelalter*, II: Von den Kreuzzügen bis zum Beginn der großen Entdeckungsfahrten, Braunschweig 1979.

– Romkritik und Reform in Ebendorfers Papstchronik, in: Reformatio Ecclesiae, 169-80.

– Der Cancer Cusa und sein Gegner Gregor Errorius: Der Streit des Nikolaus Cusanus mit Gregor Heimburg bei Thomas Ebendorfer, in: Archiv für Österreichisches Kirchenrecht 34 (1983/84) 10-28.

Zippel, Gianni: Gli inizi dell'Umanesimo tedesco e l'Umanesimo italiano nel XV secolo, in: Bollettino dell' Istituto storico Italiano per il medio evo 75 (1963) 345-89.

– Enea Silvio Piccolomini e il mondo germanico. Impegno cristiano e civile dell' umanesimo, in: La Cultura. Rivista di Filosofia, Letteratura e Storia 19 (1981) 267-350.

Zlocisti, Isidor: Die Gesandtschaft des Baseler Konzils nach Avignon und Konstantinopel, Phil.Diss. Halle 1908.

Zoepfl, Friedrich: Das Bistum Augsburg und seine Bischöfe im Mittelalter, Augsburg 1955.

Zuckerman, Charles A.: The Relationship of Theories of Universals to Theories of Church Government in the Middle Ages: A Critique of Previous Views, in: JHI 36 (1975) 579-94.

Zumkeller, Adolar: Die Augustinerschule des Mittelalters: Vertreter und philosophisch-theologische Lehre, in: Analecta Augustiniana 27 (1964) 167-262.

– Die *Augustinereremiten* in der Auseinandersetzung mit Wyclif und Hus, ihre Beteiligung an den Konzilien von Konstanz und Basel, in: Analecta Augustiniana 28 (1965) 5-56.

– Ein ‚Sermo magistralis' des Augustinus von Rom OESA zur Verteidigung der Immaculata, in: Studia scholastico-scotistica 4 (1968) 117-37.

– Drei Augustinertheologen des beginnenden 15. Jahrhunderts im Dienste der Union, in: Wegzeichen. Festgabe für H. M. Biedermann O.S.A., Hg. E. Ch. Suttner und C. Patock (Das östliche Christentum NF 25) Würzburg 1971, 133-48.

– Der Augustinermagister *Nicolinus von Cremona* und seine Septuagintapredigt auf dem Baseler Konzil, in: AHC 3 (1971) 29-70.

– *Erbsünde*, Gnade, Rechtfertigung und Verdienst nach der Lehre der Erfurter Augustinertheologen des Spätmittelalters (Cassiciacum 35) Würzburg 1984.

Zurbonsen, Friedrich: Hermann Zoestius und seine historisch politischen Schriften. Nach handschriftl. Quellen des 15. Jahrhunderts (Beilage zum Programm des Kgl. Gymnasiums zu Warendorf 1884) Warendorf 1884.

Zwölfer, Richard: Die Reform der Kirchenverfassung auf dem Konzil zu Basel, in: BZGA 28 (1929) 141-247; 29 (1930) 1-58 [zitiert: Zwölfer].

Nachträge zur Literatur

Brann, Noel L.: Pre-Reformation Humanism in Germany and the Papal Monarchy, in: Journal of Medieval and Renaissance Studies 14 (1984) 159-85.

The Church in a Changing Society. Proc. of the CIHEC-Conference in Uppsala August 17-21, 1977 (Publications of the Swedish Soc. of Church History NS 30) [partiell seitenidentisch mit: Kyrkohistorisk Årsskrift 77 (1977)], Uppsala 1978.

Drezga, T.: Włodkowic's 'Epistola ad Sbigneum episcopum Cracoviensem, in: Polish Review 20 (New York 1975) 43-64.

Helmrath, Johannes: Die italienischen Humanisten und das Basler Konzil, in: Vita Activa. Festschrift Johannes Zilkens, Hg. H.-J. Hoffmann-Nowotny und A. Senger, Köln 1987.

Izbicki, Thomas M.: Notes on Late Medieval Jurists, in: Bulletin of Medieval Canon Law 4 (1974) 49-54 [über Juan de Mella]; Ergänzungen von A. Mischlewski, in: ebd. 8 (1978) 55 f.

Janssen, Wilhelm: Der Bischof, Reichsfürst und Landesherr (14. und 15. Jahrhundert), in: Der Bischof in seiner Zeit. Festg. für Joseph Kard. Höffner, Hg. P. Berglar und O. Engels, Köln 1986, 185-244 [u. a. über Dietrich v. Moers' Kirchenpolitik (207 f., 216, 226) und zum Bischofsbild im 15. Jh. (185-92)].

Januszewicz, S.: Struktura najwyzsej kościola w koncyliarystyczno-bazylejskich traktatach mistrzów uniwersytetu krakowiego [Konziliaristische Traktate zum Basler Konzil an der Krakauer Universität], (Maszynopis Biblioteka Uniwersytecka katolickiego Uniwersytetu Lubelskiego) Lublin 1966 [nicht zugänglich].

Kejř, Jiří: Česká otázka na basilejském konciľu, in: Husitský Tábor 8 (1985) 107-32 (guter Überblick mit deutschem Resumee).

Machilek, Franz: Art. 'Hus, Hussitismus', in: TRE 15 (1986) 716-35 (Lit.!).

Oakley, Francis: Legitimation by Consent: The Question of the Medieval Roots, in: Viator 14 (1983) 303-35; zum Basler Konzil: 316-23.

Oberman, Heiko Augustinus: University and Society in the Treshold of modern times: The German Connection, in: Rebirth, Reform and Resilience. Universities in Transition, Hg. J. W. Kittelson usw., Columbus 1984, 19-41 (u. a. über Universitäten und Basler Konzil).

Rubić, Antonin: Olomouc a basilejský koncil, in: Husitský Tábor 8 (1985) 133 ff.

Schwaiger, Georg: Die konziliare Idee in der Geschichte der Kirche, in: Rottenburger Jb. für Kirchengesch. 5 (1986) 11-23.

Vodola, Elisabeth: Excommunication in the Middle Ages, Berkeley-Los Angeles 1986; 140-45 über die Bulle 'Ad vitanda' Martins V. und des Basler Konzils.

NAMEN UND SACHREGISTER*

I. Moderne Autoren

Abate, G. 392
Abert, F. Ph. 254
Absil, J. 337
Aimone-Braida, P. V. 501
Alberigo, G. 11, 33, 101 f., 112 f., 134, 149, 202, 250, 255, 273, 340, 386, 408-10, 412, 414, 426 f., *428-30,* 434, 437, 445, 455, 460, 462-68, 470 f., 475
Albert, P. P. 124, 362, 437
Alcántara, P. de 388
Aldásy, A. 384
Aldenhoven, H. 10, 12
Allmand, C. T. 151, 175 f., 191, 226-30, 445
Almeida, F. de 248
Altaner, B. 375
Altmann, Wilh. 51-53, 108, 265
Altmann, Wolfg. 297
Alvárez Palenzuela, V. A. 118
Alva y Astorga, P. de 387-90
Amelung, P. 169 f.
Ameri, H. 384, 387-93
Amettler y Vinyas, J. 207, 237, 240-45
Ammon, H. 40, 59, 184, 187, 189 f., 193, 280, 289, 298, 336, 471
Amon, K. 193
Andrae F. 97, 435
Andresen, C. 11, 13, 120, 332, 376, 409, 413
Andrian-Werburg, K. 192, 278
Angermeier, F. 55, 143, 183, 187, 198, 274, 280-82, 284-91, 300, 310 f., 314 f., 319 f.
Anker, K. 333
Antonovicz, A. V. 118, 502
Arbusow, L. 52, 269
Arendt, P. 16, 332
Arle, B. 113, 118 f.
Arnold, G. 11

Arquillière, H. X. 413
Artonne, A. 345
Aschbach, J. v. 144, 276, 286, 289, 354
Aubenas, R. - R. Ricard 212
Autrand, F. 61
Ayroles, J. B. J. 8

Bachmann, A. 67, 160, 272 f., 289-91, 294, 298, 301, 303, 309-11, 319 f.
Bacht, H. 504
Baethgen, F. 13, 47, 94, 200, 260, 273, 353
Bäumer, R. 10 f., 72, 88 f., 177, 294 f., 307 f., 310, 312 f., 327, 348, 350, 352, 408-10, 414, 420-22, 426, 438, 460, 470, 472, 476-79, 481, 483, 489
Baluze, E. 8
Bansa, H. 52, 258, 276
Barbaini, P. 409
Barion, H. 67, 433
Baron, F. 118, 164
Baron, H. 94, 171
Bartlmäs, H. 183
Bartoš, F. M. 268, 281, 283, 354, 360 f., 405, 407, 504
Basler, O. 68
Baud, H. 236
Baudrillart, A. 10 f., 332
Bauer, C. 238, 248
Bauerreiss, R. 129, 277 f.
Baumgärtner, I. 502
Baumgarten, P. M. 41, 121
Bavaud, G. 399
Beck, H. G. 374, 377, 381
Beck, J. 69
Becker, H. J. 303, 317, 481
Becker, Paul 116
Becker, Petrus 129-31

---

* Kursiv gesetzte Seitenzahlen weisen auf eine Konzentration von Literaturangaben hin. – BK = Basler Konzil.

Beckmann, G. 14, 131, 162, 183, 190, 212, 259 f., 274, 287-89, 292, 293, 295, 332, 337, 351, 383
Beer, K. 51, 282, 286, 338
Beer, R. 15
Belch, St. F. 268
Bellesheim, A. 231
Bellet, Ch. 14
Bellone, E. 156
Beltrán de Heredia, V. 141, 229, 239, 246 f., 435, 438, 440, 444, 448
Benrath, G. A. 365
Berger, H. 160, 185, 309
Berlière, U. 130, 132
Bermejo, L. M. 421
Berschin, W. 168
Bertagna, M. 392
Berthier, J. F. 501
Berthold, B. 161, 259, 280
Bertrams, W. 156, 200, 212, 237, 267, 292, 298, 302, 314-17
Besomi, O. - M. Regoliosi 245
Betts, R. R. 355
Beumer, J. 19, 420
Beyssac, J. 116 f.
Bezold, F. v. 201, 283, 355 f., 359
Bianco, F. J. v. 145.
Bickell, G. 345
Biechler, J. 437
Bihlmeier, K. – H. Tüchle 13
Bilderback, D. L. 14, 21, 50, 58, 72 f., 75-84, 86, 108-10, 152, 217, 236, 238, 243, 250, 255, 267, 271, 357
Billanovich, G. 245
Binder, K. 60, 72, 90, 270, 360, 365 f., 383, 388, 391 f., 394-96, 399-402, 406, 414, 438, 440 f., 443, 448, 468 f., 471
Binnebesel, B. 384
Binterim, A. 13, 332, 342, 344
Binz, L. 81, 234-36, 330, 335-37, 345-47
Birck, Martin 437, 446
Birck, Max 276
Birkenmajer, A. 171
Bischoff, B. 337, 451
Bittner, L. 15

Black, A. 1 f., 18-21, 24 , 25, 27-30, 33 f., 37, 46, 51, 57 f., 60, 72, 79-81, 83, 88-90, 92-94, 96 f., 99-102, 111, 122, 133 f., 136, 138-40, 142 f., 145, 149, 151-55, 169, 178, 188, 196, 200-02, 214 f., 230, 233, 267 f., 316, 352, 356 f., 361, 369, 388, 401, 409-11, 413, 415, 418, 420 f., 423, 425, 427 f., 430 f., 435-44, 446, 453-56, 464-66, 472, 474, 478, 484-90, 501
Blanko, F. 325
Blattau, J. J. 347
Blet, P. 55
Bliemetzrieder, F. P. 410
Bligny, B. 127
Blockmans, W. P. 191, 485
Bloesch, P. 393
Blust, M. S. 224
Boehm, L. 137
Boehm, W. 282 f.
Boelens, M. 336
Boner, G. 438 f.
Bonicelli, S. C. 335, 342
Bonjour, E. 157, 160
Bonmann, O. 439
Boockmann, H. 135 f., 173, 193, 264, 268-70, 275, 280 f., 283, 313, 443 f.
Bordeaux, M. 330
Borsa, M. 167, 171
Borst, A. 325
Bosl, K. 485
Bossuat, A. 226
Bottoni, D. 503
Boularand, E. 382
Bouverie Pusey, E. 388
Brandenstein, Ch. v. 275
Brandmüller, W. 11, 19, 42, 66 f., 95, 115, 184, 203, 224, 229, 253, 269, 330, 338, 341, 348, 405, 409, 438, 453, 462 f., 470, 472, 475, 487
Brandt, H. J. 136, 158, 276, 312
Braun, A. 131
Bressler, H. 24, 67, 83, 137 f., 143-48, 151 f., 155 f.
Bretholz, B. 359
Brieger, Th. 53, 144, 149
Brondy, R. 503
Brosius, D. 321 f., 446

Brown, E. A. R. 73
Brown, J. 452
Bruchet, M. 16, 233
Brumoy, s. Berthier
Bubenheimer, U. 426, 478
Buess, H. 165
Bugge, A. 272, 443
Bughetti, B. 125
Buisson, L. 102, 182, 199, 202, 212, 218, 410, 433, 472, 483
Bulst, N. 502
Burckhardt, J. 10, 173, 261, 307, 481
Burger, H. O. 502
Burie, L. 362, 441
Burleigh, M. 503
Burns, Ch. 39
Burns, J. H. 72, 104, 111, 156, 231-33, 489
Bursche, E. 265, 332, 335, 341, 350
Buyken, Th. 13, 172, 313, 315, 446
Bylina, St. 268, 329

Calisse, C. 316
Cam, H. M. 485
Cameron, J. K. 409
Campana, A. 436
Candal, E. 379, 471
Cant, R. G. 139
Cantera-Burgos, F. 247
Čapek, B. J. 355
Caravale, M. - A. Caracciolo 254
Carlé, Th. 163
Carlyle, R. W. und A. J. 489
Caro, J. 265, 268, 409
Cavigioli, J. D. 441
Cecconi, E. 77, 381
Cegna, R. 357
Célier, L. 343
Cellarius, Chr. 497
Cellarius, H. 321
Chachuat, G. 220
Chaix, G. 453
Châtelain, E., s. Denifle
Chaunu, P. 23, 83, 328
Chélini, J. 501
Chmel, J. 14, 145, 276, 307, 501

Chrimes, S. B. 489
Christianson, G. 13, 42, 116, 131, 357, 360, 374-76, 425, 435, 448, 466, 502, 504
Chroust, A. H. - J. A. Corbett 169, 447, 449, 451
Ciolini, G. 394, 396, 402
Clasen, S. 148, 392
Classen, P. 27, 94, 137, 150, 303
Clausen, P. 281, 443
Cnattingius, H. 405 f.
Cobban, A. B. 133
Coggiola, G. 258
Cognasso, F. 233 f., 237, 239, 245, 250, 253, 257, 260, 262-64
Cohn, W. 251, 374
Coissac, J. B. 139
Colberg, K. 124, 286
Collenberg, K. 124
Colomer, E. 447
Combes, A. 391
Congar, Y. (M. J.) 68, 88 f., 124, 366, 370, 374, 408-11, 414, 418, 423, 428, 432, 439, 448, 453-55, 460, 465, 478, 483, 485, 504
Contamine, P. 182
Cook, W. R. 228, 359-61, 365, 367 f., 371
Cornaggia-Medici, G. 94, 260, 262
Cornaz, E. 235, 311
Cosneau, E. 177, 203
Coulet, N. 117, 335
Courtenay, W. J. 417
Coville, A. 374, 400, 435
Creighton, M. 9, 13, 26, 78, 139, 314, 353, 356
Cren, P. R. 33
Creytens, R. 120, 443, 448
Crompton, J. 363
Crowder, C. M. D. 179, 194
Cutolo, A. 252

D'Agostino, Fr. 437
Dahyot Dolivet, J. 218
Dalham, F. 345
Dallemagne, A. 117

D'Amico, J. F. 480
Dannenbauer, H. 93, 95, 98, 150, 281, 332, 338, 341
Daris, J. 112
Dax, L. 137
Décarreaux, J. 172
Decker, W. 40, 72, 112-20, 163, 209, 252, 258, 260, 262 f., 287, 338, 466 f.
Degler-Spengler, B. 129
De la Brosse, O. 478 f., 482
Delaruelle, E. 13, s. DLO
Della Torre, A. 255
Dell'Osta, R. 114
De Luca, L. 453
Delumeau, J. 252, 341
Demotz, B. 236
Dempf, A. 435, 439
Denifle, H. – E. Châtelain 142, 151
Denzinger, H. 11, 394
Denzler, G. 336, 409, 453
Dephoff, J. 15 f., 18, 35, 39-41, 43-45, 56, 60, 85, 98, 128
De Rinaldis, G. 258
Dessart, H. 75, 107 f., 112, 163, 209, 222-227
Deus, W. H. 276
De Witte, Ch. M. 247 f.
Díaz, G. 396
Di Camillo, O. 247
Dickinson, J. G. 177, 185 f., 224
Dickinson, W. C. 231-33
Diemar, H. 42
Diener, H. 86, 120 f., 141, 438, 446
Dieterle, K. 250, 252
Dietze, U. v. 223
Dini Traversari, A. 172
Ditzsche, H. 327
Delaruelle-Labande-Ourliac (= DLO) passim
Dobiaš, F. M. 361
Dobhan, U., s. Smet-Dobhan
Dobson, R. B. 503
Dölger, F. 375
Döllinger, J. J. Ig.v. 12, 63, 243, 337, 444, 461, 468
Dohna, L. Gf. zu 282 f., 327
Dombrowski, L. 268-70

Dondaine, A. 168
Dopsch, H. 111, 307, 317, 320
Doren, A. 282 f.
Doucet, V. 392
Drabina, J. 108 f.
Droege, G. 274, 276, 286
Drouot, H. 219, 221
Droysen, J. G. 9, 273, 282, 354, 356
Du Boulay, C. E. 142 f., 440, 455
Duda, B. 366 f.
Dühren, H. v. 332
Du Fresne de Beaucourt, G. 203, 207, 210, 216
Duggan, L. G. 329
Dunlop, A. I. 231 f.
Dupont, J. 428
Dupré Theseider, E. 239 f., 245
Dworak, M. 276
Dykmans, E. 482

Eberhard, W. 329
Eberstaller, H. 144, 442
Eckermann, K. 67, 90, 97, 99 f., 102, 287, 399, 408, 416, 422, 431, 435 f., 440 f., 444, 447, 469
Eckermann, W. 379, 394-96, 498-402, 443
Eckert, W. P. 336
Eckhardt, A. 201
Eckstein, A. 50, 52-54, 120, 155, 164, 234, 244, 264, 333, 376
Eder, K. 329
Ehrensperger, F. 165, 250
Ehrle, F. 150, 372
Elm, K. 64, 121, 123, 129-32, 167, 329 f.
Elsener, F. 234, 236
Emden, A. B. 502, s. Rashdall-Powicke-Emden
Emmen, A. 388
Engel, J. 55, 179, 183, 199, 253, 315 f., 341, 349, 496 f.
Engelbert, P. 130
Engels, O. 47, 68, 97, 183, 280, 286, 324, 426, 443, 475 f.
Epiney-Burgard, G. 136, 418
Ercole, F. 97, 484

Erler, A. 59, 62, 153, 322
Erler, G. 409
Ernst, F. 55
Esch, A. 252, 256
Escher, K. 438
Eubel, K. 121, 128, 188 f., 190-92, 234, 249, 267, 321
Ewig, E. 97, 447

Fabisz, S. F. 503
Falcone, P. 236, 242 f., 250, 445
Fasolt, C. 444
Falk, F. 277
Faraglia, N. F. 206, 210, 240, 252
Faust, W. 163
Favale, A. 9, 409
Fédou, R. 164, 201
Feine, H. E. 119, 212, 289, 299, 302, 314 f., 317
Fenske, H. D. 490
Fenton, J. 441
Ferguson, J. 55, 104, 224
Fernández Ponsa, R. 247
Ferreira, J. A. 249
Fiala, F. 234, 503
Figgis, J. N. 410, 460, 483 f., 488
Fijalek, J. 142 f., 265, 268
Fink, K. A. 11, 13, 26, 52, 121, 137, 167, 238, 255, 260, 269, 273, 332, 348 f., 351, 353, 356, 409, 413, 417, 426, 483
Finke, H. 47, 50, 238, 315, 445
Fita y Colomer, F. 392, 444
Flathe, Th. 311
Fleury, J. 440
Flick, A. C. 501
Foffano, T. 119, 191, 227, 502
Fois, M. 11, 240 f., 243 f., 246, 250, 273, 382, 460, 470, 475
Folz, R. 314, 320
Fontenay, s. Berthier
Forstreuter, K. 265, 269 f.
Fowler, K. 225
Frank, B. 130
Frank, I. W. 103, 124, 126 f., 129, 143-46, 148, 155 f., 174, 195, 198, 200 f., 294, 315, 332, 350, 409, 426, 428, 443, 448, 453, 472, 475-77

Frank, K. S. 131
Franklin, J. H. 489
Franz, G. 201
Franzen, A. 412 f., 415
Friebe, M. 138, 362
Friedrich, J. 12, 455, 467
Friemel, S. 365, 396, 399
Frind, A. 359
Froböss, J. 471
Fromherz, U. 7, 77, 82, 93, 97, 141, 235, 286, 289, 356 f., 379, 388, 400, 406, 438 f.
Fubini, R. 166, 169 f., 254 f.

Gabriel, A. L. 134 f., 143, 146, 150, 156
Gadamer, H.G. 401
Gadave, R. 141
Gamberoni, P. 168
Gams, P. B. 238, 247
Ganoczy, A. 484
Ganshof, F. L. 55, 73
Ganzer, K. 30 f., 453
García Miralles, M. 114
García Villoslada, R. 238 f.
Garin, E. 169, 171
Gasquet, F. A. 226
Gaudemet, J. 30, 501
Gaullieur, E. H. 237
Gaussin, P. R. 208
Gauthier, L. 220
Gazzaniga, J. L. 204 f., 212 f., 330, 342, 481
Geanakoplos, D. J. 10, 12, 373, 377 f.
Gebhardt, B. 298, 314, 321, 346
Geering, T. 165
Geiger, G. 163
Genet, J. Ph. 502
Gerber, H. 161, 259, 309
Gerest, R. C. 332
Germain, A. 204
Gerz von Büren, V. 129
Gierke, O. v. 455, 483 f., 488
Gieseler, J. C. L., 501
Gill, J. 12, 35, 46, 73, 78, 80, 153 f., 200, 211, 230, 249, 254-56, 323, 332, 353, 373 f., 377, 379, 382

Gilles, H., s. Ourliac-Gilles
Gilomen, H. J. 16, 42, 53, 234, 432
Gilomen-Schenkel, E. 86, 165, 235, 284
Gindele, E. 398
Giner Guerri, S. 460
Girgensohn, D. 114, 119, 137 f., 263
Glorieux, P. 136, 450, 464
Görres, J. v. 175
Gössmann, E. 150
Göth, I. - E. Schwab, 353
Goldbrunner, H. 172
Gómez-Canedo, L. 307, 314
Goñi Gaztambide, J. 108, 237-43, 245-47, 385, 439, 444, 448
Gonthier, J. F. 234
González, J. 439
Gottschalk, A. 260 f., 284, 286-88, 466
Gotwald, W. K. 333
Grabmann, M. 447, 449
Grabski, A. F. 265 f.
Graf, G. 353 f.
Grailly, F. 164
Grant, A. 231
Grass, N. 350, 425
Gratien, F. 405
Graus, F. 324 f., 328 f., 353 f., 356
Grayzel, S. 336
Gregel, J. Ph. 299
Gregorovius, F. 254 f., 372
Grévy-Pons, N. 324
Griffiths, R. A. 226
Grillmeier, A. 453
Groshaeny, J. P. 191
Grossé, L. 264
Grüneisen, H. 220, 223
Grundmann, H. 84, 94, 283
Guelluy, R. 136
Guenée, B. 55, 65, 94, 179, 194 f., 199, 205, 283, 324, 326, 355, 436
Guenée, S. 139, 142
Günther, O. 108
Guillemain, B. 227
Guiraud, J. 253
Guizard, L., s. Artonne
Gutiérrez, D. 126, 394, 397

Gutiérrez, L. A. 329
Guttenberg, E. v. 275

Haas, P. 254, 314
Habermas, J. 31
Haendler, G. 409
Hänggi, E. 412, 464
Hagenbach, K. R. 11
Hagge, B. D. 443
Hain, St. 265-67
Halkin, L. E. 190
Hallauer, H. 344, 362, 368, 370
Haller, J. 2, 12-16, 22, 45, 51 f., 78, 82 f., 85, 94, 100, 107, 111, 126, 153, 168, 173, 182 f., 193 f., 200, 202 f., 206-08, 210-13, 215, 224, 227, 230, 236, 240, 249, 256-58, 281, 284, 294, 303, 327, 331 f., 337-39, 341, 351, 409, 436, 438 f., 446, 502
Halporn, B. 452
Hamm, B. 504
Hanna, C. 18, 45, 50 f., 59, 73, 75, 82, 87, 107-12, 127-29, 151, 163, 189, 192, 293, 295, 298, 376
Hannay, R. K. 231 f.
Hansen, J. 193, 276, 312
Hart, J. T., 503
Harth, H. 169-71
Hartmann, W. 88
Harvey, M. 228
Hasenohr, W. 445
Hashagen, J. 93, 103, 194, 200, 315, 477
Hassinger, E., 501
Haubst, R. 140, 149, 349, 392, 401, 416 f., 437, 445, 447, 449, 453 f.
Hauck, A. 20, 88, 353 f., 409, 501
Hay, D. 250, 253, 344, 349
Head, C. 226, 230
Heck, R. 268
Heers, J. 335
Hefele, K. J. v. 7 f., 353
Hefele, K. J. - H. Leclercq 12, 124, 164, 172, 212, 255, 298, 314, 353, 360, 373, 383, 405, 471, 482
Heimann, H.-D. 276, 311 f., 329, 331

Heimpel, H. 18, 98, 113, 121, 125, 129, 134 f., 137, 183, 190 f., 200, 211, 234, 259, 268, 273, 275, 280-82, 286, 292 f., 322-26, 336, 338, 340, 358, 374, 415, 435, 444

Heinz-Mohr, G. 88, 437

Helmrath, J. 212, 254, 304, 350, 432, 450, 481, 503

Hendrix, S. 352 f., 366, 368, 397, 409

Hennig, B. 275, 313, 317

Hennig, J. P. 297

Henze, A. 69

Hergenröther, J. 13, 461

Hermelink, H. 167

Hernández Montes, B. 16, 368, 379, 388, 438 f.

Herre, H. 14-16, 120, 234, 258, 260, 285, 308-10, 383, 438, 452

Heyck, E. 382

Heymann, F. D. 357, 360

Hieronimus, K. W. 393

Hiersemann, M. 283 f.

Hiksch, J. 277, 280

Hilderscheid, H. 321

Hildesheimer, E. 234

Hill, G. 180

Hillgarth, J. N. 238

Hinschius, P. 13, 302, 333

Hintze, O. 484

Hirsch, K. 413

Hoberg, H. 253, 321

Hödl, G. 165, 181, 183 f., 187, 276, 280, 297

Hödl, L. 36, 425, 447, 487

Höflechner, W. 55

Hofer, J. 124, 222, 362, 449, 502

Hofmann, G. 167, 230, 374, 379, 382, 444 f.

Hofmann, H. 29, 89, 91, 352, 409, 413, 437, 453 f., 456, 459, 483, 487, 490

Hofmann, L. 354

Hofmann, W. v. 35, 38, 85

Holeton, D. R. 504

Hollnsteiner, J. 19, 200, 211, 415

Holmes, G. A. 256, 357, 501

Honecker, M. 337

Hoór-Tempis, I. 286

Hopfner, M. 344

Hoppeler, G. 125

Horix, J. B. 299

Hommey, J. 450

Horst, U. 422, 435, 441, 448, 467, 478 f., 482 f.

Hottinger, J. H. 11

Hotz, R. 10

Hoyer, S. 353

Hubalek, F. 132

Hudson, D. 483

Hübler, B. 302, 332, 338, 346

Hühns, E. 280 f.

Hürten, H. 67, 89, 94, 139, 289-91, 293, 298-302, 304-06, 314, 318, 333, 342, 346 f., 459, 464, 466, 469, 472, 476

Hufnagel, O. 192, 276

Hugelmann, K. G. 292, 324

Huizing, P. 404, 410

Huizinga, J. 406

Hullu, J. de 191

Hunt, R. W. 375

Ijsewijn, J. - J. Paquet 59, 133, 242

Imbach, R. 442

Imbart de la Tour, P. 212, 330

Irsigler, F. 276, 283

Iselin, J. Chr. 450

Isenmann, E. 161

Izbicki, T. M. 106, 174, 177, 435, 441, 471, 504

Jacob, E. F. 28, 34, 224-26, 228, 360 f., 364 f., 370, 378, 408, 438, 440, 484

Jager (Mgr.) 501

Jähnig, B. 269 f.

Janson, U. 392

Janssen, J. 331

Jaroschka, W. 427, 442 f., 445, 465

Jedin, H. 2, 11, 13, 28, 78, 97, 113 f., 126, 129, 143, 156 f., 180, 200, 294, 331 f., 334, 337, 341, 348-51, 397, 409, 415, 430, 432, 435 f., 463 f., 468, 470, 472, 477-82

Jiménez, A. 139

Joachimsohn (= Joachimsen), P. 20, 192, 273, 277, 293, 322

Johanek, P. 98, 277, 343 f., 504
Johnson, J. T. 182
Jones, Ph. J. 251
Jongkees, A. G. 191, 213, 219-22
Jullien de Pommerol, M.-H. 141
Junghans, H. 144, 414
Jungmann, B. 501

Kaegi, W. 10, 307, 481
Kaemmerer, W. 276
Kaeppeli, Th. 440, 443
Kagelmacher, E. 260
Kaiser, A. 69
Kaiser, H. 320
Kalivoda, R. 355
Kallen, G. 97
Kalogeras, N. 373
Kałuza, Z. 388, 392, 406, 441, 446
Kaminsky, H. 61, 361
Kantorowicz, E. H. 440, 483
Karajan, Th. G. v. 15
Karasek, D. 276
Karnbaum, A. 290, 292
Karpp, H. 159 f., 418
Kaufmann, G. 138, 143, 146 f., 155
Kay, R. 18
Kehrberger, E. O. 342, 344-46
Keil, G. 160
Kejř, J. 355, 361, 365, 504
Kellner, K. A.H. 383
Kemp, E. W. 344, 404 f.
Kéry, B. 69, 286
Kessler, E. 170, 425
Keussen, H. 45, 138, 144-46, 148 f.,
    151, 155, 242, 249, 446 f.
Keute, L. 453, 476
Kibre, P. 22, 47, 155
Kiessling, R. 59, 163, 329
Kirchgässner, F. 167
Kirshner, J. 256
Kisch, G. 160, 445 f.
Klapper, J. 127, 392
Kleber, H. 187
Klein, C. 68
Klein, H. 259
Kleineidam, E. 124, 127, 144, 362,
    443

Kloczowski, J. 142, 268, 503
Kluckhohn, A. 184, 187, 277, 279
Knecht, R. J. 212
Kneer, A. 413
Knoll, P. W. 138, 142 f., 146, 266, 268
Knowlson, G. A. 218
Koch, Chr. W. 299, 302 f., 306, 314
Koch, J. 349, 437
Koch, M. 260
Kochan, B. 108, 131, 302, 332, 344 f.
Koczerska, M. 267
Köhle, K. 19, 34
Köhler, J. 7
Köhler, W. E. 351, 393
Kölmel, W. 483, 488
König, E. 113
Königer, A. 192
Koep, L. 18
Koeppen, H. 269 f.
Kohut, K. 247, 448
Koller, G. 59, 126, 151, 297, 448
Koller, H. 161, 192, 275, 280-85, 307
Komarek, H. P. 137
Kopelke, O. 68
Korolek, J. B. 441
Korth von der Harff, L. 194
Kortzfleisch, S. v., s. Rengstorf
Koselleck, R. 329
Kot, S. 265
Kottje, R. 194
Kozicka, J. 268
Krabbe, O. 144
Krämer, W. 23, 28, 31, 34, 36, 38, 42,
    73, 77 f., 82, 89-94, 97, 100, 102,
    113, 116, 119 f., 141, 172, 211, 282,
    286, 304, 332-35, 338-42, 357 f.,
    360, 362, 364-71, 374-80, 395, 399,
    401 f., 409, 411-16, 419-21, 423,
    425-27, *431-34*, 435-40, 442-46,
    448-50, 452-56, *459*, 462-73, 475,
    485, 488
Kraft, E. 280 f., 283
Kramml, J. 503
Kraus, J. 162 f.
Kraus, V. v. 273, 289 f., 313
Krchňák, A. 360, 366, 374
Kretschmayr, H. 257

Kristeller, P. O. 167 f.
Krofta, K. 353 f., 359
Krynen, J. 97, 178, 188, 198, 324
Kubalik, J. 366
Küchler, W. 238, 240, 242
Kühn, D. 68
Küng, H. 88, 409, 412 f., 460, 470
Küppers, W. 453
Kuksewicz, Z. 142
Kunzelmann, A. 126
Kurze, D. 81, 330

Labande, E. R. 13, s. DLO
Labande, L. H. 164, 206
Laboa, J. M. 435
Lacaze, Y. 177, 185, 220, 223, 236, 325, 357
Ladner, G.B. 327
Ladner, P. 52, 129, 131, 362, 376, 423, 425, 441 f., 466 f., 469, 504
Laehr, G. 245
Lagarde, G. de 453
Lampe, K. H. 52, 269
Lamprecht, K. 9
Landi, A. 478, 504
Lang, A. 386, 389 f.
Lange, A. 69
Lange, H. 137
Lanhers, Y. 212
Laski, H. J. 67, 484, 488
Laslowski, E. 52 f., 269
Lasocki, S. 185 f., 268
Laufs, A. 161, 280
Laurent, V. 246
Lazarus, P. 15 f., 18, 21-25, 28, 30, 34 f., 39-42, 44 f., 47-53, 59 f., 70, 73, 78-82, 85, 119, 152-54, 165, 205 f., 229, 250, 252, 263-65, 279, 322, 374, 376, 466, 474
Le Bachelet, X. M. 383, 393
Le Bras, G. 137
Lechleitner, O. 193, 320
Lechler, G. H. 351
Lecler, J. 112, 478
Leclercq, Dom H., s. Hefele-Leclercq
Leclercq, J. 74, 122, 129, 204, 397, 436
Lecoy de la Marche, A. 207

Lefebvre, Ch. 440
Leff, G. 398
Le Goff, J. 137
Leguai, A. 177, 203
Lehmann, Michael 8, 19, 21 f., 27, 34, 57 f., 65, 70, 72-75, 78-82, 84, 104 f., 108-10, 122, 137, 152-54, 157, 163, 194, 203, 218, 229, 231, 233, 236, 238, 243, 247, 249-51, 271, 277, 285, 417
Lehmann, P. 165, 173 f., 358, 399
Leidl, A. 373-79, 381-83
Leinweber, J. 108, 130, 333, 335, 342-45
Lenfant, J. 8, 12, 353
Léonard, E. 252
Lepszy, K. 174
Leuschner, J. 187
Lewis, P. S. 201, 205, 215
Lhotsky, A. 130, 176, 271, 297, 307 f., 362, 392, 442 f.
Lickteig, F. B. 127
Liebenau, Th. v. 14
Lieberich, H. 135, 278
Lilienkron, R. v. 68
Lindhardt, P. G. 271
Lindner, Th. 272, 354
Lipburger, P. M. 298, 307
Lippens, H. 124, 222
Lochman, M. 10
Loebel, H. 234, 280 f., 338, 443
Löhr, G. 144, 443
Lohse, B. 352
Longpré, E. 406
Longueval, s. Berthier
Lortz, J. 330, 332, 352, 417
Loserth, J. 273, 352, 369
Loomis, L. R. 47
Losi, L. 256 f.
Losman, B. 102, 111, 271 f., 325, 405
Lousse, E. 485
Lubac, H. de 440
Luciani, A. G. 118
Lückerath, C. A. 265 f., 269-71
Lulvès, J. 113
Lumpe, A. 453
Luppi, S. 501

Luscombe, D. 418
Lutz, H. 500
Lytle, G. F. 136

Maccarrone, M. 368, 370, 382, 394,
　397, 410, 436, 441
Maček, J. 355, 369, 481
Machilek, F. 108, 331, 357, 359, 368
Madre, A. 362, 368, 391 f.
Maffei, D. 245
Mahieu, B. 191
Mahr, M. 276
Maier, A. 135
Maigret, M. 59
Maillet-Guy, L. 128, 193, 204
Maleczek, W. 185, 187, 220, 276
Mallet, E. 234
Mályusz, E. 286
Manger, H. 234
Manns, R. 289
Mansi, J. D. 452
March, J. M. 438
Marchal, G. P. 16, 18, 45, 271, 325 f.
Marcocchi, M. 330
Marcos Rodríguez, F. 448
Maresch, L. 355
Maret, H. L. Ch. 461
Margull, H. J. 11
Marie José 16, 190, 234-37
Marino, E. 169, 254
Marongiu, A. 483, 485
Marschall, W. 53, 59, 72, 108, 144,
　149, 344, 357, 359, 418, 472
Martin, H. 504
Martin, J. J. 409
Martin, V. 134, 206, 210, 212, 303,
　332
Marx, H. J. 374
Maschke, E. 503
Masius, A. 172
Masolivier, A. 214, 385
Massi, P. 424
Mastroiani, F. F. 91
Mastropierro, F. 69, 167, 182
Mathies, Chr. 285
Matthiessen, W. 502
Mattingly, G. 55

Maurer, E. 314, 332
Mauricio, D. 239
May, J. 453
McCready, W. D. 410
McDougall, N. 232
McFarlane, K. B. 225 f.
McGrath, A. E. 397 f.
McIlwain, C. H. 485
McKeon, P. R. 24
McLaughlin, M. M. 22, 27, 94
Meersseman, G. 124-26, 388, 441, 445
Mehl, J. V. 453
Meier, L. 124, 127, 362 f., 392
Meijknecht, A. P. J. 14, 34, 127, 447
Melville, G. 325
Mencken, I. B. 293
Menéndez-Pidal, R. 238, 246
Menozzi, D. 425
Meo, S. 384
Mercati, A. 237, 267, 314
Mercati, G. 375, 436
Merkle, S. 15
Merlin, J. 452
Mertens, D. 127, 268, 478
Merzbacher, F. 88, 340, 411, 417, 432,
　487, 489
Meuthen, E. 7, 10 f., 13, 15 f., 20, 22,
　29-31, 35, 38, 41-45, 47 f., 50, 55,
　57-61, 64, 67, 69, 73 f., 77, 79 f., 82,
　84, 86-92, 98-100, 106, 116-18, 120,
　125, 133, 136, 139, 157, 175 f., 178 f.,
　181 f., 190-94, 197, 201, 241, 243,
　253, 273 f., 277 f., 282, 286, 293,
　297 f., 304 f., 307, 310, 315-17, 321,
　330-32, 337 f., 340, 342-44, 348-50,
　352, 356 f., 359, 362, 367, 374 f.,
　379 f., 388, 409, 411, 414-16, 418,
　421, 424, 426-29, 432, 434 f., 437,
　439 f., 444, 446, 448-53, 455 f., 459,
　463 f., 466, 468-70, 472-74, 476,
　478, 481, 485, 487, 490 f.
Michel, W. 299, 314, 318, 320 f.
Miethke, J. 65, 77, 79, 82, 113, 118,
　120, 124, 133-35, 152-56, 173 f.,
　332, 410, 412, 419, 426, 436, 440,
　444 f., 449, 451, 453, 479
Miglio, M. 254
Mikat, P. 315, 350

Miller, I. 108, 111, 135, 190, 192, 207, 216, 223, 235, 261, 286, 296, 306, 308-13, 321
Miller, M. C. 80
Millet, H. 80
Minguella y Arnedo, T. 118
Minnich, N. H. 482
Mirbt, C. 314, 318
Mirus, J. A. 472
Mischlewski, A. 74, 122 f., 128, 193
Miskimin, H. A. 206, 212
Mochi Onory, S. 94, 483
Modigliani, A. 436
Möhler, J. A. 7
Moeller, B. 96, 121, 199 f., 330 f., 348, 374
Möllmer, K. 438
Mörsdorf, K. 302
Mösl, S. 382
Mohler, L. 167, 373, 378
Molina Melia, A. 441
Molitor, E. 280 f.
Mollat, G. 112, 233, 235
Mollat, M. 54
Molnár, A. 361, 368, 504
Mommsen, K. 283 f.
Mongiano, E. 54, 234 f.
Moorman, J. R. H. 127
Moraw, P. 61, 133-35, 164, 177, 273 f., 280, 284 f., 322, 501
Morawski, C. 142 f., 159, 265, 267 f., 348
Moreau, E. de 140, 152, 219, 221
Morpurgo Castelnuovo, M. 502
Morris, E. S. 424
Morissey, Th. E. 460
Mortier, A. 126, 129
Moulin, L. 30, 46
Mousnier, R. 488
Moynihan, J. M. 410
Mückshoff, M. 385, 388, 391
Mühll, Th. von der 12, 69, 165, 187, 234
Müller, A. V. 397
Müller, E. 332
Müller, H. 7 f., 14, 16, 45, 59, 61, 63, 69, 97, 104, 108, 110, 117, 128, 134 f., 151, 164, 178, 191, 200, 202-04, 206-11, 214, 217, 224, 273, 311, 432, 445 f.

Müller, K. 501
Müller, Winfr. 130, 132, 160, 174
Müller, Wolfg. 68
Mugnier, F. 374
Mulder, W. 447
Muldoon, J. 247
Muralt, E. v. 14

Naz, R. 317
Neal, F. W. 316
Neidiger, B. 129, 329, 502
Neitzert, D. 42, 59
Neumann, A. 129, 165, 354, 357, 362, 446
Nickles, Chr. 129
Nicholson, R. 231
Niero, A. 249 f., 257-59
Nodari, A. 230
Nöldeke, E. J. 106, 156, 203, 206, 211-15, 222, 296, 298
Nörr, K. W. 34, 88, 90 f., 112, 422, 440, 451
Nonn, U. 50, 324
Nořízowa, B. 369
Novalis 498
Nyberg, T. 272, 405 f.

Oakley, F. 13, 200, 409, 412, 440, 449, 478-80, 482, 484, 488-90
Oberman, H. A. 150, 182, 322, 351, 393, 397 f., 409, 417, 437, 480
Obertýnsky, Z. 266
O'Connor, E. 383, 385
Odložilík, O. 359 f.
Oediger, F. W. 84, 156, 194
Olesen, J. E. 271 f.
Olivárez, E. 428
Olivier, D. 352
O'Malley, J. W. 173, 349, 480
Onofri, L. 169, 254
Oppel, J. W. 94
Osio, L. 260, 269
Ottenthal, E. v. 340
Ourliac, P., s. DLO, 13, 22 f., 26, 34 f., 46, 60, 62, 65, 67, 73, 78, 88, 105, 115, 134, 136, 197, 200, 205, 212 f., 238, 254, 273, 337, 417, 419, 436, 440, 445, 477, 480, 489, 493
Ourliac, P. - H. Gilles 440, 445, 480

Ouy, G. 175
Ozment, St. 13, 156, 328, 330, 398, 409

Pacaut, M. 429
Palacký, Fr. 14f., 103, 161, 175 f., 353 f., 359, 438
Palacz, R. 133, 268
Palazzini, R. 344
Palma, J. M. 388
Paquet, J., s. Ijsewijn-Paquet
Paravicini, W. 297
Paredi, A. 166, 170, 263
Partner, P. 253, 255 f., 262
Paschini, P. 253 f.
Pascoe, L. B. 91, 124, 134, 136, 327, 502
Pastor, L. v. 13, 34, 78, 113 f., 118, 131, 139, 166, 169, 197, 211, 233, 240, 253-55, 262, 264, 267, 293, 312, 349, 353, 406, 477, 481
Pasztor, E. 117
Pater, J. 334
Patschovsky, A. 355, 407
Patterson, W. B. 483
Paul, U. 50
Paulhart, H. 129
Paulová, M. 371
Paulus, N. 52 f.
Penna, M. 325,
Perarnau, J. 120, 448
Pereira de Figueiredo, A. 248
Peri, V. 11, 88
Pernthaler, P. 453
Pérouse, G. 13 f., 40-42, 45, 47, 52, 60, 62, 67, 82, 115, 117, 121, 164, 166 f., 169, 172, 201 f., 216, 233 f., 244, 264, 270, 307, 374, 404, 471 f.
Pesce, L. 374, 446
Pesch, O. H. 352
Peters, K. 454
Petersohn, J. 61, 481, 502-04
Petraglione, G. 171
Petri, F. 223
Petrin, S. 357
Petry, L. 59
Peuckert, W. E. 327, 501

Pfändtner, B. 69
Piaget, A. 69
Piaia, G. 414
Piana, C. 140
Pieradzka, K. 142, 267
Pilati, G. 247
Piolanti, A. 395
Pispisa, E. 397
Pleyer, K. 213, 216, 222, 255, 272, 317
Pocquet Du Haut Jussé, B. A. 102, 217 f.
Podlech, A. 453
Pölnitz, S. Frh. v. 192, 330, 345
Poensgen, G. 147
Polišenski, J. V. 361
Pollard, A. J. 226, 488
Polman, P. 351, 353, 453
Pontal, O. 344 f.
Pontieri, E. 240
Post, G. 483
Post, R. R. 72, 191
Posthumus Meyjes, G. H. M. 136, 414, 418, 465
Poudret, J. F. 234
Powicke, F., s. Rashdall-Powicke-Emden
Preiswerk, E. 40, 106, 119, 172, 197, 206, 214, 240-44, 263, 289, 298, 472
Prinz, F. 504
Proaño Gil, V. 424, 441
Prodi, P. 504
Prokeš, J. 354 f., 359
Prosdocimi, L. 260, 262
Pückert, W. 177, 189, 192, 272 f., 276, 289-91, 293, 295, 298, 300-03, 309, 314, 317

Queller, D. E. 55, 73
Quicke, F. 220
Quidde, L. 274
Quirin, H. 275, 307 f., 312 f., 317

Raab, H. 112, 289, 291, 298 f., 305, 314 f., 317 f., 320, 475
Rabe, H. 347
Rabut, F. 252, 374

Radford, L. B. 226
Rahner, K. 88
Ranke, L. v. 9, 314 f., 327
Rankl, H. 131, 187, 192, 277-79
Rapp, F. 129, 316, 324, 327, 330 f., 351
Rashdall, H.-F. Powicke - A. B. Emden 24, 133
Ratzinger, J. 88, 455
Raumer, F. v. 18, 288, 351
Rausch, H. 484
Rechowitz, M. 268
Redlich, V. 125, 130, 157, 159 f., 168, 171, 174
Reeves, A. 177
Regoliosi, M. 245, 249
Reid, W. St. 231
Reinhard, W. 347
Reinhardt, R. 254
Reiter, E. 333, 342, 344-46
Renaudet, A. 13
Rengstorf, K. H. - S. v. Kortzfleisch 336
Repgen, K. 176
Reuter, H. 112
Richer, E. 490
Richter, G. 317
Richter, O. 18, 20, 45, 74
Riedlinger, H. 375, 386, 420, 461 f.
Riegel, J. 80, 153
Riemeck, R. 501
Riesco Terrero, A. 246
Ringel, I. H. 135, 275-77
Ritter, G. 139, 145, 149 f., 371, 416, 447
Ritter, M. 425
Robinson, R. P. 173
Robles, L. 120
Rocquain, F. 9
Rodes, R. E. 224
Ronsin, A. 108, 204
Roover, R. de 52, 227, 256 f.
Rossmann, H. 127, 151, 160, 171, 192, 278, 392, 445, 448 f., 456
Roth, P. 12
Rubi, B. de 385
Rudt de Collenberg, W.H. 119, 121, 180, 237
Rücker, N. 212, 298, 300, 302-05

Rueger, Z. 71, 414, 490
Rüegg, M. A. 54
Ruffini, E. 501
Russo, A. 502
Ryder, A. F. C. 240 f., 245

Sabbadini, R. 166, 170, 173, 263, 380 f.
Sabine, G. H. 489
Sach (Dr.) 53
Sägmüller, J.-B. 114, 444
Šagi Bunić, T. J. 367
Sagües, P. 203
Salmon, P. 335
Salvini, J. 213
Samaran, Ch. 203
Sammut, A. 171, 226-28, 230, 263
Sanjek, F. 90, 360, 366 f., 377, 415, 427, 438
Santiago-Otero, H. 439, 444
Santinello, G. 414
Santoni, P. 208, 388
Sauter, G. 453
Savio, C. F. 117
Sawicki, J. Th. 117, 344
Sbriziolo, L. 139
Scarpatetti, B. M. v. 129
Schäfer, C. 97
Schannat, J. Fr. - J. Hartzheim 342
Scharla, K. 59, 164
Schatz, K. 432, 468
Scheeben, M. J. 461
Scheffels, G. 97, 160
Scherbaum, E. 362
Scheuffgen, F. J. 97
Scheurkogel, J. 133
Schiel, H. 175
Schiff, O. 260
Schimmelpfennig, B. 18, 322, 336, 451, 503
Schlecht, J. 481
Schlosser, F. Chr. 9
Schmaus, M. 428
Schmidinger, H. 97, 235, 277, 324, 443
Schmidt, Ad. 74, 321
Schmidt, Al. - H. Heimpel 191
Schmidt, H. 161

Schmidt, M. A. 377, 382
Schmidt, Ph. 125, 174, 375, 380, 399, 438, 449
Schmidt, V. 125
Schmitdinger, J. 184, 191, 193
Schmitt, E. 490
Schmitt, M. A. 447
Schmugge, L. 324
Schneider, F. 177, 181, 185
Schneider, H. 6, 10 f., 39, 156, 166, 299, 351 f., 353, 408, 411, 460-64, 475, 477 f., 501
Schneider, J. P. 145
Schneyer, J.-B. 16, 444
Schnith, K. 357
Schnürer, G. 501
Schochow, L. 290
Schoeck, R. 482
Schönbauer, M. E. 303
Schönenberger, K. 15
Schofield, A. N. E. D. 13, 22, 30, 54, 77, 104, 106, 125, 195, 224-31, 273, 359
Scholten, R. 276
Scholz, R. 169, 410, 425
Schott, C. 97
Schreiner, K. 91
Schröcker, A. 324
Schubert, E. 133, 274, 324
Schubert, F. W. 485
Schüssler, H. 135, 365, 390, 397, 414, 420-24, 436, 440, 448, 451
Schuler, M. 19, 70
Schulte, J. F. 8, 445 f.
Schulte, L. 108 f., 156
Schumann, S. 47
Schwab, E., s. Göth
Schwaiger, G. 332, 344 f., 409
Schwarz, B. 112, 213, 218, 222, 245, 248, 253, 267, 312, 314, 316, 320
Schwarz, J. 138, 144
Schweizer, J. 13, 34, 60, 157-60, 164, 190, 241, 243, 374, 440
Schwob, A. 68
Sebastian, W. 384, 393
Seeberg, R. 409
Segre, A. 14, 190, 236

Sehi, P. M. 124
Seibel, F. X. 363
Seibt, F. 327-29, 355, 360, 503
Seidlmayer, M. 168, 410
Seńko, W. 268
Seppelt, F. X. 13, 108
Sericoli, C. 393
Serrano, L. 247
Setton, K. M. 183, 266, 357, 374, 371
Setz, W. 242, 244 f.
Shaw, D. 231, 233
Sieben, H. J. 11, 27, 38 f., 88, 90, 120, 175, 334, 359, 363, 369 f., 401, 409, 412, 414, 421-25, 427, 429 f., 433, 435 f., 438-40, 442-49, 451, 453, 455 f., 465, 478 f., 486, 501
Sieberg, W. 18, 22 f., 34, 41, 45, 54 f., 56, 106 f., 160, 168, 181, 185, 229, 280, 322 f., 324, 357, 359, 364, 374, 377, 381, 417
Sigmund, P. E. 281, 414, 418, 437, 453, 490
Simeoni, L. 250
Simonsohn, M. 336 f.
Simson, P. 52, 269
Skalweit, St. 350
Skarsten, T. R. 409
Skelton, R. A. - Th. E. Marsten - G. D. Painter 503
Skinner, Q. 409, 490
Slavin, A. J. 488
Šmahel, F., 504
Smend, R. 281
Smet, J. - U. Dobhan 127, 191
Smirin, M. M. 201, 280
Smith, C. E. 141
Smith, M. T. 69
Smolinski, H. 97, 436
Söderberg, V. 185, 271, 325
Söll, G. 383, 389-91, 393
Soldi Rondinini, G. 114
Sorbelli, A. 47
Sottili, A. 59, 170, 172
Sousa Costa, A. Domingues de 94, 248 f., 444
Spätling, L. 122, 124
Spahr, G. 131

Speigl, J. 88
Spencer, E. M. 224
Speroni, M. 263
Spinka, M. 368
Spors, B. 257, 261
Stakemeier, E. 397, 399
Stegemann, V. 337
Stegmüller, O. 383
Steiger, R. 290
Steinmann, M. 15, 166 f.,173 f., 358, 379 f., 449 f.
Steinmetz, D. C. 397
Stentrup, F. 193, 276
Steuart, A. F. 231
Stickler, A. M. 336, 436
Stieber, J. 7, 14, 28, 42, 51, 53, 59, 101, 106, 108, 112, 122, 124-27, 130, 132, 138, 143-47, 153, 160, 166, 177, 180, 183, 188, 192 f., 196-98, 203, 212, 215-17, 223, 230, 233-35, 240, 245, 248, 254 f., 264, 266, 272 f., 276 f., 286 f., 289-93, 296, 298, 300, 302, 304, 306-15, 317-19, 321, 339, 343, 347, 374, 382 f., 436, 443, 464, 471 f., 477
Stinger, Ch. L. 167, 172, 480
Stockmeier, P. 327
Stoecklin, A. 432, 451, 477 f., 481
Storey, R. L. 224
Stouff, L. 219 f.
Straub, Th. 278
Straube, M. 280, 283
Strnad, A. A. 116, 118 f., 191, 253, 270, 321 f., 446
Stromer, W. v. 61, 259
Struve, T. 283
Strzewitzek, H. 192
Stuart, D. M. 177
Stückelberg, E. A. 54
Stürmer, K. 13, 332
Stütz, M. 49, 160, 284, 289 f., 293
Stutt, H. 45, 107-12, 129, 139, 163, 189, 193, 201, 295
Stutz, J. 16, 68, 111, 166, 190, 234 f., 237
Suárez Fernández, L. 141, 183, 246-48, 466

Sury von Roten, M. v. 384, 393
Svennung, J. 325
Swanson, R. N. 113, 134, 137
Swidler, L. 453
Sydow, J. 329

Tassi, I. 42, 131
Tate, R. B. 247
Tecklenburg-John, Chr. 351, 393
Teeuwen, P. 447
Tegen, M. 70
Telesca, W. J. 122 f., 128
Tenenti, A. 257
Thelliez, C. 393
Théremin, W. 329
Thils, G. 366
Thoma, F. X. 23, 130 f.
Thomas, H. 151, 283, 324, 501
Thommen, R. 165 f.
Thomson, J. A. F. 52, 55, 103, 113, 123, 179, 191, 194-96, 198, 203, 212 f., 215, 217, 219, 224 f., 237, 253 f., 260, 267, 290, 315, 317, 321, 324, 326, 334 f., 378
Thudichum, F. 314
Tierney, B. 6, 36, 112 f., 170, 410 f., 413, 420, 426, 439, 441, 453 f., 462, 467, 472, 483 f., 489 f.
Tillinghast, P. E. 321
Tönsmeyer 64, 337, 448
Töpfer, B. 281
Töth, P. de 119, 185
Toews, J. B. 97, 255, 307, 309, 313 f., 477
Tomek, V. V. 354
Tomljenović, I. 366
Toner, N. 396 f.
Toni, T. 182, 435
Torrez-Lopez, M. 438
Totok, W. 436
Toussaint, J. 15, 104, 185-87, 191, 194, 196, 205, 218-23, 227, 310, 312, 316, 322, 404
Trame, R. H. 435, 469
Trautz, F. 260
Trexler, R. C. 435
Trost, M. 446

Trouillat, J. - L. Vautrey 111
Tüchle, H. 119, 338, 392; s. Bihlmeier
Tuetey, A. 215, 309
Tuilier, A. 374, 377, 504

Überwasser, W. 69
Uhl, A. 59, 121, 184, 187, 273, 289, 345
Uiblein, P. 135
Ullmann, W. 33, 67, 88, 92, 113, 137, 200 f., 226, 230, 267, 405, 410, 418, 453, 483, 486
Urban, D. J. 388
Urbánek, R. 354
Utz, K. 440

Vaesen, J. 164, 201, 206
Vagedes, A. 34, 101, 421, 437, 440, 463, 467, 470-73
Vale, M. G. A. 208
Vallet de Viriville, A. 208
Vallone, A. 394, 397
Valois, N. 22, 35, 45, 54, 78, 100 f., 106, 119, 141 f., 151, 156, 163 f., 166, 172, 198, 202 f., 207, 209, 211-13, 215 f., 220, 222, 234, 236, 240-43, 245 f., 248, 254 f., 260, 262-64, 289, 344, 374, 444 f., 472, 501, 503
Valvekens, J. B. 122
Vaněček, V. 178, 182
Van Eijl, E. J. M. 140, 441
Van Leeuwen, C. G. 177, 181 f., 186
Vansteenberghe, E. 13, 166, 168, 307, 436 f.
Van Uyten, R. 503
Vaquero, Q. A. 9
Vasella, O. 336
Vasek, E. 321
Vasoli, C. 170, 255
Vaucelle, E. 217 f.
Vaughan, R. 112, 191, 219-23
Vautrey, J. L. 111
Veit, L. M. 446
Vennebusch, J. 504
Vera Fajardo, G. 439
Verger, J. 133, 139, 142, 155 f., 502
Vernet, J. 375

Vickers, K. H. 226
Vidal, J. M. 16, 134, 391, 444, 446
Viller, M. 374
Vischer, L. 7
Visser, J. 483
Viti, P. 171, 243
Völker, K. 265
Voigt, G. 13, 60, 69, 106, 166 f., 169, 172, 177, 192, 202, 244, 292 f., 307, 313, 318, 446 f., 502
Voigt, K. 169, 171 f., 258
Volk, P. 132
Von der Hardt, H. 137, 156, 444, 486, 501
Vones, L. 118, 238
Vooght, P. de 116, 254, 283, 356, 360 f., 363-65, 363, 370, 440 f., 444, 460, 463 f., 466-68, 470, 477

Wackernagel, R. 129, 165 f., 256, 258
Wackernagel, W. D. 42, 59, 283, 333
Waeber, L. 236, 243
Walch, Chr. W. F. 11
Walf, K. 55 f., 410
Walliser, P. 15
Walser, E. 166 f., 169, 175
Walsh, A. G. 242
Walsh, K. 116, 143, 268
Walther, H. G. 437, 483
Walter, L. 42, 128, 359
Walters, L. 444
Walz, A. 366
Watanabe, M. 175, 190, 233, 277, 280 f., 333, 437, 440, 446, 453, 490, 502 f.
Watt, D. E. R. 503
Watt, J. A. 112, 410, 503
Weber, Georg, 9
Weber, Gertrud 272 f., 276, 289-93
Weber, M. 73
Weigel, G. 177, 291, 300
Weigel, H. 277
Weigel, M. 162 f., 277
Weiler, A. G. 135, 150, 372
Weinzierl-Fischer, E. 191
Weinrich, L. 314, 503
Weise, E. 153
Weiss, R. 226
Welck, H. 52, 86, 185, 276

Wenck, K. 413
Wendehorst, A. 277
Wendehorst, W. 279
Wenninger, M. J. 336
Werfel, F. 353, 358
Werminghoff, A. 13, 273, 291, 298, 301-03, 305, 314 f., 318, 324, 392, 449
Werner, E. 355, 368, 504
Werner, H. 282-84
Werner, K. 409
Werner, R. J. 502
Wessenberg, I. H. 8, 12, 335 f., 342, 407
Widmer, B. 13, 97, 97, 100, 172, 182 f., 446 f., 454
Wilks, M. J. 112, 410, 417, 472, 483
Williams, E. C. 226
Wingenroth, M. - Dr. Gröber 69
Winter, E. 314, 355, 413
Witcak, T. 268
Wittram, R. 203, 205, 207, 209-11
Włodek, Z. 142
Wolf, G. 14, 355, 502
Wolff, Ph. 227
Wolffe, B. 226
Wolgast, E. 327, 339
Wolmuth, J. 6, 18-20, 23, 26, 28, 31, 34, 332 f., 356, 368, 375, 410, 427, 438, 440, 453, 456-59, 463, 466, 473
Worstbrock, F.-J. 503
Woś, W. 268
Wostry, W. 187, 297
Wretschko, A. v. 193
Wriedt, K. 61, 134, 138, 143, 147, 149, 155 f.
Wunderlich, P. 350
Wyduckel, D. 483
Wyss, B. 381

Yates, F. A. 171
Young, F. A. 121

Zaccaria, V. 170 f., 243
Zachorowski, S. 265
Zähringer, K. 113

Zander, S. 275
Zanelli, A. 239
Zaoral, P. 68
Zarebski, I. 142, 174, 268
Zathey, J. 268
Zaun, R. 59
Zechel, A. 162, 260, 276
Zedler, G. 391, 452
Zeeden, E. W. 180, 273, 307
Zegarski, T. 104, 142, 264, 266 f.
Zehntner, H. 258
Zeibig, H. J. 14 f., 144, 151, 156
Zeissberg, H. 265
Zeller, J. 130
Zellfelder, A. 22, 182 f., 185 f., 191, 205, 224-30
Zeman, J. K. 355 f.
Zeno, R. 444
Zerfoss, D. E. 321
Zeschik, J. 444
Zeumer, K. 314
Zhisman, J. 374
Ziehen, E. 273
Ziliotto, B. 436
Zimmermann, A. 332, 438
Zimmermann, G. 504
Zimmermann, H. 13, 18, 184, 202, 354, 356, 443, 472
Zippel, G. 167 f., 171 f., 173, 175, 350, 446
Zlocisti, I. 374
Zoepfl, F. 59
Zuckerman, Ch. A. 417
Zumkeller, A. 16, 22, 122, 124-26, 187, 374, 391, 394, 397-99, 402
Zurbonsen, F. 337
Zwölfer, R. 40, 46, 52, 54, 95, 117, 120, 129, 137, 155 f., 332-40

II. Personen, Orte Sachen

Abbreviatoren, kuriale 253
Ablaß 94, s. BK Ablaß
Absenteismus 73, 337
Adam Riff 162 f.
Ad-limina-Besuche 39, 334
Adolf, Hz. v. Bayern-München 277
- v. Kleve 223
Ad regimen (1335) 339 f.
Äbte 75 f., 122, s. BK Teilnehmer
Aegidius (Giles, Gilles)
- Bocheroul OSA 126
- Canivet 62, 148, 151, 159
- C(h)arlier 36 f., 62, 360, 363, 370, 392, 421, 424, *446*
- Romanus 410
- v. Viterbo 482
Aeneas Silvius, s. Enea Silvio
Agnes Bernauer 187, 277
Agostino, s. Augustinus
Aimoin de Chissé, Bf. v. Grenoble 61
Akzeptation, s. Mainzer Akzeptation, s. Rezeption
Albert (Albertus)
- de Crispis 374
- v. Pottendorf 276 f.
- Stuten 68
Albertus Magnus 365
Alberti (Familie) 257
Albi, Bm. 189
Albrecht
- II., deutscher Kg. 94, 106, 136, 162, 177, 180, 187, 197, 265, 276, 291, *296 f.,* 304
- III., Hz. v. Bayern-München 277, 309
- Achilles, Mgf. v. Brandenburg 275, 313, 317
- V., Hz. v. Österreich 131, 285, s. Albrecht II.

- VI., Hz. v. Österreich 308
Aleman, s. Ludwig A.
Alexander, Abt v. Vézelay 186
- von Masovien, Bf. v. Trient 193
Alfons (Alfonso, Alonso, Alphonsus)
    V., Kg. v. Aragón 119, 171, 200, 210 f., 215, 221, 238-46, 261, 385, 392
- V., Kg. v. Portugal 248
- de Borja, Bf. v. Valencia 385, s. Calixt III.
- Carrillo, Kard. 115, *117-19,* 164, 209, 238, 246, 260
- Carrillo, Apost. Protonotar, Kard. Felix' V. 121, 151
- García de Santa Maria (de Cartagena), Bf. v. Burgos 105, *247,* 325, 351, 448, 490
- de Madrigal (el Tostado) 247, 414, 420, 422, *448*
- v. Ourém, Gf. 86
Almain, Jacques 478, 480, *488 ff.*
Althusius, Johannes 490
Alvaro de Isorno, Bf. v. Cuenca 247
Amadeus (Amédée, Amadeo)
- VIII., Hz. v. Savoyen 40, 171, *233-37,* s. Felix V.
- Talaru, Ebf. v. Lyon 60 f., 105 f., 109, 117, 121, 202, 206, 209 f., 214, 252, 338, 448
Ambrosius (Ambrogio, Ambroise)
- Traversari OSBCam 46, 77, 94, 102, 168, *172,* 206, 338, 464, 467
Amédée, s. Amadeus
Ancona, Mark 254
Andreas (Andrea)
- Donato 258
- Escobar (Didaci) OSB 85, 137, 174, 238, 379, 414, 431, 433, *444,* 486

- Gattari 87, 104, 258
- Jamometić (Zamometić) 166, *481 f.*, 503 f.
- Pfaffendorf *270*
- da Santa Croce 445
- Slommau 270
Angelotto Foschi, Kard. 115
Angelus (Angelo) Geraldini, Bf. v. Sessa 481, 502 f.
Angers, Univ. 133, 151 f., 322
Anjou 244, 252, s. Jolanthe, s. Renatus (René)
Anna v. Lusignan 237
Anna, Hl. 389
Annaten 40, 51 f., 231, 300, 321, 333 f., 346
Anselm v. Canterbury 387
Antoniter OAnt. 128, s. Saint-Antoine
Antonius (Antão, Antonio)
- Butrio 491
- Casini, Kard. 115
- Correr, Kard. 36, 115 f., 337
- Loschi 171
- Martins de Chavez, Bf. v. Porto *249,* 374
- Roselli 193, 247, 394, 431, *435 f.,* 443, 462, 479
Antoninus v. Florenz 409, *435*
Aosta, Bm. 123
Appellation, s. Konzilsappellationen
Aquileia, Patriarchat, s. Ludwig v. Teck
Aragón, Aragonesen 75, 101, 104, 107, 179, 196 f., 219, 238-46, 251 f., 262, 385, 393, 404, 440, 473
Ardicinus della Porta, Kard. 115
Arévalo, s. Rodrigo Sánchez A.
Armagnaken 185, 215, 309
Armenier (Union) 382
Armutsstreit 411
Arnold v. Vache 130
Arras, Kongreß (1435) 55, 177, 184-86, 205, 210, 220 f., 229, 236, 322
Aschaffenburg
- Stift 122
- Fürstentag (1447) 318
- Synode (1455) 321
Augsburg, Bm. 112, 278, s. Petrus v. Schaumberg

- Stadt 163
- Reichstag (1548) 347
- Synoden 344
Augustiner-Chorherren 126
Augustiner-Eremiten OESA 122, 126, 394-98, 406
Augustinus, Hl. 365, 398-403
Augustinismus 397-401.
Augustinus (Agostino)
- Dati 94
- Favaroni OESA 2, 25 f., 380, 391, *393*-404, 406, 441, 443
- Patricius (Patrizzi) 439, 451
- Triumphus (von Rom) 174, 410
Aussee 193
Avignon, Bm. 62, 190
- Stadt, Gfsch. 51, 118 f., 163 f., 201, 206, 208 f., 211, 221, 246, 255, 373, 375
- Universität 62, 134, 140 f., 151 f., 204, 322
- Päpste in A. 339, 404
- Synode (1457) 393
Avisamenta Moguntina (1441) 309 f.
Azo 439

Baden, Mgft. 311 f., s. Wilhelm v. Baden
Balduin v. Wenden, Ebf. v. Bremen 112
Baldus de Ubaldis 491
Bamberg, Bm. 278, 288
- Stadt 194
- Synode (1433) 345
Banken 52, 256 f., s. Medici
Bann 144, 166, 333, 346
Bartholomäus (Bartolomeo)
- OESA 406
- della Capra, Ebf. v. Mailand 263
- v. Maastricht 34, 127, 447, 504
- Roqual (Rocalli), Gen. O.Carm. 127
- Texier, Gen. OP 126
- Vitelleschi, Bf. v. Corneto, Kard. Felix' V. 121
- Visconti, Bf. v. Novara 86
- Zabarella 30, 100

Bartolus v. Sassoferrato 89, 454, 484, *486*

BASEL
- Bm. 110, 309, s. Johannes Fleckenstein, s. Friedrich zu Rhein (ze Rhin)
- Domstift 393
- Stift St. Leonhard 129
- Klöster 129
-- Dominikaner 126, 399, 438
-- Franziskaner 129
-- Kartäuser 129
-- Klarissen 129
- KONZIL (1431-49) passim (= BK)
-- Ablässe 39, 51-53, 161, 269, 375
-- Abstimmungsergebnisse 82 f., 87
-- Amtsbefristung 43-45
-- Ausschüsse 44 f.
-- Behördenorganisation 35-46, 285
-- Briefcorpora 16
-- Büchermarkt 165, 173 f., 358, 399
-- Bullenregister 16
-- collatores beneficiorum 43
-- consistorium fidei (1436) 154, 474
-- Cursoren 85
-- *Decretum irritans* (geplantes) 340, *466 f.*
-- Dekrete, -sammlungen 11, 17, 65, 91, 347 f., 427, 452, 462 f., 475, s. Reform
-- Dekrete, Responsionen, Bullen*
--- *Sacrosancta* (1432 II 15) 298
--- *Consideransque* (1432 IV 29) 464, 474
--- 'De electionibus', Wahlendekret (1433 VII 13) 94, 333 f., 346
--- 'De conciliis provincialibus' (1433 XI 26) 91, *334 f.,* 339, 343, 344, 346 f., 456
--- *Ad magnam* (1434 VI 26) 464
--- 'De excommunicatis non vitandis' (1435 I 22) 333, 346

--- *Sicut pia mater* (1434 IX 7) 375 f., 381, s. Union
--- 'De Judaeis et neophytis' (1434 IX 7) 91-93, 247, 333, *336 f.,* 343, 346, 462
--- 'De concubinariis' (1435 I 22) 336, 343, 346 f., 462
--- 'De frivole appellantibus' (1435 I 22) 333
--- 'De vita et honestate clericorum' (1435 VI 9) 333, 335, 346
--- 'De annatis' (1435 VI 9) 300, 333 f., 346,
--- 'De spectaculis' (1435 VI 9) 335
--- *Cum inter cetera* (1435 X 15) 402 f., s. Augustinus Favaroni
--- 'De reservationibus' (1436 III 26) 333, 339, 346
--- 'De Clementina Litteris' (1436 III 26) 339 f.
--- 'De electione summi pontificis' (1436 III 26) 334
--- 'De numero et qualitate cardinalium' (1436 III 26) 120, 334
--- *Ut lucidius* (1437 XII 23) 368, s. Eucharistie
--- 'De expectantiis' (1438 I 24) 155, 333
--- 'De graduatis' (1438 I 24) 156
--- 'Tres veritates' (1439 V 16) 101, 106, 382, 386 f., 463-75, 496
--- *Prospexit* (1439 VI 25) 472
--- *Elucidantibus* (1439 IX 17) 383, 387-91, s. Immaculata.
--- *Inter assiduas* (1441 VII 1) 383, s. Maria
-- Responsionen
--- *Cogitanti* (1432 IX 3) 334, 339, 357, 401, 418, 420 f., 424, 427, *465,* 474, 487
--- *Speravit* (1433 VI 16) 424, 464 f.
--- *Grande periculum* (1440 XI 8) 427
-- Bullen
--- *Inter alias* (1434 II 12) 124 f., s. Bettelordensstreit
--- *Inter curas multiplices* (1439 II 20), 132

---

* Die Dekrete werden chronologisch so wie im Text teils mit Incipit (kursiv) teils mit Titulus (nach COD, soweit dort ediert) aufgeführt. Die Sessionen erscheinen mit entsprechendem Verweis unter 'BK-Sessionen'.

-- Deputationen 23-28, 43-48
--- Deputatio pro communibus 25, 45
--- Deputatio fidei 25 f., 124, 154, 396, 398-400, 406
--- Deputatio pacis 91, 181
--- Deputatio pro reformatorio 26, 332
-- Finanzen 52-54, 234, 256 f., 376, 493, s. BK Ablässe, BK Kammer, s. Banken
-- Flotte 374 f.
-- Frontwechsler 149, 343 f., 437, 442, 444, 448
-- Generalkongregation 21, 25, 181, 399 f.
  (1435 VI 10) 181
  (1439 VI 23) 82
-- Gesandtschaften 39, 52, 54-58, 65, 161, 493
-- Geschäftsordnung 19 f., 34
-- Inkorporationen 21 f., 51, 78-82, 84-87, 137, 154, s. BK Teilnehmerzahlen
-- Inkorporations-Eid 22 f., 229
-- iudex fidei 25, 44, 396
-- Kammer 39, 41, 44, 48, 53
-- Legatenfrage 116
-- Kantoren 70, s. BK Musik
-- Kanzlei 18, 39, 41, 43
--- assessores auditorii camerae 43
--- auscultatores 43
--- corrector 43
--- clavigeri 43, 48 f.
--- computator 43
--- custos bullae 43
--- rescribendarius 43
--- litterae clausae 56
-- Kirchenstaat (Verwaltung des) 40, 116, 118, 252
-- als Kongreß 167, 175-78, 184, 494, 499
-- in der Kunst 69 f.
-- *libertas dicendi* 22 f., 27-29, 34, 358, 406
-- Liturgie 18 f., 322, s. BK Musik
-- Musik 18 f., 68-70, s. BK Liturgie

-- Nationen 23 f., 26 f., 47-51, s. Nationen, s. Rangstreite
--- deutsche Nation 47, 49-51, 324, s. Deutschland
--- französische 49-51, s. Frankreich
--- italienische 50, 250, 400, 406, s. Italien
--- spanische 50, 243, s. Spanien
-- Notare 15, 18, 39, 41 f., 44
-- Ökumenizität 10 f.
-- Pönitentiarie 39, 41 f.
-- Präcognitoren 41
-- Präsident 21, 24, 42, 48 f., 60, s. Julianus Cesarini, s. Ludwig Aleman.
-- Präsidentenfrage 42, 117, 209, 263, 288, 378 f., *466 f.*
-- Predigten 16, 67.
-- Promotoren 41
-- Protektor 276 f., 279 f., s. Konrad v. Weinsberg, s. Wilhelm v. Bayern-München
-- Protokolle 15 f., 44, 58, 79
-- Prozesse 37 f., 42, 44 f., 68, 76, 87, 107, 123, 163, 181-93, 195, 279, 288, s. BK Suppliken
-- Quellen des BK 13-17
-- Rota, Rotamanuale 16, 18, 39, 87 f.
--- Notare 41 f., 44
--- Präkognitoren 44
--- Richter 44 f., 48, 243
-- Sessionen
  I.   Sessio (1431 XII 14) 181, 331
  II.   Sessio (1432 II 15) 34, 298
  III. Sessio (1432 IV 29) 182, 464, 474, s. *Consideransque*
  IV.   Sessio (1432 VI 20) 120, 334
  VII. Sessio (1432 XI 6) 334
  X.   Sessio (1433 II 19) 82
  XI.   Sessio (1433 IV 27) 31, 343, 474

XII.   Sessio (1433 VII 13)
93, 332 f., s.
'De electioni-
bus'

XV.   Sessio (1433 XI 26)
91, 334, 342,
344 f., 346, s.
'De conciliis
provincialibus'

XVI.   Sessio (1434 II 5) 82

XVII.   Sessio (1434 IV 26)
19, 82

XVIII.   Sessio (1434 VI 26)
464, 466, s.
Ad magnam

XIX.   Sessio (1434 IX 7)
91, 336, 343,
346, 375, s.
'De Judaeis', s.
Sicut pia mater

XX.   Sessio (1435 I 22)
93, 333, 336,
346, s. 'De
interdictis', s.
'De concubi-
nariis', s. 'De
excommuni-
catis', s. 'De
frivole appel-
lantibus'

XXI.   Sessio (1435 VI 9)
82, 91, 229,
333, 335, 346,
s. 'De vita et
honestate cle-
ricorum', s.
'De annatis', s.
'De spectaculis'

XXII.   Sessio (1435 X 15)
394, 402 f., s.
Cum inter cetera

XXIII.   Sessio (1436 III 26)
40, 48, 120,
332 f., 339, s.
'De electione
summi pontifi-
cis', s. 'De nu-

mero et qua-
litate cardina-
lium', s. 'De re-
servationibus'

XXIX.   Sessio (1437 X 12)
464

XXX.   Sessio (1437 XII 23)
368, s. *Ut luci-
dius*

XXXI.   Sessio (1438 I 24)
156, 347, s. 'De
expectantiis', s.
'De graduatis'

XXXII.   Sessio (1438 III 24)
383

XXXIV.   Sessio (1439 VI 25)
82, 472, s.
Prospexit

XXXVI.   Sessio (1439 IX 17)
383, s. *Eluci-
dantibus*

XXXVIII. Sessio (1439 X 30)
333

XLII.   Sessio (1440 VIII 4)
54, 333

XLIII.   Sessio (1441 VII 1),
s. *Inter assiduas*

-- Siegel II, 39
-- Scriptoren 35
-- Stimmrecht 22 f., 25, 28, 30-34,
77 f., 84-87, 89, 375 f., 493, s.
Bischöfe, s. Egalität, s. Majorität
-- Suppliken (-register) 16, 18, 37,
45, 68, 87 f., 107, s. BK Prozesse,
s. BK Rota
-- Teilnehmerzahlen 21, 78-82, 109,
122, 152 f., 194, 233, 236, 243,
250 f., s. Bischöfe, s. Fürsten-
gesandte, s. Orden, s. Prokurato-
ren, s. Universitäten usw.
-- Traktate 2, 14, 379, *434-52*
-- Universität 157-61, 381
-- Vizekanzler 35, 38
-- Zehnt 52, 375
-- Zensur 22
-- Zwölfmänner 35, 41, 43, 48, 85
- Konzil (1482) 481 f., s.
Andreas Jamometić

- Reichstag (1433/34) 162 f., 282, 289
- Stadt 10, 162-66, 174, 185, 393, 482, s. Henmann Offenburg
- Städtetag (1432) 161
- Universität(1459/60) 133,160,s. BK Universität
Bath, Bf. 77
Bauernkrieg 283
Bayern, Hzt. 131, 187, 192, 277-80, s. Adolf III., s. Albrecht III., s. Ernst, s. Heinrich d. Reiche, s. Ludwig VII. der Bärtige, s. Wilhelm III.
Bayeux, Bm. 191, 227, s. Zeno da Castiglione
Beaufort, s. Heinrich Beaufort
Beaupère, s. Johannes Beaupère
Begriffsrealismus 371, 416, 454 f., s. Realismus
Bellarmin, Robert, Kard. 10,483,501
Benediktiner OSB 122 f., 125 f., 130
Benedikt (Benedictus, Benedetto)
- XIII., Papst 336
- Accolti 480
- Hesse 143, 267 f., 420
Bergamo, Bm. 189
Bern, Stadt 234
Bernhard (Bernhardus, Bernard)
- v. Baden, Hz. 404
- v. Clairvaux 365, 419
- de la Planche, Bf. v. Dax 62, 204, 227, 229, 256 f.
- Serra OCist 241, 385
Bernhardin (Bernardino) v. Siena OFM 66 f., 392, 400, 406
Bertrand v. Cadoène, Bf. v. Uzès 186, 204
Besançon, Bm. 194, 222, 288
Bessarion 166
Bettelordensstreit 123-25, 411
Beza, Theodor 490
Bibel 33, 90, 138, 181, 364 f., 389-91, 418-24, s. Schriftprimat
Billuart, Charles René 478
Binger Kurverein (1424) 285
Brigitta v. Schweden 271, 405 f.
Bischöfe 31 f., 73-83, 105-07, 116, 137, 250 f., 338, 343, 428

Bischofsamt, -ideal 33 f., 292 f., 350, 352, 612
Bistumsstreitigkeiten 188-93
Bodin, Jean 489 f.
Böhmen 179, 187, 297, s. Hussiten
Bologna 140, 248, 255, 379
- Konkordat (1516) 212 f., s. Konkordate
Bonifaz VIII., Papst 95, 339
Bonifaz IX., Papst 155, 253
Bonneval, Abtei (OCist), s. Johannes Robert
Bourges, Stadt 216
- Synoden
-- 1432 209
-- 1439, s. Pragmatique
-- 1440 214
-- 1447 216
-- 1452 481
Bordeaux, Universität 133.
Borghese, s. Galgano B.
Brabant, Hzt. 223
Branda da Castiglione, Kard. 115, 119, 226, 263, 502
Brandenburg, Bm. 103
- Kft. 285, 301 f., 311-13, s. Friedrich I., s. Albrecht Achilles
Brant, Sebastian 347, 452
Bremen, Ebm. 110, 112, 189, 293, 297 s. Balduin v. Wenden
- Stadt 163
Brest, Friede (1435) 270
Breslau, Bm. 53, 108 f., 292, 344, 357, s. Konrad Oleśnicki (v. Öls)
- Domkapitel 109, 156
- Synoden 344
Bretagne, Bretonen 75, 110, 196, 205, 213, 217-19, 222, 322, s. Johann V., s. Franz I.
Brixen, Bm. 95, 98 f.
- Synoden 344
Brügge 163
Bruni, s. Leonardus Bruni
Buchanan, George 233, 290
Buchdruck 497
Bürgerhumanismus 95 f., 170
Burgos, Bf., s. Alonso García.

Burgund, Burgunder 49, 75 f., 104 f.,
     112, 179, 185, 187-90, 205, 213,
     216, 219-25, 236, 296, 309, 311 f.,
     322-25, 356 f., 404
Bursfeld, Kongregation 130, 132
Byzanz, s. Union

Cádiz, Bm., s. Johannes González
Caen, Universität 133
Kaiser, Kaisertum 97-99, 324, 472,
     478 f.
Cajetan, Thomas (de Vio) 472, 478 f.
Calais 186
Kalenderreform 64, 91, 337
Calixtus, Hl. 25
Calixt III., Papst 316, 321
Kalteisen, s. Heinrich K.
Calvinismus 483
Cambrai, Bm. 222, 393
Cambridge, Universität 140
Kammin, Bm. 111, 184, 309
Kanarische Inseln 247 f.
Kanoniker 83, s. Stifte
Kanonisierungen 39, 404 f.
Kanonisten, Kanonistik 364 f., 410,
     413 f., 417-20, 480, s. Doktoren, s.
     Theologen, s. Theologisierung
Canterbury, Ebm. 230, s. Johannes
     Chichele
-   Prov.syn. (1446) 140
Capranica, s. Dominikus Capranica
Kardinäle, Kardinalskolleg 31, 48,
     57, 112-21, 335, 338, 482, s. BK-
     Dekret 'De numero et qualitate
     cardinalium'.
Carrillo, s. Alfonso Carrillo
Karl (Charles, Carlo)
-   der Große, Ks. 325
-   V., Ks. 320, 347
-   VI., Ks. 303
-   V., Kg. v. Frankreich 178
-   VI., Kg. v. Frankreich 178
-   VII., Kg. v. Frankreich 100, 103,
     142, 177, 200, 204 f., 207 f., 213,
     215-17, 294, 308, 313

-   Malatesta 251
Karmeliten OCarm 122, 127 f.
Karolina de ecclesiastica libertate 98
Carpentras, Bm. 347
Kartäuser OCart. 127
Casanova, s. Johannes Casanova
Kasimir IV., Kg. v. Polen 265-67
Casini, s. Antonius Casini
Cashel, Bm. 231
Castiglione, s. Branda da C., s. Zeno da C.
Kaspar Schlick 106, 193, *276*, 308,
     313
Kastilien 22, 177, 187, 197, 216, 229,
     237, 246-48, 322-24, s. Johannes
     II., s. Spanien
Kastl, Kongregation OSB 130
Catania, Universität 133
Cellarius, Christoph 497
Cervantes, s. Johannes Cervantes
Cesarini, s. Julianus Cesarini
Ketzerprozesse (auf dem BK) 356,
     404-07
Chalkedon, Konzil (451) 32 f.
Charles, s. Karl
Chartreuse, Grande, s. Kartäuser
Chinon 216
Christologie 403 f., 432, 495, s.
     Ekklesiologie
Christoph (Cristoforo)
-   v. Bayern, Kg. der Nordischen
     Union 272
-   del Caretto 263
-   Garatone 379
-   Offenburg 1, 264
-   da Velate 263
Christian v. Zinna 294
Chrysoloras, s. Manuel Chrysoloras
Chur, Bm. 107, 110, 191, 346 f.
Cicero 168, 174
Cione di Battista Orlandi 209, 260
Clemens V., Papst, Bulle *Litteris* (1312)
     339
Clemens VI., Papst, Bulle *Unigenitus
     Dei filius* (1343) 376
Clemens VII., Papst 349
Klerus, niederer 77-83, 103, 137, 338
Kleve, Hzt. 220, 285, 312

Kirche, Kirchenbegriff, s. Ekklesiologie, s. Konziliarismus
Kirchenreform, s. Reform
Kirchenregiment, s. Landeskirche
Kirchenstaat 251-55, s. BK Kirchenstaatverwaltung, s. Kurie, s. Eugen IV.
Cîteaux, s. Zisterzienser
Cluny, Cluniazenser 129, 165, 399, s. Odo v. Cluny
Koblenz, Synode (1479) 321
Cochläus, Johannes 299
König, deutscher 36, 49, 97-99, 105 f., 216 f., s. Deutschland, s. Kaiser, s. Albrecht II., s. Friedrich III., s. Sigmund
Königsabsetzung 102, 202
Köln
- Ebm., Kfsm. 42, 108-11, 220, 223, 255, 310, 312, 320, s. Dietrich v. Moers
- Kirchen
-- St. Andreas 111
-- St. Ursula 193
- Klöster
-- Dominikaner 126
-- Franziskaner 125
- Offizialat 193 f.
- Prov.syn. (1440) 112, 145, 293
- Universität 102, 112, 138 f., 141, 143 f., *145 f.,* 148-51, 155 f., 233, 242, 249, 372, 393, 441 f., 446 f.
Koloman Knapp, OCist 16, 448
Colonna 118, 253, s. Prosper Colonna
Coluccio Salutati 94, 170 f., 484
Kommunion, s. Eucharistie
Como, Bm., s. Gerardo Landriani
Kompaktaten v. Prag (1433), v. Iglau (1436) 353, 357, 363
'Concordantia catholica', s. Nikolaus von Kues
Condulmer, s. Eugen IV. (Gabriel Condulmer), s. Marcus Condulmer
Kongreß, s. BK als Kongreß, s. Arras, s. Mantua, s. Utrecht, s. Wien
Konklusionsmethode 389
Konkordate 94, 99 f., 103, 112, 196, 213, 215, 314-21

- mit Burgund (1441/42) 222 f., 316
- mit Bretagne (1441), s. Redon
- mit Cambrai 320
- mit Frankreich (1442-44, 1472, 1516) 156, 316, s. Bologna, s. Konstanz, s. Genazzano
- Deutschland (Reich) (1122, 1418, 1447/48), s. Fürstenkonkordate, s. Konstanz, s. Wiener Konkordat, s. Wormser Konkordat
- mit Lüttich (1441) 112, 316, 320
- mit Polen (1519, 1525) 267, 316
- mit Savoyen (1451/52) 237, 316
- mit Spanien (1482) 238, 245, 248, 316
- mit Verden (1445) 112
Konkubinarier 336, 343, 346 f., 462, s. BK Dekret 'De concubinariis'
Konrad
- v. Buchsnang, Elekt v. Straßburg 192
- v. Gelnhausen 33
- Konhofer 277
- Oleśnicki (v. Öls), Bf. v. Breslau 109, s. Breslau, Bm.
- v. Weinsberg, Konzilsprotektor 51-53, 86, 276, 307
- Witz 69, 167
Konsens 19, 22 f., 25, 28 f., 31-34, 64, 89, 98-100, 291, 317, 369, 390, 421, 433, *440, 453,* 455-59, 495, 499, s. Konziliarismus, s. Laien
Konstantinopel 55, 366, 374 f., 381, 383, 497, s. Union
Konstanz
- Konzil (1414-18) 3 f., 6-8, 18 f., 23, 26, 37, 39, 47-50, 67 f., 70, 73, 80, 96 f., 113, 119-21, 123, 130, 134, 137, 139, 142, 153, 166, 169, 173, 181, 187, 194, 205 f., 221, 228 f., 231, 237, 250 f., 262, 264-66, 270, 280, 286 f., 321, 324 f., 332, 334, 336, 338, 346, 351 f., 356, 358, 368, 374, 385 f., 391, 403, 405, 410 f., 415, 422, 429, 444, 447, 451, 464-67, 475 f., 488, 498, s. *Haec Sancta*

– Sessionen
— V.   Sessio (1415 IV 6), s.
    Haec Sancta
— XXXIX. Sessio (1417 X 9), s.
    Frequens
– Konkordate (1418) 47, 206 f.,
    224, 302, 314, 338
– Bm. 107, 131, s. Otto v. Hach-
    berg
– Stadt 165, 382
– Reichstag (1415, 1417) 282
– Synode (1435) 345 f.
Constitutum Constantini 244 f.
Conti, s. Angelotto Conti
Konzil
– als Bischofskonzil 90
– als Dauerkonzil (synodus ende-
    mousa) 38 f., 120, 432, 498, s.
    Konzil als Parlament
– und Geistinspiration 22, 29, 32,
    370, 423, 456, 499
– als Notstandsorgan 20, 461,
    468 f.
– als Parlament 20, 32, 38, 176-78,
    432, 486, 489
– und Stände 200-202, , 268, 272,
    485 f., 489, s. Verfassungstheorie
– als Synhedrion 423, 355
Konzile, s. Basel, s. Chalkedon, s.
    Ferrara-Florenz, s. Konstanz, s.
    Lateranum I, IV, V, s. Lausanne, s.
    Lyon II, s. Nikaia, s. Pavia-Siena, s.
    Pisa, s. Trient, s. Vatikanum I, II, s.
    Vienne, s. Konziliarismus
Konziliarismus, konziliare Theorie,
    Konzilsidee 9, 25, 51, 58, 139,
    143, 158, 170, 237 f., 250, 267 f.,
    287 f., 328, 331, 340, 369 f., 382,
    408-91, 495 f., 504, s. Konsens, s.
    Papalismus, s. Repräsentation, s.
    Rezeption, s. Ekklesiologie
– Fortleben 65 f., 156 f., 233, 477-
    92
– Einfluß kommunalen Denkens
    89, 96, 486, 488

– Superioritätsfrage 7, 32, 66, 368,
    376, 378, 385, 409, 421, 457, 460-
    75, 495
– und Verfassungstheorie 2, 20, 36,
    46, 67 f., 101 f., 200-02, 282,
    288 f., 230-32, 439, 483-92, 496
Konzilsappellationen 201, 476, 480-
    82
Kopten (Union) 382
Corpus juris civilis 419
Correr, s. Antonius Correr
Cortes 201
Cosimo de' Medici 210, 256
Coutances, Bm., s. Philibert de
    Montjeu
Krakau, Ebm. 111, s. Zbigniew
    Oleśnicki
– Universität 138-40, *142 f.*, 146,
    151, 156, 159, 267 f., 447; Gutach-
    ten (1442) 440, 451, 455
Kreuzzug 183, 287, 357
Krisenbegriff 328 f., 331
Cristoforo, s. Christoph
Cuenca, Bf., s. Alvaro de Isorno
Kurfürsten(kolleg) 28, 49, 105, 197,
    216, 235, 285 f., 290 f., 309-13,
    322 f., 325, 372, s. Deutschland
Kurie (römische) 35, 38, 40, 53 f., 85,
    253, 321 f., 395 f., 406, s. Eugen
    IV., s. Kirchenstaat, s. Papst
Cusanus, s. Nikolaus v. Kues
Cyprian 414, 472

Dänemark 111, 197, 202, 272, s. Skan-
    dinavien
Dalmatien 257
Danzig 269
Dauphin, s. Ludwig XI.
Dauphiné 214
Dax, Bm., s. Bernhardus de la Planche
Decius, Philippus 419, 478, 480, 482
Della Porta, s. Ardicinus della Porta
Demetrios *(Graecus)* 159, 174, 381
Denis, s. Dionysius
Deutsch-Brod (✕1421) 287

Deutschland (Reich) 26, 75 f., 99, 104-06, 121, 159 f., 180, 184, 189, 197, 217, 223, 230, 248, *272-322*, 344, 356, 393, 481, 493-97, s. BK-Nationen, s. König, s. Kurfürsten, s. Albrecht II., s. Friedrich III., s. Sigmund, s. Reichstage

Deutscher Orden 49, 52, 187, 265 f., *268-70*

Diether v. Isenburg, Ebf. v. Mainz 62, s. Mainzer Stiftsfehde

Dietrich
- v. Erbach, Ebf. v. Mainz 30, 275 f., 290, 310
- v. Moers, Ebf. v. Köln 112, 145, 193, 276, 286, 297, 309, 312
- v. Niem 182, 340, 409, 414, 444

Diözesen 107-12, 233, 250 f., 267, 295, s. Albi, s. Aosta, s. Augsburg usw.

Dionysius (Denis)
- Areopagita 334, *418,* 442
- du Moulin, Ebf. v. Toulouse 205
- v. Rijkel (der Kartäuser) 97, 393, 409, 442
- Sabrevois, Univ. Paris 36, 62, 85, 142, 151, 445

Dishypatos, s. Johannes Dishypatos

Disputation (Bedeutung der Rede) 25, 56 f., 66, 199, 364 f.

Doktoren 57, 134-37, 152 f., 502, s. Gelehrte Räte, s. Kanonisten, s. Theologen

Dogma (Dogmenbegriff) 385 f., 389-91, 461, 467, 473 f., 495

Dôle, Universität 152

Dominikus (Domenico)
- Capranica, Kard. 115, *118,* 163, 502
- de'Domenichi 97, 114, 349, *436*
- Ram, Kard. 115, 118 f., 238, 246
- v. San Gimigniano 453

Dominikaner OP 126, 385, 388 f., 399, 406

Douglas, Clan 232

'Drittes Konzil' 177, 211, 215, 294 f., 308, 481

Drontheim, Ebm. 272, 443, s. Heinrich Kalteisen

Duarte, s. Eduard

Dublin, Bf. 77, 231

Dundrennan, Abtei OCist, s. Thomas Livingston

Duns Scotus 385, 387, 389

Durham, Bf. 77

Ebersberg, Abtei 131, s. Simon Kastner

Ecclesia primitiva 327

Edmund Beaufort, Gf. v. Mortain 86

Eduard (Duarte), Kg. v. Portugal 249

Egalität, s. BK Stimmrecht

Eger, Stadt 161
- Reichstag (1437) 281

Eichstätt, Bm. 110, 278, 342, 345-47
- Synode (1437) 342, 345
- Synode (1447) 346

Elisabeth, Kg.in, Regentin v. Ungarn 180, 309

Ekklesiologie 19 f., 22, 334, 340, 352, 365-72, 377 f., 386, 395, 402 f., 410, 414-25, 428, 431-34, 452-77, 481, 491, 495 f., 499, s. Christologie, s. Konsens, s. Konzil, Konziliarismus, s. Repräsentation, s. Unfehlbarkeit
- ecclesia: *collective-distributive* 440, 454
- ecclesia: *formaliter-materialiter* 440

Emser Punktation 299

Enea Silvio (Aeneas Silvius) Piccolomini 2, 13, 52, 57, 71, 74, 77, 83-86, 90, 93 f., 97, 100, 106, 160, 164 f., 167-73 *(172 f.),* 175, 183, 186, 199, 201, 242, 245, 296, 308, 313, 321, 334, 336, 434 f., *446* f., 451, 453, 471, 477, 485 f., 490, s. Pius II.

England, Engländer 22, 26, 104, 106, 140, 179, 186, 189, 201, 205, 216, 219 f., 223-31, 247, 296, 322 f., 325, 356 f., 361

Epikie 357

Episkopalismus 8, 299, 314, 318, 461, s. Bischöfe

Epochenschwelle 496
Erfurt, Franziskaner 122, 127
- Universität 127,139,143 f.,146 f.,
  151 f., 156
Erich,Kg.der Nordischen Union 102,
  202, 271 f.
Ernst, Hz. v. Bayern-München 277 f.
Erste Bitten (primae preces) 289
Etats généraux 201, 213, 215, 345
Eucharistie 367 f., 385, 465, 504
Eugen(ius) IV.,Papst 22,30,37 f.,40 f.,
  53, 93, 96, 99-102, 110, 112 f.,
  115, 117, 121, 123, 125-29, 133,
  140 f., 143, 146, 149, 155 f., 161-
  63,169,177,182 f.,185,189,191-
  96,199 f.,202,208-11,214 f.,218,
  221-24, 230, 232, 235, 238-40,
  243-46, 248 f., 251-56, 260-63,
  266 f., 270 f., 278, 285, 287, 289,
  296, 309 f., 312, 316, 320, 328,
  333,339-41,346 f.,357,359,372-
  77, 379, 381-83, 387, 392, 396,
  404 f.,434,467,469 f.,472 f.,482,
  489, 502
- Suspension, Prozeß, Absetzung
  40,67,93 f., 102,115,165, 188 f.,
  196 f., 202, 214, 243, 248, 254,
  263,287,387,404 f.,472,490,498
- Bullen etc.
-- Quoniam alto (1431 XI 12 und 1431
  XII 18) 255
-- Dudum sacrum (1433 XII 15) 11
-- 'Libellus Apologeticus' (1436)
  101, 200
-- Romanus Pontifex (1436 IX 15) 248
-- Exposcit (1438 II 15) 166
-- Moyses (1439 IX 4) 469-71
-- Laetentur coeli, s. Ferrara-Florenz
-- Regnans in coelis (1440 VIII 3) 125
-- Non mediocri dolore (1440/41) 113
-- Etsi non dubitemus (1441 IV 21)
  141, 143, 438, 467, 469 f.
-- Ad ea ex debito (1447 II 5) 476, s.
  Fürstenkonkordate
-- Ad tranquillitatem (1447 II 5),s. Für-
  stenkonkordate
-- 'Salvatorium' (1447 II 5) 254

Execrabilis, s.Johannes XXII., s.Pius II.
Exkommunikation, s. Bann
Expektanzen 155, 333, s. BK Dekret
  'De expectantiis'

'Fasciculus rerum expetendarum', s.
  Gratius
Favaroni, s. Augustinus Favaroni
Felinus Sandaeus 480
Felix V., Papst 40 f., 47, 51, 53 f., 61,
  69 f., 96, 111, 117, 120, 126-28,
  132 f., 139, 144, 147, 159, 163,
  169, 171, 188, 191 f., 214, 217,
  221, 232 f., 233-37, 242 f., 245,
  259, 264-67, 270, 272, 275, 278,
  296,309,311,316,333,346,503,
  s. Amadeus VIII.
- Bullenregister 16, 39, 234
- Kardinäle 119-21
- Konsistorium 41, 188
- Münzen 54
- Rota 188
Ferrante, Kg. v. Neapel 243
Ferrara 164, 251, s. Ferrara-Florenz
Ferrara-Florenz-Rom, Konzil (1438-
  45) 9,11,33,126, 128, 141, 164,
  166 f., 196, 211, 221, 230, 236,
  256, 259, 338, 372, 377, 379-83,
  388, 434, 456, 471, s. Union
- Sessionen
-- III. Sessio (1438 II 15) 166, s.
  Eugen IV. Exposcit
-- V. Sessio (1439 VII 6) 382, s.
  Laetentur coeli
- Dekrete
-- Laetentur coeli (1439 VII 6) 382
-- Exultate Deo (1439 XI 22) 382, s.
  Armenier
-- Cantate Domino (1442 II 4) 282, s.
  Kopten
Ferreri, Zaccaria 452, 480, 482
Filarete 69
Filelfo, s. Francesco F.
Filioque 373, 380 f.
Flacius Illyricus 351
Flavius Blondus (Flavio Biondo) 169,
  254
Florenz 164, 171, 210, 239, 245, 251,
  255-57, s. Ferrara-Florenz-Rom

Foix, s. Petrus de F.
Fortebraccio, s. Nikolaus F.
Fortescue, Richard 490
Foschi, s. Angelotto F.
Frankfurt, Stadt 162
- Reichstag (1442) 66, 77, 199, 305, 310, 451
- Reichstag (1446) 284, 311, 315, 407
Frankreich, Franzosen 26, 49, 75 f., 87, 101, 104, 106, 121, 159, 177, 184, 186, 189, 197, 201-20, 223 f., 228, 231, 237, 240 f., 246, 255, 296, 298, 309, 311-13, 322 f., 344, 352, 356, 393, 404, 481, 493, s. BK Nationen, s. Karl VII., s. Pragmatique (Midi) 204, 213
Franziskus, Hl. 25
Franziskus (Franciscus, Francesco, Francisco, François, Franz)
- I., Hg. v. Bretagne 217
- Barbavera 94, 263
- della Cruce 263
- Filelfo (Philelphus) 169
- de Me(t)z, Bf. v. Genf, Kard. Felix' V. 61, 69
- Pizolpasso, Ebf. v. Mailand 166, 168-71, 173, 243, 263
- Sforza (Attendolo) 245, 251, 254, 261, 264
- Vitoria 238
- Zabarella, Kard. 33, 36, 97, 113, 410 f., 453, 491
Franziskaner OFM 122, 127, 132, 385, 389, 406, 502
Fredegar 325
Freiburg (Br.), Universität 133
Freiburg (Schw.), Stadt 237
Freiheit, s. Libertas
Freising, Bm. 188, 192 f., 278, 344 f., s. Nikodemus della Scala, s. Johannes Grünwalder
- Synoden 345
Frequens (1417 X 9) 463-65, 469, 475 f., s. Konstanz
Friaul 259

Friedensidee 181-84, 188, 503
Friedenspolitik des BK 181-93, 494, s. Bistumsstreitigkeiten s. BK Prozesse, s. Fürsten
Friedrich (Fridericus, Federigo)
- I., Ks. 303
- III., deutscher Kg., Ks. (= Friedrich V., Hz. v. Österreich) 86, 166, 177, 180, 185, 197, 200 f., 217, 221, 223, 276, 278, 289, 294, 303, 306-11, 314 f., 317-20, 503 f. s. Deutschland, s. Kurfürsten, s. Wien
- I., v. Brandenburg, Mgf. 187
- v. Pfalz-Simmern, Hz. 285
- IV., Hz. v. Tirol 185, 220, 276
- v. Beichlingen, Ebf. v. Magdeburg 350
- v. Cilli, Gf. 309
- IV. v. Emmerberg, Ebf. v. Salzburg 53, 193
- zu Rhein (ze Rhin), Bf. v. Basel 111
- Contarini 258
- Reiser 283
Frömmigkeit 331, 384, 504
Fürsten 28, 84, 90-103, 177 f., 182, 186-88, 194-202, 217, 221, 241, 295, 315 f., 326, 404, 493 f., s. Laien, s. Landeskirche, s. Monarchie, s. Burgund, s. Deutschland, s. England usw.
Fürstengesandte 72, 82, 85, 103-07
Fürstenideal 198-200
Fürstenkonkordate (1447) 299, 314, 316-18

Gabriel (Gabriele)
- Biel 322, 393, 397, 480
- Condulmer 404, s. Eugen IV.
Galgano Borghese 436, 479
Gallikanismus 8, 11, 38, 206, 461, 483, 501, s. Pragmatique
Geiler v. Kaysersberg 131
Geldern, Hzt. 186
Gelehrte Räte 66, 105, 135, 275-77, 502, s. Doktoren

Genazzano, Konkordat (1426) 206,
    210, s. Konkordate
Genf, Bm. 110, 234, 347, s. Franziskus
    de Mez, s. Felix V.
-   Stadt 216, 230
-   Synode (1435) 344 f.
Genua 239, 251
Georg (George)
-   Podiebrad, Kg. v. Böhmen 178,
    182, 359
-   Fischel, Ritter 276
-   v. Ornos, Bf. v. Vich 63, 242, 391
-   v. Saluzzo (de Saluces), Bf. v. Aosta,
    Bf. v. Lausanne 61, 243
-   de la Tremoïlle 208 f.
Gerhard (Gerhardus, Gerard,
    Gerardo)
-   Brant 147
-   de Bricogne, Bf. v. Pamiers und St-
    Pons 204
-   Landriani, Bf. v. Como 168, 170 f.,
    228, 263
-   Machet, Bf. v. Castres 121, 208,
    213
-   v. Rimini, Gen.prior OESA 126
Gerson, s. Johannes Gerson
Gesandtschaftswesen 54-58, 74, s. BK
    Gesandtschaften
Geschichte 326, 425
Gewaltenteilung 36 f., s. BK Behör-
    den, s. Aegidius Carlier
Gianfigliozzi (Familie) 257
Giangaleazzo Visconti 261
Gilbert de Lannoy, Herr v. Villeval 86
Gilles, s. Aegidius
Giovanni, s. Johannes
Giuliano, s. Julianus
Giustiniani, Tommaso 482
Giustiniani (Familie), s. Genua
Glasgow, Ebm. 111, 233, s. Johannes
    Cameron
Glorious Revolution 484, 489
Gnadenlehre 370, 389, 403, 424, s.
    Prädestination, s. Rechtfertigung
Gnesen, Ebm. 267, s. Vinzenz Kot
Goldene Bulle (1365) 291, 325
Goten, Gotizismus 325

Gottfried (Geoffroy)
-   Montélu de St-Honorat 362,
    445 f.
-   Slussel OP 126
Gozzadini, Giovanni 478-80, 482
Grafen (auf dem BK) 104
Gran, Ebm. 110
Gratius, Ortwinus 452 f.
Gravamina der deutschen Nation
    291, 299, 321, 346, 350
Gravelingen 186
Gregor (Gregorius)
-   VII., Papst 95
-   IX., Papst 404
-   XII., Papst 255
-   Heimburg 62, 66, 114, 178, 277,
    293, 322, 476 f., 481
-   Gregor v. Rimini OESA 397
Greifswald 144
Griechen, s. Union
Griechischkenntnisse 379.
Grotius, Hugo 490
Guido de Baysio 462
Gurk, Bm. 189, 191, 320, s. Johannes
    Schallermann, s. Ulrich Sonnen-
    berger

Haec Sancta 3, 298 f., 340, 411-13, 421,
    429, 443, 460-77, 496, 504, s.
    Konstanz
Häresie (des Papstes) 472 f., s. Ketzer
Hans, s. Johannes
Hanse 163
Hartung v. Clux 276
Hedio, Kaspar 11, 176
Hegel, J. W. F. 442
Heidelberg, Universität 145-47, 149-
    51, 447
Heiligsprechung, s. Kanonisierung
Heimburg, s. Gregor H.
Heinrich (Heinricus, Henri, Henry)
-   V., Kg. v. England 114, 225
-   VI., Kg. v. England 77, 195, 200,
    205, 208, 213, 225-28, 230
-   Beaufort, Kard., Bf. v. Winchester
    114 f., 225 f., 235, 357, 503
-   der Reiche, Hz. v. Bayern-
    Landshut 278

- Arnoldi v. Alfeld 42
- Barbatus 407
- v. Beinheim 42, *59*, 283
- Fleckel 59, 277
- v. Hewen, Bf. v. Konstanz 350
- Himmel OFM 392
- Kalteisen OP 77, 126, 146, 272, 340, 360-64, 368, 370, 379, 400 f., 418, 422-24, 430, 433 f., *443*, 450, 455, 469 f.
- v. Langenstein 97, 391, 412, 414, 417, 419
- Nakel v. Deyst 391
- Rotstock OP 126, 144, 174
- Schlick 193
- Toke (Tocke) 234, 281, 294, 391, 358, 360-*62*, 433, *443*, 450
- v. der Neersen 194
- v. Werl OFM 148, 392, 449
Henmann Offenburg 86, 165, 284
Henry, s. Heinrich
Hermann (Hermannus)
- Dwerg 45
- Korner 476
- v. Recklinghausen 193
- Zoest(ius) OCist 64, 337, 448
Hermeneutik 401 f.
Herz-Jesu-Verehrung 406, s. Bernhardin v. Siena
Heymericus (Aymeric)
- de Campo (van de Velde) 33, 89, 112, 145, 149, 362, 406, 416, *425*, 431, 439, *441 f.*, 450, 504
- Seygaud OAnt. 128
Hieronymus v. Prag 386
Hildesheim, Bm. 112
Historische Methode, s. Geschichte
Hobbes, Thomas 490
Holland, Gft. 223
Hooker, William 490
Hugo (Hugues)
- v. Lusignan, Kard. 115, 119, 180, 185 f., 236, 252, 381
- Dorre 293 f.
Hugolin (Hugolinus, Ugolino)
- v. Orvieto OESA 397
- Pisani 171, 243

Huguccio 462
Humanismus, Humanisten 124, 132, 157, 166-76, 244 f., 326, 380, 425 f., 452, 503
Humphrey v. Gloucester, Hz. 225
Hundertjähriger Krieg 182, 205, 218, 497
Hus, s. Johannes Hus
Hussiten 2 f., 22, 55, 67, 90, 92, 103, 161 f., 179, 182-84, 201, 227 f., 241 f., 255, 265, 287 f., 327 f., 352, 353-72, 374, 377, 382 f., 395, 399, 420, 428, 432, 443, 446, 450, 495, 499, 504
Hutten, Ulrich v. 451

Identität, s. Repräsentation, 95, 402, 415, 424, 454 f., 495 f.
Immaculata Conceptio Mariae 125, 127, 241, 352, 383-94, 420, 441, 474, 495
Innozenz III., Papst 419
Innozenz IV., Papst 489
Innozenz VIII., Papst 404
Interdikt 333, 346, s. Bann
Investiturstreit 88, 93
Irland 231, 503
Iselin, Jacob Christophe 450
Islam 380, 438
Italien, Italiener 26, 67, 76, 114, 121, 123, 189, 206, 245 f., 249-64, 287, 344, 377, 481, s. BK Nationen, s. Florenz, s. Kirchenstaat, s. Mailand, s. Neapel, s. Venedig, s. Humanisten
Ivrea, Bm. 123

Jacobazzi, Dominicus 36, 434, 451, 476, 479
Jacobus (Jakob, Jacques, Giacomo)
- Coeur 54
- Hüglin *15*, 389
- Imperiale, Ebf. v. Genua 349
- Juvénal des Ursins 100, 217, 339
- de Oratoribus 100
- v. Paradyz (v. Paradies; v. Jüterbog) OCart. 127, 143, 265, *267 f.*, 420, 447, 477

- v. Sierck, Ebf. v. Trier 55, 192, 216, 275, 286, 306-08, 310, 312 f., 321
James
- I., Kg. v. Schottland 231 f.
- II., Kg. v. Schottland 232
- Kennedy, Bf. v. Dunkeld, Bf. v. St. Andrews *232 f.*
Jan, s. Johannes
Jansenismus 483
Jean, s. Johannes
Jeanne d'Arc 151, 204, 227, 283
Jens Burgtsson, Ebf. v. Uppsala 271
Joachim
- v. Pommern, Hz. 309
- v. Fiore 404
Job Vener 98, 113, 190, 280, 282, 322, 374
Johanna
- II., Kg. in v. Neapel 206, 210, 239, 252
- v. Hosteden (aus Köln) 194
- v. Orléans, s. Jeanne d'Arc
Johannes (Johann, Gian, Giovanni, Hans, Jan, Jean, John, Juan)
- XV., Papst 404
- XXII., Papst 386
- (XXIII.), Papst 181, 405, 470
- I., König v. Portugal 248
- II., Kg. v. Kastilien 183, 246 f., 248, 466
- V., Hz. v. Bretagne 101, 217 f.
- Bedford, Hg., Regent von Frankreich 225-27
- de Casanova, Kard. 115, 120, 448
- Cervantes, Kard. 25, 36, 115 f., *118 f.,* 238, 395 f., 400, 466
- Kemp, Kard., Ebf. v. York 113, 225 f.
- de Rochetaillée (de Rupescissa), Kard., Ebf. v. Besançon, Ebf. v. Rouen 35, 38, *115 f.*
- Vitelleschi, Kard. 240
- IV., Gf. v. Armagnac 203
- Argyropoulos 166
- v. Burgund, Bf. v. Cambrai 223
- Bf. v. Zengg 470
- d'Arces, Ebf. v. Tarantaise 61

- v. Ast 270
- Aurispa 168, 170, 173, 381
- Bachenstein 47, *62, 153,* 192, 322, 383
- Beaupère, Univ. Paris 62, 151, 155 f., 204, 297, 362, 445
- Amerigo Benci 256
- Berardi, Ebf. v. Tarent 42, 381, 431
- Bremer OFM 127, 363, 392
- Brounflete, Ritter 86
- Andrea de Bussi 66
- Cameron, Bf. v. Glasgow 232
- Francesco Capodilista 258
- de Carvajal 58, 101, 132, 237, *307,* 313, 319, 360, 392
- Chevrot, Bf. v. Tournai 191
- Chichele, Ebf. v. Canterbury *225 f.*
- Colvyle, Ritter 86
- de Courtecuisse 414
- Dederoth OSB 130
- Dishypatos 381
- Długosz 265
- Du Fay 70
- Dumont 209
- Elgot 143, 266-*68*
- v. Eich 276
- v. Eych, , Bf. v. Eichstätt 345, 350
- Facy, Gen. OCarm 127
- Falkenberg OP 264
- v. Fleckenstein, Bf. v. Basel 59, 111
- Gf. v. Fribourg u. Neufchâtel 86
- de Fruyn, Dekan v. Besançon 220
- v. Gelnhausen OCist, Abt v. Maulbronn 128, 361, 412, 414
- Germain, Bf. v. Nevers, Bf. v. Chalon⁵/S. 105, 205, 220, 322, 325, 400
- Gerson 16, 33 f., 67, 71, 90 f., 97, 124, 127, 134, 136, 150, 156, 182, 327, *334,* 341, 374, 390 f., 399, 411 f., 414 f., 417-22, 437 f., 445, *450,* 464 f., 484, 489-91, 502
- González, Bf. v. Cádiz 64, 94, 125, 338, 340, 425, 427, 433, *444,* 451, 467

- de Grôlée (Grolea) *61,* 235
- Grünwalder, Gen.vikar v. Freising, Kard. Felix' V. 63, 160, *192 f.,* 244, 278, 305, 415, 424
- Hagen OCart. 127, 392
- d'Harcourt, Bf. v. Narbonne 191
- v. Heinsberg, Bf. v. Lüttich 112
- Hoffmann (aus Schweidnitz) 359
- v. Hosteden (aus Köln) 194
- Hus 67, 352 f., 358, 366, *368,* 374, 386, 395, 398, 404, 419, 422, 428, s. Hussiten
- Kapistran (Capestrano) OFM 123 f., 222, 362, 449
- Keck OSB 159 f., 278, 448
- de Konyeczpolye, poln. Kanzler 266
- Kreul 193
- de Lapalud (de la Palu), Bf. v. Lausanne, Bf. v. Maurienne, Kard. Felix' V. *209*
- Leonis OP 445
- v. Lieser (Lysura) *277,* 293
- v. Lorch 123
- v. Louffen (aus Basel) 162
- Luchonis (Lutek v. Brszešč) 266
- Marechal 236
- Mauroux (Maurosii), Tit. patriarch v. Antiochia 62, 202, 340, 433, 435, *445,* 450 f., 467
- de Mella 246, 612
- Meyer OP 126
- de Montenigro (Montenero) OP 124 f., 126, 381, 388, 399, 427, 449
- v. Monzon OP 389
- IV. Naso, Bf. v. Chur 276
- Nider OP 126, 348, 360 f.
- v. Ochsenhausen OSB 130
- Palomar 63, 156, 238, 241, 361-64, 377, 385, 392, 433 f., *444,* 468 f.
- Pedersson (Laxmand), Ebf. v. Lund 280
- Pereira, Ritter 86
- Pesce, Bf. v. Catania 242
- Petit 96, 221
- Picart, Abt v. Cîteaux 128
- de Podio (du Puy), Bf. v. Cahors 169
- Battista del Poggio 169
- Porcher OFM 388
- de Prangins, Bf. v. Lausanne 190
- v. Přzíbram 367
- Quidort (de Paris) 174, 178, 411, 488
- v. Ragusa OP 19, 24, 90, 126, 168, 174, 296 f., 304, 360 f., *364-70,* 374 f., 377, 379 f., 401, 412, 414-16, 421 f., 425, 427-33, *438,* 450 f., 454, 459, 466, 471, 473, *504*
- Robert, Abt v. Bonneval 128, 339
- Rode, Abt OSB 130 f.
- Rokycana *358-64,* 366, 368
- de Rouvroy (Romiroy) *387 f.*
- Schallermann, Bf. v. Gurk *191*
- Schele, Bf. v. Lübeck 59, 63, 106, 163, *184,* 187, 252, 276, 280, 282, 284, 306 f., 336
- Schlitpacher v. Weilheim, Abt OSB 130
- v. Segovia 13, 16, 19, 24 f., 27-29, 34, 36, 39, 50, 57, 63, 74, 77, 81 f., 89-91, 93-97, 100-02, 106 f., 134, 136, 141, 152, 158, 192, 237, 252, 287, 294, 296, 322, 326, 337, 341, 351, 356 f., 367-69, 379 f., 383, 387-90, 392 f., 395 f., 400-02, 406 f., 409, 411-16, 419-25, 427 f., 430-33, *438-40,* 450-55, 458, 466 f., 469-71, 473, 485-90
- de Silva, Gf. v. Cifuentes 86
- v. Staupitz OESA 397
- Tavelli, Bf. v. Ferrara 349
- Textoris 160
- Thome de Beckem 16
- Tinctoris 145, 150
- de Torquemada OP 36, 63, 83 f., 90, 97, 106, 114, 126, 188, 237 f., 246, 340, 367 f., 379 f., 388-90, 395, 399-401, 406, 414, 416, 421 f., 424, 427, 430 f., 433, 435, *439-41,* 452, 466, 468 f., 471, 476, 479, 483, 486, 489-91
- Vrunt 42

- Wenck 140, 149
- Wiclif 351, 353, 365 f., 369 f., 386, 395, 398, 403, 419, 422, 428
- Wydenroyd, Rotanotar 16, 42
Jolanthe v. Anjou 209
John, s. Johannes
Jordanus (Giordano) Orsini, Kard. 113, 115, 168
Jost im Steinenhuse, Ges. v. Frankfurt 162
Juan, s. Johannes
Juden, s. BK Dekret 'De Judaeis et neo-phytis'
Julianus (Giuliano, Juliàn)
- Cesarini, Kard., Konzilspräsident 13, 42, 66, 86 f., 90, 93, 100, 113, *115-18,* 120, 125, 129, 131, 163, 168 f., 172 f., 183, 242, 256, 266, 270, 281, 310, 338, 340, 351, 353, 357-62, 375, 378-81, 400, 422, 424, 427, 433-35, 444, *448,* 453, 466-68, 471, *502, 504*
- de Tallada, Bf. v. Bosa 242
Julius II., Papst 481 f.
Juristen 136 f., 154, 159, s. Kanonistik
Jus reformandi 199

K = C

Laien 77, 83-103, 336, 494, 496, s. Fürsten. s. libertas ecclesiae
- als Konzilsteilnehmer 77, 83-90
- als theologisches Problem 66, 87-92
- Konsensrecht 98-100
Laienkelch 352, 367, s. Eucharistie, s. Hussiten
Lancelot v. Lusignan, Kard. 121
Landeskirchen 103, 199-202, 301, 315, 350, s. Fürsten
Langenstein, s. Heinrich v. L.
Lapo da Castiglionchio 169
Lateinisch, als Verkehrssprache 176
Lateran, Konzile
- I (1123) 385
- IV (1215) 88, 93, 334, 336, 377, 385
- V (1512-17) 33, 157, 394, 480, *482*

Laurentius (Lorenz, Lorenzo)
- v. Arezzo 408, 425, *447,* 451
- II. v. Lichtenberg, Bf. v. Gurk
- v. Ratibor 143, *268*
- Valla 172, 182, 244 f., 425
Lausanne, Bm. 190 f., 236 f., s. Ludwig v. Lapalud, s. Georg v. Saluzzo
- Konzil (1448/49) 146
- Papstresidenz Felix' V. 41, 235
Lawson, George 490
Le Bec, Abtei 213
Lebus, Bf. 346
Leczyca, Synode (1441) 266
Legislative, s. Gewaltenteilung
Leipzig, Universität 139, 143 f., 146 f., 149
Léon, s. Kastilien
Leonardus (Leonhard, Leonardo)
- Bruni 94, 164, 170 f., 247, 256
- Huntpichler OP 126, *148-50,* 449, 476
- Statius OP 36
- Teronda *245*
Leopold VII., Hz. v. Österreich 404
Liber Sextus 339
Libertas
- *dicendi,* s. BK libertas dicendi.
- *ecclesiae* 27, 93-98, 106, 170 f., 194, 494, s. Fürsten, s. Laien
- *eligendi* 94
Lipány (✕ 1434) 355
Lisieux, Bm. 226 f., s. Zeno da Castiglione
Litauen 265-67, 269 f., s. Polen
Litteris, Bulle (1312) 339
Locke, John 484, 490
Lodi, Bm., s. Gerardo Landriani
- Friede v. (1454) 497
Lodovico, s. Ludwig
Löwen, Universität 112, 133, 140, 145, 149 f., 152, 441 f.
Lollarden 353
London, Bm., s. Robert Fitzhugh
Lorenzo, s. Laurentius
Lucidus (Lucido) Conti, Kard. 115
Luçon, Bm. 189
Ludolf Grau, Bf. v. Oesel 193

Ludwig (Ludovicus, Lodovico, Louis)
- XI., Dauphin, Kg. v. Frankreich
  215
- XIV., Kg. v. Frankreich 484
- III., Hz. v. Anjou 209
- VII., Hz. v. Bayern-Ingolstadt
  187, 278
- III., Pfalzgf., Kurf. 285, 312
- VII., Hz. v. Savoyen 201, 216,
  234, 237
- Aleman, Kard., Konzilspräsident
  13,35,42,49 f.,57,60,83,93,106,
  115, *117,* 120,128,132,140,153,
  201 f., 214, 236, 244, 252, 270,
  298,351,387,392,400,405,448,
  471
- Trevisan, Kard. 145
- de Amaral, Bf. v. Viseu 62, *249,*
  374
- Barbo, Bf. v. Treviso, Abt v. Sta.
  Giustina *42,* 130, 258, 349
- da Cividale (Strassoldo) 435 f.
- Dupont 222
- Lapalud (de la Palu), Bf. v. Lausanne, Bf. v. Maurienne, Kard.
  Felix' V. 61, 190 f.
- da Pirano OFM 171
- v. Racconigi, Gf. 226
- Pontano 97, 113, 236, *242,* 244,
  252, 351, 435, 445, 451
- Romagnago, Bf. v. Turin 236
- da Strassoldo, s. L. da Cividale
- v. Teck, Patriarch v. Aquileia *62,*
  154, 192, 257-59, 307
Lübeck, Bm. 111, s. Johannes Schele
- Stadt 163
Lüttich, Bm. 107 f., 110,112,145,222,
  253, s. Johann v. Heinsberg
- Stadt 163, 181
Lusignan, s. Hugo v. Lusignan, s.
  Lancelot v. Lusignan
Luther, Martin 350-53, 393, 397, 413,
  419-21, 451, 478
Luxemburg, Hzt. 220, 223, 311
Lyon
- Konzil II (1274) 47, 322, 385

- Ebm. 61 f., 108, 110, s. Amadeus
  de Talaru
- Stadt 164, 201, 206, 216, 230,
  393

Machiavelli, Niccolò 207
Maffeo Vegio (Maffeus Vegius) 171
Magdeburg, Ebm. 103,110,163,293,
  297
- Stadt 163
Mailand
- Hzt. 119,177,197,209,216,237,
  239, 243-45, 249, 251, 257, 259-
  64, 288, s. Philippus Maria
- Ebm. 110, s. Bartholomäus della
  Capra, s. Franciscus Pizolpasso
- Stadt 171
Mainz
- Ebm.,Kft. 107-10,300-02,310 f.,
  313, 320, 344-46, s. Dietrich v.
  Erbach, s. Diether v. Isenburg
- Stadt 132, 163
- Reichstag (1439) 97, 177, 296-
  306, s. Mainzer Akzeptation
- (1441) 66, 100, 102, 177, 309,
  471
- Synoden 344 f.
          (1438) 293
          (1439) 299
          (1451) 345
          (1456) 346
- Universität 393
Mainzer Akzeptation (1439) 93, 101,
  180, 212, 217, 284, 291 f., 296-
  306, 314, 343, 346, 476
Mainzer Stiftsfehde 62, 322
Major, John 233, 480, 488-90
Majorität des BK 249, 375, 378, s. BK
  Stimmrecht
Mansi, Johannes Dominicus 347, 452
Mantua, Stadt 251
- Kongreß (1459/60) 178
Manuel Chrysoloras 166
Marcus (Marco)
- Bonfili 267
- Condulmer 115, 118, 164

Maria, Mariologie, s. Immaculata conceptio
- Mariä Empfängnis (Conceptio), Fest 384, 391
- Mariä Heimsuchung (Visitatio), Fest 383
Marquard Sprenger 448
Marseille, Bm. 127, 189, 191
Marsilius v. Inghen 150
- v. Padua 36, 88 f., 302, 410, 412-14, 454, 486
Martin (Martinus)
- V., Papst 95, 113, 242, 253, 259, 270, 374, 470
- Bulle *Ad vitanda* (1418) 346
- Berruyer 361
- Le Franc 69, 222, 316
- de Guetaria, Bf. v. Lectoure 203
- v. Senging OSB 130
- de Vera 242
Marxistische Historiographie 314, 355
Martins de Chavez, s. Antao Martins de Ch.
Matthäus (Matteo)
- del Caretto, Bf. v. Albenga, Abt v. Subiaco 185, 252, 263
- v. Krakau 268
- Ménage 382, *446*
Matthias
- Döring OFM 123 f., 127, 149, 293, 322, 362, *502*
- Ramung, Bf. v. Speyer 350
Maulbronn, Abtei OCist, s. Johann v. Gelnhausen
Maurienne, Bm., s. Ludwig de Lapalud
Medici, s. Cosimo de' Medici, s. Florenz
- Bank 256 f.
Meliaduce d'Este 170
Melk, Kongregation OSB 130, 132, s. Martin v. Senging, s. Johannes Schlitpacher
Mendikanten, s. Bettelordensstreit, s. Orden
Mergentheimer Fürstenbund (1441, 1445/46) 312
Merlin, Jacques 452

Mermet, Arnauld 236
Merseburg, Bm. 103
Metz, Bm. 320
Michael (Michel, Michele)
- Baldouini 145
- Pauli de Pelagallo 425
Mißstände 124, 330 f., 336
Monarchie, monarchischer Gedanke 33 f., 67, 84, 97, 99 f., 188, 196, 198-202, 214, 287, 316, 326, 382, 416, 431, 435 f., 440 f., 443, 479 f., 483-91, 494, s. Fürsten, s. Kaisertum, s. Papst
Montfort, s. Wilhelm M.
Montmajour, Abtei OSB 123, 128, 193
Montpellier, Stadt 141
- Universität 141
Münster, Bm. 145, 312
- Kongreß (1644-48) 176

Namslau, Friede v. (1439) 187, 265
Narbonne, Bm. 191, s. Johannes Chevrot
Narrenfeste 335
Nation, Nationalismus 47-51, 205 f., 270 f., 291 f., 318, 324-26, s. BK Nationen
Naturrecht 488
Navarra, Kgr. 246, 393
Neapel, Kgr. 179, 195, 206-10, 215, 239 f., 244 f., 252, s. Alfons V., s. Johanna II.
Neilos Kabasilas 378
Neuß, Stadt 194
- St. Quirin 194
Neutralität 93, 109, 180, 230, 266, 278, 284 f., 289-97, 299 f., 309, s. Deutschland, s. Fürsten
Nevers 186
Niccolò, s. Nikolaus
Nicolinus v. Cremona OESA 126, 399
Nikaia, Konzil I. (325) 456
Nikodemus (Nikod)
- Festi 236
- de Menthon *274*
- della Scala, Bf. v. Freising 278, 345

Nikolaus (Niccolò, Nicolas)
- V., Papst 103, 146, 148, 160, 169, 216 f., 222, 233, 235, 237, 253 f., *255*, 266, 278, 313, 321
- Albergati OCart, Kard. 57, 115, 117, 119, 129, 168, 173, 182, 185 f., 229, 466
- Amici, s. Nikolaus Lamy
- Biskupek v. Pelhřimov 360 *f.*
- Buldesdorf 407
- Caroli OFM 127, 130
- de Clémanges 422, 453
- della Città di Castello 172
- David 227
- v. Dinkelsbühl OP 362, 391 f.
- Fortebraccio 254, 261 f.
- Ge(h)é 334
- Gramis 48, 53
- Frome 359
- Glassberger OFM 124, 130
- Kozłowski 267 *f.*
- v. Kues 7, 13, 28, 30, 34, 39, 57 f., 63, 66, 75, 78, 88-90, 92 f., 95-101, 121, 124, 127, 168, 175, 177, 182, 187, 190, 193, 197, 245, 249, 281 f., 284, 290, 294, 296, 310, 312 f., 334, 337, 340, 344, 346 f., 351, 362-64, 367-71, 374 f., 377, 380, 386, 391 f., 409, 411, 414-16, 418, 424-31, 433 f., *436*-38, 442, 448, 450 f., *453*, 455 f., 459, 469 f., 472 f., 476, 481, 485, 488-90, 497, 502 f.
- — Legationsreise (1451/52) 344, 346, 349, 497
- Lackmann OFM 127, 392
- Lamy (Amici) 62, 151, 400
- Lasocki 63, 185, *266 f.*
- Magni v. Jauer 147
- Niccoli 173
- Ragvaldi, Bf. v. Vaxjö, Ebf. v. Uppsala *271 f.*, 325
- Stock 276 f.
- Tudeschi (Panormitanus) OSB Ebf. v. Palermo 24, 32, 34, 63, 78, 89 f., 100 f., 105-08, 199, *241-44*, 246, 252, 296, 305, 346, 351, 364, 390, 405-07, 410, 414 f., 419, 421 f., 424, 426, 428, 430 f., 440, *444*, 451, 464, 467, 471 f., 475, 485 f., 491

- Weigel 144, 149
- Wulff, Bf. v. Schleswig 111
Nikopolis (✕ 1396) 183.
Nominalismus 150 f., 397 f., 415-17, 426, s. Realismus, s. Wegestreit
Normandie 226 f.
Novalis 498
Novara, Bm., s. Bartholomäus Visconti
Nürnberg, Stadt 161-63
- Reichstag (1438) 94
- Reichstag (1443) 177
- Reichstag (1444) 278, 504

Ockham, s. Wilhelm Ockham
Odo (Eudes), Abt v. Cluny 74
- de Moncada, Bf. v. Tortosa, Kard. Felix' V. 242
Oesel, Bm. 193
Öffentlichkeit, Echo des BK 65-70
Oleśnicki, s. Zbigniew O.
Olivi, s. Petrus Johannes O.
Österreich 279, s. Albrecht II. (V.), s. Friedrich III.
Ofen, Stadt 51, 164, 289
Oppeln, Hzt. 285
Orden 121-32, 493, s. Antoniter, s. Augustinerchorherren, s. Augustinereremiten, s. Benediktiner, s. Bettelordensstreit, s. Bursfeld, s. Cluny, s. Deutscher Orden, s. Dominikaner, s. Franziskaner, s. Karmeliten, s. Kartäuser, s. Ordensreform, s. Prämonstratenser, s. Templer, s. Zisterzienser
- als organisatorisches Modell 24, 30, 43
- 'Concordia' der Mendikanten 1435 IV 2) 125
- Ordensreform 123-25, 129-32, 278, 337, 349
Orléans, Universität 141
Orsini 253, s. Jordanus Orsini
Oswald v. Wolkenstein 68
Otto v. Mosbach, Pfalzgf. 312
- III. v. Hachberg, Bf. v. Konstanz 69, 392, 449

- de Lapide 147
Oxford, Universität 140, 150

Paderborn, Bm. 108
- Domkapitel 193
- Stadt 276
Padua, Universität 140, 157
Palomar, s. Johannes P.
Pamplona, Bm. 108
Panormitanus, s. Nikolaus Tudeschi
Papalismus 8 f., 11, 67 f., 151, 370-72, 397, 410, 417, 423, 426, 443, 459, 477 f., 485, 495, s. Konzilarismus, s. Papst
Papst, Papsttum 1 f., 37 f., 40 f., 67 f., 93 f., 102, 112, 114 f., 117 f., 136, 155, 195 f., 328, 344, 368, 373, 376-78, 382, 404, 424, 428, 432, 436, 441, 454, s. Kirchenstaat, s. Kurie, s. Monarchie, s. Eugen IV., s. Felix V., s. Nikolaus V. und passim
Paris, Universität 19, 24, 36, 50, 132-34, 139-42, 146, 148, 150-52, 155 f., 159, 204, 230, 233, 322, 385, 389, 393, 416, 445, 489, 502, s. Dionysius Sabrevois, s. Johannes Beaupère, s. Nikolaus Lamy usw.
- Navarrakolleg 61, 134, 204, 489
parlamentum 178, s. Konzil als Parlament
Parma 251
Pasquali, Alberto 482
Passau, Bm. 278
Patronat 199
Paul (Paulus, Pablo)
- v. Rusdorf, Hochmeister des Deutschen Ordens 269 f.
- de Santa Maria 247
- Vladimiri 142, 182, 268, 447
Pavia, Stadt 164, 251, 262, s. Pavia-Siena
Pavia-Siena, Konzil (1423/24) 3, 18, 80, 206, 228 f., 259, 405, 463
Pentarchielehre 382
Petershausen, Ordens-Kapitel 130

Petrus (Peter, Pedro, Piero, Pierre)
- d'Ailly, Kard. 33, 36, 97, 134, 411, 414, 422, 489
- de Foix, Kard. 115, 118, 165, 404
- v. Schaumberg, Bf. v. Augsburg, Kard. 59, 121, 184, 276, 313
- v. Andlau 97, 160
- Barozzi, Bf. v. Padua 349 f.
- Brunet(i) 15 f., 102, 185
- Candidus Decembrio 171
- Cauchon, Bf. v. Beauvais 227
- Dubois 178
- Fries OSB, Propst v. Rohr 122
- v. Luxemburg 404
- da Monte 46, 58, 77, 83, 101 f., 168, 213, 215, 230, 431, 435 f., 479
- Maurice 227
- v. Noceto 172
- Johannes Olivi OFM 386, 395, 404, 411
- Payne 228, 361, 363, 365, 367
- v. Rosenheim OSB 130
- de Versailles, Bf. v. Digne 215, 249, 400, 435, 470
- v. Zateč 90
Pfalz, Kft. 235, 280, 301, 310-12, s. Ludwig III., s. Stephan v. Pfalz-Simmern
Philibertus de Montjeu, Bf. v. Coutances 42, 61, 156, 277, 359, 362, 448
Philippus (Philipp, Philip, Philippe, Filipo)
- III. d. Schöne, Kg. v. Frankreich 195
- d. Gute, Hz. v. Burgund 140, 191, 219-24, 297
- Maria Visconti, Hz. v. Mailand 237, 252, 260-64, 406
- de Coëtquis, Ebf. v. Tours 30, 62, 97, 105 f., 121, 202, 209 f., 298, 338, 448
- de Lévis, Ebf. v. Auch 185
- de Mezières 178
- Norreys OFM 125
- Provana 263
- v. Sierck, Propst zu Würzburg 192

Piccinino, Jacopo 257
Piccolomini, s. Enea Silvio P.
Piero da Monte, s. Petrus da M.
Pisa, Konzil (1409) 3, 8, 18, 20, 47, 73,
    80, 112, 120, 134, 206, 228, 324
-   Konzil (1511/12) 157, 451, 476,
    481
Pius II., Papst 160, 177, 481, s. Enea
    Silvio
-- Bulle *Execrabilis* (1460 I 18) 481
-   IX., Papst, Bulle *Ineffabilis deus*
    (1854 XII 8) 394
Placet 302
Platonismus 418, 442
Plethon, Gemisthos 166
Poblet, Abtei OCist 385
Poggio Bracciolini 77, *169 f.*, 173
Poitiers, Universität 133
Polen 49 f., 104, 133, 142 f., 179, 183,
    185, 187, 197, 264-70, 503, s.
    Kasimir, s. Krakau, s. Wladysław,
    s. Deutscher Orden
Pommern, Hzt. 267
Ponet, John 490
Ponza (⚔1435) 239
Portugal, Portugiesen 177, 187, 197,
    237, 247-49
Prädestination 90, 362, 368 f., 403, s.
    Gnadenlehre
Praemunire, Statut (1353) 224
Prälaten, s. Äbte, s. Bischöfe
Prämonstratenser OPraem 129, 132
Prag, Stadt 57, 359, 362
-   Universität 138, 145, 355, 361
Pragmatica sanctio 303 f., s. Pragmati-
    sche Sanktion v. Bourges
Pragmatische Sanktion v. Bourges
    (Pragmatique) 93, 101, 156, 195,
    197, 204, 206, 208, 211-15, 224,
    298, 302 f., 306, 343-46, 481
Praguerie (1440) 201, 208, 215
Predigt, s. BK Predigten
Priesteramt 88-92, s. Bischofsamt
Primae preces, s. Erste Bitten
Privilegium maius 303
Prokop, d. Große 353, 358
-   v. Pilsen 354

Prokuration, Prokuratoren 72-77,
    79 f., 104
Prosopographie 7, 61-63, 134 f., 204 f.,
    275, 493, 502
Prospero Colonna 115, 119, 226
Provisors, Statut (1351) 224
Prynne, William 490
Pseudo-Dionysius, s. Dionysius Areo-
    pagita
Purgatorium 373, 382

Quirini, Vincenzo OSBCam 482
Quod omnes tangit 483

Raban v. Helmstadt, Bf. v. Speyer, Ebf.
    v. Trier 76. 98, 190, 293
Ragusa, s. Johannes v. Ragusa
Raimundus Lullus 387
Ram, s. Dominikus Ram
Rangstreite auf dem BK 218, 221,
    247, 322-26, 494
Raphael de Pornaxio OP 392, 422,
    424, *448*, 455, 467
Ratzeburg, Bm. 112
Realismus 149-51, 415-17, s. Nomi-
    nalismus, s. Wegestreit
Rechtfertigung 352, 368 f., 397, s.
    Gnadenlehre
Redon, Konkordat v. (1441) 218 f.,
    222, 316
Reform 26, 51, 94, 281 f., 319, 327-53,
    495-97, s. BK Dekrete, s. Kalen-
    derreform, s. Ordensreform, s.
    Reichsreform
-   Reformbegriff 327 f., 339-41
-   *Reformatio Friderici* (1442) 287,
    503
-   *Reformatio Sabaudiensis* 234
-   *Reformatio Sigismundi* 282-84, 407
Reformation 328, 330, 335, 341, 348-
    52, 497
Regensburg, Bm. 278
-   Stadt 187
-   Synoden 344
Regnault de Chartres, Ebf. v. Reims
    121, 208
Reich, s. Deutschland

Reichsreform 51, 280-84, 319, 437, 497, s. Reform
Reichstage 57, 66, 177, 286-97, 485, 504, s. Deutschland, s. Aschaffenburg, s. Augsburg, s. Basel, s. Eger, s. Frankfurt, s. Konstanz, s. Mainz, s. Nürnberg
Reichstagsakten 260, 272 f., 284
Reichsvikariat 280
Reims, Ebm. 110, s. Regnault de Chartres, s. Jakobus Juvénal des Ursins
Reinhard, Bf. v. Worms 347
Renatus (René) von Anjou, Hz. v. Bar-Lothringen 206, 209-11, 214, 216, 222, 239 f., 244 f., 256, s. Neapel
Repräsentation (repraesentatio) 19, 21, 33, 38, 73, 78, 89, 95, 111, 378, 386, 421, 424, 433, 439, *452-59*, 495 f., s. Identität, s. Konziliarismus
Reservationen 54, 333, 339, 346, s. BK Dekret 'De reservationibus'
Residenzpflicht 337
Restlehre 414 f., s. Ockham
Revolution, französische 34, 490
Rezeption 68, 100 f., 212 f., 295, 303-06, 320, 333, 342-48, 378, 421, 433, 437, *453 f.,* 459
- der Basler Reformdekrete 333, 342-48, s. Synoden
Richard II, Kg. v. England 202
Richer, Edmonde 490
Riga, Ebm. 267, 269 f.
Rimini 251
Robert (Robertus, Roberto)
- Botyll 197
- Ciboule 215
- Fitzhugh, Bf. v. London 105
- Martelli 256
- de Poers, Dekan v. Limerick 54, 231
- Poitevin, Univ. Paris 148, 159
- Sutton 77
Rochetaillée, s. Johannes de R.
Rodez, Bm. 110, 204
Rodrigo (Rodericus) Sánchez de Arévalo 237, 247, *435*, 469, 479

Rohr, Stift, s. Petrus Fries
Rokycana, s. Johannes R.
Rom, Stadt 102, 163, 253 f.
Rostock, Stadt 102, 163, 193, 201
- Universität 133, 144
Rouen, Ebm. 213
- Domkapitel 230
Rudolf
- v. Diepholz, Bf. v. Utrecht 191
- v. Rüdesheim *59, 62,* 149
- v. Scherenberg, Bf. v. Würzburg 350
- v. Seeland 149
Ruprecht v. Pfalz-Simmern, Bf. v. Straßburg 86, 111, 192

Sabrevois, s. Dionysius S.
Sachsen, Kft. 147, 220, 235, 285, 288, 301 f., 310-12, 352, s. Kurfürsten
- Streit um die Kurwürde 186 f., 288
Saint-Antoine, Abtei 123, 128, 193
Salamanca, Universität 77, 141, 152, 157, 385, 438
Salzburg, Ebm. 110 f., 189, 191, 193, 278 f., 293, 297, 309, 320, s. Friedrich IV. v. Emmerberg, s. Johannes v. Reisberg
- Synoden 344
Sandko Budkonis 348
sanior pars 31 f., 501, s. BK Stimmrecht
Sardinien 239
Savonarola 477
Savoyen, Savoyer 53, 60-62, 75 f., 119, 121, 179, 189 f., 196, 205, 213 f., 216, 221, 233-37, 251, 263 f., 275, 311, 322, 503, s. Amadeus VIII., s. Felix V., s. Ludwig v. Savoyen
Schedelsche Weltchronik 1, 264
Schenk v. Limburg, Bf. v. Würzburg 350
Schiedsgerichte 183 f., s. BK Prozesse
Schisma, Großes 3, 112, 123, 132, 134, 137, 161, 194, 197, 242, 331, 412, 482
Schlachta, poln. 268
Schlesien 285, 357

Schleswig, Bm. 111, 309, s. Nikolaus
    Wulff
Schlick, s. Kaspar-, s. Heinrich Schlick
Schottland, Schotten 104 f., 189, 231-
    33, 447, 503
Schriftprimat 365, 390, 420, 423, 495,
    s. Bibel
Schweden 271 f., 325, 406, s. Skandi-
    navien
Schwerin, Bm. 112
Schweiz, Eidgenossenschaft 234, 278,
    325, 352
Séez, Bm. 189, 191
Segovia, s. Johannes v. Segovia
Sforza, s. Francesco Sforza
Siena, Stadt 164, 251, 253, 260, s.
    Pavia-Siena, Konzil
-   Universität 140 f.
Sig(is)mund, Ks. 28, 51, 68, 82, 86, 98,
    116, 118, 162, 164, 180-83, 187,
    195, 206, 210, 220, 223, 251, 257-
    63, 273, 276 f., 279, 281 f., *284-89,*
    291, 297, 310, 322, 324, 356, 385,
    392
-- Kaiserkrönung (1433) 261, 287
-   v. Sachsen, Hz. 192
-   v. Tirol, Hz. 99
-   Pirchan OSB 125
-   Stromer, Ges. v. Nürnberg 162
Simon
-   Charles, Ritter 84, 87, 210
-   Kastner OSB, Abt v. Ebersberg
    131, s. Ebersberg
-   de Lellis de Teramo 42
-   de Valle 35, 157
Simonie, Simoniefrage auf dem BK
    45 f., 83, 116 f., 338
Sisteron, Bm. 189
Sixtus IV., Papst 252, 393, 451, 481
Sizilien 239
Skandinavien, Nordische Union 50,
    179, 271 f., s. Christoph v. Bayern,
    s. Erich, s. Schweden
Soester Fehde 276, 311
Söflingen, Abtei 131
Spanien, Spanier 179, 237-39, 344,
    385, 481, s. Aragón, s. Kastilien, s.
    Navarra

Speyer, Stadt 162
St. Andrews, Bm. 111, 233
-   Universität 111, 139, 156, 233
St-Benigne, Abt OCist 445
St-Brieuc, Bm. 189
Saint-Dié 108, 204
Santa Giustina, Kongregation OSB
    130, s. Ludovico Barbo
St. Gallen, Abtei 131
Saint-Malo, Bm. 218
Städte und BK 160-66, 201, 259, 352,
    493
-   als Organisationsmodell 24, 43
-   Städtechroniken 68
-   Städtetage, s. Basel, s. Ulm
-   Städtelob 171 f.
Stanislaus (Stanislaw)
-   Ciolek, Bf. v. Posen 266-*68*
-   Strzempinski 143. *268*
-   v. Znaim 363
Stephan (Stephanus)
-   v. Pfalz-Simmern, Hz. 192, 285,
    309, s. Pfalz
-   Coler, Ges. v. Nürnberg 162
-   v. Olmütz 363
-   v. Páleč 363
Stifte und BK 83, 122
-   Stiftsreform, geplante 122
Stirling, Synode (1443) 232
Stojković, s. Johannes v. Ragusa
Straßburg, Bm. 107, 110 f., 189, 191 f.,
    216, 320, s. Konrad v. Buchsnang,
    s. Ruprecht v. Pfalz-Simmern
-   Stadt 162 f.
Switrigail, Großfürst v. Litauen 270, s.
    Litauen
Synoden (Diözesan-, Provinzialsyno-
    den) 286, 293, 299, 302, 335, 338,
    342-48, 369, 495, s. BK Dekret
    'De conciliis provincialibus', s.
    Rezeption, s. Aschaffenburg, s.
    Augsburg usw.

Tarantaise, Ebm., s. Johannes d'Arces
Tarent, Ebm., s. Johannes Berardi
Taus (✕ 1431) 287, 356
Tegernsee, Abtei OSB 125, 157, 160
Templer 404

Terracina, Vertrag (1443) 215, 245
Theodor (Teodoro) de Lelli, Bf. v.
    Feltre 114
Theodericus (Thierry), s. Dietrich
Theologen 25 f., 135-37, 154, s. Juristen, s. Kanonisten, s. Theologisierung
Theologisierung 135, 159, 400, 417-20, s. Ekklesiologie, s. Theologen
Thomas (Tommaso)
-   v. Aquin 370, 379, 401, 416 f.
-   de Courcelles 58, 62, 90, 97, 151, 197, 202, 204, 217, 296, 305, 351, 367, 383, 388, 422, 424, 427, *445*, 456, 486 f.
-   Ebendorfer 74, 100, 144, 148, 151, 200, 285, 308, *362*, 392, 422, 427, 433, *442 f.*, 465, 476
-   Fiene, Univ. Paris 62
-   Livingston, Abt v. Dundrennan OCist 62, 128, 139, 145, *232 f.*, 391, 447
-   Netter (Waldensis) OCarm 363, 422
-   Parentucelli, Bf. v. Bologna, Kard. 57, 186, 313, s. Nikolaus V.
Thomismus 150, 401
Thüringer Landesordnung (1446) 317
Toggenburger Krieg 185
Toleranz 23, 356, 358 f., s. Friedenspolitik
Torquemada, s. Johannes de Torquemada
Toulouse, Universität 141
Tournai, Bm. 189, 191
Tours, Ebm. 110, s. Philippus de Coëtquis
Traversari, s. Ambrosius Traversari
Trient, Konzil (1545-63) 19, 28, 33, 47, 73, 91, 120, 341, 351, 390, 477, 483
Trier, Ebm., Kft. 108, 110, 220, 223, 255, 310-12, s. Jacobus v. Sierck, s. Trierer Schisma
-   St. Matthias, Abtei OSB 130, s. Johannes Rode
    -   Stadt 216, 312
    -   Universität 133

Trierer Schisma (1433 ff.) 98, *189 f.*, 193, 437
Trinität 379, 382, 386
Trojanersage 325
Trombetta, Antonio OFM 482
Tudeschi Panormitanis, s. Nikolaus T.
Tübingen, Universität 7, 398
Türken 183
Tyconius 401
Tyrannenmord 96

Udine 252, 259
Ugoni(us), Matthias 88, 419, 434, 451, 453, 478-80
Ulm, Stadt 162 f.
-   Städtetag (1437) 161, 259
Ulpian 73
Ulrich (Ulricus)
-   Bf. v. Aarhus 271
-   v. Manderscheid, Elekt v. Trier 76, 98, 190, s. Trierer Schisma
-   v. Richenthal 68, 502
-   Sonnenberger 308
-   Stoeckel 206, 356
-   v. Znaim 361, 370
Unfehlbarkeit d. Konzils 352, 358, 369 f., 393, 414, 420-25, 434, 459, 465, s. Dogmen, s. Konziliarismus
Ungarn 50, 180, 183, 257 f., 266, 297
Union, Griechenunion 39, 52, 164, 170, 174, 183, 206, 211, 255, 357, 371-83, 387, 441, s. Avignon, s. Ferrara-Florenz, s. BK Zehnt
Universitäten 23, 74, 81, 83, 122, 132-60, 337, 343, 417, 477, 493, s. Doktoren, s. Angers, s. Avignon, s. Basel, s. BK Universitäten, s. Bologna, s. Bordeaux, s. Caen, s. Catania, s. Cambridge, s. Dôle, s. Erfurt, s. Freiburg, s. Heidelberg, s. Köln, s. Krakau, s. Leipzig, s. Löwen, s. Montpellier, s. Orléans, s. Oxford, s. Padua, s. Paris, s. Pavia, s. Poitiers, s. Prag, s. Rostock, s. Salamanca, s. Siena, s. St. Andrews, s. Toulouse, s. Trier, s. Valladolid, s. Tübingen, s. Wien, s. Wittenberg
-   Fakultäten 147 f., 154

- Gutachten 136, 143 f.
- Modell für BK Organisation 19, 22, 24, 27, 43, 47, 133
- Nationen 47, 49 f., s. BK Nationen, s. Nationen
- Reform 155 f., 337
Urban II., Papst 248
Utrecht, Bm. 108, 110, 189, 191
- Kongreß (1713) 176

Vadstena, Kloster 406, s. Brigitta
Valla, s. Laurentius Valla
Valladolid, Universität 140
Valtellina (✕ 1432) 257
Varna (✕ 1444) 183, 266
Vatikanum, Konzil
- I. (1869/70) 8, 421, 460 f.
-- Dekret *Pastor aeternus* (1870 VII 18) 459 f.
- II. (1962-65) 6, 8 f., 88, 335, 408, 428 f., 454, 460
Venaissin, Gft. 164, 209, s. Avignon
Venedig 62, 116, 161, 251, 257-59, 260-64, 377
Verden, Bm. 107, 112, s. Konkordate
Verdun, Bm. 110
via antiqua, via moderna, s. Nominalismus, s. Realismus, s. Wegestreit
Vich, Bm., s. Georg v. Ornos
Vienne, Ebm. 110
- Konzil (1311) 73, 322, 332, 385 f.
'Vier Artikel' (1433) 360, 363, 365, s. Hussiten
Vigor, Simon 465
Vincentius (Vinzenz, Vincenty)
- v. Aggsbach OCart 127, 383, 477
- Kot, Ebf. v. Gnesen, Kard. Felix' V. 265, 267
Visconti, s. Bartolomeo V., s. Giangaleazzo V., s. Philippus Maria V., s. Mailand
Viseu, Bm., s. Ludwig de Amaral
Visio beatifica 386
Visitation 131, 335, 342, 347
Volksfrömmigkeit, s. Frömmigkeit
Volkssouveränität 89, 91, s. Konziliarismus u. Verfassungstheorie

Vorreformation 321 f., 330, 350 f., 495, 498, 504

Wahlendekret, s. BK Dekret 'De electionibus'
Walram v. Moers 191
Walther v. Schwarzenberg, Ges. von Frankfurt 162
Wegestreit 149-51, 371 f., 416 f., 502 s. Nominalismus, s. Realismus
Wenzel, deutscher Kg. 202
Wessel Gansfoort 351
Wettiner 186 f., s. Sachsen
Wiclif, s. Johannes Wiclif
Wien
- Klöster
-- Dominikaner 126
-- Franziskaner 122, 124
-- Schottenkloster OSB, s. Johannes v. Ochsenhausen
- Stadt 201, 297
- Universität 74, 138 f., *143 f.,* 146-48, 151, 156, 178, 362, 393, 442
Wiener Konkordat (1448) 180, 217, 299, *314*-21, 346, s. Konkordate
Wilhelm (Wilhelmus, Guillaume, William)
- v. Baden., Mgf. 86
- III., Hz. v. Bayern-München, Konzilsprotektor 86, 162, 184, 270 f., 279 f., 285
- III., Hz. v. Sachsen 311
- Gf. v. Grünberg 86
- Montfort, Kard. 115
- Croyser, Archidiakon v. Lothian u. Triotdale 232
- Durandus 178
- É(v)rard, Ges. d. Univ. Paris 62, 151
- Hugonis (Huin) de Stagno (d'Etain), Archidiakon v. Metz, Kard. Felix' V. *59,* 185
- Josseaume OFM *405,* 407
- Kircher 59
- Lasne de Balma 267
- Morel 334

- Ockham 39, 97, 135, 150, 174, 390, 397, 399, 410, 413-23, 439, 454, 486, 489
Wimpfeling, Jakob 299
Windesheim, s. Augustiner-Chorherren
Wittelsbacher, s. Bayern
Wittenberg, Universität 157
Wladysław II. Jagiello, Kg. v. Polen 265 f.
Wladysław III., Kg. v. Polen 265, 267
Worms, Stadt 163
- Bauernaufstand (1431/32) 102, 201, 405
Wormser Konkordat (1122) 316
Württemberg, Hzt. 312

Würzburg, Bm. 108, 189, 193, 278, 302, 309, 347
- Mendikanten 124
- Propstei 191 f.

York, Ebm., s. Johannes Kemp

Zabarella, s. Bartholomäus Z., s. Franciscus Z.
Zbigniew Olésnicki, Ebf. v. Krakau, Kard. Felix' V. 265-67
Zeno da Castiglione, Bf. v. Bayeux 226 f.
Zisterzienser OCist 122 f., 128, 132
Zürcher Krieg 185
Zypern 119, 179 f., 183, 236, s. Hugo v. Lusignan